АКАДЕМІЯ НАУК УКРАЇНИ
ІНСТИТУТ УКРАЇНСЬКОЇ МОВИ

ФРАЗЕОЛОГІЧНИЙ СЛОВНИК УКРАЇНСЬКОЇ МОВИ

КНИГА 2

КИЇВ НАУКОВА ДУМКА 1993

ББК 81.2Ук-4
Ф82

Укладачі

В. М. БІЛОНОЖЕНКО, В. О. ВИННИК,
І. С. ГНАТЮК, В. Й. ГОРОБЕЦЬ, В. В. ДЯТЧУК,
В. П. ЗАБЄЛІНА, Н. М. НЕРОВНЯ, Н. І. ПАШКОВСЬКА,
О. П. ПЕТРОВСЬКА, Н. П. РОМАНЮК, Т. О. ФЕДОРЕНКО,
Л. А. ЮРЧУК

Це перший академічний словник, що найповніше відображає загально-вживану фразеологію сучасної української мови. Значення фразеологічних одиниць ілюструється цитатним матеріалом. У словнику подається всебічна лексикографічна характеристика фразеологізмів.

Для широкого кола читачів — наукових працівників, письменників, журналістів, редакторів видавництв, викладачів вузів, учителів середніх шкіл, студентів, учнів та ін.

Редакційна колегія

Л. С. Паламарчук (голова),
В. М. Білоноженко,
В. О. Винник,
І. С. Гнатюк (секретар),
В. В. Дятчук, Л. А. Юрчук

Затверджено до друку вченою радою
Інституту мовознавства ім. О. О. Потебні АН України

Редакція мовознавства та словників

Редактори

Ю. І. Бойко, О. А. Дітель
Л. П. Марченко, Л. В. Туник, Л. К. Ярошевська

Ф $\dfrac{4602020100\text{-}164}{221\text{-}93}$ 531-91

ISBN 5-12-000635-3

НАЛИ́ТИЙ: [як (мов, ні́би і т. ін.)] свинце́м (чавуно́м) нали́тий (нали́вся). Надзвичайно важкий (про частини тіла людини). *Немов чавуном налиті ноги, такі важкі, що й не відірвеш від килима* (Хижняк).

НАЛИ́ТИСЯ: нали́тися жа́ром; ~ кро́в'ю *див.* наливатися.

НАЛИ́ТО: як води́ в рот нали́то *див.* набрати.

НАЛІ́ВО: напра́во й налі́во *див.* направо.

НАЛІ́ЗЕ: і на го́лову (на ву́ха) не налі́зе (не злі́зе), *з сл.* говори́ти, верзти́, плести́, роби́ти, витіва́ти *і т. ін.* Що-небудь недоречне, несерйозне, необдумане, нерозумне, нісенітне.— *Верзе таке, що й на голову не налізе,— сказала вона збентежено* (Панч); — *Дурноверхий Вітя витіва таке, що й на голову не налізе: вимагає завтра піти записатись у загсі* (Вас.); [К о с т ь:] *Стара якась не при умі: плела таке, що й на вуха не налізе* (Мороз); — *І яка ся безсоромна Мар'я: плеще таке, що й на голову не злізе! — думається їй* [Христі] (Мирний).

що на рот налі́зе *див.* що.

НАЛЛЯ́ТИСЯ: налля́тися жа́ром; ~ кро́в'ю *див.* наливатися.

НАЛОВИ́ТИ: і ри́биналови́ти, і ніг не змочи́ти. Будучи винним, уміло уникнути покарання, нарікань і т. ін.— *От чоловік! І риби наловить, і ніг не змоче! — Я знаю, що він більше всіх краде, та зате і мені велику користь дасть!* (К.-Карий). С и н о н і м: ви́йти сухи́м із води́.

НАЛОВИ́ТИСЯ: налови́тися дрижакі́в *див.* їсти.

НАЛОЖИ́ТИ: наложи́ти життя́м; ~ на се́бе ру́ки; ~ ру́ки *див.* накладати.

НАЛЯГА́Є: сон наляга́є *див.* сон.

НАЛЯГА́ТИ: наляга́ти / налягти́ на но́ги. Прискорювати ходу.— *От якби-то так сталося! — запобігає вперед думкою Пилипко та знай налягає на ноги, поспішаючи до лісу* (Мирний); *Налігши безжально на ноги, Гнида незабаром побачив Онохрія Литку* (Епік); *Коли наближалися до села, дитина почала кричати. Грицько і Катерина налягли на ноги* (Косарик).

наляга́ти / налягти́ на се́рце. Охоплювати кого-небудь (про сум, тугу, тривогу і т. ін.).— *Співаю я, співаю, та й досі не доспівалась до своєї долі... І весело мені, і чогось сум вже налягає на моє серце,— думала Соломія* (Н.-Лев.); *Я спав у клуні. Тьма тривоги чомусь на серце налягла, і снив про огняні дороги, куди я вийшов із села* (Сос.).

наляга́ти на но́гу. Шкутильгати. *Рана була зовсім пуста. Вовкун промив її водою.., зав'язав шматкою, і Гава міг зовсім вигідно йти, хоч і трохи налягаючи на ногу* (Фр.); *Гість трохи налягав на одну ногу* (Гашек, перекл. Масляка).

НАЛЯГТИ́: налягти́ на но́ги; ~ на се́рце *див.* налягати.

НАЛЬО́ТУ: з нальо́ту. 1. Не зупиняючись, на повному ходу, з розгону. *З нальоту пішли топта-* тися [білогвардійці] *кіньми по живих тілах, хвацько дорубуючи з сідел тяжкопоранених, не здатних навіть звестися бійців* (Гончар); *З кошари, яку ми з нальоту захопили, німці вибили нас буквально через двадцять хвилин* (Тих.).

2. Дуже швидко, без труднощів, без великих зусиль, ускладнень.— *А вона, дружба, не народжується з нальоту, за завданням комсомольського комітету* (Донч.); *Щоб пізнати село, треба б довше пожити в селянській гущі, а так, з нальоту, нічого не вийде* (Гжицький).

НАМ: ні собі ні нам *див.* собі.

НАМА́ЗАТИ: нама́зати п'я́ти *див.* мазати.

НАМАЗУВА́ТИ: нама́зувати п'я́ти *див.* мазати.

НАМАЛЬО́ВАНИЙ: як (мов, ні́би і т. ін.) намальо́ваний. 1. Дуже вродливий (красивий). *А з виду* [Василь] *як намальований: очі йому як зірочки* (Кв.-Осн.); *Вона стояла напроти парубка, як намальована* (Мирний); *На його добре виголеному рожевому обличчі різьбились тонкі, наче намальовані, брови* (Перв.). С и н о н і м и: хоч з лиця́ води́ напи́йся (в 2 знач.); хоч у ра́му вправ; як ля́лечка; як карти́на.

2. Дуже яскраво, чітко. *Перед очима, мов намальовані, встають і обриси хати, і дерев'яний віз* (Стельмах); *Наче намальовані, встають передо мною всі картини, всі місця* (Н.-Лев.).

НАМАСТИ́ТИ: намасти́ти са́лом п'я́ти *див.* мазати.

НАМА́ХАНИЙ: як мішко́м нама́ханий *див.* прибитий.

НАМА́ЩУВАТИ: нама́щувати са́лом п'я́ти *див.* мазати.

НАМИ́ЛИТИ: нами́лити ши́ю (го́лову, в'я́зи, чупри́ну, чу́ба). 1. Покарати кого-небудь за якусь провину.— *Погано! — зітхнув Браквата́. Глянув на пляшку з коньяком, але пити передумав.— Якщо дізнається генерал, тобі намилять шию* (Ю. Бедзик); — *Обіцяю вам, що мій допис в десятках примірників буде розісланий по всіх газетах, і будьте певні, що до нього прислухаються, зроблять вірні висновки і намилять вам шию* (Тют.).

2. Виразивши незадоволення, добре вилаяти кого-небудь. *Піде* [дівчина] *до хати сама, або й покличуть її, а там ще й голову намилять: чого сидиш, посидільнице?* (Свидн.); *Вихід першого номера «Землі і Волі» викликав оскаженіння в офіційних колах. Розповідали, що цар, коли йому про це доповіли, побагровів, затрясся від злоби, викликав Дрентельна і Зурова і добре намилив їм голови* (М. Ол.). го́лову нами́лено. *Я ж думала, що тепер, більш, ніж коли, статкую, аж тут мені як на те голову намилено!* (Л. Укр.). С и н о н і м и: вси́пати по пе́рше число́; да́ти дрозда́ (в 1 знач.); да́ти ду́ху (в 1 знач.); да́ти жа́ру (в 1 знач.); да́ти пе́рцю (в 1 знач.); да́ти прикури́ти (в 1 знач.).

3. Побити кого-небудь за щось. [Ш к л я н к а (до Тихона):] *Ти чого сюди приперся? От же я тобі сьогодні* [сьогодні] *таки шию намилю!* (Кроп.); — *Ну-ну, не займай, а то намилимо в'язи!* — *Це слобідські свого захищають* (Шиян). С и н о н і м и: **втéрти мáку; нам'яти бóки** (в 1 знач.); **вúтерти вóрсу.**

НАМИНÁТИ: наминáти вýха *див.* нам'яти.

наминáти / нам'яти (рідко **набúти,** грубо **наклепáти) шúю (потúлицю)** кому. Бити, карати кого-небудь за щось. *Намну я тобі шию, коли зустрінемося* (Ю. Янов.); — *Так, кажете, здорово нам'яли вам окупанти і гайдамаки потилиці* (Довж.); [Г о р п и н а:] *Якби моя дочка Оленка так коверзувала, то я б їй.. так наклепала потилицю отим кошиком, що вона пам'ятала б до нових віників* (Н.-Лев.). С и н о н і м: **наминáти бóки** (в 1 знач.).

наминáти / нам'яти (насадúти) бóки *кому.* 1. Бити, карати кого-небудь за щось.— *Мабуть, така вже доля філософів, бо й Сократова жінка не раз наминала йому боки* (Н.-Лев.); — *Чекай! Я Вікторові розкажу, як ти воркуєш отут біля дівчини. Він тобі намне боки* (Автом.); *Не слухався — били. А то і так — кулачки заведуть, граючись, і насадять боки Василеві* (Мирний). С и н о н і м и: **наминáти шúю; намúлити шúю** (в 3 знач.); **наминáти пáрші; дáти хльóсту; дáти берéзової кáші; вúтерти вóрсу.**

2. Завдавати поразки кому-небудь, перемагати ворога в бою, на війні.— *Старієте, Антоне Андрійовичу,— зауважила Уляна Григорівна...— Нічого не вдієш, матінко; вважай, на половину шостого десятка перевалило. Але ми ще повоюємо, матінко. Ще намнемо туркові боки* (Добр.). П о р.: **пом'яти бóки** (в 3 знач.). С и н о н і м: **нам'яти чýба** (в 3 знач.).

наминáти / нам'яти пáрші *кому.* Бити, карати кого-небудь. *У них хто хитрий, то і старший, І знай всім наминає парші* (Котл.). С и н о н і м и: **наминáти бóки** (у 1 знач.); **наминáти шúю; намúлити шúю** (в 3 знач.); **дáти хльóсту; дáти берéзової кáші; вúтерти вóрсу.**

наминáти чýба *див.* нам'яти.

НАМИНÁЧКИ: дáти наминáчки *див.* дати.

НАМОЗÓЛИТИ: намозóлити óчі *див.* намозолювати.

НАМОЗÓЛЮВАТИ: намозóлювати (намýлювати) / намозóлити (намýляти, намýлити) óчі кому і без додатка. Набридати своєю присутністю або показуванням чого-небудь багато разів. [Г о р н і г:] *Нехай би вони до мене прийшли, ті панки з уряду, коли вони не вірять, що тут голод... Я б їм дещицю показав. Я б їм очі намозолив отими всіма голодними пустками* (Л. Укр.); *Дмитро входить засніжений, з недобрим поглядом, міцно стуленими вустами.— Знову хутір очі намуляв, нагадав усю кривду!* — зітхає [мати]

і *дивиться прямо на нього* (Стельмах); *Дурно Маланка збирала насіння, дурно плекала надії. Вузлики з зерном так довго висіли під образами в хаті, аж намуляли очі. Нарешті зняла та винесла в хижу* (Коцюб.). П о р.: **мозóлити óчі** (в 1 знач.). С и н о н і м: **мýляти óчі** (в 2 знач.).

НАМÓЧЕНИЙ: як (мов, ніби і т. ін.**) у водí (у вóду) намóчений.** Незадоволений, засмучений, зажурений, злий. *Мирон був сердитий сам на себе: цілий тиждень ходив як у воді намочений; він і в шинку, як зять його та громаду частував, сидів сумний та пив мовчки* (Григ.); [Д о м к а:] *Що це ти сьогодні якась, мов у воду намочена?* (Кроп.). С и н о н і м и: **як у вóду опýщений; як чóрна хмáра; хмáра хмáрою** (у 2 знач.).

НАМÓЧИВ: щоб тебé дощ намóчив *див.* дощ.

НАМУЛИТИ: намýлити óчі *див.* намозолювати.

НАМУЛЮВАТИ: намýлювати óчі *див.* намозолювати.

НАМУЛЯТИ: намýляти óчі *див.* намозолювати.

НАМ'ЯТИ: нам'яти бóки *див.* наминати.

нам'яти (наскубтú, накрутúти) / наминáти (накрýчувати) вýха кому і без додатка. Покарати кого-небудь за провину (перев. тягнучи за вуха). [П о л і н а К.:] *От коли твій Льонька ще раз покаже сюди свій товстий ніс.., я йому намну вуха, будь певна* (Коч.); *Ну як уже трапиться й таке, що вона впіймає його, то тільки того, що уші намне* (Вас.); *Було зачеплю її* [сестру]*.., то вона зараз біжить до матері жалітися; а мати.. було добре намне чуба або наскубе вуха* (Н.-Лев.); *Треба накрутити мені вуха за те, що ви досі не в ліжку* (Шовк.); *Демонстранти змішались і тікали. Їх наздоганяли, накладали в потилицю, накручували вуха* (Смолич).

нам'яти (наскубтú, накрутúти) / наминáти (скубтú, накрýчувати) чýб[а] (чупрúну, косý, рідко **вóрсу). кому і без додатка.** 1. За провину покарати кого-небудь (перев. тягаючи за волосся). *Паллант любесенький хлопчина.. стоїть, як твердий дуб, І жде, яка то зла личина Йому нам'яти хоче чуб* (Котл.); *Дивлюсь — до мене суне Гася... Ну, чуба, думаю, намне!.. І відкіля вона взялася? Неначе стерегла мене* (Гл.); *За Катерину та й нам'яли чуприну* (Укр.. присл..); *Було, може, і таке, за що мати, дізнавшись, і косу нам'яла б; а як не знає, то воно й байдуже!..* (Мирний); [М и х а й л о:] *Уже коли попадеться їй* [жінці] *хоть трохи тюх-тюх — сердега, то такого і підніме на зубки і рада завести до того, хоть би сьому йолопові і ворсу нам'яли* (Котл.); *Микита ледве стримував себе, щоб не бурчати. Кілька разів таки підіймав бучу, погрожував спіймати Сапуна і наскубти чуприну* (Ряб.).

2. Сильно покритикувати кого-небудь, винести догану за яку-небудь провину, невиконання чогось.— *То вам ніколи, то вас у райкомі немає...*

То,— *з неприхованою іронією додав він,*— *хтось інший чуба намне і вже не хочеться за другою порцією ходити* (Жур.); *В райкомі мені чуба пом'яли, але я свого добився, все засіяв у строк* (Кучер); *У них хто хитрий, то і старший, І знай.. Чуприну всякому скубе* (Котл.).

3. *рідко.* Завдати поразки кому-небудь, перемогти ворога в бою. *Королева Христина до Хмельницького свою приязнь неодноразово виявляла. Та нині, чим більше черкаські козаки шляхті чуба наскубуть, тим краще буде для Свейського королівства* (Рибак). С и н о н і м: **наминáти бóки** (в 2 знач.).

нам'я́ти пáрші; ~ ши́ю *див.* наминати.

НАНІВЕЦЬ: звести́ся нанівéць *див.* звестися; **звóдити ~** *див.* зводити; **обернýтися ~** *див.* обернутися; **піти́ ~** *див.* піти; **схóдити ~** *див.* сходити.

НАПÁВ: гедзь напáв *див.* гедзь.

не на такóго (тóго) напáв (натрáпив, грубо **нарвáвся).** Хто-небудь не такий наївний та некмітливий, як це здається. [Г и р я:] *Ну, йди, доню, до нього... Та гляди лишень, щоб не обдурив!..* [Л и з я:] *Пхи! Ще що вигадаєте! Не на таку напав...* (П. Куліш); *Порфир аж підскочив: — Ах ти ж помідор розчавлений,— і по носі того: хрясь! — Хуліган! Забіяка! Ану стій! Ану до директора! — Сеньйор Помідор кинувся хапати порушника, та не на такого натрапив, щоб дався в руки* (Гончар); *— Мовчить? — усміхнувся Сагайдак.— А ви хочете, щоб він одразу свої карти виклав на столі? Дзуськи! Не на такого нарвалися* (Кучер). **не на таківських напáли.** *Не один батьків син і худобу б свою усю віддав і у батраки пішов би, аби б його полюбила Тетяна! Так-бо ні, не на таківських напали* (Кв.-Осн.).

сказ напáв *див.* сказ.

НАПАДÁЄ: гедзь нападáє *див.* гедзь; **сказ ~** *див.* сказ.

НАПАДÁТИ: нападáти мóкрим ряднóм *див.* накрити; **~ на слід** *див.* напасти.

НАПАДÁТИСЯ: нападáтися мóкрим ряднóм *див.* накрити.

НАПАДÁЮТЬ: дрижаки́ нападáють *див.* дрижаки.

НАПÁЛА: лінь напáла *див.* лінь; **падь ~** *див.* падь.

НАПÁЛИ: баглаї́ напáли *див.* баглаї; **дýрощі ~** *див.* дурощі.

НАПÁЛО: ли́шенько напáло *див.* лишенько.

НАПÁСТИ: напáсти мóкрим ряднóм *див.* накрити.

напáсти (натрáпити, попáсти, набрести́ і т. ін.**) /** рідше **нападáти (натрапля́ти, попадáти** і т. ін.**) на слід (слíди)** кого, чого, чий. Знайти, виявити ознаки руху або перебування кого-, чого-небудь. *А можливо, поліція так діяла з якимсь наміром, хитро розставляючи пастки, щоб вислідити його на волі і напасти на слід* (Цюпа);

Соломія ладна була за що-небудь учепитися, аби напасти на Остапові сліди (Коцюб.); *На третій день повернулися* [міліціонери] *в район і доповіли начальству, що цигани нагло загубилися серед лісостепу і що на їхні сліди натрапити не вдалося* (Тют.); *Як заходила небезпека, що поліція попадала на слід злодіїв, то вони передавали йому речі на сховок* (Март.); *Тиждень цілий ганяв Юріштан горами за Марусяком, але не міг спасти на слід: мов у воді впав опришок з усіма своїми легінями* (Хотк.).

НАПÁСТИСЯ: напáстися мóкрим ряднóм *див.* накрити.

НАПÁСТЬ: що за напáсть! Уживається для вираження незадоволення ким-, чим-небудь. *За вами нікуди не встигнеш. Ну, що за напасть!* (Довж.).

НАПЕРЕВÁГИ: грáтися наперевáги *див.* гратися.

НАПЕРÉД: ви́нести ногáми наперéд *див.* винести; **забігáти ~; забігáти ~ рóзумом** *див.* забігати.

НАПЕРЕКÍР: піти́ наперекíр *див.* піти.

НАПЕРСТОК: з (як) напéрсток. 1. Дуже малий величиною, розміром, на зріст. *Євпташка був завбільшки з наперсток, хоч йому йшов сімнадцятий рік* (Мик.). А н т о н і м: **верствá келебердя́нська.**

2. Дуже мало, трошечки. *Всього* [м'яса] *не доїдай, а трішки залиш на тарілці.— А як трішки? — питаю.— Скільки? — Та скільки! — розсердилась мама.— Ну хоч з наперсток* (Багмут). С и н о н і м: **на мáкове зернó** (у 1 знач.).

НАПИЙСЯ: хоч з лиця́ води́ напи́йся (вóду пий) 1. перев. з сл. г а р н и й і под. Уживається для вираження вищої міри якості; дуже, надзвичайно. *Хоч води з лиця напийся, така пристойна молодиця!* (Барв.); *Коли б у того чоловіка та жінка була якась нетіпаха, то вже бог з ним. А то ж писана краля, хоч з лиця воду пий* (Кучер). **хоч води́ напи́йся.** *— От Петро — багатир, хазяйська дитина, не тинявся по наймах... Ще до того веселий, моторний і з лиця гарний, хоч води напийся* (Коцюб.). **хоч з лиця́ вóду пи́ти.** *Парубок на все село: гарний, хоч з лиця воду пити, жвавий, веселий і роботящий* (Вовчок).

2. Дуже вродливий, красивий. [П у з и р:] *Та ти ж його* [жениха] *ще не бачила, не дивився перше: з лиця хоч воду пий, Бова королевич!* (К.-Карий). С и н о н і м и: **хоч у рáмці встав; хоч за рáму клади; хоч карти́ну малю́й.**

НАПИНÁТИ: напинáти личи́ну *див.* носити; **~ мóкрим ряднóм** *див.* накрити.

НАПИСАНО: на лóбі (на чолí) напи́сано у кого. Зразу видно, помітно що-небудь із зовнішнього вигляду когось. [Д е н и с:] *Я кожного з вас на пальцях знаю!* [П и л и п:] *Це вже тип і на лобі у тебе написано* (Кроп.); *Вже вона й не дивиться на того Федора, й ласкаво не заговорить,* і доброго слова про нього не скаже,— а дивись ти, все її до Федора ліплять, ніби в неї всі думки на лобі написано (Добр.); — І тут уже я не міг стерпіти. Адже в Боба й на лобі написано було, що то його батько, то чого ж це він привселюдно називає його «оцим чоловіком», чому не зізнається, що він син Мусіїв? (Гуц.); Хоч на лобі в неї не написано було, що вона старша, але Порфир одразу це вловив із самого її милостивого тону розмови, з підкресленої чемності (Гончар); Заходимо, а там сидить.. товариш інженер: Ну, хто він такий, на чолі в нього не написано (М. Ю. Тарн.).

на роду́ (рідко **на віку́**) **напи́сано** кому, з інфін. Кому-небудь призначено, судилося щось заздалегідь або від народження. [Н а т а л к а:] Так йому на роду написано, щоб жити багатим до старості, а умерти бідним (Котл.); — Воно гарно там, де нас немає, а хлопам, мабуть, на роду написано, щоб на пана працювати (Панч); — Звісно, не кожному на роду написано світ здивувати (Горд.); Оце поїдемо до превражого сина Гвинтовки то вкрадемо ще раз Череванівну. Мабуть, їй на віку написано моїх рук не минути (П. Куліш). **на роду́ напи́саний.**— Ой сестриці! І Ясь мені сподобавсь, а бідність, здається, вже на роду мені написана — і дома не зазнала я розкоші (Н.-Лев.); Малювати, творити прекрасне — це, він вважав, написане йому на роду, заповідане від матері (Гончар).

НАПИТИСЯ: напи́тися шо́ломом див. набрати. **як води́ напи́тися.** Дуже швидко, дуже просто. Позбувся Микита, як води напитись, батьківщини та й не знав довго про свою пригоду. Люди мовчали, а діти хоч і торочили сироті щось про його шкапину, та зроду неговіркий, нецікавий до новин, хлопець не дуже дослухався (Л. Янов.).

НАПИХАТИ: напиха́ти пе́льку; ~ кише́ні див. набивати.

НАПІВДОРОЗІ: зупиня́тися напівдоро́зі див. зупинятися.

НАПЛАКАВ: як кіт напла́кав див. кіт.

НАПЛЮВАТИ: наплюва́ти в борщ; ~ в ду́шу; ~ в крини́цю; ~ в обли́ччя див. плювати. **наплюва́ти в ха́ту.** Зайти до кого-небудь на короткий час.— До мене! до мене! хоч у хату наплюйте! — кричала Параска і на Івана Трохимовича і на Зіньку (Мирний).

наплюва́ти з висо́кого де́рева див. плювати; **~ і розте́рти** див. плюнути; **~ у вічі** див. плювати; **не дава́ти ~ в ка́шу** див. давати.

НАПНУТИ: напну́ти мо́крим рядно́м див. накрити.

НАПОКАЗ: виставля́ти напока́з див. виставляти.

НАПРАВИТИ: напра́вити на ві́рну доро́гу див. направляти; **~ на путь; ~ на ро́зум** див. наставляти; **~ сто́пи** див. направляти.

НАПРАВЛЯТИ: направля́ти на путь; ~ на ро́зум див. наставляти.

направля́ти (спрямо́вувати) / напра́вити (спрямува́ти) свої сто́пи (кро́ки) куди, жарт. Іти, прямувати куди-небудь. Потресов і Струве направили свої стопи в будуар мадам Половцевої (Бурл.); Вуличка до єзуїтів була вільна, туди він і спрямував свої кроки (Фр.).

НАПРАВО: напра́во й налі́во. Усім підряд, без розбору; не розбираючись. Овсій Колодій.. у чашках і в пляшках святу воду, направо і наліво, хвацько за грошики роздавав (Ковінька); Та я в твої роки відмінював [іменники] направо й наліво (Літ. Укр.).// На всі боки, не рахуючись ні з чим. Павло Гречаний, у подертій сорочці і з розбитою бровою, гатив розкуркулених направо й наліво, косився буряковим оком на здоровенного Гошку, що маячив, як скеля в горі (Тют.). **напра́во, налі́во.** Чи не те ж саме в сфері нашої психіки? Хіба не так само сліпо й завзято, всякими способами, сієм «я», шпурляємо направо, наліво, де тільки можна, готові до всього вчепити (Коцюб.). **налі́во й напра́во.** Перед тим як залишити станцію, Махно наліво й направо роздавав із вагонів зброю, яку не міг із собою забрати (Гончар); Крокуючи вулицею, подоляк метав жартами наліво й направо, а словаки, весело юрмляючись довкола, на ходу зазирали йому в рота (Гончар).

НАПРАВЦІ: іти́ направці́ див. іти.

НАПРОЛОМ: іти́ напроло́м див. іти.

НАПУСКАТИ: напуска́ти / напусти́ти дурма́ну. Обманюючи, завуальовуючи істину, змушувати вірити в що-небудь нереальне. [П е т я:] Стривайте. Ніби хрест поворухнувся. [К о в а л ь:] Облиш. Дурману напускаєш (Мик.); Тамара Микитівна з качалкою в руках безцеремонно смикнула його за рукав і погрозливо сказала: — Гляньте, який знайшовся. Напустив дурману, та й уже. Ні, голубе, любив кататися, люби і саночки возити! (Панч). С и н о н і м: пуска́ти ману́.

напуска́ти (насила́ти) / напусти́ти (насла́ти) мару́ на кого. Заворожувати кого-небудь, впливати чарами. Як напустять мару [цигани], так і сам бачиш, що шкапа трьох денежок [1/4 копійки] не стоїть, та тільки дивишся та лупаєш очима і не знаєш, куди від них дітись (Кв.-Осн.).

напусти́ти дурма́ну; ~ мару́ див. напускати.

НАПУТИВ: лука́вий напути́в див. лукавий.

НАПУТИТИ: напути́ти на путь; ~ на ро́зум див. наставляти.

НАПУЧУВАТИ: напу́чувати на путь; ~ на ро́зум див. наставляти.

НАПХАТИ: напха́ти кише́ні; ~ ки́шку; ~ пе́льку див. набивати.

НАП'ЯСТИ: нап'ясти́ личи́ну див. носити.

НАРВАВСЯ: не на такóго нарвáвся див. напав.

НАРИТНИКИ: як свинí нарúтники див. свині.

НАРІЖНИЙ: наріжний кáмінь див. камінь.

НАРІЗАТИ: нарíзати (утя́ти) сíчки. Зробити щось недоречне, безглузде, допустити грубі помилки при здійсненні чогось. *Дорош.. шепнув Оксенові на вухо: — Чує моє серце — наріже він січки. Наглядай там за ним* (Тют.); *Ну, вже утяв ти нам січки: Є чим пом'янути* (Г.-Арт.). С и н о н і м: **наламáти дров.**

НАРОБИТИ: наробúти смíху (смішкíв) з кого, кому. Показати себе або кого-небудь у смішному вигляді. *Не поженихався ні трохи, а сміху з себе наробив* (Кв.-Осн.); *Зять довідався, що протопопша наробила смішків з його тещі, й більше не пустив Онисі на ярмарок* (Н.-Лев.).

наробúти шýму див. робити.

НАРОД: ітú в нарóд див. іти.

НАРОДИЛА: як мáти на світ народúла див. мати [1].

НАРОДИТИСЯ: народúтися без сорóчки. Бути нещасливим, безталанним, невезучим. *Не для мене був той пишний цвіт, Обсипались на інших пелюстки... Але не скаржусь, що на білий світ Я народивсь, як кажуть, без сорочки* (Павл.). А н т о н í м: **народúтися в сорóчці.**

народúтися (вродúтися) в сорóчці. Бути везучим, удачливим, щасливим. *Він народився в сорочці. Він досяг усього, чого тільки може побажати собі найвидатніший честолюбець. Так гадають усі* (Шовк.); *Василь народився в сорочці. Інакше, як пояснити, що з першого й до останнього дня війни провоював у піхоті й відбувся лише легкою контузією?* (Підс.); *Вони саме ставили підписи під актом, коли до кімнати вбігла молоденька сестра, сповістила дзвінко: все пройшло добре!.. Просто-таки в сорочці вродився!* (Гончар). С и н о н і м: **народúтися під щаслúвою зíркою.** А н т о н í м: **народúтися без сорóчки.**

народúтися під щаслúвою зíркою (зорéю). Бути везучим, удачливим, щасливим. *Про удачливих кажуть: народився під щасливою зіркою* (Рад. Укр.); *На прощання сказав пораненому Василеві старший лейтенант: — Під щасливою зорею ти родився...* (Горд.). С и н о н і м: **народúтися в сорóчці.**

як (мов, нíби і т. ін.**) [удрýге (знóву)] на світ [бóжий] народúтися.** Відчути полегкість, певне задоволення, душевний спокій після страждань, переживань, фізичних мук і т. ін. *Вчора зробив собі операцію — вирвав зуба — почуваю себе добре, мов на світ народився* (Коцюб.); *Петро мій мов удруге на світ народивсь. Що йому тепер, що Леся не його суджена? Вона його любить — більше йому нічого й не треба* (П. Куліш); *Обмінили хліб, а в неділю й весілля заграли. Як уступила Мотря в свою хату, то немов знову на світ народилась* (Мирний); [К р я ж:] *Хороше тут! Наче на світ народився. Душею і тілом спочиваю, Омельку* (Зар.); [М а р у с я:] *Мамо моя, щастя моє!.. Я неначе вдруге народилася на світ божий* (Н.-Лев.). **нáче на світ нарóджений.** *Румуни повтікали, пан подався за ними, а ми зосталися, наче народжені на світ* (Ю. Янов.).

НАРОДНАЯ: не заростé нарóдная тропá див. тропа.

НАРОЗХРИСТ: душá нарóзхрист див. душа.

НАРУБАТИ: нарубáти дров див. наламати.

НАРЯДЖАТИСЯ: наряджáтися в тóгу див. убиратися.

НАРЯДИТИСЯ: нарядúтися в тóгу див. убиратися.

НАС: не про нас пúсано див. писано; **після ~ хоч потóп** див. потоп; **пітú від ~** див. піти.

НАСАДИТИ: насадúти бóки див. наминати.

насадúти боля́чок кому. Заподіяти лиха кому-небудь. *— Ми йому, сучому синові, зараз полічимо ребра,— підвелося вгору кілька важких кулаків.— Насадив людям болячок, болячками і відповість* (Стельмах).

НАСИДЖЕНЕ: насúджене гніздó див. гніздо; **~ мíсце** див. місце.

НАСИЛАТИ: насилáти марý див. напускати.

НАСИЛУ: насúлу доволоктú нóги див. доволокти; **~ душá дéржиться в тíлі** див. душа; **~ нóги нести** див. нести; **~ нóги несýть** див. ноги; **~, переводити дух** див. переводити; **~ переставля́ти нóги** див. переставляти; **~ переступáти ногáми** див. переступити; **~ тягтú нóги** див. тягти.

НАСИПАТИ: насúпати землí на грýди кому. Поховати померлого, здійснити похоронний обряд. *Уже, мабуть, років з п'ять минуло, як насипали вдові землі на груди.* С и н о н і м: **насúпати пóроху на óчі.**

насúпати на хвіст сóлі кому. 1. Не мати змоги заподіяти кому-небудь щось неприємне.— *Зроблю! Вже я йому зроблю! — вимахував руками Шугалія.— А він мені хай солі на хвіст насипле* (Кучер).

2. Зробити кому-небудь щось неприємне, сильно досадити комусь. *Начальник розвідки сказав жартома: «Тепер треба насипати їм солі на хвіст»* (Панч).

насúпати пóроху на óчі кому. Закопати в землю померлого, поховати. *Пам'ятатиме до нових віників і до судної дошки, поки аж пороху на очі насиплють* (Укр.. присл..). С и н о н і м: **насúпати землí на грýди.**

насúпати прúску за очкýр див. всипати.

НАСІДАТИ: насідáти на п'я́ти (рідко **на шúю)** кому. Наздоганяти кого-небудь. *В куточку серця.. щось тихенько занило, але на мить, бо не пора було роздумувати,— ворог насідав на п'яти* (Гжицький); *Вони насідали на шию коноводам, ось-ось наздоганяли їх* (Гр.).

НАСІЛИ: рéви насíли *див.* реви.

НАСІННЯ: не лишúти і на насíння *див.* лишити; **не лúшиться і ~** *див.* лишиться; **як ~ лýщити** *див.* лущити.

НАСКАКУВАТИ: наскáкувати чóртові на рóги *див.* лізти.

НАСКОЧИТИ: наскóчити на слизькé *див.* попадати; **~ чóртові на рóги** *див.* лізти.

НАСКРІЗЬ: бáчити нáскрізь *див.* бачити; **óчі пропікáють ~** *див.* очі.

НАСКУБАТИ: наскубáти мóркву *див.* скребти.

НАСКУБТИ: наскубтú вýха *див.* нам'яти; **~ мóркву** *див.* скребти; **~ чýба** *див.* нам'яти.

НАСЛАТИ: наслáти марý *див.* напускати.

НАСЛІДИВ: і горобéць у рóті не наслíдив *див.* горобець.

НАСТАВ: настáв час *див.* час.

НАСТАВИТИ: настáвити вýха *див.* наставляти; **~ на вíрну дорóгу** *див.* направляти; **~ на пуття́; ~ на путь; ~ на рóзум; ~ рóги; ~ тенéта** *див.* наставляти.

НАСТАВЛЯЙ: наставля́й кишéню (обúдві жмéні), *ірон.* Не розраховуй на щось, не чекай чогось. *Послали до нього [Махна] цілу депутацію із скаргою: «Батьку! Розпорядись видати продовольства, чи що. Вся залізниця голодує...» — Ну й як, видав? — А якже, наставляй кишеню!.. «Ми не більшовики, каже, щоб годувати вас від держави...»* (Гончар); *[Антон:] Поїде вона з тобою в глухі ліси, на річку.. слухати жаб'ячі концерти! Наставляй кишеню!* (Дмит.); — *Підводи? —* знову обізвався низенький, в пілотці.— *Це будуть підвозити тих, що приставатимуть. Високий, з сердитими очима сіпнувся від обурення: — Наставляй обидві жмені!* (Коз.). С и н о н і м: **держú в обúдві жмéні.**

НАСТАВЛЯТИ: наставля́ти (навóдити) / настáвити (навестú) на [дóбре] пуття́ кого. Даючи корисні поради, вказівки, спрямовувати, скеровувати кого-небудь на правильний шлях у житті. *Усім він давав тоді пораду, і бідним, і удовам, і сиротам, навчав на добро, наводив на добре пуття* (Н.-Лев.); *[Чирва:] Усіх хазяїв, усе село, кожну хату ми повинні врозумити, наставити на пуття* (Мик.). П о р.: **наставля́ти на путь.** А н т о н і м и: **зводити на манівці; збивáти з пуття́.**

наставля́ти (діал. надставля́ти, нащýлювати, нащýрювати) / настáвити (діал. надстáвити, нащýлити, нащýрити) вýха (вýхо). 1. Напружено, уважно прислухатися до чогось (про людей).— *Я скрізь лазив, на все очима назирав, як піп, до всього уха наставляв* (Вовчок); *Заплющувавсь [хлопець] і сторожко наставляв ухо. Тиша. Тоді взявся за гриву й став ногою коневі на коліно. Мить — верхи вже* (Головко); *Батько підходить до дверей спальні, наставляє туди вуха, наслухається* (Д. Бедзик); *Двері стукнули і тільки [тільки] глухе буботання виривалося з-за їх, Яків*

наставив уха і перекосив очі (Мирний); *Товстий Матрьохін аж крамницю причинив — підійшов ближче до возів, наставив ухо й очі зажмурив, як кіт на сонці* (Вас.); *В тій хвилі дивно щось забряжчало і зашелестіло..— всі надставили уха* (Фр.); // *З напруженою увагою, з великим інтересом готуватися до слухання чого-небудь. Гайдамацький старшина окремої чоти допитливо нащулив вуха* (Кач.); — *Слухайте,— сказав він... Парубки нащулили вуха* (Кобр.).

2. Зосереджуючись і прислухаючись, піднімати догори вуха (про тварин).— *Подивись, Благніку, як наставляє вуха. Максе, встань! Нещасний пінчер, якого позбавили домівки та імені, встав, чекаючи дальших наказів* (Гашек, перекл. Масляка); *Зайчик із дива стає на задні лапки, нащурює вуха й приглядається* (Март.); *Кінь подивився скоса, наставив вуха, але далі хрумкав молоденькою соковитою травицею* (Смолич); *От знову чути кроки за вікном. Хтось зупинився проти ганку. Барахан наставив вухо* (Панч); *Нащуливши вуха, ловлять коні степову тривогу* (Рибак).

3. *перен.* Звертати увагу, зважати на що-небудь, ураховувати щось. *Хто каже до ладу, то вуха наставляй, а хто і без ладу, то теж не затикай* (Укр.. присл..); — *От сівозміну загальну громадську заведемо. До агрономії вуха наставити треба. Заводити гуртовий обробіток землі* (Головко).

П о р.: **нагóстрювати вýха.**

наставля́ти (направля́ти, напýчувати, спрямóвувати і т. ін.) / настáвити (напрáвити, напутúти, спрямувáти і т. ін.) на [дóбру (вíрну і т. ін.)] путь (на путь істини, на дóбрий, вíрний шлях, дорóгу, стéжку і т. ін.) кого і без додатка. Корисними порадами, вказівками, повчаннями спрямовувати, скеровувати чиї-небудь дії в істинному напрямку. *Показуєм став... виногради... Вчимо, наставляєм на путь. Записують гості поради* (С. Ол.); — *Бачу, ти молодець,— усміхнувся Андрій до Коровая.— Уже й сестру наставляєш на добру путь* (М. Кол.); *Щирим другом і мудрим порадником входить у світ дитини книга. Вона вчить її жити, наставляє на вірний шлях, прищеплює любов до праці* (Рад. Укр.); *Тітки та дядини силкувались направляти її на добру путь* (Н.-Лев.); — *От лаяв мене* [панотець]*, їй-бо, славно, все направляв на путь істини і, головне, злості не таїв* (Стельмах); *[Печариця:] Батько — велике слово, велика річ! Він тебе годував, ростив... на добру путь напучував...* (Мирний); *Об'єктивна оцінка художнього витвору спрямовує творчу індивідуальність на вірний шлях* (Мист.); *Не набув її батько ні майна, ні грошей про запас, хоч як роздирався в роботі.. Зате.. на добру дорогу наставив синів* (Мур.); *[Калеб:] От мати Річардова чесна жінка, богобоязна, чей направить сина на добрий шлях* (Л. Укр.); *Старі Гарбузи* дякували невісточці, що зуміла прибрати до рук їхнього сина та направити його на вірну дорогу (Кочура); *Вернувся Чіпка додому радий, що довелося направити громаду на добру стежку* (Мирний); *Сошенко залучив Тараса до малярської школи й напутив його на добру путь* (Н.-Лев.); *Сьогодні він прийшов, щоб спрямувати свого колегу.. на праведну путь і настановити його на добрий розум* (Гашек, перекл. Масляка); *Судитимуть її, що.. не зуміла бути йому наступником і порадником, не спрямувала його на чисту людську дорогу* (Дор.). П о р.: **наставля́ти на пуття́.** С и н о н і м: **наво́дити на ро́зум.** А н т о н і м: **збива́ти з пуття́.**

наставля́ти / наста́вити ніж на се́рце *кому і без додатка.* Мати недобрі наміри щодо кого-небудь; затаювати зло на когось. *Це трапляється межи нами, Що ніж на серце наставля, а сам цілує!..* (Шевч.).

наставля́ти / наста́вити ро́ги *кому.* 1. Зраджувати свого чоловіка.— *Янечку, ти — золото,— захоплювався пан Бжельський.— Спритний, як чорт, і рахубний, як краківський лихвар. Певно, твоя мама наставляла роги померлому Адаму Свенціцькому з якимось Шмульком чи то Янкелем* (Тулуб); *Хто вона? Примхлива донька якогось солідного таточка? А може, з тих, що вискакують заміж за стареньких академіків, а потім наставляють їм роги?* (Зар.). С и н о н і м: **скака́ти в гре́чку.**

2. Обдурювати якого-небудь чоловіка, ставши коханцем його дружини. [Х а р ь к о:] *Невже ви хочете, щоб я радий був до послуги чоловікові, котрий хоче мені роги наставить?* (Кроп.):

наставля́ти (настановля́ти, направля́ти, *рідко* **напу́чувати) / наста́вити (настанови́ти, напра́вити,** *рідко* **напути́ти) на [до́брий] ро́зум** *кого.* Навчати кого-небудь дотримуватися певних норм, традицій у поведінці, діях та вчинках. *Тихий був Василько, розсудливий.— Хто його на розум наставляв, господь його знає* (Вовчок); *Вони [дочки] ходили на роботу в колгосп, а мати поралася дома й на добрий розум їх наставляла* (Вирган); *Хто собою керувать не вміє, той і другого на розум не наставить* (Укр. присл..); *Падала Мотря перед пречистою на коліна й молила її тихим гарячим словом, щоб вона берегла її дитину од лихої години, щоб направила його на добрий розум* (Мирний); *— Спасибі вам, що напутили нас на розум* (Панч). С и н о н і м: **навча́ти ро́зуму.** А н т о н і м: **збива́ти з ро́зуму.**

наставля́ти (розкида́ти, розставля́ти, плести́ *і т. ін.*) **/ наста́вити (розки́нути, розста́вити** *і т. ін.*) **[свої́] тене́та (сі́ті, па́стки, си́льця** *і т. ін.*) **на** *кого і без додатка, із спол. щоб.* Підступними діями, хитрощами намагатися підкорити собі кого-небудь, заволодіти кимсь, привернути на свою сторону. [К а й Л е т і ц і й:] *Друже, ми не знаєм,*

які та секта наставляє тенета на неофітів (Л. Укр.); *Помовчав трохи і знову плете хитро тенета, щоб спіймати довірливу жінку* (Цюпа); *Дряпіжники, сутяжники, всякі військові товариші розкинули свої тенета* (Мирний); *Він розкинув свої сіті так широко, що щастя, коли не тут, то там мусило попастися в них* (Фр.); *Можливо, поліція так діяла з якимось наміром, хитро розставляючи пастки, щоб вислідити його [Дорошенка] на волі і напасти на слід* (Цюпа); *Василь втямив, звідки гроза насувається. Виходить, знову ксьондз якісь сильця розставляє* (Головч. і Мус.).

НАСТАНОВИТИ: настанови́ти на до́брий ро́зум *див.* наставляти.

НАСТАНОВЛЯТИ: настановля́ти на до́брий ро́зум *див.* наставляти.

НАСТОРОЖИЛИСЯ: ву́ха насторожи́лися *див.* вуха.

НАСТОРОЖИТИ: насторожи́ти ву́ха *див.* нагострювати.

НАСТОРОЖУВАТИ: насторо́жувати ву́ха *див.* нагострювати.

НАСТОРОЧИТИ: насторо́чити ву́ха *див.* нагострювати.

НАСТОРОЧУВАТИ: насторо́чувати ву́ха *див.* нагострювати.

НАСТОРОШИТИ: насторо́шити ву́ха *див.* нагострювати.

НАСТОРОШУВАТИ: насторо́шувати ву́ха *див.* нагострювати.

НАСТРОЇТИ: настро́їти на тон *див.* настроювати.

НАСТРОЮВАТИ: настро́ювати / настро́їти на тон *кого, який.* Викликати в кого-небудь певний настрій. *Щоб колосом співали струни нив, Щоб злий кукіль не забивав пшениці,— На вірний тон настрою колектив* (Рильський); *Лобанов піднявся на-гора, а Сиволап лишився у шахті до кінця зміни. Розмова з керуючим настроїла і його на хороший тон* (Ткач).

НАСТРУНЧИТИ: настру́нчити ву́ха *див.* нагострювати.

НАСТРУНЧУВАТИ: настру́нчувати ву́ха *див.* нагострювати.

НАСТУПАТИ: наступа́ти / наступи́ти на го́рло (на горля́нку) *кому і без додатка.* Настирливо вимагати чого-небудь або змушувати до чогось. *Славка наступала батькові на горло — кинь торгівлю* (Чорн.); *Цей несподіваний обшук врятує його від сварки з отим чужим гуртоправом і чабаном, що просто наступає на горлянку, наче він господар у ковалівському колгоспі, а не якийсь зайшлий прохач на погоріле* (Кучер); *Га, мовчиш, мовчиш? Ага, я наступав тобі на горло?* (Л. Укр.); [В а р к а:] *А скільки нам винні?..* [Д е м к о:] *Ну що ж як винні? На горлянку кожному не наступиш — віддадуть...* (Кроп.). С и н о н і м: **приста́ти з ноже́м до го́рла.**

наступа́ти / наступи́ти на мозо́лю (на мозоля́, на мозо́ль, на мозолі́) *кому і без додатка.* Торкатися того, що кого-небудь найбільш вражає, хвилює, турбує.— *Мислимо, такі втрати! Конструкторів варто викликати, хай подивилися б.— Та знають вони! — глухо гриміла трубка.— Не одні ми на мозолі їм наступаємо* (Літ. Укр.); [П а л а ж к а:] *Та що це ти, Іване, такий злий сьогодні? [Х в е н ь к а (регоче):] На мозолю наступили!* (Мирний); *Яворському стало незручно слухати роздратованого Сашка. Він вибрався й пішов на греблю, Колодуб відверто запитав у товариша: — Хто тобі сьогодні на мозоль наступив? Зізнайся!* (Ю. Бедзик).

наступа́ти / наступи́ти на па́льці (на хвіст, на но́ги) *кому.* Кривдити кого-небудь, ущемляти чиїсь інтереси.— *Ви не ніяковійте, будьте задиракою, тримайтеся зухваліше,— повчав він Черниша,— а то вам будуть наступати на пальці* (Гончар); — *Оце так Макар! Але й ми не лаком шиті! — Ти йому покажи... Хай не наступає нам на ноги, бо ми хвицаємось* (Зар.); [П а н ь к о:] *В житті, як на ярмарку, не можна без того, щоб один одному на пальці не наступив* (Фр.); *Ярошенко почував себе переможцем. Здійснився його задум, який він виношував давно. Так би мовити — два зайці вбив — і попові на хвіст наступив і хату-читальню для села відвоював* (Речм.); *Опришки взагалі такі люди, що наступити собі на ногу не дозволяють* (Хотк.).

наступа́ти / наступи́ти на про́бку (на ко́рок, на ко́рка). Напиватися доп'яну. *Раз наступив на пробку, так нічого із себе тверезого вдавати; — А ти, Гавриле, коли наступив на корка, то не ліз би, як свиня, на відповідальні збори, а пішов би собі додому чи де в холодок, виспався та й не смішив серйозних людей* (Збан.).

наступа́ти / рідше наступи́ти на п'я́ти (рідко на го́рло, на хвоста́) *кому і без додатка.* 1. тільки недок. Наздоганяючи, переслідуючи, йти, рухатися і т. ін. дуже близько від кого-небудь.— *За мною, трохи не наступаючи мені на п'яти, жандар цокає своїми острогами* (Мирний); *Яке вже тут полювання, коли Ступак зі своїм напарником буквально на п'яти наступають* (Літ. Укр.); *Весь цеп загримів пострілами з такою поспішністю, ніби ворог наступав уже на горло* (Панч); *Ой, що коїлось у Закриниччі, як німцеві вже почали на хвоста наступати, як його почали викурювати, мов лиса з нори!* (Гуц.).

2. *перен.* Добиватися таких же успіхів, досягнень і т. ін., як хто-небудь інший; не поступатися кому-небудь у своїх досягненнях, успіхах і т. ін. *З ланкою Жихаренка в радгоспі успішно змагається комсомольська ланка Павла Бутенка. Молоді кукурудзоводи не раз наступали на п'яти жихаренківцям. Кукурудза в них не поступається перед посівами суперників* (Хлібороб Укр.); [С о х а:]

Дайте мені тракторну бригаду — і я кращому трактористу на п'яти наступлю!.. (Корн.); — *Ми й на змагання викличемо одна одну.— Давайте дівчатка, щоб аж дим пішов! — Фігурняк потряс кулаком.— А я завтра своїх підніму. Ще, може, вам і на хвоста наступлю* (Сиз.).

НАСТУПИВ: ведмі́дь на ву́хо наступи́в *див.* ведмідь; **чо́рний віл на но́гу ~; як віл на но́гу ~** *див.* віл.

НАСТУПИТИ: наступи́ти на го́рло; ~ на мозо́лю; ~ на па́льці; ~ на про́бку; ~ на п'я́ти *див.* наступати; **не дава́ти собі на но́гу ~** *див.* давати.

НАСУШНИЙ: хліб насу́шний *див.* хліб.

НАСУЩНИЙ: хліб насу́щний *див.* хліб.

НАСУЩНОГО: шмато́к хліба насу́щного *див.* шматок.

НАТЕ: на́те і мій глек на капу́сту, *жарт., ірон.* Уживається як приповідка, коли хтось несподіваний чи непроханий втручається в справу чи розмову.— *Біжу вже до вас та й підскакую, а тут, чую, співи: нате ж і мій глек на капусту!* (Стар.); — *А я оце йду в лавку з черевиками та згадала, що в цій хаті сьогодні горілочку п'ють та й забігла на часок. Нате й мене, нате й мій глек на капусту* (Н.-Лев.); *Мотря з пазухи виймає тугий вузлик, зубами розв'язує його і витрушує в дідову шапку своє срібло і мідь.— Нате і мій глек на капусту.— Спасибі, Мотре. Хай твоя вдовина копійка в щастя обернеться* (Стельмах).

НАТЕРТИ: нате́рти мозолі́ *див.* натирати; **~ мо́рду** *див.* натовкти; **~ пе́рцю в ніс** *див.* натирати.

НАТИРАТИ: натира́ти / нате́рти мозолі́ (мозоля́). Багато й наполегливо працювати.— *Такого таланту, як у Павла, ще не було в нашім роду. Проте нехай він не задається. Йому ще натерти не одного мозоля, доки видряпається на ту свою поетичну гору* (Мушк.).

натира́ти / нате́рти пе́рцю в ніс *кому.* Карати кого-небудь. *Писали [солдати] депутатам у Відень, щоб оступилися за них, а ті вже почали натирати перцю в ніс, кому треба* (Гашек, перекл. Масляка); *Натер йому перцю в ніс* (Номис).

НАТИСКАТИ: натиска́ти (нати́скувати, жа́ти) / нати́снути (нажа́ти) на всі педа́лі. Докладати всіх зусиль для швидкого виконання чого-небудь.— *Ми тут без вас часу не марнували. На всі педалі натиснули, щоб розконсервувати будівництво* (Шовк.); — *А може, там [у Празі] уже союзники? — висловив припущення наймолодший з розвідників..— Можуть, звісно, і вони вдертися, як натиснуть на всі педалі,— погодився в'язистий єфрейтор Павлюга* (Гончар); *По заслузі шана й Васі, Бо хоч рік він у Донбасі, А веде уже вперед! І дають [премію] велосипед.— Браво, Вася! — чути в залі.— Жми ще дужче на педалі!..* (С. Ол.).

натиска́ти (нати́скувати) / нати́снути [на]

кно́пку (**[на] всі кно́пки**). Уживати необхідних заходів для досягнення своєї мети. *Куцевич досконало знав, коли і де саме треба натиснути потрібну кнопку, щоб злагоджено зарухались всі великі і малі механізми складного господарства інституту, який він очолював* (Рибак).

НАТИСКУВАТИ: нати́скувати кно́пку; ~ на всі педа́лі *див.* натискати.

НАТИСНУТИ: нати́снути кно́пку; ~ на всі педа́лі *див.* натискати.

НАТОВКТИ: натовкти́ (нате́рти) мо́рду (пи́ку) *кому і без додатка, грубо.* Побити кого-небудь (перев. по обличчю).— *А яким було наше життя.. Повезеш сіль було в Чаплинку або в Каховку, продаси, нап'єшся — натовчеш комусь морду, або тобі натовчуть... Оце і вся була наша радість* (Гончар); — *А чого б і не посміятися? — Пику натовчу, хоч ти мені й батько* (Вас.); *Швейк вважав доцільним розтлумачити усю безнадійність їхнього становища.— Всім нам натруть морди,— почав він свої слова розради* (Гашек, перекл. Масляка).

НАТОЧИТИ: наточи́ти зу́би *див.* гострити.

НАТРАПИВ: не на тако́го натра́пив *див.* напав.

НАТРАПИТИ: натра́пити на слід *див.* напасти.

НАТРАПИТЬ: що тільки язиком натра́пить, *з сл.* говори́ти, моло́ти *і т. ін.* Усе підряд, будь-що, не задумуючись, не обдумуючи. *І починає Щур молоти, що тільки язиком натрапить* (Вас.). С и н о н і м: **що завгодно.**

НАТРАПЛЯТИ: натрапля́ти на слід *див.* напасти.

НАТУРИ: не зра́джувати своє́ї нату́ри *див.* зраджувати.

НАТУРІ: у нату́рі. У справжньому вигляді, в дійсності. [Й о г а н н а:] *Волосся я не фарбувала, пані.* [М а р ц і я:] *Я власне не про те і говорила. Лише зваважила, що сеї фарбц абиякий фарб'яр не може вдати, та рідко де трапляється в натурі* (Л. Укр.); — *Перш вони зроблять, звичайно, спробу — маленьку водокачку — модель, але все як в натурі* (Головко); *Спостерігаємо в натурі Ми зливу, блискавку і грім* (Дмит.).

НАТУРКАТИ: нату́ркати (натурча́ти) у ву́ха (у го́лову) *кому.* Наговорити комусь багато про кого-, що-небудь.— *Гаріфуліна отруїли лікарі...— Аж очима сердито блиснув Меджінов.— Уже й тобі встиг Ходжієв у вуха натуркати?* (Донч.); — *Ну, скажіть мені, будьте ласкаві,— обернувся до нього Євгеній,— що се за дурниці натуркав вам хтось у голову?* (Фр.); — *Це ти про Голуба? — різко повернувся до Кайдашенка Бачура.— Так і знав, що тобі натурчали у вуха про нього* (Чаб.).

нату́ркати го́лову *див.* натуркувати.

НАТУРКУВАТИ: нату́ркувати / нату́ркати (натурча́ти) го́лову *кому.* Стомлювати розмовами кого-небудь.— *І ти питаєш себе: чого вона хоче?..*

І чи довіку думає натуркувати мені голову своїми..: чи тямиш? чи знаєш? (Фр.); — *Іди собі додому: оттаку мені голову натуркала!.. Йди, йди собі; ми і самі розберемо, що треба робити* (Кв.-Осн.).

НАТУРЧАТИ: натурча́ти го́лову *див.* натуркувати.

НАТЯГАТИ: натяга́ти (натя́гувати) / натягти́ (натягну́ти) стру́ни. Ставити нічим не виправдані вимоги перед ким-небудь у чомусь.— *Мені здається, Гордію, що ти дуже вже натягаєш струни.— Ти радиш мені ласкавіше поводитись з такими добродіями, як оцей Головань* (Гр.).

натяга́ти ове́чу шку́ру *див.* надягати.

НАТЯГНУТИ: натягну́ти стру́ни *див.* натягати.

НАТЯГТИ: натягти́ ове́чу шку́ру *див.* надягати; **~ стру́ни** *див.* натягати.

НАТЯГУВАТИ: натя́гувати стру́ни *див.* натягати.

НАУКИ: гри́зти грані́т нау́ки *див.* гризти.

для нау́ки *кому.* Для застереження від прикрих помилок у майбутньому або щоб провчити кого-небудь.— *Все село гомонить про тебе, а ти сам* [про сватання] *ні пари з уст..— Про нас завжди щось таки говорять... Я таки вже комусь для науки поставлю язика навсторч рота!* (Стельмах). П о р.: **у нау́ку.**

НАУКУ: да́тися в нау́ку *див.* датися; **і́хати по ~** *див.* їхати.

у (на) нау́ку *кому.* Для застереження від прикрих помилок у майбутньому або щоб провчити кого-небудь. *Не гавкав ти, Рябко! За те ми, бач, в науку, Із ласки, з милості панів, Вліпили сотеньок із п'ять тобі київ* (Г.-Арт.); *Сестри ходили Що день божий вранці-рано Плакать над Іваном, Поки самі потруїлись Тим зіллям поганим. А бог людям на науку поставив їх в полі на могилі тополями* (Шевч.). П о р.: **для нау́ки.**

НАХАПАТИСЯ: нахапа́тися дрижакі́в *див.* їсти.

НАХИЛИТИ: ра́дий не́бо нахили́ти *див.* радий.

НАХІДКА: як на́хідка. Пригодиться, потрібне що-небудь. *Хлопець тільки що не підскочить, радіє: «Це мені як нахідка, каже, я сирота, дому нема — наймусь»* (Тесл.); *Він було Івася й підохочує: «Ану, синку! учися змалу: на старість, як нахідка буде!»* (Мирний); *Машини можуть відстати, адже ще невідомо, які там гори підуть за переправою. Добре, як добре, а коли бездоріжжя, бескеття? Заріз! Тоді додаткова сотня мін була б як нахідка* (Гончар).

НАХОДИТЬ: доса́да нахо́дить *див.* досада; **сказ ~** *див.* сказ.

НАЦІЛИТИ: націлити о́чі *див.* націлювати.

НАЦІЛИТИСЯ: націлитися очи́ма *див.* націлюватися.

НАЦІЛЮВАТИ: наці́лювати / наці́лити о́чі (зір) *на кого — що.* 1. Пильно дивитись на кого-,

що-небудь. *Бліденький хлопчик років десяти під-
біг до Оксена, зупинився, захеканий, і націлив на
Оксена чорні, як смородина, очі* (Тют.). // Пиль-
нувати кого-небудь, щось. *На захист станеш со-
нячній годині, На ворога націлиш пильний зір*
(Дор.). С и н о н і м и: **впиватися очима;
націлюватися очима.**

2. *перен.* Звертати увагу, спрямовувати інтере-
си на що-небудь.— *Ви абсолютно не розумієте,
що таке велике господарство! Коли нам удасться
всю державу охопити радгоспами і трестувати
їх — об'єднати в гігантські трести,— ми позбуде-
мося економічної залежності від дрібного власни-
ка! От куди нам треба націлювати зір! — промо-
вив [Кульницький]* (Стельмах).

**НАЦІЛЮВАТИСЯ: націлюватися / націлити-
ся очима** *на кого — що.* Пильно дивитися на кого-,
що-небудь. *Обважнілий чолов'яга пильно на-
цілився очима на двері* (Стельмах). С и н о -
н і м и: **впиватися очима; націлювати очі** (в
1 знач.).

НАЧЕПИТИ: начепити (почепити) торби. Дій-
ти до жебрацтва.— *Он, казав Гудзь,— швидко
сахарню будуватимуть. Слухай, серце, Гудзя, слу-
хай, Андрійку... якраз почепиш торби, та й мені
доведеться...* (Коцюб.).

НАЧЕТВЕРО: перериватися начетверо *див.* пе-
рериватися; **як мак ~** *див.* мак.

НАЧУХАТИ: начухати язика. Досхочу погово-
рити про кого-, що-небудь. *Постоялець чоловік
слабий, миршавий, от і поласувався на.. дорідну
жінку. Одначе всі скоро вгомонилися, бо начухали
язики* (Тют.).

НАШ: наш брат *див.* брат.

НАША: лиха наша годинонька *див.* годинонька.

наша [верх] бере / взяла. Ми перемагаємо. *До
війська обернувся [Еней].. І річ таку їм уджиг-
нув: «Козацтво! рицарі! Трояни! Храбруйте! на-
ша, бач, бере* (Котл.); — *То що? Фронт тримаємо
міцно? Наша бере? — Не зовсім,— відповів по-
хмуро Ваденін* (Коцюба); *Як же вже рушив
Брюховецький з князем до присяги у місто, тоді по
всьому полю чернь загукала: — Хвала богу! Хва-
ла богу! Наша взяла! Нема тепер ні пана, ні
мужика, нема ні вбогих, ні багатих! Усі поживемо
в достатках!* (П. Куліш); *[Герцог:] О, наче
впала з пліч у нас гора! Ха-ха! Так, значить, наша
верх взяла!* (Крот.). С и н о н і м: **моє зверху.**

наша сестра *див.* сестра.

НАШЕ: де наше (ваше, його *і т. ін.***) не пропа-
дало / не пропадає.** Уживається для вираження
чиєїсь готовності зазнати збитків, утрат і т. ін.—
*Сизоненко перешнуровує розписки, ховає під
божницю і тільки дві лишає при собі. Де його не
пропадало! Він подарує борг і Карпцю і Підіпри-
горі, аби лише вони відмовились від його землі*
(Стельмах); — *Сими днями сподіваюся бочку
[риби] розпродати; а там коли з півбочки й*

пропаде — невелика утрата, де наше не пропадає*
(Мирний).

на наше око *див.* око; **~ зверху** *див.*
моє; **~ поважання** *див.* поважання; **щастя ~** *див.*
щастя.

НАШИМ: і нашим і вашим. Одночасно комусь
одному й другому.— *Боягузи бісової віри! — га-
рячився Невкипілий.— Жаток полякалися! Жат-
ка — що? Вона і нашим і вашим: скаже пан
жни — жатиме, мужик тпрукне, теж послухає—
стане!* (Головко). **і вашим і нашим.** *Достанеться
і вашим і нашим* (Укр.. присл..).

не з нашим носом *див.* носом; **не з ~ писком**
див. писком.

НАШИХ: знай наших! *див.* знай.

НАШІ: на наші очі *див.* око.

НАШОГО: нашого полку прибуло *див.* прибу-
ло; **~ поля ягода** *див.* ягода; **не ~ пера пташка**
див. пташка; **птах не ~ польоту** *див.* птах.

НАШОЇ: не з нашої парафії *див.* парафії.

НАШОМУ: нашому тинові двоюрідний пліт *див.*
пліт.

НАШОРОШИТИ: нашорошити вуха *див.* на-
гострювати.

НАШОРОШУВАТИ: нашорошувати вуха *див.*
нагострювати.

НАШТОВХНУТИ: наштовхнути на думку *див.*
наводити.

НАШТОВХУВАТИ: наштовхувати на думку
див. наводити.

НАШУ: де взявся на нашу голову *див.* взявся.

НАЩУЛИТИ: нащулити вуха *див.* наставляти.

НАЩУЛЮВАТИ: нащулювати вуха *див.* на-
ставляти.

НАЩУРИТИ: нащурити вуха *див.* наставляти.

НАЩУРЮВАТИ: нащурювати вуха *див.* на-
ставляти.

НЕБА: впасти як з ясного неба *див.* впасти;
діставати зорі з ~ *див.* діставати; **зірок з ~ не
хапає** *див.* хапає; **лізти до ~; лізти живим
до ~** *див.* лізти; **манна з ~ падає** *див.* манна.

просто [голого] неба [на землі]. Не в примі-
щенні, надворі, без усякої покрівлі.— *Сідай, чоло-
віче, коло багаття та грійся, коли хочеш. Ми
й самі думаємо ночувати отутечки просто неба на
землі* (Н.-Лев.); *Мітинг відбувався у заводському
дворищі, просто голого неба* (Смолич); *Загін
залишився просто неба в полі під дошкульним
вітром* (Панч); *У Радянському Союзі налічується
більше як 40 музеїв просто неба* (Роб. газ.).
П о р.: **під відкритим небом.**

скинути з неба на землю *див.* скинути; **хай
каміння з ~** *див.* каміння; **хай хоч грім з ~** *див.*
грім; **як бога з ~** *див.* бога; **як грім з ясно-
го ~** *див.* грім; **як з ~ впасти** *див.* впасти; **як
манни з ~** *див.* манни.

НЕБАГАТИЙ: небагатий на розум *див.* бідний.

НЕБАГАТЬМА: небагатьма́ слова́ми *див.* словами.

НЕБЕ́С: ма́нна з небе́с па́дає *див.* манна; підно́сити до ~ *див.* підносити; ски́нути з ~ на зе́млю *див.* скинути.

НЕБЕСА́Х: вита́ти в небеса́х *див.* витати.

НЕБЕ́СНА: ма́нна небе́сна *див.* манна.

НЕБЕ́СНЕ: проспа́ти ца́рство небе́сне *див.* проспати; ца́рство ~ *див.* царство.

НЕБЕ́СНИХ: вита́ти в небе́сних сфе́рах *див.* витати.

НЕБЕ́СНОЇ: як ма́нни небе́сної *див.* манни.

НЕБІ: на сьо́мому не́бі, *перев. з сл.* бу́ти, почува́ти, відчу́вати, перебува́ти, почува́тися і т. ін. Дуже задоволений, радісний, безмежно щасливий. *Вона на сьомому небі, а може, і за стратосферою вже. Вчора тато й мама благословили їх на шлюб* (Кучер); *Олег уже двічі балотувався в депутати і завжди обирався одноголосно. Никодим Динька [батько] був на сьомому небі* (Зар.); *Я вибираю хату з димком, в якій нема ще жодного солдата, і, впавши на солому, почуваю себе на сьомому небі* (Багмут); *Коли Маркевич заграв з скрипачем Стером концерт Ліпінського, Тарас відчув себе на сьомому небі* (Ів.); *По всьому видно було, що він зараз перебував на сьомому небі. Аж вилиці на змарнілому, обтягнутому шкірою обличчі заясніли* (Речм.); *Коли вранці випадало снідати, ти почувався на сьомому небі* (Гуц.). **на деся́тому (на п'я́тому) не́бі.** *Успіх окрилив драмгуртківців, а про мене й казати годі: я був на десятому небі* (Минко); *Для хлопця настали години справжнього щастя. Залишаючись після роботи в майстерні, він почував себе на п'ятому небі* (М. Ю. Тарн.).

як зіро́к на не́бі *див.* зірок.

НЕ́БО: аж не́бо вгина́ється, з дієсл. Уживається для вираження вищої міри виявлення якої-небудь дії. [Остап:] *І нащо ти мене розбудила? Я такого гопака з святими різав, аж небо вгиналось* (Корн.). С и н о н і м: **не́бу жа́рко.**

живи́м на не́бо лі́зти *див.* лізти; **іти́ на** ~ *див.* іти; ~ **копти́ти** *див.* коптити.

небо розверза́ється. Починаються сильні опади. *Траплялись дні, коли розверзалось небо* (Рибак).

попа́сти па́льцем в не́бо *див.* попасти; **прихили́ти** ~ *див.* прихилити; **ра́дий** ~ **прихили́ти** *див.* радий.

як (мов, ніби і т. ін.) не́бо від землі́. 1. з сл. дале́кий і под. Дуже. *Заява Скобелєва, що робітники вимагають миру, що їх цілі, як небо від землі, далекі від цілей лібералів, є хитання Скобелєва в сторону пролетаріату* (Ленін).

2. Дуже велика різниця. *Та куди ж нам до вас рівнятися? Як небо від землі* (Кв.-Осн.).

НЕ́БОМ: висі́ти між не́бом і земле́ю *див.* висіти.

під відкри́тим (го́лим) не́бом. Не в приміщенні, надворі, без усякої покрівлі. *Музей під відкритим небом; Посеред табору в одній хвилі виставлено шатри для старшин,— решта війська мала ночувати під голим небом* (Фр.); *Родина Зайченків, втративши через німців житло й опинившися цілою великою громадою під голим небом, сподівалася дістати дозвіл правління на хату* (Ю. Янов.). П о р.: **про́сто не́ба.**

НЕ́БУ: аж не́бу жа́рко *див.* жарко.

НЕБУТТЯ́: відійти́ в небуття́ *див.* відійти; ки́нути у ~ *див.* кинути.

НЕВБИ́ТОГО: діли́ти шку́ру невби́того ведме́дя *див.* ділити.

НЕВЕЛИ́КА: невели́ка па́ні *див.* пан; ~ пти́ця *див.* птиця; ~ ця́ця *див.* цяця; ~ шту́ка *див.* штука.

НЕВЕЛИ́КЕ: невели́ке цабе́ *див.* цабе.

НЕВЕЛИ́КИЙ: невели́кий пан *див.* пан.

НЕВЕСЕ́ЛИМ: невесе́лим о́ком *див.* оком.

НЕВИ́ДИМО: ви́димо і неви́димо *див.* видимо.

НЕВИСО́КОЇ: невисо́кої про́би *див.* проби.

НЕВІ́Д: вско́чити як ри́ба в невід *див.* вскочити.

НЕВІ́РНИЙ: Хома́ неві́рний *див.* Хома.

НЕВІ́РНОМУ: стоя́ти на неві́рному шляху́ *див.* стояти.

НЕВІ́РЯЧИЙ: Хома́ неві́рячий *див.* Хома.

НЕВІ́СТА: Христо́ва неві́ста. Черниця, монахиня. [М а т у ш к а - г у м е н я:] *Я побачу, чи годна ти черницею бути, у Христові невісти постригтися* (Мирний).

НЕВМИ́ТИМ: з невми́тим пи́ском *див.* писком.

НЕВО́ДІ: би́тися як ри́ба в не́воді *див.* битися.

НЕВО́ЛІ: по нево́лі. Всупереч бажанням, через необхідність. *Не пі́деш по добрій волі, то пі́деш по неволі* (Укр.. присл..); [С т а р и й р и б а к:] *Був же я, був та у батька один син, Ой мене батько та по неволі одружив* (Рудан.); *Так-то усякий, як пізна нужду, так по неволі добрим стане...* (Кв.-Осн.).

якої нево́лі? Уживається для вираження сильного незадоволення ким-небудь, роздратування чимсь; чого? навіщо? *Зітхнув [дяк]: — Ех, огидло все це мені до краю.— То ви б покинули, якої неволі сидіти в дяках?* (Вас.); *— Кого тут проти ночі колотить? — Це я, Никаноре.— Ах, це ви? Якої неволі вам? — сердито пізнає її панський попихач* (Стельмах). С и н о н і м: **якого бісового батька?**

НЕВО́ЛЯ: єги́петська нево́ля *див.* полон.

НЕДАЛЕ́КО: лежа́ти недале́ко *див.* лежати; ~ **втекти́** *див.* втекти; **оди́н від о́дного** ~ **відбіг** *див.* один.

НЕДА́РОМ: неда́ром хліб ї́сти *див.* їсти.

НЕДІ́ЛЮ: без ро́ку неді́лю *див.* тиждень.

НЕДІ́ЛЬ: по сім неді́ль на ти́ждень справля́ти *див.* справляти.

НЕДОБРА́: недо́бра си́ла *див.* сила.

НЕДО́БРИМ: гля́нути недо́брим о́ком *див.* глянути; **ки́дати ∼ о́ком** *див.* кидати; **∼ ду́хом ди́хати** *див.* дихати.

НЕДОБРІЙ: роби́ти до́бру мі́ну при недо́брій грі, *див.* робити.

НЕДОБРОЇ: недобро́ї па́м'яті *див.* пам'яті.

НЕДОВГО: лиши́лося недо́вго топта́ти ряст *див.* лишилося; **∼ потя́гне** *див.* потягне.

НЕДОВІРКА: де в недові́рка! Уживається для вираження незадоволення чиїми-небудь діями, вчинками і т. ін.— *Де ти в недовірка бачиш ті вози?* — *спитав дід.— Та то кущі верболозу!* (Н.-Лев.). П о р.: **яко́го недові́рка?; яки́й недові́рок!**

яко́го недові́рка? Уживається для вираження незадоволення чиїми-небудь діями, вчинками.— *Якого ви недовірка вдвох робите, що в вас і досі обід не готовий? — крикнув Кайдаш на всю хату* (Н.-Лев.). П о р.: **де в недові́рка!; яки́й недові́рок!**

НЕДОВІРОК: яки́й [там] недові́рок! Уживається для вираження незадоволення чиїми-небудь діями, вчинками.— *Хіба ж ти не вчився в школах? — спитав о. Мойсей.— Який там недовірок його вчився б!* (Н.-Лев.). П о р.: **де в недові́рка!; яко́го недові́рка?**

НЕДОЇДАТИ: недоїда́ти [й] недопива́ти. Через матеріальні нестатки погано харчуватися, відмовляти собі в усьому. [К і н д р а т А н т о н о в и ч:] *Я.. увесь вік злидні годував, недоїдав, недопивав...* (Кроп.); *Оксана з дев'яти років навчилася недоїдати, недопивати* (Л. Янов.).

НЕДОПИВАТИ: недоїда́ти, недопива́ти *див.* недоїдати.

НЕДОРІЗАНИЙ: як (мов, ніби і т. ін.) недорі́заний, з сл. к р и ч а́ т и, в е р е щ а́ т и, г а л а с у в а́ т и і т. ін. Дуже сильно. *Вражений запорозькою тактикою, французький інженер Боплан верещав, як недорізаний, намагаючись налагодити артилерійський вогонь* (Довж.); *Примчав маленький «джіп». Анрі-Жак помітив його лише тоді, коли він прикро загальмував на повній швидкості позад нього, офіцер скочив на дорогу й став галасувати, мов недорізаний* (Ю. Янов.). С и н о н і м и: **як на живі́т; як на пуп.**

НЕДОСИПАТИ: недосипа́ти (недосипля́ти) / недоспа́ти [ноче́й], [і (та)] недоїда́ти / недої́сти [хлі́ба (шматка́ хлі́ба)]. Наполегливо працюючи, відмовляти собі у всьому. [К і н д р а т А н т о н о в и ч:] *Хіба то безсовісно, що я недосипав ночей, недоїдав шматка хліба та все працював, щоб себе і сім'ю свою зарятувати від злиднів* (Кроп.); *День і ніч Антон і Катерина недосипаючи та недоїдаючи, мов пекельні, товклися на своєму шматку поля* (Чорн.); — *Для кого ж я побиваюся?.. Хліба недоїдаю, ночей недосипляю?.. все ж для вас... для сім'ї* (Мирний); *Чи варто було стільки років побиватися, недосипляти, недоїдати, щоб такого кінця діждати!* (Л. Янов.).

НЕДОСИПЛЯТИ: недосипля́ти, недоїда́ти *див.* недосипати.

НЕДРЕМНЕ: недре́мне о́ко *див.* око.

НЕДУЗІ: лежа́ти в неду́зі *див.* лежати.

НЕЖИВИЙ: як (мов, ніби і т. ін.) неживи́й. 1. з сл. х о д и́ т и і под. Дуже повільно, без жвавості, без бадьорості. *Як прийшла косовиця, то й жінка кородиться; прийшли жнива, ходить жінка, як нежива; а як прийшла покрова, то й жінка здорова* (Укр.. присл..); — *Ну, хвалить бога, що Настя знайшла собі роботу! — думала баба Зінька, поглядаючи на дочку,— а то ходе* [ходить], *як нежива, робе* [робить] *діло, мов сонна* (Н.-Лев.).

2. Дуже слабий фізично. *І де ті в господа взялися Усякі штучнії їства? Сама ж* [жінка] *неначе нежива На плечі пада... Напоїла, І нагодувала, І спать його, веселого, В коморі поклала!..* (Шевч.).

3. Нерухомо, без зміни положення. *Глянула мати, подивилася, руками сплеснула та й упала додолу, як нежива, як підкошена, без слова, без гуку* (Л. Укр.); *А хитрая мишва так іноді морочить, Що треба буть мудрованим котом, Щоб висидіть, неначе неживому, І оком не моргнуть* (Гл.); // Нерухомий. *Я теж плакав, особливо коли труну опускали в яму, а мати спочатку щось кричала й ридала, а потім зробилась як нежива, і на неї бризкали водою* (Сміл.). П о р.: **як ме́ртвий** (в 2 знач.).

4. Приголомшений чим-небудь, дуже наляканий, вражений, схвильований, заціпенілий. *Нимидорі наче хто гострим ножем штрикнув у серце. Вона охолола, отерпла, зблідла й сиділа, мов нежива* (Н.-Лев.); *В палаті світлій ліжко біле, на нього Зою положили. Я стояв, мов неживий... Аж ось і лікар черговий. Я непомітно сльози витер* (Сос.); *Далекий гудок пароплава. Баба Одарка не чує нічого. Ми сидимо, як неживі* (Ю. Янов.); *Через вечір, коли мати була в сусідів, Юрко сам прийшов до хати, і дівчина, мов нежива, застигла біля столу, не знаючи що сказати йому* (Стельмах). С и н о н і м: **ні живи́й, ні ме́ртвий.**

НЕЗАБУДЬ: на не́забудь, з сл. д а́ т и. Для того, щоб хто-небудь пам'ятав, не забував когось, щось. *А пастушок на незабудь Дав голосну жалійку в путь, Оту, що сам різьбив на лузі* (Нагн.).

НЕЗАГОЄНА: незаго́єна ра́на *див.* рана.

НЕЗАГОЙНА: незаго́йна ра́на *див.* рана.

НЕЗАГОЙНУ: ятри́ти незаго́йну ра́ну *див.* ятрити.

НЕЇ: не до не́ї п'є́ться *див.* п'ється.

НЕЛАДНИЙ: будь нела́дний *див.* будь.

НЕЛАСКУ: попада́ти у нела́ску *див.* попадати.

НЕЛАСЦІ: у нела́сці. Відчувати на собі чию-небудь неприхильність, неприязнь.— *Сьогодні він у неласці, але завтра обставини можуть раптом* змінитися, і він знов з'явиться у столиці, у вищому світі (Тулуб).

НЕЛЕГКИМ: з нелегки́м се́рцем *див.* серцем.

НЕЛЮДСЬКИМ: нелю́дським го́лосом *див.* голосом.

НЕМА: де нема́ (нема́є) *чого.* Скрізь є що-небудь.— *Де наших могил немає, Романе... Наші люди скрізь бували* (Гончар).

і вго́ру гля́нути нема́ коли́ *див.* глянути.

і га́дки (ду́мки) нема́ (нема́є, не було́) *у кого, рідше кому, про що.* Хто-небудь і не думає про когось, про щось, не має намірів, не планує щось робити.— *Куди тут повернутися? В селі сховатись — і гадки нема* (Фр.); — *В інших радгоспах чабанам уже газові плити збираються ставити, а нашому начальству про це й гадки нема* (Гончар); *Про те, щоб пускатись в дорогу у таку пітьму в невідомій стороні, не було й гадки. Треба було дочекатися світу* (Коцюб.); *І Гризельда, і усі двірські панки ходили, як неприкаяні. Ні в кого й думки не було сісти за роботу* (Н.-Лев.).

і го́ря (нужди́) нема́ (нема́є) *кому.* Хто-небудь нічим не турбується, байдужий до всього, нічого не боїться. *А вони [наймички] — неначе їм і горя ніякого нема — гугнявим охриплим голосом перегукуються, жартують, усміхаються...* (Мирний); *Ввійшли у велику хату.. Шинкар не виходить, а Юдину і нужди нема* (Кв.-Осн.). Пор.: **і го́ря ма́ло.**

і ду́ху нема́ (нема́є, не було́, не зоста́лося, не ста́ло, не чу́ти** *і т. ін.) кого, чого.* Хто-небудь зник (що-небудь зникло) або зовсім був відсутній (було відсутнє). *Почав [хазяїн] кликати Дениса, а Дениса й духу нема* (Кв.-Осн.); *Ведуть [некрутів] снідати каші з салом, а того сала — і духу нема* (Мирний); *[Нечипоренко:] Виходить, що я — відсталий елемент, який навмисне живе у вчорашньому дні. А я так думаю, що тепер таких голів колгоспів немає й духу. Це письменники спеціально їх придумують для комедій* (Лев.); *І нас зачіплянських і близько нікого не було, не було й духу того дошкульника Баглаєнка, але виразно вчулося.., продзвеніло в повітрі: «Батькопродавець»* (Гончар); *Тим часом Бурко прибіг до липи, а ковбаси й духу не чути* (Фр.). Пор.: **і бли́зько не було́.**

і кішки нема́ чим годува́ти *див.* годувати.

[і] котові на сльози нема́ (нема́є, не ви́стачить). Дуже мало.— *В них там орної землі і котові на сльози нема, єдиний заробіток біля колії* (Мур.). Синонім: **як кіт напла́кав.** Антонім: **як ма́ку.**

[і] міри нема́ (нема́є) *чому.* Що-небудь має великий ступінь вияву, прояву і т. ін. *Жалкували за ним і хазяїни, і усі, а що вже дівчата — так міри нема!* (Кв.-Осн.); *Добрості і милосердію його і міри нема* (Кв.-Осн.).

[і (ні, ані)] копійки [зла́маної (мідної, щерба́тої)] ([зла́маного] гроша́, ше́ляга) нема́ (нема́є, не було́) за душею (*рідко* при душі) *у кого.* Хто-небудь зовсім не має грошей, дуже бідний.— *Куди я піду, коли в мене копійки нема за душею,— сказала Василина* (Н.-Лев.); — *Та що ж ви візьмете, коли в мене й копійки зламаної нема за душею!* (Коцюб.); — *Віддай хоч попереду те, що винні зосталися.— Копійки мідної за душею немає, батюшка* (Мирний); *Навіть у 1921 році, коли в нас люди орудували мільйонами, в дядька Володимира, як він казав, не було за душею і щербатої копійки* (Стельмах); *Добре знайомий.. зачинає жалуватися перед нею, що тепер тяжкі часи, немає при душі ані зламаного гроша* (Март.); — *Не кляти я тебе прийшла, я за своїм прийшла. Зглянься ти на бога... Празник святий іде... Ти ж будеш і їсти, і пити, а тут за душею шеляга немає* (Мирний); *Москалі підхвалювали його за те, що «чисто» п'є; іноді й у шинок водили, бо в самого Максима не було й шеляга за душею...* (Мирний); — *Заходьте, заходьте, діду... Видать, повернулися з далекої дороги? — Та повернувся, наче з Сибіру: за душею ні шеляга — все проїздив* (Стельмах). Синоніми: **вітер у кише́нях; поро́жня кише́ня; пусти́й гамане́ць; без ше́ляга за душе́ю.** Антоніми: **по́вна кише́ня; набитий гамане́ць.**

і по́мину (зга́дки, спо́мину) нема́ (нема́є) *про кого — що.* 1. Уже й не згадують, не говорять про кого-, що-небудь. *Ото і настало тепер наше покоління, а за [про] велетнів і помину нема* (Рудан.).

2. Відсутні ознаки наявності, існування чого-небудь. *У нього грошей і помину нема.*

[і] ціни́ нема́ (нема́є, не було́) *кому, чому.* Хто-небудь (або що-небудь) дуже цінний (цінне) своїми якостями, особливостями, достоїнствами і т. ін. *Вся [Маруся] в золоті, в шовках. Там одна плахта.. пар двох волів чумацьких стояла, а коралям і ціни нема* (П. Куліш); *Хоч мало коштує хлібина, Насправді ж їй ціни нема!* (Гірник); *В тебе, Луко, голова — то й ціни їй немає!* (Мирний); *Коли б.. коню не лисинка, і ціни б йому не було* (Укр.. присл..). Пор.: **не ма́ти ціни́ (в 2 знач.).** Антонім: **гріш ціна́.**

лиця́ (обли́ччя) нема́ (нема́є, не зна́ти, не було́) / не ста́ло на кому. Хто-небудь змінюється на виду, стає дуже блідим від раптового сильного хвилювання, приступу хвороби і т. ін. *Глянула мати на сина — жахнулася! Глянув батько — розгубився! — Що сталося, сину? На тобі лиця нема!* (Літ. Укр.); *Бачив [Тихін] тільки через голови в розчинені двері — одімкнула скриню Марія. Яків порився в ній і.. щось на ходу сказав Марії. А на ній лиця немає, як із воску виліплене* (Головко); *Уляна стояла по один бік хати,.. лиця на ній не знати!* (Мирний); *На скуйовдженому завгоспові лиця не було: — Біжіть до медпункту! Там...* (Бабляк); *Нарешті Килина запитала те, що* зараз непокоїло її найбільше: — А що ж це з нашим агрономом? Обличчя на ньому немає, навіть не глянув (Гуц.); Як почула таке Мотря, то й лиця на їй не стало: поблідла, як крейда, затряслась, як лист на осині (Мирний).

місця живого нема́ (нема́є, не було́, не залиши́лось) на кому — чому. Хто-небудь весь побитий, поранений; що-небудь повністю поруйноване. — Аж сусіди позбігались на мій вереск — оце хіба вас не було: на роботі були... геть мене потовк, місця живого нема,— скрізь синяки... гляньте... (Коцюб.); — А хто ж лічив, скільки панських стріл попало в серце діда Дуная? Надійсь, в тому серці живого місця нема (Стельмах); Коли листоношу роздягли — на ньому не було живого місця, і п'явки купами поприсмоктувалися до тіла (Ю. Янов.); // Що-небудь вщерть заповнене. В камері стало трохи видніше, і, оглянувшись, я побачив, що тут місця не було живого — вся підлога, попритрушена перетертою чорною соломою, покрита людськими тілами (Збан.).

мо́ви нема́ (нема́є) про що, з сл. щ о б. Що-небудь зовсім неможливе, нездійсненне. П о р.: **не може бу́ти мо́ви.**

на світі нема́ кого. Хто-небудь помер чи загинув. А невістка одказує: — Будемо його [Кармеля] дожидати, мамо.— Дожидати? Може його вже, Марусю, й на світі нема! (Вовчок); — Я ж про тебе не мала ні чутки, ні звістки..; не знала, чи ти живий, чи може вже тебе й на світі нема,— говорила Гризельда (Н.-Лев.); — Біжи, біжи, королевичу, не жалуй коня, вже твоєї Галютоньки й на світі нема (Чуб.).

нема́ де й го́лкою штрикну́ти див. штрикнути.

нема́ ді́ла кому до кого — чого. Хто-небудь не цікавиться ким-, чим-небудь, не має ніякого відношення до когось — чогось. Вас горне до себе наука,.. а до життя, до громадських справ — вам нема діла (Мирний); — Я думаю так,.. я один, і більше мені нема й до кого діла (Л. Укр.).

нема́ коли́ й сло́ва ви́мовити див. вимовити; ~ куди́ пра́вди діва́ти див. дівати.

[нема́ (не було́ і т. ін.)] ані́ (ні, і) крови́нки (крови́ни)** в чому, на чому. Дуже блідий (переважно про обличчя, губи і т. ін.). В губах не було ані кровинки, і вони тремтіли (Фр.); Ми [в'язні фашистської тюрми] мовчазно переглядаємось. В обличчі кожного — ні кровинки (Збан.); Виснажлива хвороба зробила його якимось крихким, тендітним — в обличчі ні кровинки (Гончар); Двір наповнився дітьми з блідими лицями, в яких не було й кровинки (Чорн.). **ні крови́ночки.** Голівка спущена додолу, у лиці ні кровиночки, замість уст лиш чорна смужечка якась (Хотк.). П о р.: **без крови́нки.**

нема́ (не було́) за що (за ві́що) зачепи́тися. Відсутня матеріальна основа для господарювання, діяльності тощо.— Дівчина у мене є, наречена, побратися думали. А зачепитися не було за що (Цюпа).

нема́ (нема́є) берегі́в чому. Що-небудь безмежне, не піддається вимірюванню. Грім одгримів, соловей заспівав, заіржали Коні в далекій імлі. Щастю нема берегів (Рильський).

нема́ (нема́є) бо́га у се́рці у кого і без додатка, заст. Хто-небудь не несе моральної відповідальності за свою погану поведінку, за свої недостойні вчинки і т. ін.— Як у серці нема бога, то гріха не страшно (Мирний). С и н о н і м: **нема́ со́вісті.**

нема́ (нема́є) ви́ходу. Не можна вийти із скрутного становища. Соломія знесилилась і впала... Значить нема виходу і вона мусить тут погибати, а Остап через неї десь у другому місці (Коцюб.); — А що, як поїхати в «Зорю»? — прийшла йому в голову раптова думка. — Так. Так. Тільки в «Зорю». Іншого виходу немає (Тют.). П о р.: **не ма́ти ви́ходу.** С и н о н і м: **нема́ куди́ оберну́тися.**

нема́ (нема́є) дурни́х (ду́рнів). Хто-небудь не такий наївний, некмітливий, непередбачливий, як про нього можна було б думати. Артилеристи випускали приділену норму снарядів, але піхота — нема дурних! — тепер вже не виходила з шанців (Смолич); — Хто ж признається? Це ж треба, щоб людина сама на себе донесла. Тепер дурних, Килино, нема! (Гуц.); Макар Іванович осміхнувся. Нема дурнів! На сей гачок його не зловиш! (Коцюб.).

нема́ (нема́є) за що. 1. Бракує матеріальних засобів на що-небудь. Треба рятуватися, спочити, полежати у шпиталі або в санаторії, а нема за що. Доведеться пропадати (Коцюб.).

2. Уживається як ввічливий вираз у відповідь на висловлену ким-небудь подяку за щось; не варто.— Ой спасибі вам, Катре, що прийшли.— Нема за що (Головко).

нема́ (нема́є) і кі́сточки чиєї, кого. Хто-небудь давно вже помер. — Який він брат мені? Захопив у свої лабети все добро та й брат! Москаля вже й кісточки досі немає... Чому ж він не поділяє добра?.. (Мирний).

нема́ (нема́є) і чу́тки про кого. Хто-небудь зник, пропав безслідно; нічого невідомо про кого-небудь. Бабуся живе, терпить, а про Назара нема й чутки (Вовчок); [С е м е н (до Микити):] Як пішов ти з села, то либонь через місяць.. Маруся збожеволіла й.. підпалила вашу хату, а сама десь помандрувала та й чутки про неї нема (Кроп.).

нема́ (нема́є) ка́ри (суда́) на кого. Уживається для вираження осуду негідної поведінки кого-небудь.— Нащо ви дитину мою мучите?! — крикнула Ганна..— Боже мій, боже! і суда на вас нема, прокляті! (Мирний).

нема́ (нема́є) лі́ку (числа́) кому, чому. Дуже багато кого-, чого-небудь. Летять [павучки] бездумно, мовчазливо, Самі не знаючи доріг, і начіпляються квапливо На все, що зустрічає їх. Над синім холодом Дніпровим Нема їм ліку і кінця (Рильський); — Вишневецькі роду княжого. Їх землям, селам, містам та грошам і ліку нема,— сказала Гризельда (Н.-Лев.); З мороку минулого проступають обличчя, жевріють очі, розмикаються уста, бажаючи сказати щось... Як багато їх.. Нема їм числа (Гуц.). **несть числа́**, книжн., заст. Море велике й просторе, китів у ньому несть числа! (Полт.).

нема́ (нема́є, не було́ б) ді́ла. Нічого не виходить, не можна обійтись. Прикажчик нічого не розуміє і коли б не Андрій, не було б діла (Коцюб.); Ковалі мене до горна Підведуть — дивися, сила! Хай робота наша чорна, Та без неї нема діла (Ус.).

нема́ (нема́є, не було́) відбо́ю від кого — чого. 1. Надто багато, більше ніж треба тих, хто чимсь цікавиться, чогось домагається і т. ін. Старші [школярі], ті стояли осторонь, а від малюків не було відбою. Вони, як бджоли, обліплювали автогенний апарат, почервонілими очима дивилися на сліпучі спалахи електрозварки (Зар.); — Ми не можемо його [вино] тут держати. Он, бачите, вже ходять, посвистують. Коли в підвалах стояло, то й тоді відбою від них [матросів] не було. А тепер і поготів (Кучер).

2. Не можна позбутися кого-, чого-небудь.— Ти бачив у нас дівку Марину?.. І — лиха її година знає: — підвернулася, брат, п'яному під руку.. — А тепер одбою немає... (Мирний); Сам заїду послухати, як співає товариш Горобець.— Та й заїжджав? — Одбою не було. Приїдуть із старшиною, принесуть ящичок розморожених яєць, щоб я, значить, із голосу не звихнувся (Тют.).

нема́ (нема́є, не було́) зно́су чому. Дуже міцне, довго не порветься, не зіпсується, не поламається і т. ін. Хай усі знають, що у нього тепер є такий добрий кожух, що йому й зносу не буде! (Чаб.); Витираючи руки, Максим казав: — Машину любити треба! Обходься з нею, як з конем, їй зносу не буде (Автом.).

нема́ (нема́є, не було́) зупи́ну (упи́ну, спи́ну, уга́ву) кому, чому і без додатка. Не можна спинити, стримати, угамувати кого-, що-небудь у діях, вчинках, вияві чогось і т. ін.— Тепер нашому братові нема зупину, бойове хрещення пройшли і підемо по Україні,— скинувши шапку,.. нахвалявся мінометник (Шер.); Біжать воркуючи струмки До повноводної ріки І там збивають жовту піну,— З гори струмкам нема зупину (Шпак); Нема впину вдовиному сину (Номис); Усі знали, що Єремії нема впину, нема закону.., коли він розлютується (Н.-Лев.); [Мар'яна:] Козаки не так люблять! Козак коли побачить, то нема йому спину на світі, на все готов для тієї, котору [котру] покохав (Вас.); У себе в кімнаті своїй обиди співають — нема вгаву, а в бесіді сидять змовчком, уста не вміють розімкнути (Вовчок); Летять огні у чорну путь, немає тим огням упину (Сос.); Як та вода по весні, розірвавши греблю, знай біжить та клекотить — так я: ані вгаву, ані втоми мені немає... (Мирний); І люд, випростуючи спину, підводив радісне чоло, і свіжій силі ні зупину, ані кордонів не було (Уп.); Не було дівчатам вгаву: Чайченко — як на мислі, як на язиці (Вовчок).

нема́ (нема́є, не було́) і заво́ду (в заво́ді) кого, чого. Хто-небудь чи що-небудь зовсім не передбачається [Відьма:] Ох, діти!.. Де не піду, й вони за мною, Вони з'їдять мене колись.. [Циган:] Не плач, небого, не журись. У нас дітей нема й заводу (Шевч.); — Нема краще, як ті літа дитячі! — заговорив Іван Савич.— Нема краще! Ніякого тобі горя і в заводі тоді не було (Вовчок).

нема́ (нема́є, не було́) куди́ оберну́тися. Неможливо знайти вихід із скрутного становища.— І почалося таке, що я стала у них за служницю.. Та що діяти — не було куди обернутися (Фр.). С и н о н і м: **нема́ ви́ходу.**

нема́ (нема́є, не було́) мі́сця кому, чому. Хто-небудь не повинен бути серед когось; що-небудь не повинне бути допущене, не повинне існувати. Короткозорому оптимізмові немає місця (Коцюб.).

нема́ (нема́є, не було́, не ви́дно) кінця́-кра́ю (кінця́, ні кінця́ ні кра́ю, кра́ю) чому. 1. Щось простягнулося дуже далеко або високо. Весна застелила степ зеленим несходимим килимом, а йому кінця-краю (Кач.); Чорна буря йде, валує, і все небо від неї чорне, і здається, кінця немає у височінь цій куряві (Гончар); Він давно вже вскочив у його [ліс] і повинний би був перейти, а от йому кінця-краю немає (Мирний); Маєтності [лубенські] були ще більші за волинські. Їм неначе й краю не було в безмежних степах (Н.-Лев.); Золотисті лани пшениць такі, що їм кінця-краю не видно (Гжицький); У них і дрімотно кують коники в траві, і їхнє кування повисло над землею густим співучим дзвоном, якому, здається, не буде кінця й краю (Кучер). П о р.: **не ма́ти кінця́-кра́ю** (в 1 знач.).

2. Щось дуже довго триває, існує, не закінчується. Хто уразив його гаряче серце?.. Нема кінця-краю таємним догадкам (Мирний); Злидні невсипущі: були вони і вчора, є й сьогодні, і завтра будуть, і нема їм краю (Л. Укр.); — Ніколи мені,— зітхнула Кульжан.— Стрижу, стрижу кінця-краю не видно... Руки геть у мозолях (Тулуб); — Іване Семеновичу, припиняйте позачергові дебати, бо їм не буде ні кінця ні краю (Чаб.). П о р.: **не ма́ти кінця́-кра́ю** (в 2 знач.).

3. Дуже багато, велика кількість. У вдови два норови, а у вдівця нема й кінця (Укр.. присл..); Сім днів вони не їли і відбивають атаки люті ворогів... Гармат гуде огненний гнів, а ворогам

кінця немає (Сос.); *Варвара Сухерада клопочеть-
ся в хаті, у хліві, у городі, бо все просить її рук..
Шиє, пере, мете, копає, пече, смажить,— і краю не
видно роботі* (Гуц.).

4. **Не можна виміряти, у великій мірі.** *Прийшло-
ся йому прожити тиждень гірше, ніж у пропасни-
ці, у тому безмірному страху, що нема йому
кінця-краю, що здіймається з усіх боків* (Мир-
ний); *Був у нас чоловік Петро і такий веселий та
на вигадки здатний, що й краю нема* (Україна..); — *А про мене що він каже? І не гріх таке
плести! — Хай каже... Казаному кінця немає*
(Мирний); — *Немає краю моєму гніву! Немає
сили знести муки серця!* (Н.-Лев.).

**нема́ (нема́є, не було́, не вистача́є, не хвата́є,
браку́є** *і т. ін.***) одніє́ї (тре́тьої, деся́тої** *і т. ін.***)
кле́пки (кілько́х кле́пок) [у голові́ (у тім'ї** *і
т. ін.***)]** у кого, кому, зневажл. Хто-небудь дурний,
розумово обмежений, ненормальний. *Він і справді
трохи якийсь чудний, неначе в його нема одніеї
клепки в голові* (Н.-Лев.); — *Я ходив скаржи-
тись на Лисицю, а сказали, що в мене нема клепки
в голові* (Літ. Укр.); *Немає третьої клепки в
голові* (Укр.. присл..); *В неї неначе не було одніеї
клепки в голові* (Н.-Лев.)! — *Як на що інше, так
у нього десятої клепки не вистачає, а на це
вистачило* (Гончар); *Отаман Лизогуб скривив-
ся: — Пане капітан, у вас завжди не вистачало
клепок у голові чи тільки зараз?* (Панч); — *Ой,
гарячий ти, Мусію, та клепки не хватає!* — *сказа-
ла сама собі Мар'яна, зітхнувши важко* (Кос.);
[Г р и ц ь к о:] *Кажуть, що одному молодцеві,
в якого дев'ятої клепки бракувало змалку, якась
ласкава душа свиняку вставила* (Стар.); *Йому
було відомо, що чоловікові Гальби.. бракує кіль-
кох клепок* (М. Ю. Тарн.). П о р.: **без кле́пки; не
ма́ти кле́пки.** С и н о н і м и: **не всі вдо́ма; нема́
царя́ в голові́; розсо́хлися кле́пки; жукі́ в голові́.**

**нема́ (нема́є, не було́, не залиши́лося, не лиши́-
лося, не зоста́лося** *і т. ін.***) [ні (і)] ни́тки сухо́ї
(рубця́ сухо́го)** на кому — чому. У кого-небудь
одяг промок наскрізь. *Лихо та й годі нашій
Марусі! Нитки сухої на ній нема, а нігде обсуши-
тись* (Кв.-Осн.); *На ньому вже не було сухої
нитки,.. нивочі плечі опали, розкисла шапка припа-
ла до чола й затуляла очі* (Хор.); *Обмокли
хлопці — рубця сухого не було, хоч і ховалися під
вербами* (Головко); *Поки Антон переніс через
ріку свою дружину, на ній не залишилося й сухого
рубця* (Чорн.); — *Дякувати богові, хоч дощ сьо-
годні перестав. Вчора так направ, що й рубця
сухого не лишилось* (Резн.); *Дощ — одно пере,
одно пере... Не зосталося на наших вівчарях ні
рубця сухого* (Мирний). **ни́точки сухо́ї не зна́й-
деш.** *В дощ, у негоду, в осінній холод змокне
[Гнат] було, що й ниточки сухої не знайдеш*
(Коцюб.). **і ру́ба сухо́го не оста́лося.** *І руба
сухого на ньому не осталось* (Укр.. присл..).

нема́ (нема́є, не було́, не ста́ло *і т. ін.***) життя́**
перев. кому. 1. через кого, від кого. Хто-небудь
багато переживає у зв'язку з чиїмись вчинками,
зазнає великих неприємностей від кого-небудь.— *Через цю Ульку життя мені нема! Що не зро-
бить — все не по-людськи.. Так.. жалілася гене-
ральша своїм сусідам на горничну Уляну* (Мир-
ний); *Собаки й вівчарі твої, Усі ви — вороги мої,
Од вас мені життя немає* (Гл.); *Він сердито
жалівся: і так од голоти життя не стало, а тут ще
Гущу пустили* (Коцюб.).

2. без кого — чого і без додатка. Кому-небудь
важко жити без когось — чогось; у кого-небудь
брак душевного спокою.— *А тепер я ходжу, сві-
том нуджу, нема мені життя без Насті... Як не
буду з нею жити, то буду в сирій землі гнити*
(Коцюб.); — *Так-так,— підхопили дворяки,—
без землі що?.. Без землі життя нема!* (Мир-
ний); — *Дотягну до осені, а там подамся на
шахти або на заводи. Все рівно дома життя не
буде* (Григір Тют.).

**нема́ (нема́є, не було́) про́сві́тку (просві́тлої
годи́ни)** кому. 1. Хто-небудь дуже зайнятий, у
когось велика нестача вільного часу. *Левантині
просвітку не було за роботою, за лайкою та за
штурханцями* (Гр.); — *Що він вигадує? Хіба вона
яка, щоб до парубка в хату йти? Та й коли б вона
йшла? Їй просвітлої години нема за роботою*
(Гр.).

2. У кого-небудь брак спокійного життя, душев-
ного спокою. *Жінка напада, так що бідному
Тихонові і просвітку нема* (Кв.-Осн.); *Молодий
господар будівництво гути й винокурні заходив-
ся на весну почати, то тепер і взимку не буде людям
просвітку* (Кочура); [П а р а с к а:] *Нехай же ті-
лько Роман жениться на Пузирні — не буде їй
просвітлої години: я її заїм* (К.-Карий).

3. без додатка. Хто-небудь потрапив у скрутне,
безвихідне становище. [М о л о д ш и й л і к а р:]
*Гнила, каламутна задуха підступає до горла.
Просвітку нема* (Лев.); *Думка її билася, ніби
спійманий птах, і годі було знайти вихід, і здава-
лося, що просвітку немає* (Собко).

нема́ (нема́є, не було́) рі́вного кому, чому,
в чому. Найкращий своїми якостями, властивос-
тями і т. ін. *Кожен козак обертався в ..думах на
лицаря, визволителя бідних невільників, ставав
героєм, якому нема рівного в світі* (Тулуб); *Серед
однолітків не було йому рівного в силі, спритності
і відвазі, а найперше в розумі.* С и н о н і м: **нема́
па́ри.**

**нема́ (нема́є, не ви́дно, не ста́ло, не було́, не
зоста́лося) і сліду́** від кого — чого, рідко з чого,
кого, чого і без додатка. 1. Хто-небудь перестав
існувати, зник, пропав; що-небудь перестало існу-
вати, зникло, назавжди забулося. *І сліду вже
нема з тої столярні на бориславськім тракті
в Дрогобичі, де мені довелось пробути перші три*

роки мойого міського життя (Фр.); — Е-е-е... його вже давно й сліду нема... Знала я того Окуня, знала... Вже, мабуть, літ з десять буде, як помер... (Мирний); *Вода висохла і від річки рівчак зостався, а від криниці й сліду нема* (Свидн.); *На другий день рано діти кинулись до пиріжків...— пиріжків і сліду немає...* (Коцюб.); *Оглянувся — Галайди немає...— Де Галайда? — Максим кличе. І сліду не стало...* (Шевч.); *Під горою стояла ще друга хата, але вона була засипана глиною тоді, як обвалився бік гори. Тепер не видно і сліду того провалля* (Н.-Лев.); *Микола шукав очима тієї старої гіллястої груші, з-під котрої він вперше побачив Нимидору. Груші вже не було й сліду* (Н.-Лев.). **сліду не стало.**— *Де він тепер? — Здох десь в Германії.. Як ото царя скинули, то тільки поминай душу — сліду не стало* (Ірчан). **не було й сліда.** *Під Харковом я бачив, у селі, Коли ворожа сила відкотилась, Як молодиці й підлітки малі Хати білити разом заходились, Щоб не було від ворога й сліда. Щоб кожна хата Стала молода* (Рильський).

2. Абсолютно відсутній. *Вже в душі зростає до нього [батька] недобре почуття, а вдячності нема й сліду* (Моє життя в мист.); *Не раз тобі доводилося, шановний читачу, вичитувати в критичних статтях та оцінках такі осуди, як: оце місце вийшло вельми поетичне ..áбо навпаки: в тих віршах нема й сліду поезії* (Фр.); *Пес виполохував лише із трави птахів і зайців, але людей ніде не було й сліду* (Мак.).

немá (немáє, не вистачáє, бракýе) кебéти *перев. у кого.* У кого-небудь відсутні або недостатні розумові здібності для розв'язання чогось. *Де ж пак! Такі очевидні речі, а витлумачити людям нема кебети* (Головко); [Т і р ц а:] *Справді, коли бракує ватагам кебети, хай встане жінка, як нова Дебора, і скрикне: встань, Ізраїлю, повстань* (Л. Укр.). С и н о н і м и: **не всі вдóма; немá царя в голові; немá клéпки; розсóхлися клéпки; без клéпки; жукú в голові.**

немá (немáє, не дáють і т. ін.) прохóду *кому.* Оточуючі надокучають кому-небудь виявленням інтересу до його дій, вчинків і т. ін. *Ну й зашуміло село, коли розбовкав скрізь Косован, як я його від Смолюка врятував. Вийшов я вранці — проходу нема* (Мур.).

немá (немáє, ні, ані) прúступу *до кого.* Неможливо підступитися до кого-небудь, зустрітися з ним. *Мов підмінили Нестора: на селі був такий привітний, пригожий, а тепер приступу нема* (Горд.); — *Оце вже Роман так замурується в своїй хатині з книжками, що до його ані приступу! — говорила Соломія до матері* (Н.-Лев.).

немá пáри *кому, чому, в чому.* Найкращий своїми якостями, властивостями і т. ін. *Боровик, або білий гриб, вважається королем грибів. І справді, він найсмачніший, найпоживніший, йо-*

го можна і варити, і сушити, і маринувати — в усіх видах нема йому пари (Наука..). С и н о н і м: **немá рíвного.**

немá (немáє) промúтої водú *кому від кого.* Хто-небудь зазнає багато неприємного (переслідування, докори і т. ін.) від когось. *То було батько тихий, тихий, а тепер мені промитої води нема ні від матері, ні від батька* (Барв.); *Вже тепер і ступити мені не дасть; уже нема мені промитої води: то те недобре, то це негаразд* (Вовчок).

немá (немáє) прóсипу *кому.* Хто-небудь постійно п'яний. *П'є і п'є, нема йому просипу* (Номис).

немá (немáє) розпрáви *на кого, над ким.* Уживається для вираження незадоволення ким-небудь у зв'язку з його поведінкою, діями і т. ін. [І в г а:] *Ох, він гаспидський син! Хіба над ним розправи нема?* (Мирний).

немá (немáє) скáзу *на кого.* Уживається як лайка для вираження крайнього незадоволення ким-, чим-небудь і виявлення недобрих побажань комусь, чомусь.— *Страховисько! Нема на тебе сказу!.. Рябко провину розумів відразу І починав, Схопивши хвіст кудлатий, Всі реп'яхи зубами видирати* (Іванович).

немá (немáє) сóвісті *у кого.* Уживається для вираження незадоволення чиєю-небудь поганою поведінкою, недостойними вчинками.— *Ех, хлопці, хлопці, нема у вас совісті ні на макове зерно,— докірливо похитав [економ] головою* (Стельмах).П о р.: **не мáти сóвісті; ні стидá, ні сóрому немá.** С и н о н і м: **немá бóга в сéрці.**

немá (немáє) спáсу (спасíння). Не можна витримати, переносити що-небудь. *Він щосили почав ляскати себе долонями по стегнах і по грудях.— Цс-с-с! Цс-с-с! Здуріли! — зашипів на нього Кравцов.— Та нема спасу, синку! — горьованим голосом поскаржився єфрейтор..— Усі вже кістки, видать, перемерзли* (Ю. Бедзик); — *Взяла, дурна, та й вискочила заміж за припадочного Петьку Козолапа... А воно, трясця, як розпилося, вірите, спасіння нема...* (Зар.).

немá (немáє) спýску *кому.* Чиї-небудь дії, вчинки постійно і ретельно контролюються, а провини караються. *Багачу .. на селі спуску немає* (Скл.).

немá (немáє) [та] й немá (немáє). Давно, довго не наступає, не приходить, не з'являється. *Буває, скрізь все літо ходить [хмара], А іноді нема й нема* (Гл.); [О д а р к а:] *Отаке, як бач, наше життя: зо дня на день перебиваємося, смерті дожидаючи... а її нема та й нема* (Мирний); *Петруся немає та й немає, мов крізь землю провалився* (Тют.).

немá (немáє) того в (на) світі, чого [б] не, з дієсл. Абсолютно все.— *Діти, нема того в світі, чого б мені не зробити Для цієї Катерини* (Шевч.); *Нема того на світі, чого не було на тому ярмарку* (Кв.-Осн.).

нема́ (нема́є) [того́], щоб... Уживається для вираження незадоволення тим, що не відбувається бажана дія.— *Руки пообриваєш, носячи! Нема того, щоб хурку найняти; як на того коня валять — коси!* (Мирний); — *Пан Стадницький знову позивається з лісовиками. Ще йому мало землі .. Син [його] хоче зовсім старцями поробити людей. Нема, щоб по правді* (Стельмах).

нема́ (нема́є) того́, щоб не..., *з дієсл.* Абсолютно всі, всі без винятку. *Нема того дерева, щоб на йому яка птиця не сиділа — нема того чоловіка, щоб хоч трохи не збрехав* (Номис).

нема́ (нема́є) царя́ (царка́) в голові́ *у кого,* зневажл. Хто-небудь дурний, несповна розуму. *Царка в голові немає* (Укр.. присл..). С и н о н і м и : **не всі вдо́ма; без кле́пки; розсо́хлися кле́пки; жуки́ в голові́.**

нема́ (нема́є) чого́ (*рідко* що). 1. Не варто, не треба вередувати. [Ж і н к а:] *Чом хліба не їси?* [Ч о л о в і к *(мовчить)*]. [Ж і н к а:] *Гіркий, либонь? Нема чого, небоже, мусиш їсти!* (Л. Укр.).
2. *перев. з інфін.* Не потрібно, не треба. *Нема чого тішити себе недаремно, він не дитина, може дивитися гіркій правді в вічі* (Гончар); — *Буде вже так. Нема що й балакати дарма* (Головко).

нема́ (нема́є) чого́ в рот покла́сти. Нічого їсти. *При панській власті нема чого в рот покласти* (Укр.. присл..). С и н о н і м и : **кла́сти зу́би на поли́цю; на зуб ні́чого покла́сти.**

нема́, нема́ та й, *з дієсл.* Час від часу, іноді, зрідка. *Все-таки в найглибших потайниках душі старого з останні дні нема, нема та й проскочить іскорка надії* (Стельмах).

нема́ чим кри́ти *див.* крити; ~ чого́ бо́га гніви́ти *див.* гріх; ~ чого́ і говори́ти; ~ що говори́ти *див.* говорити.

ні (і) стида́, ні (і) со́рому (ні сорома́, ні стра́му) нема́ (нема́є) *у кого, кому.* Хто-небудь діє безсоромно, не несе відповідальності за свою погану поведінку, недостойні дії, вчинки.— *А я так скажу, люди добрі, що нема в тебе, Лисице, ні стида, ні сорому...* (Речм.); *Сварку насилу розігнала Охрімова жінка Федора...— І стида вам немає, і сорому! — батькувала вона, розмахуючи прутом* (Тют.); і сорома́ нема́.— *Цілується з тим дурним дяком, і сорома нема дівці* (Н.-Лев.). і со́рому нема́є. *Христя ображено прошептала:* — *Чортова верства! і сорому йому немає!* (Мирний). стра́му нема́. — *Страму вам нема, варвари,— докоряв буржуям Хрисан Кульбака, відомий у загоні своєю набожністю* (Гончар). С и н о н і м : **нема́ со́вісті.**

ніко́му нема́ (нема́є) розбо́ру. Не розбираючи хто, байдуже хто, всі підряд. *Вже не попадайся їм [парубкам] по дорозі ніхто: чи перекупки з коробками, ..чи баба стара, чи дівка молода їм назустріч,— нікому нема розбору* (Кв.-Осн.).

поги́белі нема́ (нема́є) *на кого,* лайл. Уживається як лайка для вираження крайнього незадоволення ким-небудь і виявлення недобрих побажань комусь.— *А — киш, щоб тобі подохли [кури], погибелі на вас немає!* (Збан.); — *Щоб ти [собака] здох,— півголосом лається Гаврило.— Немає на тебе погибелі...* (Тют.).

терпцю́ (терпі́ння) нема́ (нема́є, не стає́ і т. ін.) / не ста́ло і т. ін. в кого, рідко кому і без додатка. Хто-небудь не може більше витримувати щось, робити що-небудь, чекати когось чи щось і т. ін.— *Але потерпімо ще трохи. Почекаймо великої милості й справедливості.— Від кого? — Нема терпцю!* (Коцюб.); *Слухати довго й терпляче Микола Васильович не вмів, йому не ставало терпцю чекати, поки бесідник його манівцями добереться до своєї мети* (Л. Укр.); — *До землі потягнуло? — Еге ж. Думав, що нині й нам надіялять.— Потерпи ще.— Та вже, тату, терпіння нема* (Стельмах); — *От я почала читати в торішній «Ниве» повість Еберса .. та, їй-богу, не стало терпіння її скінчити,— сказала Антося* (Н.-Лев.). С и н о н і м : **терпе́ць увірва́вся.**

ті́льки (хіба́, лиш) паши́ного молока́ нема́ (нема́є, не виста́ча́є, браку́є і т. ін.). Абсолютно все є (про повний достаток, заможне життя). *В одній [кімнаті] золота було стільки, що лиш посередині зосталася вузька доріжка, в другій — одежі, у третій — хліба, муки — всього, що треба. Лиш пташиного молока нема* (Казки Буковини..); — *І колись гемон з колгоспу останні жили тягнув, і при німцях не спасував. Навозив жита й пшениці, і кабанів наколов колгоспних, і телят нарізав.. Пташиного молока тільки й немає* (Збан.); *Дехто в цей час на порядний костюм не може стягтися, а тобі тільки пташиного молока не вистачає* (Ткач); *Живу я в дуже милої, дуже доброї старшої челяднички, керівнички майстерні панни Місі, де мені хіба пташиного молока бракує* (Вільде).

у нога́х пра́вди нема́ (нема́є). Уживається як примовка при запрошенні сідати. *Вірний відразу поринув у його [дивана] м'які пружини, запросив і дівчат:* — *Сідайте, в ногах правди нема* (Логв.); *Дід якийсь, чорнобородий, запросив:* — *Сідай, парубче, в ногах правди немає* (Збан.).

хи́трощів нема́ (нема́є) в чому. Що-небудь не вимагає особливого вміння, може здійснюватися без особливих труднощів, без напруження і т. ін. *Прожити — в цьому хитрощів нема, Аби лиш у життя вчепиться вміли* (Рильський).

хреста́ нема́ (нема́є) на кому, заст. Хто-небудь безсовісний, безчесний. *Не вірте йому, хреста на ньому нема.*

чого́ (кого́) ті́льки [там] нема́ (нема́є, не було́). Уживається для підкреслення великої кількості чи різноманітності кого-, чого-небудь. *Кого тільки нема на історичній площі! Офіцери і навіть генерали,.. чиновники, звичайні й відставні, студенти* в формі (Довж.); *А чого тільки не було на тому столі: і пиріжки, й пиріжечки з усякою начинкою, з усякою всячиною, були фаршмаки та інші присмаки, риба фарширована й маринована* (Пчілка). **чого́ там нема́.** *Кликнули нас до покоїв. Увійшли. Аж в очах нам замиготіло: і зеленіє, і червоніє, і біліє, і синіє... чого там нема* (Вовчок).

НЕМАЄ: ди́хнути нема́є коли *див.* дихнути; **і вгóру гля́нути ~ ча́су** *див.* глянути; **~ й кри́хти** *див.* зосталося; **~ куди́ дíва́тися** *див.* діватися.

НЕМАЛО: ба́чити нема́ло сві́ту *див.* бачити.

НЕМИЛЕ: життя́ неми́ле *див.* життя.

НЕМОЖЛИВОГО: до неможли́вого. Надзвичайно, дуже сильно, у великій мірі. *Це була стара дівка, до неможливого кістлява* (Тулуб); *Нарешті ми досягли берегів Пао.. Зелені до неможливого дерева й зовсім червона земля* (Ю. Янов.). П о р.: **до неможли́вого.**

НЕМОЖЛИВОСТІ: до неможли́вості. Надзвичайно, дуже сильно, у великій мірі. *Очі підпухли так, що втратили симетрію. І саме ця деталь до неможливості спотворила його вигляд* (Вільде); *Страшне, схудле до неможливості обличчя [сина] побачила вона в ту одну мить* (Хотк.). П о р.: **до неможли́вого.**

НЕНАВИСТЮ: нена́вистю ди́хати *див.* дихати.

НЕНАДОВГО: ненадóвго ста́не *див.* стане.

НЕОБАЧНА: необа́чна голова́ *див.* голова.

НЕОТЕСАНА: дóвбня неоте́сана *див.* довбня; **як дереви́на ~** *див.* деревина.

НЕПАМ'ЯТЬ: впада́ти в непа́м'ять *див.* впадати; **запада́ти в ~** *див.* западати; **ітй в ~** *див.* іти; **пусти́ти в ~** *див.* пустити.

НЕПОВНІ: три мішкй греча́ної вóвни і всі непóвні *див.* мішки.

НЕПОГАНО: язи́к підві́шений непога́но *див.* язик.

НЕПОПРАВНИЙ: непопра́вний ду́рень *див.* дурень.

НЕПОРОЖНЯ: непорóжня кише́ня *див.* кишеня.

НЕПОЧАТИЙ: непоча́тий край *див.* край.

НЕПРАВДАМИ: пра́вдами й непра́вдами *див.* правдами.

НЕПРАВДОЮ: непра́вдою ди́хати *див.* дихати.

НЕПРАВИЛЬНОМУ: стоя́ти на непра́вильному шляху́ *див.* стояти.

НЕПРИКАЯНИЙ: як (мов, ні́би *і т. ін.***) неприка́яний.** 1. Не знати, чим зайнятися через втрату душевної рівноваги, самовладання, спокою і т. ін. *Жовніри прикотили на берег дві гармати і стали на всю ніч на варту. І Гризельда, і усі дворські ходили, як неприкаяні. Ні в кого й думки не було сісти за роботу* (Н.-Лев.); — *Лізь у погребник! Чого вешташся, як неприкаяний? — командував старий Кухта, заганяючи до сховища дітей* (Іщук).

2. У незвичайному для себе стані душевного розладу, у дуже поганому настрої. *Явдоха, як неприкаяна, йде на роботу, покинувши своїх малят напризволяще вдома* (Д. Бедзик).

НЕРВАХ: би́ти по не́рвах *див.* бити; **гра́ти на ~** *див.* грати.

НЕРВИ: висóтувати не́рви *див.* висотувати; **ді́яти на ~** *див.* діяти; **дратува́ти ~** *див.* дратувати; **не́рви здаю́ть / здали́** *чиї, у кого.* Хто-небудь починає втрачати спокій, рівновагу, хвилюється, непокоїться. *Оця несподівана підтримка незнайомої людини, довіра комісара .. так вразили Колосовського, що він відчув, як нерви його здають, і він тільки крайнім зусиллям волі стримав себе, щоб не розридатися* (Гончар); *Вперше за багато днів нерви здали у самого спокійного Марка Грицишина* (Рибак). С и н о н і м: **терпе́ць урива́ється.**

псува́ти не́рви *див.* псувати; **розпуска́ти свої́ ~** *див.* розпускати.

стальні́ (залі́зні) не́рви. Тверда, сильна воля і твердий, сильний характер.— *Тільки завдяки моїм стальним нервам я не турнув їх в три ший з салону* (Головко).

трима́ти не́рви в рука́х *див.* тримати.

НЕРВІВ: усіма́ фі́брами не́рвів *див.* фібрами.

НЕРОЗУМНА: нерозу́мна голова́ *див.* голова.

НЕРУШ: ма́ти не́руш у рука́х *див.* мати [2].

НЕСАМОВИТИЙ: як (мов, ні́би *і т. ін.***) несамови́тий.** У такому стані, що нездатний контролювати свої вчинки, дії. *Увійшли [люди] у хату, засвітили каганець, чоловік стоїть, як несамовитий* (Стор.); *В кедрових палатах, мов несамовитий, Давид похожає [походжає]* (Шевч.).

НЕСАМОВИТИМ: несамови́тим гóлосом *див.* голосом.

НЕСЕ: бог несе́ *див.* бог; **лиха́ годи́на ~** *див.* година; **лихи́й ~** *див.* лихий; **ли́хо ~** *див.* лихо; **нете́ча ~** *див.* нетеча; **чорт ~** *див.* чорт.

НЕСИТА: неси́та пе́лька *див.* пелька.

НЕСИТИМ: неси́тим óком *див.* оком.

НЕСЛАВІ: у несла́ві ходи́ти *див.* ходити.

НЕСОЛОНО: несóлоно сьорба́вши *див.* сьорбавши.

НЕСПОВНА: неспóвна́ рóзуму. Розумово обмежений, ненормальний.— *Нічого не можу збагнути, ти або хворий, або несповна розуму, або просто граєш чергову комедію,— вже гнівалась Ганка* (Собко); *Вона була — немов несповна розуму. Накручувала на руку косу, дивилася оскля
нілими очима в куток* (Мушк.). **непóвного рóзуму.** *А жона була мало неповного розуму* (Калин). С и н о н і м и: **не пóвно рóзуму; не при рóзумі; бог рóзуму не дав; бог рóзумом зобидив.**

НЕСТИ: ви́соко нести́ (трима́ти) гóлову. Поводити себе гордо, з почуттям власної гідності. *Біля воріт фабрики товчуться люди... Вони лагідно зазирають у вічі всім, хто впевнено ходить, хто *твердо ставить ногу і високо несе голову: то, мабуть, хазяї, службовці* (Ю. Янов.); — *Адже ти не якийсь там собі айн — цвай, ти — великий чоловік! На тебе світ очима пряде, стежить, як ти сів, як устав, як рушив, як пішов!.. Все це мусить собі назавжди взяти втямки та й тримати голову високо* (Гончар).

ле́две (наси́лу) но́ги нести́ (носи́ти, вино́сити). Не мати змоги нормально рухатися (від старості, втоми, переживань і т. ін.). *Ледве, ледве несу ноги* (Шевч.); — *Ху! — зітхнув Іван і поплентався до попаді, ледве ноги несе* (Україна..); [М и р о н:] *Спочатку важко було, мало не збожеволів, щоб не відстати, бо вигнали б. Ледве ноги з цеху виносили по роботі* (Корн.). П о р.: **ле́две но́ги несу́ть; ле́две переставля́ти но́ги** (в 1 знач.).

нести́ (верну́ти, гони́ти і т. ін.) ахіне́ю. Говорити, висловлювати нерозумні, беззмістовні речі. *На ленінську думу — На світлу ідею Виходили тлумом Нікчемні пігмеї. У злості на неї Вели бомбовози, Несли ахінею, Пускали погрози* (Бичко); *Верне всяку ахінею, Аж шипить чорнильний гад...* (Біл.); *А то сидить в брилі, в кереї, З товстою книжкою в руках, І всім, бач, гонить ахінею І спорить о своїх правах?* (Котл.).

нести́ / ви́нести тяга́р на своїх плеча́х (на собі́) *чого, без додатка, який.* Мати обтяжливі обов'язки, виконувати важку, об'ємну роботу, здійснювати якусь дуже складну справу. *Бабця сама несла весь тягар на собі, не допускаючи Марусю навіть до дрібниць* (Хотк.); — *Я оце щойно прийшов з роботи і трохи втомлений...— О, розумію,.. розумію... Такий тягар нести на своїх плечах, такий тягар...* (М. Ю. Тарн.); *Основний тягар боротьби проти фашизму виніс на своїх плечах радянський народ* (Літ. Укр.).

нести́ на своїх плеча́х *див.* виносити; ~ **на собі́ слі́ди** *див.* носити.

нести́ (носи́ти) / донести́ [свій (важки́й, тяжки́й)] хрест. Терпеливо переборювати труднощі, незгоди, все те, що стало неминучим у чиємусь житті. *Йому навіть приємно було уявляти себе убогим, забутим, стертим великим процесом. Він мученик і добровільно несе свій хрест* (Коцюб.); — *Але я гаряче віру й хрест терпляче Вік нести аж до гробу свій буду* (Манж.); — *Я відчуваю: вповні твої муки, але знай, не лише ти одна носиш хрест, його носить кожний у житті* (Коб.); *Тяжкий свій хрест несло жіноцтво у війну* (Стельмах); *І хреста тобі зовсім не треба.— За життя важкого ніс хреста* (Мал.); *Чи вдасться йому.. донести свій нелегкий хрест до.. нареченої мети, чи вистачить у нього хисту..?* (Д. Бедзик).

нести́ пра́пор *чого.* Відстоювати що-небудь, вести боротьбу за щось. *Справа честі наших спортсменів — гідно нести прапор радянського спорту на міжнародних змаганнях.*

нести́ (приноси́ти, кла́сти, ки́дати і т. ін.) / при

нести́ (покла́сти, ки́нути і т. ін.) на вівта́р (на олта́р) *чого і без додатка, уроч.* Жертвувати чим-небудь в ім'я чогось.— *Не вимагаєм ми [повстанці] від вас [Петрія], щоби-сте несли власне життє [життя] на вівтар патріотизму, але, оскілько [оскільки] ваша сила, причиніться датком грошевим* (Фр.); *Сорок літ, все життя, тіло й душу свою несла.. [артистка] на вівтар того, що «так безмежно любила»* (Вишня); *Зоставшись наодинці, Врангель підвівся, нетерпляче забарабанив пальцями по столу. Тупиці! Йолопи! Дають і з рук не пускають! Він, Врангель, в цей вирішальний час, не вагаючись, кидає на олтар фамільні маєтки своєї дружини.., а вони?* (Гончар); *Звання присвоєне промисловцеві Гаврошу Клумакі, який поклав так багато сил на вівтар вітчизни* (Скл.); *У серці народнім не стихають біль і туга за синами й дочками, що поклали своє життя на вівтар Вітчизни в ім'я великої Перемоги* (Рад. Укр.).

нести́ [своє́] ярмо́. Покірно й терпеливо витримувати що-небудь неприємне, тяжке, болісне і т. ін. *І коли що полегшує мені нести це ярмо, так це те, що бачу, як руський народ, хоч він гнобленний.., все-таки поволі піднесеться, відчуває.. жадобу світла, правди та справедливості* (Фр.); *Після цього Павло сказав Явдосі: «Хай ти сказишся, більше і пальцем не торкну». І справді, більше не чіпав і покірно, без ремства ніс своє ярмо* (Тют.).

нести́ (сі́яти) смерть. Знищувати, позбавляти життя багатьох. *Ти тремтиш, ти поблід, лиходію? Ніс ти смерть — умри ж тепер сам!* (Рильський); *Багато їх, цих танків, і завтра після перепочинку вони рушать далі, туди, на схід, щоб сіяти смерть* (Хижняк).

нести́ тяга́р у се́рці *чий, кого.* Зазнавати душевних страждань, тяжких переживань і т. ін. разом з ким-небудь. *Ти [Т. Г. Шевченко] в серці ніс тягар його [народу] великий, Святий тягар народної скорботи* (Сам.).

НЕСТИ́СЯ: ви́соко нести́ся. Поводитись зарозуміло, погордливо; надто самовпевнено, зверхньо, зневажливо ставлячись до інших. *Юруш, сміючись, простяг свою пухку білу долоню... Циганка подивилась та й каже: «Ти високо несешся, але швидко низько впадеш, бо живеш неправдою»* (Н.-Лев.); *Він собі не нісся високо і коли прийшов час одружуватися, то вибрав собі дружину не з панського або попівського роду, а з простого козачого* (Мирний).

НЕСТЯ́МИ: до нестя́ми. Дуже сильно, у великій мірі. *Закохався я до нестями... Як се сталось? — Ви знати бажали* (Граб.); *До нестями хотілося побути на самоті* (Тулуб); *Не б'ють зеніток в синь громами у Ботанічному саду... І я, щасливий до нестями, по бруку рідному іду* (Сос.). С и н о н і м: **до жаги́.**

НЕСУТЬ: куди́ но́ги несу́ть; ле́две но́ги ~; но́ги не ~; самі́ но́ги ~ *див.* ноги.

НЕСХОЖИЙ: несхо́жий [сам] на се́бе. Із зміненим зовнішнім виглядом, зміненою поведінкою і т. ін. *Були хвилини, коли Дропов раптом розквітав і ставав несхожим сам на себе* (Горький, перекл. Хуторяна); *Під поглядом глядачів стою несхожий сам на себе; меткий, сміливий* (Ю. Янов.); *Поблід він, засох, на себе несхожий* (Мирний).

НЕТЕЧА: нетеча несе́ (тараба́нить і т. ін.) / принесе́ (притараба́нить і т. ін.) кого. Уживається для вираження незадоволення з приводу появи когось небажаного. *[К а т р я:] Тьфу! До людей саме сватів засилають, а до нас нетеча Зілю несе* (Вас.); — *Де ті в лихої години базари, а їх щовечора притарабанить сюди нетеча* (Вас.). С и н о н і м и: лиха́ годи́на несе́; лихи́й несе́; ли́хо принесло́; чорт несе́.

НЕТЕЧІ: яко́ї нете́чі? Уживається для вираження незадоволення чим-небудь; чому, чого, навіщо. *Чого мені журитися? Якої нетечі? Що не чув я ізмалечку Ласкавої речі?* (Манж.). С и н о н і м и: якого бі́са? якого ді́дька?

НЕТРЯХ: щоб тебе́ понесло́ по не́трях та по боло́тах *див.* понесло.

НЕХАЙ: мабу́ть та неха́й *див.* мабуть; ~ йому́ ді́дько *див.* дідько.

НЕХИТРЕ: ді́ло нехи́тре *див.* діло.

НЕЧИСТА: бий мене́ нечи́ста си́ла *див.* сила: ~ ма́ти *див.* мати ¹; ~ си́ла; ~ си́ла поплу́тала *див.* сила; ~ со́вість *див.* совість; що за ~ ма́ти *див.* мати ¹; яка́ ~ си́ла занесла́ *див.* сила.

НЕЧИСТЕ: нечи́сте ді́ло *див.* діло.

НЕЧИСТИЙ: нечи́стий дух *див.* дух.

нечи́стий на ру́ку. Здатний красти, шахрувати.— *Шануйтеся, хлопці. Знаю: всі ви нечисті на руку: Спіймаю, позбудется останньої сорочки* (Стельмах); *Ніла, що саме крутилася на своєму подвір'ї, порадила постояльцям остерігатися цього відвідувача, бо він на руку нечистий* (Гуц.). С и н о н і м: хапки́й на ру́ку.

нечи́стий на со́вість. Який учинив злочин або зробив непорядний, непристойний вчинок. *Було в газетах чимало й фейлетонів, в яких картали нечистих на совість людей* (Грим.).

нечи́стий несе́; ~ но́сить *див.* чорт; ~ підкуси́в *див.* лукавий; ~ попу́тав *див.* лихий; ~ спокуша́є *див.* біс; хай ~ бере́ *див.* чорт.

НЕЧИСТІЙ: іди́ к нечи́стій ма́тері *див.* іди.

НЕЧИСТОМУ: к нечи́стому *див.* чорту.

НЕЧИСТОЮ: зна́тися з нечи́стою си́лою *див.* знатися.

НЕЧУВАНА: нечу́вана річ *див.* річ.

НЕШИРОКИЙ: ло́бом неширо́кий. Не здатний добре мислити, нерозумний. *В багряниці довгополій Ходив по храмині, ходив, Аж поки, лобом неширокий, В своїм гаремі одинокий, Саул серде-*

га одурів (Шевч.). С и н о н і м и: без голови́; без царя́ в голові́. А н т о н і м и: з головою; ма́ти го́лову на плеча́х.

НЕЩАСЛИВА: бий тебе́ лиха́ та нещасли́ва годи́на *див.* година; ~ моя́ годи́нонька *див.* годи́нонька; поби́й лиха́ та ~ годи́на; хай поб'є́ його́ лиха́ та ~ годи́на *див.* година.

НЕЮ: грець з не́ю *див.* грець; ли́хо з ~ *див.* лихо.

НИЄ: душа́ ни́є *див.* душа; се́рце ~ *див.* серце.

НИЖЧЕ: ходи́ти ни́жче трави́ *див.* ходити.

НИЖЧИЙ: тихі́ший води́, ни́жчий трави́ *див.* тихіший.

НИЗАТИ: низа́ти очи́ма. 1. кого. Пильно, уважно обдивлятися кого-небудь. *Дівчата принишкли і тремтіли.. А хлопці обступили Гаврила й низали його очима* (Мик.). С и н о н і м: ї́сти очи́ма.

2. що. Пильно вдивляючись, запам'ятовувати, сприймати бачене. *Сидить [Андрій Маркович] над книжкою, як муровина, непорушний, мовчки ниже рядки очима* (Вас.).

НИЗЬКІ: би́ти низькі́ покло́ни *див.* бити.

НИЗЬКО: ни́зько сі́сти *див.* сісти.

НИЗЬКОГО: низько́го льо́ту *див.* льоту; птах ~ польо́ту *див.* птах.

НИЗЬКОЇ: низько́ї про́би *див.* проби.

НИМ: бог з ним *див.* бог; грець з ~ *див.* грець; кат із ~ *див.* кат; ли́хо з ~ *див.* лихо; холе́ра з ~ *див.* холера; хрін з ~ *див.* хрін.

НИТКА: аріа́днина ни́тка, *книжн.* Те, що дає правильний напрямок, допомагає знайти правильний шлях за яких-небудь обставин. *Прогалини палеонтологічного літопису дедалі більше заповнювались, примушуючи навіть найбільш упертих визнати разючий паралелізм, що існує між історією розвитку органічного світу в цілому і історією розвитку окремого організму, даючи, таким чином, аріаднину нитку, яка повинна була вивести з того лабіринту...* (Енгельс). С и н о н і м: провідна́ ни́тка.

ни́тка увірва́лася (урва́лася, перерва́лася, обірва́лася). Настав кінець чому-небудь; нема того, що було. *Вічно терпіти... та всьому є край; Не дігнати літ, як пташиних зграй; Не вернуть надій, хоч кладись — вмирай... Нитка прядена увірвалася* (Граб.); *Ярмарок розійшовся. Тільки вже Терешкові ввірвалася нитка верховодити хоч на вулиці або на вечорницях* (Кв.-Осн.); *Магнатам було байдуже. Зате урвалася нитка «голопузим»* (Мирний). **ни́точка обірва́лася.** *Карпо Джмелик із Северином всаджували на гарбу віялку.— Що ж ти робиш? — підійшов до нього Тетеря.— Це колгоспне майно, а не твоє.— Тепер усе наше... Твоя вже ниточка обірвалася* (Тют.). П о р.: бас урва́вся (в 2 знач.).

провідна́ ни́тка. Те, що дає правильний напрямок, допомагає знайти правильний шлях за яких-небудь обставин. *Я вже трохи стратила провідну нитку серед лабіринту різних «консолідацій» і не знаю, що мені про них думати* (Л. Укр.). С и н о н і м: **аріаднина нитка.**

як (мов, ніби і т. ін.**) нитка за голкою.** Невідступно.— *Ти давно тут? — Та кажу ж: услід за тобою. Як нитка за голкою. Нудно мені стало в Криничках, як ви пішли* (Гончар); *Кожен вважав би за щастя мати таку дружину, як вона. Ні, потяглася ж, нерозумна, як нитка за голкою, услід за своїм Батожчуком* (Збан.).

НИТКАМИ: білими нитками шитий див. шитий.

НИТКИ: до [останньої] нитки. 1. з сл. н а м о́ к н у т и, п р о м о́ к н у т и, з м о́ к н у т и, п р о м о ч и́ т и і т. ін.; м о́ к р и й, п р о м о́ к л и й, п р о п о т і л и й і т. ін. Наскрізь, повністю, зовсім.— *По обіді, коли ми вже встигли накататися на човнах.., намокнути до останньої нитки під раптовим дощем, почали з'їжджатися гості* (Панч); *Перед сірооким став бородатий дядько в чорній пропотілій до останньої нитки сорочці* (Збан.); *Там така сльота, що годі добитися до станції на простім возі, промокнеш до нитки* (Март.); *Джмелик, весь мокрий до нитки, шмигнув під воза* (Тют.). **до [останньої] ниточки.** *Заскреготавши буферами, відійшов поїзд, а жінки все гибіли під дощем, промокли до останньої ниточки* (Хижняк); *О другій годині їх повернули до табору, змоклих до ниточки, змерзлих* (Коз.). С и н о н і м и: **як хлющ** (у 1 знач.); **хоч викрути.**

2. Перев. з сл. о б і б р а́ т и, о б д е́ р т и, о б і д р а́ т и, п р о п и́ т и і т. ін. Абсолютно все, до останнього предмета, до найменших дрібниць.— *Коли не зроблю цього, моє серце, то завтра тебе до нитки обберуть, а післязавтра і до мене твої божі люди доберуться* (Стельмах); *[Макар:] Це пройде. За наших часів теж було. Зірветься шахтар, гуля, до останньої нитки проп'є все, а потім приходить до розуму* (Корн.). **до ниточки.** *Про нього [агента] вже навіть у газетах писалося, як він у Варшавській губернії обібрав до ниточки нещасних переселенців* (Стельмах); *[Пан Душечка:] Так і так, розказує, здибав мене в лісі Кармелюк, пограбував до ниточки, тільки що пустив із душею* (Вас.).

звестися до нитки див. звестися; **зловити ~** див. зловити; **нема ~ сухої** див. нема; **роздягати до останньої ~** див. роздягати.

НИТКОЮ: проходити червоною ниткою див. проходити.

НИТКУ: взяти на живу нитку див. взяти; **витягтися у ~** див. витягтися; **доля увірвала ~** див. доля; **зловити ~** див. зловити.

на живу нитку. 1. з сл. з м е т а́ т и, з ш и́ т и, с т я г н у́ т и, з а ш и́ т и і т. ін. Як-небудь, аби було з'єднане докупи, щоб не розпалося.— *Сукня пообвисала й теліпається, неначе на кілку,—*

подумала Балабушиха, й вона вийшла з зали, вбігла в кабінет, розпорола підпійку в сукні, підмостила вати, зашила на живу нитку й знов наділа* (Н.-Лев.); *Увечері тілько Василь сам про себе лаяв одежу, що на його вже не приходилася та чимало і зносилася: рукава трохи не доходили до ліктів, стан насеред спини, одна пола розірвана, зметана на живу нитку* (Мирний); *На руці в старого болісно дихають стягнуті на живу нитку шрами* (Стельмах).

2. Як-небудь, неміцно (зробити що-небудь).— *Лягай, інженере, відпочивай. Тільки пришвартуй її [плащ-палатку] міцніше, щоб не одірвалася. Я на живу нитку взяв, щоб показати тобі конструкцію* (Кучер).

3. Приблизно, неточно, нашвидку. *Ось давайте грубо, на живу нитку, прикинемо, що нам дасть гектар баклажанів* (Стельмах).

піймати нитку див. піймати; **прясти ~** див. прясти; **стягнутися на ~** див. стягнутися; **розплутувати ~** див. розплутувати; **увірвати ~** див. увірвати.

НИТОЧКУ: лишати ниточку див. лишати.

НИТОЧЦІ: висіти на ниточці див. висіти.

по ниточці, з сл. з б и р а́ т и і т. ін. Невеликими частками, порціями.— *Раніше я тебе [чоловіка] шанувала, музей твій по ниточці збираючи, а тепер ти сам себе величаєш* (Гуц.).

по ниточці доходити до клубочка див. доходити; **ходити по ~** див. ходити.

НИТЦІ: душа на одній нитці держиться див. душа; **з миру по ~** див. миру.

НИХ: тю на них див. тю.

НИЦЬ: падати ниць див. падати.

НИШПОРИТИ: нишпорити (шарити) очима (оком) по кому — чому, де. Пильно оглядати, обстежувати кого-, що-небудь. *Мале дівча пояснило по-польському фурманам, де поставити коні, а само нишпорило по нас очима* (Досв.); *Данило Хронь кліпав білявими віями, кивав головою, нишпорив маленькими очима понад шляхом* (Кучер); *— Як спалося, як відпочивалось, Степане Васильовичу? — зовсім не сердячись, питає пристав і з професійною увагою нишпорить очима по кімнаті* (Стельмах); *В коридор.. вагона зайшов юнак із клунком і великим чемоданом і почав шарити очима по номерках на дверях* (Панч); *Тоня нишпорить оком все далі по грядці [квітів]* (Гончар). С и н о н і м и: **обмацувати очима; пасти очима.**

НИШПОРКАХ: піти по нишпорках див. піти.

НІВОРОТОМ: піти ніворотом див. піти.

НІГ: без задніх ніг, перев. з сл. с п а́ т и. Дуже міцно, не пробуджуючись. *Потім [після роботи] наче мертвий, падаєш на покіс і до самого ранку спиш без задніх ніг, навіть на вечерю не дивишся* (Стельмах); *Невже Мартоха забула, який нинька день святковий, невже спить без задніх ніг чи по* *сусідах повіялась?..* (Гуц.). С и н о н і м и: **як мéртвий** (у 3 знач.); **як уби́тий** (у 1 знач.); **як після мáківки.**

без рук, без ніг *див.* рук; **вали́ти з ~** *див.* валити; **вали́тися з ~** *див.* валитися; **вибивáти грунт з-під ~** *див.* вибивати; **збивáтися з ~** *див.* збиватися; **з головú до ~** *див.* голови; **земля́ тікáе з-під ~** *див.* земля.

з усíх ніг, з *дієсл.* Дуже швидко. *Перелякана Зоя кинулася з усіх ніг тікати на набережну, але Гайсин і не думав гнатись* (Панч); *Вона крутнулась і, шелестячи спідницею, зі всіх ніг летить у темряву* (Стельмах). С и н о н і м: **з усього мáху** (в 2 знач.).

і ри́би налови́ти і ніг не замочи́ти *див.* наловити; **і рук і ~ не чýти** *див.* чути; **лягáти до ~** *див.* лягати; **не жалíти ~** *див.* жаліти; **не потягнýти ~** *див.* потягнути; **не чýти ~**; **ні рук ні ~ не чýти** *див.* чути; **перевертáти з ~ на гóлову** *див.* перевертати; **постáвити з ~ на гóлову** *див.* ставити; **пускáти грунт з-під ~** *див.* пускати; **складáти до ~** *див.* складати; **хóлод пробирáє від головú до ~** *див.* холод.

НІГДЕ: ні́где діва́тися *див.* діватися; **~ прáвди дівáти** *див.* дівати.

НІГОТЬ: [і] на нігóть, *перев. з дієсл.* Абсолютно, зовсім. *Він стискував зуби.— Волоцюги, п'яниці, а не люди! У них доброго на ніготь не було* (Мирний); *Він нікому й на ніготь не заподіяв лиха, не завдавав гіркоти* (Гуц.). С и н о н і м: **ані на йóту.**

під нігóть. Повністю підкорити або знищити. *Ти дивись мені, командуй як слід! — Добре, добре,— відповів Щорс.— Щоб порядок, був, чуєш? Коли хто не так — під ніготь!* (Довж.).

НІГТІ: гостри́ти нігті *див.* гострити.

НІГТІВ: видирáти з-під нігтíв *див.* видирати.

НІГТЯ: до нíгтя. Знищити, ліквідувати.— *А я примусив би їх [хазяїв крамниць] халяндри скакати... Не тут, не в цих крамницях... До нігтя... всіх до одного...— люто блиснув очима Ярошенко* (Речм.).

до нíгтя прити́снути *див.* притиснути; **не вáртий ~** *див.* вартий.

НІ́ДЕ: гóлкою нíде ткнýти *див.* ткнути; **гóлці ~ впáсти** *див.* впасти; **кýрки ~ ви́пустити** *див.* випустити; **кýрці ~ гóлови прострóмити** *див.* простромити; **кýрці ~ клю́нути** *див.* клюнути; **~ гóлку встроми́ти** *див.* встромити; **~ діва́тися** *див.* діватися; **~ й гóлкою штрикнýти** *див.* штрикнути; **~ кýрці ступи́ти** *див.* ступити; **~ прáвди дівáти** *див.* ді

вати; **~ розгорнýтися** *див.* розгорнутися; **~ розгуля́тися óку** *див.* розгулятися; **прáвди ~ ховáти** *див.* ховати.

НІДЕ́: як нíде нічóго *див.* нічого.

НІЖ: встроми́ти ніж в спи́ну *див.* встромити; **гостри́ти ~** *див.* гострити; **наставля́ти ~ на сéрце** *див.* наставляти.

ніж у спи́ну. Зрадницька, підступна, віроломна поведінка стосовно до кого-небудь. *В тому світі, де вона живе, людина може розраховувати тільки на саму себе, а від інших має чекати лиш підступності, отрути, ножа в спину* (Літ. Укр.).

під ніж, *перев. з дієсл.* 1. На заріз, на забій. *Аж тут хазяїн шасть у хлів І, взявши за роги, Вола під ніж повів* (Греб.); *Але робиться це все по звичці, і, здається, заревуть зараз усі, як бики, що їх женуть — женуть під ніж* (Ю. Янов.).

2. На операцію.— *Коли лягаєш під ніж, то не можна бути певним за завтра* (Смолич).

підставля́ти гóлову під ніж *див.* підставляти; **пусти́ти під ~** *див.* пустити;

як (мов, ніби *і т. ін.***) ніж [гóстрий] у сéрце (у гóрло)** *перев. кому, для кого.* 1. Що-небудь дуже неприємне, дуже вражає, спричиняє душевний біль або взагалі викликає негативні емоції у кого-небудь.— *Прощавайте! — промовила дівчина. А Кармелю з нею прощатися усе одно, що ніж гострий у серце* (Вовчок); *— Хіба ти... зовсім відцуралася мене? Вона мовчала. Це мовчання було для хлопця, як гострий ніж у серце* (Донч.); — *Це ж брехні [про зниження розцінок], їх сіють ваші вороги, їм не до вподоби наше будівництво, бо розуміють, що кожен наш успіх для них — ніж у горло, ну й намагаються всякими способами підбурювати робітників* (Коцюба).

[як] ножéм [гóстрим] у сéрці (у сéрце). *Кожне жінчине слово гострим ножем поверталося у серці Гнатовому* (Коцюб.); *Мати дивляться на мене, осміхаються: «Таки й у мене, кажуть, нівроку дочечка... і вбралась гарненько і сама доладненька». Як ножем у серце дали мені* (Тесл.).

2. Умерти. *І ці недоговорені фрази, і сховані погляди недовірливості, і ці вічні, вічні, вічні підозріння — о боже!.. Та цього ж не можна витримати! Ліпше відразу гострий ніж у серце, ніж отаке життя* (Хотк.).

НІЖКА: козя́ча (кози́на) нíжка. Велика цигарка-самокрутка, загнута грубим кінцем догори. *Коли генерал під'їхав ближче, він побачив шофера в засмальцьованому кожушку, що розкурював козячу ніжку* (Тют.); *Борис скрутив козину ніжку, насипав у неї махорку* (Земляк).

НІЖЦІ: на кýрячий нíжці, *з сл.* х а т а, х а т к а *і т. ін.* Маленька, вбога. *Дивний невиданий цей запилений хлопчик, ..що його хата на курячій ніжці стоїть над водою в балці* (Вас.); *Безрідні — і вона, і Прокіп. Усе й горе од того. А була б у них хоч на курячій ніжці хатина — о, жили б!* (Головко). **на кýрячих нíжках.** *Кілька голубих ракет... похмуро освітили частину гірської дороги, безлюдне узлісся, лісникову хату на курячих ніжках* (Гончар).

НІЗАЩО: ні́защо в (на) сві́ті. Ні за яких обставин, абсолютно ніколи. [Д а н и л о:] *За торішню ціну я нізащо на світі [не працюватиму]*

(Кроп.); *Нам ніколи юними не бути... І того, що втрачено колись, Вже нізащо в світі не вернути* (Дмит.). С и н о н і м: **ні за які гро́ші.**

НІ́КОЛИ: дихну́ти ні́коли *див.* дихнути; **і вго́ру гля́нути ~** *див.* глянути.

НІ́КОЛИ: ні́коли б не поду́мав *див.* подумав. **ні́коли в сві́ті (в житті́).** Ні в який час, ні за яких обставин. *Маруся маленька, ..має надію, що як собі затулити хоч одне очко (обох вона ніколи в світі не затулить,— хоче усе бачити) —..то й не знайде ніхто* (Вовчок); *Ви вже, дорослі, поясніть, що це воно таке — син одиначки? Що це, коли батька ні разу й у вічі не бачив. І слова ніколи в житті не чув! Як це буде по-вашому?* (Гончар). **як ніко́ли.** Дуже сильно, у великій мірі. *В Козловському виконкомі хвилювались як ніколи. Мічурін захворів* (Довж.).

НІ́КОМУ: ніко́му нема́ розбо́ру *див.* нема.

НІ́КУДИ: аж ні́куди. Уживається як категоричне заперечення; зовсім ні. *Або голова релігійної громади, Макар Волосюта,— дуже йому хочеться, щоб колективи були? Аж нікуди* (Мик.).

да́лі (бі́льше) [й (вже)] ні́куди. Уживається для вираження крайньої межі в чому-небудь. *Так він коло його впадає, так йому догоджає, що вже далі й нікуди* (Гр.); *Тихо й нудно і спека пекельна... Нікуди вже далі — ось-ось має щось трапитись* (Вас.); *— Одне слово, забила [дочка шведя] мені баки — далі нікуди. Та й оженила таки ж на собі* (Збан.); *Дивуватися мені було більше нікуди. Я розгублено, ошарашений такою кількістю книжок, подивився на Профессора* (Ю. Янов.). С и н о н і м и: **по са́ме ні́куди; по са́му рі́пицю.**

і перепели́ці ні́куди пропха́тися *див.* пропхатися; **ку́рки ~ ви́пустити** *див.* випустити; **~ діва́тися** *див.* діватися; **~ пра́вди діва́ти** *див.* дівати; **па́льцем ~ ткну́ти** *див.* ткнути.

по са́ме (до) ні́куди. Уживається для вираження крайньої межі в чому-небудь.— *І справді, хіба ж можна по саме нікуди орати узбіччя, розорювати схили на балках? Дощі підуть — все розмиють* (Цюпа); *— Ти кого шукаєш? Венеру, ха-ха-ха?! Нащо ти Венері здався, в неї других зальотників по саме нікуди!* (Гуц.); *— Ну, а ти ж як?— Як бачиш...— показав Шмалько на свою подрану сорочку, на засмальцьовані до нікуди штани* (Добр.). С и н о н і м и: **да́лі ні́куди; по са́му рі́пицю.**

НІ́КУДИ: ні́куди не годи́ться *див.* годиться.

НІМІЄ: се́рце німіє *див.* серце.

НІНАВІЩО: зійти́ нінаві́що *див.* зійти.

НІНА́ЩО: переводитися на ніна́що *див.* переводитися.

НІС: вдаря́ти в ніс *див.* вдаряти; **верну́ти ~** *див.* вернути; **взя́ти ду́лю під ~** *див.* взяти.

в ніс, з сл. г о в о р и́ т и, б а л а́ к а т и і т. ін. З носовим відтінком, гугняво. *Якщо пана гетьмана долав з остуди нежить і Однокрил ставав на*

час гугнявим, починали балакати в ніс і полизачі (Ільч.).

води́ти за ніс *див.* водити; **дава́ти ду́лю під ~** *див.* давати; **ду́ля під ~** *див.* дуля; **копили́ти ~** *див.* копилити; **му́ха сі́ла на ~** *див.* муха; **натира́ти пе́рцю в ~** *див.* натирати.

ніс під се́бе. Засоромитися, зніяковіти, злякатися. *Наче й чоловік щирий, а як прийдеться до діла, то й ніс під себе* (Сл. Гр.).

ніс у ніс (до но́са). Дуже близько один до одного; впритул. *Ще раз по вулиці пройшла Вона в задумі і зненацька зіткнулася майже ніс у ніс Із хлопцем* (Рильський); *Оце можна було б навідатися до Лавріна, та хто знає, що чекає в отій хаті, з якої в партизани подалися близнюки. Ще ніс у ніс зустрінешся з ними* (Стельмах); *Некваптиво повернув [Дмитро] назад, ступив з десяток кроків і ніс до носа зіштовхнувся з Голоблею* (Збан.). С и н о н і м и: **лице́м в лице́; о́ко в о́ко** (в 4 знач.).

обвести́ за ніс *див.* обвести; **пиндю́чити ~** *див.* пиндючити; **підлата́ти ~** *див.* підлатати.

під ніс (під но́са), з дієсл. г о в о р и́ т и, м о́ в и т и, б у р м о т і́ т и і т. ін. Тихо, нерозбірливо.— *Здорові, тітко! — веселенько привіталася Христя.— Здорова,— під ніс охриплим голосом мовила Мар'я* (Мирний); *Зараз він важко дихав і щось бурмотів собі під ніс* (Ю. Бедзик); *По дереві фуганок майже співає. Власне, підспівує. Бо співає щось собі під ніс той, хто працює* (Ю. Янов.); *— В мене справи... Промимрив [Микола] під носа, нечемно відвернувся, поплентався на свій поверх* (Збан.). П о р.: **під но́сом** (у 3 знач.). С и н о н і м: **в бо́роду.**

під [са́мий] ніс, з сл. т и́ к а т и, со́ в а т и і т. ін. Дуже близько. *Рудик.. підсовував Тиховичеві під ніс руку, по котрій стікала свіжа вівчарикова кров* (Коцюб.); *На мене налітає якесь опудало і, топчучи ноги, починає тикати мені під самий ніс обтріпану книгу* (Кол.).

смія́тися під ніс *див.* сміятися; **ти́кати під ~ ки́слиці** *див.* тикати; **трима́ти ~ за ві́тром** *див.* тримати; **у ~ ко́ле** *див.* коле.

НІЧ: варфоломі́ївська ніч, книжн. Жорстока розправа, масове знищення людей, кровопролиття. *[4-й офіцер:] Чекати, поки не приїдуть з Балтики матроси? Вони дадуть інструкції нашим, як влаштувати варфоломіївську ніч для офіцерів* (Корн.).

глу́па ніч *див.* північ; **носи́ти ~ за собо́ю** *див.* носити; **розібра́ти ~** *див.* розібрати.

у ніч. У простір, охоплений нічною темнотою. *Вартує мати і чуло дивиться у ніч* (Сос.); *Вона ніби ждала його, відразу ж заспішила, вдяглася, замкнула двері, і вони рушили в ніч* (Збан.).

як день, так ніч *див.* день.

як ніч. 1. Смутний, насуплений. *Хома ходив, як ніч, нічого й не говорив до Хими* (Коцюб.).

2. з сл. п ' я н и й. Дуже, у великій мірі. *По обіді*

Хома з церковним регентом ішов селом п'яний, як ніч, і, притопуючи лакованим чоботом, горлав на всю вулицю (Довж.). С и н о н і м: **як чіп** (у 1 знач.).

НІЧИМ: нічим кри́ти *див.* крити; ~ **о́ка запоро́ши́ти** *див.* запорошити.

НІЧИ́М: нічи́м не же́ртвувати *див.* жертвувати.

НІЧНО: де́нно і нічно *див.* денно.

НІЧО́ГО: з нічого роби́ти *див.* робити; **і бала́кать ~** *див.* балакать; **на зуб ~ покла́сти** *див.* покласти; ~ **бо́га гніви́ти** *див.* гріх; ~ **гріха́ таї́ти** *див.* таїти; ~ **й говори́ти** *див.* говорити; ~ **мо́вити** *див.* мовити; ~ **сказа́ти** *див.* сказати; **пра́вди ~ хова́ти** *див.* ховати; **роби́ти ~** *див.* робити.

НІЧО́ГО: не жалі́ти нічо́го *див.* жаліти; ~ **не лиша́ється, як** *див.* лишається; ~ **не ска́жеш** *див.* скажеш.

нічо́го подібного. Уживається для вираження цілковитої незгоди з ким-, чим-небудь, заперечення чогось.— *Чи думаєш, що я справді такий уже відсталий, отак загруз у пережитках? Нічого подібного* (Головко).

нічо́го собі. 1. з *дієсл.* Непогано, пристойно, досить добре. *Я перше училась грать і вже нічого собі грала, але тепер через руку перестала* (Л. Укр.); *— Я хоч і знаю, що мій Хаїм учиться... нічого собі, а все ж просто серце в мене упало при ваших словах* (Хотк.).

2. Непоганий, пристойний, досить добрий, такий, як треба. *Ну, батько нічого собі,— тільки дивиться не на Чайченка, а через його голову, згори...* (Вовчок); *Тітка, ласкаво дивлячись на неї [молодичку], сказала: — Нічого собі, дорідна ягода...* (Гуц.).

як (мов, ніби і т. ін.) ніде нічого. Не зважаючи ні на що, не звертаючи ні на що уваги, абсолютно байдуже. *Тоні ж як ніде нічого, подалася попереду, все далі між хліба* (Гончар).

НІЩО: ма́ти за ніщо́ *див.* мати [2]; **не хова́лося ~ від о́ка** *див.* ховалося; **оберта́тися в ~** *див.* обертатися; **переводитися на ~** *див.* переводитися; **поши́тися в ~** *див.* пошитися.

НІЯК: розверну́тися ніяк *див.* розвернутися.

НІЯКА: ніяка си́ла *див.* сила.

НІЯКИЙ: нія́кий соба́ка *див.* собака; ~ **чорт не жде;** ~ **чорт не страшни́й** *див.* чорт.

НІЯКИМ: нія́ким по́битом *див.* побитом; ~ **ро́бом** *див.* робом; ~ **сві́том** *див.* світом.

НІЯКОЇ: і нія́кої га́йки *див.* гайки.

НІЯКОЮ: нія́кою си́лою *див.* силою.

НОВА: як нова́ копі́йка *див.* копійка.

НОВЕ: нове́ сло́во *див.* слово; **показува́ти ~ обли́ччя** *див.* показувати; **сказа́ти ~ сло́во** *див.* сказати.

НОВИЙ: нови́й світ *див.* світ; **підно́сити на ~ сту́пінь** *див.* підносити.

НОВИХ: до нови́х ві́ників *див.* віників.

НОВІ: як бара́н на нові воро́та *див.* баран; **як теля́ на ~ воро́та** *див.* теля.

НОВУ: відкрива́ти нову́ сторі́нку *див.* відкривати.

НОГА: [нога́] в но́гу. 1. Одночасно, в такт з іншими. *Рівною лавою, неначе по шнуру витягненою, піднімаються москалі на гору, нога в ногу ступаючи* (Мирний); *І хоч солдати були стомлені великим переходом, але йшли бадьоро, нога в ногу* (Чорн.); *Горять веселі оченята, не в ногу ще й під барабан на площі, прямо до міськради, за пацаном іде пацан* (Сос.).

2. з ким — чим. Нарівні з ким-небудь, погоджено в діях та поглядах; у відповідності з чим-небудь.— *Як остогидло мені вже оце госпітальне ліжко, оці процедури та режим. Хочеться швидше звільнитись від них і знову до вас, нога в ногу з вами* (Гончар); *Юність проходить із піснею в ногу. В ногу із часом, у ногу з життям* (Воронько).

нога́ за ного́ю. Повільно, неквапливо, ледве-ледве. *Пташки співали в панському саду, коники сюрчали в траві; а вони, не примічаючи того нічого, йшли один за другим, нога за ногою, похмурі та понурі* (Мирний); *Ішов захожий тихо, нога за ногою, й роздивлявся на всі боки* (Мирний); *Хлопці повернулися назад понад шляхом поволеньки, нога за ногою* (Коз.).

.нога́ людська́ не ступа́ла. Нікого не було, ніхто не ходив, не жив де-небудь.— *Смішно говорити — це біла пляма! — Еге ж, нога людська не ступала,— загув громоподібним басом високий геолог* (Донч.); *Здається, що від того часу, коли весною на косогорах і видолинках відгуркотіли трактори й сівалки, тут більше й нога людська не ступала* (Збан.).

нога́ не підніма́ється (не підійма́ється) у кого, з сл. с т у п а́ т и, х о д и́ т и і т. ін. Хто-небудь не насмілюється, не наважується. *В кабінеті пана слідчого гарно прибрано,.. під ногами пухкий килим, що на нього в ходака і нога не підніма́ється ступити* (Чорн.).

нога́ не сту́пить (не бу́де) чия, до кого, куди, де. Хто-небудь погрожує, що більше не прийде до кого-небудь або кудись.— *Весною житиму без вікон і дверей, а до того шкуродера нога моя не ступить* (Стельмах); *Віддавши ті гроші, що старий зоставив Йосипові, заклявся [Яків], що його нога ніколи не буде у невістчиному дворі!* (Мирний); *Він того [насмішок] не дозволить, він зараз же забере своє манаття, і нога його більше не буде між отих насмішкуватих людей* (Збан.). П о р.: **ноги не бу́де.**

одна́ нога́ тут, а дру́га там. Уживається для вираження наказу, прохання або обіцянки дуже швидко сходити, збігати і т. ін. куди-небудь. *Кукса незадоволено чмихнув, кинув дідові в спину: — Одна нога тут, а друга там! Ясно?..— Ясно!*

гукнув дід за порогом (Кучер); *До кабінету зайшов вайлуватий парубійко.— Оце!* — *подав Діденко йому листа.— І щоб одна нога тут, а друга там* (Головко). **одно́ю ного́ю там — дру́гою тут.** [К о п и с т к а :] *Зараз, кажу, біжи! Нагукай там, хто живий! Та не барися, чуєш? Одною ногою там — другою щоб тут!..* (М. Куліш). С и н о н і м : **леті́ ковбасо́ю.**

чого́ лі́ва нога́ забажа́є чия. Що задумає, захоче хто-небудь. *Цікаво, чого на цей раз забажає його ліва нога.* **чого́ лі́вій нозі́ забажа́ється** чий. *На «організаційні висновки» Федір Іполитович завжди був бистрий: перша спроба заявити про мізерну частину своїх прав — диви, ще й останньою стане. Це вже чого лівій нозі Зевса-громовержця забажається* (Шовк.).

як соба́ці п'я́та нога́, з сл. п о т р і б н и й . Уживається для вираження повного заперечення змісту слова. *На свій пост Сидір вже ніколи не повернеться,.. те чинування Сидорові було потрібне, як собаці п'ята нога* (Рудь); *Мені твоя защита [твій захист] потрібна, як собаці п'ята нога* (Москалець). С и н о н і м и : **як п'я́те ко́лесо до во́за; як чо́рту ла́поть; як ли́сому гре́бінь; як тори́шні бу́блики; як за́йцеві бу́бон.**

НОГАМ: вві́ритися нога́м *див.* вввіритися; **дава́ти во́лю —** *див.* давати; **да́ти — зна́ти** *див.* дати; **не дава́ти — та рука́м відпочи́нку** *див.* давати.

НОГАМИ: ви́нести нога́ми впере́д *див.* винести; **відбива́тися рука́ми й ~** *див.* відбиватися; **відхре́щуватися рука́ми й ~** *див.* відхрещуватися; **вкри́тися ~** *див.* вкритися; **втрача́ти грунт під ~** *див.* втрачати; **грунт хита́ється під ~** *див.* грунт; **догори́ — ~** *див.* догори; **земля́ гори́ть під ~** *див.* земля; **з рука́ми й ~; і рука́ми й ~ рука́ми; ле́две переступа́ти ~** *див.* переступати; **ле́две со́вати ~** *див.* совати; **леті́ти догори́ ~** *див.* летіти; **ма́ти грунт під ~** *див.* мати [2]; **мі́ряти ~** *див.* міряти; **не чу́ти землі́ під ~** *див.* чути; **обома́ — в моги́лі** *див.* могилі; **перевер́та́ти догори́ ~** *див.* перевертати; **плести́ кре́нделі ~** *див.* плести; **плу́тати ~** *див.* плутати; **плу́татися під ~** *див.* плутатися; **поста́вити догори́ ~** *див.* поставити; **пробі́гла соба́ка про́між ~** *див.* собака; **світ догори́ — перевер́та́ється** *див.* світ; **ту́пати ~** *див.* тупати; **ходи́ти догори́ ~** *див.* ходити.

як (мов, ніби і т. ін.) не свої́ми нога́ми, *перев. з сл.* п і т и , п і д і й т и́ і т. ін. Повільно і невпевнено. *Дівчина як оніміла, мов сама не своя — хоч би слово. Хлипнула тільки грудьми і як не своїми ногами пішла за чоловіком із кімнати* (Головко); *Хвильний схопився і якось, мов не своїми ногами, підійшов до столу* (Головко).

НОГАХ: валя́тися в нога́х *див.* валятися; **верті́тися на ~** *див.* вертітися; **держа́тися на ~** *див.* держатися; **зв'я́зувати по рука́х і ~** *див.* зв'язувати; **ко́лос на гли́няних ~** *див.* колос; **ла́зи-**

ти в ~ *див.* лазити; **ле́две трима́тися на ~** *див.* триматися.

на нога́х, *перев. з сл.* с п а т и , з а с и п а́ т и і т. ін. 1. Не лягаючи. *Всього натерпілося хлоп'я [в лакейчуках]. Іноді довго стоячи, на ногах засипало, падало додолу* (Мирний).

2. *перев. з сл.* п е р е х о д и т и , п е р е н о́ с и т и і т. ін. Не лежачи в ліжку, без постільного режиму. *Дехто на ногах переносить грип* (Наука..); *// Здоровий.* *Затримавшись поглядом на Яреськові, блідому, схудлому, раптом вигукнув [Андріяка] з жалем: — Ех, брате! Був би ти оце на ногах, запрягли б ми тебе з першого дня!* (Гончар).

3. *перев. з сл.* б у́ т и . Не спати, прокинутись, піднятися з ліжка. *Ще поїзд ішов повним ходом, від якого задню теплушку метляло в боки, як чабанського батога, а вже всі були на ногах, стояли біля дверей* (Ле); *Звістка, що йдуть козаки, розійшлася блискавкою поміж військом і, ще сонце не зійшло, як цілий табір був уже на ногах* (Мак.); *Всі в Тамариному відділенні були вже на ногах і виходили в коридор* (Хижняк).

4. Займатися якимись справами, бути в русі. *Вже день скінчився, засвітилася ніч, а я ще на ногах* (Коцюб.); *Скоро звик [Артем] і до овець, і до степу, де пасли, і до діда-чабана. Трудно було з досвітку до смерку все на ногах: на вигорілій толоці вівці голодні,— тільки присів, а вони вже й у шкоді* (Головко).

на нога́х не сто́їть *див.* стоїть; **тве́рдо сто́яти на ~** *див.* стояти; **тве́рдо трима́тися на ~** *див.* триматися; **у ~ пра́вди нема́** *див.* нема; **усто́яти на ~** *див.* устояти.

НО́ГИ: [аж] но́ги затруси́лися до чого. З'явилося велике бажання до чогось. *Марко.. так розвеселився, що ноги аж затрусилися до танцю* (Тют.).

аж у но́ги лоско́че *див.* лоскоче; **би́ти в ~ ; би́ти ~** *див.* бити; **бода́й ру́ки і ~ полама́ло** *див.* поламало; **бра́ти — на плечі** *див.* брати; **бра́тися в ~** *див.* братися; **ви́нести ~** *див.* винести; **ви́тягти ~** *див.* витягти; **ви́ходити ~** *див.* виходити; **відки́нути ~** *див.* відкинути; **дава́й бо́же ~** *див.* давай.

де вже но́ги не носи́ли. Хто-небудь багато ходив скрізь, побував у багатьох місцях. *Пішов я, брате, заробляти. І де вже ноги не носили?!* (Шевч.).

заде́рти но́ги *див.* задерти; **зво́дити на ~** *див.* зводити; **зв'я́зувати ру́ки та ~** *див.* зв'язувати; **зірва́тися на ~** *див.* зірватися.

куди́ но́ги несу́ть, *перев. з сл.* п і т и́ , в т і к а́ т и і т. ін. У будь-якому напрямку, куди-небудь, не вибираючи дороги. *Отож утікав від цих побоїв, куди ноги несли* (Март.); *Ледве дочекавшись зміни, Надійка вибігла на вулицю і пішла тротуаром так, без мети, просто куди ноги несли* (Коз.).

С и н о н і м и: **кудú óчі поведýть; кудú óчі бáчать.**

легкúй на нóги див. легкий; **лéдве доволоктú ~** див. доволокти.

лéдве (насúлу) нóги несýть (нóсять). Хто-небудь не має змоги нормально рухатися від утоми, виснаження, старості, переживань і т. ін. *Іде [козак] смутний, невеселий, Ледве несуть ноги* (Шевч.); *Старий батько з усієї сили З молодицями танцює Та двір вимітає.. Знай бігає, а самого Ледве ноги носять* (Шевч.); *Настала петрівка. Нимидора насилу одговілась, вже її насилу носили ноги* (Н.-Лев.). П о р.: **лéдве нóги нестú.** С и н о н і м: **нóги не слýхають.**

лéдве нóги нестú див. нести; **лéдве переставлЯ́ти ~** див. переставляти; **лéдве тягтú ~** див. тягти; **лíзти під ~** див. лізти; **лягáти під ~** див. лягати; **налягáти на ~** див. налягати; **наступáти на ~** див. наступати.

нóги на плéчі. Уживається як примовка у тих випадках, коли хто-небудь, зібравшись у дорогу, більше всього планує рухатися пішки. *Вона ноги на плечі та й пішла за Дін, і матір покинула й батька* (Барв.); — *Мабуть, уже час мені, мамо, ноги на плечі та й подаватись десь із Вітрової Балки. На завод чи на шахту* (Головко); // Швидко почати рухатися. *А товариство — Пацюк, Лушня та Матня, — як побачило, що за баталія піднімається в Пісках, та мерщій ноги на плечі, та поза хатами, та поза огородами аж у Крутий Яр, та й засіло в шинку* (Мирний); — *Як куди швидко треба термінового або телеграму, так я ноги на плечі і прудкіше за машину доставлю* (Ів.). С и н о н і м: **хвіст у зýби.**

нóги не дéржать (не тримáють) кого. Хто-небудь дуже втомлений, відчуває слабість. *[М а т у ш к а г у м е н я:] Все тіло тремтить, не держать мене ноги...* (Мирний).

нóги не слýхають (не слýхаються, не несýть) кого і без додатка. Хто-небудь втрачає здатність нормально рухатися або стояти через утому, виснаження, старість, переживання і т. ін. *За столом тупо пропиває свою данину з куркулів Кузьма Василенко. Він теж дивується, побачивши Супруна, хоче підвестися, щось розумне сказати, але вже ні язик, ні ноги не слухають його* (Стельмах); *Йшли під дощем, по роз'їжджній, грузькій дорозі, а все ж було краще, ніж у тих клятих вагонах. Хоч і не слухалися ноги, але вільно можна дихати* (Хижняк); *Зупинилася [Фросина Данилівна] на площадці, віддихалася, а ноги не несуть далі* (Хижняк). С и н о н і м: **лéдве нóги несýть.** А н т о н і м: **нóги нóсять.**

нóги нóсять (слýжать, хóдять) кого, у кого і без додатка. У кого-небудь ще є фізичні сили рухатися, працювати і т. ін. *Щороку приїздять [сини] і вмовляють, щоб їхала з котримсь. Мати послухає-послухає, зітхне й скаже: — Спасибі, синочки, що запрошуєте, але не можу поїхати. Поки носять ноги, буду вас тут приймати* (Літ. Укр.); *На селі почався переполох. Знаючи це, Онохрій Литка поклявся не кинути Багви, доки його носитимуть ноги* (Епік); *Хотіли настановити Гаркушу волосним старостою — відмовився, зіславшись на немічність, вже ноги, мовляв, не носять* (Гончар); *Вже так находився Іванко по Новгороду, що й ноги не носили* (Хижняк); *Гей, чого ти засмутився, Став серед дороги? Тягни, друже, поки тягнеш, поки служать ноги!* (Граб.). А н т о н і м и: **нóги не слýхають; лéдве нóги несýть.**

нóги (п'Я́ти) сверблЯ́ть у кого, кому і без додатка. Кому-небудь дуже хочеться йти, тікати, рухатися і т. ін.— *От, діду, аби ви щось заграли, — не витримує хлопчак і косує на кобзу.— Що, сверблять ноги? — одривається дід від своїх думок* (Стельмах); — *Давай утікати, — сказав Лучук Сивооку.— Давно вже сверблять мені ноги дати драла від цього кендюха [купця]* (Загреб.); — *Що ж, в кого сверблять п'яти, може йти й до біскупа, але я знаю, що з того нічого не буде* (Фр.).

нóги (п'Я́ти, стýпні) прикипáють (приростáють) / прикипíли (приросли́) до чого. Хто-небудь з якогось місця не може зрушити або уповільнює ходу, не хоче йти далі. *А про рідний край ти мені не нагадуй. Мимо дому проходив — ноги до землі прикипали, трохи було на Троянівку не звернув* (Тют.); *Вона хоче кинутись у воду, рятувать його, а її ноги приросли до каменя, ніби пустили вербове коріння* (Н.-Лев.); *Горленко начебто знов у великій кремлівській залі. В неї враз, як ось і тепер, обважніли тоді ноги, приросли були до місця* (Крот.).

пáдати в нóги див. падати; **піднімáти на ~** див. піднімати; **пнýтися на ~** див. пнутися; **постáвити з голови́ на ~; постáвити на ~** див. поставити; **потягнýти ~** див. потягнути; **рýки й ~ посині́ли** див. руки.

самí нóги несýть (нóсять) / понесли́ до кого, до чого, куди, де і без додатка. 1. Хто-небудь рухається, не усвідомлюючи напрямку.— *Тягне було мене.. на той шлях, кудою понесли її на кладовище. Вийду на шлях, а самі ноги несуть мене на ту гору, де кладовище* (Н.-Лев.); *Він чує, що ноги самі, без його волі, носять його по подвір'ю, руки самохіть підіймають усяке манаття* (Коцюб.); *Ноги самі понесли [Сеспеля] нерівним, ковзким тротуаром до вокзалу* (Збан.). 2. Хто-небудь іде, рухається з відчуттям легкості.— *То, сину, так завжди: до рідного дому ноги людину самі несуть...* (Гончар); *Як заграє у дуду — лист танцює на дубу, батько й мати «годі» — просять, самі ноги так і носять* (Тич.).

стáти на нóги див. стати; **топтáти ~; топтáти під ~** див. топтати; **взЯ́ти під ~** див. узяти; **умúти ~** див. умити.

у но́ги. Швидко піти, побігти, втекти від кого-небудь. *Ми збирали ягоди, нараз заревіло щось за нами, я в ноги* (Фр.); *Мігайчук Василь, другий депутат, бачачи, яка депутатам шана й від пана, й від громади, не чекав, поки його зачеплять, і собі в ноги* (Хотк.).

упада́ти в но́ги див. упадати.

хай (бода́й) но́ги повсиха́ють *кому.* Уживається як лайка з побажанням зла кому-небудь. *Хай повсихають ноги тому, хто переступить межу* (Смолич); *А вона — зирк, та за мною.—..Куди ти, бодай би тобі ноги повсихали!* (Довж.).

НОГИ: до но́ги, *перев. з сл.* п о б и́ т и, п о т р о щ и́ т и, н и́ щ и т и *і т. ін.* Повністю; всі до одного. *Проти військ княжих ми сміло йдемо, Твердо певні, що вас до ноги поб'ємо... Наперед, наперед за свободу!* (Граб.); *Руїни скрізь чорніють навкруги: всі хатинки, всі будинки потрощило до ноги* (Забіла); *Пощади їм [туркам] не було від козаків під час нападів — у цьому козаки не поступалися нападникам, нищили до ноги* (Ле); **й ноги́ не су́не** див. суне; **ко́ваний на всі чоти́ри** ~ див. кований; **кульга́ти на оби́дві** ~ див. кульгати; **не пока́зувати** ~ див. показувати; ~ **не бу́де** див. буде; **перемина́тися з** ~ **на но́гу** див. переминатися; **щоб** ~ **не було́** див. було.

НОГО́Ю: і ного́ю не ступи́ти див. ступити; **ні в зуб** ~ див. зуб.

ні ного́ю *куди, звідки.* Зовсім не ходити, не виходити куди-небудь, не бувати, не появлятися десь. *Гукнув [Микола] до своїх ремісників: — Грицю, Лаврін, сюди! Слухайте, щоб у школу ні ногою* (Панч); *Адже інші ходять, не обминають весіль, бо це ж так цікаво, радісно. А ви з хати ні ногою, самі й самі* (Гуц.). С и н о н і м: **не пока́зувати но́са.**

нога́ за ного́ю див. нога; ~ **ступи́ти ніде** див. ступити; **стоя́ти однією́** ~ **в моги́лі** див. стояти.

НО́ГУ: би́стрий на но́гу див. бистрий; **біс** ~ **зло́мить** див. біс; **відбива́ти** ~ див. відбивати; **встя́ти на лі́ву** ~ див. встати; **два чо́боти на одну́** ~ див. чоботи; **ді́дько** ~ **звихне́** див. дідько; **до́ля підста́вила** ~ див. доля; **іти́ в** ~ див. іти.

на бо́су но́гу. Без панчіх, шкарпеток, онуч. *Хазяйка була слаба, немічна жінка, що все стогнала і ледве човгала по помості шкарбунами на босу ногу* (Коцюб.); *Він спочатку, позіхаючи, дивиться на небо, а потім гримить озутими на босу ногу чобітьми до дітей* (Стельмах).

наляга́ти на но́гу див. налягати;

на широ́ку но́гу. 1. *з сл.* ж и́ т и, п о ж и́ т и *і т. ін.* 1. Розкішно, багато, без будь-яких обмежень. *Юрій дослужиться до полковника, вийде у відставку з пенсіоном, одружиться на Огієвській і житиме на широку ногу* (Кочура); *Ситуація, в яку задля конспірації поставив себе Кравчинський, зобов'язувала жити на широку ногу* (М. Ол.). С и н о н і м: **на всю гу́бу** (в 2 знач.).

2. *перев. з сл.* п о с т а́ в и т и. На найвищий сучасний рівень. *Відгодівля свиней в артілі ім. Котовського поставлена на широку, можна сказати, промислову ногу* (Рад. Укр.); *Терешко Тягнирядно до себе.. горілчане виробництво поставив на досить широку ногу.* (Ковінька).

не дава́ти собі на но́гу наступи́ти див. давати; **підставля́ти** ~ див. підставляти; **потра́пити в** ~ див. потрапити; **ста́ти на близьку́** ~ див. стати; **чо́рний віл на** ~ **наступи́в; як віл на** ~ **наступи́в** див. віл; **як** ~ **вломи́ти** див. вломити.

НОЖА́: без ножа́ рі́зати див. різати; **ходи́ти по ле́зу** ~ див. ходити.

НОЖА́Х: [як (мов, ні́би і т. ін.)] на ножа́х. 1. У ворожих стосунках.— *Три годи не пив з багачами за одним столом, три годи з родом не гуляв, як на ножах був, а сьогодні, виходить, поїду колядувати?.. Не годиться наче так* (Кос.); *Що фріци на землі — який це жах! Так будемо ж до них гостріш од сталі: із ними ціле людство на ножах* (Тич.); *— Як же воно так випадає, що ми ніяк не можемо з ним вжитися? З першого дня на ножах...* (Гончар).

2. *з сл.* с и д і т и, с т о я́ т и, б у́ т и *і т. ін.* У напруженому стані; охоплений хвилюванням, тривогою. — *Почин хороший,— каже Наум, а сам і видно, що як на ножах сидить* (Кв.-Осн.); *Галя мов на ножах стояла* (Мирний); *Лодку раптово наклонить, очі у тебе — на жах... Милі тримаю долоні, Серце моє на ножах...* (Сос.). С и н о н і м: **як на жари́нах.**

НОЖЕ́М: кра́яти ноже́м по се́рці див. краяти; **приста́ти з** ~ **до го́рла** див. пристати; **рі́зати** ~ див. різати; **ста́ти на попере́к го́рла** див. стати; **хоч** ~ **ріж** див. ріж; **як** ~ **відрі́зати** див. відрізати; **як** ~ **вколо́ти в се́рце** див. колоти; **як** ~ **се́рцю полосну́ти** див. полоснути.

НОЖІ́: ста́ти на ножі́ див. стати.

НОЗІ́: на коро́ткій (на дру́жній) нозі́ *з ким.* У приятельських, товариських стосунках. *Він був на короткій нозі з усіма працівниками фабрики, міг усіх, без винятку, пробрати на зборах* (М. Ю. Тарн.); — *Буде Оладько на стадіоні. Його інколи й з роботи забирають. Та й з дівчатами він на дружній нозі, ті теж можуть запросити його в парк* (Автом.). А н т о н і м: **на ножа́х.**

на рі́вній (на одні́й) нозі́, *з сл.* т р и м а́ т и с я, р о з м о в л я́ т и *і т. ін.* Як рівний з рівним. *Мама з донькою були добрі приятелі й трималися цілком на рівній нозі* (Ю. Янов.); *Діденка він мав за молокососа і вискочку, але разом з тим і трохи побоювався.. Тим-то тримався з ним на рівній нозі* (Головко).

НОМЕР: відколо́ти но́мер див. відколоти.

одина́дцятий но́мер, *жарт.* Свої ноги як засіб пересування. *Доведеться залишити наш кабріолет і пересісти на одинадцятий номер,— крикнув Хохол* (Голов.); — *Тут мені щоразу доводилося грі-*

ти чуба. Вставай бувало з веломашини і пхай на гору одинадцятим номером (Гончар); — За день, як набігаєшся по полю, то ноги хоч поодрубуй. Та й не встигнеш, як кажуть мої хлопці, на одинадця-тому номері всюди (Хлібороб Укр.).

проблема номер один див. проблема; **тягти пустий ~** див. тягти.

[цей] номер не пройде (*рідко* **не вийде**) *у кого, кому і без додатка*. Так не буде, не вдасться що-небудь.— Я знаю, ти б хотів, щоб тобі кому-нізм принесли в хату на блюдечку та й сказали: уставай, Пилипе, розговляйся.. Ні, брат.. Цей номер вам [ледарям] не пройде (Кучер); — Тут серед військових багато розмов про росіян, вони дивуються, що вибух бомби в Хіросімі викликав у них не страх, а тільки осуд. А один знайомий мені експерт, полковник, так і сказав: «Номер не вийшов, Москва не злякалась» (Рибак).

НОРИ: перривати мишачі нори див. перрива-ти.

НОРІ: як миші у норі див. миші.

НОРМУ: входити в норму див. входити.

НОСА: вернути носа див. вернути; **виткну-ти ~** див. виткнути; **вішати ~** див. вішати; **встромляти ~** див. встромляти; **втерти ~** див. втерти; **втри ~** див. втри; **глядіти свого ~** див. глядіти; **гнути ~** див. гнути; **дерти ~** див. дерти; **дивитися не далі свого ~** див. дивитися; **діставати ~** див. діставати; **знати з ~ та в рот** див. знати.

з носа. З кожної людини.— Ми будемо колек-тивно зустрічати Новий рік у нашому новому клубі.. Коштуватиме це три карбованці з носа,— оголошує він далі (Собко); Впускають [на танц-площадку] бажаючих потанцювати. Плата за вхід скромненька — троячка з носа (Ковінька).

з-під (з-перед) [самого] носа *у кого, кого, з дієсл.* 1. З дуже близької відстані від кого-не-будь. У таку ніч за шумом вітру ворогові не чути.., і можна було, підкравшись непоміченим, вихопити полукіпки у врангелівців з-під самого носа (Гон-чар); Олена з-під носа чоловіка вихоплює миску.., а потім завзято вихлюпує в помийницю всю страву (Стельмах); У перекупки з-перед самого носа хтось із безпритульних потяг картопляника (Збан.). С и н о н і м: **з-під рук.**

2. Коли щось майже належало комусь іншому або мало дотичність до когось іншого. Він якраз і хотів виставляти Комарця на голову [сільради], а Навроцький вихопив у нього ініціативу з-під носа (Мик.); Одгуляли весілля [старшої дочки генеральші].. Як побачили гусари, що з-перед носа таке добро упливає, то ще дужче зачастили в Піски (Мирний). — Ти навіть цю Марту прогавиш. — Ні,— зовсім спокій-но сказав Андрій.— Зайвий спокій, от побачиш, її з-під самісінького носа у тебе, тюхтія, вихопить Коваль (Собко).

комар носа не підточить див. комар; **копили-ти ~** див. копилити; **кров з ~** див. кров; **не бачити далі свого ~** див. бачити; **не мого ~ діло** див. діло; **не показувати ~** див. показувати; **ніс до ~** див. ніс; **~ коцюбою не дістати** див. діста-ти; **~ не навертати** див. навертати; **обкрутити довкола ~** див. обкрутити; **обтирати ~** див. обти-рати; **піднімати ~** див. піднімати; **повернути ~ в той бік** див. повернути; **пустити юшку з ~** див. пустити; **совати ~** див. совати; **тикати ~ в чужий город** див. тикати; **тримати ~ за вітром** див. три-мати.

як свого носа, *з сл.* п о б а ч и т и. Уживається для вираження повного заперечення змісту слова п о б а ч и т и. Побачить він тепер путівку, як свого носа. С и н о н і м: **як власні вуха.**

НОСИ: повернути носи в той бік див. повернути.

НОСИЛИ: де вже ноги не носили див. ноги.

НОСИТИ: за плечима (**за спиною, за собою**) **не носити** *що*. Що-небудь засвоєне, набуте і т. ін. людиною, згодиться їй в житті, не буде зайвим.— Що знати, то за плечима не носити,— казав старий [батько],— а, може, грамота ще й у пригоді стане (Мирний); — Ви ж знаєте, що я спеціаліст? У мене десять спеціальностей у руках. Я їх за плечима не ношу (Гуц.); Механізація — то знання, а його, як відомо, за спиною не носять (Літ. Укр.); Ремесло не за собою носити (Номис).

ледве ноги носити див. нести.

носити в (**на**) **серці** *кого, що.* Завжди добре пам'ятати про когось — щось. Те, що я створив собі культ моєї дружини і ношу його в серці, може, видасться тобі нудним і нецікавим (Коцюб.); [В а с и л ь:] Треба тільки її [правду] мати в душі, носити в серці свому (Мирний). **носити в серденьку.** Прийде той, чий образ я носила з піснями вкупі в серденьку свому (Л. Укр.).

носити змію під серцем див. мати[2]; **~ камінь за пазухою** див. держати.

носити (**міряти, набирати**) **воду решетом**, *ірон.* Даремно робити що-небудь, марно витрачати час на що-небудь. Богуна ловити, що воду решетом носити (Кач.). **міряти воду.** Щасливий, хто вірить! А я таки думаю, що ми просто воду міряємо... (Коцюб.).

носити (**надягати, надівати, напинати і т. ін.**) / **надягти** (**надіти, нап'ясти і т. ін.**) **личину** (**маску, машкару**). 1. Приховувати свої справжні думки, наміри, свою справжню сутність. Рік служ-би у почтах Потоцького навчив його носити личи-ну (Тулуб); Завше носити маску, завше себе загнуздувати — та хіба ж то мислиме? (Хотк.).

2. *чого, яку.* Свідомо виступати в певній ролі. Конфлікт ускладнюється тим, що Марккові вдаєть-ся тривалий час носити маску «добропорядної» людини (Мист.); Різні пройдисвіти нап'яли на себе релігійну личину з єдиною метою — пожив-

тися за рахунок довірливих богомольців (На-ука..).

носи́ти (нести́) на собі́ сліди́ чого. Мати, збері-гати ознаки чого-небудь. *Хто б що не робив і як його не робив на користь народові — все то буде носити на собі сліди всесвітнього поступу та розвою* (Мирний); *Українська поезія середини XIX ст. (50—70 рр.) несла на собі сліди могутньо-го впливу Тараса Шевченка, і навіть саме її існування певною мірою пов'язано з його іменем, з гучною славою «Кобзаря»* (Вітч.).

носи́ти ніч за собо́ю. Бути сліпим. [Г а р а с и м:] *А давно ти, діду, осліп, чи таким і родився? [К о б з а р:] То літ з тридцять буде, як ношу я ніч за собою* (Мирний).

носи́ти / по́нести́ сміття́ під [чужу́] ха́ту. Розго-лошувати кому-небудь про те неприємне, що від-бувається в родині, в колективі і т. ін. *Не носи сміття під чужу хату* (Укр.. присл..). П о р.: **вино́сити сміття́ з ха́ти.**

носи́ти хрест див. нести.

[як (ма́ло, тро́хи) не] носи́ти на рука́х кого. 1. Дуже добре ставитися, виявляти велику увагу до кого-небудь. *Кабанцевого Івася всі трохи на руках не носять* (Мирний); *Коли б тебе, Поліна́шко, Як я, знали люди,..коли б знали хист і сили Розуму й серденька, На руках тебе б носили* (Г.-Арт.); *Павло має з армії добру професію — він моторист, механік. Захоче — сяде на тракто-ра, комбайна поведе, сівалку відремонтує. Його в колгоспі на руках носитимуть, аби тільки пересе-лився* (Ю. Бедзик). С и н о н і м: **лиза́ти ру́ки** (в 1 знач.).
2. Надмірно пестити кого-небудь, потурати ко-мусь у його бажаннях і примхах. *Чула [Явдоха], ..що жінка і трохи не жаліє його [Йосипа], хоч він її як на руках не носить* (Мирний); *— Може вони й справді добра їй зичать? Коли б воно так було, як тоді до весілля, коли Княжевичі мало на руках її не носили* (Кучер); *Дядько ж носив свою Мальвочку на руках, не давав узятися їй і за студену воду* (Земляк).

НОСИ́ТИСЯ: носи́тися / розноси́тися як (мов, ні́би і т. ін.**) ду́рень (чорт) із сту́пою.** Приділяти надмірну увагу чомусь незначному. *Безпальчиха аж розсердилась: носиться [Наталя] з своїм отцем Симоном як дурень із ступою* (Головко); *— Що ви з своїм Михайлом Васильовичем розноси-лися як дурень із ступою!* — кричав він (Ткач). С и н о н і м и: **носи́тися як з пи́саною то́рбою; носи́тися як з пи́санкою; носи́тися як чорт із грі́шною душе́ю.**

носи́тися / розноси́тися як (мов, ні́би і т. ін.**) [ду́рень (чорт, ци́ган, ста́рець)] з пи́саною то́рбою** з ким — чим. Приділяти велику або більшу, ніж треба, увагу тому, хто (що) її не вартий (варте), не заслуговує.— *Приятель, значить...*— насміха-ється Пищимуха.— *Від такого приятеля поли*

вріж та тікай, а ви з його приятельством носитесь, як циган з писаною торбою* (Мирний); *— Ви ганяєтесь за Санею? Що ви знайшли в неї путньо-го? — почала Бородавкіна.— Чваниться раз у раз своїм розумом та носиться з тою наукою, як старець з писаною торбою* (Н.-Лев.); *— Ну, тоді палац спалимо..— Дурний тебе, Левку, піп хрес-тив,— обурювався Лесь Якубенко.— Вхопився за ті сірники, як дитина за цяцьку, і носиться з ними, наче з писаною торбою* (Стельмах); *..«А бодай тебе! Потрібна мені твоя цікава звістка. Розноси-ся з нею, як старець з писаною торбою»,— думав о. Порфирій і пішов одчиняти двері* (Н.-Лев.). С и н о н і м и: **носи́тися як ку́рка з яйце́м; носи́-ся як ду́рень із сту́пою; носи́тися як з пи́санкою; носи́тися як чорт із грі́шною душе́ю.**

носи́тися як (мов, ні́би і т. ін.**) з пи́санкою.** Приділяти надмірну увагу чомусь незначному.— *І ти, хлопче, з тою Оленою носишся як з писан-кою! В'ївся черв'як у хрін та й думає, що немає нічого солодшого в світі* (Томч.). С и н о н і м и: **носи́тися як ку́рка з яйце́м; носи́тися як з пи́саною то́рбою; носи́тися як ду́рень із сту́пою; носи́тися як чорт із грі́шною душе́ю.**

носи́тися як (мов, ні́би і т. ін.**) ку́рка з яйце́м** з чим. Виявляти надмірну турботу, приділяти надто багато уваги чомусь незначному.— *Прости мені, Григорію. Це ж не злість, а мій біль вихлюп-нувся наверх. Кому він тільки потрібний? Носиш-ся з ним, наче курка з яйцем* (Стельмах); *То проскурку їй пришлють аж із самісінької Ахтон-ської гори, що моя баба носиться тижнів два з тою проскуркою, як курка з яйцем* (Хотк.). С и н о н і м и: **носи́тися як з пи́саною то́рбою; носи́тися як ду́рень із сту́пою; носи́тися як з пи́санкою; носи́тися як чорт із грі́шною душе́ю.**

носи́тися як (мов, ні́би і т. ін.**) чорт із грі́шною душе́ю.** Приділяти надмірну увагу чомусь незнач-ному. *Василинка вислухала, як ластівка потрапи-ла до твоїх рук, і поспитала: — А чого ти носишся з нею як чорт із грішною душею?* (Гуц.). С и н о н і м и: **носи́тися як з пи́саною то́рбою; носи́тися як ду́рень із сту́пою; носи́тися як з пи́санкою; носи́тися як ку́рка з яйце́м.**

НО́СИТЬ: бене́ря но́сить див. бенеря; **леда́-що ~** див. ледащо; **лиха́ годи́на ~** див. година; **лихи́й ~** див. лихий; **чорт ~** див. чорт.

НО́СИТЬСЯ: но́ситься як ба́ба з сту́пою. Хто-небудь приділяє надто багато уваги чомусь. *Но-ситься як баба з ступою* (Укр.. присл..).

НОСІ: вда́рити по носі див. вдарити; **висіти на ~** див. висіти; **є спи́чка ~** див. спичка; **закру-ти́ло у ~** див. закрутило; **заруба́ти на ~** див. за-рубати; **крути́ти в ~** див. крутити; **ма́ти спи́чку в ~** див. мати².

на носі́. Скоро, незабаром.— *Даю вам відпустку на тиждень. Тим більше, що іспити у вас на носі* (Рибак); *— Мені треба заново входити в курс* *справ, як ви колись мені радили.— Поспішіть. Час. Посівна на носі.* П о р.: **під носом** (у 2 знач.). С и н о н і м: **не за горами** (в 1 знач.).

не давати собі по носі грати див. давати; **щипати в ~** *див.* щипати.

НОСОМ: аж носом банькй дме див. дме; **заорати ~** *див.* заорати; **клювати ~** *див.* клювати; **крутити ~** *див.* крутити; **лишати з ~** *див.* лишати; **лишитися з ~** *див.* лишитися; **ловйти ~ окунів** *див.* ловити.

не з нашим носом. Неможливо, через відсутність відповідних засобів.— *Учителя,— сказав батько,— з тебе не вийде. Це не з нашим носом* (Є. Кравч.).

носом рйбу вудити *див.* вудити; **~ чути** *див.* чути; **орати ~** *див.* орати.

під (перед) [самим] носом. 1. Поруч з ким-небудь, дуже близько від когось. *Крикнула, аж завищала Кайдашиха і вдарила кулаком об кулак під самим носом у Карпа* (Н.-Лев.); — *Як курить хто мені під носом, то, здається, оддав би все на світі, щоб тільки покуштувати отого поганого зілля* (Н.-Лев.); *Пізнавши скоріш з голосу, ніж з вигляду Грибовського, переляканий Мандрика швидко зачинив двері перед самим носом бандита* (Довж.). **під самісіньким носом.** *Дорощук ..не міг собі простити, що не він викрив тоту халтуру, не помітив того, що робилося в нього під самісіньким носом* (М. Ю. Тарн.). А н т о н і м: **за трйдев'ять земель.**

2. тільки п і д н о с о м. Дуже скоро, у найближчому часі. *З других економій приїздили рядчики наймати одрадян, давали плату не малу.— Чого нам забиватися? У нас жнива під носом,— одкинулись одрадяни* (Мирний). С и н о н і м: **не за горами** (в 1 знач.).

3. тільки п і д н о с о м, з *дієсл.* г о в о р й т и, м о в и т и *і т. ін.* Тихо, нерозбірливо. *Ставав [Роман] на дорозі, щось мимрив під носом, щось міркував...* (Коцюб.); *Гапка й собі бурчала щось під носом* (Фр.). П о р.: **під ніс.**

тйкати носом *див.* тикати; **тютя з полйв'яним ~** *див.* тютя; **щоб я з ~ був** *див.* я.

НОСЯТЬ: лéдве нóги нóсять; нóги ~; самі нóги ~ *див.* ноги.

НОТА: фальшйва нóта. Що-небудь нещире, неправдиве, лицемірне. [Я р ч у к:] *Прошу перебивати мене лише в тому разі, коли почуєте якусь фальшиву ноту* (Мик.).

НОТАХ: на висóких нóтах, з *дієсл.* Підвищеним голосом від обурення, незадоволення, радості і т. ін.— *Кинь ти його, Валька,— відповів інший голос на високих нотах.— Бо ми так до ранку з ним проморочимось. Краще завтра прийдемо з ліхтариком* (Гончар); — *Увага! Кухня першого батальйону на горизонті! Взвод загудів на високих нотах, наче великий рій* (Багмут).

як (мов, ніби *і т. ін.***) по нóтах,** з *дієсл.* **1.** Ніби *за наперед продуманою схемою. Все йшло як слід. З'єднала всіх, зміцнила всіх робота. Все добре йшло. Сказать не гріх, як в пісні, як по нотах* (Дор.). С и н о н і м: **як по писаному** (в 3 знач.).

2. Легко, без утруднень. *Плач і тужба в хаті. У головах над труною схилилась Легейдиха, перша на всю слободу плачниця, і тужно, наче по нотах, виводить одвічну жалобу* (Головко); — *Ба! — штовхнув ліктем Оладька другий ведмідь Михась Лобанок.— Генка підхопив баришню яку! Навіть тут як по нотах ходить* (Автом.). С и н о н і м: **як по писаному** (в 2 знач.).

НОТАЦІЇ: читати нотації див. читати.

НОТИ: класти на ноти див. класти.

НОТІ: на одній нóті. Одноманітно, монотонно. *Вранці мрячило й тоскно гудів над головою телефонний дріт на одній ноті* (Головко).

НОЧВИ: як макогін на ночви див. макогін.

НОЧЕЙ: недосипáти ночéй, недоїдáти див. недосипати.

НОЧІ: без нóчі не тутéшній див. тутешній; **від білого світу до тéмної ~** див. світу; **дні і ~** див. дні; **з рáнку до ~** див. ранку; **ні дня ні ~** див. дня.

проти нóчі. Пізно ввечері, у пізній час.— *Куди ж ти оце йдеш проти ночі? — питаю я в його* (Н.-Лев.); — *Либонь, додому чешеш? — допитується Левко.— Ні, в гості проти ночі зібралася — саме пора підійшла,— неприязно відповідає дівчина* (Стельмах).

НОЧУВАВ: і не ночувáв. Зовсім відсутній, зовсім немає чогось. [І л ь ч е н к о:] *Про культуру питаєте? І не ночувала. Культура, мабуть, теж не дура — любить жити там, де достатки є* (М. Куліш).

НОЧУВАЛИ: наче гýси ночувáли див. гуси.

НОЧУВАТИ: днювáти й ночувáти див. днювати.

НУ: ні тпру ні ну див. тпру.

НУДИТИ: нýдити (*рідше* **нýдитися,** *рідко* **нудьгувáти**) / **занýдити світом. 1.** Перебувати в стані апатії, знемагати від бездіяльності, марнуючи час. *Якби курити, то було б що робити, а то сидиш та світом нудиш* (Укр.. присл..); — *Що робити? Як бути? Нуджу світом. То в цей куток загляну, то в той* (Тесл.); — *От я радий, що ти, князю, одвідав мене,— обізвався старий Замойський,— у мене в палаці князь Домінік, певно, занудив світом без молодої компанії, а ти саме в добрий час оце на поріг! Вам обом буде веселіше в мене* (Н.-Лев.); *Засумував же тяжко наш Осауленко після сього, занудив світом несказанно. З лиця спав, аж почорнів од великої туги, і все в пасіці з дідом пасічником сидить* (П. Куліш).

2. по кому — чому, за ким — чим, без кого — чого і без додатка. Перебувати в стані тривоги, неспокою, втомлюватися від журби, туги за ким-, чим-небудь, без кого-, чого-небудь. [Ч у м а к:] *Зірко моя, серце моє, Світе мій та раю! Я ж по тобі світом нуджу, Щодень помираю* (Рудан.);

[М а р у с я:] *Ох, Микито, .. отруїв ти мою душу!.. За те ж тепер і сам караєшся! Нудиш світом за Одаркою, а вона й дивитись не хоче на тебе!..* (Кроп.); — *Та й він мене так само любив та й отак світом нудив без мене. А ти цього не знаєш* (Март.); — *Вишивала трохи, а потім вичитувала всім казочку. Ну, й читає ж вона, а нудить світом без школи* (Стельмах); *То лаяв* [Халявський] *усякого, хто тільки на думку йому приходив, то світом нудився, і з журби аж захляв* (Кв.-Осн.); *Рибалочка на бережку та рибоньку удить; А милая по милому білім світом нудить* (Коломийки); *Не щебече соловейко В лузі над водою, Не співає чорнобрива, Стоя під вербою; Не співає— як сирота, Білим світом нудить. Без милого батько, мати — як чужії люде* (Шевч.); *Нелегко жити на чужині І світом нудити гірким, Та вже найтяжче сиротині, Що побалакати ні з ким* (М. Ю. Тарн.).

3. Жити в тяжких умовах, зазнаючи нестачі в усьому, не відчуваючи смислу життя; животіти. *А найгірше тим, що марне світом нудять у полоні, Як отой бездольний лицар* (Л. Укр.); *В час, як ти* [про Т. Г. Шевченка] *в неволі нудив світом На чужині, В твоїй душі все квітли пишним цвітом Твої пісні* (Сам.); — *Як світом нудити, то краще й не жити!* Він скрикнув, у вир поглядає,— *Ачей на дні моря Позбудусь я горя, Там доля мене привітає!* (Вороний). **попону́дити сві́том** (тривалий час). *Як вигнала мене свекруха.., що я попожурилася, що я попотужила, що я світом попонудила* (Барв.). С и н о н і м: **ма́ятися по сві́ту** (в 2 знач.).

4. Бути незадоволеним життям, не хотіти жити. *Дуже журився Івашко за бабусею, аж світом нудив: з хати не вийде, а коли й вийде, то хіба тільки на кладовище* (Стор.); *Вона мала шматок хліба, теплу хату, мала корсетку на плечах, чого ж сумувати їй, чого нудити світом?* (Л. Янов.); *Він журився, вибухаючи кашлюком під комином, та нудився світом, думаючи, що без долі пропаде* (Косарик).

ну́дити се́рденьком. Перебувати в стані тривоги, неспокою; нудьгувати. — *Чого вночі блудиш і серденьком нудиш?..* (П. Куліш).

НУДИТИСЯ: ну́дитися сві́том *див.* нудитися.

НУДОТИ: до нудо́ти. Дуже, надзвичайно, великою мірою. *Щодня було те саме. Ноги, немов непотрібні, самі знали звиклі дороги, і очі, теж наче зайві, байдужно приймали все до нудоти знайоме* (Коцюб.); *Хіміки-аналітики й лаборантки сходились ще на протязі півгодини. І з кожною до нудоти одноманітно повторювалась та ж сама сцена* (Шовк.).

со́хнути з нудо́ти *див.* сохнути.

НУДЬГОЮ: нудьго́ю мару́дитися *див.* марудитися.

НУДЬГУВАТИ: нудьгува́ти сві́том *див.* нудити.

НУЖДИ: і нужди́ ма́ло *див.* мало.

НУЖДОЮ: би́тися з нуждо́ю *див.* битися.

НУЖДУ: про нужду́. На всякий випадок, для потреби в чому-небудь.— *Там купами капуста, буряки, морква огородня — а хатньої наші жінки не продають, держать про нужду на нашу голову — цур їй!* (Кв.-Осн.).

НУЖУ: годува́ти ну́жу *див.* годувати.

НУЛЯ: від (з) нуля́. З нічого, без попередньої основи; від самого початку. *Невірно було б думати, що кінодіяльність Олександра Довженка починалась від нуля — цей період його життя був підготовлений значним політичним і життєвим досвідом* (Рад. літ-во); — *Потроху працюю. А робота цікава. Все з нуля, місто молоде. А з нуля — завжди цікаво* (Мушк.). С и н о н і м: **на пусто́му мі́сці.**

НУЛЬ: абсолю́тний нуль. Нікчемна і непотрібна для якоїсь справи людина. *Пояснив* [Лаврін Тесля]: — *Я — ніщо. Розумієте, абсолютний нуль. Навіть не перекотиполе. Те, котячись по ріллі, бодай розсіває своє насіння і вірить, що проросте десятками нових пагінців. А я — вакуум, порожнеча* (Дмит.).

нуль без па́лички. 1. Нічого не вартий, не має ніякої ваги, ніякого значення. *Поодинці їм з ними* [селянам з куркулями] *боротись не під силу. А проти гурту навіть Кваша — нуль без палички* (Резн.); *Вони тримаються за нього, бо Георг робить діло, а «друзі» тільки гендлюють. Без нього вони нуль без палички* (Літ. Укр.). С и н о н і м: **гріш ціна́.**

2. Дуже незначний. *Заперечливо замахав* [Федір] *тонкими некрасивими руками.— Нашій домовленості ціна — нуль без палички!* (Ткач.).

ціна́ — нуль *див.* ціна.

НУРКА: да́ти нурка́ *див.* дати; **пуска́ти ~** *див.* пускати.

НУРЦЯ: да́ти нурця́ *див.* дати.

НУ-ТИ: фу́-ти, ну́-ти *див.* фу-ти.

НУТРО: виверта́ти нутро́ *див.* вивертати.

заговори́ло нутро́ *чиє, яке.* Виявилися бажання, погляди, настрої, звички, характерні для кого-небудь. *Заговорило, значить, біляцьке нутро! Своїх зустрічати зостався!* (Гончар).

скаламу́тити нутро́ *див.* скаламутити.

НУТРОМ: нутро́м чу́ти *див.* чути.

НУТРОЩІ: виверта́ти ну́трощі *див.* вивертати.

НУТРУ: по нутру́ *кому.* Подобатися, відповідати чиїм-небудь бажанням, смакам і т. ін. *Ангели, глядячи на щасливе їх життя, радувались і втішались, а чорту було не по нутру — найбільш од того, що не можна йому ніяк увійти до них у хату* (Стор.); *Край ставка овчар* [вівчар] *онучі пра́ти мусив сісти, Отара ж попаски попхалась навманя. Орлу се по нутру* (Греб.); *Не по нутру виявився новий закон лише відрубщикам-хуторянам* (Гончар).— *Добрячий тютюнець... Аби* якийсь панок шарпнув цілу затяжку — на місці врізав би дуба, а нам нічого, якраз по нутру (М. Ю. Тарн.).

НЮНІ: розпуска́ти ню́ні *див.* розпускати.

НЮХ: ма́ти нюх *див.* мати ²; **ні за ~ таба́ки** *див.* понюшку.

соба́чий нюх *у кого.* Хто-небудь має здатність легко схоплювати, підмічати, розуміти щось приховане, таємне. [Ц и г а н к а *(вибігла на ганок, озираючись):*] *І сьогодні Герцик увесь день зорить за мною, певно, догадується. О, у нього собачий нюх!.. (Кроп.).*

НЮХАТИ: [і] не ню́хати / не поню́хати по́роху.
1. Не бути на війні, не брати участі у воєнних діях.— *Ваші жовніри, князю, вже вимуштрувані в битвах з загонами, вже призвичаєні до борні з козаками, а наші ще й пороху не нюхали* (Н.-Лев.); *Видно [офіцер] був тиловою крисою, ще не нюхав пороху, а бойовий патріотичний дух імпонував йому дуже (Збан.); Однаково добре ставився [капітан] і до досвідчених льотчиків, ..і до молодих випускників авіаучилища, які ще не нюхали пороху* (Перв.); *Війна вже скінчилася: хто їхав у відпустку побачитися з кревними, хто зовсім повертався додому, так і не понюхавши пороху* (Мокр.).

2. Не мати досвіду в чому-небудь.— *Юнь, юнь! Завзята, беручка, але куди з ними — пороху ще ніхто з них не нюхав* (Гончар); *Спочатку Богдан з недовірою прислухався до таких сентенцій сержанта, а потім зрозумів: бувалий солдат підбадьорював ними бійців, які ще не нюхали пороху* (Стельмах); — *Я просив призначити мене у найвідсталіший колгосп.. Згодьтесь, що молодому спеціалістові, який, так би мовити, ще не нюхав пороху, але відчуває свою заборгованість перед народом за науку, так само незручно йти на все готове, як бідному женихові у прийми до багатої нареченої* (Добр.). **нюхати по́рох.** *Генерал недбало виставляв на певні сектори окремі роти, батальйони. Половина з них нюхали порох під Верденом* (Кач.); *Гурт бійців, що зібрався навколо, теж зареготав.— Кадровики веселіші,— подумав Оксен.— Видно, вже порох нюхали* (Тют.); *Ах, панове! Про трусість Мовчіть ви мені! Чи ви нюхали порох В життьовій війні?* (Фр.).

НЮХОМ: ню́хом відчу́ти *див.* відчути; **~ чу́ти** *див.* чути.

НЬОГО: бода́й на ньо́го боля́чка *див.* болячка; **не до ~ п'є́ться** *див.* п'ється; **хай на ~ хале́па** *див.* халепа.

О

ОБАГРИТИ: обагри́ти / обагря́ти [свої́] ру́ки кро́в'ю *чиєю, якою.* Учинити вбивство, стати вбивцею. *На Кальварію йде велика громада різунів.., що в лютім [місяці] обагрили свої руки кров'ю (Фр.); Попадавши хто де, сплять мертвецьким сном.. ті, хто сьогодні ще й дитячою кров'ю руки свої обагрив. Все меншає їх, все менше займає місця під зорями їх ватага (Гончар); Обагряли свої руки людською кров'ю поліцаї, що служили вірою і правдою гітлерівським катам. Та не вдалося їм уникнути розплаги* (Сільські вісті).

ОБАГРИТИСЯ: обагри́тися / обагря́тися кро́в'ю. Зазнати жертв, втрат від убивств; постраждати. *Не вправі ми забувати і того, що за тридцять минулих років то одна, то інша країна, а іноді й цілі райони світу обагрялися кров'ю, ставали ареною воєнних дій, які забирали життя мільйонів людей* (Літ. Укр.).

ОБАГРЯТИ: обагря́ти ру́ки кро́в'ю *див.* обагрити.

ОБАГРЯТИСЯ: обагря́тися кро́в'ю *див.* обагритися.

ОБАРАНІЛИ: о́чі обараніли *див.* очі.

ОББЕРЕШСЯ: не обберешся бід *див.* обженешся.

не обберешся (не оберешся) лиха (кло́поту *і т. ін.)* з ким — чим *і без додатка.* Будеш мати багато турбот, неприємностей через когось, щось.— *Ну що його робить? — Сказала Ведмедиха.— Пусти свиню за стіл, Не обберешся лиха (Іванович); Чорне клинцювате обличчя Сафрона побіліло від хвилювання і прихованої злості на Фесюка: знали ж, кого покликати в чесну кумпанію [компанію]. Тепер не обберешся лиха з ним (Стельмах);— І нащо він пустив його в сад?.. Тепер клопоту не оберешся (Кучер). П о р.:* **не обженешся біди.**

ОББИВАТИ: оббива́ти каблуки́, *жарт.* Енергійно, темпераментно танцювати. *Молодь водила хороводи та каблуки оббивала до пізнього вечора.* **пооббива́ти каблуки́** *(багато танцювати).— Заходьте, не цурайтеся. Тим паче, йдеться... Словом, скоро дружки в вінках на весілля вас покличуть...— Пооббиваємо каблуки на весіллі (Больш.).*

оббива́ти / рідко обби́ти поро́ги. 1. *у кого, кому, чиї.* Постійно ходити, приходити до кого-небудь, кудись; часто бувати у когось, десь. *Перед людьми вона не нахвалиться ним [сином]:— Панич буде...— одкривалася вона перед знайомими жінками, котрі щодня оббивали у неї пороги (Мирний); [О л е н а:] Не часто ви нам пороги оббиває-*

те, а коли вже нині така ваша ласка... *Ні, мене би старий убив, якби я вас не прийняла [не прийняла], як бог приказав* (Фр.);— *Я вашого сина не силувала мене брати; я до вас з хлібом з сіллю не ходила, порогів ваших не оббивала* (Н.-Лев.); *Недурно ж він [генерал] терся щось з місяць у Гетьманському — оббивав [у старшини] пороги* (Мирний). **обчо́вгувати поро́ги,** *фам.* А що до Зіньки вчащали сільські плетухи, а що сама вона любила обчовгувати чужі пороги, то скоро вся вулиця, далі куток, потім і село знали (Гуц.).

2. *кого, чого, біля чого і без додатка, чий, де.* Багато разів звертатися до когось, кудись, у якій-небудь справі, домагаючись її вирішення. *То так і ходитимеш, чужі пороги оббиватимеш. Воно ж тобі нічого — тільки чоботи топчеш, а другим — час гаєш* (Мирний); *Одного разу під час чергового медогляду сказали йому:— Годі, браток, відлітався, жде тебе віднині наземна служба... Уралов не міг змиритися з цим. Поїхав до Москви, оббивав пороги найвищих військових медиків* (Гончар); *Роман похитує головою, а потім питається старого:— Що ж ви тепер будете робити? — Доведеться біля усіх судів оббивати пороги. А що ж інакше зробиш? Живемо ж на тому, що в нас є земля і честь. А заберуть землю, то й честі не залишать* (Стельмах); *Думав, шукав [Микола], оббиваючи пороги в райкомі, радився з батьками, багато читав і таки вражав дядьків силою, чого вони не чули, не знали і це не могли знати* (Коз.); *Ми з нею [Настею] мріяли піти на фронт! Ми щодня оббивали пороги у військкоматі. Настирливо, доки не набридло. І нас записали* (Дмит.); *Ходити, клянчити, оббивати пороги не в характері Максима* (Цюпа); *А що можна сказати про волоцюг і пройдисвітів, які ганяють по світу вітер, оббивають чужі пороги, ніде не можуть нагріти місця, витирають чужі кутки?* (Загреб.). **топта́ти поро́ги.** *Перш ніж стати відомим письменником, Гоголь чимало бідував, знайомим було для нього приниження тих, хто змушений топтати пороги високих канцелярій, на собі звідав він долю маленької людини* (Рад. літ-во). **оббива́ння поро́гів.** *Воно таки погано, що український літератор не може «в своїй хаті» ні шеляга заробити, і се справжній наш хрест оте оббивання чужих порогів* (Л. Укр.).

3. *у кого і без додатка, чий, де.* Нахабно з'являтися десь, турбувати когось.— *Що це таке повелося: кожен тобі лізе в квартиру. На роботі не відіб'єшся від них, та ще й тут пороги оббивають...* (Ле); *Так Аткінс оббив пороги, аж клерки всі в гамі й гомі:— Цей безпритульний Томмі — Дуже настирний Томмі: Голову всім морочить, чорт його побери!* (Бажан). **А н т о н і м: лиша́ти в споко́ю.**

оббива́ти пір'я́; ~ шку́ру *див.* **оббити.**

ОББИВА́ТИСЯ: оббива́тися / обби́тися об ву́ха *чиї, рідко.* Доходити до кого-небудь, до чийогось слуху (про чутки, розмови і т. ін.); ставати відомим кому-небудь. *Самі брати, коли подібні чутки [про їх капітал] оббивались об їх уха [вуха], усміхалися і знизували плечима* (Фр.).

ОББИ́ТИ: обби́ти / оббива́ти пір'я́ *з кого, кому, зневаж.* 1. Побити кого-небудь.— *Не тинялись з транзисторами по парках до півночі! Бо одне й друге знало: не прийде вчасно додому, то дістане по м'якишу,— пір'я з нього обіб'ю!.. А цього, бач, пальцем не торкни!* (Гончар). П о р.: **обби́ти шку́ру.** С и н о н і м и: **облама́ти ре́бра (в 1 знач.); облама́ти кий; облата́ти бо́ки; не лиши́ти живо́го місця (в 1 знач.); полічи́ти ре́бра; скрути́ти в'я́зи; обідра́ти шку́ру (в 2 знач.).**

2. Примусити кого-небудь дотримуватися порядку, бути покірним і т. ін.; приборкати когось. *Оббили пір'я демагогові.* С и н о н і м и: **облама́ти ре́бра (в 2 знач.); облама́ти ру́ки; облама́ти ро́ги; облама́ти кри́ла (в 2 знач.); зби́ти пиху́; хвоста́ вкрути́ти.**

обби́ти / оббива́ти шку́ру *на кому і без додатка, зневажл.* Дуже побити кого-небудь. *Коли Мина оперіщив її [кобилу], вона у відповідь давай кидати задки та чвиркати з-під хвоста.. Забризканий весь, шмагає та лається:— Звірюга, сто бісів тобі в ребра!.. Шкуру обіб'ю!* (Гончар). П о р.: **обби́ти пір'я́ (в 1 знач.); обідра́ти шку́ру (в 2 знач.).**

С и н о н і м и: **облама́ти ре́бра (в 1 знач.); облама́ти кий; облата́ти бо́ки; полічи́ти ре́бра; не лиши́ти живо́го місця (в 1 знач.); скрути́ти в'я́зи.**

обби́ти поро́ги *див.* **оббивати.**

ОББИ́ТИСЯ: обби́тися об ву́ха *див.* оббиватися.

обби́тися як крем'ях, *заст., рідко.* Втратити силу, владу, багатство і т. ін; постраждати.— *Дітки мої! — каже тоненьким, ницим голосом.— Чим же мені прохарчити вас, чим вас зодягти? Бачте, я й сам увесь оббивсь, як крем'ях!* (П. Куліш).

ОББІГА́ТИ: оббіга́ти десято́ю доро́гою *див.* обминати; **~ очи́ма** *див.* оббігти.

ОББІЃТИ: оббіѓти десято́ю доро́гою *див.* обминати.

оббіѓти / оббіга́ти очи́ма (о́ком, по́глядом). 1. *кого, що.* Швидко оглянути кого-, що-небудь. *Хутко очима оббіг натовп, стрибаючи з обличчя на обличчя* (Головко); *Артур увесь кипів. Він швидко оббіг очима велосипед і за кілька хвилин вкотив його до магазину* (Хор.); *Вдова оббігла все оком, пригадала останню свою мандрівну квартиру — панський льох... усміхнулась* (Бабляк); *Дівчина зніяковіла і ще прикріше почервоніла. Вона оббігла поглядом кімнату, розшукуючи свої речі* (Ю. Янов.); *Він ще не встиг оббігти поглядом бур-*

тинської дороги, як за горою ревнув мотор (Мушк.); *Він оббігав поглядом своїх дивно сивих очей тісний форум, різонуло його по самому серцю буйністю барв на святкових шатах* (Загреб.).

2. *що.* Швидко прочитати, проглянути щось написане. *Ориська оббігла записку очима й перелякана зімняла [зім'яла] її, мало що не проковтнула* (Вільде).

ОББІЛУВАТИ: оббілува́ти (обідра́ти, обчи́сти-ти *і т. ін.*), **як (мов, ніби** *і т. ін.*) **бі́лочку (бі́лку)** *кого, ірон.* Забрати у кого-небудь якесь багатство; відібрати все у когось. *Покрала вона срібло та золото в офіцера.. Прогнав її, обідравши, як білочку* (Мирний); // Обікрасти, пограбувати когось. *Обчистить вона пана, як білочку, хай тільки очі закриє, всі гроші перейдуть до її рук* (Мирний); // Змушувати кого-небудь дуже витратитися; розорити когось. *То ж не бачити Чуплакові своєї рябої корови. Вилікує вона [лікар] його чи ні, а оббілує, як білку* (Чорн.). С и н о н і м и: **обідра́ти, як ли́пку; обідра́ти до го́лої кості; обде́р-ти до ни́тки; обідра́ти шку́ру (в** 1 знач.); **живце́м облупи́ти.**

ОБВЕСТИ: обвести́ / обво́дити за ніс *кого.* Перехитрити, обдурити кого-небудь. *Не міг просто повірити, що отой гонивітер із колишньої одарчуківської вольниці здатен перехитрити, обвести за ніс вимуштруваного гестапівського вовкулаку* (Головч. і Мус.); — *Ну, чого ви так! — задумливо озвався Марчевський.— Нащо гарячкувати? Може, й справді нас за ніс обвели, то треба послухати людей. Люди завжди правду кажуть* (Ю. Бедзик). С и н о н і м и: **обвести́ круг па́льця (в** 1 знач.); **лиши́ти з но́сом; залиши́ти в ду́рнях.**

обвести́ (обкрути́ти, оберну́ти, обмота́ти *і т. ін.*) **/ рідше обво́дити (обкру́чувати, оберта́ти, обмо́тувати** *і т. ін.*) **круг (круго́м, навко́ло, довко́ла) па́льця (пу́чки)** *кого.* 1. Спритно обдурити, перехитрити кого-небудь. *До пізньої ночі з голубиним туркотінням розповідав [Гнат] своїй Ганні — як він обскакав, обвів навколо пальця навіть бессарабця Манойла* (Стельмах); *Ви ж подумайте, яка ото хитра лисиця, а він і цю звіряку довкола пальця обвів* (Ковінька); — *А як же це трапилося? Невже проспали? — Атож. Точніше сказати, дали себе приспати..— Ніколи собі цього не прощу! Отак по-дурному дали себе круг пальця обкрутити* (Головко); — *У вас, молодий чоловіче, мудрість мужа, а хитрість змія-іскусителя. Мене, старого лиса, кругом пальця обкрутити, ще й висміяти!* (Кол.); *Всім соромно було визнавати, що їх, мов малих дітей, обкрутив навколо пальця отой довготелесий рідкочубий істерик* (Загреб.); — *Знай, який у тебе чоловік, що ти такого й не стоїш. Та я всіх кругом пучки оберну, ось що* (Гр.); [М и к и т а (набік):] *І не собака ж наш кошовий, яке коліно викинув, усіх як кругом*

пальця обмотав? (Кроп.). С и н о н і м и: **обвести́ за ніс; лиши́ти з но́сом; залиши́ти в ду́рнях.**

2. *рідко.* Викликати до себе прихильність, приязнь, закохати в себе (*перев.* про жінок). *Чи морською синьою травою Ти круг пальця хлопця обвела? Чи навіки рівною бровою Світ перетуманила? Діла!* (Мал.); — *До всього треба мати сприт, Надько,— брався повчати Арсен.— От.. вийшло так, що нікому не потрібна. Був же хтось у тебе? А був! То чого не обдурила, чого круг пальця не обвела?* (Гуц.); *Тоді постала в ньому прихована злість на Рифку: чому не може подарувати йому сина? Чому не має стільки сили в собі, щоб окрутити його довкола свого пальця? Чому не має стільки чар, щоб зробити його своїм рабом?* (Вільде); *Йому подобалося велике суперництво, оця неоголошена війна між двома механізаторами, подобалася ще більше гра, яку вела його Котя з ними обома і з ним самим. Він бачив, як Котя обкручує довкола пальця обох хлопців* (Загреб.).

обвести́ очи́ма *див.* обводити.

ОБВОДИТИ: обво́дити за ніс; ~ круг па́льця *див.* обвести.

обво́дити / обвести́ очи́ма (о́ком, по́глядом, зо́-ром) *кого, що, рідко де.* Оглядати, обдивлятися кого-, що-небудь, дивитися на когось, щось. *Настя обводить очима шкільні стінки. В очах — сльози. Прощається* (Вас.); — *Чи не завадив я вам? Так нежданно і негадано потрапив,— обводить очима і людей, і стіни кімнатки.— Сідайте, сідайте, Мар'яне,— припрошує вчитель* (Стельмах); *Вона [Ольга] обводить поглядом усіх присутніх, кімнату і пригадує перші години, проведені тут* (Ткач); — *Скажіть мені, що це? Правда? — Правда,— сказав Щорс і повільно обвів очима всіх.— Раз у тисячу років куля не повинна брати людину. Це безсмертя* (Довж.); *Привітавшись з матір'ю, він обвів очима рідну хату* (Шиян); *Сльоза, лишившись внизу, ще раз обвів оком навколо* (Панч); *Збігла [Зінаїда Павлівна] по східцях униз, обвела поглядом зал і завмерла* (Дмит.); *Данило обвів поглядом навколо. Крайніми від княжого столу сиділи Мирослав Добринич і тисяцький Дем'ян* (Хижняк); — *Алі... Алі... тут десь...— він обвів зором порожні лавки* (Коцюб.). П о р.: **окида́ти о́ком; огорта́ти зо́ром.**

ОБГЛЯНУТИСЯ: обгля́нутися по сві́ті, *рідко.* Набратися життєвого досвіду. — *Я вже обглянувся трохи по світі і знаю, що чоловік, який має добру волю до праці і здорові руки, не згине з голоду* (Коб.).

ОБГОЛИТИ: обголи́ти ло́ба *кому, іст.* Забрати в солдати когось. — *Не бійся, Нимидоро, й не журися. Пан хоче нас оддать в москалі, як він нам обголить лоби, то ми тоді пропащі навіки; а тим часом ми втечемо на сахарні, перебудемо цей важкий час* (Н.-Лев.).

ОБГОРНУЛО: як (мов, ніби *і т. ін.*) по́лум'ям обгорну́ло / обгорта́є *кого.* Хтось відчув сильне збентеження, хвилювання і т. ін., дуже вражений чимсь. *Мене мов полум'ям обгорнуло, і я витріщив очі. Чи я був справді такий короткозорий, що не бачив відразу того, за чим так тужливо визирав і дожидав?* (Коб.). С и н о н і м и: **як кип'ятко́м обдало́; як окро́пом ошпа́рило.**

ОБГОРНУТИ: обгорну́ти ду́шу ту́гою *див.* обгортати.

ОБГОРОДЖЕНИЙ: вітром обгоро́джений, *жарт.* Нічим не захищений, без огорожі. *Насті довелося попопобрьохатися в снігу, доки дісталася до його хатини, що стояла вітром обгороджена, небом покрита* (Речм.).

ОБГОРТАЄ: як по́лум'ям обгорта́є *див.* обгорнуло.

ОБГОРТАТИ: обгорта́ти (огорта́ти) / обгорну́ти (огорну́ти) ду́шу (се́рце) ту́гою ([важки́м] су́мом, смутком *і т. ін.*). Викликати переживання, душевні страждання, неспокій і т. ін. *Не несли вони [дні] у моє серце ніякої одради, нічого доброго, а обгортали душу тугою.. Топтали мою єдину надію* (Мирний); *Вдруге осиротів Левко. Того, першого, ганебного сирітства він не знав. А друге огорнуло серце важким смутком. Тільки ляже спати, а перед очима спливає вона, мати* (Літ. Укр.). **сум (ту́га) обгорта́є [всю] ду́шу (се́рце).** *Сум всю душу обгортає. Додолу никне голова* (Гр.); *Та коли вже надто тяжко Туга серце обгортала, То співці співали пісню, Пісня тугу розбивала* (Л. Укр.). **триво́га обгорта́є ду́шу.** *Хоч часом їм доводилось дуже скрутно і душу кожного обгортала тривога,— але все, що сталося, не проминуло даремно* (Скл.). **важки́м жа́лем огорну́лася душа́** чия. *Важким жалем огорнулась Михайлова душа при звістці, що комісар Антоненко зовсім зліг* (Збан.).

ОБГРИЗЕНУ: як соба́ка за обгри́зену кі́стку *див.* собака.

ОБГРИЗЛИ: як соба́ки обгри́зли *див.* собаки.

ОБДАВАТИ: обдава́ти / обда́ти жа́ром (вогне́м, моро́зом, хо́лодом *і т. ін.*) *кого, що.* Викликати у кого-небудь стан сильного хвилювання, збентеження, переляку і т. ін. *Настя вдячно глянула на хлопця, і Омелько знітився від погляду темнокарих очей, що обдали його жаром* (Цюпа); *Мене острах бере, морозом обдає* (Барв.); *І тільки думка про те, що знайдуть їх [утікачів] і силоміць повернуть до колишніх панів, обдавала морозом їх спини* (Тулуб);— *Чому карбованець не має принести господареві карбованця? Що, неправду кажу? — крива посмішка вилущує холодні, наче вилиті з металу, заокруглені зуби. І ця посмішка морозом обдає все тіло Марії* (Стельмах); *На редуті зробилося тихо. І ця зловісна тиша холодом обдала Назара* (Кочура).

обдава́ти / обда́ти очи́ма (по́глядом) *кого.* Дивитися на когось, виявляючи певні почуття. *На Зіньку впав Давидів погляд. Він усміхнувся їй з вітанням, а вона ясно обдала очима парубка* (Головко); *Пувичка.. підійшов ще ближче до Альоші, обдаючи його нахабним, зневажливим поглядом* (Мик.). П о р.: **обпіка́ти очи́ма.**

ОБДАЛИ: як кип'ятко́м обдали́ *див.* обдало.

ОБДАЛО: як (мов, ніби *і т. ін.*) **кип'ятко́м (окро́пом, ва́ром, жа́ром, при́ском** *і т. ін.*) **обдало́ (обдали́)** *кого.* Хтось раптом відчув збентеження, хвилювання, переляк і т. ін. від чого-небудь, дуже вражений чимсь. *Ваш лист нагадав мені, що сьогодні уже і той день, котрий Ви виставили у нашій умові. Як приском мене обдало* (Мирний); *Слова батькові сплили їй на думку, і наче її кип'ятком обдало...* (Мирний); *Христю наче варом обдало, як забачила вона ту свічку* (Мирний). **обдало́ жа́ром і хо́лодом.** *Я одним оком заглянув у той папірець. Помітив своє привище. Мене враз обдало жаром і холодом. Побачив фатальне слово — звільнити* (Збан.). **нена́че хто жа́ром обда́в.** — *А се що за вечірня пташка? — пита він [панич], уставивши очі на Христю. Христю неначе хто жаром обдав...* (Мирний). С и н о н і м и: **як по́лум'ям обгорну́ло; як окро́пом ошпа́рило.**

ОБДАРОВУВАТИ: обдаро́вувати / обдарува́ти по́глядом (у́смішкою, по́смішкою *і т. ін.*). Дивлячись на кого-небудь, виявляти, виражати певні почуття. *Журба посміхнувся, обдарував офіцера не дуже люб'язним поглядом* (Епік); *Меккінець підвів голову і обдарував Ремо приємною усмішкою* (Досв.).

ОБДАРУВАТИ: обдарува́ти по́глядом *див.* обдаровувати.

як (мов, ніби *і т. ін.*) **карбо́ванцем обдарува́ти** *кого і без додатка, з сл.* п о д и в и́ т и с я, г л я́ н у т и *і т. ін.* Дуже виразно. *Микола подивився на Хому таким поглядом, про який кажуть, як карбованцем обдарував* (Гжицький).

ОБДАТИ: обда́ти жа́ром; ~ моро́зом; ~ очи́ма *див.* обдавати.

як (мов, ніби *і т. ін.*) **холо́дною водо́ю обда́ти (обли́ти)** *кого і без додатка.* 1. Раптово викликати у когось сильне збентеження, хвилювання і т. ін.; приголомшити кого-небудь.— *Питаю його [панича]:— Чи будете раді синові або дочці? — І не подумай [народити]! — каже.. — Як же се так? — питаю. — Де ж мені його діти? — Де хоч.. — Повіриш, як сказав він мені те, то наче холодною водою обдав мене!..* (Мирний); *Василинка й справді збентежилась. Якийсь страх напав на неї, неначе облив її холодною водою* (Н.-Лев.). **на́че холо́дним ду́шем обда́ти.** — *Сталося це саме тоді, коли вийшов декрет.., який отих цвиндриків, що звикли щотижня жінок міняти, наче холодним душем обдав* (Мокр.); // Відразу вплинути, подіяти на кого-небудь. *Господи, як* *тяжко розлучатись з солодким ранішнім сном! Та суворе батькове слово мов водою холодною обілле і прожене сон...* (Коцюб.).

2. з сл. п р и й н я́ т и, г л я́ н у т и і т. ін. Сердито, неприязно, холодно. *Як їй не скрутно іноді приходилося, часом і Яків гримне — де швендяє, часом і невістка прийме, мов холодною водою обдасть,— дарма* (Мирний). **мо́вби обли́ти з ніг до голови́ холо́дною водо́ю.** *Зарічний окинув майстра таким поглядом, мовби облив його з ніг до голови холодною водою* (М. Ю. Тарн.).

ОБДЕРТИ: обде́рти (обідра́ти) до ни́тки (до ни́точки) *кого і без додатка.* Залишити без засобів існування, обібрати, пограбувати кого-небудь. [Ю д а:] *А я ж обдерти дався до нитки, до шага — і що ж я мав?..* (Л. Укр.); [Л е с я:] *Ви, захисник народу, вбили, розтерзали, закатували на смерть, згвалтували іменем царя, обдерли народ до нитки, кинули на голодну смерть* (Сміл.). С и н о н і м и: **обідра́ти до го́лої кості; обіблува́ти, як біло́чку; обідра́ти, як ли́пку; обідра́ти шку́ру (в 1 знач.); живце́м облупи́ти.**

ОБДИРАТИ: обдира́ти шку́ру; ~, **як ли́пку** *див.* обідрати.

ОБДІЛИВ: Бог ро́зумом обділи́в *див.* Бог.

ОБДІЛИЛА: до́ля обділи́ла *див.* доля.

ОБДІЛИТИ: обділи́ти ла́скою *див.* обходити.

ОБДІЛЯТИ: обділя́ти ла́скою *див.* обходити.

ОБЕРЕЖНІШЕ: обере́жніше на поворо́тах *див.* легше.

ОБЕРЕЖНО: обере́жно на поворо́тах *див.* легше.

ОБЕРЕМОК: взя́ти на оберемок *див.* взяти.

ОБЕРЕШСЯ: не обере́шся біди́ *див.* обженешся; **не ~ ли́ха** *див.* обберешся.

ОБЕРНЕШСЯ: де (куди́) не обе́рнешся (не оберни́сь, *і т. ін.)*. Скрізь, усюди, кругом. *Де не обернешся — все на тебе незнайомі* [незнайомі] *очі блискотять...* (Вовчок); — *Як змінився світ. Вже куди не гляну, куди не обернусь, чую: все міняється* (Довж.). С и н о н і м и: **куди́ не кинь о́ком; куди́ гля́не о́ко.**

ОБЕРНИСЬ: де не оберни́сь *див.* обернешся.

ОБЕРНУЛАСЯ: до́ля оберну́лася іншим бо́ком *див.* доля.

ОБЕРНУСЬ: де не оберну́сь *див.* обернешся.

ОБЕРНУТИ: оберну́ти догори́ дном *див.* перевертати; ~ **круг па́льця** *див.* обвести; ~ **на пил;** ~ **на свій лад;** ~ **о́чі** *див.* обертати.

ОБЕРНУТИСЯ: не всти́гнеш оберну́тися *див.* встигнеш.

оберну́тися наніве́ць (внівець́), *заст.* Втратити значення, силу, виявитися марним, даремним, перестати існувати. *Недавня надія знову оберну́лася наніве́ць, страх зігнав радість* (Мирний). П о р.: **звести́ся наніве́ць; піти́ наніве́ць (у 1 знач.).**

оберну́тися / оберта́тися в ніщо́. Безслідно зникнути, зовсім перестати існувати. *Із нічого.. ніщо виникати не може: Що ж народилось, не може так само в ніщо обернутись* (Зеров).

оберну́тися / оберта́тися дру́гим (іншим, те́мним *і т. ін.)* **бо́ком (кінце́м).** Різко змінитися (перев. на гірше). *Обернулось життя до неї другим, темним, неприбраним, буденним боком* (Н.-Лев.).

оберну́тися / рідше оберта́тися на слух. Дуже уважно слухати; прислухатися до чого-небудь. *Величезна казарма солдатів вся обернулась на слух, не ворухнеться. Один тільки солдат весь час піднімає руку. Підніме й опустить* (Довж.).

оберну́тися обли́ччям *див.* повертатися; ~ **спи́ною** *див.* обертатися.

ОБЕРТА́ЄТЬСЯ: в середи́ні [все] оберта́ється у кого. Хто-небудь дуже переживає, страждає у зв'язку з чимось, боляче реагує на щось; неприємно комусь. [Ш м і т:] *Та ще й співи заводять такі, що аж все в середині обертається, просто хоч гинь* (Л. Укр.).

ОБЕРТАТИ: оберта́ти догори́ дном *див.* перевертати; ~ **круг па́льця** *див.* обвести.

оберта́ти / оберну́ти на пил (на прах) *що.* Повністю знищувати, розбивати що-небудь, спричиняти зникнення чогось. *Скільки турбот, сподіванок, скільки глибочезної, мов надра землі, і трудної любові батьківської може потрощити, обернути на пил, змішати з багном один недобрий син!* (Вол.); *Глибоким зором і пером тонким Він* [Коцюбинський] *слугував народові своєму, Боліючи душею разом з ним, Життя і кров, а не сюжет і тему Він залишив на білих сторінках — І слів його не обернуть на прах* (Рильський). С и н о н і м и: **зво́дити наніве́ць (у 1 знач.); розтира́ти на по́рох.**

оберта́ти / оберну́ти на свій лад (стрій) *що.* Робити що-небудь по-своєму або для власної вигоди.— *Моя хата не така, як твоя. Вони все на свій стрій обертають* (Л. Укр.).

оберта́ти / оберну́ти о́чі (по́гляд) *до кого — чого, на кого — що, куди.* 1. Дивитися на кого-, що-небудь або в якомусь напрямку. *Вони все-таки дожидали, що вернуться [брати], та й обертали очі.. у всі боки* (Вовчок); *Глухо зітхнув Панас Петрович і обернув очі до дверей* (Епік).

2. *до кого — чого, рідко.* Покладатися на когось, сподіватися на щось. *Обертати погляди до майбутнього.* **оберта́ти свої зо́ри.** *Він все до неба Свої зори обертав,.. Але голод своє діяв. Спиняв мрії запальні* (Граб.).

С и н о н і м: **поверта́тися обли́ччям.** А н т о н і м: **оберта́тися спи́ною.**

ОБЕРТАТИСЯ: оберта́тися в ніщо́; ~ **дру́гим бо́ком;** ~ **на слух** *див.* обернутися.

оберта́тися / оберну́тися спи́ною *до кого — чого.* 1. Не зважати на кого-, що-небудь, ігнорувати щось; зневажливо, зверхньо ставитися до когось.— *Саво! — Не обертайся спиною до людей! — вслід гукнув Гура* (Чорн.).

2. Переставати сприяти, допомагати кому-небудь у чомусь. *Військове щастя обернулося спиною до німців: через Люботин проходять на захід обози, лазарети, ремонтні майстерні, комендатури покинутих міст* (Д. Бедзик).

А н т о н і м и: **поверта́тися обли́ччям; оберта́ти о́чі.**

оберта́тися обличчя́м *див.* повертатися.

ОБЕРТОМ: голова́ іде́ о́бертом *див.* голова; **світ іде́ ~** *див.* світ; **у голові́ все іде́ ~** *див.* іде.

ОБЖЕНЕШСЯ: не обжене́шся (не оббере́шся, не обере́шся) біди́. Будеш мати багато неприємностей, горя, клопоту і т. ін.— *Будь обережний, бо не обженешся біди,— пошепки порадила Гафійка* (Юхвід); *Не данник гетьманський, а посол, особа недоторкана, сидить перед тобою. Тільки пальцем торкни, біди не обережся* (Рибак). П о р.: **не оббере́шся ли́ха.**

ОБЗИВАТИСЯ: [і] сло́вом не обзива́тися (не озива́тися) / не обізва́тися (не озва́тися) до кого і без додатка. Не розмовляти, не говорити з ким-небудь; мовчати. *За цілий день або вечір ні до кого й словом не обзивався* (Мирний);— *Чого се ти усе думаєш?.. Він [Павло] і словом не озветься, а наче од сну прокинеться* (Вовчок). П о р.: **не обмо́витися сло́вом** (у 1 і 2 знач.). А н т о н і м: **озива́тися сло́вом.**

обзива́тися сло́вом *див.* озиватися.

ОБИДВА: в обйдва кінці́ *див.* кінці.

ОБИДВІ: вхопи́ти в обйдві жме́ні *див.* вхопити; **держй в ~ жме́ні** *див.* держи; **кульга́ти на ~ ногй** *див.* кульгати; **наставля́ти ~ жме́ні** *див.* наставляй; **покла́сти на ~ лопа́тки** *див.* покласти.

ОБИДУ: не дава́ти в оби́ду *див.* давати.

ОБИНЯКІВ: без обиняків. 1. *з сл.* г о в о р и́ т и, с к а з а́ т и *і т. ін.* Прямо, не вдаючись до натяків. *Говорили щиро, без обиняків.* С и н о н і м: **в лоб** (у 1 знач.).

2. *з сл.* р о б и́ т и, в и к о́ н у в а т и *і т. ін.,* заст. Беззастережно, без будь-яких вагань. *Вона без всякого обману І щиро без обиняків Робила грішним добру шану, Ремнями драла, мов биків* (Котл.).

ОБИХІДКУ: на всю (свою) обихідку, *з сл.* б р е х а́ т и, в е р з т й *і т. ін.,* фам. Надмірно, дуже сильно, без будь-яких обмежень.— *Мабуть, бреше на всю обихідку,— промовив один дід* (Н.-Лев.);— *Верзи, верзи на свою обихідку! Може, на душі полегшає,— сказав Оникій* (Н.-Лев.). С и н о н і м: **як тільки мо́жна.**

ОБИЧАЙЦІ: як кво́чка в обича́йці *див.* квочка.

ОБІДДЯ: хоч обі́ддя гни *див.* гни.

ОБІДНЮ: псува́ти обі́дню *див.* псувати.

ОБІДРАТИ: обідра́ти до го́лої ко́сті *кого.* Забрати в кого-небудь геть усе. *Обідрали до голої кості* (Укр.. присл..). С и н о н і м и: **обде́рти до**

ни́тки; **оббілува́ти, як бі́лочку; обідра́ти, як ли́пку; обідра́ти шку́ру** (в 1 знач.); **живце́м облупи́ти.**

обідра́ти до ни́тки *див.* обдерти.

обідра́ти (обде́рти, облупи́ти і т. ін.) / обдира́ти (облу́плювати і т. ін.), як (мов, ніби і т. ін.) [ту, молоде́ньку і т. ін.] ли́пку *кого, що.* Забрати у когось гроші, коштовності і т. ін.; обібрати, обікрасти або пограбувати кого-, що-небудь. *Наша пані журилась..:— Обдеруть мене тепереньки* [тепер]*, як тую липку! Моє око всього не догледить* (Вовчок); *Просто на вулиці грають у карти шулери — виграють, програють, одне слово, заманюють до гри простачка, щоб обдерти його, як липку* (Літ. Укр.);— *Добре! — провадять усі в один голос.— Як липку облупимо* [голову] *... та й писаря завряд* [заодно] (Мирний); *Подумав* [гуцул]: *«Ади, настав час відплати попові за те, що обдирав село, як липку»* (Казки Буковини..); *Покотилася чутка про Гайдука, що організував банду та й став грабувати і багатих, і бідних: обдирав усіх підряд, наче липку* (Дім.); *Не від сьогодні ходить чутка, що Володко з Гриньком та обдирають нашу касу, як молоденьку липку* (Март.). **обде́рти, мов ли́пу з ли́ка.**— *Ага! То значить, що.. лиш то гешефт, як може пана обдерти, мов липу з лика* (Фр.). **обі́драний (обде́ртий), як ли́пка.** *Горішня частина села вже обідрана* [німцями]*, як липка. І Йонька заметушився: треба рятувати добро* (Тют.); *Дери з багачів, бо бідний і так обдертий, як липка* (Укр.. присл..). С и н о н і м и: **оббілува́ти, як бі́лочку; обідра́ти шку́ру** (в 1 знач.); **обде́рти до ни́тки; обідра́ти до го́лої ко́сті; живце́м облупи́ти.**

обідра́ти / обдира́ти шку́ру, зневажл. **1.** *з кого.* Забрати геть усе в кого-небудь.— *Куди вигідніше заманити їх* [гайдамаків] *у двір, у пастку, та й обідрати з них шкуру: обеззброїти, коней забрати. А самих — межи плечі — на всі чотири сторони* (Головко). С и н о н і м и: **обідра́ти, як ли́пку; оббілува́ти, як білочку; обде́рти до ни́тки; обідра́ти до го́лої ко́сті; живце́м облупи́ти.**

2. *перев. на кому.* Дуже побити когось.— *Шкуру на тобі, неслухові, обдеру,— спересердя нахвалявся батько.* П о р.: **оббйти шку́ру; де́рти шку́ру; здира́ти шку́ру.** С и н о н і м и: **облама́ти кий; облама́ти ре́бра; оббйти пір'я; полата́ти бо́ки** (в 1 знач.); **полічи́ти ре́бра; скрути́ти в'язи; полама́ти кістки́.**

ОБІЗВАЛАСЯ: кров обізва́лася *див.* кров.

ОБІЗВАТИСЯ: обізва́тися сло́вом *див.* озиватися; **сло́вом не ~** *див.* обзиватися.

ОБІЙДЕНИЙ: обі́йдений до́лею (заст. су́дьбою). Нещасливий, безталанний. *До праці станеш на свій лан І в своїй хаті будеш пан, Коли не буде між тобою* [народом] *Ані голодних, ні трудних, Ані обійдених судьбою* (Фр.).

ОБІЙМАМИ: з розкри́тими (відкри́тими, розпросте́ртими і т. ін.) обі́ймами, *з сл.* п р и й м а́ т и, зустрічати *і т. ін.* Дуже привітно, гостинно; з задоволенням, з радістю.— *А я не збираюся жартувати, я цілком серйозно запитую: ви що, усіх тут із розкритими обіймами зустрічаєте й проводжаєте?* (Головч. і Мус.); *Дійшло до нього, мабуть, що приймають його тут не з розкритими обіймами, і враз набрав пиховитого вигляду* (Шовк.); *Зоя зустріла її з розпростертими обіймами* (Рибак). **з широко відкритими обіймами.** *Тут її [Тусю] з широко відкритими обіймами прийняли на посаду завідувача повітової бібліотеки* (Збан.).

ОБІЙМАТИ: обіймати (обнімати) / обійняти (обняти) [щасливим] оком ([теплим] поглядом *і т. ін.) кого, що.* 1. Оглядати кого-, що-небудь, дивитися. на когось, щось, виявляючи почуття симпатії, любові, ніжності *і т. ін. Прокіп обіймав оком Гафійку* (Коцюб.); *І кожного [бійця] обіймає [Воронцов] теплим поглядом, і кожним гордиться* (Гончар); *І обняла щасливим оком сіру фігурку сина, чужу неначе в довгих аж до підлоги штанах* (Коцюб.); *Тепер, коли йому, хай навіть жартома, було заборонено дивитись на неї [Марію], він просто обняв її поглядом* (Ю. Бедзик). П о р.: **ласкати очима.**

2. *рідко.* Оглядаючи, одночасно бачити що-небудь на широкому просторі. *Ліна й зараз звідси, зі степу, мовби обіймає поглядом всю ту недавню подорож, де все повите чарами, де місяць пісенно освітлює море* (Гончар).

ОБІЙМИ: розкривати обійми *див.* розкривати.

ОБІЙНЯТИ: обійняти оком *див.* обіймати.

ОБІЙТИ: обійти десятою дорогою *див.* обминати; ~ **ласкою;** ~ **мовчанням;** ~ **стороною** *див.* обходити.

ОБІЛЛЯВ: як окропом хто обілляв *див.* ошпарило.

ОБІМЛІЛА: душа обімліла *див.* серце.

ОБІМЛІЛО: серце обімліло *див.* серце.

ОБІРВАЛАСЯ: нитка обірвалася *див.* нитка.

ОБІРВАЛОСЯ: все обірвалося всередині *див.* все; **життя** ~ *див.* життя; **серце** ~ *див.* серце.

ОБІРВАТИ: обірвати життя *чиє.* Призвести до загибелі; згубити, умертвити, убити когось. *Фашистська бомба в перший день віроломного нападу гітлерівської Німеччини на Радянський Союз —22 червня 1941 року — обірвала життя письменника-патріота [С. Тудора]* (Іст. укр. літ.); *Несподівано трагічна звістка гірким болем стиснула серце: не стало Андрія Головка. ..Невблаганна смерть обірвала життя майстра. Але продовжують жити його твори* (Літ. Укр.). С и н о н і м и: **загнати у могилу** (в 1 знач.); **покласти в домовину.**

обірвати з пуповиною; ~ **руки** *див.* обривати.

ОБІРУЧ: обіруч не піднести *див.* піднести.

ОБІТЕРТИ: обітерти піт з чола; ~ **сльози** *див.* обтерти.

ОБІТНИЦЮ: давати обітницю *див.* давати.

ОБІТОВАНА: земля обітована *див.* земля.

ОБІЦЯНКАМИ: годувати обіцянками *див.* годувати.

ОБІЦЯНКИ: перевершувати обіцянки *див.* перевершувати.

ОБ'ЇВСЯ: як (мов, ніби *і т. ін.)* **блекоти (дурману, чемериці) об'ївся (наївся),** *зневажл.* 1. Хто-небудь дивно, безглуздо поводить себе; нерозумний. *Щовечора, як тільки сонце лягало на спочинок, ставав на воротях Іван Николин. Придивлявся, прислухався і лиш хитав головою. Що діється, що твориться! Село ніби блекоти об'їлося: галасує, метушиться, тішиться чогось* (Прил.);— *Він у нас трохи теє... ніби як блекоти об'ївся. Молитви шепоче, церковні пісні співає* (Тют.). **неначе собачої блекоти наївся.—** *Цур тобі, пек тобі! Ти неначе собачої блекоти наїлася* (Н.-Лев.). **наївся блекоти.** [С в і т л а н а:] *Тату! Він.. де мене прийшов... Я... за нього заміж вийду!* [К р я ж:] *Ти що, блекоти наїлась?* (Зар.). С и н о н і м и: **не всі вдома; бідний на розум; нема царя в голові; нема клепки.**

2. *з сл.* г о в о р и т и, висловлюватися *і т. ін., рідко.* Беззмістовно, нерозбірливо, незрозуміло. *Говорить, мов блекоти об'ївся!* (Укр.. присл..).

ОБ'ЇДЕШ: [і] конем (на коні) не об'їдеш *кого, чого.* 1. Не обминеш, не уникнеш кого-, чого-небудь. *Сказав [лейтенант] неголосно до товариша:— От несподіванка! Видно, справді-таки судженої конем не об'їдеш!* (Головко); *Долі й конем не об'їдеш* (Укр.. присл..); *Долі й на коні не об'їдеш, не знаєш, звідки й що впаде на тебе* (Гуц.).

2. *з сл.* т о в с т и й, о г р я д н и й *і т. ін., жарт.* Дуже, надмірно, занадто, непомірно. *Зловили сома великого та товстого, і конем не об'їдеш.* **конем за день не об'їдеш.—** *Сам [батько], як гачок, слабосилий, сухенький. А бабу собі роздобув — років сорока, огрядну таку, що й конем за день не об'їдеш* (Збан.).

ОБ'ЇСТИ: об'їсти вуха *кому і без додатка, жарт.* Спожити, використати всі харчові запаси. [П и щ и м у х а:] *Ми до тебе, як та татарва, цілою ордою!* [І в а н С т е п а н о в и ч:] *Знайдеться чим ушанувати дорогих гостей... не об'їсте вух* (Кроп.); [Н а с т я:] *А лопає бісова дітвора так, що й харчів на них не настачиш, скоро й вуха об'їдять* (К.-Карий).

об'їсти голову *кому, фам.* Дуже набриднути кому-небудь якимись розмовами (перев. вимогами, нагадуваннями *і т. ін.). Не маю часу переглянути його [оповідання] і одіслати, хоч мені вже редакція голову об'їла, що не присилаю* (Коцюб.).

ОБКИДАЄШСЯ: не обки́даєшся *чого, рідко.* Дуже багато (різних справ, клопоту і т. ін.).— *У мене, може, свого діла не обкидаєшся: щодня за вас, чортів, у волость тягають* (Мирний).

ОБКИДАТИ: обки́дати бру́дом; ~ вся́кими слова́ми *див.* обкидати.

ОБКИДА́ТИ: обкида́ти / обки́дати вся́кими (найгі́ршими *і т. ін.*) слова́ми (епі́тетами) *кого.* Вкрай недоброзичливо висловлюватися про кого-небудь або лаяти когось. *Хоча Левко обкидає Христину в думках непотрібними словами, але до нього десь від панського ставу наближається дівоче обличчя* (Стельмах); *Начко, ..вперши безтямний погляд у мигаючі перед ним різнобарвною хвилею пари, обкидав Регіну найгіршими епітетами* (Фр.).

обкида́ти (облива́ти, полива́ти *і т. ін.*) / обки́дати (обли́ти, полля́ти *і т. ін.*) бру́дом (боло́том, гря́ззю, грязю́кою, багно́м *і т. ін.*) *кого.* Несправедливо звинувачувати когось у чомусь; обмовляти, неславити, ганьбити кого-небудь. *Відбувалися збори, оба [обидва] кандидати обкидали болотом один одного і противні партії, сипались кореспонденції, напасті* (Фр.); *Поцілуйко зводить розмову на інше. Та господар сам навертає її на своїх недругів, озлоблюючись, обкидає гряззю Безсмертного і Задніпровського* (Стельмах);— *Адресок пришли хоч, де ти будеш...— Буду там, де ніхто мене не падлючитиме! Не обливатимуть брудом такі, як ваша ротата супружниця!* (Гончар); [Ю р к о:] *Ну, це вже нахабство! Дівчина в запалі образила його, і він ладен зараз же обкидати її брудом* (Мам.); *Скрутне настало для Ельки життя. Бригадирова проходу не давала. До клубу не показуйсь — викляне, обкидає багном привселюдно.— Байстрючка! Оце вас такого в школі вчили? Як чоловіків чужих відбивати?* (Гончар); *Крім неписьменного базікання про поезію, він [Фотій] намагався облити брудом весь мій рід,— так той бруд при ньому й лишився* (Мас.);— *Неможливо собі уявити, щоб він [обвинувач] перший, ні сіло ні впало, узяв та й облив грязюкою ні в чім не винну людину* (Мур.). полива́ння бру́дом. *Він уже мало звертав уваги на те, що говорять про нього. А почалося поливання брудом давно. Скільки воно забрало сил і здоров'я* (Роб. газ.). П о р.: ки́дати боло́том; ля́пати грязю́кою. С и н о н і м и: вилива́ти помиї; коти́ти бо́чку.

обкида́ти о́ком *див.* окидати.

ОБКИНУТИ: обки́нути о́ком *див.* окидати.

ОБКИПАЄ: обки́пає душа́; ~ се́рце *див.* душа; се́рце ва́ром ~; се́рце ~ кро́в'ю *див.* серце.

ОБКИПАТИ: обкипа́ти кро́в'ю *див.* обкипіти.

ОБКИПІЛА: обкипіла душа́ *див* душа.

ОБКИПІЛО: обкипіло се́рце *див.* душа; се́рце ва́ром ~; се́рце ~ кро́в'ю *див.* серце.

ОБКИПІТИ: обкипі́ти / обкипа́ти кро́в'ю (по-

том). Дістатися тяжкою працею, стражданням, муками. *Служу, наймаюся, заробляю. Що наша копійка? Кров'ю обкипіла!* (Вовчок); *І скаже суд:— Чи у твоїм доробку хоч одна Сторінка є, що кров'ю обкипіла* (Рильський); *«Хоч би він [Василько] виріс на своїй землі, хоч би йому не обкипав кров'ю тугий, мов з каменю випечений, наймитський хліб...»* (Стельмах).

ОБКЛАДАТИ: обклада́ти слова́ми, [як компре́сами] *кого, фам., рідко.* Грубо лаяти. *Анархісти уперто не хотіли злазити [з грузовика] і чогось чекали, обкладаючи свого шофера словами, як компресами* (Ю. Янов.).

ОБКРУТИТИ: обкрути́ти довко́ла но́са. Перехитрити, спритно обманути кого-небудь.— *Ну, Крумке просто молодець. Отак обкрутив довкола носа англійців* (Ю. Бедзик). С и н о н і м и: обвести́ круг па́льця (в 1 знач.); лиши́ти з но́сом; залиши́ти в ду́рнях.

обкрути́ти круг па́льця *див.* обвести.

обкрути́ти (обла́годити, обро́бити, *фам.* обтя́пати) ді́льце (ді́ло, спра́ву). Вигідно здійснити, уладнати що-небудь; спритно, вміло досягти успіху в чомусь. *Вийшовши з хати Онисі, Корній Корито, занепокоєний, зупинився на вулиці. Ну, здається, обкрутив він дільце. Не випорсне вона з його рук* (Цюпа); *І він [Федір] відчув, що заздрить Максимові. Бач, як облагодив дільце! Тут справжні трагедії відбуваються, а він тим часом робить своє* (Ткач); *Можна впрохати тітку Мотрю, вона це діло облагодить* (Коцюб.); *В цій же Карпилівці Боровець обробив таке дільце, що прославився як аферист вищої гільдії* (Мельн.); *Потьомкін самовдоволено прошкрьобав своїми масивними штиблетами по світлиці, як ліверант, що добре обтяпав справу і сподівається гарних баришів* (Добр.).

ОБКРУЧУВАТИ: обкру́чувати круг па́льця *див.* обвести.

ОБЛАГОДИТИ: обла́годити ді́льце *див.* обкрутити.

ОБЛАМАТИ: облама́ти / обла́мувати кий (па́лицю, ві́ник *і т. ін.*) на кому, об кого. Дуже побити кого-небудь. [Б о г у н:] *Сто, двісті, хоч тисячу київ на мені обламайте. Вперше я переможений без бою* (Корн.);— *От побіжи-но мені ще раз до ліса [лісу] з панною, та я об тебе віника обламаю!* (Л. Укр.). С и н о н і м и: обби́ти пі́р'я; обби́ти шку́ру; облама́ти ре́бра (в 1 знач.); облата́ти бо́ки; полічи́ти ре́бра; не лиши́ти живо́го мі́сця (в 1 знач.); скрути́ти в'я́зи; обідра́ти шку́ру.

облама́ти / обла́мувати (лама́ти) кри́ла *кому і без додатка.* 1. Позбавити кого-небудь високих прагнень, поривань, мрій. *Вони мріяли обламати крила кріпацькому поету, приручити його, зробити своїм* (Кол.). обла́мані кри́ла. *Вісім років думав Гулька про цю землю, вісім років бачив її уві сні;*

і вісім років.. накопичувалася в серці гіркота за свою долю, за обламані крила (М. Ю. Тарн.).

2. Змусити кого-небудь коритися; приборкати когось.— *Обламали крила, ще й мусив дякувати за науку,— стояв перед Романом широкий і незграбний [Корнюша].— Обламали і тепер економовою, економовою головою думаю* (Стельмах);— *І пам'ятай: усякій людині, при охоті, можна обламати крила.— Я й не знав, що ти такий крилоэжер! — навіть здивувався дядько Себастіян* (Стельмах). П о р.: **обламáти рýки; обламáти рéбра** (в 2 знач.); **обламáти рóги.** С и н о н і м: **оббúти пíр'я** (в 2 знач.).

обламáти /облáмувати рóги *кому, зневажл.* Перемогти, приборкати когось.— *І доки ми будемо панський гніт і наругу терпіти? — Прийде час, Харитоненкові роги обламаємо! — твердить Сильвестр* (Горд.); *Оксюта дивився, як околицею села віддалявся Кирик. Доскоцький, ой доскоцький! Але краще з ним не стикатись, тут не вгадаєш, хто кому роги обламає* (Гуц.). П о р.: **обламáти рéбра** (в 2 знач.); **обламáти рýки; обламáти крила** (в 2 знач.). С и н о н і м и: **оббúти пíр'я** (в 2 знач.); **хвостá вкрутúти; збúти пиху.**

обламáти / облáмувати рýки *кому.* Припинити чиї-небудь небажані дії, вчинки; приборкати когось.— *Гляди, щоб за баламутство і розбій не забряжчав іржавими кайданами до самого Сибіру. Ще й не таким розумникам обламували руки* (Стельмах). П о р.: **обламáти рéбра** (в 2 знач.); **обламáти рóги; обламáти крила** (в 2 знач.). С и н о н і м и: **оббúти пíр'я** (в 2 знач.); **збúти пиху; хвостá вкрутúти.**

обламáти (обломúти) / облáмувати рéбра (бóки) *кому.* 1. Дуже побити кого-небудь.— *Ви іще нашого дядька й досі по всіх кісточках не розібрали,— стишує голос Терентій.— От вишлемо завтра наймитів, а дядьки їм дрючками обломлять ребра. Тоді не буде жнив ні у вас, ні у нас* (Стельмах). П о р.: **поламáти рéбра.** С и н о н і м и: **полатáти бóки** (в 1 знач.); **оббúти пíр'я** (в 1 знач.); **оббúти шкýру; обламáти кий; полічúти рéбра; не лишúти живого місця** (в 1 знач.); **скрутúти в'язи; обідрáти шкýру.**

2. Покарати, приборкати кого-небудь, змусити припинити свою діяльність; мовчати.— *Нахваляються [мужики], ласкавий пане,— що ніяк на ваше не вийде, кажуть, до сенату і самого царя будуть добиватися, і таки будуть, коли декому не обламати ребра* (Стельмах). П о р.: **обламáти рóги; обламáти рýки; обламáти крила** (в 2 знач.). С и н о н і м и: **оббúти пíр'я** (в 2 знач.); **збúти пиху; хвостá вкрутúти.**

3. Завдати комусь неприємностей.— *Твердохлібе! Як же спокійному бути? У Галичі тепер буря схватиться, нам боки обламáе* (Хижняк).

ОБЛАМУВАТИ: облáмувати кий; ~ крила; ~ рéбра; ~ рóги; ~ рýки *див.* обламати.

ОБЛАТÁТИ: облатáти бóки *кому, зневажл.* 1. Побити когось. *Мене виганяють, києм боки облатають* (Сл. Гр.). П о р.: **полатáти бóки** (в 1 знач.). С и н о н і м и: **обламáти рéбра; оббúти пíр'я** (в 1 знач.); **полічúти рéбра; обламáти кий; не лишúти живого місця** (в 1 знач.); **скрутúти в'язи; обідрáти шкýру.**

2. *рідко.* Суворими заходами перешкодити кому-небудь робити щось, покласти край чім-небудь діям, вчинкам; дати відсіч. *Сидоров мовив твердо:— Любителям веселенького життя треба одразу обламати боки* (Рад. Укр.).

ОБЛÉЖУВАТИ: облéжувати бóки, *зневажл.* Ледарювати, нічого не робити. *[Т е т я н а:] Де вже воно буде робити, коли в нього тільки й думки, щоб їсти-пити та боки облежувати!* (Мам.). С и н о н і м и: **лежáти на печí; лігма лежáти; бáйдики бúти** (в 2 знач.).

ОБЛИВÁЄТЬСЯ: сéрце кров'ю обливáється *див.* серце.

ОБЛИВÁТИ: обливáти брýдом *див.* обкидати.

обливáти (заливáти) [гарячими] слізьмú (сльозáми) *кого, що.* Дуже плакати над ким-, чим-небудь. *Припала я до ніг того пана, цілую їх та обливаю слізьми.— Годі,— каже він,— годі!* (Мирний); *«Буду в руки златоглави, Китайки хапати, І знаки твої криваві Слізьми обливати...»* (Куліш), **облúтий гарячими слізьмú.** *Ось разгорнувся лист закритий, Дорогий лист проміж всіми; То лист від милої, облитий Колись гарячими слізьми* (Щог.). П о р.: **обмивáти слізьмú.**

обливáти / облúти свою дýшу слізьмú. Багато, часто плакати, страждати.— *Я ж обмила свою душу слізьми.., тебе шукаючи! Я ж виплакала очі, тебе виглядаючи!* (Н.-Лев.).

обливáти / облúти солодким мéдом *кого.* Говорити щось дуже приємне кому-небудь; улещувати. *Мелашка прийшла додому, і свекруха справдила своє слово: ..вона знов облила Мелашку солодким медом* (Н.-Лев.).

обливáти сéрце кров'ю *див.* облити.

ОБЛИВÁТИСЯ: обливáтися (вмивáтися, обмивáтися, *рідко* **митися) / облúтися (вмúтися, обмúтися) [кривáвим (гіркúм, сьóмим і т. ін.)] пóтом.** Дуже важко працювати. *Наймити та невільники обливались потом, аж стогнали од важкої роботи* (Н.-Лев.);— *Двадцять п'ять років отут обливаюся потом, і в очах лиш полин* (Ірчан); *Їхньою волею, їхньою силою здійснюється нарешті те, про що не раз, обливаючись гірким вантажницьким потом, мріяли вони потаємно в роки своєї молодості, проведеної отут, на каторжанських оцих естакадах* (Гончар); *Вмивався [Явтух] потом, усіх навколо себе трусив, як чорт грушу* (Ю. Янов.); *Вийшов коваль з новенької кузні. Не миються потом у ній ковальчуки, не хукає прокіптявленою утробою ковальський міх. Електричний моторчик легко крутить млинок* (Мушк.).

[Г а н н а:] *А ще скажу й так: жируєш ти! Це все з баглаїв... Попогнула б спину на спеці та вмилася б кривавим потом,— не зажирувала б* (Кроп.); *Ще сонце не купалося у водах яруги, а Василь вже обмився сьомим потом* (Чендей); // Тяжко, з великим фізичним напруженням витримувати що-небудь. *Батальйон обливався потом* [у поході].. *Хомути скаток, набиті патронами підсумки, речові мішки, каски, надіті на голови,— все гнітило, важчало з кожним кілометром* (Гончар). П о р.: **заливатися потом; лити піт.** С и н о н і м и: **гнути спину; ламати хребта; лізти з шкури** (в 1 знач.).

обливатися (заливатися, *рідко* **обсипатися) / облитися (залитися,** *рідко* **обсипатися) [гіркими (гарячими)] слізьми (сльозами).** Гірко, невтішно плакати.— *Хіба ж не сама я,— казала далі дівчина, вже обливаючись слізьми,— не сама одвадила од себе всіх хлопців?..* (Вас.); *«Чужі... чужі... Що їм? у них болить?.. Їм шкода* [мого сина]*?»— думала вона* [Мотря]*, обливаючись гірками слізьми* (Мирний); *Та брехня пекла її, скорпала її за серце нестерпучими болями, яких Параскіца не могла втишити, б'ючись головою об землю то обливаючись гарячими слізьми* (Коцюб.); *Веде Олександра діток, обливаючись сльозами, та все тільки благословляє їх* (Вовчок); *Порятуй мене, таточку, голубчику! — аж закричала Галочка, заливаючися сльозами* (Кв.-Осн.); *Мелашка стояла коло печі й заливалась слізьми* (Н.-Лев.); *А сама* [Настя] *слізьми обсипається, наче й горює, і радіє чогось разом* (Вовчок); *Мася і призналась одній товаришці і облилась слізьми.— Порадимо,— каже тая,— не сумуй* (Свидн.); *Було побачить мене мати і обілллється гіркими сльозами* (Стор.); *Застогне Мотря, обіллється гарячими сльозами та й замовкне* (Мирний); *Мотря неймовірно глянула на Оришку, та зразу, упавши на піл, так і залилася сльозами* (Мирний); *Стара мама обсипалася слізьми, а Василь мовчав* (Стеф.). **обливатися (облитися) слізоньками.** *Дума* [Галочка]*, може, він занедужав, нікому його доглянути, тяжко йому... Та від таких думок аж з ніг звалилася, прилягла на ліжку, слізоньками обливаючись...* (Кв.-Осн.); [К о н о в а л и х а:] *Подивлюся я на людське проживання та й ділллюся слізоньками...* (Кроп.). **залитися гіркими.** [К о с т ь:] *Довідавшись, в чім річ, вона сперше хваталась за віник, потім за рогача... далі залилася гіркими* (Вас.). С и н о н і м и: **мити сльозами лице; давати волю сльозам.**

обливатися кров'ю. 1. Страждати, мучитися, виконуючи тяжку роботу. *Бачив я,.. Як сірома попідтинню Згорблена тулялась; Над роботою за скибку Кров'ю обливалась* (Щог.).

2. Бути місцем кривавих сутичок, жорстоких боїв і т. ін.— *Передишка тільки до ранку,— гово-*

рить Коцюбинський.— *Київ кров'ю обливається... А війська в нас малувато...* (Лев.).

обливатися / облитися холодним потом. Дуже хвилюватися, переживати (від почуття страху, очікування чогось небезпечного, неприємного і т. ін.) *Холодним потом обливалась Маланка, вся терпла і гострим оком вдивлялась у пітьму, наче питала: як буде?* (Коцюб.); *Калинович стояв, обливаючись холодним потом, і ждав, що буде далі* (Фр.); *Тут завченим рухом* [крамар] *виймає з божниці кольорову пачку перев'язаних розписок.., милується своїм дрібним письмом. Від цього письма не раз холодним потом обливалися нахмурені триаршинні дядьки, дрібними і великими сльозами голосили жінки* (Стельмах); *Турн — зирк, і бачить пред* [перед] *собою Присяжного свого врага. Осатанів і затрусився, Холодним потом ввесь облився, Од гніву сумно застогнав* (Котл.).

ОБЛИЖЕ: тільки (хіба) пальці оближе, *жарт.* Нічого не дістанеться або дуже мало дістанеться чого-небудь комусь.— *Нехай буде шість відер* [горілки]*, бо як лиш три, то багачі вперед розхапають, а бідний хіба пальці оближе* (Март.).

ОБЛИЖЕШ: [тільки] пальчики (пальці) оближеш (оближуй). 1. Що-небудь дуже смачне.— *Там, якщо зготує* [кухар]*, то тільки пальчики оближеш,— говорив він, уплітаючи печену курку після поросятини* (Н.-Лев.);— *Коропів таких, як тут, ніде не знайдеш. За день відра два наловити можна. Така юшка буде — пальці оближеш* (Тулуб).

2. Хтось дуже гарний, вродливий. *А на цих* [арф'янок] *глянеш — пальчики оближеш* (Мирний).

ОБЛИЗАВ: як (мов, ніби і т. ін.) м'яло (макогона) облизав. Хто-небудь у поганому настрої, невеселий після якоїсь невдачі. *Він сьогодні сердитий, як м'яло облизав.*

ОБЛИЗАТИ: губи облизати *див.* **облизувати.**

облизати макогін (макогона, м'яло), *ірон.* Зазнати невдачі. *Облизавши макогона, як кажуть, він повернувся ні з чим додому.* С и н о н і м и: **вхопити шилом патоки; дістати облизня** (в 1 знач.).

пальчики облизати *див.* **облизувати.**

ОБЛИЗНІ: їсти облизні *див.* **їсти.**

ОБЛИЗНЯ: впіймати облизня *див* **спіймати; дістати ~** *див.* **дістати; спіймати ~** *див.* **спіймати.**

ОБЛИЗУВАТИ: [аж] губи облизувати / облизати. Бути дуже задоволеним чим-небудь.— *А буде за це могорич? А вже я вам цю справу так вироблю, що аж губи оближете* (Н.-Лев.).

облизувати передки *кому.* Догоджати кому-небудь, плазувати перед кимсь. *Григорій Федорович говорив знову.— Товариші! Ви бачите, що робить цей розгнузданий елемент. Раніше він облизував царському стражникові передки, а тепер проти* влади робітників та селян чинить просто повстання (Епік). П о р.: лиза́ти халя́ву.

па́льчики (па́льці) обли́зувати / облиза́ти, *жарт.* 1. Бути дуже задоволеним чим-небудь (перев. їжею, питвом).— *А що? Я і є кок! У флоті на «Святому Владимирові» плавав,— хвалився дід Карась.— Всі пальчики облизували* (Вільний).

2. Бути в захопленні від кого-, чого-небудь.— *Тільки захоти [забажай], зразу висватаю тобі таку молоду. З освітою, ніяк не нижчою гімназичної. Пальчики оближем* (Головко).

3. Заздрити кому-небудь. *Такий гарний, такий гарний [жених],.. аж Росолинщанки пальчики облизуватимуть* (Свидн.).

ОБЛИЗУЙ: па́льчики облизуй *див.* оближеш.

ОБЛИЛОСЯ: се́рце кро́в'ю облило́ся *див.* серце.

ОБЛИТИ: обли́ти бру́дом *див.* обкидати.

обли́ти / облива́ти [своє́] се́рце кро́в'ю. Багато витерпіти горя; натерпітися, настраждатися.— *Я ж.. облила серце кров'ю, тебе шукаючи! Я ж виплакала очі, тебе виглядаючи!* (Н.-Лев.). **облй́те кро́в'ю се́рце.**— *Ні, ти [Спартак] побудь ось у становищі того ж Богдана Колосовського, коли серце кровоточить, і з таким, кров'ю облитим серцем, зумій стати вище всіх кривд і образ!* (Гончар).

облити́ свою́ ду́шу слізьми́; ~ **соло́дким ме́дом** *див.* обливати; **як холо́дною водо́ю** ~ *див.* обдати.

ОБЛИТИЙ: як (мов, ніби і т. ін.) [холо́дною (зи́мною)] водо́ю обли́тий. Розгублений, пригнічений, приголомшений і т. ін. *Денис стояв покірливий, як водою облитий, і тільки холодний погляд очей говорив про те, що він не збирається когось слухати* (М. Ю. Тарн.); *Петрусь стояв перед нею, мов облитий зимною водою* (Фр.); *Вона [Надія] повернулась додому наче водою облита* (Баш). С и н о н і м и: **як у во́ду опу́щений; сам не свій; як у воді́ намо́чений; як чо́рна хма́ра; хма́ра хма́рою** (в 2 знач.).

ОБЛИТИСЯ: обли́тися по́том; ~ **слізьми́;** ~ **холо́дним по́том** *див.* обливатися.

ОБЛИЧЧІ: мінйтися на обли́ччі *див.* мінитися.

ОБЛИЧЧЯ: в обли́ччя *див.* лице; **дивитися пра́вді в** ~ *див.* дивитися; **кров залива́є** ~ ; **кров ки́нулася до** ~ ; **кров уда́рила в** ~ *див.* кров; **ма́ти своє** ~ *див.* мати; ~ **гори́ть** *див.* лице; ~ **нема́** *див.* нема; **плюва́ти в** ~ *див.* плювати; **пока́зувати ді́йсне** ~ *див.* показувати; **со́ром залива́є** ~ *див.* сором.

ОБЛИЧЧЯМ: не вда́рити обли́ччям у грязь *див.* ударити; **поверта́тися** ~ *див.* повертатися.

ОБЛИШИТИ: обли́шити ду́мку *див.* лишити.

ОБЛОМИТИ: обломи́ти ре́бра *див.* обламати.

ОБЛУПИТИ: живце́м облупи́ти *кого і без додатка.* Безжалісно розорити кого-небудь; завдати величезних збитків комусь. *Добрий ти чоловік,*

Йосипе, тільки не попадайся тобі в руки,— живцем облупиш! Та допомагав мені... Доки не скрутив мене, мов налигачем, твоєю позикою!.. (Кроп.). С и н о н і м и: **обідра́ти шку́ру** (в 1 знач.); **обідра́ти до го́лої кос́ті; оббілува́ти, як бі́лочку; обідра́ти, як ли́пку; обде́рти до ни́тки.**

облупи́ти шку́ру *на кому, кому і без додатка, фам.* Покарати, провчити кого-небудь; розправитися з кимсь. *А він [десятник] як крикне: «Мужицюга! Мерщій тікай!.. До самого Поліцеймейстера доставлю! Облупе [облупить] шкуру на тобі!»* (Мирний). *Облупить шкуру облупить кожному, хто посміє говорити про його темні діла* (Сільські вісті). С и н о н і м и: **облама́ти ру́ки; облама́ти ро́ги; хвоста́ вкрути́ти; оббй́ти пі́р'я** (в 2 знач.); **збити пиху́.**

ОБЛУПЛЕНОГО: як облу́пленого, з сл. зна́ти. Дуже добре, до найменших дрібниць. *Його всякий знає як облупленого* (Укр.. присл..);— *Ви мене знаєте.— Як облупленого,— вставляє бабуня, закутана в хустку з вушками на голові* (Панч); *Ворона знала кожного з нас як облупленого, бачила — хто чим дише і чого хоче* (Довж.);— *Треба поліцаїв і старосту провідати. Я їх мушу знати як облуплених...* (Автом.). П о р.: **як облу́плену ове́чку.**

ОБЛУПЛЕНУ: як облу́плену ове́чку *див.* овечку.

ОБЛЯГАТИ: обляга́ти / облягти́ хма́рами *кого, що.* Великою масою щільно оточувати кого-, що-небудь. *Серед літа саме в спеку козаки й татари хмарами облягли навкруги польське військо* (Н.-Лев.).

ОБЛЯГТИ: облягти́ на сме́ртній посте́лі, *заст., уроч.* Тяжко захворіти без надії на одужання. *У панському дворі було неблагополучно! Маленький, 5 років, паничик Вітюньо обліг на смертній постелі* (Дн. Чайка). С и н о н і м и: **лежа́ти на сме́ртному ло́жі** (в 1 знач.); **стоя́ти одніє́ю ного́ю в моги́лі; проща́тися з життя́м; лиша́ти світ** (у 2 знач.).

облягти́ хма́рами *див.* облягати.

ОБМАЦАТИ: обма́цати очи́ма *див.* обмацувати.

ОБМАЦУВАТИ: обма́цувати (ма́цати) / обма́цати (пома́цати) [ціка́вими] очи́ма (по́глядом) *кого, що.* Повільно, з неприхованим інтересом оглядати кого-, що-небудь. *Люди зупиняються й обмацують мене очима, немов дефіцитний крам* (Кач.); *На ганку вже стояв Антон Кужель і допитливо обмацував очима прибулих* (Панч); *Люди збилися там [на майдані] і про щось гомонять. Іду й собі до них,— не стоятиму мені на зруйнованому тротуарі, де тебе кожен обмацує цікавими очима* (Кол.); *Купці в сукняних чумарках і чоботях пляшками обмацували поглядом в'юки, вгадуючи за обсягом і упакуванням їх вміст, якість і навіть асортимент* (Тулуб); *Володи-*

мир Вікторович глянув Олексієві у вічі, обмацав усього хлопця одним поглядом (Логв.). **помáцати насторóженими очúма.** *Пряхін потис руку Багричу, помацавши його насторошеними очима (Дмит.).*

ОБМÉРТИ: обмéрти зі стрáху *див.* обмирати.

ОБМЕТИЦІ: вхопúти обмéтиці *див.* вхопити.

ОБМИВÁТИ: обмивáти / обмúти слізьмú *кого. що.* Плакати з якого-небудь приводу; оплакувати когось, щось. *Нерідко обмивають слізьми розлуку з рідним краєм.* **обмивáти слізóньками.** *Хотіла — не хотіла Меласа, а відпустила братика, обмивши слізоньками (Кв.-Осн.).* П о р.: **обливáти слізьмú.**

ОБМИВÁТИСЯ: обмивáтися пóтом *див.* обливатися.

ОБМИНÁТИ: обминáти гóстрі кутú. Уникати принципової постановки питання, суперечок і т. ін., нічого не чинити всупереч кому-небудь. *— Ти цупко тримаєшся за рятівне коло, на якому начертано: «Не псувати стосунки, дотримуватись зі всіма згоди, не псувати настрій начальству, обминати гострі кути...» (Рибак); Юнак, чия непокладливість здатна викликати роздратування в людей недалекоглядних, схильних обминати гострі кути, він усією силою прямої і чесної натури повстає проти несправедливості (Рад. літ-во).* А н т о н і м: **лíзти на рожéн** (у 2 знач.).

обминáти мовчáнням *див.* обходити.

обминáти (обхóдити, оббігáти) / обминýти (обійтú, оббíгти) десятою дорóгою (вýлицею). 1. *що.* Не бувати десь, не заходити, не заїжджати кудись. *З того часу ресторани обминав [Боровий] десятою дорогою (Грим.); Було, ніколи й не загляне [Параска] в нашу хату, обминає наш двір десятою вулицею (Н.-Лев.); [Д і д у с ь:] Ідіть, люди добрі, та обминайте цей двір десятою вулицею, бо тут живуть не люди, а дерилюди!.. (Гр.); Джеря обходив панський двір десятою вулицею й зарікся навіть заробляти хліб на панському полі (Н.-Лев.); Може, згідно з втікацькими правилами, обминув він свою Комишанку десятою дорогою (Гончар); Якби не безвихідь, то обминув би сестрину лісничівку десятою дорогою, але більш не мав ніде сховку, тому прибився сюди і от тепер стояв на порозі (Загреб.); // Навмисно проходити, проїжджати іншим шляхом, далеко від чогось. Уже з місяць Семен Федорович Коляда десятою дорогою обходив Маланчину хату (Зар.); Я обійшов свій рідний завод десятою вулицею, простуючи до хлібзаводу (Ю. Янов.); // Не відновлюватися, не повертатися. Спорожніла, причухла Семенютина хата, проте сон і спокій обминали її десятою дорогою (Головч. і Мус.).*

2. *кого.* Уникати зустрічі з ким-небудь. *Воно [обличчя] стало недобре, лихе, наче жінка побачила перед собою найзапеклішого ворога, якого збиралась обминати десятою дорогою (Гуц.);—*

Чого ти мене десятою дорогою обходиш? — запитав Тимко, обпалюючи Орисю своїми чорними черкеськими очима (Тют.);— Обходь лишень ти Уласа десятою вулицею й не говори до його [нього] (Н.-Лев.); // Уникати будь-яких контактів з кимсь, остерігатися когось.— Бридке дівча, ота Харитя, не доведи господи потрапити на її гострий язик. Обминайте її десятою дорогою (Чаб.);— З людьми не загризайся, а того Гайворона десятою дорогою обходь (Зар.); Батюшка Софроній?! Тато ж його не любили, десятою дорогою обходили, першим обманщиком називали (Речм.);— Коли б же то знаття! Десятою дорогою обминула б тебе, як обходять люди грузьку трясовину. А так засмоктав ти мене, безсердечний, знівечив усе моє життя (Цюпа); // що. Всіляко уникати чого-небудь. Він [Дмитро Гордійович] радить, які книжки читати, а які обминати десятою дорогою (Гуц.); Коли б знав чоловік, що доля готує йому через якийсь проміжок часу, тоді б десятою дорогою обминав непевні стежки (Стельмах); Вони жили мирно, в конфлікти не дуже встрявали, всілякі жаховиська обходили десятою дорогою, та й ніколи було втручатися у веремії житейські (Больш.).

3. *кого, що.* Боятися когось, чогось. *Думав [Микола] над одним — як виявити отого мерзотника та провчити так, щоб до нових віників пам'ятав та десятою дорогою обходив (Збан.); Установу нашу обходять десятою дорогою лише люди нечесні (Кочура).*

обминáти стороною *див.* обходити.

ОБМИНÝТИ: обминýти десятою дорóгою *див.* обминати; **∼ мовчáнням; ∼ стороною** *див.* обходити.

ОБМИРÁТИ: обмирáти / обмéрти зі стрáху. Дуже лякатися, боятися. *Горпина, слухаючи прокльони дідові, обмирала з страху (Мирний).*

ОБМÚТИ: обмúти слізьмú *див.* обмивати.

ОБМÚТИСЯ: обмúтися пóтом *див.* обливатися.

ОБМІРЮВАТИ: обмíрювати (обміряти) / обмíряти очúма (óком, пóглядом) *кого, що.* Уважно, пильно розглядати кого-, що-небудь. *Там береза висока Зводить голову тихо, Ліс обмірює оком Сизокрила дроздиха (Мал.); Двоє військових сидять на лавці в сквері. Мій друг сідає коло них, обмірюючи очима храм і пускаючи дим папіроси невеличкими хмарами (Ю. Янов.); Проценко сидів сумний, мовчазний; він тільки коли-не-коли обміряв Христю якимсь жалісливим поглядом (Мирний); Тимко обміряв очима сухеньку постать старого, розкреслив вістрям лопати прямокутник.. — Що ти мітиш? Що ти мітиш, щоб тобі руки посудомило! (Тют.).* **обмíряти очúма з ніг до голови.—** *Сказано — документи давай, а не розбалакуй!..— Гнат підозріло глянув на Дорошеві окуляри, обміряв його очима з ніг до голови.— Хто тебе знає, що ти за людина (Тют.).*

ОБМІРЯТИ: обмі́ряти очи́ма *див.* обмірювати.

ОБМОВИТИСЯ: не обмо́витися [і (ні, жо́дним і т. ін.)] сло́вом. 1. *без додатка.* Зовсім нічого не говорити; мовчати. *Закам'яніла на стільці Франка Данилівна, сидить, зітхає і словом не обмовиться* (Хижняк); *— Ти чого мою доньку габзуєш [неславиш]? — скипів Окунь.— Ану гайда в свої ліси, поки тобі не смеркло в голові.— Більше ні словом не обмовлюся, то я спересердя на палія,— вернувся полісовщик* (Стельмах). П о р.: **сло́вом не обзива́тися.** С и н о н і м: **ро́та не розкри́ти.**

2. *до кого, з ким.* Не розмовляти, не говорити з ким-небудь. *Павло чув, що жінка говорить нікчемне, тому більше не обмовився з нею й словом, а зняв з комина сухого тютюнового бадилля і став дробити його сікачем у вербовому коритці* (Тют.); *До Сергія так і не обмовилися [хлопці] словом, наче забули про його присутність* (Гур.). П о р.: **і сло́вом не переки́нутися; сло́вом не обзива́тися.**

3. *про кого — що.* Нічого не сказати, не спитати і т. ін. про кого-, що-небудь. *Потім Іван про все питав, тільки про Ярину й словом не обмовився* (Зар.); *Коли Ніна підійшла до вогнища, ніхто й словом не обмовився, що вона відстала від усіх...* (Донч.); *Вона цікавилась всіма подіями в Клепах, але жодним словом не обмовилась про Василя Герберу* (Скл.).

обмо́витися двома́-трьома́ слова́ми *див.* обмовлятися.

ОБМОВЛЯТИСЯ: обмовля́тися / обмо́витися двома-трьома́ слова́ми з ким і без додатка. Недовго говорити, перемовлятися з ким-небудь. *Обмовлявся [Гаврило] двома-трьома словами і, похмурий, неговіркий, ішов на свій перелаз* (Тют.).

ОБМОЛОТ: бра́ти в обмоло́т *див.* брати.

ОБМОЛОТИНИ: обмоло́тини попи́ти *див.* попити.

ОБМОТАТИ: обмота́ти круг па́льця *див.* обвести.

ОБМОТУВАТИ: обмо́тувати круг па́льця *див.* обвести.

ОБНІМАТИ: обніма́ти о́ком *див.* обіймати.

ОБНЯЛИ: думки́ обняли́ *див.* думки.

ОБНЯТИ: обня́ти о́ком *див.* обіймати.

ОБОЄ: обо́є рябо́є, *зневажл.* Схожі між собою якимись рисами характеру, поведінкою і т. ін.; однакові в чомусь. *Посеред вулиці із кужелем в руках зупинилась тітка Марійка, жінка дядька Володимира. Про це скупе подружжя кажуть, що вони обоє рябоє* (Стельмах); *— А Христина його ждала? — Де вже. Як повіялася в ту евакуацію, так вернула, переказували, з іншим. Обоє рябоє* (Дор.); // *жарт.* Зайняті однією справою.— *Чого ти хочеш? — гукав, сидячи високо на тракторі, Мирон.— Я нічого не хочу, але чого ти приндиш*ся? Ми тепер обоє рябоє. Я колгоспник, і ти тракторист* (Харч.). С и н о н і м и: **два чо́боти — па́ра; одни́м ми́ром ма́зані; оди́н одного ва́ртий; оди́н від одного недале́ко відбіг; одного по́ля я́года; па́ра чобіт на одну́ но́гу; з одного тіста; па́ра п'ята́к.**

ОБОМА: відбива́тися обома́ рука́ми й нога́ми *див.* відбиватися; **диви́тися ~** *див.* диви́тися; **~ ву́хами** *див.* вухами; **~ нога́ми в могилі** *див.* могилі; **~ рука́ми** *див.* руками; **~ рука́ми хапа́тися** *див.* хапатися; **підпи́суватися ~ рука́ми** *див.* підписуватися; **прислуха́тися ~** *див.* прислухатися.

ОБОРОНИТЬ: хай Бог оборо́нить *див.* Бог.

ОБПАДАТИ: обпада́ти мо́крим рядно́м *див.* накрити.

ОБПАЛИТИ: обпали́ти по́глядом *див.* обпіка́ти; **~ собі́ кри́ла** *див.* обпалювати.

обпа́лювати / обпали́ти собі́ (свої́) кри́ла. Зазнавати невдачі в чому-небудь; не досягати чогось бажаного. *В житті вона бачила трагедії багатьох сердець, які кидалися на перший обманливий спалах і обпалювали собі крила на довгі роки* (М. Ю. Тарн.).

ОБПАЛЮВАТИ: обпа́лювати по́глядом *див.* обпікати.

ОБПАРЕНО: як (мов, ніби і т. ін.) кип'я́чем обпа́рено *кого.* Хтось раптом став смутний, мовчазний і т. ін.— *Да що на тебе найшло, Якове? Вийшов і здоровий, і веселий, і співав, і розмовляв, а тут разом неначе тебе кип'ячем обпарено. Грошей не погубив? (Вовчок). С и н о н і м: **як лину́ли водо́ю.**

ОБПАСТИ: обпа́сти мо́крим рядно́м *див.* накрити.

ОБПЕКТИ: обпекти́ по́глядом *див.* обпікати.

ОБПЕЧЕНИЙ: як обпе́чений *див.* опечений.

ОБПІКАТИ: обпіка́ти (обпа́лювати, опіка́ти, опа́лювати, ошпа́рювати) / обпекти́ (обпали́ти, опекти́, опали́ти, ошпа́рити) по́глядом (очи́ма) *кого, рідко що.* Пильно дивитися на когось, на щось, виражаючи своє ставлення до нього. *Степан постояв ще трохи на порозі, обпікаючи їх гарячими очима* (Кучер); *Козаки знов зиркнули на Бжеського, опалюючи його важким від зненависті поглядом* (Тулуб); *Підійшла до нього [чоловіка] впритул, поставила чемоданчик на дорогу, мовчки обпекла його поглядом* (Загреб.); *Опустив [сержант] голову і, опаливши через плече лютим поглядом свого товариша, незграбно пересмикнув плечима* (Ю. Бедзик); *Оленка метнулася, поглядом обпекла приплюснуте Леськове обличчя* (Іваничук);— *А ти чия?..— Угадуй — чия! — крикнула вона на бігу й, обернувшись до Йона, опекла його палким поглядом чорних очей* (Коцюб.); *Мати ошпарила його поглядом* (Є. Кравч.). П о р.: **обдава́ти очи́ма.**

ОБПЛЕСТИ: обплести́, як паву́к див. обсновувати.

ОБПЛІТАТИ: обплітати, як паву́к див. обсновувати.

ОБПЛУТАВ: бог Мамо́на обплу́тав див. бог.

ОБПЛУТАТИ: обплу́тати тене́тами див. обплутувати.

ОБПЛУТУВАТИ: обплу́тувати / обплу́тати тене́тами кого. Ставити кого-небудь у повну залежність, позбавляти свободи дій, можливості вільно розпоряджатися чимсь. *Не раз його, людину чесну й порядну, обсновували такими тенетами, ставили в таке становище, з якого ледве вдавалося з гідністю вийти.* С и н о н і м и: **заплу́тувати у тене́та; обсно́вувати, як паву́к.**

ОБПЛЬО́ВАНИЙ: як (мов, ніби і т. ін.) обплльо́ваний (опльо́ваний). Несправедливо принижений, ображений, зганьблений. *Встане [Демко], мов обпльований, на людей не гляне, зараз за шапку.. і мерщій з хати* (Кв.-Осн.); *Галя так і залишилася стояти серед вулиці, ніби обпльована* (Коз.); *Я, немов обпльований, затиснувся в свою кімнатку, з-за лутки виглядав на вулицю* (Збан.); *— Та кого вона назвала? — допитувався Рубець у Проценка, що після того [невдалого залицяння] наче опльований ходив по садку* (Мирний).

О́БРАЗУ: ли́цар печа́льного о́бразу див. лицар.

ОБРА́ЗУ: не дава́ти в обра́зу див. давати; не попуска́ти в ~ див. попускати.

ОБРАТИ: обра́ти [свою́] сте́жку (доро́гу і т. ін.). Визначити, вирішити, чим займатися, як жити. *Так і здавалося [Юхимові], що доки він справді обере свою стежку життя, черкаські події наздоженуть його, в дорозі застануть* (Ле); *Тисячу разів ризикував головою, а що здобув..? Може, надаремне відсахнувся тоді брата при відступі з бронепоїздами на північ, може, брат вірнішу дорогу обрав? Як далеко розійшлися відтоді їхні дороги* (Гончар).

ОБРИВА́ЄТЬСЯ: все обрива́ється всере́дині див. все; се́рце ~ див. серце.

ОБРИВАТИ: обрива́ти / обірва́ти з пупови́ною що. Рішуче, безповоротно відмовлятися від чогось. *Невже він такий боягуз, невже його душа із лопуцька? Ні, сьогодні ж треба обривати все з пуповиною* (Стельмах).

обрива́ти / обірва́ти ру́ки. 1. кому і без додатка. Переобтяжувати, дуже стомлювати кого-небудь (про фізичну працю або важку ношу). *За день труд руки обірвав, Не міг здрімнути я до рана* (Граб.); *Дівчатка зовсім обірвали їй руки, вона стомилась, її ноги стали важкі* (Збан.).

2. Виконувати вручну важку фізичну роботу, носити важке; дуже стомлюватися від фізичної роботи або важкої ноші; надриватися. *Ще нерідко наші жінки обривають руки на важких роботах.* пообрива́ти ру́ки (про багатьох або про багаторазову одноманітну роботу).— *Руки пообриваєш, носячи! Нема того, щоб хурку найняти; як на того коня валять — носи!* (Мирний).

ОБРІЗ: в обрі́з чого. Ледве вистачає, дуже мало чогось, когось.— *Людей не вистачає, тракторів мало, насіння в обріз, корму скотині чортма* (Кучер); *Часу в обріз...— Батальйонний комісар, чути, через силу долає одишку.— Якби марш-кидок зараз, марш-кидок!* (Тих.); *— Їхати йому далеко,— продовжував Умган,— а оленів у нього в обріз* (Багмут); *Батько добре бачив, як не зовсім солодко плине життя старшого сина. І грошей саме в обріз, і квартира в три кімнати тісненька* (Рибак).

ОБРІЗАТИ: обрі́зати шлях див. обрізувати.

ОБРІЗА́ТИ: обріза́ти шлях див. обрізувати.

ОБРІЗУВАТИ: обрі́зувати (обріза́ти) / обрі́зати шлях (шляхи́) кому до чого. Не допускати когось до чого-небудь, не давати можливості комусь для здійснення його намірів. *Гітлерівських посіпак викривали й обрізали їм шляхи до потаємного життя міста* (Ю. Янов.).

ОБРІЇ: з'яви́тися на о́брії див. з'явитися.

ОБРІК: обрі́к гра́є в кому, жарт. Хто-небудь занадто веселий, бадьорий, життєрадісний і т. ін.— *Робота в тебе, як в огні горить, тільки наймити чогось з тіла спали.— Ото й добре!..— Не буде в них обрік грати, будуть слухняніші та смирніші* (Н.-Лев.).

ОБРОБИТИ: оброби́ти ді́льце див. обкрутити.

ОБРОСЛО: се́рце мо́хом обросло́; се́рце остюка́ми ~ див. серце.

ОБРОСТА́Є: се́рце мо́хом оброста́є; се́рце остюка́ми ~ див. серце.

ОБРОСТАТИ: оброста́ти / обрости́ жи́ром (са́лом). Ставати інертним, байдужим до всього. *Сказано: своя кістка, своя кров [дитина]! Не обросте вона жиром у розкошах* (Мирний). **обрости́ жирко́м.** *Оженишся — тебе обсядуть діти, ти обростеш жирком і в тридцять літ плюнеш на всі свої юнацькі мрії-ідеали* (Кол.). П о р.: **заплива́ти жи́ром.**

оброста́ти / обрости́ пі́р'ям, жарт. Набувати сили, впевненості в собі; мужніти, міцніти. *Юрко швидко відчув під собою деякий грунт, набирав громадської ваги і починав обростати пір'ям* (Чорн.). С и н о н і м: **вбива́тися в си́лу** (в 1 знач.).

ОБРОСТИ: обрости́ жи́ром див. обростати.

обрости́ мо́хом, жарт. Постаріти, зістаритися (перев. про неодружених). *Арсен Іванович.. порадив, що пора б уже Андрієві й за розум братися і не чекати, коли він обросте.. мохом...* (Д. Бедзик). П о р.: **порости́ мо́хом** (у 2 знач.).

обрости́ пі́р'ям див. обростати.

ОБРУЧ: ло́пнути, як обру́ч на ді́жці див. лопнути.

ОБРУЧІ: обручі розсиха́ються / розсо́хлися *у кого*, зневажл. Хто-небудь втрачає здатність розбиратися в чомусь, діяти розумно, розсудливо; нерозумний. *І в них [дорослих] теж чогось вискакували клепки, розсихались обручі, губились ключі від розуму, не варив баняк, у голові літали джмелі, замість мізків росла капуста, не родило в черепку, не було лою під чуприною* (Стельмах). С и н о н і м и: **розсо́хлися кле́пки; не всі вдо́ма; нема́ царя́ в голові; нема́ кле́пки.**

ОБСИПА́Є: обсипа́є (осипа́є) / обси́пало (оси́пало) жа́ром ([гаря́чим] при́ском) *кого*. 1. *перев. недок.* Хто-небудь відчуває значне підвищення температури тіла; когось палить (від хвороби). *Лікар спитав:— Морозить? — То морозить, то обсипає жаром. Серце ніби зупиняється,— скаржився Григорій* (Автом.); *Наступною тіпала пропасниця, її то жаром обсипало, то проймало холодом, а чому, вона й сама не знала* (Збан.).

2. *перев. док.* Хтось раптово відчуває сильне хвилювання, збентеження і т. ін. *Сьогодні Ліна добра й привітна з ним, якась особливо привітна, в її очах світилися сині вогники, і коли він уловлював їх, його обсипало жаром* (Мушк.); *Від цих думок враз [Данила] обсипало жаром* (Смолич); *— Мамо, а хто мій тато? —..ждала цього запитання. Ждала, й боялась, і знала, що колись воно таки буде, готувалась до відповіді, а, проте, застало воно її зненацька, жаром обсипало всю* (Гончар); *Задумується Марта, прикидаючи в голові, чого прийшов Гнат.— Ну, побажай мені щастя,— поглянув на дівчину й мовчки пішов у двері. Марту аж приском осипало: невже-таки прийшов за її приданим?* (Стельмах). **обсипа́є гаря́чим при́ском спи́ну** *кому і без додатка.* Від кожного сплескоту води обсипало гарячим приском спину. **обсипа́є раз снігом, дру́гий — жа́ром.** Гната раз обсипає снігом, другий — жаром... Ах, це неправда! Він не злочинець... (Коцюб.). **жа́ром так і обси́пало.** Нахилилась [Тоня] до Віталика й в темряві раптом хап його за руку. Жаром його так і обсипало! І фільму вже не бачив, і не чув нічого... (Гончар). П о р.: **обсипа́є моро́зом** (у 2 знач.).

обсипа́є (осипа́є, си́пле) / обси́пало (оси́пало) моро́зом (дрижака́ми і т. ін.) *кого.* 1. Когось раптово проймає дрож (перев. від хвороби). *Чи не напосіла на мене ота пропасниця, що голову приском пече, а по тілу морозом сипле, аж зуби цокотять* (Мирний); *То морозом її осипає, вона біліє, то у жар укине* (Мирний).

2. Хтось відчуває озноб від холоду, хвилювання і т. ін., дуже вражений чимсь. *Добре співав! Як було заспіває Нечая, то тобі здається, що от-от козаки вийдуть! По плечах так і сипле морозом. Справедливий чумак був!* (Вовчок); *— Засудили! Дванадцять літ каторги дали. Та за дванадцять літ дванадцять трав на ваших кістках по степу*

проросте! Дьяконова морозом обсипало від її слів (Гончар); *— Примарилося, наче хтось у вікно стукає. І так тонесенько, наче гілочкою проведе, а потім і нігтиком шкрябне. Мене морозом усю обсипало — думаю, батько* (Гуц.). **то в ого́нь уки́не, то моро́зом обси́пле.—** *Знаєш, як розказала мені твоя мати, яку ми нужду, яке лишенько замолоду терпіли, то мене то в огонь укине, то морозом обсипле...* (Мирний). **так і обси́пало всю дрижака́ми.** *Остовпіла [Катря] й завмерла від несподіванки, злякано притулившись до чийогось тину. Так і обсипало всю дрижаками* (Кучер). **аж моро́зцем обси́пало.** *Часом звучав Павлові в хаті жінчин голос, і чоловіка аж морозцем обсипало від наглої радості* (Гуц.). **моро́зом обси́пало всю спи́ну** чию. *Друзеві [лікарю] всю спину морозом обсипало: так одверто визирала з очей хворого раптова віра в його всемогутність* (Шовк.). П о р.: **обсипа́є жа́ром** (у 2 знач.). С и н о н і м и: **моро́з іде́ по́за шкі́рою** (в 1 знач.); **моро́з дере́ по шку́рі** (в 1 знач.); **мура́шки бі́гають по спи́ні** (в 1 знач.).

ОБСИ́ПАЛО: обси́пало жа́ром; ~ моро́зом *див.* обсипає.

ОБСИ́ПАТИ: обси́пати по́глядом *див.* обсипа́ти.

як (мов, ніби, на́че і т. ін.) при́ском (жа́ром) обси́пати (оси́пати) / обси́пати (осипа́ти) *кого.* 1. Викликати відчуття жару у кого-небудь. *Опівдня сонячний промінь гарячий перекине через хату ясну стягу трепечущу... наче мене жаром обсипле. Душно мені, дрімота, а сну немає* (Вовчок).

2. Раптово вразити, схвилювати, засоромити, розсердити і т. ін. кого-небудь. *Мов приском старостів та молодого вража дівка обсипала, стало їм і соромно, і сердито на гаспидську дівку за таку одповідь* (Укр.. казки); *При самій лише думці про те, що в крісло генсека ООН може сісти людина іншого табору, іншого світогляду, шведського барона й американського бізнесмена немовби обсипало приском* (Дмит.); *Соломія підвела голову, вдруге блиснула очима на Романа і знов втупила очі в криницю. Той блиск гарячих очей неначе обсипав його жаром* (Н.-Лев.); *Мене тривожить рокіт літаків. Він серце наче обсипає приском. І знову бачу я себе дівчиськом Пожежами затьмарених років* (Колом.). **ніби хто жа́ром обси́пав.** *І раптом Платона ніби хто жаром обсипав* (Літ. Укр.). **мов обси́паний при́ском.** *Я весь тремтів, стояв, мов обсипаний приском* (Фр.).

ОБСИПА́ТИ: обсипа́ти (осипа́ти) / обси́пати (оси́пати) по́глядом *кого.* Пильно, уважно дивитися на когось, виражаючи певні почуття. *Кинулась панна Соня до Антоніни Павлівни, хапаючи її за руки та заглядаючи в вічі. Та враз одняла свої руки, а її зненацька обсипала таким поглядом, що в бідної дівчини пропала всяка охота до сміху* (Дн. Чайка); *Василько крутився біля.. хат* з переможним виглядом, обсипав усіх вогнистим поглядом (Турч.); Сяючі погляди, якими Шура осипала Черниша на вогневій, так досі й сяяли на ньому (Гончар).

як приском обсипати див. обсіпати.

ОБСИПАТИСЯ: обсипатися слізьми див. обливатися.

ОБСИПА́ТИСЯ: обсипатися слізьми див. обливатися.

ОБСІДАЮТЬ: думки обсідають голову див. думки; ~ клопоти див. клопоти.

ОБСІЛА: біда обсіла див. біда.

ОБСІЛИ: діти обсіли див. діти; **думки ~**; **думки ~ голову** див. думки; **клопоти ~** див. клопоти.

ОБСІЛО: лихо обсіло див. лихо.

ОБСНОВУВАТИ: обсновувати (обплітати, оплітати) / обснувати (обплести, оплести), як (мов, ніби і т. ін.) павук [муху павутиною] кого. Позбавляти кого-небудь свободи дій; поступово підкоряти когось, ставлячи у скрутне або безвихідне становище. Вже вона не даремно так довгі літа до мене прилещувалась, обсновувала мене, мов павук тонкою павутиною, аж поки не зробила рабом (Фр.); Якби люди на тебе робили, то ти би не мав з чого жити. Ти обснуєш чоловіка, як павук, й висисаєш із нього кров (Март.); [Василь:] Оплели мене, мов муху павутиною! Коли я тепер відвернусь від Домахи, коли я зречуся мого єдиного сина, то нехай мене господь покара (Кроп.). С и н о н і м: **обплутувати тенетами.**

ОБСНУВАТИ: обснувати, як павук див. обсновувати.

ОБСОХЛО: молоко на губах не обсохло див. молоко.

ОБСТРІЛ: брати під обстріл див. брати.

ОБСТРІЛОМ: під обстрілом. У становищі людини, яку за щось критикують, лають, яка зазнає різних нападок. Панас Мирний завжди був під обстрілом, і тільки радянський літературознавству під силу було по-справжньому і вірно поцінувати його (Коз.).

ОБСТРІЛЯНИЙ: обстріляний горобець див. горобець; **~ птах** див. птах.

ОБСУШИТИ: обсушити сльози див. обтерти.

ОБТЕРТИ: обтерти (обітерти) [кривавий] піт з чола чийого (якого), кому. Полегшити чиєсь життя, чиюсь тяжку працю. Чи той вибраний Якима голосом пан зі Львова обітре той кривавий піт з мужицького чола (Кобр.).

обтерти (обітерти, обсушити, осушити) сльози (очі) чий, кому і без додатка. Заспокоїти, втішити кого-небудь; повернути комусь радість.— Те бажання — братам помогти і їх сльози обтерти (Фр.); А може, ще вернеться син із боїв і очі обітре і жито посіє (Стельмах). **обітерти (осушити, обсушити) гарячі (гіркі) сльози.** Була хвили-

на, що він так хотів і кинутись до неї, обітерти, осушити гарячі сльози, та якось здержався (Мирний); Як йому хотілося утішити її, хотілося обсушити гіркі сльози (Мирний).

ОБТИРАТИ: обтирати носа кому, фам. Рости, виховувати когось.— Ви мені носа не обтирали, а на мою бесіду можете так потакувати, як секретареви [секретареві]. Сварка починала вже ставати бійкою (Стеф.).

обтирати (отирати, витирати) кутки (діал. вугли) де, у кого, біля кого, чий, зневажл. 1. Жити, перебувати де-небудь чи у когось. Напівшепотом Джо відкрив таємницю: до шефа заходив якийсь тип, що вже двадцять років обтирає вугли в Нью-Йорку (Хижняк); А чого ж справді ви отираєте кутки? Тепер мужчини не повинні сидіти вдома! (Вас.); А що можна сказати про волоцюг і пройдисвітів, які ганяють по світу вітер, обивають чужі пороги, ніде не можуть нагріти місця, витирають чужі кутки? (Загреб.). **потирати вугли.** Чого мені журитися? Хіба того ката, Що я вік свій потираю Вугли в чужих хатах? (Манж.).

2. Часто або подовгу бувати десь, у когось, біля кого-небудь. Тоді були вони з нею приятелями й разом обтирали кутки в батюшчиних кімнатах (Вас.); Він хоч уже і не такий собі великий панище, але служебник, коло панів кутки обтирає, нехай не на обидва, хай на одне вухо, але все щось почує... (Чендей).

обтирати спиною стіни (крейду і т. ін.), зневажл. Стояти або сидіти без діла в приміщенні чи біля нього; гуляти. Хлопці й дівчата обтирають у фойє спинами крейду, плюхкають насіння (Мушк.). **пообтирати спинами стіни** (про багатьох). Ще трохи — і всі рушать до клубу. Чи є там що, чи нема (кіно двічі на місяць), пообтирають спинами стіни і розбредуться по колодках (Мушк.).

ОБТЯПАТИ: обтяпати дільце див. обкрутити.

ОБУТИ: обути (озути) в постоли (в лапті) кого, заст. Розорити, позбавити багатства кого-небудь; довести до злиднів. Минуло днів і вечорів немало З тих пір, ..як, в постоли обувши свого пана, Спалили дві гуральні спозаранна і головешки кинули на шлях (Мал.); Гулі не одного в лапті обули (Номис);— Народ зголоднів, а ніхто не подбає, їсти ніхто не дасть..— Один розкошує, а другий..— Озуть пана у постоли (Коцюб.).

у дурні обути див. пошити.

ОБУХ: підставляти голову під обух див. підставляти.

як обух над головою. Постійна загроза чиєму-небудь життю, безпеці і т. ін. Як обух над головою нависає над людством проблема СНІДу. С и н о н і м: **дамоклів меч.**

як обух по голові див. обухом.

ОБУХА: як віл обуха див. віл.

ОБУХОМ: на муху з обухом див. муху.

під обу́хом чого, з дієсл. Постійно відчуваючи загрозу, небезпеку чого-небудь. Щойно українсь-кий театр, який постав і виріс під обухом про-скрипції і цензури в Росії, мав з кожного погляду рішучий і корисний вплив на розвиток українсько-го театру в Галичині (Фр.).

як (мов, ніби, нена́че і т. ін.) **обу́хом (обу́х) по голові́**, з дієсл. Сильно, дуже.— Ну та й телеп-нув же ти, Лащу, неначе обухом по голові! — ска-зав князь Домінік (Н.-Лев.). **на́че (нена́че) обу́-хом (обу́х)**. Наче обухом ударила ця звістка Грицька (Головко).— Так от, я й кажу: отрима-ли, ви, Ганю, дідизну, а, либонь, і не зна́єте, що на вашому городі стоїть моя груша... Ці слова, неначе обух, приголомшили матір (Стельмах).

як обу́хом би́ти по голові́ див. бити; **як ~ лигну́ли по голові́** див. лигнули.

ОБХІД: в обхі́д: 1. Обминаючи що-небудь сто-роною. Марійці довелося піти іншою вулицею, в обхід (Донч.); Стежка забирала праворуч в обхід глибоких, іще свіжих воронок (Підс.).

2. військ. Оточуючи з флангів. Бійці залягли. Двоє автоматників побігли в обхід противника (Довж.).

ОБХОДИТИ: обхо́дити деся́тою доро́гою див. обминати.

обхо́дити (обділя́ти) / обійти́ (обділи́ти) ла́с-кою (ми́лістю) кого. Ставитися неприхильно, не-доброзичливо, з суворістю і т. ін. до кого-небудь. Державная думо, пораднице наша! Зглянься на нас, горопашних, не обійди нас своєю ласкою (Мирний); Ми певні, що Ваша завжди прихильна до слави рідного краю душа не обділе [обді-лить] нас своєю ласкою (Мирний).

обхо́дити (обмина́ти) / обійти́ (обмину́ти) мов-ча́нням кого, що. Не згадувати, не говорити про кого-, що-небудь. Журнал [«Літературно-науко-вий вісник»] обходив мовчанням російських дека-дентів і популяризував реалістів кінця XIX — по-чатку XX ст. (Рад. літ-во).

обхо́дити (обмина́ти) / обійти́ (обмину́ти) сто-роно́ю кого, що. Залишати кого-, що-небудь поза увагою; не зачіпати когось, чогось. Художник сло-ва бачить зародки нового і допомагає його розвитку, але він не обходить стороною й залишки старого (Мал.); Він [диригент] думав про неї, як про щастя, і ждав чогось незвичайного, хоч велика й щедра любов давно обійшла його стороною (Сиз.); Дітей Миронових любитиме [Христя], як його самого, материнські почуття не сьогодні, то завтра народяться, не обминуть стороною (Гуц.).

ОБХОПИЛА: гаря́чка обхопи́ла див. гарячка.
ОБХОПИТИ: обхопи́ти о́ком див. охопити.
ОБЦЕНЬКАМИ: не ви́тягнеш обце́ньками сло́-ва див. витягнеш; **се́рце на́че ~ здави́ло** див. здавило.

ОБЧЕРКНУТИЙ: як (мов, ніби, немо́в і т. ін.) **ку́рячим зу́бом обче́ркнутий**, жарт., заст. Такий,

до якого не можна підступитися, звинуватити в чомусь і т. ін. Де який ярмарок, базар, яка оказія — там вже й єсть її, тільки стережи краму, а припильнувати й не кажи! От і всі знають, а немов курячим зубом обчеркнута: не доступ-ляйсь до неї, не впіймаєш (Дн. Чайка).

ОБЧИСТИТИ: обчи́стити, як бі́лочку див. об-білувати.

ОВЕЧІЙ: вовк в ове́чій шку́рі див. вовк.

ОВЕЧКА: блудли́ва ове́чка, зневажл. Людина, яка збилася з правильного життєвого шляху.— Отаку блудливу овечку впіймали... (Ковінька).

ОВЕЧКУ: як облу́плену ове́чку, з сл. з н а т и. Дуже добре, до найменших дрібниць.— А коли б воно нам не пошкодило,— увернув хтось неймовір-ний.— Хто? Він? — оступивсь Кряжов.— Ніко-ли! Ні зроду-віку!.. Ми його [чиновника] знаємо, як облуплену овечку... (Мирний). П о р.: **як об-лу́пленого**.

ОВЕЧУ: надяга́ти ове́чу шку́ру див. надягати.
ОВОЛОДІВАТИ: оволоді́вати собо́ю див. во-лодіти.
ОВОЛОДІТИ: оволоді́ти собо́ю див. володіти.
ОВОЧ: зака́заний о́воч. Щось привабливе, але недозволене, недосяжне, чуже і т. ін. З майором Кларком усе заповідалося на гру. Трохи легко-важності, трохи кокетства, трохи недозволеного (заказаний овоч завжди солодкий) (Загреб.).

ОГЛЕДІТИСЯ: не всти́гнеш огле́дітися див. встигнеш; **не ~** див. оглянутися.

ОГЛОБЛІ: поверта́ти огло́блі наза́д див. по-вертати.

ОГЛУХ: бода́й (щоб) оглу́х!, фам. Уживається як лайка на адресу людини, що не реагує на звертання до неї.— Чуєш, бодай ти оглух! — по-чав костити Бороха Яків (Мирний).

ОГЛЯДАТИСЯ: огляда́тися на за́дні коле́са, жарт. 1. Повертатися в думках до минулого, до чого-небудь попереднього; зважати на те, що було в минулому. Старші [учні], яким скоро випуск, змушені час від часу оглядатися на задні колеса (Гончар);— Дадуть мені перцю. Ох і дадуть! Бо в Храпчука все-таки справи кращі, ніж у мене. ..Ти спочатку дожени Храпчука, а вже тоді базіка-тимеш! Отак їдеш і на задні колеса оглядаєшся... (Жур.). П о р.: **огляда́тися наза́д**.

2. Діяти обережно, обдумано, розумно; роз-думувати над чим-небудь. [Р у с а л о в-с ь к и й:] Так отже я й оглядаюся на задні колеса. Яка радість синові моєму брать тепер у голого Хоми дочку? (К.-Карий).

огляда́тися / огляну́тися наза́д. Пригадувати минуле, прожите, оцінюючи його з точки зору сучасності. Сей день [роковини] завжди якось не-приємний, бо мимоволі оглядаюсь назад (Л. Укр.). П о р.: **огляда́тися на за́дні коле́са** (в 1 знач.).

ОГЛЯДИ: за три о́гляди, з сл. п р и д б а́ т и,

р о з д о б у́ т и , к у п и́ т и , р о з д о б у́ т и с я і т. ін., *жарт.* Шляхом крадіжки; укравши. *Тут посел* [посол] *аж ось вернувся, На кобилу роздобувся, І не набір, не за гроші, За огляди три хороші* (Манж.).

ОГЛЯДКИ: без огля́дки (*рідко* **без огля́дку, без огля́док**), *перев. з дієсл.* 1. Дуже швидко, поспішно. *Мужик оторопів.. Він мерщій вернувсь додому і всю дорогу мчався без оглядки* (Укр.. казки); — *Зчинилася справжня паніка.. Загін тікав у гори без оглядки* (Панч); — *Скоро ми, Василю, такого перцю фашистам всиплемо, що вони хвости підіжмуть і аж до самого Берліна тікатимуть без оглядки* (Цюпа); *Ой, покинув Петро хатку і жінку небогу, Помандрував без оглядку в Полтаву-дорогу* (Г.-Арт.).

2. Без будь-яких вагань, не роздумуючи і т. ін. *І хоч знала, що шлюбний він, без оглядки пішла за його вродою* (Гончар); *Як на Єльчину вдачу, то коли вже любов — так щоб з вогнем, без оглядок.. Хотіла б жити палахким до нестями життям, коли люди згоряють від щастя, коли з любові поезія родиться...* (Гончар). П о р.: **без о́гля́ду** (в 2 знач.). А н т о н і м: **з о́гля́дом.**

ОГЛЯДКОЮ: з огля́дкою *див.* оглядом.

ОГЛЯДКУ: без огля́дку *див.* оглядки.

ОГЛЯДОК: без огля́док *див.* оглядки.

ОГЛЯДОМ: з о́гля́дом (**з огля́дкою**), *перев. з дієсл.* Обережно, обачно, обдумано. [М а р и н а:] *Як бачиш, не зуміла покохати з оглядом, не знаю, в кого така вдалась* (Кроп.); *Говорила* [Наталка] *з оглядкою, зважуючи кожне слово, боячись, як би не сказати чогось зайвого* (Добр.). А н т о н і м и: **без огля́дки** (в 2 знач.); **без о́гля́ду** (в 2 знач.).

ні під я́ким о́глядом. Нізащо, ніколи, ні за яких обставин. *Ні під яким оглядом не можна робити підлості.*

ОГЛЯДУ: без о́гля́ду. 1. *перев.* б е з о́ г л я д у на кого — що. Не зважаючи на кого-, що-небудь. *Без огляду на себе, сміло І щиро.. Стояв ти за громадське діло* (Фр.); *Цей старець.. ставав тепер проти неї, мов ворог, і хотів насильно здійснити свої бажання, без огляду на щастя власної дитини* (Оп.).

2. *перев.* б е з о г л я́ д у , з дієсл. Не роздумуючи, без вагань, здуру і т. ін. *Пам'ятаєш мудру раду — Не пускатись в згубний мир? Ти ж подався без оглядку і налучив просто в вир* (Граб.); [М е л а ш к а:] *Хоч би й про себе скажу. Віддалась я без огляду, похапком, ніби здуріла на той момент... Звісно, молода була — дурна...* (Кроп.). П о р.: **без огля́дки** (в 2 знач.). А н т о н і м: **з о́гля́дом.**

з о́гляду на що. Беручи до уваги щось, зважаючи на щось. *Маємо чимало вже матеріалу для збірника.. З огляду на це останнє я прохав би Вашого дозволу друкувати не всі Ваші вірші,* а частину (Коцюб.); *Він демобілізований давно.., а військову форму одяг сьогодні нехай і всупереч уставу, але з огляду на виключну урочистість дня* (Смолич).

ОГЛЯНУТИСЯ: [і] не огляну́тися (**не огле́дітися**). Дуже швидко. *Так мені якось час збігає по-дурному, що й не оглянуся, коли день минеться* (Коцюб.); — *Се добрий тобі десь сон приснився,— каже свекруха.—..Треба визирати Данила. І не оглядимось, як притягнуть* (Вовчок). П о р.: **не всти́гнеш оберну́тися.**

не всти́гнеш огляну́тися *див.* встигнеш; **~ наза́д** *див.* оглядатися.

ОГОРНУТИ: огорну́ти ду́шу ту́гою *див.* обгортати; **~ зо́ром** *див.* огортати.

ОГОРТА́ЄТЬСЯ: душа́ огорта́ється жа́лем *див.* душа.

ОГОРТАТИ: огорта́ти ду́шу ту́гою *див.* обгортати.

огорта́ти / огорну́ти зо́ром (**по́глядом**) кого, що. Оглядати кого-, що-небудь. *Андрій підходить. Він хвилину Стоїть, всіх зором огортає* (Тарн.). П о р.: **обво́дити очи́ма, окида́ти о́ком.**

ОДВАЖИТИ: одва́жити зда́чі *див.* давати.

ОДВАЖУВАТИ: одва́жувати зда́чі *див.* давати.

ОДВЕРНЕ: хай Бог одве́рне *див.* Бог.

ОДВІРОК: підпира́ти одві́рок *див.* підпирати; **показувати ~** *див.* показувати.

ОДВІТУ: ні одві́ту, ні приві́ту, з сл. н е м а́, н е б у л о́, н е м а́ т и і т. ін., *заст.* Ніякої відповіді, ніякої реакції з боку когось на що-небудь; нічого. *Просила я ще літом одного його університетського товариша прислати мені які спомини, але досі не маю «ні одвіту, ні привіту»* (Л. Укр.); *Кілька місяців тому редакція надіслала.. лист.. Ні одвіту, ні привіту* (Рад. Укр.).

ОДЕРЖАТИ: оде́ржати верх *див.* брати; **~ відкоша́** *див.* дістати; **~ ляща́** *див.* вхопити; **~ о́бли́зня** *див.* дістати.

ОДЕРЖИМИЙ: одержи́мий злим ду́хом, *заст.* Психічно хворий, причинний, божевільний. *Вони оповіли, що привезли хворого, одержимого злим духом* (Коцюб.).

ОДЕРЖУВАТИ: оде́ржувати верх *див.* брати; **~ відкоша́; ~ о́бли́зня** *див.* дістати.

ОДИН: в оди́н го́лос *див.* голос; **в ~ гуж тягти́** *див.* тягти; **в ~дух** *див.* дух; **в ~ кула́к** *див.* кулак; **в ~ миг** *див.* миг; **в ~ прекра́сний день** *див.* день; **за ~ раз** *див.* раз; **мі́ряти на ~ арши́н** *див.* міряти; **на ~ арши́н** *див.* аршин; **на ~ копи́л** *див.* копил; **на ~ лад** *див.* лад; **на ~ манір** *див.* манір; **не ~ день** *див.* день; **не ~ пуд солі з'їсти** *див.* з'їсти; **ні на ~ крок** *див.* крок; **ні ~ собака** *див.* собака; — **Алла́х зна́є** *див.* Бог; **~ бік меда́лі** *див.* бік; **~ Бог зна́є** *див.* Бог.

оди́н від о́дного недале́ко відбіг (**відскочив, відбігли, відскочили**), *ірон.* Невелика різниця між ким-небудь у чомусь; схожі чимсь, однакові. *Вони один від одного недалеко відбігли.* С и н о н і м и: **один одного вартий; обоє рябоє; два чоботи — пара; одного поля ягода** (в 2 знач.); **одного гніздечка птиці; однієї масті; одним миром мазані.**

один в один. 1. Які чимось схожі між собою і характеризуються позитивними якостями, рисами; дуже гарні, показні і т. ін. *Як затихло, то новий цар.. звелів нову* [*гвардію*] *набирати. Та щоб був один у один: високий,.. показний* (Мирний); *Зараз і почали танцювать. Дівчата такі гарні, одна в одну* (Стор.); *Зуби в нього* [*Івана*] *один в один, як намисто, але верхній рядок був неначе перерваний: двох зубів бракувало* (Смолич); *— Гляньте-но, скільки в'юнів наловили. Та все один в один,— дивується і водночас підхвалює рибалок Левко* (Стельмах); *Рівними рядочками вишикувались ще недобудовані і вже, видно, зовсім готові, навіть заселені, ніби брати-близнюки, один в один, новісінькі, мов перемиті, будинки* (Збан.); *Параскіца, побачивши стільки.. зерна, сплеснула долонями: — Боже мій! Яке зерно, одне в одне* (Чаб.). **наче один в одного.** *Рівною лавою стояли на площі матроси, наче один в одного. Сонце грало на їхніх багнетах* (Кучер). П о р.: **як один** (у 2 знач.).

2. Усі без винятку. *Двадцять два зали* [*в палаці Терещенка*] *йшли анфіладою — коли б відчинити двері, їх видно було б один в один* (Смолич). П о р.: **як один** (у 1 знач.).

3. з сл. с т о я т и, й т и і т. ін. Дуже близько між собою; впритул. *Плоти стояли один в один до самої затоки* (Десняк).

один і той же (і той самий). Такий самий, незмінний; однаковий. *Павло Гречаний всю зиму не злазив із печі,.. і всю зиму йому снився один і той же сон* (Тют.); *Зурна повторяла один і той самий голос, монотонний, невиразний, безконечний, як пісня цвіркуна* (Коцюб.).

один крок *див.* крок.

один на один. 1. з ким і без додатка. Удвох з ким-небудь, без стороннього втручання; віч-на-віч. *Зваживши, що поки він один на один, жахатися нічого, Остап зупинився, очікуючи й вдивляючись у подорожнього* (Коцюб.); *Ото як зчепляться з Павлом. Один на один. З присутніх навмисне ніхто не встряє* (Головко). С и н о н і м и: **око на око; лицем в лице.**

2. з чим. Сам з чим-небудь. *Так піду я в поля неозорі із піснями один на один* (Мал.). С и н о н і м: **сам на сам** (у 2 знач.).

один на одному, з сл. с и д і т и. Дуже тісно десь від великої кількості кого-небудь. *За ложі ми вже нічого не кажемо: там, як ото говорять, один на одному сидять* (Вітч.).

один (одне) з-перед (перед, поперед) одного. Не дотримуючись порядку, черговості; навперебій. *Усі були збуджені, рухливі і один з-перед одного*

викладали почуті новини (Панч); *Ті* [*люди*] *сунули з хати, один перед одного, аж штовхаються в дверях* (Мирний); *Видно було, що діти довго.. чекали гостей і тепер одне поперед одного хотіли чимось прислужитись офіцерам* (Гончар).

один одного вартий; одне одного варті. У чомусь схожі, однакові. [**В е р б а:**] *А я питав Вакуленка, і він її* [*Ганну*] *так хвалив...* [**К о в ш и к:**] *А ви коло неї Вакуленка намалюйте, один одного варти* (Корн.). С и н о н і м и: **один від одного недалеко відбіг; два чоботи — пара; обоє рябоє; одного поля ягода** (в 2 знач.); **одного гніздечка птиці.**

один одному на голову лізе (лізуть), зневажл. Велика кількість кого-небудь.— *І так вже багато людей на світі,— заявив він розважно.— Людство до біса розплодилось, аж страх бере. Один одному прямо на голову лізе* (Гашек, перекл. Масляка).

один чорт *див.* чорт.

одним один. 1. Зовсім без нікого, самотній, сам (про людину, тварину). *Трохи боязка дівчина тільки тепер зогляділась, що вона одним одна в глупу ніч блукає між скелями над морем* (Н.-Лев.); *Незабаром Катря вернулась до вдови-дядини, що під той час, поховавши чоловіка, одним одна на старості літ зосталася* (Мирний).

2. Лише один, єдиний. *Над Трактемировим високо стоїть одним одна хатчина...* (Шевч.); *— Але ж той Гануш, може, дорого схоче за уроки? — обізвався несміливо Балабуха.— А хоч би й дорого! В нас одним одна дочка, єдиниця* (Н.-Лев.). **одним однісінький.** *Бездонне склепіння ясно-голубого.. неба увінчало нежарке сонце, одним однісінька пухка хмарина* (Ю. Янов.).

переучитися на один бік *див.* переучитися; **перехвалювати на ~ бік** *див.* перехвалювати; **підносити на ~ ступінь** *див.* підносити; **під ~ ранжир** *див.* ранжир; **проблема номер ~** *див.* проблема; **співати в ~ голос** *див.* співати; **ставати в ~ ряд** *див.* ставати.

що за один. Які погляди, інтереси і т. ін. у когось; хто такий, яка людина.— *Що ти за один? — питаю закостенілого товариша* (Фр.); *Тут* [*на ярмарку*], *якщо загавишся, то зімнуть тебе вмить, перейдуть, затопчуть, навіть не помітивши, що ти за один* (Гончар); *Що воно за один той Віллі, визначити, звичайно, важко* (Коз.); *Ці люди сподобались Данилкові, хоч він і не став їх розпитувати, що вони за одні* (Панч). С и н о н і м: **що за птиця** (у 1 знач.).

як один день *див.* день; **як ~ фунт** *див.* фунт.

як один [чоловік]. 1. *перев.* з дієсл. Одностайно, дружно.— *З плеча! — скомандував полковник Дубл, і тисяча солдатів, як один, зірвали гвинтівки з плеч і приставили їх до ноги* (Смолич); *Звитяжнеє серце героя Крокує вперед на Берлін, Стає з гарматами до бою, І б'ють гармати як один!* (Ю. Янов.); *Ще хвилина — і враз, як один чоловік, ринула* [*купка чумаків*] *на розбишак,* розірвала тую живу каблучку, зім'яла (Коцюб.); // Без винятку. Вони [робітники] бігли, як один, притуливши зігнуті руки до грудей (Смолич); «Оце,— гукає комсорг Ярославцев, глянувши на карту,— уже Україна!» Скільки було нас там, різні нації — і сибіряки, і таджики, і українці, і білоруси — всі, як один, впали навколішки й поцілували землю.. повіриш, заплакали, як діти (Гончар); Русалки, вбрані мов на свято, Постали — гожі як одна (Граб.); Народ стогнав у ярмі, а його ще й до того силували приставати на унію. Козаки заступились і за народ, і за свою віру.. І козаки піднялись як один чоловік (Н.-Лев.). П о р.: **до одного; один в один** (у 2 знач.).

2. Які чимсь однакові, схожі між собою (перев. позитивними якостями, рисами). Усе парубоцтво — як один. Усіх знаємо, усі чесні, усі добрі, усі смирні, не гуля з них ні один (Кв.-Осн.) П о р.: **один в один** (у 1 знач.). С и н о н і м: **плече в плече** (в 3 знач.).

ОДИНАДЦЯТИЙ: одинадцятий номер див. номер.

ОДІБРАВ: Бог розум одібрав див. Бог.

ОДКОТИВ: як (мов, ніби і т. ін.**) камінь з душі одкотив (зняв** і т. ін.**). 1.** перев. чиєї. Хтось допоміг кому-небудь у неприємному, скрутному і т. ін. становищі, врятував від чогось небажаного. [С о л д а т:] Це ж виходить, що вдруге на світ народився і тепер тільки сонце побачив ясне! Ніби камінь з душі одкотили ці люди (Лев.).

2. Комусь стало легко, спокійно після якоїсь дії, вчинку. Йому стало веселіше після відвертої розмови, як камінь з душі одкотив.

ОДНА: ні одна душа див. душа; ~ **назва** див. назва; ~ **нога тут, а друга там** див. нога; ~ **плоть** див. плоть; ~ **сатана** див. сатана; ~ **тінь залишилася** див. тінь; ~ **хвилина** див. хвилина; **тисяча і ~** див. тисяча; **тільки ~ душа залишилася** див. душа; **як ~ година** див. година; **як ~ душа** див. душа.

ОДНАКОВО: однаково, що шукати голку в сіні див. шукати.

ОДНЕ: в одне див. одно; **в ~ вухо влізти, а в друге вилізти** див. влізти; **в ~ вухо впускати, а в друге випускати** див. впускати; **зв'язувати в ~ ціле** див. зв'язувати; **на ~ лице** див. лице; ~ **з-перед одного;** ~ **одного варті** див. один; ~ **одного менше** див. один.

одне (одно) до одного. Уживається при вказуванні на поступове нарощання, нагромадження чого-небудь, перев. неприємного, небажаного, все це. Одно до одного — й журба Христина ширшала, вищала, глибшала... (Мирний).

одне (одно) і те ж (і те саме). Те, що нічим не відрізняється від чогось іншого; що-небудь рівнозначне, однакове.— До Лісовського треба піти. Він добре знає Чорнокнижного, а той, якщо захоче, законом за одне й те саме і голову зітне, і святим праведником зробить (Стельмах).

ОДНИМ: жити не хлібом одним; жити ~ днем див. жити; **за ~ заходом** див. заходом; **за ~ махом** див. махом; **за ~ присідом** див. присідом; **за ~ разом** див. разом; **за ~ рипом** див. рипом; **за ~ столом** див. столом; ~ **вухом** див. вухом; ~ **вухом впускати, а в друге випускати** див. впускати; ~ **духом** див. духом; ~ **духом дихати** див. дихати; ~ **махом** див. махом; ~ **миром мазані** див. мазані; ~ **мізинцем** див. мізинцем.

одним оком див. оком; ~ **оком скинути** див. скинути; ~ **подихом** див. подихом; ~ **розчерком пера** див. розчерком; ~ **словом** див. словом; ~ **ударом** див. ударом; **хоч ~ боком** див. боком; **хоч ~ оком** див. оком.

ОДНІ: одні кістки та шкіра див. кістки; ~ **мощі** див. мощі.

ОДНІЄЇ: два боки однієї медалі див. боки; **дві сторони ~ медалі** див. сторони; **нема ~ клепки** див. нема; ~ **масті** див. масті; **співати ~ й тієї** див. співати.

ОДНІЄЮ: іти однією стежкою див. іти; **міряти ~ міркою** див. міряти; **стояти ~ ногою в могилі** див. стояти.

ОДНІЙ: в одній команді грати див. грати; **в ~ упряжці** див. упряжці; **душа на ~ нитці держиться** див. душа; **залишитися в ~ сорочці** див. залишитися; **іти в ~ упряжці** див. іти; **на ~ лінії** див. лінії; **на ~ нозі** див. нозі; **на ~ ноті** див. ноті.

ОДНО: виходити на одно див. виходити.

в одно (в одне), з дієсл. **1.** Одностайно, дружно. Після спектаклю всі товпились коло неї [Тетяни], вітали її, руки стискували і всі в одно впевняли, що у неї — талант... (Вас.).

2. Настирливо, вперто.— Я її [жінку] не люблю,— твердив він в одно (Коцюб.); — Про кого це вона?..— насторожився Марчевський, пильно дивлячись в обличчя Сидорчука.— Е-е! Слухайте теревені!.. Намоглася в одне та й годі: ірод, ірод (Ю. Бедзик).

3. Так само, однаково, однакове. Не в одно бреше (Номис); З кожної сім'ї усяк ув одно говорить: «Знать не знаємо! Бачили усі, що я дома не був» (Кв.-Осн.).

в одно вухо влізти, а в друге вилізти див. влізти; **в ~ вухо впускати, а в друге випускати** див. впускати; **в ~ слово** див. слово; **все ~** див. все.

одно в (на) одно, з сл. **вдаватися, виходити** і т. ін. У всіх випадках, завжди однаково, благополучно. Одно на одно не виходить, як не старайся.

одно до одного; ~ **і те ж** див. одне.

одно (одне) одного менше. Малі (про дітей з невеликою різницею у віці). Через місяць прикотила в Піски велика-велика буда, а в тій буді — Лейбова жінка й дітей з десятеро, одно одного менше... (Мирний).

ÓДНОГО: до óдного, *перев. з сл.* в с і. Без винятку, абсолютно всі. *Пани до одного спеклись. Неначе добрі поросята* (Шевч.); *І всі козаки до одного піднесли й випили вино за славу* (Довж.); *Темної ночі невідомий звір чи двоногий зловісник забрався на пасіку і всі до одного вулики попере-кидав* (Гончар). По р.: **як одúн** (у 1 знач.); **одúн в одúн** (у 2 знач.).

одúн від óдного недалéко відбíг; одúн з-пé-ред ~; одúн ~ вáртий *див.* один; однé до ~ *див.* одне; однó ~ мéнше *див.* одно.

ОДНОГÓ: звóдити до одногó знамéнника *див.* зводити; з ~ мáху *див.* маху; з ~ тíста *див.* тіс-тá; ~ гнíздéчка птúці *див.* птиці; ~ дýху *див.* ду-ху; ~ пóля ягода *див.* ягода; ~ рáзу *див.* разу; ~ рóду, ~ плóду *див.* роду; **тримáти-ся** ~ *див.* триматися.

ОДНÓЇ: однóї мáсті *див.* масті.

ОДНОМУ: одúн на óдному; одúн ~ на гóлову лíзе *див.* один.

ОДНÓМУ: в однóму рядý *див.* ряду; на ~ дихáнні *див.* диханні; на ~ пóдихові *див.* подихові; **стоя́ти в** ~ **рядý**; **стоя́ти на** ~ ; **стоя́ти на** ~ **мíсці** *див.* стояти; **товкти́ся на** ~ **мíсці** *див.* товктися; **топта́тися на** ~ **мíсці** *див.* топтатися.

ОДНОМУ́: одному́ Бóгу відóмо *див.* відомо.

ОДНÓЮ: стоя́ти однóю ногóю в могúлі *див.* стояти.

ОДНУ: бúти в однý тóчку *див.* бити; в ~ дý-дку *див.* дудку; в ~ дý-дку грáти *див.* грати; в ~ дý-шу *див.* душу; в ~ мить *див.* мить; в ~ хвилúну *див.* хвилину; в ~ шкýру *див.* шкуру; в ~ шýршу *див.* шуршу; **два чóботи на** ~ **нóгу** *див.* чоботи; **закрý-чувати** ~ **і ту ж пласти́нку** *див.* закручувати; **за** ~ **мить** *див.* мить; **кульгáти на** ~ **нóгу** *див.* кульгати; **мíряти на** ~ **мíрку** *див.* міряти; **на** ~ **мить** *див.* мить; **на** ~ **понюшку** *див.* понюш-ку; **на** ~ **хвилúну**; ~ **хвили́ну** *див.* хвилину; **пáра чобíт на** ~ **нóгу** *див.* пара; **підвóдити під** ~ **грáфу** *див.* підводити; **стáвити на** ~ **дóшку** *див.* ставити; **стáти на** ~ **лíнію** *див.* стати; **стопта́ти не** ~ **пáру підошóв** *див.* стоптати; **стри́гти під** ~ **гребíнку** *див.* стригти.

ОДРÍ: лежáти на смéртному óдрі *див.* лежати; на смéртнім ~ *див.* ложі.

ОДУБИТИСЯ: дýбом одубúтися, *вульг.* Помер-ти, загинути. *Настане час, і дубом одубляться ті, хто чинить зло й несправедливість.* С и н о н і м и: **дáти дýба; відкúнути нóги** (в 1 знач.); **перестá-витися на той світ; лягти́ вздовж лáви; віддáти Бóгу дýшу.**

ОДУР: óдур берé (хапáє *і т. ін.*) / взяв (ухопúв *і т. ін.*) кого. 1. Хтось перебуває в стані розгуб-леності, не знає, не може вирішити, що робити, як йому діяти і т. ін.— *Отсе шукаю вже півгодини і не можу в сьому числі знайти нічого, гідного конфіс-кати [конфіскації].. Адже ж тут одур хапає*

чоловіка! (Фр.). С и н о н і м и: **дур головí берé́-ся; головá ідé́ óбертом** (у 2 знач.).

2. Комусь стає погано, хтось втрачає свідомість. *Не бачивши ж Рутульців, Турна, Вся кров скипí-лася зашкурна, І вмиг царицю одур взяв* (Котл.).

ОДЯГАТИСЯ: одягáтися в тóгу *див.* убиратися.

ОДЯГНУТИСЯ: одягнýтися в тóгу *див.* уби-ратися.

ОЖИНОЮ: дорóга ожúною порослá *див.* до-рога.

ОЗБРОЄННЯ: брáти на озбро́єння *див.* брати.

ОЗВАТИСЯ: озвáтися слóвом *див.* озиватися; слóвом не ~ *див.* обзиватися.

ОЗИВАТИСЯ: озивáтися (обзивáтися) / озвá-тися (обізвáтися) слóвом до кого і без додатка. Вступати в розмову, говорити з кимсь. *Ти [Украї-на] ішла до пана, на магната, І з татранських синіх полонин Озивався до тебе словом брата Непокірний польський селянин* (Рильський); *Со-фія не зважилась, а, може, й не схотіла озватися до баронеси словом* (Л. Укр.); *Ніхто не смів обізватися до нього словом у тій страшній хвилі* (Фр.); // Виявити своє ставлення до когось. *Старий Супрун весело зустрів удову, обізвався привітним словом* (Донч.). А н т о н і м: **слóвом не обзивáтися.**

слóвом не озивáтися *див.* обзиватися.

ОЗИРКАМИ: з óзирками. Обережно, обачно, боязко. *Помітивши Семка, який саме смиче на городі солому, дівчина з озирками поспішає до нього* (Гончар).

ОЗИРНУТИСЯ: не встúгнеш озирнýтися *див.* встигнеш.

ОЗНАКУ: давáти ознáку *див.* давати.

ОЗУТИ: озýти в постолú *див.* обути.

ОКА: вúпорснути з-під óка *див.* випорснути; вúпустити з ~ *див.* випустити.

від людськóго (сторóннього, чужóго) óка; від людськúх (сторóнніх, чужúх) очéй, з сл. х о в á т и, х о в á т и с я, о б е р і г á т и і т. ін. Щоб ніхто не бачив, не знав. *На високих білих стінах дворів, що ховали од людського ока жінок, спочивали галуззя жердель та горіхів або вився по них гнучкий виноград* (Коцюб.); *Дві ночі мчались черкеси, пробираючись крізь кордони: тра [треба] було проїхати з 200 верстов ярами та балками, ховаючись від людського ока* (Коцюб.); *Старого-престарого способу вжив Карлюга, щоб заробити собі репутацію виключної людини. Він заховував од стороннього ока свої буденні звички і свій звичайний людський побут* (Сліс.); — *Чом я не зосталась у матері? Мене б мати схвала од людських очей* (Н.-Лев.); *Оксень, почувши цокіт брички, присів у житі, щоб сховатися від сторон-ніх очей* (Цюпа). **подáлі (дáлі) від людськóго óка (від людськúх очéй).** *Тодір кидає чобітки під запічок, ногою засовує їх подалі від людського ока і виходить з дружиною надвір* (Стельмах); *Тільки* ти оце тиняйло, ходиш так, щоб далі від людських очей, бо тобі постійно треба бути насторожі, адже ти втікач, на тебе звідусіль мають чатувати різні небезпеки (Гончар).

в [усі свої] чоти́ри о́ка; в че́тверо оче́й, з сл. д и в и́ т и с я, с т е́ ж и т и і т. ін. 1. Дуже пильно, уважно; постійно. *Тепер уже для Марусі ясно було, що треба лиш вичекати способної хвилі й тікати. Але й Марусякові ся було ясно, і він стежив за своєю попадею в чотири ока* (Хотк.); *За роботою він [Петушек] стежив у всі свої чотири ока: коли в кого траплялась помилка чи затримка, він одразу підходив...* (Шовк.).

2. Удвох, обоє. *Коли хтось бере в руки макітру чи горщика [на базарі], то чоловік із жінкою затикають, в четверо очей дивляться на покупця та свій товар у його руках* (Гуц.).

зги́нути з о́ка див. згинути.

з [лихо́го] о́ка; з [лихи́х] оче́й, пе́рев. з сл. т р а́ п и т и с я, с т а́ т и с я і т. ін. У забобонних уявленнях — від погляду недоброзичливої людини. *Матері ховали від неї [матушки] малечу, а дядьки остерігалися, щоб чогось не трапилося коням чи волам «з ока»* (Стельмах); *— Їхали в місто на нараду, можна сказати, справжнім героєм, а повернулись в такому стані. Чи не з лихого ока? — пробувала жартувати лікарка* (Цюпа); *Явдоха узяла води,.. збризнула його [сотника] тою водою, далі злизала язиком хрест-нахрест через вид, щоб з очей чого не сталось* (Кв.-Осн.).

кра́єм о́ка див. кра́єм.

на чоти́ри о́ка, діал. **в чоти́ри о́чі**, з сл. г о в о р и́ т и, с к а з а́ т и і т. ін. Удвох без сторонніх людей; віч-на-віч. *«Ану, думаю, відсунусь у тінь, цікаво, про віщо брати між собою на чотири ока говорять?»* (Мур.); *— Один способець [як побороти Сов] я знаю, — мовив Каркайло, — але сей можу сказати тільки тобі [Воронячому цареві] самому в чотири очі* (Фр.); *Славко мусив довго бити ногами, заки спинявся в Потурайчином у чотири очі* (Март.); *— Я би хотів так, в чотири очі поговорити, — зам'явся Порадюк і глянув на двері, що вели далі, цим показав, щоб зайти до канцелярії* (Чендей). С и н о н і м и: **один на оди́н** (у 1 знач.); **о́ко в о́ко** (в 3 знач.).

не спуска́ти о́ка див. спускати; **не хова́лося ніщо від ~** див. ховалося; **ні́чим ~ запороши́ти** див. запорошити; **па́че ~** див. паче; **скі́льки ~** див. скільки; **спуска́ти з ~** див. спускати; **у миг ~** див. миг; **хова́тися від людського ~** див. ховатися; **як зіни́цю ~** див. зіницю; **як з ~ ви́пав** див. випав.

як о́ка [в ло́бі (в голові́)], з сл. б е р е г т и́, д о г л я д а́ т и, г л я д і́ т и, п и л ь н у в а́ т и і т. ін. Старанно, пильно, дуже і т. ін. *— Хазяйського добра гляжу як ока, щоб і копійка нігде даром не дівалась* (Кв.-Осн.); *Бережи, як ока в лобі* (Укр.. присл..); *— Повдавались [дочки] в матір:*

усі чепурні, шанують одежу, усі глядять одежину, як ока в лобі (Н.-Лев.); Які старі зв'язки були, то тих я бережу, як ока в голові, і .. я дуже радий, що можу до Вас знов писати (Стеф.). **більш, ніж о́ка в ло́бі.** Парубок на все село: гарний, хоч з лиця воду пити, жвавий, веселий і роботящий. Матір поважав, а стара гляділа й пильнувала його більш, ніж ока в лобі (Вовчок). Пор.: **як о́ко; як сво́го о́ка; па́че о́ка; як зіни́цю о́ка.**

як свого́ о́ка, з сл. д о г л я д а́ т и, берегти́ і т. ін. Дуже старанно, дбайливо і т. ін. *Плач, Венеро! Плачте, Купідони! Плачте, люди витончені й чемні: Вмер горобчик милої моєї. Вмер горобчик, що вона любила І як свого ока доглядала* (Зеров). Пор.: **як о́ко; як о́ка; як за сво́їм о́ком.**

ОКАЯ́ННА: окая́нна душа́ див. душа.

ОКИДА́ТИ: окида́ти (рідко обкида́ти) / оки́нути (рідко обки́нути) о́ком (очи́ма, по́глядом, зо́ром) кого, що, де. Оглядати кого-, що-небудь або обдивлятися навкруги. *Через плече товариша [в'язня] окидаю оком нову камеру. Оце так. Це не наша чистенька та світла — восьма. Це справжня казарма* (Збан.); *— Се наша Тухольщина, наш рай! — сказав Максим, обкидаючи оком долину, і гори, і водопад* (Фр.); *Хлопці вийшли з зали, окидаючи її скоса очима* (Н.-Лев.); *Підозріливо [староста] окидає очима Гната. Хоч і спокійний він чоловік, але тепер, коли все переплуталося в мужицьких головах, і він може ого-го яку свиню підкласти старості* (Стельмах); *Він [Тимофій] окидає поглядом подвір'я й вулицю, але ніде нікого* (Стельмах); *— Карту! — гукнув Колісник,.. обкидаючи.. поглядом усю вокзалію* (Мирний); *Вишневецький окинув оком усю ту пишну околицю. Йому було байдуже до тієї пишної краси* (Н.-Лев.); *Глянув [Синявін] назад, окинув оком навкруги, і раптом якась догадка блиснула в очах* (Ле); *Яресько окинув очима степи: яка земля! Цілина не рушена...* (Гончар); *Одвела [Марта] очі од чоловіка і окинула зором все своє тіло, од грудей до пальців ніг. «Хіба я стара?»* (Коцюб.); *Майор окинув зором місцевість. Мінюшукачі тут не допоможуть* (Дмит.). П о р.: **обво́дити очи́ма; огорта́ти зо́ром.**

окида́ти / оки́нути ду́мкою. Роздумувати над чимсь, обдумувати щось; міркувати. *Спокійно окинув думкою: — Ні, тепер уже ніщо не стане на заваді...* (Вас.).

ОКИ́НЕШ: куди́ не оки́неш о́ком див. кинь.

ОКИ́НУТИ: оки́нути ду́мкою; ~ о́ком див. окидати.

ОКИПА́Є: се́рце окипа́є кро́в'ю див. серце.

ОКИПІ́ЛО: се́рце окипіло кро́в'ю див. серце.

ОКО́: аж о́ко в'я́не від чого і без додатка. 1. Стає страшно, моторошно і т. ін. від чого-небудь. *Вовки витягали соло, аж око в'януло* (Фр.). С и н о н і м и: **моро́з дере́ по шку́рі** (в 2 знач.);

моро́з іде́ по́за шкі́рою (в 2 знач.); **мура́шки бі́гають по спи́ні** (в 2 знач.); **воло́сся піднійма́ється вго́ру.**

2. Що-небудь бридке, страшне, неприємне і т. ін. *Гармидер — аж око в'яне.*

би́те о́ко у кого. Хто-небудь має досвід, здатність швидко все помічати, оцінювати, добре орієнтуватися в чомусь. *Катя Шубіна багато чого перебачила в цій закордонній стороні, бачила біженців, полонених, невільників, у неї виробилось бите око й вірна реакція на все* (Ю. Янов.).

бра́ти на пи́льне о́ко див. брати; **вбира́ти ~** див. вбирати; **веселі́ти ~** див. веселити; **взя́ти в ~** див. взяти.

вірне (пе́вне) о́ко [в ло́бі] у кого. Хто-небудь добре орієнтується на місцевості, вміє правильно оцінювати, визначати щось.— *Е, я хоч не маю в голові рихметики [арифметики], так у мене в лобі око зірне. Я будь-яку ділянку прикину вздовж та поперек на око і скажу, скільки якої породи буде в ній* (Стельмах); *Око в нього було певне, серце міцне. Долав він шляхи невтомно* (Перв.).

влуча́ти в о́ко див. влучати; **впада́ти в ~** див. впадати; **вража́ти ~** див. вражати.

всеви́дяче (всеви́дяще, всеви́дюще, видю́че) о́ко. 1. чиє. Хтось має здатність все помічати, бачити, про все швидко дізнаватися, знати. *Всевидяче око його вже проникало в глибину шеренг, когось невтомно шукало* (Гончар); *Всевидюще око двадцятирічного командира слідкувало за всіма розрахунками* (Стельмах); *Тут його [Франка] рятує від смерті один з його товаришів і забирає з собою на село. Але й там видюче око адміністрації постерегло небезпечного злочинця* (Коцюб.).

2. тільки **всеви́дяще о́ко**, заст. Бог. *А ти, всевидящеє око! Чи ти дивилося звисока, Як сотнями в кайданах гнали В Сибір невольників святих* (Шевч.).

го́стре о́ко у кого. Хто-небудь добре бачить; спостережливий, кмітливий. *Від адмірала заслужив окремої подяки старшина сигнальників Разуєв. Око у хлопця гостре, слух напрочуд тонкий* (Логв.). П о р.: **го́стрий на о́ко.**

го́стрий на о́ко див. гострий; **запа́сти в ~** див. запасти.

куди́ (рідко де) о́ко сяга́є (дістає́ і т. ін.) / сягне́ (діста́не і т. ін.). На всьому просторі, до самого обрію. *Широкою панорамою — куди око сягає — сади. Кілька сот гектарів* (Головко); *Оглянувся навколо. В полі, куди й око сягало, лежали глибокі сніги* (Збан.); // Скільки можна побачити, розглядіти; дуже далеко, на межі видимого. *І видно: аж-аж-аж ген до того ліска, куди око дістає, дорогою вози потяглися...* (Вишня); *Перед нею наче сизіла якась далечінь, де око сягає без краю* (Н.-Лев.). **як дале́ко о́ко сяга́є.** *Як далеко*

око сягало, стрічало найбільше спустошення, а відражаюча нагота вершин будила жаль у серці (Коб.). **ку́ди о́ко не сягне́.** *Десь далі там, куди око звідси не сягне, на всіх напрямах ця суперпробка з кожною хвилиною тільки росте й росте* (Гончар). П о р.: **скільки сяга́є о́ко; скільки осягти́ о́ком; скільки о́ком ки́неш.**

куди́ [лиш (ті́льки)] [не] гля́не о́ко. Скрізь, усюди. *Про великий трагічний відхід наших армій з України буде написано багато томів історичних книг. Як горіло жито, куди око гляне, і толочилося людьми, машинами і мільйонами бездомних коней і корів* (Довж.); *Довелося [опришкам] лежати на чистій полонині, де куди око лиш гляне — все трава, трава, Ні горбочка, ні корчика* (Хотк.); *Розбила щука лід у руках, і крига пливла в море. Все, куди тільки не гляне око, рухалось, пливло, летіло. Рухалось і хвилювалась вся природа* (Довж.); П о р.: **куди́ не кинь о́ком.** С и н о н і м: **де не обе́рнешся.**

ласка́ти о́ко див. ласкати.

лихе́ (пога́не, зле і т. ін.) о́ко. 1. Той, хто здатний зробити неприємність, вчинити зло; недобра, недоброзичлива людина. *Старий зітхнув і тихіше додав: — Ну, вже тепер тобі, синку, дома ночувати не прийдеться. Земля у нас — тяжке діло: кров'ю пахне. До мене тихцем, щоб лихе око не бачило, приходь* (Стельмах); *Предовга валка клекотливо посувалася в безмовні ліси, геть від людських осель, від лихого ока* (Загреб.).— *Ну, ти цього не кажи. Сміливий [Омелян]! А коли до мене приїжджає, то ніяке погане око не побачить* (Стельмах).

2. у кого і без додатка, заст. У забобонних уявленнях — погляд людини, від якого може трапитися неприємність, нещастя і т. ін. *Їх [грона винограду] стережуть від лихого ока та всяких пригод начеплені на кілки овечі, коров'ячі та кінські черепи* (Коцюб.); *Він на пасіці як у дозорі: здатен-бо ж оберегти бджолу від злого ока* (Гончар). **лихі́ о́чі.** *Не витріщайсь на дитину, я того не люблю! — бурчить Ольошка. — Бо в людей різні очі, різні душі, а дитина те відчуває, як ніхто.— Хіба в мене такі вже лихі очі? — знічено каже Христолобенко та й відходить од коляски* (Гуц.). П о р.: **пога́ний на о́ко.**

ма́ти го́стре о́ко; ма́ти ~; ма́ти пам'ятке́ ~; ма́ти пристрі́ляне ~; ма́ти своє́ ~ див. мати; **метки́й на ~** див. меткий; **милува́ти ~** див. милувати; **му́ляти ~ див.** муляти; **наво́дити ~** див. наводити.

на о́ко. 1. перев. з сл. в и з н а ч а́ т и, п р и к и д а́ т и, р а х у в а́ т и і т. ін. Без точного підрахунку, обчислення, вимірювання і т. ін.; приблизно.— *Можна не раз і при тім ошукатися: торгуєш на око, худобина показна, а прийде до ваги, а вона легка* (Фр.); *Чепіга прикинув на око яничарську орду, що вийшла з фортеці, і прийшов* до висновку, що в її лавах не менше двох тисяч бійців (Добр.); Доки очі не звикнуть до гірських умов, старший лейтенант заборонив і собі, і своїм підлеглим визначати дистанції на око (Гончар); — У мене в лобі око вірне. Я будь-яку ділянку прикину вздовж та впоперек на око і скажу, скільки якої породи буде на ній: стільки-то будівельного лісу вийде, а стільки-то хворосту, дровець (Стельмах); Аерохімія не терпить мірки «на око», «приблизно». Це досить складна наука. Вона дає користь лише тому, хто оволодіє нею (Рад. Укр.).

2. Не пов'язаний з точними розрахунками; приблизний. Були зібрані і узагальнені куховарські рецептури в єдині «Збірники розкладок», вони давали можливість перейти від роботи на око до точного дозування продуктів (Технол. пригот. їжі).

3. За зовнішнім виглядом. Добре, просто «на око» вміють вибирати спілі кавуни і тато Терешка, і дядько Оврам Остапенко (Мас.); Отак і йшло життя — в тоненькій якійсь гармонії. Не чулося твердого чогось, тривкого під стопою. Все було, мов порцеляна, доокола: на око приємне, а опертися не вільно (Хотк.); Літак ішов високо, над хмарним покровом, який ще з самого ранку обгорнув землю. Ватяний килим, горбистий і м'який на око, здавався безкінечним, як сніжна пустеля (Ю. Бедзик); Спереду не насип — окоп. Бруствер і на око рухлий — треба й через нього!.. Сильніш відштовхуюсь (Тих.).

на пе́рше о́ко, рідко. При поверховому ознайомленні з ким-, чим-небудь; спочатку. На колгоспному подвір'ї, попри надто ранній час, селянського люду було стільки, що зборище це на перше око можна було взяти за звичайний сільський ярмарок (Епік). Пор.: **на пе́рший по́гляд**.

на сві́же о́ко, з сл. п о м і т и т и, п о б а́ ч и т и і т. ін. Не бачивши кого-, чого-небудь ніколи або тривалий час. Коли Павло Заброда приїхав весною прощатися з Сухою Калиною [селом], то й не впізнав її, так вона змінилася. Павло на свіже око одразу те все помітив (Кучер).

не ви́дне о́ко кому. Не годиться, не можна. Казав же мені отой солдат з трудармії, що обмотки подарував: «Ти, синок, за фронтом їди...» Правильно казав! Так що вертати назад мені не видне око (Григір Тют.).

недре́мне о́ко чиє. ·Постійний нагляд, спостереження з боку кого-небудь. Значні заслуги також має Грабовський як перекладач, публіцист, літературний критик. Цей різноманітний і значний доробок поета з'явився за якихось півтора десятка років — на степах, під недремним оком тюремного наглядача (Рад. літ-во); Для них обох, засланців, які постійно перебували під недремним оком жандармських лакиз, було небезпечно (Літ. Укр.); // Надто, надмірно пильний хто-небудь.— Думаю я,

що не треба заходити [до хати] цілими роями, а по одному, по двоє. Для чого привертати увагу недремного жандармського ока? (Сирот.).

о́ко біжи́ть до кого — чого, куди, нар.-поет. Хто-небудь часто дивиться, поглядає на когось, кудись. На панщину поженуть [Горпину];— дитинку за собою несе та вже й моститься там з нею; сама робить, а око біжить до дитинки (Вовчок).

о́ко в о́ко. 1. Хто-небудь дуже схожий на когось; такий самий. Око в око наш брат Хвалько, як небитий вертається з служби та й тішиться з себе, який-то він здатний в бога вродився (Вовчок); // з сл. с х о́ ж и й, с к и д а́ є т ь с я і т. ін. Дуже, надзвичайно. Магаферіда породила не хлопчика, а дівчинку, що око в око скидалась на Іреджа (Крим.). С и н о н і м: **як дві кра́плі води́**.

2. з словоспол. т а к и́ й с а́ м и й і под., рідко. Що-небудь нічим не відрізняється від чогось іншого; точно, абсолютно, повністю і т. ін. Стократ гірше, що кожний рік око в око такий самий, як попередній (Фр.); От я прочитав на початку другої сьогорічної книжки «Літературної правди» статтю і — чи повірите? — побачив у ній майже око в око все те, що ми колись-то балакали про літературні «принципи» і «ідеали» (Фр.).

3. з сл. г о в о р и́ т и, з а л и ш а́ т и с я і т. ін. Наодинці з кимсь, без сторонніх людей. Йому [Сивоконеві] теж іноді хотілося знайти боярина й поговорити з ним око в око (Загреб.); Сцена — велика трибуна, і автор п'єси залишається на ній око в око з глядачем... (Корн.) С и н о н і м и: **на чоти́ри о́ка**; **оди́н на оди́н** (у 1 знач.).

4. з сл. з у с т р і ч а́ т и с я, с т о я́ т и, с т а в а́ т и і т. ін. В безпосередній близькості; віч-на-віч. В додатку ще й те важке почуття, яке огортає нас, коли станемо ми до з кимсь, що не хоче говорити з нами, а нам треба сказати щось (Фр.); Факт той, що від певного часу «старий» не любив сходитися з Ковалевським і хоч став його запеклим ворогом, а стріватися з ним око в око уникав (Л. Укр.); Серце починає тривожно завмирати. О тім Сокальськім стільки наслухався чоловік, стільки людських жертв узяло божище тих скель, що стріча око в око, як колись під верандою під час тризни по Аркадію Річинськім (Вільде). Пор.: **око на о́ко.** С и н о н і м и: **лице́м в лице́**; **оди́н на оди́н** (у 1 знач.).

5. з сл. с т а́ т и, ви́ступити і т. ін. Відкрито, чесно. Хоч око в око ви не сміли стати, Не сміли свої правди нам сказати, Ви підступом побили м'я [мене] без бою! (Фр.).

о́ко впа́ло чиє, на кого, на що. Хто-небудь побачив когось, щось, глянув на когось, щось.— Цей нечестивий князь куди йде, то лихо веде за собою. Впало його око на тебе, і ти тонеш в сльозах (Н.-Лев.); На що б око не впало, що б не сталось на світі: чи пропала овечка, полюбив легінь, зрадила дівка, заслабла корова, зашуміла смерека — все виливалось у пісню (Коцюб.).

óко гýбиться в чому, чиє. Хто-небудь не може побачити, розрізнити зором чогось. Огей скинув капелюх і, віддавши голову сонячним промінням, не поспішаючи чвалав кривулястою алеєю. Його око губилося в густій сіті дерев (Досв.).

óко завидюще див. очі.

óко за óко. Уживається для вираження прагнення помститися за вчинене зло, несправедливість, образу і т. ін.; відплата тим самим. «Так,— думав він [Тимко] тепер, лежачи під кущем терну.— Колись я був добрий, а вони мене зробили злим. Що ж? Нехай так і буде. Я їм свого не подарую. Око за око, зуб за зуб» (Тют.). С и н о н і м и: **віть за віть; зуб за зуб.**

óко на óко, з дієсл. з у с т р і т и с я, о п и н и́ т и с я, з і г л я н у т и с я і т. ін., рідко. Один з одним; удвох, віч-на-віч. З граком ми зглянулись око на око. Хто ж злякавсь? Грак злякавсь і поривався високо (Бор.). П о р.: **óко в óко** (в 4 знач.). С и н о н і м и: **один на один** (у 1 знач.); **лицéм в лицé.**

óко не дрімáє чиє, у кого і без додатка. Хто-небудь уважний, дбайливий, спостережливий і т. ін. Кожна з гектарниць без нагадувань знає, коли й як їй робити, бо шкілка на те й шкілка, щоб око тут не дрімало, найніжніший сорт повинен у цих пісках прийнятися, вкоренитись (Гончар).

Óко спиняється / спини́лося на кому — чому, чиє, кого. 1. Хтось починає уважно дивитися на кого-, що-небудь. Око відвідувачів виставки спиняється на сенсаційному експонаті (Вітч.).

2. Хто-небудь помітив, оцінив і т. ін. когось, щось з-поміж інших, звернув увагу на когось, щось. На перших кроках молодого підмайстра уважно спинилось любовне око досвідченого майстра, і підмайстер кінець кінцем досяг до майстрових верховин або й сягнув вище... (Рильський).

погáний на óко див. поганий; **поклáсти ~** див. покласти.

прáве óко чиє, жарт., рідко. Найближча комусь людина у справі, що вимагає пильності, спостережливості, обачності і т. ін. То його праве око (Укр.. присл..).

про людськé (чужé) óко. 1. Відповідно до норм поведінки, заради пристойності, для порядку. І, як це не дивно, ніхто, навіть про людське око, в силу звичаю, не ойкав, не плакав, не виказуючи співчуття Даріям (Іщук); Оксен батькове женихання не заперечував. Але старий не вірив у те і вважав, що син схвалює женихання тільки про людське око, а в душі ненавидить і осуджує його. І в старого ще більше, чим раніше, росла неприязнь до сина (Тют.); — Ну, начувайся! — Але в Шаблієвому голосі не було вже недавньої сили. І певності не було. Шаблій погрожував для го-

диться, про людське око (Д. Бедзик) ; — Прийшов [батько]... про людське око. Він усе робить про людське око.. Аби люди думали, що наша сім'я не розпалась, що в нас усе добре (Гуц.). **про óко.** Батька їх не чути ніколи,— він про око також сидів при гостях, забившись у куток на своїм кріслі (Фр.). **для óка.** [Гайдай:] Яким би талановитим молодий командир не був, але коли з ними в громадянській війні не брав участі, не визнають. Для ока видають, але насправді ставляться з презирством (Корн.).

2. Удавано, для створення, підтримання певного враження, потрібної думки про кого-, що-небудь. Відбуде своє такий тип, повернувшись, влаштується десь на роботу про людське око, а насправді нічним життям живе (Гончар). **про óко.** Він рад був удавати про око вільнодумного чоловіка, але в глибині серця... був забобонний (Фр.); Сагайдачний гартував козацьке військо в боях та походах, але про око залишався вірний підданець короля Зігмунда (Тулуб) ; // З метою притупити чию-небудь пильність, приховати щось.— По дворах ганяє [Панько] — все колгоспне назад стягує. Для німців усе старається...— То може він про людське око, мамо? — А хинда його знає (Збан.). **для óка.** Гюлле для ока й надалі була замкнута у своїй кімнаті. Але таємницю про її двері, ланцюжок і ключ, крім малої Ярилі, ще знав і Ахмет (Досв.). **для людськóго óка.** Мар'ян, лише для людського ока, промацує руками перший мішок. З нього вибиваються важкі форми полумисків, глечиків, горнят (Стельмах). **про людські óчі.** «А може, і не тиф зовсім?» Може, це тільки про людські очі, а насправді...» Він аж скрипнув зубами і таки не дав прорватися в свідомості отій жахливій думці (Головко).

3. Удаваний, несправжній. Якима Демченка в лісі знайдено з розтятою головою... а всі подумали, що це татарва справила... а не той, хто був йому про людське око приятелем... (Гр.); Ліс стояв безкраїй і мовчазний. Але та мовчанка була лише про людське око. Лісом ішла весна, тепла, ніжна (Збан.).

С и н о н і м и: **для ви́ду; для ви́димості; для годиться.**

пускáти óко див. пускати; **рáдувати ~** див. радувати; **рíзати ~** див. різати.

свíже óко. Сприймання ким-небудь того, чого він не бачив раніше. Певне, дуже вже страшними були ми [військовополонені] для свіжого ока (Коз.); У свіже око все тіньове впадає швидко (Рад. Укр.); І часто думка товариша — «свіже око» — буває вирішальною для майбутнього книги (Літ. Укр.).

свíтле óко у кого. Хтось порядний, чесний, безкомпромісний, справедливий і т. ін.— Правда, що вклали ми в землю Всі сили й уміння, Світле в нас око за себе І чисте сумління (Вирган).

ски́нути своє́ о́ко див. скинути.

скі́льки сяга́є (ба́чить, обхо́плює, бере́ і т. ін.) **/ сягне́ (осягне́, охо́пить, вхо́пить, захо́пить** і т. ін.) **о́ко (зір)**. На всьому видимому просторі; скрізь, до самого обрію. *За садком в бережині слалися зелені луки, блищали плеса мочарів, зеленіла осока та високі очерети, скільки сягало око* (Н.-Лев.); *Хліб! Скільки сягає око, хвилями перекочується, гойдається важке колосся* (Ткач); *Хвиля била об саму скелю, високо здіймаючи фонтани білих бризок, і зеленкувата холодна вода вирувала скільки сягало око* (Багмут); *Внизу, скільки бачить око, виднілися освітлені сонцем просторі луги* (Мокр.); *Маруся глянула доокола. Дійсно, сховатися було ніде. Скільки око обхоплювало — всюди рівний, трохи вже припечений сонцем жовтий простір* (Хотк.); *А потім ми довго йшли ледь-ледь присохлою після дощу дорогою, і перед нами, скільки брало око, простягався степ* (Тих.); *Скільки око сягне, розкинулось біле безмежжя донецького степу* (Літ. Укр.); *Земля лежить, скільки око сягне, розмерзла й чорна* (Коз.); *Скільки око осягне — біліє Гречка переливом сніговим* (Мисик); *Ковилі, ковилі, ковилі... За сонцем сталево-тьмяні, а там, під сонцем,— скільки зір сягне,— сяючі, молочні, як шумовиння* (Гончар); *Ці похилі спадисті гори, скільки захопить око, нижчі од Бріярки і через це вони засіяні житом, ячменем, вівсом* (Н.-Лев.). **до́ки вхо́пить о́ко**. *Хіба вже не віриш [у прикмети]? — Не в тім річ. Лише до цього обрію, доки око вхопить, ці прикмети мають силу* (Гончар). П о р.: **скі́льки осягти́ о́ком; куди́ о́ко сяга́є; скі́льки о́ком ки́неш**.

спини́ти о́ко див. спинити.

сторо́ннє о́ко. Хтось не причетний до чогось, не знайомий з чимсь. *Телеграма була.. заплутана і для стороннього ока зовсім незрозуміла* (Ів.); *Санітарний нікому не був потрібний. На вузлових станціях його заганяли на далекі запасні колії, про нього, як могло здатися сторонньому окові, забували* (Д. Бедзик).

ті́шити о́ко див. тішити; **топи́ти ~** див. топити.

хазя́йське о́ко. Пильний, господарський нагляд. *Пропадало добро без хазяйського ока* (Коцюб.).

хоч в о́ко дай див. дай; **хоч в ~ стрель** див. стрель; **хоч ~ ви́коли** див. виколи; **як в ~ вліпи́ти** див. вліпити.

[як] на моє́ (на́ше) о́ко; [як] на на́ші о́чі. Уживається для висловлювання власної оцінки стосовно чого-небудь; вважаю, вважаємо. *Може, це по їх натурі і справді добре. А на наші мужицькі очі, то дуже погано* (Шевч.).

як ри́б'яче о́ко. 1. Чистий, вимитий і т. ін. *Підлога як риб'яче око, ніде ні порошинки.* 2. з сл. ч и с т и й. Дуже, надзвичайно. *Чиста, як риб'яче око* (Укр.. присл..).

як [своє́] о́ко; як [свої́] о́чі, з сл. б е р е г т и́, с т е р е г т и́, д о г л я д а́ т и і т. ін. Ретельно,

пильно. [Х м е л ь н и ц ь к и й *(до Лизогуба):*] *Вона [Зося] отруїти хотіла мене, але отруїла Варвару. Веди це падло в підземелля і бережи, як око* (Корн.); *Стару і віддану родові Катерину приставив до них [дітей], як очі свої стереже вона синів, та хіба встережеш від такого, як Наливайко?* (Ле); // Старанно, дбайливо. *Хима відчинила скриню, вийняла ганчірку з п'ятизлотником, розгорнула її, оглянула свій скарб, що тридцять літ ховала, як око, і знов загорнула* (Коцюб.); *Цілий гай молодих дарувань, що виростають з року в рік, тішить наш погляд, і ми, старші письменники, як око своє, повинні пильнувати, берегти й доглядати цей гай* (Рильський). П о р.: **як о́ка [в ло́бі (в голові)]; як зіни́цю о́ка; па́че о́ка.**

як у о́ко впа́сти див. впасти.

ОКО́ВИ: розби́ти око́ви див. розбивати; **ски́нути з себе́ ~** див. скинути.

ОКО́М: бли́мнути о́ком див. блимнути; **блиска́ти ~** див. блискати; **вести́ ~** див. вести.

во́вчим о́ком, з сл. диви́тися, сте́жити, слідкува́ти і т. ін. Жадібно, хтиво і т. ін. *Тимко слідкував за нею вовчим оком і снував по двору, щоб застукати її де-небудь один на один та хоч обняти по-парубоцькому* (Тют.).

гля́нути недо́брим о́ком див. глянути; **диви́тися зли́зим ~; диви́тися і́ншим ~; диви́тися криви́м ~; диви́тися при́язним ~** див. дивитися; **доки́нути ~** див. докинути; **досягну́ти ~** див. досягнути; **же́рти ~** див. жерти; **закида́ти ~** див. закидати; **змі́ряти ~** див. зміряти; **і ~ не змигну́ти** див. змигнути; **і ~ не мигну́ти** див. мигнути; **і ~ не прогля́нути** див. проглянути; **і ~ не ски́нути** див. скинути; **і́сти ~** див. їсти; **кида́ти недо́брим ~; кида́ти ~** див. кидати.

крити́чним о́ком, з сл. огляда́ти, диви́тися і т. ін. Вимогливо, прискіпливо, дуже уважно (з метою виявити вади, хиби). *Інколи він [завідувач кав'ярні] проходив по довжелезній веранді, критичним оком оглядаючи підлогу, стільці й білі скатерки на столах* (Собко).

куди́ не кинь о́ком див. кинути.

ла́сим о́ком, з сл. погляда́ти, диви́тися і т. ін. З корисливими намірами. *Віддавна вже поглядав на неї [кухарку] ласим оком. Отже, не міг зважитися навіть на ніякий натяк* (Март.).

лихи́м о́ком, з сл. погляда́ти, диви́тися і т. ін. Сердито, з неприязню, злістю. *А тимчасом Роман, орючи свою нивку, скоса поглядає на брата лихим оком* (Коцюб.); *Але ноги делькотять підо мною, бо гості з-поза столиків невагають іззиратися лихим оком на мене, винуватця* (Март.); *— Треба було вам Ганжу палити! — не втримався від докору Оксен. Гайдук засопів, поривів ліжком, блимнув лихим оком: — Ти що, мо, продавать мене зібрався?* (Дім.).

лю́бо о́ком гля́нути див. глянути; **метну́ти ~** див. метнути; **мигну́ти ~** див. мигнути;

мíряти — *див.* міряти; **наво́дити** ~ *див.* наводити; **накида́ти** ~ *див.* накидати.

невесе́лим о́ком, з сл. д и в и́ т и с я, п о г л я д á т и *і т. ін.* Безрадісно, з сумом, журячись і т. ін. *Невеселим оком дивилася й її [Мотрина] стара мати на ту оселю, на лихий той захист... Вони б його кинули, якби було де притулитися. Та де його при недостачах, при убожестві?!* (Мирний).

не встигнеш о́ком моргну́ти *див.* встигнеш; **не змига́ючи** ~ *див.* змигаючи; **не моргну́вши** ~ *див.* моргнувши.

несúтим о́ком, з сл. д и в и́ т и с я, п о г л я д á т и *і т. ін.* Заздрісно, жадібно, невдоволено і т. ін. *Той мурує, той руйнує, Той неситим оком За край світа зазирає* (Шевч.); *Григорій Сковорода співав про те саме, про що писав свої філософські твори. Пізнавай себе, не дивися неситим оком на край світу і на свого сусіда* (Знання..).

нúшпорити о́ком *див.* нишпорити; **ні за що** ~ **зачепи́тися** *див.* зачепитися; **оббíгти** ~ *див.* оббігти; **обво́дити** ~ *див.* обводити; **обíйма́ти** ~ *див.* обіймати; **обмíрювати** ~ *див.* обмірювати; **обня́ти** ~ *див.* обіймати.

одни́м о́ком, з сл. д и в и́ т и с я, п о г л я д á т и *і т. ін.* 1. Побіжно, мимохідь, між іншим і т. ін. *Я ж святі слова кажу,— прогрес вимагає одним оком і на Захід позирати* (Ковінька). П о р.: **хоч одни́м о́ком.**

2. Без належної поваги; зверхньо, непривітно. *Вийшов пан. Він був гарний на лиці, ставний такий і дуже гордовитий. Коли й гляне на тебе, то все одним оком, через плече. Спитав, чи нема листа од батька, і вийшов* (Вовчок).

одни́м о́ком скúнути *див.* скинути; **окида́ти** ~ *див.* окидати; ~ **не згля́диш** *див.* згля́диш; ~ **не моргне́ш** *див.* моргнеш; ~ **не моргну́ти** *див.* моргнути; **охопи́ти** ~ *див.* охопити; **пово́дити** ~ *див.* поводити; **прики́нути** ~ *див.* прикинути; **приміри́тися** ~ *див.* приміритися; **припа́сти** ~ *див.* припасти; **прицíлюватися** ~ *див.* прицілюватися; **прийма́ти** ~ *див.* проймати; **пуска́ти бíсики** ~ *див.* пускати.

свíжим о́ком, з сл. г л я́ н у т и, п о г л я́ н у т и *і т. ін.* Не так, як раніше, як інші; по-новому. *Висловила [Надійка] думки та міркування люди ни, яка поглянула на виробництво свіжим оком* (Коз.).

світи́ти о́ком *див.* світити; **скида́ти** ~ *див.* скидати; **скільки** ~ **ки́неш** *див.* кинеш; **скільки осягти́** ~ *див.* осягти; **стріля́ти** ~ *див.* стріляти.

хазя́йським о́ком, з сл. г л я́ н у т и, о г л я́ н у т и *і т. ін.* Дбайливо, уважно, по-господарськи і т. ін. *Хазяйським оком Віктор оглянув кімнату, придивляючись, чи все на місці, потім звернувся до братів: — Корові давали жому?* (Автом.).

хоч би о́ком моргну́в *див.* моргнув.

хоч одни́м о́ком, з сл. п о д и в и́ т и с я, г л я́ н у т и, п о г л я́ н у т и, п о б á ч и т и *і т. ін.* Принаймні або протягом короткого часу; як-небудь. *Хотілося б мені хоч на одну хвилину у своє село, хоч одним оком подивитися на його [нього]* (Мирний); *Ми, тоді ще зовсім маленькі, з хвилюванням проходили повз садиби Короленка, щоб хоч одним оком глянути на усіма нами шанованого письменника-правдолюбця* (Ковінька); *Сидіти тут ще з місяць — не можу, бо хочеться мені хоч одним оком поглянути ще на Італію, а також побути на селі* (Коцюб.); *Дмитро відчував, що за кожним деревом причаївся партизан, щоб .хоч одним оком побачити вісника рідної столиці* (Стельмах). П о р.: **одни́м о́ком** (у 1 знач.).

хоч о́ком світú *див.* світи.

як за свої́м о́ком, з сл. д о г л я д á т и. Дуже старанно, дбайливо і т. ін. *Дуже хотіла мачуха згубити з світу невістку, але ніяк це не вдавалось їй, бо царський син дуже кохав жінку і доглядав за нею, як за своїм оком* (Укр.. казки). П о р.: **як о́ко; як о́ка; як свого́ о́ка.**

як о́ком моргну́ти *див.* моргнути.

ОКРОПІ: вертíтися як му́ха в окро́пі *див.* вертітися; **ку́паний в** ~ *див.* купаний; **скрути́тися як му́ха на** ~ *див.* скрутитися; **як в** ~ **кипи́ть** *див.* кипить; **як му́ха в** ~ *див.* муха; **як скупа́ли в** ~ *див.* скупали.

ОКРОПОМ: як окро́пом обдало́ *див.* обдало; **як** ~ **ошпа́рило** *див.* ошпарило.

ОКСАМИТОВИЙ: оксами́товий сезо́н *див.* сезон.

ОКУ: ніде розгуля́тися о́ку *див.* розгулятися.

ОКУЛЯРИ: диви́тися крізь роже́ві окуля́ри; диви́тися крізь те́мні ~ *див.* дивитися.

ОКУНІВ: лови́ти окунíв *див.* ловити.

ОЛИВИ: підлива́ти оли́ви *див.* підливати.

ОЛІВЦЯ: одни́м ро́зчерком олівця́ *див.* розчерком.

ОЛІЇ: підлива́ти олíї у вого́нь *див.* підливати.

ОЛІЙ: ма́ти олíй в голові *див.* мати.

ОЛІЮ: ви́давити олíю *див.* видавити; **ма́ти** ~ **в голові** *див.* мати.

ОЛТАР: прино́сити на олта́р *див.* приносити.

ОМЕГА: а́льфа і оме́га *див.* альфа.

ОМЕГИ: від а́льфи до оме́ги *див.* альфи.

ОМЛІВАЄ: се́рце омліва́є *див.* серце.

ОМЛІЛО: се́рце омлíло *див.* серце.

ОН: он воно́ що! *див.* воно; ~ **ти яки́й** *див.* який; ~ **що** *див.* що; ~ **як** *див.* як.

ОНЕ: не оне́ (оне́є), *заст.* 1. *до чого.* Не хотіти братися за що-небудь, бути причетним до чогось, уникати чогось. *Та і Тетяна нишком плаче, а до роботи не оне* (Сл. Гр.).

2. Не те, що слід; таке, що не годиться, не придатне для чогось. *Тут довго тяжко рахували І скільки [скільки] не коверзували. Та все було, що не оне* (Котл.).

ОНЕЄ: і сеє і теє й онеє *див.* сеє; **не ~** *див.* оне.

ОНИ: во дні они *див.* дні.

ОНИЙ: в час оний *див.* час.

ОНО: во врем'я оно *див.* дні.

ОПАЛА: як полуда з очей опала *див.* полуда.

ОПАЛИТИ: опалити поглядом *див.* обпікати.

ОПАЛЮВАТИ: опалювати поглядом *див.* обпікати.

ОПАНОВУВАТИ: опановувати / опанувати себе (собою).** Долаючи наплив почуттів, емоційне піднесення, заспокоюватися. [Евфрозіна:] *Та що ти кажеш?! (На хвилину німіє з дива та обурення, потім опановує собою)* (Л. Укр.); *Катерина повагом сіла, сердита на саму себе, що відразу не опанувала себе* (Жур.). С и н о н і м и: **брати себе в руки** (в 2 знач.); **володіти собою.**

ОПАНУВАТИ: опанувати себе *див.* опановувати.

ОПАРЕНИЙ: як опарений *див.* ошпарений.

ОПЕКТИ: опекти поглядом *див.* обпікати.

ОПЕРИ: з іншої (другої) опери. Те, що безпосередньо не стосується справи, теми розмови і т. ін. *Дуже мене цікавлять — се вже з другої опери — Ваші українські оповідання* (Коцюб.).

ОПЕЧЕНИЙ: як (мов, ніби *і т. ін.*) опечений (обпечений).** 1. Дуже збуджений, сердитий і т. ін. *Сагайдачний, як опечений, забігав по кімнаті* (Тулуб).

2. з сл. с х о п и т и с я, с к о ч и т и *і т. ін.* Швидко, різко, поривисто. *Він перший і побачив [коваля] у вікно. Схопився, як опечений, ..боязко подався лавою поза столом і біля скрині сів на лаві* (Головко); *Раїса, мов опечена, скочила з постелі й застукала в вікно* (Коцюб.); *Він схопивсь, ніби опечений, протер очі, позіхнув і пішов вмиватись* (Н.-Лев.); *Графиня шарпнулась, наче опечена. Вона ще не розуміла, в чому річ, але відчула, що трапилось щось дуже неприємне* (Донч.); *Його жінка, як обпечена, схопилася з місця і, пробігаючи повз нього, штовхнула* (Мирний).

С и н о н і м: **як ошпарений.**

ОПИНИТИСЯ: опинитися в дурних; ~ над прірвою; ~ на слизькому *див.* опинятися.

ОПИНЯТИСЯ: опинятися / опинитися в дурних.** Виявлятися в становищі одуреного, ошуканого або допускати помилки, промахи. *Швидко біг: боявсь спізнитись, Щоб в дурних не опинитись* (Олесь).

опинятися / опинитися над прірвою. Бути на краю загибелі, у безвихідному становищі. *Це, очевидно, ..сильна людина, але її викинуто з життя, вона раптом опинилася над прірвою в незрозумілих обставинах* (Ю. Янов.).

опинятися / опинитися на слизькому. Потрапляти в скрутне становище. *Рідкодуб бачив, що Васько бореться з якимсь настирливим бажанням, і тому мовчки сидів, зрідка зиркаючи на*

замислене обличчя парубка, що опинився на слизькому (Кир.).

ОПІКАТИ: опікати поглядом *див.* обпікати.

ОПЛЕСТИ: оплести, як павук *див.* обсновувати.

ОПЛИВАТИ: опливати в достатках.** Жити в великих розкошах, мати всього вдосталь. *За життя Аркадія, коли опливали в достатках, не чути було ніколи про злодіїв, то хто тепер мав би лакомитись на їх мізероту?* (Вільде).

ОПЛІТАТИ: оплітати, як павук *див.* обсновувати.

ОПЛЬОВАНИЙ: як опльований *див.* обпльований.

ОПОВИТИЙ: як (мов, ніби *і т. ін.*) [темною] хмарою оповитий.** Дуже сумний, похмурий хто-небудь. *Чоловік був смутний, як хмарою оповитий.* С и н о н і м и: **як у воду опущений; як водою облитий; як у воді намочений; хмара хмарою.**

ОПОЛОНКУ: хоч в ополонку.** Немає ніякого виходу, дуже погано, скрутно. *Кого було Василь Семенович «подарує» ласкою — той немов вироcте... А на кого Василь Семенович гнів положить,— прямо хоч в ополонку...* (Мирний).

ОПОЛОНЦІ: як в'юн в ополонці *див.* в'юн.

ОПОРУ: іти шляхом найменшого опору *див.* іти.

ОПРИСКОМ: з оприском, з сл. г о в о р и т и, в і д п о в і д а т и *і т. ін.*, рідко. Запально, із злістю. *З оприском, шпарко забалакав* (Номис).

ОПУСКАТИ: опускати вуха; ~ голову; крила *див.* опустити; ~ носа *див.* вішати; ~ очі; ~ руки *див.* опустити.

ОПУСКАТИСЯ: опускатися на дно *див.* спускатися.

ОПУСКАЮТЬСЯ: руки опускаються *див.* руки.

ОПУСТИЛИСЯ: руки опустилися *див.* руки.

ОПУСТИТИ: опустити носа *див.* вішати.

опустити / опускати вуха. Впасти у відчай, засмутитися.— *Так і сказав..., неначе вистрелив.. Я й вуха опустив,— сказав Добриловський* (Н.-Лев.).

опустити / опускати голову. Зажуритися. *Він [Микола] пішов додому, не промовивши ні одного слова, ходив цілий день, опустивши голову* (Н.-Лев.).

опустити / опускати крила. Втратити впевненість у собі, примиритися з чимсь, зневіритися у своїх силах.— *А ти був крила опустив: не журися, козаче, отаманом будеш* (Збан.). С и н о н і м: **махнути рукою** (в 2 знач.).

опустити (спустити) / опускати (спускати) очі (зір) [в землю *і под.*]. Відчуваючи незручність, сором, збентеження і т. ін., перевести погляд униз, нахилити голову. *Умовила хвора, і черниця тихо Сиділа, очі в землю опустивши...* (Л. Укр.); *Підберезов хотів щось сказати, але тільки ворухнув язиком і розгублено опустив очі* (Літ. Укр.); —

А ти ж її любив чи просто так ходиш, як оце ходять? Сьогодні до одної ходять, а завтра до другої.— Я до одної ходжу,— сказав я й опустив зір (Гуц.); *Титар.. легенько сварився пальцем на дівчат. Дівчата соромливо спускали очі додолу* (Н.-Лев.). **опустити очиці в землю.** *Тільки добіга [Галочка] до якої кучі, де вже зна, що на неї пильніш усіх дивляться, тут вона очиці опустить в землю* (Кв.-Осн.).

опустити (спустити) / опускати (спускати) руки. Впасти в розпач, в апатію, стати бездіяльним, байдужим до всього. *Молода вдова лишилась сама з двома дрібними дітьми. Та не опустила рук вона* (Фр.); *Глянути правді у вічі, сказати самим собі хай навіть і гостре слово правди не означає опустити руки* (Коз.); *[Степанида:] Що, свашечко, і ви не заспокоїте вашої доні?.. Ми вже і руки опустили* (Кроп.); — *Ви сидите собі, спустивши руки, та й граєте ідилію з селянами* (Фр.); *Не з тих був [Павло], що, зазнавши поразки, опускали руки. Не вдалося на цей раз, значить, не зумів* (Головко). С и н о н і м: **повісити голову.**

ОПУСТИТИСЯ: опуститися на дно *див.* спускатися.

ОПУЩЕНИЙ: як (мов, ніби і т. ін.) у воду опущений. Дуже похмурий, сумний хто-небудь. *[Перун:] Пане начальнику, чого ж ви стали, як у воду опущений* (Фр.); — *Чого ти, доню, така невесела, мов у воду опущена?* (Кв.-Осн.); *Василь, мов у воду опущений, ходить коло матері* (Мирний). С и н о н і м и: **як у воді намочений; як водою облитий; як чорна хмара; хмара хмарою** (в 2 знач.).

ОРАЛА: перековувати мечі на орала *див.* перековувати.

ОРАТИ: мілко (неглибоко) орати. Поверхово ставитися до виконання, розуміння і т. ін. чого-небудь. *Тому горе, хто мілко оре* (Укр.. присл..).

орати носом. 1. *без додатка.* Журитися, сумувати.— *А чого, козачко, ореш носом? Мо, вдома що сталося?* — *допитувався дід* (Кач.). С и н о н і м: **вішати носа.**

2. *куди, що.* Падати обличчям куди-небудь, в що-небудь. *Він перекидався, орав носом сніг, летів сторч* (Сенч.). П о р.: **заорати носом.**

орати цілину *див.* піднімати.

ОРБІТ: очі мало не вискакують з орбіт *див.* очі.

ОРБІТУ: виводити на орбіту *див.* виводити; **виходити на ~** *див.* виходити.

ОРГІЯ: кривава оргія. Битва, побоїще і т. ін. *[Неофіт-раб:] Так чи не ліпше залишити мрії про вічне і піти на часове, замість агап [обідів для вбогих] на оргію криваву?* (Л. Укр.); *Простою випадковістю можна пояснити те, що Герцен лишився в живих після кривавої оргії, яку вчинила.. французька буржуазія* (Наука..). П о р.: **кривава баня; кривавий бенкет** (у 2 знач.).

ОРЧИКУ: як порося на орчику *див.* порося.

ОСА: як (мов, ніби і т. ін.) оса. 1. з сл. л і з т и, в ч е п и т и с я і т. ін. В'їдливо, невідступно переслідувати, дошкуляти, набридати кому-небудь.— *Що ж бо ви, мамо, мене нині вчепилися, як оса?* — *відрекла вона, зібравшись якось на відвагу, але не підводячи голови* (Фр.); *Лізе у вічі, мов оса* (Укр.. присл..).

2. з сл. р о ї т и с ь, м у ч и т и і т. ін. Не даючи спокою, постійно з'являтися, виникати (про думки, переживання тощо). *Когут якусь хвилину стояв оторопіло. В голові, мов оси, зароїлись тривожні думки* (Цюпа).

ОСАННУ: співати осанну *див.* співати.

ОСВЯТИТЬСЯ: вода не освятиться; і вода освятиться *див.* вода.

ОСЕЛЕДЦІВ: як (мов, ніби і т. ін.) оселедців [у бочці], з сл. н а п х а т и, н а б и т и і т. ін. Дуже багато, надмірно, тісно (про велику кількість людей у якому-небудь приміщенні).— *Погано у нас, Тамаро. Як оселедців напхали. Тут [у камері] для шістьох місця мало, а нас тут шістнадцять* (Хижняк).

ОСИКА: як (мов, ніби і т. ін.) осика на вітрі, з сл. т р е м т і т и, д р и ж а т и і т. ін. Дуже сильно. *Гнат затремтів увесь, як осика на вітрі* (Коцюб.).

ОСИКОВИЙ: вбити осиковий кілок *див.* вбити.

ОСИКОВОГО: до осикового кілка *див.* кілка.

ОСИНЕ: осине гніздо *див.* гніздо.

ОСИПАЄ: осипає жаром; ~ морозом *див.* обсипає.

ОСИПАЛО: осипало жаром; ~ морозом *див.* обсипає.

ОСИПАТИ: осипати поглядом *див.* обсипати; **як приском ~** *див.* обсипати.

ОСИПАТИ: осипати поглядом *див.* обсипати; **як приском ~** *див.* обсипати.

ОСІБ: через третіх осіб, з сл. б р а т и, д а в а т и і т. ін. За чиїм-небудь посередництвом. *Хабарі беруть тонко, обачно, через третіх осіб,— про таких він читав у газетах і чув не раз* (Гончар).

ОСІДЛАТИ: осідлати Пегаса, книжн., жарт. Навчитися писати поетичні твори, стати поетом. *Думається мені: коли такий наш [поетів] фатум неминучий, то даремне й тікати від нього, а хто не хоче коритись, нехай осідлає того.. Пегаса* (Л. Укр.).

ОСІЧКУ: дати осічку *див.* дати.

ОСКІЛКАМИ: дивитися оскілками *див.* дивитися.

ОСКОМА: [аж] оскома на зубах *у кого, від чого.* Кому-небудь неприємно, бридко від чогось, у когось виникає відраза до чого-небудь.— *Ох, які ми сьогодні благородні,— зітхнув Христолобенко,— аж нудно, аж оскома на зубах од благородних слів* (Гуц.).

оскома бере / взяла *кого.* Хто-небудь заздрісно

або хтиво поглядає на кого-небудь. *Як вздрів [сотник] Пазьку, що прийшла на весілля дивитися, так... аж оскома його узяла...* (Кв.-Осн.).

оско́ма спада́є / спаде́ *у кого.* У кого-небудь бажання чинити комусь неприємність, зло. *Про що вони там? Ясно, що про нього.. Попав їм Заруба на гострі зуби. Тепер не скоро оскома спаде* (Кучер).

ОСКО́МИНУ: збива́ти оско́мину *див.* збивати; **зганя́ти ~** *див.* зганяти.

ОСКО́МУ: збива́ти оско́му *див.* збивати; **зганя́ти ~** *див.* зганяти; **набива́ти ~** *див.* набивати.

ОСЛА́БЛА: га́йка осла́бла *див.* гайка.

ОСЛИ́ЦЯ: Вала́амова осли́ця. Покірлива, мовчазна людина, що несподівано висловлює протест.— *Добре вам говорити про Валаамову ослицю, але коли кожен осел почне вчити свого хазяїна і керувати людськими вчинками за своїм ослячим розумінням, ми самі перетворимось на ослячий табун* (Тулуб).

ОСНО́ВИ: заклада́ти осно́ви *див.* закладати.

ОСНО́ВІ: лежа́ти в осно́ві *див.* лежати.

ОСНО́ВУ: лягти́ в осно́ву *див.* лягти; **кла́сти в ~** *див.* класти.

ОСО́БІ: в осо́бі *кого, чий.* В кому-небудь (про конкретну людину, установу і т. ін.). *В його* [М. Павлика] *особі ми втратили талановитого робітника, живу, чуткую силу, сівача зерен плодючих* (Фр.); — *У вашій особі я вітаю представника великого турецького народу, що виборов собі волю й незалежність. Милості просимо* (Ю. Янов.).

в тре́тій осо́бі, *з сл.* говори́ти, висло́влюватися, розповіда́ти. Як сторонній, непричетний до кого-, чого-небудь.— *Ти, сержант, зловживаєш своїми личками,— нарікали товариші.— Завжди сам лізеш чортові на роги! — Це я даю Козакову по блату,— висловлювався сержант про себе в третій особі* (Гончар).

ОСТА́ВИТИ: [і] кістки живо́ї (ці́лої) не оста́вити (не зоста́вити), *з сл.* обмо́вити, осуди́ти і т. ін. 1. До найменших подробиць. *З ніг до голови обсудили: сказано, й кістки живої не оставили* (Номис).

2. *з сл.* поби́ти, поні́вечити і т. ін. Дуже сильно, надмірно.— *Мабуть, тебе, сину, там так понівечили, що кістки цілої не оставили?..— сказала вона* [Мотря]*, з жалем дивлячись на його блідий вид* (Мирний).

не оста́вити ла́скою *кого, заст.* Виявити прихильність, підтримку кому-небудь. *Випив Кирило Тур горілки й каже: — Уже ж, пане вельмишановний, не остав твоєю ласкою і мого побратима* (П. Куліш); *Кланяюсь, прошу: — Не оставте ласкою вашою, добродію, і моїх синів!* (Вовчок).

ОСТА́ЛИСЯ: тільки мо́щі оста́лися *див.* мощі.

ОСТА́НКУ: без оста́нку *(заст.* **без оста́тку).** 1. *з сл.* зли́тися, з'єдна́тися і т. ін. Цілком, повністю. [Прісці́лла:] *Не вимагає віра сеї*

жертви, але душа моя забороняє мені сей шлюб, поки твоя душа не може злитися з моєю без останку* (Л. Укр.); *Сулії, тикви, баклажки, Все висушили без остатку, Посуду потовкли в шматки* (Котл.). С и н о н і м и: до кінця́; до дна (в 2 знач.).

2. *з сл.* зника́ти, пропада́ти і т. ін. Нічого не лишаючи після себе; безслідно. *Не пропадає ніщо без останку: всі речі, розпавшись, Тільки вертаються знов до запасів матерії вічних* (Зеров).

до оста́нку *(заст.* **до оста́тку).** 1. *з сл.* зни́щити, згорі́ти, спали́ти і т. ін. Повністю, цілком; дощенту. *Повстанці попалили палаци й оселі польських магнатів і знищили до останку все їх добро* (Н.-Лев.); *Небо, збіліле від спеки, вже сивіє, мов попеліє, день до останку згорів і лишилась нічка бліда* (Л. Укр.); *Чи в справді се татари Людей позаймали, Все спаливши до останку, У полон погнали* (П. Куліш); // Остаточно, зовсім. *Якось збоку лукаво подивилась* [Явдоха] *на мене, перевернула сіль, кинулась її збирати й, до останку засоромившись, притьмом вибігла з кімнати* (Коцюб.). С и н о н і м и: до кінця́; до кра́ю (в 1 знач.).

2. *з сл.* би́тися, захища́ти і т. ін. До останньої можливості, скільки стане зусиль, витримки і т. ін. *В ланцюгах неволі Гинучи заранку, Жваво проти долі Бийся до останку!* (Граб.); *А на фронті Весь пал, усе кипіння серця, все завзяття Вона людським стражданням оддавала, Ім'я сестра виправдуючи чесно І до останку* (Рильський); [Ластівка:] *А ти ж чому ще й досі не відходиш?* [Орлик:] *А я й не буду. Бо прийшов наказ, щоб наш підрозділ.. аж до останку захищав село* (Лев.).

3. *перев. з сл.* бу́ти, зна́ти, іти́ і т. ін. До кінця життя, до смерті. *Не було добра змалку, не буде й до останку* (Укр.. присл..); — *Бідний мій тату! — думав він.— Не знав ти долі від самого малку й до самого останку...* (Мирний); *Вставати разом в трудові світанки І поруч йти до прохідних воріт, І так усе життя, аж до останку...* (Забашта).

на оста́нку *(заст.* **на оста́тку).** На завершення, на закінчення, під кінець; нарешті. *Достав* [дістав] *дід з полиці горщик, налляв у нього води з коновки, накришив бурячків та зеленої закришки на смак та й кинув туди гриби на останку* (Козл.); — *Товариші! Що ж це буде далі? — гримів він на останку,— нас кривдять, нас б'ють поодинці, у нас дівчат одбивають, а ми будемо мовчати?* (Вас.); — *Бевзні! Нікчемники!.. пеньки голова́ті!! — закричить на остатку Мирін та й затихне...* (Мирний). **на оста́нок.** *На останок зазначу цікавий факт: стаття «З кінця року» осягла собі високої честі бути гектографованою руками ворогів радикальної партії* (Л. Укр.); *Прокіп Журба* залишав бій у ворожих окопах на останок, після того, як було виконане основне завдання (Кучер).

ОСТАННЄ: оста́ннє пристано́вище *див.* пристановище; ~ **сло́во** *див.* слово; **як ~ спік** *див.* спік.

ОСТАННІ: добува́ти оста́нні си́ли *див.* добувати; **тягти́ ~ жи́ли** *див.* тягти.

ОСТАННІЙ: відда́ти оста́нній по́дих *див.* віддати; **на ~ доро́зі** *див.* дорозі; **на ~ межі́** *див.* межі; ~ **акорд** *див.* акорд; ~ **крик мо́ди** *див.* крик; **у час ~** *див.* час.

ОСТАННІМ: діли́тися оста́ннім *див.* ділитися.

ОСТАННІХ: до оста́нніх днів *див.* днів; **з ~ сил** *див.* сил; **на ~ днях** *див.* днях.

ОСТАННЮ: вируша́ти в оста́нню путь *див.* вирушати; **віддава́ти ~ ша́ну** *див.* віддавати; **де́рти ~ шку́ру** *див.* дерти; **зніма́ти ~ соро́чку** *див.* знімати; **на ~ пря́сти** *див.* прясти; ~ **соро́чку ски́нути і відда́ти** *див.* скинути; **проводжа́ти в ~ путь** *див.* проводжати.

ОСТАННЯ: не оста́ння спи́ця в ко́лесі *див.* спиця; ~ **годи́на** *див.* година; ~ **ка́рта** *див.* карта; ~ **межа́** *див.* межа; ~ **мить** *див.* мить; ~ **сторі́нка** *див.* сторінка; ~ **хвили́на** *див.* хвилина.

ОСТАННЬОГО: до оста́ннього. 1. з сл. би́тися, одбива́тися, боро́тися і т. ін. Скільки стане зусиль, до загибелі. *Розповідав про Піски — про тамошній сход сьогодні та про їхню постанову — до останнього одбиватися од козаків* (Головко); *— А ви не належите до тих, хто буде боротися до останнього. Душа у вас м'якувата, мов свіжа пампушка,— і вчитель починає сміятись, але його сміх печалить батюшку* (Стельмах); *Бійці потиснули один одному руки. Це була мовчазна взаємоприсяга, взаємонадія на те, що вони битимуться до останнього* (Гончар).

2. з сл. забра́ти, обібра́ти, обибра́ти і т. ін. Повністю, цілком, нічого не лишаючи. *Війна завжди одних збагачує і робить щасливими, а других оббирає до останнього* (Кочура).

до оста́ннього по́диху *див.* подиху; **до ~ ше́ляга** *див.* шеляга; **ки́дати ~ ко́зиря** *див.* кидати; **тягти́ся з ~** *див.* тягтися.

ОСТАННЬОЇ: до оста́нньої копі́йки *див.* копійки; **до ~ кра́пки** *див.* крапки; **до ~ кра́плі** *див.* краплі; **до ~ кра́плі кро́ві** *див.* краплі; **до ~ кри́хти** *див.* крихти; **до ~ ни́тки** *див.* нитки; **до ~ ця́точки** *див.* цяточки.

ОСТАТИСЯ: оста́тися з гарбузо́м, *заст., рідко.* Дістати відмову під час сватання. *Не один слав їй старостів, Та з гарбузом оставсь* (Граб.). П о р.: **дістава́ти гарбуза́.**

оста́тися (лиши́тися) без ду́ха, *ірон.* Загинути. *А також пану Геленору смертельного дали затору, І сей без духа тут оставсь* (Котл.).

ОСТАТКУ: без оста́тку; **до ~** ; **на ~** *див.* останку.

ОСТОРО́ЗІ: держа́тися на осторо́зі *див.* держатися.

ОСТОРОНЬ: лиша́тися о́сторонь *див.* лишатися; **стоя́ти ~** *див.* стояти.

ОСТРИТИ: остри́ти зу́би; ~ **язи́к** *див.* гострити.

ОСТЮКАМИ: се́рце остюками оброста́є *див.* серце.

ОСУШИТИ: осуши́ти сльо́зи *див.* обтерти.

ОСЯГНЕ: скільки осягне́ о́ко *див.* око.

ОСЯГНУТИ: осягну́ти о́ком *див.* охопити, скільки ~ о́ком *див.* осягти.

ОСЯГТИ: осягти́ о́ком *див.* охопити.

скільки [мо́жна] осягти́ (осягну́ти) о́ком. На всьому видимому просторі; скрізь, до самого обрію. *Понад потоком зеленіли густі очерети, скільки можна було осягти оком* (Н.-Лев.). П о р.: **скільки сяга́є о́ко; куди́ о́ко сяга́є; скільки о́ком ки́неш.**

ОСЯЧЕ: о́сяче гніздо́ *див.* гніздо.

ОСЬ: ось що о́ще. що; ~ **як** *див.* як.

ОТ: от воно́ що! *див.* воно; ~ **тобі́ на!** *див.* на; ~ **шту́ка** *див.* штука; ~ **ще** *див.* ото.

ОТАК: ота́к і тре́ба *див.* треба; ~ **і так** *див.* так.

ОТАКА: отака́ лови́сь! *див.* ловись.

ОТАКЕ: отаке́ й таке́ (отаке́). Уживається як узагальнена форма передачі викладеного раніше для уникнення повторення, економії часу.— *Свириде-голубе!.. лети за дідом... Скажи йому: нещастя отаке й таке!* (Мирний). П о р.: **так і так.**

ОТАМАНА: за ота́мана ходи́ти *див.* ходити.

ОТЕЦЬКИЙ: оте́цький син *див.* син.

ОТИМ: оти́м бо (то) й ба. В тім-то й справа, саме те й дивує. *Та де та ярина взялась? У мене ще на жито орють. Отим то й ба, що живете Відколи, дядьку, а не чули* (Шевч.).

ОТИРАТИ: отира́ти кутки́ *див.* обтирати.

ОТО: ото́ (оце́, от, се) ще. Уживається для вираження осуду яких-небудь дій, вчинків, докору кому-небудь. [К л і є н т:] А що? Він присягнув? [Р и м л я н и н у д а л м а т и ц і:] Ні, відступився і руки заложив. Ото ще дурість! (Л. Укр.); *Чи захоче Тоня із ним дружити?.. Адже їй одне задоволення — крутити голови хлопцям, про неї навіть самі дівчата кажуть: — Оце ще наш вихор!* (Гончар); *— Ну, сину, як маєш охоту, то я тебе в школу віддам.— Ні, не хочу...— О, се ще... ціпов'яз!* (Коцюб.).

ото́ так прити́чина *див.* притичина.

ОТОЖ: ото́ж-бо й воно́; ото́ж-то й воно́ *див.* воно.

ОТРЯХНУТИ: отряхну́ти да́вній прах *див.* струсити.

ОТУДИ: отуди́ к лихі́й годи́ні (до бі́са!, к бі́су!). Уживається при висловленні здивування, невдоволення, досади і т. ін.— *Галя...— знову перехрестилася [Христя]: — повісилась...— Отуди к лихій годині!* — виторопивши очі, сказав Грицько та й замовк (Мирний); *Ну, навчу вас, як належить, пильнувати ліса [ліс].. Ви не маєте вже ліса [лісу]? Отуди до біса!* (Л. Укр.); *— Паровоз негодящий.— Отуди к бісу!* — прогудів у тиші *густий бас* (Головко). П о р.: **тудй до лйха!** С и н о н і м и: **от тобі на!; от тобі ма́єш.**

ОФІРНИЙ: козе́л офі́рний *див.* козел.

ОХИ: справля́ти о́хи *див.* справляти.

ОХОЛОДЖУВАТИ: охоло́джувати / охолоди́-ти ду́шу (се́рце, го́лову) *чим.* Збавляти силу вияву чиїх-небудь почуттів, поривань, вгамувати запал. *Він дивився назад, на греблю, дивився з страхом і надією, бо почував і якусь свою провину, ніби й неснуючи, але яка могла зараз пригасити оцей його порив, ..охолодити серце* (Мушк.).

ОХОЛОДИТИ: охолоди́ти ду́шу *див.* охолоджувати.

ОХОЛОЛО: се́рце охоло́ло *див.* серце.

ОХОПИВ: цига́нський піт охопи́в *див.* піт.

ОХОПИТИ: охопи́ти (обхопи́ти, осягну́ти, осягти́) о́ком (зо́ром, по́глядом, очи́ма) *що.* Оглянути, побачити перед собою що-небудь на всю широчінь. *Берег щодалі більше можна охопити оком. Чим далі вони в море, тим ширше відкривається їм надбережжя своїми безлюдними кучугурами* (Гончар); *Була смужка вузька — Не було де ступити, А тепер — важко оком Поля охопити!* (Гойда); *Гори і гори навколо, не охопити їх зором* (Шер.); *Іноді.. закльовувались у голові невеличкі ростки якихось таємних гадок, чогось такого, що не давалося ні думкою обхопити, ні очима осягну́-ти* (Мирний); *Ліси й ліси.. Скільки їх! Ні погля-дом осягнути, ні перейти* (М. Ол.). **обхопи́ти би́стрим о́ком.** *Бистрим оком обхопив Замфір страшну картину* (Коцюб.).

ОХОПИТЬ: скільки охо́пить о́ко *див.* око.

ОХОПЛЮЄ: цига́нський піт охо́плює *див.* піт.

ОХОТА: охо́та бере́ *кого і без додатка.* У кого-небудь з'являється, виникає якесь бажання, комусь хочеться щось здійснити. *Якось не завжди навіть маю час і охоту читати, та й до листів щось не дуже охота бере* (Л. Укр.). **припа́ла охо́та** *кому.* *Соломії чогось припала охота співати пісню про місяця-місяченька* (Н.-Лев.).

ОХОТУ: відбива́ти охо́ту *див.* відбивати.

ОЦЕ: оце́ да *див.* да; ~ сказа́в! *див.* сказав; ~ так прити́чина *див.* притичина; ~ шту́ка *див.* штука; ~ ще *див.* ото; ~ я розумі́ю *див.* я.

ОЦІ: ма́ти на о́ці *див.* мати; сіль тобі́ в ~ *див.* сіль; стирча́ти спи́чкою в ~ *див.* стирчати; стоя́ти більмо́м в ~ *див.* стояти; трима́ти на ~ *див.* тримати; як більмо́ на ~ *див* більмо; як по́рох в ~ *див.* порох; як сіль в ~ *див.* сіль; як порошина в ~ *див.*. порошина.

ОЦІНИТИ: оціни́ти (оцінува́ти) го́лову *чию.* Оголосити винагороду за затримання кого-небудь.— *Вчора у городі збирався сеймик, оцінували вже там твою голову, мій друже* (Вас.).

ОЦІНУВАТИ: оцінува́ти го́лову *див.* оцінити.

ОЧ: ні (ані́) на оч, *з дієсл., заст.* Абсолютно, зовсім; нізащо. *Не появлятися ані на оч.*

ОЧАМ: не ві́рити свої́м оча́м *див.* вірити.

ОЧАХ: аж вогні́ в оча́х *див.* вогні; аж в ~ мі́ниться *див.* мініться; бі́сики гра́ють в ~ *див.* бісики; вироста́ти в ~ *див.* виростати.

в оча́х. 1. *чиїх.* З чийого-небудь погляду, за чиїм-небудь переконанням. [М о х а м м е д:] *От ти сказала: «стару, негарну...» і в моїх очах вона ні гарною, ні молодою ніколи не здавалась* (Л. Укр.); *Акції молодого батюшки в очах отця Миколая одразу пішли вгору* (Стельмах).

2. На вигляд. *Всі кажуть, що хтось в очах поправився за сей тиждень, та хтось навіть сам се почуває,— став сильніший* (Л. Укр.); *— І все мені починає подобатися тут* [у Сердюків]: *і дівчина, і теща, і скриня, навіть волики в очах здалися більшими* (Стельмах).

в оча́х жовтіє *див.* жовтіє; **в ~ замигті́ли метелики** *див.* метелики; **в ~ мерехти́ть** *див.* мерехтить; **в ~ рябіє** *див.* рябіє; **двої́ться в ~** *див.* двоїтися; **і́скорки в ~ замиготі́ли** *див.* іскорки; **круги́ літа́ють в ~** *див.* круги; **лу́да розпада́ється на ~** *див.* луда.

на оча́х. 1. Дуже швидко, помітно. *Ряба корова на очах худла і все менше та менше давала подою* (Коцюб.); *Рішучість, відвага та все інше тікали й зникали просто на очах. Ще хвилина, і Юра — це він чудово відчував — злякається остаточно* (Смолич); *Скільки ран і руїн ти, сестрице* [Білорусія]*, зазнала, А воскресла — і гордо над нивами встала. І відновлюєш села, будуєш міста, І столиця твоя на очах вироста* (Рильський); *Швидко одужував Данько в затишному домашньому лазареті. Мати натішитись не могла: на очах оживає син!* (Гончар); // *Відразу. Потім в обличчя йому вдарила кров, вуха загорілись, очі заблищали гарячково — як стій та бач, на очах захворів чоловік!* (Збан.); *Не дочекавшись від нас жодного слова у відповідь,* [юнак] *раптом на очах змінився — посмутнів* (Коз.); *Всі, хто стояв тут перед ним, бачили, як раптом поник головою їхній вождь, погорбився, постарів на очах...* (Гончар). П о р.: **в очу́.**

2. *у кого, чиїх.* У присутності кого-небудь, при комусь. *Поцілував* [Оксен Олену] *у щоку. Вона злякалася, тому що це робилося на очах усіх парубків і дівчат, затулила широким розшитим рукавом обличчя і вискочила в сіни* (Тют.); *Досі втома не нагадувала про себе, а ось зараз так раптово навалилася незримою багатопудовою брилою, що він відчув: ось-ось засне посеред дороги на очах у молочарниць* (Головч. і Мус.); *Кульжан вже лежала осторонь, а Жайсек робив їй штучне дихання, так, як на його очах колись робили його яїцькі козаки утопленому* (Тулуб).

3. *чиїх, кого.* За життя кого-небудь, за час діяльності. *Але з часом, на очах Франка, відбувається важкий соціальний процес. Процес росту капіталізму* (Речм.); *На очах поета відбулися* *великі події. Наполеон, що вступив був до Москви, через кілька тижнів втік звідти* (Хор.).

4. з сл. б у т и. Відкритий, доступний для огляду, спостереження, контролю і т. ін.; видний. *Він жив подвійним життям. Одне було у всіх на очах: на плацу, в смердючій і гамірливій казармі, на солдатській «словесності». Але було у нього ще інше, таємне й глибоке життя, про яке могли здогадуватися лише друзі* (Тулуб); *При такому освітленні кожен був на очах, і це мимоволі змушувало триматися гідно й поважно* (Кучер); *Шукаю очима якнайвигіднішого місця, звідки б усіх можна було спостерігати, а самому не бути на очах інших* (Кол.). С и н о н і м: **на виду́** (в 1 знач.).

па́дати в оча́х див. падати; **підно́сити в ~** див. підносити; **помути́лося в ~** див. помутилося.

по оча́х, *перев. чиїх,* з сл. з н а т и, в и д н о і т. ін. З погляду людини, з виразу її обличчя.— *Ну, сьогодні зовсім запанували в церкві й на дзвіниці жінки,— гомоніли стиха чоловіки; і було знать по їх очах, що вони піднімали на сміх це жіноче свято* (Н.-Лев.); *Хіба не видно по очах, що й мій друг до гроба Петро Канатка теж кидає на Марину свої погляди-блискавки* (Автом.).

розвидня́тися в оча́х див. розвидняятися; **світ в ~ му́титься**; **світ в ~ тьма́риться** див. світ; **сві́чки́ в ~ засві́чуються** див. свічки; **стирча́ти спи́чкою в ~** див. стирчати; **стоя́ти в ~** див. стояти; **тума́н в ~** див. туман; **тьма́риться в ~** див. тьмариться.

ОЧЕЙ: ви́точити сльо́зи з оче́й див. виточити; **від лю́дськи́х ~** див. ока; **в сто ~ диви́тися** див. дивитися; **в че́тверо ~** див. ока; **геть з ~** див. геть; **губи́ти з ~** див. губити; **для відво́ду ~** див. відводу; **зги́нути з ~** див. згинути.

з дру́гих оче́й. Не з власного спостереження, із свідчення когось іншого. [О л е н к а:] *Що я вам, інструктор який чи що? Поїдьте в Ковалівку і все самі побачите, а не з других очей...* (Кучер).

з (з-пе́ред) оче́й. 1. з сл. і т и, п і т и, п р о г а н я́ т и, п р о г н а́ т и і т. ін. Геть. *Ховрах допитує куму. А та йому: «Наставили мене суддею до курей, ..Ні з кого по цей день не брала я й пі́р'їнки. А що ж за те кумі твої? З очей прогнали!! Боже мій!»* (Гл.).

2. з сл. з н и к а́ т и. Перестаючи бути видним, видимим. *Лукія Назарівна сідає з бульдозеристом поруч під тент, і бульдозер одразу ж із скреготом зникає з очей в куряві, в бушовинні розритої траси* (Гончар).

зійти́ з оче́й див. зійти; **зніма́ти полу́ду з ~** див. знімати; **з ~** див. ока.

з пе́рших оче́й. За власними враженнями, спостереженнями. *Картини трудових буднів села він малює, так би мовити, з перших очей. В цьому його сила, запорука невичерпаності тих вражень,*

які ще не раз прислужаться авторові в плідних літературних шуканнях (Літ Укр.).

з п'яних оче́й. Будучи в .нетверезому стані. *Як підпили вже, то той заспівав з п'яних очей, той бідкався* (Мирний); *З п'яних очей повінчався* [Охрім], *а коли огляддівся — поруч сиділа підстаркувата Хмелівна — хазяйська донька* (Речм.); — *Денисе, ти чув останню новину? — Яку? — Що наш головний отаман утікає до Угорщини? — Та що ти? З п'яних очей? — оторопів Бараболя* (Стельмах).

з со́нних оче́й. Недоспавши; щойно прокинувшись.— *Сам бог нас тішить,— промовили декотрі надуті й легкодухі пани: вони і справді з сонних очей пойняли віри, що сало небо печлується* [піклується] *про панські шляхетські втіхи та забавки* (Н.-Лев.).

іди́ з оче́й див. іди; **іскри з ~ си́плються** див. іскри; **мета́ти з ~ іскри** див. метати; **не відрива́ти ~** див. відривати; **не відрива́ючи ~** див. відриваючи; **не змика́ти ~** див. змикати; **не наверта́ти ~** див. навертати; **не спуска́ти ~** див. спускати; **не схо́дити з-пе́ред ~** див. сходити; **ні з плече́й, ні з ~** див. плечей; **~ не відведе́ш** див. відведеш; **~ не пока́зувати** див. показувати; **~ у сірка́ позича́ти** див. позичати; **поволо́ка спа́ла з ~** див. поволока; **си́пати і́скрами з ~** див. сипати; **скида́ти полу́ду з ~** див. скидати; **спуска́ти з ~** див. спускати; **спуска́тися з ~** див. спускатися; **як полу́да з ~ спада́є** див. полуда.

ОЧИМА: бі́гати очи́ма див. бігати; **бли́мнути ~** див. блимнути; **бли́скати ~** див. блискати; **блука́ти ~** див. блукати; **вбира́ти ~** див. вбирати; **верті́тися пе́ред ~** див. вертітися; **влі́пну́ти ~** див. вліпнути; **води́ти ~** див. водити; **впива́тися ~** див. впиватися; **гра́ти ~** див. грати; **диви́тися вели́кими ~**; **диви́тися і́ншими ~**; **диви́тися на світ я́сни́ми ~**; **диви́тися твере́зими ~**; **доки́нути ~** див. докинути; **же́рти ~** див. жерти; **закри́тися плечи́ма й ~** див. закритися; **за плечи́ма та за ~** див. плечима; **засвіти́ти ~** див. засвітити.

з зав'я́заними очи́ма. Який погано орієнтується в життєвих ситуаціях; неосвічений, необізнаний. *Треба було жорстоко відплатити за ті смерті, відплатити тому класу, що виховав мене з зав'язаними очима й зробив мене спільником ганебного діла* (Сліс.); [М а р к о:] *Працював на заводі тощо. Визвався на село. Ну, й подумав: куди краще, як не в свої краї, де мене ще, може, знають, та й я буду не з зав'язаними очима* (М. Куліш); *В Андрія було таке відчуття, немов це говорить з ним не Артем Григорович, а рідний батько, який зичить йому добра і хоче послати його в люди не з зав'язаними очима* (Гур.).

змі́ряти очи́ма див. зміряти; **зни́зувати ~** див. знизувати; **зустріча́тися з ~** див. зустрічатися; **і́сти ~** див. їсти; **ки́дати ~** див. кидати;

кліпати ~ *див.* кліпати; **ко́взати** ~ *див.* ковзати; **коло́ти** ~ *див.* колоти; **креса́ти** ~ *див.* кресати; **круги́ літа́ють пе́ред** ~ *див.* круги; **ласка́ти** ~ *див.* ласкати; **лови́ти** ~ *див.* ловити; **лу́пати** ~ *див.* лупати; **лу́пнути** ~ *див.* лупнути; **мая́чити пе́ред** ~ *див.* маячити; **мета́ти** — **іскри** *див.* метати; **ме́тнути** ~ *див.* метнути; **мі́ряти** ~ *див.* міряти; **наці́люватися** ~ *див.* націлюватися; **низа́ти** ~ *див.* низати; **ни́шпорити** ~ *див.* нишпорити.

ні пе́ред очи́ма, ні за плечи́ма, з сл. н е м а́, н е б у л о́ *і т. ін.* Ніде, ні в якому місці.— *Своя земля, наче дитина, здається найкращою,— підіймає на лоба важкі, мов ліплені, брови [рибалка],— як не було поля ні перед очима, ні за плечима, не було з чого й радості взятися* (Стельмах).

оббі́гти очи́ма *див.* оббігти; **обво́дити** ~ *див.* обводити; **обдава́ти** ~ *див.* обдавати; **обма́цувати** ~ *див.* обмацувати; **обмі́рювати** ~ *див.* обмірювати; **обпіка́ти** ~ *див.* обпікати; **окида́ти** ~ *див.* окидати; **охопи́ти** ~ *див.* охопити; ~ **не згля́диш** *див.* зглядиш; **па́сти** ~; **па́сти** ~ **пташо́к** *див.* пасти; **пекти́** ~ *див.* пекти; **перебіга́ти** ~ *див.* перебігати.

пе́ред очи́ма. 1. Зовсім близько, поряд. *Перед очима виднівся ліс.*

2. Наяву, в дійсності. *Яків з перепою зліг. Чи такого Горпина коли на себе ждала? А тепер воно перед очима, ссе серце, гнітить душу* (Мирний).

3. *у кого і без додатка.* Уявляється, згадується щось кому-небудь. *Ті події весь час перед очима.*

пе́стити очи́ма *див.* пестити; **пи́ти** ~ *див.* пити; **побі́гти** ~ *див.* побігти; **поверну́ти** ~ *див.* повернути; **поводи́ти** ~ *див.* поводити; **поглина́ти** ~ *див.* поглинати.

по́за очи́ма, *перев. з сл.* г о в о р и́ т и, п а т я́ к а т и *і т. ін.* У відсутність, не в присутності когось.— *Я до челяді піду. Софія мене не зобидить.— Ще чого бракувало! Побачить хто з гостей, то й патякатиме поза очима* (Стельмах). П о р.: **за о́чі.** А н т о н і́ м: **у ві́чі.**

прикипа́ти очи́ма *див.* прикипати; **приміри́тися** ~ *див.* приміритися; **припа́сти** ~ *див.* припасти; **прово́дити** ~ *див.* проводити; **проймати** ~ *див.* проймати; **пройти́ пе́ред** ~ *див.* пройти; **прома́цувати** ~ *див.* промацувати; **прони́зувати** ~ *див.* пронизувати; **просві́чувати** ~ *див.* просвічувати; **простроми́ти** ~ *див.* простромити; **пря́сти** ~ *див.* прясти; **пуска́ти бісики** ~ *див.* пускати; **ри́ти** — **зе́млю** *див.* рити; **свердли́ти** ~ *див.* свердлити; **свінути** ~ *див.* свінути; **світи́ти** ~ *див.* світити; **світ пе́ред** ~ **тьма́риться** *див.* світ.

свої́ми (вла́сними) очи́ма, з сл. б а́ ч и т и, п о б а́ ч и т и. Безпосередньо, особисто, в дійсності; сам.— *Я сама, своїми очима бачила, як твій кум прехороший, отой Цимбаленко витрішкуватий, ту ніч тюрив [ніс] щось на плечах* (Л. Янов.).

вла́сним о́ком. *О, якби ж ми побачить могли власним оком хоч раз того бога, що до нього ви*

кличете нас! Як стріла стала б рівна дорога* (Л. Укр.). П о р.: **на вла́сні о́чі.**

скида́ти очи́ма *див.* скидати; **ски́нутися** ~ *див.* скинутися; **ско́взати** ~ *див.* сковзати.

соба́чими очи́ма, з сл. д и в и́ т и с я, п о г л я д а́ т и *і т. ін.* Віддано, покірно *і т. ін. Ситник дивився на князя ясними собачими очима* (Загреб.).

сплива́ти пе́ред очи́ма *див.* спливати; **спопеля́ти** ~ *див.* спопеляти; **стоя́ти пе́ред** ~ *див.* стояти; **стриба́ти** ~ *див.* стрибати; **стріля́ти** ~ *див.* стріляти; **ухопи́ти** ~ *див.* ухопити; **ходи́ти з те́мними** ~ *див.* ходити; **чо́рно пе́ред** ~ *див.* чорно.

як (мов, ніби і т. ін.) з зав'я́заними очи́ма, з сл. х о д и́ т и, б л у к а́ т и *і т. ін.* Не розбираючись, не орієнтуючись у чомусь, не маючи потрібних знань, потрібного досвіду.— *Припам'ятайте собі: скільки ви [люди] ночей не доспали, скільки праці згубили через те, що ходите, здається, і вдень, а мов з зав'язаними очима — во тьмі?!* (Коцюб.); *То бувало ніби з зав'язаними очима блукали, танцювали на одному місці, за своїм горем і світу ясного не бачили. А нинька їм дорога повсюди відкрита* (Цюпа).

ОЧИ́СТКИ: для очи́стки со́вісті. Щоб не розкаюватися, не докоряти собі за що-небудь.— *Зроби так, як радять, бо потім шкодуватимеш.— Ну, хіба тільки для очистки совісті.*

ОЧІ: [аж] о́чі з ло́ба (з голово́й) вила́зять (*рідше* **лі́зуть**) *кому, у кого і без додатка, фам.* 1. Хтось надмірно натужується, через силу робить що-небудь; дуже важко комусь. *Тут діло надійне, дитинко. Цей як візьме [заміж], то на весь вік, до іншої не перекинеться. В машині їздитимеш на базар і з базару, клунків не тягатимеш, що аж очі з лоба вилазять!..* (Гончар); *Тягар на його хребті був страшенний. Очі вилазили йому [Іванові] з голови, кров у пульсах товклася так сильно, що, бачилось, ось-ось потріскають жили* (Фр.); [Б а б и ч:] *Гарував чоловік, весь вік робив, аж очі з голови лізли, мучився, терпів* (Фр.). П о р.: **о́чі на лоб лі́зуть** (у 2 знач.).

2. Комусь стає погано, неприємно *і т. ін.* від чого-небудь (*перев.* від страви). *Борщ був голий, а такий квасний, що аж очі вилазили, лише товсті, мов пальці, буряки плавали по ньому* (Кобр.).

[аж] о́чі обараніли *у кого, чиї.* Хто-небудь має вигляд утомленої або нетямущої, неуважної *і т. ін.* людини.— *То оце так ти учиш історію? — обурився на його Макар.— Бач як начитався, аж очі обараніли!..* (Вас.).

[аж] о́чі ро́гом *кому і без додатка.* У кого-небудь дуже незадоволений, насуплений, сердитий вигляд. *Хіба цей «Мручко» не сидів того року у сватовій хаті? Бігме, сидів. І людей не лякався. Про колгоспи такого плів, аж йому очі рогом, аж йому слина приском* (Ю. Янов.); — *Про життя-буття розпитує [генерал]: де воював, за що*

Георгії получив.. А трохи перегодя наливає знов. І очі рогом: пий! (Мушк.).

[аж] о́чі ро́гом лі́зуть / полі́зли, *перев. у кого, кому, чий.* 1. Хтось виявляє незвичайне здивування від чогось, дуже вражений чим-небудь. *У дядька Барака очі лізуть рогом.— Молодих коней на м'ясо? Та вони що, почманіли?* (Збан.); *Баба Марина, що сиділа через ряд попереду, теж обернулась, і очі їй полізли рогом від здивування: «Куди ти, молодице? Що ти надумала?»* (Гончар); // Комусь дуже подобається хто-, що-небудь. *Як глянув на неї [дівчину] дід, аж очі йому рогом лізуть — така гарна* (Стор.); *Тут, братця, такого треба на тую виставку приставити, щоб у всіх очі рогом полізли* (Вишня).

2. Хтось надмірно натужується, через силу робить що-небудь; дуже важко комусь. *Дерево ломиться, все, що йде-їде дорогою, стає осторонь: то значить Харук з Якіб'юком женуть! Але як!.. Очі рогом у коней лізуть* (Хотк.); *— Ось він, доскочив свого, а ви що ж, колгоспничайте, трудоднюйте [працюйте], хай вам хоч очі рогом лізуть!* (Рудь); *Грабарювали, аж очі рогом лізли, возили землю, за три роки й завод виріс* (Хижняк); *— Кермо кріпше! «Кріпше»!? Коли воно [море] вириває, вибиває, висмикує?! Держу, аж очі рогом лізуть!* (Вишня).

3. Комусь стає погано, неприємно, моторошно і т. ін. від чого-небудь. *А сидячи над гранею і капаючи туди з незручності воском, вона так наїдалася того незносного чаду, що очі рогом лізли. Але зате, як привчилася трохи, дивувала усіх своїми писанками* (Хотк.); *Тобі, дивлячись на гуцульський сніданок, очі рогом лізуть та оскома зуби дре [дере] — таке воно кисле. А гуцулові саме тоді в смак* (Хотк.); *— А сльози так і заливають! Аж очі рогом лізуть!.. Ох, лишенько!..* (Кв.-Осн.); *В мене аж очі рогом полізли від несподіванки, аж дух перехопило, коли я вдихнув незрівнянний запах лісових полуниць* (Збан.). **о́чі почина́ють лі́зти ро́гом.**— *Тільки-но розмова з нею наблизиться до висновків,— і своїм, і стороннім очі починають лізти рогом* (Шовк.).

4. Дуже напружено, до нестями і т. ін. *Замкнув браму, а сам — до руки. Дивлюся в неї, дивлюся, аж очі ми [мені] рогом полізли* (Ю. Янов.).

С и н о н і м: **о́чі на лоб лі́зуть.**

[аж] о́чі розбіга́ються / розбі́глися *у кого, кому, чий і без додатка.* 1. Хто-небудь не може зупинитися, зосередитися на чомусь одному від різноманітності вражень. *Вийдеш на вулицю — повно всюди, народ як плав пливе... та всі в дорогих празникових святкових уборах.. Очі розбігаються, дивлячись!* (Мирний); *У юнаків розбігаються очі... Ще не прочитано й третини об'яв [оголошень] московських інститутів та технікумів, а вони вже губляться від розбіжності бажань...* (Панч); *— Ходім зі мною до бібліотеки.*

Глянеш на ті полиці — очі розбігаються (Жур.); *Марія окинула зал. Очі розбігались, і тільки згодом вона помітила серед багатьох обранців народу якихось жінок, зодягнених у національну одіж* (Цюпа); *Тут [на ярмарку] раз у раз надбігають жваві та веселі дівчата, вже гроші у них у руці наготовлені платить крамарю, та очі розбіглись — що його в бога купити* (Вовчок).

2. *по чому, поміж чого і т. ін.* Хто-небудь швидко, блискавично, без певної послідовності оглядає щось. *Слуги нічого не казали, тільки їх очі жалібно розбігалися по наставлених на столі наїдках і напитках* (Фр.); *Очі в неї [Соломії] розбігались поміж довгими рядами яток і рундуків із купами різної одежі, з цілими стосами козлових черевиків, легких і запашних на весь базар* (Коцюб.); *З-поза спини свого молодого верховода козаки кинули погляд на людей, що заклякли кожен на своєму місці,— і враз їх очі розбіглися по стінах кімнати, шукаючи здобичі* (Перв.); *Відвідувач з солідним виглядом пройшов у кабінет лікаря, але відразу очі в нього розбіглися по всіх стінах і кутках кабінету* (Ів.).

3. Хто-небудь приємно вражений чимось. *Мар'я стояла, дивилася [на Христю] — і очі її розбігалися.— От бач! От що значить — до лиця* (Мирний); *Невеличкі.. будиночки.. тяглися з обох боків вулички. І люди з цікавістю поглядали на ці гарненькі, доладно збудовані приміщення. Особливо розбігалися очі Канушевича* (Коцюба); *Він натикався на багато дивовижних чудових речей, яких ніколи не бачив раніше і від яких у нього тепер розбігалися очі* (Гончар); *Дивиться мій Яків на село аж йому очі розбігаються; дивлюсь і я. Славне село, якби ви бачили* (Вовчок); *Коли гості зайшли в їдальню, в них розбігалися очі. Столи угиналися від срібла, порцеляни і квітів* (Вільде); *Коли Антон побачив коней, вгодованих, як лини, в нього розбіглися очі* (Чорн.).

[а] неха́й (хай) о́чі лу́снуть *кому, лайл.* Уживається як прокляття для висловлення крайнього незадоволення ким-небудь, недоброго побажання комусь. *«А бодай тебе земля не прийняла, а щоб тебе вода вивергнула, а нехай тобі очі луснуть»,— прокльони, до яких удавалася жінка, приводячи Карпа до тями* (Ю. Янов.) П о р.: **неха́й повила́зять о́чі; щоб о́чі повила́зили.**

би́ти в о́чі *див.* бити; **вбира́ти в ~; вбира́ти** *— див.* вбирати; **вда́рити в ~** *див.* вдарити; **верну́ти ~** *— див.* вернути.

в живі́ о́чі, *з дієсл.* Явно, відкрито, вочевидь. *[Пані Трацька:] В живі очі окрадають... а він [пан] нічого собі!* (Фр.); // Безсоромно. *Знав я таких, що в живі очі тобі бреше, як шовком шиє— хоч би моргнув, вражий син!* (Вовчок).

ви́вело о́чі на лоб *див.* вивело; **виверта́ти ~** *див.* вивертати; **ви́дерти ~** *— див.* видерти; **ви́дивити ~** *— див.* видивити; **ви́дивитися ~** *— див.* видивитися; **ви́їда́ти** ~ *див.* виїдати; **ви́плакати** ~ *див.* виплакати; **ви́тріщити** ~ *див.* витріщити; **відво́дити** ~ *див.* відводити; **відкрива́ти** ~ *див.* відкривати.

відкрива́ються / відкри́лися о́чі *кому, на що.* Кому-небудь стає зрозумілим щось, хтось позбувається помилкового враження про щось, хибного сприймання чогось. *Тепер щойно відкривались йому очі, починав бачити і розуміти багато такого, що подибував у своїм житті* (Фр.); [К у р і́ н н и й:] *Я радився з Рипнюком...* [М и р о н:] *Ви б з людьми більше радились, .. вам би очі відкрились... Бо Рипнюк і Мірошник — заколишуть...* (Зар.); *По-справжньому відкрились Ганні очі на них [бандитів] під час наскоку на комуну. Наче прозріла раптово, наче вперше побачила їх такими* (Гончар). **на́че о́чі відкри́лися.** *Під час своїх подорожей по Україні в 1843 і 1845 роках Шевченко на власні очі побачив таке страшне пригноблення трудящих, що він ніби прозрів, наче очі йому відкрилися на суворву дійсність* (Кол.); — *Слухай, — мовив я, бо мені раптом наче відкрились очі на те, що я досі бачив. — Що з тобою?* (Гуц.).

відкри́лися о́чі *див.* відкриваються; **відкри́то гля́нути в** ~ *див.* глянути; **в** ~ *див.* вічі; **в** ~ **не ви́да́ти** *див.* видати; **впада́ти в** ~ *див.* впадати; **впина́ти** ~ *див.* впинати; **вража́ти** ~ *див.* вражати; **встроми́ти в** ~ **в зе́млю** *див.* встромити; **встромля́ти** ~ *див.* встромляти; **втопи́ти** ~ *див.* втопити; **втупи́ти** ~ *див.* втупити; **в чоти́ри** ~ *див.* ока; **гостри́ти** ~ *див.* гострити; **да́ти на** ~ *див.* дати; **де́рти** ~ *див.* дерти; **диви́тися в** ~; **диви́тися пра́вді в** ~; **диви́тися пря́мо в** ~ *див.* дивитися; **зав'яза́ти** ~ *див.* зав'язати; **загляда́ти в** ~ *див.* заглядати.

за краси́ві (прекра́сні) о́чі. Задарма, лише заради симпатії, особистої приязні. *Є такі добрі люди, що чини за красиві очі роздають, — підморгнув до Чепіги Головатий. — Таки справді? — не вірилось кошовому* (Добр.).

закрива́ти о́чі *див.* закривати; **залива́ти** ~ *див.* заливати; **зама́зувати** ~ *див.* замазувати; **зами́лювати** ~ *див.* замилювати; **заму́лювати** ~ *див.* замулювати; **за** ~ **хапа́ти** *див.* хапати; **заплю́щувати** ~ *див.* заплющувати.

за (по́за) о́чі, *перев. з сл.* г о в о р и́ т и, с м і я́ т и с я, о б з и в а́ т и *і т. ін.* У відсутність того, про кого йдеться. [О л е к с і й:] *Коли чоловік сам по собі не знайде поваження [поваги] до себе, то хоч не приказуй! У вічі будуть шанувати, а за очі проклинати* (Кв.-Осн.); — *От ти вже й розсердився! Чого, брате, іноді не кажеться? Аби за очі, а не в вічі! Кажеться, брат, одно, а робиться друге...* (Мирний); — *За Тимоху нічого не скажу, оскільки його тут на зборах нема. Не уподоблюсь декотрим, що саме й раді такій нагоді.*

Та й плетуть поза очі всяку дурницю (Головко). П о р.: **по́за очи́ма.** А н т о н і м: **у вічі** (в 2 знач.).

засліплювати о́чі *див.* засліплювати; **за́стувати** ~ *див.* застувати; **затума́нювати** ~ *див.* затуманювати; **згуби́ти** ~ *див.* згубити; **зімкну́ти** ~ *див.* зімкнути; **зрива́ти** ~ *див.* зривати.

[і] куди́ о́чі диви́лися *чиї, ірон.* Уживається для вираження незадоволення, досади з приводу допущеної помилки; як сталося. — *На фермі що робите? — Покуту несу. Важку покуту, чоловіче добрий. ..І куди мої очі дивилися на той час, не бачили, куди рука лізе, а нога ступає?* (Тют.).

і на о́чі не пуска́ти *див.* пускати; **коло́ти** ~ *див.* колоти.

куди́ о́чі [ба́чать (ди́вляться, спа́ли і т. ін.] з сл. і т и, п р я м у в а́ т и, б і́ г т и, т і к а́ т и і т. ін. Не вибираючи шляху, в будь-якому напрямі; будь-куди, навмання. *Я був за селом, куди очі, як у тумані. Опинився я в лісі, в глухому кутку* (Пчілка); *Надворі мороз лютів; Хлопчик плентав куди очі, Весь посинів та тремтів* (Граб.); *Він, швидко поробивши човни, На синє море попускав, Троянців насаджавши повні, І куди очі почухрав* (Котл.); *Коло альтанки лежала мітла. Вхопила вона ту мітлу і вітром за ним [Марком]! Той, задки назад, назад, далі не витримав, повернувся і з диким гиком ударився тікать, куди бачили очі* (Вас.); — *Я проведу тебе додому, — сказав Микола. — Не хочу додому. Ходімо, куди очі бачать, — відповіла Софійка* (Моск.); *Я знову побіг. Вперед по вулиці. Куди очі бачать* (Літ. Укр.); [К и л и н а:] *Я крадькома вийшла з кімнати і пішла куди очі дивились...* (Кроп.); *А товариш і каже: — Що ж оце ми взад та вперед бігаємо? Давай уже кудись в один бік бігти. Як давай, то й давай. Побігли ми, куди очі дивляться. І що ж би ви думали? Прямо як господь нас направив — курінь перед нами* (Хотк.); *Одного дня вони з дружиною забили вікна своєї хати навхрест оболонами, взяли по костуру в руки й рушили, куди очі дивляться. На заробітки* (Панч); *Як побачила вона, що вже на волю пускають, — бігти кинулася, куди очі спали, — насилу її зловили* (Вовчок); *В важкі хвилини скорбі та недуг Я тихо йшов, куди гляділи очі, І слухав, як шумить діброва-луг, А синє море піною клекоче* (Крим.); *Я, не довго думавши, зараз навтіки, куди очі зирнули, а ноги понесли* (Вовчок). П о р.: **куди́ о́чі поведу́ть.** С и н о н і м и: **куди́ но́ги несу́ть; світ за́ очі** (в 1 знач.).

куди́ о́чі поведу́ть *кого і без додатка, перев. з сл.* і т и, п і т и́ *і т. ін.* У будь-якому напрямі, будь-куди, тільки б не залишитись на тому самому місці. *Сказав [Іван] своєму нянькові: — Іду я собі геть, куди мене очі поведуть* (Казки Буковини); *Закликав його [батько] і сказав: — Більше тебе не хочу і видіти. Йди, куди очі поведуть... І прогнав сина* (Три золоті сл.); [М и к и т а:] *Ну,*

Марусе, коли й ти вже не ймеш мені віри, то піду я, куди очі поведуть... та або втоплюсь, або заріжусь (Кроп.). П о р.: **куди óчі. С и н о н і м и: світ зá очі** (в 1 знач.); **куди нóги несýть.**

ласкáти óчі *див.* ласкати; **лізти в ~; лізти на ~** *див.* лізти; **ловити ~** *див.* ловити; **лоскотáти ~** *див.* лоскотати; **лудйти ~** *див.* лудити; **лупити ~** *див.* лупити; **манйти ~** *див.* манити; **мáти гóстрі ~** *див.* мати; **мйлити ~** *див.* замилювати; **милувáти ~** *див.* милувати; **мозóлити ~** *див.* мозолити; **мýляти ~** *див.* муляти; **набігáти на ~** *див.* набігати; **навйснути на ~** *див.* нависнути.

на влáсні (свої) óчі, з сл. б á ч и т и, п о б á ч и т и. Безпосередньо, особисто, в дійсності; сам.— *Хіба ти з нами не був?— Я? Борони боже! Я сидів вдома.— От так. Я ж тебе бачив на власні очі* (Коцюб.); *Із морських тварин, що я їх бачив на власні очі, зазначу таких-о: дельфін, султанка, камбала* (Вишня); *Не впевнюсь, поки не побачу дива на свої очі* (П. Куліш); — *Певно, страшний полоз заліз сюди з степів. Я на свої очі бачила, як воно плазувало в бур'яні* (Н.-Лев.). П о р.: **своїми очима.**

навóдити óчі; навóдити полýду на ~ *див.* наводити; **намозóлювати ~** *див.* намозолювати; **на нáші ~** *див.* око.

на óчі кому, *перев.* з сл. г о в о р и т и, в и к л а д á т и, *рідко.* Відверто, прямо, нічого не приховуючи.— *Почне йому викладати на очі усе: як вона йому робить-годить, і як вірно кохає, а що він, безсумлінний, безсоромний, того і в голову не кладе!* (Дн. Чайка). П о р.: **у вічі** (в 1 знач.).

на óчі потрапляти *див.* потрапляти.

на пóвні óчі чого. Дуже багато, вдосталь чого-небудь цікавого, дивовижного і т. ін. *І саме близько Чумакового хутора під старими вербами, на шляху біля.. колодязя, привал бувало роблять [проїжджаючі]. Отут уже хлопцям дива на повні очі* (Головко).

насипати пóроху на óчі *див.* насипати; **націлювати ~** *див.* націлювати; **не знáти, куди дівáти ~** *див.* знати; **не сміти дивйтися в ~** *див.* сміти.

нехáй (хай) лóпнуть мені (мої) óчі, *жарт.* Уживається для запевнення кого-небудь у достовірності чогось; абсолютно так, усе правда.— *Ій-богу! — ударив він в груди.— Нехай лопнуть мені очі, нехай западеться підо мною земля* (Смолич). П о р.: **щоб мені óчі повилáзили.**

нехáй (хай, *діал.* **нех) повилáзять óчі** кому, лайл. Уживається для висловлення недоброго побажання комусь. *Нехай вашим ворогам очі повилазять, а наші рачки лазять* (Укр. присл..); *І Дмитро чує, як старий з серцем шепоче: — Сіль та печина з поганими очима. Хто уроче — нех йому повилазять очі* (Стельмах). П о р.: **щоб óчі повилáзили; хай повилáзить; нехáй óчі лýснуть.**

обертáти óчі *див.* обертати; **обтéрти ~** *див.* обтерти; **опустйти ~** *див.* опустити.

óчі [аж] злипáються у кого і без додатка. Хто-небудь дуже хоче спати, відпочивати. *Марія жде доньку на воротах.— Ну, як там було? — питає вона.— Сапали,— втомлено каже Ксеня, бо очі аж злипаються* (Бабляк).

óчі (*вульг.* **банькú) на лоб (на лóба,** рідко **догорú, навéрх) лізуть (вилáзять) / полізли (вúлізли)** у кого, кому, чий. 1. Хто-небудь виявляє велике здивування, дуже вражений чимось. *Дід руку до вуха наставляє, так, ніби він недочува. А тоді хап рукою за бороду, хап за шапку — в Оксена аж очі на лоб полізли* (Тют.); *Мій попутник слухав, роззявивши рота, зеленкуваті недовірливі очі аж на лоб полізли* (Літ. Укр.); *У Чорного й очі полізли на лоба. Ушам своїм не йняв віри. Що це, випадковість, чи цей молодець у княжому одязі справді довідався уже про його наміри множити дружину?* (Міщ.); *Меметові очі полізли наверх* (Коцюб). **óчі мáло не вúлізли на лоб.** *Від здивування Іванові очі мало не вилізли на лоб. Зрозуміти, чому стала такою люб'язною баба Анастасія, він не міг* (Собко). П о р.: **брóви полізли на лóба.**

2. Хтось дуже напружується фізично, важко працює, стомлюється.— *Пани як пани. Що ми для них? — худоба! Бувало, роби хоч перервись, очі на лоба лізуть. А харч відома: глевтяк та борщ з червивою таранею* (Головко); — *Скажіть мені, начальники мої милі, а доки це люди будуть на поле ходити піхтурою [пішки]? Поки дойдеш, то очі на лоба лазять, а робити ж як і коли?* (Кучер); // Кому-небудь стає дуже погано, боляче і т. ін. від чогось.— *Сів він [солдат] оце вчора на лаві, закурив тої махорки, що від неї аж очі на лоба лізуть, і ні з цього, ні з того каже: «Бідно живете»* (Гжицький). П о р.: **вúвело óчі на лоб; óчі з лóба вилáзять** (у 1 знач.).

3. Хтось відчуває страх, переляк і т. ін. від чогось. *Андрієві очі лізуть на лоб, а за плечима мурахи.— Чуєш? — свистить Хома — тільки гола земля та сонце. Хома божевільний... Що він говорить?* (Коцюб.); *Морозив [директор] публіку такою тонкою політикою, що всім аж очі лізли на лоб* (Коцюб.).

4. *рідко.* Дуже сильно, напружено і т. ін. [М о т р я:] *А що вже ми ждатимем вас, то аж очі лізтимуть нам на лоба!* (Кроп.); [К о л о с:] *Нічого не дадуть, хоч склади повні тріщать. Все чекають, щоб за горло взяти, та міцніше, та так, щоб очі вилізли* (Корн.).

С и н о н і м: **óчі рóгом лізуть.**

óчі (*вульг.* **банькú) повилáзили** у кого, кому, чий. Хтось не бачить, не помічає або не хоче бачити, помічати кого-, чого-небудь. *Мабуть, тільки [тільки] Парасці повилазили баньки, прибігла* *і почала брехати тому пихатому битливому панові* (Н.-Лев.).

о́чі беру́ться / взяли́ся сном *у кого, кому, чий.* Хто-небудь дрімає, засинає. *І досі — тільки сном візьмуться очі — Я чую журні мамині слова. Лечу стежками поміж ниви отчі, Де кров'ю сонця збризкана трава* (Павл.).

о́чі бі́гають / забі́гали *чий, у кого.* 1. Хто-небудь, швидко змінюючи об'єкт спостереження, відразу оглядає багато чогось довкола. *Очі його [панича], як миші, бігали, шукаючи куточка, де б заховатися, або вільного проходу, куди б можна б було драла дати* (Мирний); // Швидко читати. *Обома руками тримає [поручик Нольде] перед очима книгу, і очі його шпарко бігали з рядка на рядок* (Смолич).

2. Хто-небудь виявляє неспокій, схвильованість, роздратування і т. ін. *Тільки випещене лице начальника було, як і завжди, сухе, дерев'яне, а в'їдливі очі неспокійно бігали* (Вас.); *Збентежено забігали очі в старої і зупинились. Проштрикнула вона недовірливим поглядом Марію* (Іваничук). **о́чі забі́гали, як у сірка́.—** *Шо ж я там нашкодив, ану скажіть? — Ага! Бач — забігали очі, як у сірка. Тобі уже, видно, лучче [краще] знати, що ти там наробив* (Вас.).

о́чі бли́снули [гні́вом] *чий.* Хтось глянув дуже сердито, суворо, із злістю і т. ін. — *На білий терор відповімо червоним терором! — голос Щорса задзвенів, як метал, очі блиснули гнівом* (Довж.).

о́чі блука́ють (лі́зуть, ла́зять і т. ін.) *чий, по кому, по чому, рідко поза кого.* Хто-небудь повільно, час від часу оглядає кого-, що-небудь. *Я бачив, як той добродій кілька раз проходив через вагон і кожен раз його неспокійні очі блукали по мені та по моїх речах* (Коцюб.); *Стискаємо руки й схиляємо голови, але я чую, як його [хазяїна] очі лізуть десь поза мене* (Коцюб.).

о́чі вели́кі *в кого.* Хтось занадто цікавий, перев. до чужих справ. *У кожного очі великі: всякому до мене діло, всяк хоче покопирсатися у чужому серці* (Стар.).

о́чі ви́дерти *див.* видерти; ~ **ви́дивився б** *див.* видивився.

о́чі виля́зять *у кого, кому від чого.* Кому-небудь неприємно, незручно, совісно і т. ін. від чогось. *Давно вже в мене очі вилазять од того сорому за шляхетне панство* (Вас.).

о́чі відбира́є *див.* відбирає.

о́чі впа́ли *чий, на кого, на що.* Хто-небудь побачив когось, щось, зупинив погляд на комусь, чомусь. *Саме в той час князь Єремія вернувся. Він зирнув через одчинені двері в кімнату і його очі впали на Тодозю* (Н.-Лев.); *Яків ще раз обвів хату. Очі його упали на бабу Оришку, що сиділа на полу, держачись руками за краї, і збиралася кашляти* (Мирний); *А тут мур розвалений од*

саду. На латку подзьобану очі впали, отут розстрілювали (Головко).

о́чі впива́ються / вп'яли́ся *в кого, в що, чий.* Хтось дуже пильно, невідривно дивиться на кого-, що-небудь. *Всі очі вп'ялися в нього, а він [Прокіп] спокійно все наближався* (Коцюб.); *Очі вп'ялися в знакомі [знайомі] школярські сторінки, і губи самі собою роздираються в широченну осмішку* (Вас.); *Очі його вп'ялися в постать механіка, що кинувся на видиму, невблаганну, жорстоку смерть* (Шиян); *Очі Романа Петровича вп'ялися в обличчя дівчини, перебігли по всій постаті, ніби вивчаючи її* (Коз.).

о́чі горя́ть (пала́ють) *у кого, чий.* 1. Чий-небудь вигляд виражає хворобливий стан, погане самопочуття. *Очі її [Маріори] дико палали, бліде обличчя було скривлене від болю* (Коцюб.). **о́чі горя́ть вогне́м.** *Біле лице її [Горпини] як крейда стало, очі горіли огнем, уста тремтіли, і вся вона трусилася, мов трясця її била* (Мирний).

2. *перев. чим.* Чий-небудь вигляд виражає якісь почуття (збудження, гнів, радість і т. ін.). *Очі горіли [у Галі] коханням, одрадою, вид осіяв, як сонячний ранок весняного дня* (Мирний). П о р.: **о́чі загорі́лися** (у 1 знач.); **о́чі запала́ли.**

о́чі гра́ють / загра́ли *у кого, чий, які.* Хто-небудь перебуває у веселому, радісному настрої, збудженому стані і т. ін. *Недовго вони там пробули, та назад вернувся Тимофій уже другим чоловіком: вирівнявся-випрямився, очі грають* (Мирний); *В Дарки щоки спалахнули й очі заграли* (Л. Укр.). **о́чі як гра́ють.—** *Чого се ти так розшарілася? І очі як грають, щоки аж пашать.— Там ми одну книжку з Дунею читали. Така смішна книжка* (Мирний). **о́чиці так і гра́ють.** *То закриє [татарочка] личко, то відкриє,— А очиці.. Так і грають з-попід брівок темних!* (Л. Укр.). **о́чиці загра́ли.—** *Ти вже встав, проснувся? — спитала вона таким любим голосом, що у хлопчика очиці заграли і личенько усміхнулося* (Мирний).

2. *чим.* Чий-небудь погляд, вигляд виражає добрий настрій, доброзичливе ставлення до когось і т. ін. *Зобижений, він [Євдоким] виходить з гурту і зустрічається з Олександром Палійчуком.— Чого, Євдокиме, зажурився? — посміхаються смаглі уста, а карі очі грають добрим блиском* (Стельмах).

о́чі завидю́щі *у кого, чий.* Хтось дуже жадібний, заздрісний, ненаситний і т. ін.— *Панські очі завидющі, а руки загребущі* (Гр.). С и н о н і м: **ру́ки загребу́щі.**

о́чі загорі́лися *чий, у кого, кому і без додатка.* 1. *від чого, чим і без додатка.* Чий-небудь погляд, вигляд раптово став виражати якесь почуття (радість, схвильованість, збудження і т. ін.).— *Брат ти мій! — скрикнув Грицько.— Що, коли б я там був? — І його очі загорілися* (Мирний); *Очі Ласточкіна загорілися. Страйк! Все своє життя* він вірив у страйк, як в один з кращих способів гуртування сил пролетаріату в боротьбі проти буржуазії (Смолич); *За мить він став невпізнанним. Мов якась пружина кинула вгору Будяка, очі його загорілися, рухи стали гарячкові, мова уривчаста* (Збан.); *Очі їм [хлопцям] загорілися гострим бажанням придбати цю річ* (Мик.); *Марія Йосипівна немов прокинулася від якогось тривожного сну. Очі загорілися завзяттям, тим самим, яке допомогло їй ще в перші дні знешкодити вартового на залізничній станції, запалити фашистські бензоцистерни* (Ле). **очі заіскрилися.** — *Ну от...* — *розгублено кинув Тиміш і теж насупив брови. Але раптом стріпнув чубом, очі його заіскрились.* — *Знаєш що, Дашо, їдьмо разом. Ти така хороша* (Жур.). **очі загорілися-заграли.** *Примірявся, як би дуже вдарити,* — *та, видно, боявся. Се далі* — *очі його загорілися-заграли...* (Мирний). П о р.: **очі горять** (у 2 знач.); **очі запалали.**

2. на що. Кому-небудь дуже хочеться, враз захотілося чогось. *Ставлячи вечерю на стіл, мати помітила краєм ока, як загорілись у нього очі на гарячу страву* (Гончар); *Запалали князівські усобиці. Загорілися очі на Галич і у чернігівських князів, і у київського князя Рюрика* (Хижняк).

очі зайшли (закипіли і т. ін.) слізьми (сльозами) чиї, у кого і без додатка. Хто-небудь ледве стримує плач. — *Чого ви, Марусю, так задумались? Ваші очі зайшли сльозами. От-от заплачете!* — *спитала Христина.* — *Шкода мені покидати своє гніздечко... Чогось мені жаль того, що минуло і що вже зникло і ніколи не вернеться,* — *сказала Маруся* (Н.-Лев.); *У цю хвилину на стару жінку, сиве волосся якої вибилось з-під чорної хустки, а очі закипіли слізьми, страшно було дивитись* (Скл.); // Хтось заплакав. — *Брехня! Ти оце наважилась од мене втекти. Що ви говорите?* — *сказала Маруся, і в неї очі зайшли сльозами* (Н.-Лев.); — *Мамо, ви боїтесь, що зостанетесь самі, як я вийду заміж, еге?* — *сказала Маруся, і її голос затрусився, і очі зайшли сльозами* (Н.-Лев.). П о р.: **очі туманяться слізьми.**

очі запалали чиї, у кого, кому. Чий-небудь погляд, вигляд виражає якісь почуття (гнів, обурення, рішучість і т. ін.). *Еней очі запалали, Уста од гніву задрижали, Ввесь зашарівсь, мов жар в печі* (Котл.); — *За що ти мене в'яжеш?* — *визвірився на голову Чіпка. Соцькі з вірьовкою до Чіпки. Запалали в його [нього] очі* (Мирний); *Перед Ремо за кілька кроків ліворуч мчалось кілька аргалей... Йому запалали очі, він нервово притиснув рушницю, поціляючи в табунець...* (Досв.); *Очі в старого запалали від молодечого завзяття. Бурхливими вигуками співчуття зустріли в натовпі його слова* (Бузько). **очі мов запалали.** *Що ж Денис? Глянув бистро, бачить, що се Трохим, як заскрегоче зубами, а очі мов запалали* (Кв.-Осн.). **очі запалали [гарячим] вогнем.** —

Пусти! — *не своїм голосом заревів він* [Гнат]. — *Ба, не пущу!* — *й собі крикнула Олександра; очі її запалали вогнем, як у голодної вовчиці* (Коцюб.); — *Я українець!* — *При тім слові його гарні очі запалали гарячим вогнем.* — *Заінтернаціоналізований українець, котрому були всі краї родичами* (Коб.). П о р.: **очі горять** (у 2 знач.); **очі загорілися** (в 1 знач.).

очі мало не вискакують (не вискочать) з голови (з лоба, з орбіт і т. ін.**)** у кого, кому і без додатка. Хто-небудь дуже пильно, напружено, збуджено і т. ін. дивиться на когось, щось. — *Солдат!..* — *рявкає, схоплюючись, лейтенант, і очі мало не вискакують йому з орбіт.* — *З тобою говорить твій начальник!* (Кол.); — *У мене очі мало з голови не вискочать, так призираюся, щоб вицілити йому [ведмедеві] просто під ліву лопатку* (Фр.).

очі метають (мечуть) іскри (блискавиці) чиї, чого і без додатка. Хтось дивиться гнівно, люто, сердито і т. ін. *Очі її гнівно метали іскри в бік Палянички, який, очевидно, чимось насолив ланковій* (Чаб.); *Голос його тремтів і зривався на високі ноти. Жести ставали різкими, очі метали іскри* (Кир.); — *Чуєш, Андрію?* — *хотіла* [Фрося] *спитати вдруге, але тут же затялась. Її злякали його очі. В цю мить вони, здається, метали іскри* (Гур.); *Пізніш не раз трапилось мені бачити, як ті очі метали блискавиці гніву, грізьби, одваги* (Л. Укр.); *Хоміні очі теж мечуть іскри* (Коцюб.).

очі на мокрому місці (на солонці) у кого, ірон. Хто-небудь часто плаче. *Марко не полюбляв жінок, у яких очі були на мокрому місці і за всякого випадку пускали сльози* (Чорн.); — *А в мене очі від природи на мокрому місці,* — *відповідає він і сміється.* — *Бувало, мама ще не встигне заміритись на мене рукою, а я як заголошу, то вся вулиця збігається* (Стельмах); *Семен Ларивонович був учасник Вітчизняної війни, визнаний герой і людина-кремінь, очі в нього не були на мокрому місці* (Ю. Янов.); *Хіба ж вам невідомо, що в нашої шановної добродійки очі завше на солонці: аби потягло туманом* — *вже й одвологли, а не дай боже дощу,* — *вже й болото!* (Дн. Чайка); // Хто-небудь плаче або має вигляд заплаканої людини. — *Я не плачу,* — *одмовив батько,* — *то у мене очі на мокрому місці* (Кроп.); — *А ти чого плачеш? Скільки радості навкола на світі, в тебе очі на мокрому місці. Ну і дівчина* (Масляк).

очі не висихають (не просихають, не бувають сухими) [від сліз] чиї, у кого. Хтось постійно, безперервно плаче. *Очі їй [Юзі] днів три не висихали від сліз перед Зониним від'їздом* (Л. Укр.); — *На війні до всього звикнеш. Нашого брата стільки перемолотило, що якби за кожним плакав* — *очі б не просихали* (Тют.); — *Знав Тимофій, на кому одружувався,* — *хитав снопом си-*

вої бороди і відвертався, щоб не бачила Докія, що і в нього [старого] *очі не завжди бувають сухими...* (Стельмах).

óчі повилáзять (вńлізуть) *кому і без додатка,* зневажл. Хто-небудь загине. *Коли по справедливості розберуться — випустять [з тюрми], коли не доберуться до правди — сидітимеш, поки й очі повилазять* (Збан.); — *Добре знаю, що треба жити по правді. Але знаю і друге: роби по правді — очі вилізуть. Того й бредеш поміж двома берегами, рятуючи тіло і топлячи душу* (Стельмах).

óчі (пóгляди) схрéщуються / схрестńлися *чиї.*
1. Двоє невідривно дивляться один на одного (перев. з неприязню, вороже). *Так от ти який! — А ти ж думав! Очі їх схрестилися, мов мечі* (Цюпа); *Погляди Підіпригори і Бараболі схрестились, і вони одразу почули один до одного гостру неприязнь* (Стельмах).
2. *на кому.* Хто-небудь стає об'єктом загальної уваги. *Очі присутніх схрестилися на незнайомому.* **схрéщуються десяткń пóглядів.** *Він відчував, як на ньому схрещуються десятки поглядів* (Стельмах).

óчі появńти *див.* появити.

óчі припáли (прикипńли) *до кого, чого, чиї.* Хтось довго, невідривно дивиться на кого-, що-небудь. *Костя знову сміється, а очі несамохіть так і припали до Христі* (Головко); *На якусь хвилину всі скам'яніли, і тільки очі, сповнені жаху, прикипіли до вікон* (Шиян).

óчі пропікáють (пронńзують) [нáскрізь (до кістóк і т. ін.)] *кого, чиї.* Хто-небудь дивиться на когось дуже пильно, прискіпливо і т. ін. *Подивився на мене — і немає Уляни. «Оце,— думаю,— так. Оце справжній гіпноз». Очі, знаєте, наскрізь тебе пропікають. Стою, як поторонча, ні пари з уст* (Мур.).

óчі просóхли *у кого.* У кого-небудь після злиднів, горя і т. ін. настало краще життя. *А тим часом Просохли очі у вдови. Неначе в бога за дверима, У зятя та в сина Стара собі спочиває* (Шевч.).

óчі розгоряńються / розгорńлися. 1. *у кого, чиї, чим і без додатка.* Чий-небудь погляд, вигляд виражає якесь почуття (задоволення, захоплення, гнів і т. ін.). *Треба бачити, як розгоряються у Костя очі, коли зайде мова про голубів!* (Донч.); *У Марії розгорілись.. очі. Вона бігала кругом Василини і не могла надивитись на ту хустку* (Н.-Лев.).
2. *у кого, чиї, на кого — що.* Когось дуже цікавить хто-, що-небудь, хтось із інтересом розглядає когось, щось.— *Тільки що зупинились на ярмарку, у мене розгорілись очі на коней* (Збірник про Кроп.).

óчі сльозáми схóдять *чиї, кому.* Хто-небудь часто плаче від горя, життєвих труднощів. *Сирітські очі сльозами сходять.* **очńці слізоньками**

ізіхóдять. *Поникав [Хапко] там коротеньку годинку, і буде з нього: зна вже, ..кому під вишнею рай, а кому під другою очńці слізоньками ізіхóдять* (Вовчок).

óчі стрілńють *у кого, в що, куди.* Хтось періодично швидко поглядає на кого-, що-небудь, кудись. *Та не туди стріляли його очі, не туди оберталось серце: не на непочатий моріжок польових квіток, а на підпушену грядочку огородних лілій* (Мирний); — *Що це у вас таке веселе? — питає Андрій Маркович] ніби знехочу, а в самого очі так і стріляють — то в мене, то в Тетяну* (Вас.); *Іде [Юрко] прямо по стежці, ..косить десь ліворуч та ліворуч — туди очі стріляють, туди увага скерована...* (Ряб.).

óчі так і світяться *у кого, чиї.* Хто-небудь веселий, радісний, збуджений. *Вона [Параска] підвелась, усміхнулася і прикро-прикро подивилась на Власова, у котрого очі так і світились* (Мирний).

óчі тóнуть *у чому.* Неможливо добре роздивитися що-небудь через велику відстань, глибину, щільність і т. ін. *Там далеко під горами смужкою блищить Дніпро. А за Дніпром очі тонуть в безкраїй далечі, вкритій лісами* (Н.-Лев.). П о р.: **зір тóне.**

óчі тумáном захóдять *чиї.* Хто-небудь стає зажуреним, смутним. *Семенові очі туманом заходять, Корнієві ще гостріше блищали, тільки немов ще чорніші стали* (Л. Укр.).

óчі тумáняться слізьмń (сльозáми) *чиї.* Хто-небудь готовий заплакати, починає плакати. *Четвертий рік живу у сьому жіночому царстві і серце, колись тверде як камінь, зовсім одмякло [одм'якло] і старі козацькі очі не раз туманились сльозами* (Вас.); *Орися зіскакує з лави, очі її туманяться слізьми. Вона швидко підходить до Тимка, хапає його за руку і, змивши віями сльози, своїми голубими очима, в яких горить нескорена рішучість, як роздратована кішечка, вставляється на батька* (Тют.). П о р.: **óчі зайшлń слізьмń.**

óчі хапáють *кого, що, чиї.* Хто-небудь швидко, блискавично виділяє об'єкт спостереження з-поміж багатьох інших. *Несподівано мої очі хапають казенний пакет на столі* (Вас.); // Хто-небудь раз у раз дивиться, поглядає на кого-, що-небудь. *Дипкур'єр умирає. Його очі хапають стіни* (Ю. Янов.).

пáсти óчі *див.* пасти; **перевóдити ~** *див.* переводити; **пéрти в ~** *див.* перти; **піт ~ заливáє** *див.* піт; **повертáти ~** *див.* повертати; **погáний на ~** *див.* поганий; **покáзуватися на ~** *див.* показуватися; **полýда на ~ впáла** *див.* полуда.

по óчі, *з сл.* р о б о т и, т у р б ó т і т. ін. Дуже багато.— *Роботи було по óчі, що тут згадувати. Головне, з якою любов'ю ти до неї стаєш* (Літ. Укр.).

послáти óчі *див.* послати; **потикáтися на ~** *див.*

потикатися; **пра́вда ~ ко́ле** *див.* правда; **прико́вувати ~** *див.* приковувати; **притяга́ти ~** *див.* притягати; **прогле́діти ~** *див.* проглядіти; **прода́ти ~ псо́ві** *див.* продати; **продивля́ти ~** *див.* продивляти; **продира́ти ~** *див.* продирати; **проми́ти ~** *див.* промити; **протира́ти ~** *див.* протирати; **прочи́стити ~** *див.* прочистити; **пуска́ти в ~ дим;** **пуска́ти ~ під лоб** *див.* пускати; **рва́ти ~** *див.* рвати; **роби́ти велькі ~** *див.* робити.

розви́днилися о́чі *чиї.* Хто-небудь став розуміти щось, зрозумів щось. *От недавно втекла [Василинка] до вас — і очі всі розвиднились. Ви до неї добром-ладком, вона й побігла...* (Гуц.).

роззу́ти о́чі *див.* роззути; **світ за́ ~** *див.* світ; **світи́ти в ~** *див.* світити; **сіль тобі́ в ~** *див.* сіль; **сльо́зи залива́ють ~** *див.* сльози; **сон не йде на ~** *див.* сон; **со́ром їсть ~; со́ром кри́є ~** *див.* сором; **спа́сти на ~** *див.* спасти; **спла́кувати ~** *див.* сплакувати; **спло́щити наві́ку ~** *див.* сплющити; **стра́тити ~** *див.* стратити; **ти́кати в ~** *див.* тикати; **топи́ти ~** *див.* топити; **тума́н застила́є ~** *див.* туман; **хова́ти ~** *див.* ховати; **хоч в ~ стрель** *див.* стрель; **цві́кати в ~** *див.* цвікати; **чарува́ти ~** *див.* чарувати.

щоб (аби́) мені́ о́чі повила́зили, *фам.* Уживається для запевнення в достовірності того, про що хто-небудь говорить, розповідає.— *Щоб мені очі повилазили, коли, каже, не зроблю так, що ти з Оленою завтра у вутрені обвінчаєшся* (Кв.-Осн.); — *Бігме, паноченьку, правду вам кажу. Дай господочку милосердний, ..аби мені очі повилазили, аби мені мову умкло [відібрало], як брешу* (Март.). П о р.: **щоб мені́ повила́зило; неха́й ло́пнуть мені́ о́чі.**

щоб (аби́) мої́ о́чі не ба́чили (*діал.* **не ви́діли**) *кого, чого, лайл.* Уживається для вираження незадоволення кимсь, з приводу чогось.— *А йди ти від мене, аби тє [тебе] й очі мої не виділи й вуха не чули, єк [як] ти мене навіки здоров'я збавив* (Хотк.).

щоб о́чі не запада́ли, *жарт.* Уживається як побажання здоров'я при вживанні напоїв. *Мотрона гостинно припрошувала Остапа їсти, пити, причім пити до дна, щоб очі не западали* (Горд.).

щоб о́чі повила́зили (**ви́лізли**) *кому, чий, лайл.* Уживається як побажання лиха комусь. *Щоб старі вороги рачки лазили, а молодим очі повилазили* (Укр.. присл..). **повила́зили б о́чі.** *Та повилазили б йому очі, хто це побачити може* (Вишня).

П о р.: **неха́й повила́зять о́чі; хай повила́зить; неха́й о́чі лу́снуть.**

як о́чі *див.* око.

ОЧКИ: роби́ти о́чки *див.* робити.

ОЧКУР: вси́пати при́ску за очку́р *див.* всипати.

ОЧКУРІ: підтя́гувати очкурі́ *див.* підтягувати.

ОЧНА: о́чна ста́вка *див.* ставка.

ОЧУ: в очу́, *діал.* Дуже помітно, швидко. *Коли зоддалеки поставало два явори, коли росли і збільшувались в очу, на спраглих устах відчувався смак холодної води...* (Гуц.). П о р.: **на оча́х** (у 1 знач.).

ОШПА́РЕНИЙ: як (мов, ніби і т. ін.) ошпа́рений (обпа́рений, опа́рений) [окро́пом]. 1. Дуже збуджений, знервований, розгніваний. *Довгошия, білява дівчина вибігла, як опарена, їй назустріч* (Мирний); *Стрілець, мов ошпарений, ускочив у світлицю* (Хижняк); *Юлька відійшла, наче ошпарена окропом* (Томч.).

2. *з сл.* с х о п и́ т и с я, з і с к о́ ч и т и і т. ін. Швидко, різко, рвучко. *Омелян, мов ошпарений, зіскочив з стільця, на щоках поширшали сірі, наче осині соти, віспини, і в них, від середини, виразно заворушилися цятки крові* (Стельмах); *Мов обпарена, вона схопилась на ноги і.. кинулась бігти додому* (Збан.).

С и н о н і м: **як опе́чений.**

ОШПА́РИЛО: як (мов, мо́вби і т. ін.) окро́пом ошпа́рило (хто облля́в) *кого від чого.* Хтось раптово відчув сильне збентеження, хвилювання, сором, прикрість і т. ін. від чого-небудь, дуже вражений чимсь.— *То вже моє діло. А Ониську не пущу й за поріг,— похмуро бубонів дядько і відводив очі вбік.— Лікнеп, лікнеп, а потім... І насмішкувато глянув на Настю. Дівчину наче окропом ошпарило від сорому та образи* (Речм.);— *А за що то вчора професор так Леськового Степана збив? — питає вуйко нараз мене. Те питання страшенно перепудило мене, немовби хто обілляв мене окропом* (Фр.); *Потім водив очима по хаті, мовби уперше її бачив.— А шо [що] то в хаті, тут, може, що з віна стоїт [стоїть], Катеринко? Катерину мовби окропом хто обілляв* (Хотк.). С и н о н і м и: **як по́лум'ям обгорну́ло; як кип'ятко́м обдало́.**

ОШПА́РИТИ: ошпа́рити по́глядом *див.* обпікати.

ОШПАРЮВАТИ: ошпа́рювати по́глядом *див.* обпікати.

П

ПАВА: ні па́ва [й] ні га́ва (ні воро́на). Той, хто у своїх поглядах, інтересах і т. ін. відійшов від одних і не пристав до інших.— *Вона ні пава й ні гава, ні до села й ні до міста, ні до ліса й ні до біса, то хай сам спробує покалантирити на цьому світі* (Гуц.).

яка́ па́ва. Уживається для вираження незадоволення з приводу гордовитості, надмірної поважності кого-не́будь.— *Яка пава! — сказав жовнір, наприндившись.— Криштох таких семенів по три на ліву руку кладе...* (Панч).

як (мов, ніби і т. ін.**) па́ва.** 1. У яскравому, барвистому або багатому вбранні.— *Ставлюся на розказ пана старости! — кричить і собі ж червоний від біганини, рослий.. та як пава вбраний парубок* (Фр.); *Багато живе Станіслав Кропивницький. Людмила вичепурена, вся в шовках, як пава* (Чорн.).

2. З надмірно виявленим почуттям власної гідності; гордо, поважно. *Походжає як пава* (Укр.. присл..).

ПАВИЧЕМ: ходи́ти павиче́м *див.* ходити.

ПАВУК: обсно́вувати, як паву́к павути́ною *див.* обсновувати.

ПАВУТИННЯ: плести́ павути́ння *див.* плести.

ПАВУТИНОЮ: обсно́вувати, як паву́к павути́ною *див.* обсновувати.

ПАВУТИНУ: плести́ павути́ну *див.* плести.

ПАВУТИНЦІ: душа́ на одні́й павути́нці де́ржиться *див.* душа; **трима́тися на ~** *див.* триматися.

ПАДА́Є: аж ми́ло пада́є *див.* мило; **дух ~** *див.* дух; **ма́нна з не́ба ~** *див.* манна; **се́рце ~** *див.* серце; **тінь ~** *див.* тінь; **як гора́ з плече́й ~** *див.* гора.

ПА́ДАТИ: па́дати від смі́ху *див.* лягати; **ма́ло не ~ зі смі́ху** *див.* лопнути; **~ в ду́шу** *див.* впадати; **~ від ві́тру** *див.* валитися; **~ від смі́ху** *див.* лягати; **~ в о́ко** *див.* впадати.

па́дати / впа́сти в безо́дню. 1. Безслідно минати, щезати. *В безодню Падали, як олово, віки* (Сос.).

2. Потрапляти в дуже скрутне становище. *Ігор щохвилі глибше розумів, у яку безодню падає. Та вороття не було. Треба врятувати Таміла, будь-що врятувати* (Дмит.).

па́дати / впа́сти в оча́х *кого, чиїх.* Втрачати свій авторитет, чию-небудь повагу до себе або потрапляти у становище, яке заслуговує осуду з боку когось. *Чим нижче падав в очах військ Денікін, тим вище підносився він, Врангель, в своєму ореолі вигнанця* (Гончар).

па́дати / впа́сти з не́ба. Діставатися кому-небудь дуже легко, без труднощів і т. ін. *Нове не падає з неба в готовому вигляді. Воно завойовує свої права поступово* (Дмит.); *Наші перемоги не падали нам [радянським людям] з неба, а здобувалися у важкій боротьбі з ворожим оточенням* (Коз.).

па́дати / впа́сти з п'єдеста́лу. Втрачати авторитет, значення, важливість і т. ін. *Не ідеалізуйте мене, я насправжки скажу, що я сьогодні боюся, я вже раз падала з п'єдесталу,.. удруге сього не хотіла б* (Л. Укр.).

па́дати / впа́сти на колі́на (навко́лішки, ниць) перед ким і без додатка. 1. Принижуючись, просити про щось у кого-небудь.— *Курило не з тих, що падають на коліна. Степан Курило — герой!* (Д. Бедзик). С и н о н і м: **валя́тися в нога́х.**

2. Виявляти до кого-небудь почуття великої вдячності. *Син повинен впасти на коліна перед батьками за таке виховання.*

3. Підкорятися чиїй-небудь волі, чиємусь впливу і т. ін.; скорятися. *Вдихну у груди пломінь блискавиць,— Щоб перед ворогом не падати ниць, Щоб дихати в його лице вогнем!* (Павл.).

4. Виявляти кому-небудь велику шану. *Гірко, принизливо було Ганні відчути себе відстороненою. Чи давно ще падали перед нею ниць, пісень про неї співали* (Гончар).

С и н о н і м и: **па́дати в но́ги; па́дати до стіп.**

па́дати в прах. Знищуватися. *Так минали віки, й ці городи [міста] то падали в прах, то знову виростали, руйнувались і знову поставали* (Скл.).

па́дати ду́хом *див.* занепадати; **~ з ніг; ~ з рук** *див.* валитися.

па́дати (ки́датися і т. ін.**) / (упа́сти, ки́нутися** і т. ін.**) в но́ги (під но́ги, до ніг** і т. ін.**)** кому, кого, до кого і без додатка. 1. Стаючи на коліна, принижуючись, просити пощади, помилування і т. ін. *Закусив [Гервасій] нижню губу, рвонув угору арапник, але .. одразу ж опустив його на гриву коня, загигикав: — Ще будеш мені в ноги падати, будеш чоботи лизати, щоб найняв у економію* (Стельмах); *— А нуте, провчіть її, щоб знала — як бариню обдурю...— Панійко! голубонько! — не дала договорити Уляна і кинулась у ноги* (Мирний); *Кинувся [Євдоким] в ноги до свого батька, той огрів його кілька разів батогом по плечах* (Стельмах); *// Стаючи на коліна, низько вклоняючись, звертатися до кого-небудь з уклінним проханням. Починаючи з середини тижня, ходили по вулицях молодиці з розпущеними косами і падали в ноги, прохаючи на весілля* (Коцюб.). **припада́ти до ніг.** *Я припадала до ніг, голосила. Все сподівалась катів ублагати, Бачу, гвинтівки підводять солдати* (Воронько). С и н о н і м: **валя́тися в нога́х.**

2. Виявляти до кого-небудь почуття великої вдячності.— *Та ти мені в ноги падай за те, що я твого вишкребка весь вік годую* (Тют.). **па́дати до ні́жок.** [С л у ж е б к а:] *Цілую руці, пане, і падаю до ніжок, красна дяка, що пан дозволили мені, служебці підлій, витягнути пана з гнилої ями за шляхетні вушка* (Л. Укр.).

3. Підкорятися чиїй-небудь волі, чиємусь впливу і т. ін.; скорятися. *Київ. Тут з особливою жорстокістю лютує ворог. Та столиця України не падає до ніг хижих завойовників* (Д. Бедзик).

4. Виявляти кому-небудь велику шану.— *Не чули про Роксолану? Таж вона стала турецькою султаншею! Була дружина Сулеймана Пишного. Уся Європа їй до ніг падала* (Загреб.).

С и н о н і м: **па́дати на колі́на.**

па́дати (припада́ти) / впа́сти (припа́сти) до стіп (до стоп) *кого і без додатка.* 1. Стаючи на коліна, принижуючи́сь, просити про щось у кого-небудь.— *Почекай! Ще впадеш до стіп сусіда, благаючи грошей!*

2. Виявляти до кого-небудь почуття великої вдячності. *Син припадає до стіп за батькову ласку.*

3. Підкорятися чиїй-небудь волі, чиємусь впливові і т. ін.; скорятися. *Столиця не бажає падати до стоп хижого ворога.*

4. Виявляти кому-небудь велику шану. *Молодь припадала до стіп свого кумира.*

С и н о н і м и: **па́дати в но́ги; па́дати на колі́на.**

па́дати (спада́ти) / впа́сти на го́лову *кого, чию і без додатка.* Обрушуватися, звалюватися на кого-небудь внаслідок важких обставин (про труднощі, випробування і т. ін.). *Та не скоро ще ця виснажлива праця принесла радість своїм трудівникам. Важкі випробування падали на їх голови одне за одним* (Довж.); — *Іноді величезне горе, що спадає на голову, менше вражає, як дрібничкова неприємність* (Досв.); *Лихо, що несподівано впало їй на голову, зламало, придавило бідну жінку* (Гр.).

як (мов, ніби *і т. ін.*) **у во́ду па́дати,** *з сл.* з н и к а́ т и, щ е з а́ т и *і т. ін.* Безслідно. Появлявся [отаман] цілковито несподівано серед переповненого народом ринку, починав пекельну стрілянину і наводив паніку на всіх; грабував, палив, забирав здобич — і щезав одразу, мов у воду падав (Хотк.).

ПАДАЮТЬ: а́кції па́дають *див.* акції; **усі ши́шки́ ~; усі ши́шки́ ~ на го́лову** *див.* шишки.

ПАДІЛ: земни́й паді́л, *заст., поет.* Земля як місце проживання людини з її турботами стражданнями і под. *Я блукав колись по рідні́м краю Раю. І шукав на сім земні́м падолі Долі* (Л. Укр.); *В горах — не слід забувати падолу земного! Серед каміння, між скель — пам'ятай про людину!* (Рильський).

ПАДЬ: падь па́ла (напа́ла). 1. Випали у великій кількості (перев. опади). *Падь пала (шкодлива [шкідлива] на хліб роса)* (Номис).

2. *на кого.* У кого-небудь певний, перев. поганий, настрій. *У всіх дружечок плетена коса, а на мене така падь пала, що я свою косу розчесала* (Сл. Гр.).

ПАЗУРАХ: трима́ти в па́зурах *див.* тримати.

у па́зурах *кого, чого, з сл.* о п и н я́ т и с я, в и я в л я́ т и с я *і т. ін.* У залежності, у підлеглості. До «Вибраних поезій» не увійшла байка Вороного «Мишача сварка»..., в якій він радив найзав'язятішим українським патріотам менше сваритися між собою, щоб не опинитися в гострих пазурах царизму (Вітч.).

ПАЗУРИ: випуска́ти па́зури *див.* випускати;

лі́зти в ~ *див.* лізти; **показа́ти ~** *див.* показати; **простяга́ти ~** *див.* простягати.

у па́зури *кого, чиї, з сл.* п о т р а п л я́ т и, п о п а д а́ т и, о п и н я́ т и с я *і т. ін.* У залежність, у підлеглість.

хова́ти па́зури *див.* ховати.

ПАЗУРІВ: ви́рвати з па́зурів *див.* вирвати.

ПАЗУХОЮ: аж го́лому по́за па́зухою по́вно *див.* повно; **відігріва́ти змію́ за ~** *див.* відігрівати; **держа́ти ка́мінь за ~** *див.* держати; **з ка́менем за ~** *див.* каменем; **ка́мінь за ~** *див.* камінь; **пригрі́ти гадю́ку за ~** *див.* пригріти; **як у Бо́га за ~** *див.* Бога.

ПАЗУХУ: вси́пати при́ску за па́зуху *див.* всипати.

ПАЙ: на свій пай, *діал.* Також. *От Маруся трошки і зрадувалась, що, може, Олена знає того парубка, що їй так у душу запав, бо й вона на свій пай думала, що вже краще її парубка і на світі нема. От і давай про нього випитувать* (Кв.-Осн.).

ПАЙОК: на то́му (ті́м) сві́ті пайо́к іде́ на *кого.* Кому-небудь пора помирати. *Аж порохня з його [діда] сиплеться, а ще таки плутає ногами. Там, на тім світі давно вже пайок на його йде, а він собі скрипить — не піддається* (Мирний).

ПАК: де ж пак *див.* де; **куди́ ж ~** *див.* куди.

чи ж пак. Уживається для вираження сумніву, непевності, нерішучості або іронії. [П а н с а *(показує на персні, що дав Руфінові):*] За гроші все можливо. [Ф о р т у н а т:] Авжеж! [П а р в у с *(з посміхом):*] Чи ж пак? (Л. Укр.).

чи [то] пак. 1. Уживається для вираження уточнення або виправлення сказаного; тобто. [Р і ч а р д:] Простіть, панове... час мені до школи... Чи пак до церкви... я піду... прощайте! (Л. Укр.); Та от — до старості дійшов, Чи то пак... до її порогу... (Рильський).

2. Уживається для вираження іронічного уточнення або в'їдливої поправки. Порфир вишурхнув з-під руки Боцмана — чи то пак — Бориса Савовича — вихователя, і, мов очманілий, кинувся до вікна (Гончар).

ще б пак. 1. Уживається для підтвердження чого-небудь; звичайно. Він ходив зосереджений, задуманий і, здавалось, приборканий. Ще б пак! Стільки перетерпіти, висіти на волосині від смерті! (Коз.); — Що? Таки не витримав? Ще б пак. Само добро в руки тече, а ти відвертаєшся (Тют.); — Мені однаково,— промовила Жабі,— Ще б пак не однаково,— іронічно, але ласкаво промовив Михайло.— Вам зовсім не потрібно сушити собі голови, бо про все турбуватиметься Люся (Досв.).

2. Не підлягає сумніву, не варто сумніватися (перев. у відповідь на запитання); так, авжеж. Чи правда, що [в Радянському Союзі] селянські діти можуть вчитися в інституті на державний кошт? Ще б пак! У Хоми в самого хрещеиця учиться

в Києві!.. (Гончар); // *із запереч. часткою* н е . Інакше й бути не може.— *Чи ти пак, Тодозю, вмієш килими ткати? — спитала в Тодозі Гризельда.— Атож! Ще б пак не вміла,— сказала Тодозя* (Н.-Лев.).

ПАЛА: падь па́ла *див.* падь.

ПАЛАЄ: пала́є се́рце *див.* серце.

ПАЛАЖКА: ба́ба Пала́жка *див.* баба.

ПАЛАТА: пала́та ро́зуму (ума́). Дуже розумний. *Тут треба десять років світлій голові з палатою ума працювати, щоб толку якогось добитись...* (Рад. Укр.).

ПАЛАХТИТЬ: палахти́ть се́рце *див.* серце.

ПАЛАЮТЬ: о́чі пала́ють *див.* очі.

ПАЛЕЦЬ: па́лець об па́лець не уда́рити *див.* ударити.

як (мов, ніби *і т. ін.***) па́лець (перст).** 1. *з сл.* о д и́ н, о д и н о́ к и й, с а м *і т. ін.* Без сім'ї, без рідних, без близьких *і т. ін. Назбирав він і грошей, і одежі... Навіщо? Хоч би сім'я,— тоді інша річ! А то сам, як палець* (Мирний); *Он там, у тій маленькій хатинці, де Раїса буде спати, там мучилась одинока, як палець, учителька* (Коцюб.); *Незабаром поховав діда і зоставсь один, як палець, поки другі старці взяли за міхоношу* (Морд.); *Жив він [дід Устим] у напіврозваленій халупі, не мав ні жінки, ні дітей, був один, як перст* (Перв.); *— Та нема [жінки] нема,— затинався Павло.. Самісінький, мов перст* (Гуц.); // *Сам, наодинці, самотою. Вона вже хотіла сказати дочці: йди, дочко, за того, кого вірно любиш, і будеш щаслива. Але вона згадала, що зістанеться в хаті одним одна, як палець, і її серце знов стало каменем* (Н.-Лев.); *В густому тумані йду на вокзал вулицями міста один, як палець* (Сиз.); *У Відні Люба була сама, як палець* (Пчілка); // *Зовсім одинока, бездомна людина.— Нема в мене... дому...— Як нема? — Як палець я... У наймах родивсь, у наймах ріс, у наймах ... батько й мати померли* (Тесл.).

2. Уживається для вираження великої міри якоїсь ознаки, якості *і т. ін. Голий, як палець* (Номис).

ПАЛИТИ: пали́ти вогне́м. 1. Безжалісно знищувати кого-, що-небудь. *І пішла [Зоя] вогнем палити, ворога карати, щоб була навіки вільна Батьківщина-мати* (Тич.).* Образно. *Життя Шевченка — це повість.. про велику силу слова, що вміє втішати і лікувати рани,.. що палить вогнем неправду і сіє смертельний жах серед ворогів* (Слово про Кобзаря).

2. Викликати значне підвищення температури тіла (про хворобу). *Пропасниця тіпала ним, гарячка палила вогнем, а в грудях так кололо, що він на превелику силу діставав собі воду* (Коцюб.).

3. Завдавати морального страждання; дуже мучити. *Я думаю про те, що я навік нещасна: поки живе кохання, воно палить вогнем* (Л. Укр.).

пали́ти ду́шу. Дуже хвилювати, непокоїти. *Ох, сльози палкі — вони душу палили, сліди полишили огнисті навіки* (Л. Укр.).

пали́ти фіміа́м *див.* кадити.

як вогне́м пали́ти, *з дієсл.* Дуже швидко. *Дає [мати] Килині [серпа], тая кидається на жито і жне, як вогнем палить, аж солома свище під серпом* (Л. Укр.).

ПАЛИТИСЯ: пали́тися вогне́м. 1. *чого.* Дуже непокоїтися, страждати від чогось. *Пішов блукать по світу молодик І палився огнем розлуки цілий рік* (Крим.).

2. Виражати сильні почуття (про очі, погляд *і т. ін.). Тадик рветься до батька, кричить, очі його паляться вовчим вогнем* (Тют.).

ПАЛИЦЕЮ: не кі́єм, то па́лицею *див.* кием; **~ доки́нути** *див.* докинути; **~ ки́нути** *див.* кинути.

ПАЛИЦІ: без па́лиці і не підступа́й *див.* підступай; **вставля́ти ~ в колеса́** *див.* вставляти.

з-під па́лиці (па́лки, батога́). Не по своїй волі, з примусу. *Запорізькі козаки наганяли такий жах на турецьких моряків, що на галери, котрі вирушали проти козаків, вони йшли буквально з-під палиці* (Наука..); *Червона Армія створила небувало тверду дисципліну не з-під палки, а на основі свідомості, відданості, самопожертви самих робітників і селян* (Ленін); *Його [чеха] знайшли і хотіли знов забрати, певне, щоб він їхнім дамам з-під батога грав на скрипці* (Ле).

ПАЛИЦЮ: облама́ти па́лицю *див.* обламати; **перегина́ти ~** *див.* перегинати; **як ~ проковтну́в** *див.* проковтнув; **як соба́ка ~** *див.* собака.

ПАЛИЦЯ: па́лиця з двома́ кінця́ми. Те, що може мати одночасно і позитивні і негативні сторони. *Краса — це палиця з двома кінцями.*

па́лиця пла́че за ким. Хто-небудь заслуговує покарання, когось треба побити. *За бешкетником палиця давно вже плаче.*

ПАЛИЧКА: як чарівна (чарівни́ча, чароді́йна *і т. ін.***) па́личка.** Без будь-яких затрат праці, дуже легко. *Обробка різними хімічними сумішами в спеціальних автоматах як чарівна паличка приносить речам «другу молодість»* (Рад. Укр.).

ПАЛИЧКИ: нуль без па́лички *див.* нуль.

ПА́ЛКИ: вставля́ти па́лки в колеса́ *див.* вставляти; **з-під ~** *див.* палиці.

ПАЛКІ: вбива́тися в палкі́ *див.* вбиватися.

ПАЛКИЙ: палки́й се́рцем. Який має пристрасну вдачу. *Він був чоловік поважний і ходив усе понурою, а серцем був палкий* (Вовчок).

ПАЛКОЮ: па́лкою ки́нути *див.* кинути.

ПАЛКУ: перегина́ти па́лку *див.* перегинати.

ПАЛО: ні сі́ло ні па́ло *див.* сіло.

ПАЛУ: додава́ти па́лу *див.* додавати.

ПАЛЮ: посади́ти на па́лю *див.* посадити.

ПАЛЬМА: па́льма пе́ршості. Перше місце як наслідок переваги кого-небудь за якимись показниками у чомусь. *Сохацький сів без запрошення. Боявся, що впаде. Найгірші його передчуття справдилися. Харківський завод вирвав у нього пальму першості* (Дмит.).

ПАЛЬМОВА: па́льмова віть *див.* віть.

ПАЛЬМУ: віддава́ти па́льму пе́ршості *див.* віддавати.

ПАЛЬЦЕМ: і па́льцем не торка́тися *див.* торкатися; **і ~ не торкну́ти** *див.* торкнути; **~ не доторка́тися** *див.* доторкатися; **~ не кивну́ти** *див.* кивнути; **~ не проткну́ти** *див.* проткнути; **попада́ти ~ у не́бо** *див.* попадати; **ти́кати в о́чі ~; ти́кати ~** *див.* тикати; **хоч ~ торкну́ти** *див.* торкнути.

ПАЛЬЦІ: диви́тися крізь па́льці *див.* дивитися; **наступа́ти на ~** *див.* наступати; **~ зна́ти** *див.* знати; **~ обли́жеш** *див.* оближеш; **обли́зувати** *див.* облизувати; **текти́ крізь ~** *див.* текти; **тільки ~ обли́же** *див.* оближе.

ПАЛЬЦІВ: комбіна́ція з трьох па́льців *див.* комбінація; **не кладі́ ~ у рот** *див.* клади; **як свої́ п'ять ~** *див.* п'ять.

**ПАЛЬЦЯ: вико
лупати з па́льця** *див.* виколупати; **ви́ссати ~** *див.* виссати; **не клади́ у рот ~** *див.* клади; **ніде ~ встроми́ти** *див.* встромити; **обвести́ круг ~** *див.* обвести.

ПАЛЬЦЯМИ: хоч па́льцями колупа́й *див.* колупай; **ти́кати ~** *див.* тикати.

ПАЛЬЦЯХ: на па́льцях, з сл. і т й, ходи́ти, підхо́дити і т. ін. Дуже тихо, обережно, щоб не створювати шуму. *Вийшов [Микола] з кухні до сіней і пішов на пальцях через першу кімнату* (Март.); *Товариші по роботі приймали мою коротку задуму за хвилини натхнення, ходили тоді на пальцях і притишували голоси* (Ю. Янов.). **на па́льцях перелічи́ти** *див.* перелічити; **розкида́ти на ~** *див.* розкидати; **ходи́ти на ~** *див.* ходити.

ПАЛЬЧИКИ: па́льчики обли́жеш *див.* оближеш; **~ обли́зувати** *див.* облизувати.

ПАМКИ: не вихо́дить з па́мки *див.* виходить.

ПАМОРОКИ: відбира́ти па́мороки *див.* відбирати; **відби́ти ~** *див.* відбити; **втра́тити ~** *див.* втратити; **забива́ти ~** *див.* забивати; **лізти в ~** *див.* лізти; **уда́рило в ~** *див.* ударило.

ПАМОРОЧИТИ: па́морочити / запа́морочити го́лову (ро́зум, свідо́мість і т. ін.). 1. Позбавляти кого-небудь здатності ясно чи чітко мислити або тверезо і реально ставитися до чого-небудь. *Хатня задуха паморочить голову, руки мимохіть простягаються до вікна* (Дн. Чайка); *— Так ось що,— Ковалів підійшов до Батури впритул,— не обіцяйте їм золотих гір. Не паморочіть голови великими надіями,.. не кожну річку можна відновити* (Чаб.); *Вулиця здавалася тісною, а тиша, глибока й тривожна, бентежила серця, паморочила розум* (Воскр.).

2. Викликати стан, схожий на сп'яніння; п'янити. *Їй [весні] додають сили й краси не самі солов'їні співи, але й пахощі, що забивають дух, тамують биття серця і паморочать свідомість* (Смолич).

ПАМОРОЧИТЬСЯ: голова́ па́морочиться *див.* голова.

ПАМ'ЯТАТИ: не пам'ята́ти себе́ *див.* тямити.

ПАМ'ЯТІ: без па́м'яті. 1. Дуже сильно. *Баба Яличка хвалиться: жере [піп] без пам'яті* (Коцюб.); *Місцевий куркуль, у котрого Іван батрачив, тулив йому за дружину свою придуркувату доньку, яка закохалася в наймита без пам'яті* (Ю. Янов.).

2. з сл. бі́гти, мча́ти, мча́тися, леті́ти і т. ін. Дуже швидко, стрімко. *От дурна псина. Очі заплющила, голову вбік.. і без пам'яті мчиться наосліп* (Коцюб.).

3. Не усвідомлюючи нічого. *Настя іде до човна і веде за руку Марусю. Маруся без пам'яті йде за нею і сідає у човен* (Н.-Лев.); *Сонми хмар скотилися, тисячme гармат ударив грім, блискавиця весь світ осліпила, і, крикнувши без пам'яті: «Мамо!! Мамо!!», впала нещасна женщина [жінка] на землю* (Хотк.).

4. з сл. бу́ти, перебува́ти і т. ін. У непритомному стані, з утраченою свідомістю. *Чайченка тоді гарячка палила; без пам'яті сливе був він* (Вовчок). С и н о н і м: **не при па́м'яті.**

5. від кого — чого. У великому захопленні.— *Соню, за що він вас так любить, цей ваш Заболотний? Чим ви його заполонили?.. Чому після стількох літ він ще й досі без пам'яті від вас?* (Гончар).

ви́жити з па́м'яті *див.* вижити; **ви́кинути з ~** *див.* викинути; **викре́слювати з ~** *див.* викреслювати; **ви́летіти з ~** *див.* вилетіти; **випада́ти з ~** *див.* випадати; **винира́ти з ~** *див.* виринати; **відбива́тися в ~** *див.* відбиватися; **відкла́датися в ~** *див.* відкладатися; **дай Бо́же ~** *див.* дай.

за па́м'яті чиє́ї. У період чийого-небудь життя, коли він був свідком чогось. *Колись давно, ще не за нашої пам'яті, приїхав на Волинську Україну десь з-під Варшави один польський пан-дідич в свій куплений на Волині маєток* (Н.-Лев.); *За його пам'яті вже двічі кого їх хати трембітала трембіта* (Коцюб.); *Ще за моєї пам'яті сайгаки, тарпани у степах водились, а зараз де вони?..* (Гончар).

захова́ти в па́м'яті *див.* заховати; **карбува́ти в ~** *див.* карбувати; **карбува́тися в ~** *див.* карбуватися; **не вихо́дить з ~** *див.* виходить.

не при па́м'яті (па́м'ятку), з сл. бу́ти, перебува́ти і т. ін. З втраченою свідомістю; знепритомнілий. *Киньте його, одійдіть усі геть, бо він не при собі, він не пам'ятку* (Мирний). **при пам'яті.— *Ще за дня бідолашненький [опритомнів]***

ще за дня, як ми переносили його. І при пам'яті, і голосу не збувся, тільки не чує анічогісінько (Гончар). С и н о н і м: **без па́м'яті** (в 4 знач.).

по (з) па́м'яті. Так, як збереглося в голові, в думці; без звернення до тексту, до оригіналу чи до іншого джерела. *Прочитавши «Сонячні кларнети» і «Плуг» [збірки П. Г. Тичини], вони потім по пам'яті читали всі вірші, від рядка до рядка* (Мас.); *Коли бесідник вичитав усе з того паперу, що в руках тримав, говорив далі з пам'яті, сварив і картав людей, що вони самі [у] тій кривді винні* (Март.); *Якось прийшов [Янек] до пана пробоща і, озброївшись гусячим пером та папером, з пам'яті склав повний реманент володінь пана Бжеського* (Тулуб).

покопа́тися в своїй па́м'яті див. покопатися; **поме́ркнути в ~** див. померкнути; **по́рпатися в ~** див. порпатися.

по старі́й (да́вній) па́м'яті. Під впливом колишніх звичок; за звичкою. *Постійні відвідувачі по старій пам'яті продовжували відвідувати знайомі місця, і тут, за чаркою, говорили про життєві переміни* (М. Ю. Тарн.); *Людям всього радгоспу, всіх відділків (що вона їх по давній пам'яті ще зве хуторами) доводиться вічно жити під цим бентежливим гуркотом [літаків]* (Гончар).

приво́дити до па́м'яті див. приводити; **прийти́ до ~** див. прийти; **при тя́мі й ~** див. тямі; **стримі́ти гвіздко́м в ~** див. стриміти.

сумно́ї (лихо́ї, недо́брої, чо́рної і т. ін.**) па́м'яті.** Уживається для вираження негативного ставлення при згадці про кого-, що-небудь. *Шкідливу, руїнницьку роботу провадили в нашій мові лихої пам'яті футуристи* (Рильський); *Людяне ставлення до засланого поета [Т. Г. Шевченка] дорого коштувало Бутакову. Він попав під нагляд чорної пам'яті III відділу* (Рад. Укр.). А н т о н і м: **світла па́м'ять.**

ПАМ'ЯТКЕ: ма́ти пам'ятке́ о́ко див. мати.

ПАМ'ЯТКОВОГО: да́ти пам'ятко́вого див. дати.

ПАМ'ЯТКУ: да́ти па́м'ятку див. дати; **на ~** див. пам'ять; **не при ~** див, пам'яті.

ПАМ'ЯТНОГО: да́ти пам'ятно́го див. дати.

ПАМ'ЯТТЮ: поворуши́ти па́м'яттю див. поворушити.

ПАМ'ЯТЬ: вбива́тися в па́м'ять див. вбиватися; **відби́ло ~** див. відбило.

вічна па́м'ять; вічний по́кій кому. Уживається як побажання завжди пам'ятати померлого, переважно за хороші справи. [П а в л о:] *Ех, братці, вічна йому [Острянниці] пам'ять! Хоча покійників і гріх турбувати... та що ж, нічого казать!* (Кост.); *Лину в покликах журавлів До того степового саду, Що вінком огортає став, До того садовода сивого, Що нам яблуню дарував. І згадав, що його немає... Вічна пам'ять йому за труди — літом бабиним на Вкраїні Золотіють його сади* (Нагн.);

[Д е м к о:] *Як покійні батько померли, царство їм небесне, вічний покій, мені тоді було годів з десяток* (Кроп.).

впада́ти в па́м'ять див. впадати.

в па́м'ять кого. На честь того, хто вже помер. *Під фрескою мозаїка, що зображає цілу плетеницю містерій в пам'ять Адоніса* (Л. Укр.); *«Другу, брату, визволителю» — ці проникливі слова викарбувані на монументах, споруджених у багатьох містах і селищах Європи в пам'ять про радянського воїна, який з честю виконав свою визвольну місію* (Рад. Укр.). П о р.: **на па́м'ять** (у 2 знач.).

вріза́тися в па́м'ять див. врізатися; **втра́тити ~** див. втратити; **вшанува́ти ~** див. вшанувати; **дай Бо́же ~** див. дай; **да́ти в ~** див. дати; **да́тися в ~** див. датися.

коро́тка па́м'ять у кого. Хто-небудь має здатність дуже швидко забувати. *Пам'ять коротка у ворогів, грають з вогнем... Та не вдається їм обдурити народ, погнати його на нову війну* (Цюпа).

ма́ти коро́тку па́м'ять; ма́ти леда́чу ~ див. мати.

на па́м'ять (па́м'ятку). 1. Для того, щоб пам'ятати, не забувати про кого-, що-небудь; на згадку. *Якось Хома виявив бажання, щоб Ференц змалював його на пам'ять нащадкам.. Художник охоче згодився і за кілька хвилин увічнив Хому на аркуші цупкого паперу* (Гончар); *Ой зніму ж я срібний перстень З мізинного пальця,— Буду носить на пам'ятку Василя коханця* (Нар. пісня).

2. кому, рідко без додатка. На честь того, хто вже помер. *Громадою при долині Його поховали І долину і криницю На пам'ять назвали Москалевою* (Шевч.); *Прилучаю до сього й «Декілька пісень про Гайявату», що поміщено у збірникові на пам'ять Котляревському* (Мирний). П о р.: **в па́м'ять.**

на свіжу па́м'ять. Поки не забулося. *Переказати оповідання на свіжу пам'ять.*

па́м'ять зра́джує кому. Хто-небудь може припуститися помилки, забуваючи щось.— *Подумайте ще й скажіть правду і про себе і про Палилюльку.— Я ні разу не бачив його! — А, може, вам зраджує пам'ять? — рівно допитувався слідчий* (Стельмах).

па́м'ять се́рця. Спогади про що-небудь дороге, близьке, незабутнє. *Не почує тиша ця глибока Голосу твойого [твого], друже мій... Пам'ять серця,— о, вона жорстока, Та без неї тяжче, як при ній!* (Рильський).

па́м'ять ста́ла, як те ре́шето у кого. Хто-небудь безпам'ятний, забутливий.— *Тепер-то я тільки [тільки] довідався, що в мене пам'ять стала, як решето* (Мирний). С и н о н і м: **голова́ ста́ла дірява́.**

прихо́дити на па́м'ять див. приходити.

світла (до́бра і т. ін.**) па́м'ять.** Уживається для

вираження позитивного ставлення при згадці про померлого. *З світлою пам'яттю про чарівний образ Мате Залка прийшов тепер Юрко до мене* (Смолич); *Доброму добра й пам'ять* (Номис). А н т о н і м: **сумної па́м'яті.**

спада́ти на па́м'ять *див.* спадати; **співа́ти вічную ~** *див.* співати; **як ви́бити з голови́ ~** *див.* вибити.

ПАН: [або (чи, хоч)] пан або (чи, хоч) пропа́в. Домогтися усього бажаного чи все втратити. *Било козацтво в ту війну на те, що або пан, або пропав, то не кожен писався власним прізвищем* (П. Куліш); *Чи пан, чи пропав — двічі не вмирати* (Укр.. присл..); *— Візьмемо коси на плечі і в саму Тавріо чи в Молдову. Там хоч пан, хоч пропав* (Стельмах).

вели́кий пан; вели́ка па́ні, *заст., перев. зневажл.* Поважна особа, яка має великий вплив у суспільстві, в якомусь колективі і т. ін. і з якою потрібно рахуватися. [М и к и т а *(дає їй лушпиння)*:] *На, викинь!* [М а р у с я:] *І сам викинеш, не великий пан* (Кроп.); *Дума [Василева мати], як з раті-евської дворні, так і велика пані* (Мирний). С и н о н і м: **вели́ке цабе́.** А н т о н і м: **невели́кий пан.**

невели́кий пан; невели́ка па́ні, *заст., перев. ірон.* Особа, яка не має ніякого впливу в суспільстві, в якомусь колективі і т. ін. і з якою не варто рахуватися. *Черевиків таки вона не діждеться, невелика пані,— пообіцяв Мирон* (Стельмах); *Сергій невеликий пан, прийде й сам нап'ється* (Тют.). С и н о н і м: **невели́ке цабе́.** А н т о н і м: **вели́кий пан.**

пан над (між) пана́ми. Незалежний ні від кого; наймогутніший або найщасливіший. *Може, найдеться дівоче Серце, карі очі, Що заплачуть на сі думи.— Я більше не хочу. Одну сльозу з очей карих — І пан над панами! Думи мої, думи мої, Лихо мені з вами!* (Шевч.); *Хоч сила всім страшна твоя, Хоч пан ти,— каже,— між панами, Та хто зна, що ще буде з нами* (Гл.).

пан стано́вища *див.* господар; **сам собі́ ~** *див.* сам.

як пан за поду́шне, *з сл.* п р и с т а́ т и, п р и ч е п и́ т и с я *і т. ін.* Дуже сильно. *Пристав як пан за подушне* (Укр.. присл..).

ПАНА́СА: гани́ти пана́са *див.* ганяти.

ПАНИ́: лі́зти у пани́ *див.* лізти; **помазатися в ~** *див.* помазатися.

ПА́НІ: вели́ка па́ні; невели́ка ~ *див.* пан.

ПАНІБРА́ТА: за панібра́та. Як рівний з рівним; у близьких, дружніх стосунках. *Як чоловік дуже близький до секретаря, трохи не за панібрата,— він знав багато грішків і тихо-тихенько сіяв недобру славу між своїми просителями* (Мирний).

ПА́НОМ: па́ном ді́ло *див.* діло.

ПАНТЕЛИ́КУ: збива́ти з пантели́ку *див.* збивати; **зби́тися з ~** *див.* збитися.

з **пантели́ку.** Несподіваний, раптовий. *Тільки прибадьорився старий, ввійшов у форму — і раптом така смерть з пантелику* (Драч).

ПАНЧО́ХА: си́ня панчо́ха, зневажл. Суха, черства жінка, яка позбавлена жіночності, чарівності і цілком віддана науковим інтересам, книгам і т. ін. *Не любить Ліночка «синіх панчіх», хоч і самій, між нами кажучи, трьох десятків доходить* (Мам.).

ПА́НЬКА: за царя́ Панька́ *див.* царя.

ПАПЕРІ: на папе́рі. Лише по написаному, а не насправді, не в дійсності. *Ох, тії поети мудріші на папері, як у житті* (Л. Укр.).

як на папе́рі спи́саний *див.* списаний.

ПАПІР: кла́сти на папі́р *див.* класти; **переклада́ти на ~** *див.* перекладати; **проси́тися на ~** *див.* проситися.

ПА́РА: два чо́боти — па́ра *див.* чоботи.

па́ра п'ята́к. Схожі між собою якимись, перев. негативними рисами, якостями і т. ін.; варті один одного. *Значить, ми з вами — пара п'ятак?* (Мур.); *Та й то сказати: п'ятак пара! либонь мають спільних секретів чимало!.. (Л. Укр.).* С и н о н і м и: **па́ра чобі́т на одну́ но́гу; два чо́боти — па́ра; одного́ по́ля я́года; одни́м ми́ром ма́зані; обо́є рябо́є; з одного́ тіста.**

па́ра чобі́т на одну́ но́гу. Схожі між собою якимись (перев. негативними) рисами, якостями і т. ін.; варті один одного.— *Зібралися ми з Федором Андрійовичем — пара чобіт на одну ногу. В нього рідня, а в мене теж* (Збан.). С и н о н і м и: **два чо́боти — па́ра; одни́м ми́ром ма́зані; одного́ по́ля я́года; обо́є рябо́є; па́ра п'ята́к; з одного́ тіста.**

ПАРА́ДІ: у [по́вному] пара́ді. У нарядному святковому або офіційному одязі, вбранні. *Латин, як цар, в своїм наряді Ішов в кругу своїх вельмож, котрі [котрі] всі були в параді* (Котл.); *Комбайнер із емтеесу — молодий сидить на лаві, А навколо трактористи, хлопці в повному параді* (Перв.).

ПАРАЛЕ́ЛЬ: прово́дити парале́ль *див.* проводити.

ПАРАЛІ́Ч: як (мов, ніби *і т. ін.*) **пара́ліч** (*рідше* **роди́мець, грець**) **уда́рив (розби́в** *і т. ін.*) **кого́.** Хто-небудь перебуває в стані оціпеніння, не може рухатися, діяти і т. ін. *Графиню ніби параліч вдарив, вона хотіла встати з крісла і не могла* (Донч.); *Став [Бородавкін] червоний, наче його вдарив грець* (Тулуб).

ПАРА́СКА: ба́ба Пара́ска *див.* баба.

ПАРА́СЮ: з Бо́гом, Пара́сю *див.* Богом.

ПАРАФІЇ: не з на́шої парафі́ї. Який відрізняється від якоїсь групи людей колом занять, світоглядом, переконаннями і т. ін. *Я чомусь відразу відчула, що це людина не з нашої парафії, як ото кажуть* (Вільде). А н т о н і м **одного́ по́ля я́года** (в 2 знач.).

скинути з парафії *див.* скинути.

ПАРАХ: на всіх (повних) парах. 1. з сл. **мчати, бігти** *і т. ін.* Дуже швидко. *Поїзд мчить на всіх парах, лише часом покрикує* (Дор.); *Побігли на всіх парах голова з агрономом, а дід Левко, вичекавши, поки стихнуть їхні голоси, обережно підходить до вікна контори* (Драч); *Окрилений успіхом, він мчав на всіх парах* (Бурл.); *Помчав поїзд на повних парах... Загуло, загриміло* (Мокр.); // Дуже інтенсивно. *Сповіщаю Вас, що робота по набору іде на всіх парах; уже 18 сторон [сторінок] зовсім надруковано* (Мирний).

2. В широкому вжитку, використанні. *Входять у наші кухні газові плити інфрачервоного випромінювання, їх Одеса випускає, в Києві вони вже на повних парах в робітничих їдальнях «Ленкузні» й «Арсеналу», в ресторанах «Метро» й «Динамо»* (Вітч.).

на парах, з сл. **бути, знаходитися** *і т. ін.* Цілком готовий для використання, застосування *і т. ін.*— *Ніколи мені. За годину машина мусить бути на парах* (Д. Бедзик).

ПАРЕНА: як парена редька *див.* редька.

ПАРЕНЕ: ні жарене, ні парене *див.* жарене.

ПАРИ: бісової пари. 1. Уживається як лайка для вираження незадоволення ким-, чим-небудь. [П л а т о н Г а в р и л о в и ч:] *Нащо ж ти брешеш, бісової пари вилупок* (Вас.).

2. Уживається для вираження фамільярності у ставленні до кого-, чого-небудь, захоплення кимсь, чимсь *і т. ін.* [Ц о к у л ь:] *Ну й бісової пари молодиця! Раз у раз на перешкоді мені стає* (К.-Карий); *А що вже за парубок був то на всю станцію. Не одне дівоче серце, бісової пари, тремтіло, коли танцював* (Логв.).

до пари, з сл. **бути, жити** *і т. ін.* 1. Подружжям, разом. *Чорт сім пар чобіт стоптав, поки до пари зібрав* (Укр.. присл..); *Не судилось нам, серденько, Бути до пари* (Крим.). П о р.: **у парі** (в 1 знач.).

2. *кому.* Який годиться, підходить кому-небудь у подружжя. *Не поможуть і чари, як хто кому не до пари* (Укр.. присл..); [Є в д о к і я К о р н і ї в н а:] *Час [дочці] заміж, та все якісь недоладні.. трапляються: то негарні, то без грошей, хоч і гарні, то не до пари розумні. Зовсім не до пари моїй Єфросині* (Н.-Лев.); [В і т р о в и й:] *Письменник ти,.. а таку просту річ не розумієш. Хіба я їй до пари?* (Корн.). П о р.: **під пару** (в 1 знач.).

3. *кому, чому.* Схожий на кого-небудь іншого або на щось інше. *Там же їв я і garbanzos [галушки]. Тверді й тяжкі, наче кулі.. Ліжко теж було до пари Кухні тій. Блощиць в нім сила* (Л. Укр.); *В усьому вона була йому до пари, не дорікала, коли випадали нестатки, і не пишалася, коли в хаті заводилась якась зайва копійчина* (А.-Дав.); [К а л и н а:] *— Хто у вас командир*

полку? — Полковник Осипов. Може, чули? До пари Козюшевському. Такий же держиморда та егоїст (Д. Бедзик). П о р.: **під пару** (в 2 знач.).

4. Кількість, яка становить парне число. *Смакує горілку Шкапонд, потім прополіскує нею рот і вже згодом вихиляє.. — До пари, до пари треба, господарю* (Стельмах).

не випустити пари з вуст *див.* випустити; **нема ~** *див.* нема; **ні ~ з вуст** *див.* вуст; **прийтися до ~** *див.* прийтися.

ПАРИ: розводити пари *див.* розводити.

ПАРИТИ: парити парка. Діяти з надзвичайною поспішністю, гарячковістю.— *Викрадьте ви Марцею та їдьте до Кишенева та й повінчайтесь потаєнці. Нехай стара тут собі купається в морі. Ото буде парить парка, як ви вчинете цю штуку!* (Н.-Лев.); *Хлопці бігали, шукали [Настю], парили парка — як у воду впала* (Вас.).

ПАРІ: на парі [власних]. Без застосування транспорту, ногами; пішки.— *Не будеш тут ходить на парі* (Котл.); [Ю р к о:] *Виряджаємось у подорож, на села та на хутори!.. [С а в к а:] А яким же способом: на велосипедах, поїздом чи, може, аеропланом? [Ю р к о:] На парі власних! [С а в к а:] Значить — пішки* (Мам.).

у парі. 1. з сл. **бути, жити** *і т. ін.* Подружжям, разом.— *О дівчино! — каже Тиміш.— Мушу сповістити твою лиху годину: не бути нам у парі* (Вовчок); *Як би то й назвати теє щастя, щоб жити з нею в парі* (П. Куліш); // Одружений.— *Плакала [Олена] коло криниці від злості, що ми вже законно в парі* (Кучер). П о р.: **до пари** (в 1 знач.).

2. Разом, удвох з ким-небудь.— *Вип'єм, Гонто, брате! Вип'єм, друже, погуляєм Укупочці, в парі* (Шевч.). П о р.: **на пару.**

3. Один поряд з іншим. *Сядьмо, старий, у парі, щоб гречка родила* (Укр.. присл..).

ПАРКА: парити парка *див.* парити.

ПАРНЮ: справити парню *див.* справити.

ПАРТОЮ: сидіти за партою *див.* сидіти.

ПАРТУ: сідати за парту *див.* сідати.

ПАРУ: на пару. Разом, удвох з ким-небудь. *На симпатичну ногу живемо [з товаришем]. На пару ходимо в кіно, у клуб* (Ков.); *— Може, це я вже останній окоп рию, для історії залишу! — Давай на пару* (Гончар). П о р.: **у парі** (в 2 знач.).

пару слів (фраз), з сл. **написати, сказати** *і т. ін.* Коротко. *Дуже був би Вам вдячний, коли б написали хоч пару слів про себе* (Коцюб.); // Дещо.— *Слід би було вже й сход зібрати, поговорити по душах із селянством.. Я пару слів сказав би* (Речм.); *Як скінчу життя страждення,— щоб не чути більш образ,— Киньте часом і про мене Пару щирих, теплих фраз* (Граб.).

під пару. 1. *кому.* Який годиться, підходить кому-небудь в подружжя. [Н а т а л к а:] *Ви пан, а я сирота; Ви багатий, а я бідна; ви возний, а* *я простого роду; та й по всьому я вам не під пару* (Котл.). П о р.: **до па́ри** (в 2 знач.).

2. *кому, чому.* Схожий на когось іншого або на що-небудь інше.— *Ба ні, голова в нас тямущий, хоч би й вам [Явтуху] під пару! — сміється жінка на возі* (Ю. Янов.). П о р.: **до па́ри** (в 3 знач.).

стопта́ти не одну́ па́ру підошо́в *див.* стоптати.

ПАРУС: розгорта́ти па́рус *див.* розгортати.

ПАРУСАХ: на по́вних (всіх) паруса́х, з сл. м ч а́ т и, л е т і́ т и і т. ін. Дуже швидко, на всю потужність (про водний транспорт). *По синіх валах океану, Лиш зорі зійдуть в небесах, Летить корабель одинокий, Летить він на всіх парусах* (Лерм., перекл. за ред. Рильського); *Танкер «Горький», як то кажуть, на всіх парусах пряму- вав з Японії до рідного порту* (Знання..).

ПАРШІ: намина́ти па́рші *див.* наминати.

ПАСЕ: де Мака́р теля́т пасе́ *див.* Макар.

ПАСИ: де́рти паси́ *див.* дерти; **рі́зати** ~ *див.* різати.

ПАСІЮ: впада́ти в па́сію *див.* впадати.

ПАСКИ: [і] па́ски не посвя́тяться *без кого,* заст. Хтось завжди втрутиться в що-небудь; ніде не обійдеться без когось. [Г о л о с:] *І сюди вскочила [Параскові я]! [Д р у г и й:] Аякже! Без неї й паски не посвятяться* (М. Куліш). С и н о н і м: **вода́ не освя́титься.**

підтя́гувати па́ски *див.* підтягувати.

ПАСКОЮ: як Сірко́ па́скою *див.* Сірко.

ПАСКУДИТИ: паску́дити ру́ки *див.* бруднити.

ПАСЛЬОНУ: як Ма́рко з пасльо́ну *див.* Марко.

ПАСТИ: па́сти за́дніх. Бути позаду всіх, остан- нім, відставати або поступатися у чому-небудь. *Колосівці на своїх найкращих конях їхали кілька кілометрів попереду, але незабаром зірчани випе- редили їх: вони і в цьому не хотіли пасти задніх* (Минко); *Він чомусь розсердився на.. брата в латаних черевиках. Не здогадався, що й сироті не хотілося пасти задніх* (Дмит.). **па́сти за́дні.**— *То отже слухай, Христино батьківно,— жартує па- нич.— Будь однині моєю слугою, і дай мені, будь ласка, умитися... Шабаш тепер, Маріє Іванівно! Пасіть задні* (Мирний). А н т о н і м: **іти́ попе́реду.**

па́сти очи́ма (о́ком, зо́ром, по́глядом) *кого, що, на кого що, за ким — чим, в що і без додатка.* Дуже пильно стежити за ким-, чим-небудь, диви- тися на когось, щось. *За тиждень Федько піднявся з постелі. Спираючись на ціпок, вештався по- двір'ям, пас очима Лесю, що золотою бджілкою снувала то сюди, то туди* (Дім.); *Назар віолонче- ліст, що терпляче пас очима двері, кинувся до них* (Досв.); — *Ой, мабуть, перепаде нам від Салога- на,— знову в задумі повторює Матвій, непомітно пасучи очима за Октавом Пігловським* (Стель- мах); *Полю просо за током, а він мене пасе оком* (Укр.. присл..); *Хоч оба ми з братом Митродором І день і ніч довкола пасли зором, В монастирі ще панував спокій* (Фр.); *Він би й пішов звідси*

з великою охотою, та як підеш, коли, здається, кожне так і дивиться на тебе, не спускає очей, а найперше — Пистина Майорчик пасе поглядом (Гуц.). **попаса́ти очи́ма** (час від часу). *Я часто вже крізь тин очима попасав, Який чудовий плід там .. скрізь понависав* (Фр.); // Дивитися, розглядати. *Держачи руки під кожухом, очима пасу на всі боки* (Фр.); *Вона знала, матроси не приходять так собі, очима пасти, вони завжди щось купують* (Кучер); *Ступаючи з ломакою попереду, він зухвало пас очима в глитайські двори* (Гончар).

па́сти [очи́ма] пташо́к (ластів'я́т і т. ін.). Без- думно вдивлятися у кого-, що-небудь.— *Не можу терпіти людей, що з ідіотською усмішкою пасуть ластів'ят, в той час коли йдеться про такі речі* (Гончар).

па́сти о́чі *на кого — що, на кому — чому і без додатка.* 1. Пильно дивитися. *Сльоза, похнюпив- шись, потайки спідлоба пас очі на Катриних колінах* (Панч); *Варто йому [учителю] відверну- тися — і вже Конопельський пасе очі під партою* (Збан.).

2. Зазіхати на що-небудь, прагнути заволодіти чимсь.— *А ти, Микито, грунтика не продавай, бо вже отой Петренко пасе на його очі* (Вас.).

па́сти свині́ *з ким.* Бути з ким-небудь у това- риських взаєминах, у приятельських, фамільярних стосунках.— *Чого ти кричиш на мене! Ну, я з то- бою свиней не пас! Ну, коли хочеш в мене слу- жить, то не тикай на мене, бо я тут пан — про- мовив вже сердито Бродовський* (Н.-Лев.); *Ганна виговорювала чоловікові: — Стидався би, Тимо- фію! Як ти до дядька Тимофія кажеш? Що ти з ним в цурки бавився чи разом свині пас?* (Смолич).

ПАСТКИ: наставля́ти па́стки *див.* наставляти.

ПАСТЦІ: як ми́ша в па́стці *див.* миша.

ПАТИКІВ: вси́пати патикі́в *див.* всипати.

ПАТОКИ: вхопи́ти ши́лом па́токи *див.* вхопити.

ПАТЯКАТИ: патя́кати язико́м *див.* плескати.

ПАТЬОКИ: розпуска́ти патьо́ки *див.* розпуска- ти.

ПАХ: щоб і дух не пах *див.* дух.

ПАХНЕ: ді́ло тютюно́м па́хне *див.* діло.

і [бли́зько] не па́хне *ким, чим.* Зовсім нема ніяких ознак появи, настання і т. ін. кого-, чого-не- будь. *От і виходить — на-гора півнорми і не більше. А він десяток-півтора тих вагонеток тягне. От і виходить — на-гора рекордом і не пахне* (Дор.); *Відпочиваючих [на дачі] не було. Сан- інспекторами і близько не пахло. І тому всі три пси, вільно розтягнувшись на піску,.. мирно і солодко дрімали на сонці* (Коз.).

па́хне гарбузо́м. Передбачається відмова тому, хто сватається. *Ой хороші дівчаточка, хто не гляне — ахне. Ой рад би я тебе сватать, та гарбузом пахне* (Забашта).

па́хне / запа́хло по́рохом. Наближається війна, загрожує небезпека або сварка. *А врешті — хто його знає, що ще у нас буде. В повітрі пахне реакцією, а значить і порохом* (Коцюб.).

па́хне / запа́хло сма́леним [во́вком] (сма́женим, гірчи́цею, тютюно́м). Загрожує кому-небудь або передбачається небезпека, загибель, неприємність, сварка чи бійка. *Зачувши войовничі вигуки Одарки, лікар здогадався, що пахне смаленим. Не гаючись, замкнувся у своїй кімнаті* (Збан.); *Вихопивши із ярма занозу, відскакує [Тимко] вбік, чекає, коли Прокіп зробить до нього перший крок. Але той, мабуть, розуміє, що в повітрі пахне смаленим, стоїть, не рухаючись, тяжко сапає* (Тют.); *[Залеський:] Справа у мене до тебе є. [Ганна:] Справа? [Залеський:] Ого, як стрепенулася. Видно, добре чуєш, де смаженим пахне* (Собко); *Переляк добре витверезює хмільні голови. Більшість бандитів, зрозумівши, що тут пахне гірчицею, рачки поповзли назад* (Вільний); *Боровець брав за камінь не тільки гроші, але й натуроплату.. Потім приїхала дружина Боровця і, відчувши, що тут пахне смаленим вовком, позбавила паню секвестраторку можливості трудитися разом з Боровцем* (Мельн.).

па́хне (сме́рди́ть) земле́ю *від кого.* Хто-небудь дуже старий, близький до смерті. *Од неї пахне вже землею. Уже й мене не пізнає!* (Шевч.); *Чи вам же пристало балакати про кохання?.. Від вас же землею смердить!* (Кроп.).

чим (яки́м ду́хом) па́хне. Яка ситуація, що передбачається, загрожує, наступає і т. ін. *Волосний писар, що вже двадцять і один рік писарює, пройшов крізь сито й решето і знає добре, де чим пахне* (Гр.); *— Вісім пожованих паровозів за добу — це, Гавриловичу, ти сам розумієш, чим пахне. У нас паровоз — дефіцитна машина* (Донч.); *І тоді Шевко статечно вийшов з притихлого гурту і, прикривши очі повіками, запитав хліборобів: — Чули, чим воно пахне?* (Стельмах); *— Ага! — розсміявся Василенко. Відразу почули, яким духом пахне. То добре, що боятися. Треба, щоб так боялись нас всі оті спекулянти та пройди різні* (Збан.).

ПАЦЮКИ: хоч пацюкі́в бий *див.* бий.

ПА́ЧЕ: па́че о́ка, *заст., з сл.* берегти́, стерегти́ *і т. ін.* Дуже пильно, дуже старанно. *Не перший рік лісок цей пану Я паче ока стережу* (Манж.).

па́че ча́яння, *заст.* Понад сподівання, всупереч сподіванням. *— Ти про життя думай. І в першу чергу — про своє завдання. Повинно б удатися. Все за це. Ну, а коли зірветься, паче чаяння, не лізьте згарячу. Бережи хлопців і себе* (Головко).

ПАШИ́ТЬ: лице́ паши́ть *див.* лице.

ПАШІ́ТИ: [аж] паші́ти вогне́м (по́лум'ям). Бути дуже розгарячілим, рум'яним і т. ін. внаслідок сильного збудження, хвилювання і т. ін. —

Сьогодні бачив я в церкві три дами,— почав Леонід Семенович,— вони усі три чогось були червоні, аж пашили огнем (Н.-Лев.); *Від співу дівчина зашарілася, обличчя її вже не було таким кам'яним. Навпаки, воно пашіло.. вогнем* (Минко); *Схилився [Чіпка] біля неї трохи на лікоть та скоса поглядав на її личко, що від такої несподіваної тривоги зашарілось..— пашіло полум'ям* (Мирний).

ПАЩЕ́КУ: роззявля́ти пащеку *див.* роззявляти; **розпуска́ти ~** *див.* розпускати.

ПА́ЩУ: засупо́нити па́щу *див.* засупонити; **лізти у ~** *див.* лізти.

ПЕ́ВНА: пе́вна річ *див.* річ.

ПЕ́ВНЕ: пе́вне о́ко *див.* око.

ПЕ́ВНИЙ: будь пе́вний *див.* будь.

ПЕ́ВНІЙ: трима́ти на пе́вній відста́ні *див.* тримати; **у ~ мі́рі** *див.* мірі.

ПЕ́ВНОЇ: до пе́вної мі́ри *див.* міри.

ПЕ́ВНОЮ: пе́вною мі́рою *див.* мірою.

ПЕГА́СА: осідла́ти Пега́са *див.* осідлати.

ПЕДА́ЛІ: натиска́ти на всі педа́лі *див.* натискати.

ПЕК: цур тобі́, пек тобі́ *див.* цур.

ПЕ́КЛА: діста́вати з пе́кла *див.* діставати; **спрова́дити до ~** *див.* спровадити.

ПЕКЛІ́: як Ма́рко у пе́клі *див.* Марко.

ПЕ́КЛО: лі́зти в са́ме пе́кло; лі́зти попере́д ба́тька в ~ *див.* лізти.

хоч [до бі́са] у пе́кло, *грубо.* Куди завгодно, у найнебезпечніше місце. *Останній фотокореспондент, якого бачив генерал, був молодим, привабливим хлопцем у розкішній кубанці, його можна було послати хоч до біса в пекло* (Перв.). **Синоніми:** до біса на ро́ги; до чо́рта в зу́би (в 1 знач.).

ПЕ́КЛОМ: пе́клом ди́хати *див.* дихати.

ПЕКТИ́: пекти́ [аж] до живо́го [се́рця] *кого* і без додатка. Дуже дорікати кому-небудь, лаяти когось. *[Юда:] І все такі слова вразливі, гострі, що краще б він уже налаяв просто, ніж так пекти аж до живого серця* (Л. Укр.); *Скоро Гопченко втратив всяку владу над нею. Він підозрівав, що винен у всьому Коропов, пік її до живого* (Земляк).

пекти́ в са́мі печінки́ *кого.* Висміюючи кого-небудь, дошкуляти комусь.— *Набрехала Параска, що в мене [Палажки] голова лиса. Це ж вона пече мене в самі печінки* (Н.-Лев.).

пекти́ ду́шу (се́рце) *кому* і без додатка. Завдавати кому-небудь великих моральних страждань; мучити, непокоїти. *Я в тюрмі. І не сором пече мені душу, а — жаль* (Збан.); *Аж скорчилася від болю — так той лист пік їй душу* (Речм.); *Він не міг витримати, що всі так вітають Сашка. Заздрощі пекли серце* (Донч.).

пекти́ очи́ма *кого.* Дивитися на кого-небудь невідривно, пронизливим, гострим поглядом.

[Л ю б к а:] *Він її очима пече, а вона аж міниться в лиці* (Кроп.); *Корній Кирилович не дав договорити Малецькій. Він звівся на ноги, крутий, зблідлий... пік оратора чорними сердитими очима* (Збан.).

пекти́ о́чі див. колоти.

пекти́ п'я́ти *кому*. Настигати кого-небудь. *Відпочивши, знову зайняли ручки. Тепер уже Оксен вів перед, а Василева коса пекла йому п'яти* (Дім.).

пекти́ ру́ку (ру́ки). Викликати докори сумління, почуття сорому, переживання і т. ін. *Жебраний хліб, кажуть, руку пече, але жебране слово кохання — душу морозить* (Л. Укр.).

пекти́ / спекти́ ра́ків (ра́ки, ра́ка). Червоніти від сорому, ніяковіти і т. ін. *Червоній, Колодо, печи раків, коли не послухав старших, як картоплю кагатував* (Кучер); *Ти бачила, Оленко, як Сава раки пік? Не знав, куди й очі діти* (Коп.); *Куропатенко почервонів,.. звичайно, заслужено спік раків — законів конспірації треба суворо додержувати і між собою* (Смолич); *Государ всія Русі спік рака, обличчя хутко спаленіло плямами* (Ільч.). **спекти́ до́брого ра́ка.** *І довелося ж, добродію, спекти мені доброго рака, як знайомі вказали, що ще в 1895 році.. з'явилися ваші оповідання* (Мирний).

ПЕКТИСЯ: як (мов, ніби і т. ін.) живце́м пекти́ся на рожні. Хвилюватися, переживати, почувати себе дуже ніяково, тривожно від сорому, ганьби і т. ін.— *Еге, хай постоїть собі з краденою довбнею,— почулося звідусіль.. Кавун слухав і наче живцем пікся на рожні. Він люто зиркав спідлоба на людей і не знав, що з ним діється* (Козл.).

ПЕКУ́ЧА: пеку́ча печія́ ухопи́ла за се́рце *див.* печія.

ПЕКУ́ЧІ: ко́тяться пеку́чі сльо́зи гра́дом *див.* сльози.

ПЕЛЕНІ: принести́ в пелені *див.* принести.

ПЕЛЮСТКАХ: ворожи́ти на пелюстка́х рома́шки *див.* ворожити.

ПЕЛЮШКИ: як свекор пелюшки́ пра́ти *див.* свекор.

ПЕЛЮШОК: ви́рости з пелюшо́к *див.* вирости.

з пелюшо́к. З раннього дитинства. *Тепер ви з пелюшок знаєте свої права: давай вам Артеки, гармоніста штатного, розваги всякі... А коли ж до праці привчатися, як не змолоду?* (Гончар).

ПЕЛЬКА: неси́та пе́лька, зневажл. 1. Жадібна людина.— *Охляне тепер несита пелька, що нас поїдом їла, та ще й як охляне, як разом із людьми та й землю одберуть!* — гомоніли люди (Мирний).

2. Зажерлива вдача. [С т а р ш и н а:] *Усе є.. а ще мало! Щоб то задовольнитися. От же ні, така вже пелька людська несита* (К.-Карий).

ПЕЛЬКУ: де́рти пе́льку *див.* дерти; **засупо́нити ~ ди́в.** засупонити; **затуля́ти ~ ди́в.** затуляти; **набива́ти ~ ди́в.** набивати.

на всю пе́льку, *вульг.* 1. з сл. к р и ч а́ т и, р е п е т у в а́ т и і т. ін. Дуже голосно, щосили. *Вдома вона кричала й репетувала на всю пельку: там вона забувала, що вона свята та божа...* (Н.-Лев.); *З полум'я.. несподівано схопився вихор, неначе клуня роззявила рота, позіхнула й засопла на всю пельку* (Н.-Лев.). С и н о н і м и: **на все го́рло; на весь го́лос.**

2. з сл. п и́ т и. Дуже багато. *Медосолодким вином одурманений ти. Воно шкодить Кожному, хто його п'є на всю пельку, не знаючи міри* (Гомер, перекл. Б. Тена).

не лі́зе в пе́льку *див.* лізе; **~ рва́ти** *див.* рвати; **як бі́сові в ~ ди́в.** бісові.

ПЕНЗЛЯ: вихо́дити з-під пе́нзля *див.* виходити; **досто́йний ~ худо́жника** *див.* достойний.

ПЕНЮ́: наволокти́ пеню́ *див.* наволокти; **склада́ти ~ ди́в.** складати.

ПЕНЬ: вали́ти че́рез пень коло́ду *див.* валити.

че́рез пень коло́ду (пень-коло́ду). Недбало, як-небудь, не так як треба.— *Як я вчився? Так, через пень-колоду. Де вже про медаль думати?* (Донч.); — *Чоловік тоді правильний, коли своє місце знаходить на землі. Дивись, інший і не дурний, і учений, а все в нього через пень-колоду виходить, бо свого не найшов* (Стельмах); *Науку засвоював [юнак] через пень-колоду.. На виробництві виявилось: не тягне* (Прапор ком.).

як пень. 1. Уживається для підсилення якої-небудь ознаки, дії, якогось стану і т. ін.; дуже. *О всемогуча пісне! Твоєму чарові лише глухий як пень Не підкоряється* (Рильський); — *Сидиш, Катюшо, і лаєшся — запросив у гості, а сам, старий чорт, мовчить як пень* (Собко). **як пеньо́к.**— *А я чогось не вмію плакати,— довірливо признався вчитель.— Ще малим, коли мене били, мовчав як пеньок* (Стельмах).

2. з сл. с т о я́ т и, с и д і́ т и і т. ін. Бездумно, нічого не розуміючи. *Рибалка труситься, стоїть як пень. Не розшолопає— чи ніч, чи день* (Гл.); *Гнат не пручався — він стояв, як покірна дитина, або, краще, як пень, з котрим можна все зробити* (Коцюб.). **як пеньо́к.**— *О, та у вас тут і помічники є!.. Тільки чого це він сидить як пеньок?* (Тют.).

ПЕНЬ-КОЛО́ДУ: че́рез пень-коло́ду *див.* пень.

ПЕНЬО́К: чо́ртів пеньо́к. Уживається як лайка і виражає незадоволення ким-небудь.— *Ти що? — витягнув шию Плачинда.— Ти як, чортів пеньок, говориш з господарем!?* (Стельмах).

ПЕРА́: вихо́дити з-під пера́ *див.* виходити; **не на́шого ~ пта́шка** *див.* пташка; **ні пу́ху ні ~ див.** пуху; **ро́зчерком ~ див.** розчерком; **спро́ба ~ див.** спроба.

ПЕРЕБИВАТИ: перебива́ти / переби́ти доро́гу *кому*. Перешкоджати кому-небудь здійснити якийсь намір, переважно випереджаючи кого-небудь у чомусь.— *Уже як пани зуби нагострили на* *ту* [хлопську] *касу, то її з'їдять.., а ми перебиймо їм дорогу* (Фр.).

перебива́ти / переби́ти ру́ки. Легким ударом на знак згоди роз'єднувати руки тих, що сперечаються на що-небудь або укладають між собою якусь угоду. *Дмитро Мотуз сів поруч з дідом. Дід подав йому руку. Старий пасічник Оникій перебив їм руки.* (Н.-Лев.).

перебива́ти хліб див. відбивати.

ПЕРЕБИВАТИСЯ: перебива́тися з копійки на копійку. Жити дуже бідно, терпіти нестатки. — *Заробітки нікчемні. Перебиваєшся, як аллахові угодно — з копійки на копійку* (Ле). С и н о н і м и: **перебива́тися з хлі́ба на во́ду; зво́дити кінці́** (в 1 знач.).

перебива́тися з хлі́ба (з ю́шки) на во́ду (на квас). Жити дуже бідно, терпіти нестатки. *Що дістане* [Атанас] *з їжі, то все Павлові тиче, наче малій дитині. А сам перебивається з хліба на воду* (Кучер); *Потім — війна, перша світова війна.. Рязанські селяни, які самі перебивалися з хліба на воду, дали притулок біженцям* (Інг.); *Не вірилося, що тут жили споконвічні наймити і бідарі, перебиваючись з юшки на воду* (Кучер); *Жив я в часи мого студентства, як водиться, на краю міста і, як і більшість моїх товаришів, перебивався з хліба на квас* (Хотк.). С и н о н і м и: **зво́дити кінці́** (в 1 знач.); **перебива́тися з копійки на копійку.**

ПЕРЕБИРАТИ: перебира́ти / перебра́ти че́рез мі́ру (че́рез край). 1. Перевищувати допустиму норму чого-небудь; перебільшувати що-небудь. *Коли питали про білок або горностаїв чи лисиць, — у Міке була одна відповідь: — Мало, мало стало звіра. Спитав* [хлопець] *Міке.., чи вистачає води в Охотському морі. Міке.. відповів: Мало, мало стало води. Регіт орочів з рибальської артілі, які чули цю розмову, ясно показав Міке, що він перебрав через край* (Багмут). **перебра́ти мі́ру.** — *Дорога моя, зважайте — публика на вас розгнівана: ви перебрали міру, примусивши її стільки чекати* (Сміл.); *В цих розмовах Ельясберг почув гостру відповідь на своє запитання. Відповідь неприємну, але логічну. Зрозумів, що знов перебрав міру* (Ле). **перебра́ти мі́рку.** *Гердлічиха стоїть на порозі, сопе й тягне: — Та вдар ти його, ради бога.. Але Гердлічка:. пам'ятав, що розв'язаного гуцула бити не вільно. Чув, що і так уже перебрав якусь мірку, пора була уже відступати* (Хотк.). С и н о н і м и: **перехо́дити межу́** (у 2 знач.); **передава́ти куті́ ме́ду; взя́ти че́рез край; взя́ти ли́шку.**

2. Випивати зайву для себе кількість хмільного. *Раз тільки, перебравши через міру,.. завів* [піп] *про те* [про легковажність попаді] *розмову з нею, прохав, аж плакав, кинути таке життя* (Мирний); *Дехто з шляхетства, що бенкетували, порозходилились, а другі, перебравши через край, поснули під лавками* (Стор.).

перебира́ти (перегорта́ти, перетру́шувати і т. ін.) / перебра́ти (перегорну́ти, перетруси́ти і т. ін.) у па́м'яті (в голові́, у ду́мці) кого, що. Обдумувати щось, пригадуючи або уявляючи у точній послідовності всіх чи багато чого. *Навколо була тиша. Дівчина перебирала в пам'яті своє життя* (Дмит.); *Катруся почала в голові перебирати тих парубків, які могли б її посватати* (Кобр.); *Поки вона спокійно йде селом, ще й ще перетрушує в пам'яті всі оповідання, принесені людьми з скитка* (Стельмах); *«Невже якийсь пес довідався про листівки?» Роман блискавично перебрав у пам'яті всі стежки й дороги, які сходив уночі. Ніде ж ні лялечки не було* (Стельмах); *Він перебрав у думці усі діла, які траплялись в волості за останні часи* (Н.-Лев.); *Я перегорнув у пам'яті всі дрібниці нашого приїзду, перебування у Варшаві — і холодний піт виступив мені на чолі* (Досв.).

перебира́ти (перетира́ти, перемина́ти і т. ін.) / перебра́ти (перете́рти, перем'я́ти і т. ін.) на зуба́х кого. Розпускати плітки, лихословити про кого-небудь. *Кожного з своїх перебирали та перетирали пани на зубах і всякий раз верталися вони до тієї проклятої волі, котра гострим ножем стала впоперек їх горла* (Мирний); *Знову почав Грицько гукати на всю хату, перетираючи та переминаючи на зубах не тільки Пріську з Христею, а й увесь рід їх* (Мирний). С и н о н і м и: **бра́ти на зу́би** (в 1 знач.); **бра́ти на язики́; перемива́ти кісточки.**

перебира́ти (перетира́ти, перемина́ти і т. ін.) / перебра́ти (перете́рти, перем'я́ти і т. ін.) язико́м (язика́ми) кого, що. Детально обговорювати кого-, що-небудь або обмовляти когось. *Молодиці перебрали язиком усіх дівчат на селі, пересудили і багатих, і бідних* (Н.-Лев.); *— От ви, баби, — без злості говорить Нечипір, — кого хочеш перетруть язиками. Дівчина як дівчина* (Зар.). С и н о н і м: **перебира́ти по кісточка́х** (у 1 знач.).

перебира́ти (розбира́ти і т. ін.) / перебра́ти (розібра́ти і т. ін.) по кісточка́х ([усі́] кісточки, [усі́] жи́лочки) кого, що. 1. Дуже детально, до дрібниць обговорювати кого-, що-небудь, займаючись пересудами. *«Та замовчіть ви, язикаті! — жбурляє цигарку Петро і береться за лопату. — Звикли всіх по кісточках перебирати* (Чаб.); *Наперед уже уявляв їхню зустріч.. Перебравши кісточки однокурсників, перейдуть до викладачів, згадуватимуть їхні дивацтва* (Гуц.); *Безжалісні дівчатка почали по кісточках розбирати нового вчителя* (Ів.); // Дуже лаяти, ганьбити кого-небудь. *І не було того дня, щоб не було суду над Яковом; вона.. перебирала усі жилочки його, — так не ворогують чужі, так не гризуться запеклі вороги* (Мирний). **розбира́лося по кісточка́х,**

безос. І далі вже розбиралося по кісточках Уласа. Наприкінці із усіма подробицями описувалося, як і при яких обставинах Улас підривав авторитет Гната і які слова говорив при цьому (Тют.). С и н о н і м: **перебирати язиком**.

2. Глибоко обдумуючи, детально аналізувати що-небудь. Скільки раз за ці два місяці перебрав по кісточках Іван Федорович своє життя (Рад. Укр.); — Перш ніж почати працювати із цим приладдям, мусимо оцю роботу — показав Петро Михайлович малюнок на папері — розібрати по кісточках (Вас.).

ПЕРЕБИТИ: перебити дорогу; ~ рýки див. перебивати; **~ хліб** див. відбивати.

ПЕРЕБІГАТИ: перебігати / перебігти очима (поглядом). Нашвидку перечитувати, передивлятися що-небудь. Михайло шелестів газетними аркушами, перебігав поглядом по заголовках (Загреб.); Я хутко перебіг очима усі об'яви і незабаром знайшов.. ту, що була мені потрібна (Досв.).

ПЕРЕБІГТИ: перебігти очима див. перебігати.

ПЕРЕБОЛІЛА: душá переболіла див. серце.

ПЕРЕБОЛІЛО: сéрце переболіло див. серце.

ПЕРЕБОЛІТИ: переболіти дýшею (сéрцем). Пережити велику тривогу, зазнати багато страждань. От тільки переболів душею за тебе, голубочко моя (Коцюб.); [Параска]: Зніметься [Мар'яна], піде та гляди — аж до півночі нема.., а тут ждеш, ждеш, передумаєш, переболієш серцем, поки прийде (Вас.).

ПЕРЕБРАТИ: перебрати на зубáх; ~ по кісточкáх; ~ у пáм'яті; ~ чéрез мíру; ~ язикóм див. перебирати.

ПЕРЕБУДЕ: біс бідý перебýде див. біс.

ПЕРЕВАГУ: давáти перевáгу див. давати.

ПЕРЕВАЖИТИ: перевáжити на свій бік; ~ терезú див. переважувати.

ПЕРЕВАЖУВАТИ: перевáжувати / перевáжити на свій бік кого. Робити кого-небудь своїм прихильником, спільником у чому-небудь. У моїй школі вони [учні] були чотири години, а дома цілих двадцять. І я не всіх міг переважити на свій бік (Кучер).

перевáжувати / перевáжити терезú (чáшу терезíв). Віддавати чому-небудь перевагу, схилятися до чогось. Я вже підводу договорила: за ворітьми жде! Це, видно, остаточно переважило чашу комісарових терезів: віддав матері документи, віддав і хлопця (Гончар).

ПЕРЕВЕРНЕТЬСЯ: перевéрнеться (перевернýвся б) у трунí. Уживається для вираження обурення, гніву з приводу чогось (із згадкою про померлого, причетного до предмета розмови). Ну, скажи, Федю, за що він муку прийняв отаку, голову свою поклав?.. Та він, коли б знав отаке, в труні перевернувся б! (Головко).

ПЕРЕВЕРНУВСЯ: світ перевернýвся див. світ.

ПЕРЕВЕРНУЛАСЯ: душá перевернýлася див. душа.

ПЕРЕВЕРНУЛОСЯ: перевернýлося в голові; ~ в душí див. перевертається.

ПЕРЕВЕРНУТИ: перевернýти головóю вниз; ~ догорú дном; ~ дýшу; ~ з ніг на гóлову див. перевертати.

перевернýти (зрýшити і т. ін.) / вернýти гóри. Зробити, виконати велику, навіть неможливу роботу; зробити дуже багато. [Т р о х и м:] Рівні і парні [воли], як соколи: чи в плузі, чи в возі — ідуть, як вода, тільки покеруй ними, то й гори перевернеш (Кроп.); — О, гвардія! — загримів Наливайченко. Тільки з школи дівчата. Золотий фонд! З ними гори можна перевернути — де силою, а де розумом та ентузіазмом (Сиз.); Тут гори перевернем, аби не змушували відсиджуватися по тилах (Ю. Бедзик); Вченого радувало, що в нього є такі чудові помічники — робітники заводу. З ними можна гори перевернути (Рад. Укр.); Закваска в неї [вчительки] крута, робоча. Уся в батька.. Отаких би їм учителів, то б Кочубей з ними ще гори вернув (Кучер).

перевернýти на свій лад див. перевертати.

перевернýти [увéсь] світ. Змінити все, зробивши щось неможливе, незвичайне, дуже важко здійсненне. Навік минулеє зітрем, Юрба рабів, повстань, як грім! Ми світ увесь перевернемо; Тепер — ніщо, будемо — всім! (Пісні та романси..); [1-й г і с т ь:] Ви, сватку, таки голова. [Г о с т і:] Золота голова! Світ перевернемо з такою головою! (Мик.); — Ось твій Петро хоче сам весь світ перевернути. Не переверне. Спробує гіркого — порозумнішає (Жур.).

ПЕРЕВЕРТАЄТЬСЯ: душá перевертáється див. душа.

перевертáється / перевернýлося в душí у кого, кому. У кого-небудь з'являється гостре почуття тривоги, хтось дуже хвилюється, мучиться. Глянув [Данько] у її широко відкриті, такі довірливі очі, і в душі все йому перевернулося од болю (Гончар).

перевертáється / перевернýлося [все] в голові кому, у кого. Хто-небудь сприймає дійсність потворно. У сучасної молоді перевертається все в голові від калейдоскопу подій. **поперевертáлося все в голові.** — Що то тепер за молодь, що за покоління! Попереверталося в голові юнакам і думають, що їм усе вільно (Фр.); Була це в основі добра дитина, тільки вкрай розбещена батьками, яким у голові все попереверталося від «панськості» (Вільде).

світ перевертáється див. світ.

ПЕРЕВЕРТАТИ: перевертáти (обертáти) / перевернýти (обернýти) догорú (вгóру, вверх) дном (кóренем, ногáми) кого, що. 1. Приводити що-небудь до безладдя, хаосу. З Катею вони завжди регочуть, перевертаючи у хаті все догори дном

(Коз.); *На копійку вип'є [п'яний], а прийде додому — усе догори дном переверне* (Мирний); *У царському палаці рано шукають молоду — ходять, бігають. Перевернули догори ногами всі світлиці, а дівчини нема* (Три золоті сл.).

2. Різко змінювати, робити що-небудь зовсім іншим, не таким, як було. *Але щоб не здавалось, що ми якось парадоксально перевертаємо угору ногами усе питання про літературні відносини між Галичиною і Росією, ми мусимо обернутися до позитивного перебору питання: що таке, справді, література російська, великоруська і малоруська у Росії* (Драг.); *Був він хлопцем, то збирався до Америки тікати. Став студентом — намагався Світ вверх дном перевертати* (Черн.); *Ота шепелява.. тютя якимсь чином перетворилась в силу, яка спроможна перевернути догори коренем все Зонине життя* (Вільде); *— Чи старий, чи новий режим так налякав тебе, діду? Але пощо ж ти, діду, мої поняття благородно-демократичні догори ногами обернув?* (Хотк.). **перевернути догори.—** *Що? Може, думаєш, ваша візьме? — крикнув.. його батько Пугач.— Чортового батька візьме!.. Перевернемо ми догори усю вашу старшину!* (П. Куліш); // Різко порушувати установлений розпорядок, порядок, звичай і под. *Здавалось, коли б він мав десяток вірних людей, то перевернув би догори ногами весь Галичин* (М. Ю. Тарн.). П о р.: **перевертати головою униз; перевертати з ніг на голову.**

перевертати / перевернути головою (головами) вниз. Різко змінювати, робити що-небудь зовсім іншим, не таким, як було. *Десь проявились якісь нігілісти — Кажуть, що се людоїди, Хотять.. Все перевернуть униз головами: Учні професора будуть навчать, А як азбуки не вміє— різками Як він їх нині, будуть його прать* (Фр.). П о р.: **перевертати догори дном** (у 2 знач.); **перевертати з ніг на голову.**

перевертати / перевернути душу (серце). Викликати в кого-небудь якесь гостре почуття (тривоги, хвилювання, захоплення і т. ін.). *Вночі йому сниться сон, який перевертає душу: з темного кутка дивляться на нього батькові очі, а під стелею гримить голос: «Ти зробив те, що я тобі заповідав?»* (Тют.); *І ось раптом, через якийсь проміжок часу, тобі перевернули душу давно почута п'єса чи пісня* (Стельмах); *Оповідає [Дмитрик] лиш «так» і «ні». Зате як усміхнеться — серце перевернє* (Рильський).

перевертати / перевернути з ніг на голову (з голови на ноги). Різко змінювати, робити що-небудь зовсім іншим, не таким, як було. *З маніакальною впертістю перевертав з ніг на голову і знову з голови на ноги одну думку* (Грим.). П о р.: **перевертати догори дном** (у 2 знач.); **перевертати головою вниз.**

перевертати / перевернути на свій лад. Робити

по-своєму; діяти на свій розсуд. *Явдоха була пишна, горда. Як тільки оселилася, зараз почала все на свій лад перевертати, господарством заправляти* (Мирний); *Потроху та помалу усе панночка на свій лад перевернула,— життя і господарство* (Вовчок).

ПЕРЕВЕРШИВ: перевершив сам себе див. сам.

ПЕРЕВЕРШИТИ: перевершити себе; ~ сподівання див. перевершувати.

ПЕРЕВЕРШУВАТИ: перевершувати / перевершити [самого] себе. Робити що-небудь краще, ніж раніш, відзначатися більше, ніж можна було чекати. *Мати любила гарно приймати гостей, на цей раз вона перевершила себе.* П о р.: **перевершив сам себе.**

перевершувати / перевершити сподівання (сподіванки, припущення, обіцянки і т. ін.) чиї. Виявлятися кращим чого-небудь наміченого, очікуваного, передбачуваного. *Євген Панасович ловить кожне слово свого товариша. Ця промова перевершила всі його сподівання* (Речм.); *Бульбенки були схвильовані і вражені баченим. Дійсність перевершила всі їх сподіванки й бурсацькі мрії* (Довж.).

ПЕРЕВЕСТИ: ледве перевести дух; ~ на рейки; ~ очі; ~ розмову див. переводити.

ПЕРЕВЕСТИСЯ: не перевестися; ~ нінащо див. переводитися.

ПЕРЕВІВШИ: не перевівши духу див. переводячи.

ПЕРЕВІРИТИ: перевірити кишені див. перевіряти.

ПЕРЕВІРЯТИ: перевіряти / перевірити кишені. Займатися злодійством; красти що-небудь.— *Пляжним роззявам, мабуть, не раз кишені перевіряв...— І це брехня! — злісно викрикнув хлопець..— Як не бачили, не кажіть!* (Гончар).

ПЕРЕВІШАЄШ: за день не перевішаєш. Дуже багато, велика кількість.— *Там їх зальотників біля неї такого, що за день не перевішаєш* (Вовчок).

ПЕРЕВІЮВАТИ: перевіювати полову. Без потреби повторювати те саме. *Навіщо перевіювати полову? Хіба не ясно й так, чиє воно — чоловікове* (Гур.).

ПЕРЕВОДИТИ: [дурно (даремно, марно і т. ін.)] хліб (харч і т. ін.) переводити (їсти і т. ін.). Не давати ніякої користі. *Батько й мати журяться: — Що нам з тобою, сину, робить, що ти ні до чого не дотепний? Чужі діти своїм батькам у поміч стають, а ти тільки дурно хліб переводиш!* (Укр.. казки); *— А збирайся лишень, Чіпко, на завтра в найми,— каже.. Мотря.— Годі вдома сидіти та хліб переводити,— пора й самому заробляти* (Мирний); *— Нічого не робиш, ледащо! Дурно мій хліб їси!* (Вовчок); *Бійці.. стали спиняти жартами своїх артилеристів. Даром, мовляв,* *хліб їсте* (Гончар). А н т о н і м: **неда́ром хліб їсти.**

ле́две (наси́лу) перево́дити / перевести́ дух (по́дих). Дихати важко, з утрудненням. *Залитий по́том, ледве переводячи дух, метався [Юра].. в нестямі* (Коцюб.); *Двома словами він пояснив, хапаючись, ледве переводячи дух, яке нещастя трапилося з Черняєвою* (Донч.); *Від бігу дівчина ледве переводила подих* (Чорн.); *Макар Іванович ледве перевів дух. Тремтячий, блідий, він привітався до доктора, попросив його сісти* (Коцюб.); *Так бігли* [хлопці], *що аж ледве дух перевели* (Григ.). **ле́две переводити ду́ха.** [Я в д о х а *(ледве переводячи духа):*] *А я ж так і казала, що в пасіці його шукаймо... біля діда* (Мирний).

переводити (*рідко* **відво́дити**) **/ перевести́** (*рідко* **відвести́**) **по́дих (дух).** Робити коротку перерву, короткий перепочинок в чому-небудь. *Глущуки.. тягли.. воза з гноєм... Катерина підкладала під колесо камінь, щоб не котився він донизу, перепочивали, переводили подих і знову тягли на гору* (Чорн.); *Вони разом із Шарком побігли на гору і зупинилися, щоб перевести дух* (Панч); *Напарник* [комбайнер] *пішов у загінку, а я вирішив: дай трохи посиджу, дух переведу* (Гончар); *Вже як стала в лісі, то аж тоді дух перевела* (Л. Укр.).

переводити / перевести́ о́чі (по́гляд) *на кого — що.* Поглядати, дивитися на кого-небудь іншого, на щось інше. *Дівчатка винувато і злякано переводили очі з одного* [чоловіка] *на другого* (Вас.); *Уляна крадькома переводила свій боязливий погляд з дитини на* [Федора].., *і серце її замирало* (Мирний); *Матушка перевела.. очі* [на Гаврила], *оглядівши.. з ніг до голови, стала питати: — Як звуть?* (Мик.); *Антін перевів погляд на ліжко, де старше дівча з усієї сили теліпало колиску з малям* (Чорн.).

перево́дити / перевести́ розмо́ву (мо́ву) *на що.* Починати говорити про що-небудь інше; спрямовувати розмову в інший бік. *Він почав.. переводити її* [розмову] *на другі речі* (Мирний); *— Ну, а як справи, хлопці? — помітивши Іванову збентеженість, перевів* [Петро Федорович] *на інше мову* (Головко).

перево́дити (ста́вити *і т. ін.***) / перевести́ (поста́вити** *і т. ін.***) на ре́йки** *які, чого.* Надавати чому-небудь певного спрямування; організовувати, спрямовувати що-небудь певним чином. *Ми з Адаменком дві ночі сиділи в соляній шахті, радилися, сперечалися й вираховували,.. план того бою цілком постав у його голові, я лише коригував і переводив на практичні рейки* (Ю. Янов.); *— Це кустарщина, а не сад, — сказав Рябов. — Що? — Ви не іритуйте. Це кустарщина. Це треба ставити на державні рейки* (Довж.); *Ми повинні, не ослабляючи нашої воєнної готовості, що б то не стало перевести Радянську республіку на нові рейки господарського будівництва* (Ленін).

ПЕРЕВОДИТИСЯ: не перево́дитися / не перевести́ся. Бути наявним, не зникати. *З того часу, як Єремія осадивсь на життя в Вишневеччині, гості ні на часинку не переводились* (Стор.); *Ось уже видно журавель над тією криницею, де ніколи не переводилась вода* (Стельмах); *Ще, бачте, в нас інквізитори не перевелись!* (Л. Укр.).

перево́дитися / перевести́ся нінащо (на ніщо́, ні на се, ні на те *і т. ін.***).** 1. Втрачати значення, вагу. [І в а н:] *Отакі тепер козаки на' світі... Нінащо переведеться Запорожжя. Де ж пак — там похід задумали, а він по селі байдики б'є* (Вас.); // *Вкрай розоритися, втрачати все. Не буде.. з таких хазяїнів добра; переведуться ні на се, ні на те* (Кв.-Осн.). **перевести́ся нінавіщо.** — *Багато вашого брата туди* [на Амур] *пішло; були люди із достатками, та й ті знищились, перевелись нінавіщо* (Мирний); // *Ставати непридатним. Журиться й жінка його роботяща: Перевелись огороди нінащо* (Манж.). С и н о н і м: **зійти́ нінавіщо** (в 2 знач.).

2. Ставати набагато гіршим. *Сам на себе став не схожий* [Кирик], *і цю переміну помітили люди: якась гризота гризе Кирика, бач, перевівся чоловік на ніщо* (Гуц.).

ПЕРЕВОДЯЧИ: не переводячи / не переві́вши ду́ху (дух, по́диху, по́дих). 1. Безперервно, весь час. *Хлопці мовчки поспішали за своїм командиром. З годину ще кушпелили, не переводячи, вважай, подиху* (Головч. і Мус.).

2. *з сл.* в и п и в а́ т и. Зразу. *Випити склянку води, не переводячи духу.*

ПЕРЕГАНЯТИ: перегани́ти / перегна́ти на гре́чку. Виражаючи своє незадоволення, лаючи кого-небудь, примушувати робити, як потрібно. *Ніхто нічим не вгодить Олексієві Івановичу: і те не так, і друге навиворот* [навиворіт]*!.. Перешиває Олексій Іванович дівчат — на гречку, як кажуть, переганяє* (Мирний).

ПЕРЕГИНАТИ: перегина́ти / перегну́ти лі́нію *яку, чию і без додатка.* Будучи занадто ретельним, діяти неправильно.— *Треба вести себе так мудро, щоб.. не перегнути бригадирської лінії. Таку вести лінію, щоб і бригадир залишився хорошим і людям було добре* (Чорн.); *Воронцов.. серйозно попередив, щоб надалі Хома не брався розподіляти землю, яка йому не належить. Хома запевнив, що.. лінії не перегне* (Гончар).

перегина́ти / перегну́ти па́лицю (па́лку). Упадати в надмірну крайність у вчинках, діях і т. ін.— *Це глибока думка, — обережно сказав Іван Павлович.. Ніколи не треба перегинати палицю, узагальнювати. Що дуже добре в одному випадку, принесе шкоду в іншому* (Собко); *Гулька перехопив його погляд, збагнув, що перегнув палку, посміхнувся: — Горілка починає водити язиком. Давай на цьому поставимо крапку* (М. Ю. Тарн.).

ПЕРЕГНАТИ: перегна́ти на гре́чку *див.* переганяти.

ПЕРЕГНУТИ: перегну́ти лі́нію; ~ па́лицю *див.* перегинати.

ПЕРЕГОВОРІВ: сіда́ти за стіл переговорі́в *див.* сідати.

ПЕРЕГОНУ: да́ти перего́ну *див.* дати.

ПЕРЕГОРІЛО: се́рце перегорі́ло *див.* серце.

ПЕРЕГОРНУТИ: перегорну́ти у па́м'яті *див.* перебирати.

ПЕРЕГОРТАТИ: перегорта́ти у па́м'яті *див.* перебирати.

ПЕРЕГРИЗАТИ: перегриза́ти / перегри́зти го́рло (горля́нку) *кому і без додатка.* 1. Жорстоко розправлятися з ким-небудь, перев. у стані гніву, злоби і т. ін.— *Ой, що тепер роблять люди... Горло один одному перегризають за шматок хліба...* (Тулуб); *Він також уже знав про втечу опришка і чекав.. Ой чекав! Як звір у клітці, бігав по хаті — мало!.. Вибіг на двір, крутився.. поміж смереками. Попадися йому тепер хто під руки — горло перегриз би* (Хотк.); *Годину тому він готовий був перегризти горло кожному, хто б сказав, що оунівці насміляться сунутися на Круту гору* (М. Ю. Тарн.); *А ти ж гадав, він за бідноту вболіватиме? Та це такий.., що всім би нам горлянку перегриз* (Шиян). П о р.: **перерва́ти горля́нку.**

2. Настирливо, не гребуючи ніякими засобами, домагатися свого. *Я буду крутий за правду і за інтереси нашого колгоспу, коли треба, горло перегризу, а спуску не дам* (Кучер); *Багрич вірив Алієву. Так, цей справді доведе, переконає, доб'ється правди. Він перегризе горло, відстоюючи — не своє особисте, а інтереси народу, держави* (Дмит.). **попере	гриза́ти горля́нки** (про усіх або багатьох). *І Каргатові твоєму, і тобі разом з ним горлянки поперегризаю, якщо в Лари хоч одна сльозинка впаде через нього* (Шовк.); — *Вони сподіваються, що ми на Україні поперегризаємо самі собі горлянки, щоб голими руками тоді нас патрати* (Ле). С и н о н і м: **видира́ти о́чі.**

ПЕРЕГРИЗТИ: перегри́зти го́рло *див.* перегризати.

ПЕРЕД: вести́ пе́ред *див.* вести; **держа́ти ~** *див.* держати.

ПЕРЕДАВАТИ: передава́ти / переда́ти естафе́ту *кому.* Доручати кому-небудь продовжити розпочату справу. *Іштван-пролетар підвів до старшини літню змарнілу жінку в рогових окулярах.— Моя сестра... Естафету [проведення бійців через підземний хід] передаю їй...* (Гончар).

передава́ти / переда́ти куті́ ме́ду. Перевищувати норму, міру в чому-небудь, перебільшувати що-небудь. *Правда, ліпше, що ти не їхала нікуди на свята, тільки не треба ж і в Петербурзі «передавати куті меду» з роботою* (Л. Укр.); — *Ні, це вже Василь Васильович передав куті меду,— потупив-*

ся Сагайдак і ніяково почав підбирати з лоба настовбурченого чуба.— *Який я науковець?* (Добр.); *Узяв [Микита Павлович] у руки шматки пружини і почав розглядати блискучу на зламах сталь. Гартом не догодили, передали куті меду. Пружина має бути трохи м'якшою* (Інг.). С и н о н і м и: **перебира́ти че́рез мі́ру** (в 1 знач.); **взя́ти че́рез край; взя́ти ли́шку; перехо́дити межу́** (в 2 знач.).

ПЕРЕДАМ: дава́ти ли́ха закаблу́кам *див.* давати.

ПЕРЕДАТИ: переда́ти естафе́ту; ~ куті́ ме́ду *див.* передавати.

ПЕРЕДКИ: обли́зувати передки́ *див.* облизувати.

ПЕРЕДОВИКАХ: ходи́ти у передовика́х *див.* ходити.

ПЕРЕДОВИХ: ходи́ти у передови́х *див.* ходити.

ПЕРЕЖИВАТИ: пережива́ти за свою шку́ру *див.* боліти.

ПЕРЕЖИТИ: пережи́ти себе (свій вік). 1. Зберегти своє значення після смерті. *Хто цілком на послугу народу Віддає своє життя слабе В боротьбі за щастя, за свободу — Тільки той переживе себе!* (Стар.).

2. Втратити своє значення ще за життя; перестати задовольняти чиї-небудь потреби, вимоги життя. [К р и ш т о ф:] *Упадають останки середньовіччини [середньовіччя], дрібна продукція пережила свій вік — капітал концентрується* (Фр.); *Всім довелось переконатися на практиці, що старі методи господарювання пережили себе, що вони виявилися невідповідними до потреб життя.*

ПЕРЕЖОВУВАТИ: пережо́вувати жу́йку *див.* жувати.

ПЕРЕЇДАТИ: переїда́ти / переї́сти хліб *чий.* Бути на чиємусь утриманні. *Пожитки взяла [Василинка] з собою,— гойднула рогатим вузликом,— а більше мені від матері нічого не треба. Ви не думайте, що я ваш хліб переїдатиму чи без роботи сидітиму. Кину школу й піду в ланку або до худоби* (Гуц.).

переїда́ти / переї́сти се́рце *з ким.* Зазнавати неприємностей від кого-небудь, мучитися з кимсь.— *З усяким наймитом треба переїдати серце, але строкаря з економії від хазяйського за версту по духу почуєш. Хліб з тобою почне жувати і господаря очима жертиме* (Стельмах). **роз'ї́сти се́рце.** — *Роз'їм серце з тими новобранцями, бо не беруться науки* (Март.).

ПЕРЕЇДЬ: хоч во́зом переї́дь. Неможливо переконати кого-небудь в чомусь. [К р я ж:] *Не здавалось тобі ніколи, що ти надто почав учащати сюди?* [Р о м а н:] *Ні, а хіба що?* [К р я ж:] *А мені здавалось.* [Р о м а н:] *Оце й моєму батькові часом як здається, то хоч возом переїдь* (Зар.).

ПЕРЕЇЖДЖА: як переї́жджа сва́ха *див.* сваха.

ПЕРЕЇ́СТИ: переї́сти се́рце; ~ хліб *див.* переїдати.

ПЕРЕ́ЙДЕНИЙ: пере́йдений ета́п *див.* етап.

ПЕРЕЙМА́Є: перейма́є / перейняло́ по́дих, *безос.* Утруднюється або зупиняється дихання у кого-небудь. *Валерій так розганявся по льоду, що переймало подих* (Ільч.).

ПЕРЕЙМА́ЄТЬСЯ: душа́ перейма́ється жа́лем *див.* душа.

ПЕРЕЙМА́ТИ: перейма́ти естафе́ту *див.* прийняти.

ПЕРЕЙНЯЛО́: перейняло́ по́дих *див.* перейма́є.

ПЕРЕЙНЯ́ТИ: перейня́ти естафе́ту *див.* прийняти.

ПЕРЕЙТИ́: не могти́ ха́ти перейти́ *див.* могти.

ні перейти́, ні перелеті́ти *чого.* Що-небудь дуже велике (перев. про простір, обсяг якоїсь перешкоди, що стоїть на шляху кого-, чого-небудь). *Небо сходило зорями. Темрява, глибока й студена, розлилася над світом і, здавалося, ні перейти її, ні перелетіти* (Гончар).

перейти́ доро́гу *див.* перетинати; ~ крізь си́то й ре́шето *див.* пройти; ~ межу́; ~ на легки́й хліб *див.* переходити; ~ на ніна́що *див.* зійти; ~ на ре́йки *див.* переходити; ~ на той світ *див.* іти; ~ рубіко́н *див.* переходити.

перейти́ світ. Побувати у багатьох місцях, дуже багато побачити. *Хоть [хоч] би я світ перейшов, то такого приятеля я собі не найду* (Черемш.).

перейти́ че́рез ру́ки *див.* пройти.

ПЕРЕКИДА́ЄТЬСЯ: світ перекида́ється *див.* світ.

ПЕРЕКИДА́ТИ: перекида́ти ча́рку *див.* перехиляти.

ПЕРЕКИДА́ТИСЯ: перекида́тися / переки́нутися ду́мкою (думка́ми, уя́вою і т. ін.) до кого — чого, на кого — що, у що. Починати думати про кого-, що-небудь, уявляти когось, щось. *А Гриня невдовзі після цього вже перекинувся думкою на ті, ніколи не бачені ним, архіпелаги, де буцімто й нині люди живуть за первісними законами* (Гончар); *Коли ж Оксана перекинулася думками від далекого і неосяжного до справ знаних і близьких, то.. чомусь і Савку згадала* (Грим.); *В одну мить перекинувся [Кузьмін] уявою до минулих днів, повернувся до тих часів, коли він,.. довідався про Жовтневу революцію* (Збан.).

перекида́тися / переки́нутися сло́вом (слова́ми). Вести коротку розмову; час від часу говорити, повідомляти що-небудь один одному. *Сиділи [горничні] кругом столу й грали в короля. Кругом густою лавою обступили їх хлопці і перекидалися жартівливими словами* (Мирний); *З правого боку жінки голосно трощили насіння, часто перекидалися словами, з їхніх реплік Микола Чубук зробив*

висновок, що сьогодні на зборах буде жара (Епік); *Семен Омельянович любив перекинутись словом і про те, що не стосувалося агрономії* (Д. Бедзик). **перекинутися кількома́ слова́ми.** *Щоразу.. встигав [Хома Хаєцький] перекинутися з чехами бодай кількома словами* (Гончар).

ПЕРЕКИ́ДОМ: світ іде́ пере́кидом *див.* світ.

ПЕРЕКИ́ДЬКИ: світ іде́ переки́дьки *див.* світ.

ПЕРЕКИ́НУВСЯ: світ переки́нувся *див.* світ.

ПЕРЕКИ́НУЛОСЬ: у голові́ переки́нулось *у кого, кому.* Хто-небудь став розумово обмеженим, слабоумним. [Голоси старих ткачів:] *Он там.. єсть один такий, що цілий день сидить над водою та й полощеться, голісінький, як мати породила. Йому вже зовсім в голові перекинулось* (Л. Укр.).

ПЕРЕКИ́НУТИ: переки́нути ча́рку *див.* перехиляти.

ПЕРЕКИ́НУТИСЯ: і сло́вом не переки́нутися. Зовсім не розмовляти, не говорити з ким-небудь; мовчати. *Часом мине цілий тиждень, а вони й словом не перекинуться, як німі* (Коцюб.); *Чому так неприязно відповів шофер, з яким він ще не перекинувся й словом?* (Хор.). П о р.: **не обмо́витися сло́вом** (у 2 знач.).

переки́нутися ду́мкою; ~ сло́вом *див.* перекидатися.

ПЕРЕКИПІ́ЛО: се́рце перекипі́ло *див.* серце.

ПЕРЕКЛАДА́ТИ: переклада́ти / перекла́сти на чужі́ (на чиї́сь і т. ін.) пле́чі (ру́ки) чиї, кого. Звільняти себе від роботи, відповідальності, турбот і т. ін., обтяжуючи цим іншого. [Д р е м л ю г а:] *Ех, Пилипе, Пилипе... Інколи і мені здається, чи не краще жити, як інші: перекладай на чужі плечі роботу і живи на свою втіху.. Не такого я гарту!* (Корн.); *Своєму коханому синочкові [Оксана] раду дати так і не змогла, змушена була його виховання перекласти на чиїсь руки* (Гончар).

переклада́ти (перено́сити і т. ін.) / перекла́сти (перенести́ і т. ін.) на папір. Писати про що-небудь, описувати щось. *Не знаю, чи воно [оповідання] вдалося мені, але коли б я хоч трохи переніс на папір колорит гуцульщини і запах Карпат, то й з того був би задоволений* (Коцюб.).

ПЕРЕКЛА́СТИ: перекла́сти на папі́р; ~ на чужі́ пле́чі *див.* перекладати.

ПЕРЕКО́ВУВАТИ: переко́вувати / перекува́ти мечі́ на ора́ла, *книжн.* 1. Перетворювати воєнні засоби, ресурси і т. ін. у мирні.— *Не в ті часи ми живемо, щоб мечі на орала перековувати.. Бо ніхто землі нам просто так не віддасть. Без боротьби* (Головко); *Ми завжди готові перекувати мечі на орала, коли на це згодяться й інші держави* (Рад. Укр.).

2. Перевиховувати кого-небудь, примушувати стати іншим.— *Справді, хай уже як є,— сказала Марися Павлівна. Якось будем його [учня] фор-*

мувати..— Ви як, Борисе Савовичу, щодо Кульбаби? — Перекуєм,— сказав Борис Савович і, помовчавши, додав: —...мечі на орала (Гончар).

ПЕРЕКУВАТИ: перекувáти мечí на орáла див. перековувати.

ПЕРЕЛАДУ: ні лáду ні перелáду див. ладу.

ПЕРЕЛАЗИТИ: чéрез порíг не перелáзити. Перебувати в дитячому віці. *Ой, летять же літа! Чи давно це й через поріг не перелазив [син], а тепер он який* (Головко).

ПЕРЕЛАЗІ: як собáці на перелáзі див. собаці.

ПЕРЕЛАМАТИ: переламáти себé; ~ харáктер див. переламувати; **~ хребéт** див. ламати.

ПЕРЕЛАМУВАТИ: перелáмувати / переламáти харáктер (упéртість і т. ін.**) чий (чию), кого.** Примушувати кого-небудь стати іншим, змінити звички, вдачу. *Єдиного комісара він терпів біля себе — Данила. І цьому доводилось день по дню переламувати Шведів характер, щодня наражатися на опір командира* (Ю. Янов.); *Майор таки переламав доньчину впертість, хоча зробити було це й нелегко* (Гончар).

перелáмувати (перелóмлювати) / переламáти (переломи́ти) [самóго] себé. Примушувати себе діяти всупереч своїм бажанням, прагненням, звичкам і т. ін. *Коли вже Євген не може переламати себе, коли це для нього «перша й остання»... Коли й вона його щиро серцем обрала... То тут потрібен інший підхід* (Гончар); *І все-таки він дуже змінився за ці роки. Адже вистачило в нього витримки не потрапляти на очі Любі, переламати себе* (Собко).

ПЕРЕЛЕЖАТИ: хáти (мíсця і т. ін.**) не перелéжати (не переси́діти).** Не завдати шкоди, турбот, перебуваючи у когось, десь.— *Що там думати,— м'яко втрутилася Меланія.— Коли вже до мене приїхали, то хай у мене зупиняються. Хати не перележать!* (Гончар).

ПЕРЕЛЕТІТИ: ні перейти́, ні перелетíти див. перейти; **~ дýмкою** див. перелітати.

перелетíти на кри́лах. Дуже швидко подолати якийсь простір чи якусь перешкоду. *Штурмом захопили радгосп, поле перелетіли на крилах.— «Оце,— гукає комсорг Ярославцев, глянувши на карту,— уже Україна!»* (Гончар).

ПЕРЕЛИВАТИ: перелива́ти / перели́ти [чáшу] чéрез край (чéрез вíнця і т. ін.**).** 1. Позбавляти кого-небудь сил, можливості терпіти, переносити страждання, горе і т. ін. *На прю! Без ляку і зневіри — За правду, волю, за наш край! Перелили вже бузувіри Скорботи чашу через край* (Стар.). П о р.: **перепóвнювати чáшу терпіння.**

2. Досягати найвищого рівня, найбільшої міри. *І мовив Щорс: — Народу гнів Переливає через вінця, бо вже до краю придушив Той чобіт кований чужинця* (Шер.). П о р.: **переливáтися чéрез край.**

перелива́ти (рідко **си́пати) з пусто́го [та] в порóжнє.** 1. Повторювати те саме, ведучи непотрібні або малозмістовні, пусті розмови. *Фрази лились, зчіплювались, і він переливав з пустого та в порожнє, говорячи те ж саме, тільки іншими словами* (Н.-Лев.); *— Кажуть, що жінки люблять поговорити. А ви, мужчини, переливаєте з пустого в порожнє ось уже чималий час* (Ю. Янов.). **си́пати з порóжнього в пустé.** *Сип, сип із порожнього в пусте!* (Укр.. присл..). С и н о н і м: **лíти вóду.**

2. Займатися непотрібною, марною справою, звичайно багато говорячи.— *У гостях тільки б марно стратили день, переливаючи з пустого в порожнє, а дома сидячи я сьогодні «Кобзаря» дочитаю* (Мирний); *— Я, звичайно, мало розумію в твоїх справах.. Але чомусь хочеться вірити в Снігура. З пустого в порожнє він переливати не стане, не такий він* (Автом.). **перелива́ти з порóжнього в непóвне.** *Ідем, куме, з свого пекла, най собі тут переливають [пани] з порожнього в неповне! — напівпошепки, напівголосно мовив Петро Дорунда до Михайла Савули* (Чендей). С и н о н і м: **товкти́ вóду в стýпі.**

ПЕРЕЛИВАТИСЯ: перелива́тися (ли́тися) / перели́тися чéрез край (чéрез вíнця і т. ін.**).** Досягати найвищого рівня, найбільшої міри. *Студентські роки — це такий період життя, коли ініціатива в людини переливається через край, коли, здається, гори можеш звернути* (Рад. Укр.); *У кімнаті стихло, тільки годинник настирливо цокав, доливав смутку до того, що переливалося вже через вінця* (Гжицький); *Всі газети переповнено описанням таких жорстоких фактів.., що надлюдське горе уже давно перелилося через край в кожній людській душі* (Довж.). П о р.: **перелива́ти чéрез край** (у 2 знач.).

перелива́тися / перели́тися в дýшу чию. Передаватися від однієї людини до іншої. *Горе з серця мого перелллється в твою душу і згаснеш від нього* (У. Кравч.).

ПЕРЕЛИТИ: перели́ти чéрез край див. переливати.

ПЕРЕЛИТИСЯ: перели́тися в дýшу; ~ чéрез край див. переливатися.

ПЕРЕЛІТАТИ: перелíтати (залíтати) / перелетíти (залетíти) дýмкою (в дýмці, в думкáх). Уявляти або згадувати що-небудь. *Залітала в думках далеченько і Явдоха, поспішаючи за синовою долею* (Ільч.); *Вона глянула на верби, на вишні, на огороди, й перелетіла думкою у батьків садок* (Н.-Лев.); *І, взявши карту, щоб на їй Писать споминок дорогий, Я в думці враз перелетів Ряди похованих годів* (Щог.).

ПЕРЕЛІТНИЙ: перелíтний птах див. птах.

ПЕРЕЛІЧИТИ: на (по) пáльцях [мóжна (лéгко)] перелíчити (порахувáти і т. ін.**) кого, що.** Дуже мала кількість кого-, чого-небудь. *Вони [кращі люди].. замінили свій хатній халат на* *службовий каптан. То, правда, були ще тільки стовпи, одинокі рядчики, що їх по пальцях перелічиш* (Мирний); [Л а р и в о н:] *Всім відомо, скільки [грошей] присилав Єфрем за весь час. Всі давно на пальцях перелічили всі присилки* (Кроп.). **лéгко перелічúти на пáльцях однієї рукú.** *Богдан Любомирович добре знав, що фахівців, котрі розуміються на цій проблемі, легко перелічити на пальцях однієї руки* (Літ. Укр.). А н т о н і м: **не перелічúти.**

не [мóжна] перелічúти *чого.* Дуже велика кількість кого-, чого-небудь. *Привіз Онисько молоду жінку у свій зимовник, тутечки у його [нього] була рублена хата на дві половини, усякої худоби не перелічити і наймитів, і наймичок* (Стор.). А н т о н і м: **на пáльцях перелічúти.**

перелічúти (полічúти) зýби *кому.* Ударити кого-небудь, перев. по зубах.— *Встане не на ту ногу пан управитель — і зуби перелічить, і служби позбавить* (Стельмах); — *Чом ти йому зубів не полічив? — загомоніли кругом* (Мирний). С и н о н і м и: **вúграти третячкá на зубáх; дáти зуботúчину** (в 1 знач.).

ПЕРЕЛОМИТИ: переломúти себé *див.* переламувати.

ПЕРЕЛОМЛЮВАТИ: перелóмлювати себé *див.* переламувати.

ПЕРЕМАГАТИ: перемагáти / перемогтú себé (своє сéрце *і т. ін.***).** Тамувати в собі які-небудь почуття, емоції і т. ін., боротися з якимсь станом. *Борис, перемагаючи себе, дивлячись не на друга, а на вулицю, на тіні, на одиноких перехожих, сказав: — Ти пам'ятаєш, я тобі колись говорив, що збираюсь одружитися* (Собко); *Вона перемогла себе й почала казати далі: — Я... сама підпалила хату* (Гр.); *Став шинкар свою жінку зневажати.., а Чайченко не переміг свого серця, уступився* (Вовчок).

ПЕРЕМЕЛЮВАТИ: перемéлювати кісточкú *див.* перемивати.

ПЕРЕМИВАТИ: перемивáти (мúти, перемéлювати, перетирáти *і т. ін.***) / перемúти (перемолóти, перетéрти** *і т. ін.***) кісточкú (кісткú, до кісток** *і т. ін.***) кому, кого, чиї і без додатка.** Займатися пересудами, обмовляти кого-небудь. *Від одного того, що з ним сиджу на очах у всіх, не по собі робиться, всі дивляться, хоч провались з сорому, будуть кісточки потім перемивати* (Хижняк); *Уся сім'я Глущуків потрапила на голодні зуби, і хто тільки не хотів, той і не перемивав їй кісток* (Чорн.); *Федір полюбляв на квартиру.. люди мили та перемивали всім Покришник кістки, а він не звертав на те уваги* (Збан.); *Перемелюєте мої кісточки? — сказав [шеф-повар] незлобивим баском і опромінив хлопців таким добрим, батьківським усміхом, що їм від сорому позаціплювало* (Ю. Бедзик); *Вже вони встигли перемити кісточки коханці якогось дивізійного начальника, вже*

вихрестили знайомого скнару-інтенданта, вже добралися до Антоновича, з якого покепкувати сам бог велів (Гончар). **перемивáння кісточок.** *Здається мені, користі мало з.. перемивання кісточок померлих поетів* (Л. Укр.). С и н о н і м и: **брáти на зýби** (в 1 знач.); **брáти на язикú; брáти на рéшето.**

ПЕРЕМИНАТИ: перемнáти на зубáх *див.* перебирати.

ПЕРЕМИНАТИСЯ: перемннáтися (переступáти) / переступúти з ногú на нóгу. Почувати себе ніяково, нерішуче, збентежено, розгублено і т. ін. *З кожним його словом дівчина все більше дивувалася і вже розгублено переминалася з ноги на ногу* (Панч); *Усміхається Марина, і звичайно хороше і неспокійно стає хлопцеві. Переминається з ноги на ногу, вила то на плече покладе, то зубцями в землю зажене* (Стельмах); *Юннати розгублено переминалися з ноги на ногу, не знаючи що й казати* (Мокр.); *Панас Гичка переступає з ноги на ногу, наставляє старого батька, що слухає сина, сумно похнюпивши голову* (Тют.); — *Що сталося, сину? На тобі лиця нема.* Денис дивився на батька невідіючими очима, переступав з ноги на ногу* (Літ. Укр.). **переступáти з однієї ногú на дрýгу.** *Джериха розказувала десятий раз, як її син цієї неділі перший раз читав апостола в церкві, як розгортав книжку, .. і як став, і як переступав з однієї ноги на другу, як засоромився й почервонів* (Н.-Лев.).

ПЕРЕМИТИ: перемúти кісточкú *див.* перемивати.

ПЕРЕМИТИЙ: як (мов, ніби *і т. ін.***) перемúтий.** Дуже хороший. *А на нашій та вулиці Насипано жита, Ой як вийде челядь гулять — Так як перемита* (Укр.. пісні); *Дівчата там як переміті, прості, ніяких примх не знають* (Вас.); *Металурги наші гордовиті, Гарні, дужі, всі як переміті* (Ю. Янов.).

ПЕРЕМІНИТИ: перемінúти (змінúти, поверну́ти *і т. ін.***) гнів на мúлість (на лáску).** Перестати гніватися. *Городиський гордо кивне головою на знак, що перемінив гнів на милість* (Фр.); *Лідія Овдіївна змінила гнів на милість.— Ану тебе, Конопельський. Тобі в цирк піти або на сцену.. Завжди він насмішить до сліз* (Збан.); *Гінзбург ще деякий час насторожено й холодно ставився до Ляндера. Та згодом змінив гнів на ласку: забув про сутичку* (Дім.); — *Та вже і гнів свій до вас на милість поверну — попоїм трохи,— додав [Пищимуха], беручись за ложку* (Мирний).

ПЕРЕМІНИТИСЯ: перемінúтися на лиці *див.* мінитися.

ПЕРЕМІРЯТИ: перемірáти гóлими п'ятáми світ. Багато помандрувати пішки, зазнавши всіляких незгод.— *Не бійся, коли вирушав на нас, то не думав про такий амінь! Думав, що на слабких натрапив, адже війни не хочуть!. Скачи, скачи,* *волоцюго, переміряєш голими п'ятами світ, то знатимеш, який він широкий* (Гончар).

ПЕРЕМЛІЛА: душá перемлíла *див.* душа.

ПЕРЕМОГТИ: перемогтú себé *див.* перемагати.

ПЕРЕМОГУ: святкувáти перемóгу *див.* святкувати.

ПЕРЕМОЛОТИ: перемолóти кісткú *див.* перемивати.

ПЕРЕМ'ЯТИ: перем'ятти на зубáх *див.* перебирати.

ПЕРЕНЕСЛО: як (мов, ніби і т. ін.) вíтром перенеслó *кого, безос.* Хто-небудь дуже швидко прибув (прийшов, приїхав, прибіг і т. ін.) кудись. [С у х о в і й:] *Либонь ще й четверті півні не співали, а я вже і в Конотопі.. Немов вітром мене перенесло* (Кроп.).

ПЕРЕНЕСТИ: перенестú на папíр *див.* перекладати.

ПЕРЕНЕСТИСЯ: перенестúся у вíчність *див.* переноситися.

ПЕРЕНОСИТИ: перенóсити на папíр *див.* перекладати.

ПЕРЕНОСИТИСЯ: перенóситися / перенестúся у вíчність. Помирати. *Наймолодший синок, любимчик Лідчин, перенісся, через недбалість мачухи, у вічність, за своєю матір'ю і тьотею…* (Коб.).

ПЕРЕОРАТИ: переорáти межý *кому.* Перешкодити кому-небудь у його справах. *Чи я йому межу переорав!* (Укр.. присл..); *Тішиться з себе [хвалько], який то він здатний в бога вродився: і пану догодив, і собі межі не переорав* (Вовчок).

ПЕРЕОЦІНИТИ: переоцінúти всі цíнності *див.* переоцінювати.

ПЕРЕОЦІНЮВАТИ: переоцíнювати / переоцíнйти [всі] цíнності. Серйозно переглядати і змінювати погляди, уявлення і т. ін.— *Зараз усі ми опинилися в однаковому, дуже важкому стані,— говорив цей погляд,— доводиться переоцінювати цінності, а це процес дуже болючий, нагадує перев'язку спеченого тіла, коли тобі повільно віддирають присохлі бинти* (Собко). **переоцíнка цíнностей.** [Т е р е н ь:] *А з Сльозкіним у нього давно порвано. Переоцінка цінностей. І от бачиш, почав вивчати марксизм* (Мик.).

ПЕРЕПАДАТИ: перепадáти / перепáсти на горíхи (на гостúнці, на галушкú і т. ін.) *кому і без додатка, безос.* Діставати покарання, страждати від когось. *Іноді мені обридала служба, і я кидав все і завіювався куди-небудь в повіт тижнів на два і більше; часом сходило це мені з рук, а часом і перепадало на горіхи* (Збірник про Кроп.); *Звісно, найбільше при тих переговорах [сина і дружини] перепадало на горіхи старому Трацькому* (Фр.); *Вітька час від часу позирає на зачинені двері. Стукати він боїться, бо якщо дома лишилась Юркова сестра Настя, то Вітьці перепаде на горіхи: Настя сердита* (Сиз.); — *Та що це ви, Прокопе… А то дійсно заробите від мене,— ви-*

правдувалась Віра.— О-о, я ж казав тобі, Ілюша, що од цієї ланкової легко може перепасти й на галушки (Хор.); — *Ой гляди, дівчино, перепаде тобі на бублики.. Ти ж знаєш вдачу нашої попаді: все шкварчить, наче яєчня на сковороді* (Стельмах). С и н о н і м и: *дістáнеться на горíхи; мáти на горíхи.*

перепадáти / перепáсти на хліб. Мати мізерний заробіток.— *Піду до кого або хто покличе [попрати] — може, хоч на хліб перепаде* (Мирний).

перепадáти / перепáсти у кишéню *кому і без додатка.* Мати грошовий прибуток.— *Радий, бач, що взяли [на роботу],— каже один.— Еге,— каже другий,— показний, бач.. Та це й прохарчиться він, і в кишеню перепаде* (Тесл.).

ПЕРЕПАДУТЬ: духопéлики перепадýть *див.* духопелики.

ПЕРЕПАСТИ: перепáсти берéзової кáші *кому.*
1. Бути побитим різками. *Хлопцеві добре перепало березової каші від батька.*
2. Діставатися кому-небудь за щось. *Борисенко співчутливо подивився на Безсмертного. Тільки різні заяви і настирливі нагадування примусили Борисенка взятись за Безсмертного, бо інакше йому ще більше могло перепасти березової каші* (Стельмах).

перепáсти на горíхи; ~ на хліб; ~ у кишéню *див.* перепадати.

ПЕРЕПАСТИСЯ: перепáстися на смик (на сухáр і т. ін.). Дуже схуднути, охлянути, виснажитися. *Уздрівши чоловіка, Олена обривала спів і починала докоряти, що він, Марко, і не обідав, і не вечеряв, і забувся за жінку, і сам перепався на смик* (Стельмах); *Третій тиждень і на ногу не стає [кобила]. Перепалась — ну на сухар* (Головко).

ПЕРЕПЕЛИЦІ: перепелúці нíкуди пропхáтися *див.* пропхатися.

ПЕРЕПЕРАНКУ: убирáтися з дрáнки в переперáнку *див.* убиратися.

ПЕРЕПИНИЛО: перепинúло мóву *див.* зав'язало.

ПЕРЕПИНИТИ: перепинúти дорóгу *див.* ретинати.

ПЕРЕПИНЯТИ: перепинятти дорóгу *див.* перетинати.

ПЕРЕПІЧКУ: перéпічку сотворúти *див.* сотворити.

ПЕРЕПЛИГНУТИ: переплигнýти [самóго] сéбé. Зробити більше, ніж можливо. *Переплигнути самого себе у часі завершення роботи.*

ПЕРЕПЛУТАТИ: переплýтати кáрти *див.* плутати; **~ прáведне з грíшним** *див.* переплутувати.

ПЕРЕПЛУТУВАТИ: переплýтувати кáрти *див.* плутати.

переплýтувати (плýтати) / переплýтати прáведне з грíшним. Змішувати все хороше і погане, протилежне; неправильно розуміти що-небудь. *Сказився.. старий, переплутав праведне з гріш-*

ним. *Замість дробовиком бекасів по болоті ганяти, почав угодників глушити в хаті* (Ковінька). **переплу́тати грі́шне з пра́ведним**. *Розхвилювавшись, у сварці вона переплутала грішне з праведним.*

ПЕРЕПОВНИЛАСЯ: ча́ша терпі́ння перепо́внилася *див.* чаша.

ПЕРЕПОВНИТИ: перепо́внити ча́шу терпі́ння *див.* переповнювати.

ПЕРЕПОВНЮВАЛАСЯ: ча́ша терпі́ння перепо́внювалася *див.* чаша.

ПЕРЕПОВНЮВАТИ: перепо́внювати (*рідше* **переповня́ти**) / **перепо́внити ча́шу** (**ча́рку, мі́ру** *і т. ін.*) **терпі́ння.** Позбавляти сил, можливостей терпіти, зносити що-небудь. *Посипалися з моєї пазухи [яйця] на Глафірину голову ...Це були останні краплі, що переповнили чашу її терпіння* (Мик.). **перепо́внити ча́шу (ча́рку).** *Дорогий тов. Цюрупа! Рішення пленуму — лідсумок давніх і довгих невдоволень Свідерським. Заява робітників і, головне, підтримка її профспілками переповнила чашу* (Ленін); *Микита ледве встояв на ногах.. Ці страшні синяки на доньчиному тілі переповнили чарку* (Л. Янов.). С и н о н і м: **переливати через край** (у 1 знач.).

ПЕРЕПОВНЯТИ: переповня́ти ча́шу терпі́ння *див.* переповнювати.

ПЕРЕПОЛОХ: вилива́ти переполо́х *див.* вилива́ти.

ПЕРЕПУСКАТИ: перепуска́ти / перепусти́ти че́рез свої́ ру́ки. Бути причетним до чогось. — *Сорок років зимогорю,— зітхає старий.— Стільки золота перепустив через свої руки, що тобі і не присниться ...* (Донч.).

ПЕРЕПУСТИТИ: перепусти́ти че́рез свої́ ру́ки *див.* перепускати.

ПЕРЕПУТТІ: на перепу́тті. У стані сумнівів, хитань при виборі подальшого шляху. *Не стать, не ждать в путі, на перепутті, А прокладать, торить шляхи, стежки* (Дор.).

ПЕРЕРВАЛАСЯ: ни́тка перерва́лася *див.* нитка.

ПЕРЕРВАЛОСЯ: життя́ перерва́лося *див.* життя.

ПЕРЕРВАТИ: перерва́ти горля́нку *кому.* Жорстоко розправитися з ким-небудь. *Санька любила брата з ревністю ведмедиці. Кожному, хто смів його ображати, вона ладна була перервати горлянку* (Тют.). С и н о н і м: **перегри́зти го́рло** (в 1 знач.).

ПЕРЕРВАТИСЯ: перерва́тися на́дво́є *див.* перериватися.

ПЕРЕРВЕ́ТЬСЯ: як не перерве́ться, з дієсл. З великою активністю. *Жайворонки, як не перервуться, щебечуть* (Мирний); // Дуже швидко. *Діставши облизня, фашист тікає, як не перерветься* (Ю. Янов.).

ПЕРЕРВИСЯ: хоч на́дво́є перерви́ся *див.* розірвися.

ПЕРЕРИВАТИ: перерива́ти / перери́ти ми́шачі но́ри. Дуже ретельно переглядати все, заглядати в найпотаємніші закутки в пошуках кого-, чого-небудь.— *Вони [чоловіки] й вас уб'ють. Давайте краще обидві сховаємось.— Що ти кажеш таке? То вони тоді всі мишачі нори перериють* (Хотк.).

ПЕРЕРИВАТИСЯ: перерива́тися / перерва́тися на́дво́є (попола́м, наче́тверо *і т. ін.***).** Виконувати надмірну роботу або виявляти надмірні зусилля. *Напополам перервусь, а таки доб'юся свого* (Головко).

ПЕРЕРИТИ: перери́ти ми́шачі но́ри *див.* перериватися.

ПЕРЕСАДКИ: без переса́дки (без переса́док), з дієсл. Прямо, не затримуючись. *Було сядеш на саночки на розі Шулявської й Тарасівської, відштовхнешся ногою та й їдеш без пересадки аж до Жилянської вулиці* (Сам.); *Він допоміг нам хутенько знайти в Корчуватому справжню гідру фашизму із списком наших людей, складених для царства небесного, куди й потрапив без пересадки сам той писар за нашою допомогою* (Ю. Янов.).

ПЕРЕСИДІТИ: ха́ти не переси́діти *див.* перележати.

ПЕРЕСИПКУ: у пере́сипку, з сл. г о в о р и́ т и *і под.* Без логічного зв'язку, без певного порядку. *Може, такого набазікаю, що і в шапку не забрати, а далі почну у пересипку, та й кінця не зв'яжу* (Вовчок).

ПЕРЕСКОЧИТЬ: соба́ка не переско́чить *див.* собака.

ПЕРЕСКРИПІТИ: перескрипіти зуба́ми. З досадою перетерпіти що-небудь, ледь стримуючись. *Палив [отаман пушкарів] панам груби, прислужувався,.. не одно витерпів, не одну зневагу перескрипів зубами — а все мав гадку, що тим купує оці очі, оці руки* (Хотк.).

ПЕРЕСМИКАТИ: пересмика́ти ка́рти *див.* пересмикувати.

ПЕРЕСМИКУВАТИ: пересми́кувати / пересмика́ти ка́рти (ка́рту). Намагатися перехитрити, обдурити кого-небудь, підмінюючи одне іншим. [Ч и р в а:] *Я пропоную: підтримати [владу] добровільно.. [Н е б а б а:] Він хоче перечирвити сходку. Пересмикує карти* (Мик.).

ПЕРЕСТАВИЛАСЯ: душа́ переста́вилася *див.* душа.

ПЕРЕСТАВИТИСЯ: переста́витися (переступи́ти) на той світ, *заст.* Померти. *На ранок він [Улас] затих, а об обідній годині й на той світ переставився* (Мирний); *Отак вони любилися! На той світ хотіли Обнявшися переступить* (Шевч.). С и н о н і м и: **відда́ти Бо́гу ду́шу; ви́тягти но́ги** (в 1 знач.); **ви́тягтися вздовж ла́ви; вильну́ти наве́рх де́нцем; ду́бом одуби́тися; врі́зати ду́ба.**

ПЕРЕСТАВЛЯТИ: ле́две (ледь, наси́лу) переставля́ти но́ги. 1. Іти дуже повільно (від старості, втоми, переживань і т. ін.). *Сердешний Наум* *ледве ноги переставля* (Кв.-Осн.); *Обливаючись потом, Іван ледве переставляв ноги* (Кол.). П о р.: **ле́две но́ги нести́.**

2. з сл. і т й, плести́ся і т. ін. Дуже повільно. *Дошкульний дощ.. січе і січе стомлених і голодних січовиків, що плетуться, ледь переставляючи ноги* (Цюпа). С и н о н і м: **ле́две переступа́ти нога́ми.**

ПЕРЕСТАЛО: переста́ло би́тися се́рце *див.* серце.

ПЕРЕСТАРКАХ: си́віти в пере́старках *див.* сивіти.

ПЕРЕСТУПАТИ: [і] поро́га (порі́г) не переступа́ти / не переступи́ти *чого, чийого.* Зовсім не бути, не бувати де-небудь, у когось і т. ін.— *Останній раз нога моя в твоїй хаті,— промовила Ганна.— Не переступлю я, Марино, твого порога!* (Н.-Лев.); *Познаходилися й такі, які начебто бачили, як я вчащав до Христі, хоча, правду кажучи, я раніше ніколи й порога її хати не переступив* (Гуц.).

ле́две (ледь, наси́лу) переступа́ти нога́ми. 1. Іти дуже повільно, стомлено, важко. *Ми помітили, що вона ледве переступала ногами з виснаження й розпачу* (Сміл.).

2. з сл. і т й, захо́дити і т. ін. Дуже повільно. *Галочка увійшла до батька, насилу ногами переступа* (Кв.-Осн.). С и н о н і м: **ле́две переставля́ти но́ги.**

переступа́ти доро́гу *див.* перетинати; **~ з ноги́ на но́гу** *див.* переминатися; **~ рубіко́н** *див.* переходити.

переступа́ти / переступи́ти [че́рез] порі́г. 1. Заходити до якого-небудь приміщення. *Шевченко нерішуче зупинився, не переступаючи порога, і мимоволі відсахнувся від смороду, який війнув йому в обличчя* (Тулуб); *Що це було саме її місце, я зрозумів із того, як швидко воно звільнилося, ледве Леночка переступила поріг* (Ю. Янов.).

2. Потрапляти куди-небудь. *Діти, що народилися тої незабутньої осені.., сьогодні.. переступають поріг Львівського університету* (Цюпа); *Зроду-звіку не тинялась я по шинках, я швидше ладна вмерти, ніж переступлю поріг у той ваш рай,— сказала Галецька* (Н.-Лев.); *Він диктував свої умови, ще тільки переступивши поріг, але найдивніше, що його слухали* (Загреб.).

3. Виходити з якого-небудь приміщення. *Так хотілося переступити через поріг у витку метелицю* (Стельмах); // Вибувати звідки-небудь. *Я цілком одужав. Ще кілька днів, і я переступлю поріг лікувальної установи* (Ю. Янов.).

4. Вступати в новий період життя, розвитку, переходити до нового стану, до нової якості і т. ін. *А ось і він.. Людина, що встигла так багато зробити, перш ніж переступила поріг власного століття* (Наука..).

ПЕРЕСТУПИТИ: переступи́ти доро́гу *див.* перетинати; **~ з ноги́ на но́гу** *див.* переминатися; **~ на той світ** *див.* переставитися; **~ рубіко́н** *див.* переходити; **~ че́рез порі́г** *див.* переступати; **поро́га не ~** *див.* переступати.

ПЕРЕСУДИ: суді́ та пере́суди *див.* суди.

ПЕРЕТАК: так і перета́к *див.* так.

ПЕРЕТВОРИТИ: перетвори́ти на по́піл *див.* перетворювати.

ПЕРЕТВОРЮВАТИ: перетво́рювати / перетвори́ти на по́піл. Знищувати вогнем. [К р и в о н і с:] *Армаду кораблів султана, що розбивала великий флот венеціанців, ми скільки разів на попіл перетворювали...* (Корн.).

ПЕРЕТЕРТИ: перете́рти кісточки́ *див.* перемивати; **~ на зуба́х; ~ язико́м** *див.* перебирати.

ПЕРЕТИНАТИ: перетина́ти (перехо́дити, перепиня́ти, переступа́ти і т. ін.) / перетну́ти (перетя́ти, перейти́, перепини́ти, переступи́ти і т. ін.) доро́гу (шлях, сте́жку і т. ін.) кому, чому. 1. Ставати перешкодою у здійсненні, розв'язанні чого-небудь.— *Так. Справді так,— вискочив, похитуючись, Кособудський.. — Де не сунеш — скрізь ці лайдаки перетинають нам шлях. Повезеш збіжжя на ярмарок,.. старшини навезуть удвоє і так збивають ціну, що хоч повертай валку додому* (Тулуб); *Було б негідним з мого боку переступати шлях достойному з найдостойніших, нашому високоповажаному Захару Олексійовичу* (Добр.); *Він став на шляху тобі й таким, як ти, перетяв вам стежку* (Собко); *Лишенько та й годі — навіки Ганна Антонівна всім дорогу пере́йшла* (Ю. Янов.); *«Жаль мені тебе, золота голово, хоть ти й перепинив мені дорогу!»* Так думав Шраменко, стоячи позад Гвинтовки* (П. Куліш).

2. *тільки док.* **перейти́ доро́гу (шлях і т. ін.).** Заподіяти кому-небудь нещастя, принести горе і т. ін.— *Нашому малому хтось дорогу перейшов!..* (Ю. Янов.).

ПЕРЕТИРАТИ: перетира́ти кісточки́ *див.* перемивати; **~ на зуба́х; ~ язико́м** *див.* перебирати.

ПЕРЕТЛІЛА: душа́ перетліла *див.* душа.

ПЕРЕТЛІТИ: перетлі́ти душе́ю (се́рцем). Знемогти від тривоги, страху, туги і т. ін. *Невже.. загинув Любчик? Не віриться. Скільки перетлів душею Юрій за ці години* (Хижняк); *Ще більше перетліла серцем за Данька, доки він там десь з ворогом рубався* (Гончар). П о р.: **душа́ перетлі́ла.** С и н о н і м: **се́рце переболі́ло** (в 1 знач.).

перетлі́ти на ву́гіль (на по́піл). 1. Дуже намучитися, знемогтися від тяжких думок, неспокою, хвилювань, страху і т. ін.— *Нічого, нічого, не схуднеш,— поплескав її по плечу Микола.— Іди скоріше, бо Максим перетліє на попіл* (Хижняк).

2. Пройти, зникнути (про почуття). [К р я ж:] *Отут (б'є себе в груди) все на вугіль перетліло* (Зар.).

ПЕРЕТНУТИ: перетну́ти доро́гу *див.* перетинати.

ПЕРЕТРУСИТИ: перетруси́ти у па́м'яті *див.* перебирати; ~ штаньми́ *див.* трусити.

ПЕРЕТРУШУВАТИ: перетру́шувати у па́м'яті *див.* перебирати.

ПЕРЕТЯГАТИ: перетяга́ти (перетя́гувати) / перетягти́ (перетягну́ти) на сто́рону (на бік) кого, чию (чий). Робити кого-небудь чиїмсь прибічником, прихильником і т. ін. *Погляди на книжки, фільми — це пусте! Ні, й це не пусте... Тут вона поволі перетягувала його на свій бік, аж поки не перетягнула зовсім* (Мушк.); *Жила у діда.. Я надіюсь перетягти знов на його сторону дядину* (Л. Укр.); *— Затягати по судах він [пан [зможе. Зуміє дістати брехливих свідків, суддів перетягнути на свій бік* (Стельмах).

перетяга́ти (перетя́гувати) / перетягти́ (перетягну́ти) струну́. Доводити що-небудь до найвищої міри, до того, що далі не можна терпіти чогось. *[Петерсон:] Макаров! Я вам не раджу перетягати струну ..Я вас ще раз питаю: де список?* (Галан); *Перетяг струну опришок. Рвонув сорочку на грудях — і, мов ужалена змією, скочила Маруся на ноги* (Хотк.).

ПЕРЕТЯГНУТИ: перетягну́ти на сто́рону; ~ струну́ *див.* перетягати.

ПЕРЕТЯГТИ: перетягти́ на сто́рону; ~ струну́ *див.* перетягати.

ПЕРЕТЯГУВАТИ: перетя́гувати на сто́рону; ~ струну́ *див.* перетягати.

ПЕРЕТЯТИ: перетя́ти доро́гу *див.* перетинати.

ПЕРЕУЧИТИСЯ: переучи́тися на оди́н бік. Здобувши освіту, стати зарозумілим або, незважаючи на освіту, не мати належного культурного рівня. *Вона часто нарікала матері на Грицька, казала, що він перевчився на один бік, так що навіть не хоче їй вклонятися* (Вас.); *Заморочений і спантеличений батько писав: «Чи ти там' на один бік перевчився, чи що з тобою? Адже ж напиши толком, бо мама плаче!..»* (С. Ол.).

ПЕРЕХВАЛИТИ: перехвали́ти на оди́н бік *див.* перехвалювати.

ПЕРЕХВАЛЮВАТИ: перехва́лювати / перехвали́ти на оди́н бік. Псувати кого-небудь надмірною похвалою. *Усі тітки, дядини.. пестили Настусю, мазали її та хвалили, аж перехвалювали на один бік* (Н.-Лев.); *[Іван:] Та ну-бо вже, не хваліть, а то перехвалите на один бік!* (Кроп.).

ПЕРЕХИЛИТИ: перехили́ти до дна; ~ ча́рку *див.* перехиляти.

ПЕРЕХИЛЯТИ: перехиля́ти (перекида́ти) / перехили́ти (переки́нути, хильну́ти і т. ін.) ча́рку (по ча́рці і т. ін.). Пити алкогольні напої. *На Смика він прицілився. Що любить Смик? Перехиляє чарку чи ні?* (Руд.); *Перепочити коням слід було, А мандрівцям перехилить по чарці і закусити щукою* (Рильський). **переки́нути (хильну́ти) чар-**

чи́ну. [Галушка:] *Галю, винось-бо щось перекусити — чоловік з дороги дальної, та й нам не завадить чарчину перекинути* (Корн.); *— Вип'ю,— кивнув Омелян, бо таки й справді йому скортіло хильнути чарчину* (Ільч.).

перехиля́ти / перехили́ти [аж] до дна. Випити всю рідину, що міститься в посудині. *Український чоловік ніколи не квапиться випити. Він перед тим, як це зробити, любить сказати щось таке жартівливе, приємне, а вже потім перехилить аж до дна, не залишить ні краплі* (Шап.)..

ПЕРЕХИТРИТИ: перехитри́ти самого́ себе́. Хитруючи, виявити свої наміри або помилитися в розрахунках.— *Так, тату! Ти дуже хитрий, такий хитрий, що аж самого себе перехитрив* (Фр.).

ПЕРЕХОДИТИ: переходи́ти доро́гу *див.* перетинати.

переходи́ти / перейти́ межу́ (мі́ру, че́рез край і т. ін.). 1. Не відповідати допустимій нормі чого-небудь дозволеного. *Його жарти й штукарство часом переходили через край і були трохи грубуваті й навіть вульгарні* (Н.-Лев.).

2. Не дотримуватися чого-небудь. *Офіцер збагнув, що перейшов межу потрібного такту в допиті* (Епік). С и н о н і м и: **перебира́ти че́рез мі́ру** (в 1 знач.); **передава́ти куті́ ме́ду; взя́ти че́рез край; взя́ти ли́шку.**

3. Виявлятися дуже інтенсивно; досягати найбільшої інтенсивності. *Безсильна [шаманова] лють перейшла всякі межі. Він шмагав коня, щоб хоть трохи вилити її з переповнених грудей* (Гжицький).

переходи́ти на той світ *див.* іти.

переходи́ти / перейти́ на легки́й хліб. Переставати працювати, займатися діяльністю; діставати все необхідне для існування, не докладаючи великих зусиль. *Відколи стало Гуляй-Поле махновською столицею,.. розучилось, відвикло працювати, на легкий хліб перейшло* (Гончар).

переходи́ти (переступа́ти і т. ін.) / перейти́ (переступи́ти і т. ін.) рубіко́н, книжн. Робити рішучий крок, приймаючи остаточне рішення. *В ті часи [революції] перейти чи не перейти рубікон подеколи буквально означало: зректись революційної батьківщини і переметнутись — або лишитись тут, на рідній землі* (Літ. Укр.).

переходи́ти (става́ти) / перейти́ (ста́ти) на ре́йки які, чого. Змінювати певний спосіб життя, напрям діяльності і т. ін. — *Як там у вас діла на фермі? — На нові рейки переходимо, діду* (Добр.); *Контакти вчених Радянської України з зарубіжними країнами стали регулярними, представницькими майже відразу ж після громадянської війни, коли країна перейшла на мирні рейки будівництва нового життя* (Вісник АН); *Ви заявляєте, що хочете стати на рейки трудового життя? Хочете працювати на користь держави? Прекрасно* (Мик.). **перехід на ре́йки. Усім .. тре-**

ба пам'ятати, що від зусиль кожного залежатиме надійність фундаменту, на якому зараз відбувається перехід всього народного господарства країни на інтенсивні рейки (Наука..); *Перехід селянства на рейки прогресивного господарювання в наш час нерозривно пов'язаний з механізацією і електрифікацією сільського господарства* (Рад. Укр.).

переходити через руки *див.* пройти.

ПЕРЕХОДИТЬ: півень убрід переходить *див.* півень.

ПЕРЕХОПИЛО: перехопило дух *див.* перехоплює.

ПЕРЕХОПИТИ: перехопити через край *див.* перехоплювати.

ПЕРЕХОПЛЮВАТИ: перехоплювати на льоту *див.* ловити.

перехоплювати / перехопити через край. Виявляти надмірність, не мати почуття міри в чому-небудь. *Янек надто пізно зрозумів, що справді перехопив через край* (Тулуб).

ПЕРЕХОПЛЮЄ: перехоплює / перехопило дух кому, у кого. Хто-небудь починає важко дихати від сильних переживань, хвилювань і т. ін. *Радісний дріж пробігає по тілу, дух тобі перехоплює... Так і є: дядько Роман.. шугає рукою в загадковий свій вузол.. і нарешті з'являється з вузла...'яблуко, та яке!* (Гончар).

ПЕРЕХРЕСТЯХ: на всіх перехрестях, з сл. к р и ч а́ т и, г о в о р и́ т и і т. і н. Відкрито, скрізь. *Нехай впаде він безсилий на великій дорозі життя, нехай підуть потоптом по ньому ті, кого він збудить... — він кричатиме проти байдужих на всіх перехрестях* (Кол.).

ПЕРЕЦЬ: де [вже] і перець не росте. Дуже далеко, де важкі умови життя. *Якби моя воля, то я б сього лина не то з партії вигнала, а загнала б там, де вже й перець не росте* (Л. Укр.). С и н о н і м и: **де Макар телят пасе; куди і ворон кісток не заносить; де козам роги править.**

як перець, з сл. с у х и́ й *і под.* У великій мірі, дуже. *Дід був старий і сухий як перець.*

ПЕРЕЧИЩАЮТЬСЯ: мізки перечищаються *див.* мізки.

ПЕРИНАХ: лежати на перинах *див.* лежати.

ПЕРЛИ: метати перли свиням *див.* метати.

ПЕРО: братися за перо *див.* братися; **гострити ~** *див.* гострити; **закинути ~** *див.* закинути; **пробувати ~** *див.* пробувати.

ПЕРОМ: володіти пером *див.* володіти; **землля ~** *див.* земля; **ні ~ не списати** *див.* списати; **~ скребти** *див.* скребти.

ПЕРСОНОЮ: власною персоною. Сам, особисто. *З'явився на порозі власною персоною Костя Степашко.. підтягнутий, сухолиций, в доброму гуморі* (Гончар); *А той перший зліва — не хто інший, як мій батько власною персоною* (Літ. Укр.).

ПЕРСТ: як перст *див.* палець.

ПЕРТИ: валом перти *див.* валити.

перти в очі *чим, грубо.* Виділятися чим-небудь серед когось, чогось. *Хіба обгороджений, мов фортеця, деревинами з чужих осель будинок Плачинди не пре в очі ситим достатком і силою?* (Стельмах). П о р.: **бити у вічі** (в 2 знач.).

перти на рожен; ~ проти рожна *див.* лізти; **~ туман** *див.* пускати.

ПЕРТИСЯ: пертися на рожен *див.* лізти.

ПЕРУ: належати перу *див.* належати.

ПЕРЦЕМ: з перцем. Дуже запальний, гарячий, гострий на язик. [Д і в ч и н а:] *Ану, ущипни ще раз, то так ляпаса і дам!* [Х о м а:] *Ого, з перцем!* (Кроп.); *Краще жінка з вогнем, перцем і жадобою, аніж якась покірна розмазня* (Стельмах). С и н о н і м: **з живчиком, з перчиком.**

серце з перцем *див.* серце.

ПЕРЦІ: як свиня на перці *див.* свиня.

ПЕРЦЮ: всипати перцю *див.* всипати; **гірш ~** *див.* гірш; **давати ~** *див.* давати; **дісталося ~ з квасом** *див.* дісталося; **додавати ~** *див.* додавати; **натирати ~ в ніс** *див.* натирати; **підносити ~** *див.* підносити; **підсипати ~** *див.* підсипати.

ПЕРЧИКОМ: з живчиком, з перчиком *див.* живчиком.

ПЕРША: перша ластівка *див.* ластівка; **~ рукавичка** *див.* рукавичка; **~ скрипка** *див.* скрипка.

ПЕРШЕ: всипати по перше число *див.* всипати; **на ~ око** *див.* око; **~ слово** *див.* слово; **по ~ число** *див.* число; **ставити на ~ місце** *див.* ставити.

ПЕРШИЙ: закладати перший камінь *див.* закладати; **на ~ раз** *див.* раз; **не ~ день** *див.* день; **не ~ рік** *див.* рік; **~ сорт** *див.* сорт; **ставити на ~ план** *див.* ставити.

ПЕРШИМ: за першим позирком *див.* позирком; **~ ділом** *див.* ділом.

ПЕРШИХ: до перших півнів *див.* півнів; **з ~ очей** *див.* очей; **з ~ рук** *див.* рук; **на ~ порах** *див.* порах; **у ~ лавах** *див.* лавах.

ПЕРШІ: перші кроки *див.* кроки.

ПЕРШІСТЬ: тримати першість *див.* тримати.

ПЕРШОГО: до першого снігу *див.* снігу; **з ~ кілка** *див.* кілка; **з ~ погляду** *див.* погляду; **з ~ разу** *див.* разу; **з ~ слова** *див.* слова; **~ призову** *див.* призову.

ПЕРШОЇ: майстер першої руки *див.* майстер; **не ~ молодості** *див.* молодості; **не ~ свіжості** *див.* свіжості; **~ марки** *див.* марки.

ПЕРШОМУ: на першому плані *див.* плані.

ПЕРШОСТІ: віддавати пальму першості *див.* віддавати; **пальма ~** *див.* пальма.

ПЕРШУ: грати першу скрипку *див.* грати; **у ~ голову** *див.* голову; **у ~ чергу** *див.* чергу.

ПЕС: ні пес ні баран. Позбавлений виразних ознак, особливостей; посередній.— *А як не вмію зиску злупити зі своєї слави, то, може, я справді ні* врізать, ні доточить, ні пес, ні баран, ні взад, ні вперед — лишаюся посеред (Гуц.). С и н о н і м: **ні се ні те** (в 1 знач.).

як (мов, ніби і т. ін.**) пес після макогóна,** зневажл. Дуже зніяковілий, винуватий; дуже зніяковіло, винувато. *Спідлоба глянула [жінка] на чоловіка й метнулася до кабінету. А той, мов пес після макогона, плівся позаду* (Літ. Укр.).

як пес на сіні; як ~ побитий; як ~ , спущений з прив'язі; як ~ у пилипівку див. собака.

ПЕСТИТИ: пéстити вýхо кого, чиє. Бути приємним для слуху. *Марина співає, а її тонкий та дзвінкий голос доноситься через стіну до Олексія Івановича, пестить його вухо, веселить серце* (Мирний).

пéстити очúма кого, що. Ніжно, з любов'ю дивитися на кого-, що-небудь. *Хачатуров пестить очима її невеличку фігурку* (Донч.); *Синіми й чистими, як у дитини, очима ніжно пестив [Андрій] її* (Ю. Бедзик).

ПЕСТІЙ: пестій дóлі див. пестун.

ПЕСТУН: пестýн '(пестій) дóлі (фортýни і т. ін.**).** Той, кого дбайливо доглядають, якому потурають у бажаннях і примхах або кому таланить у житті. *Мати всім керувала, старші сини заробляли, а меншенький був пестуном долі й надією сім'ї* (Дмит.); *Панотець же, пестій долі, любив пожиткувати, та не хотів старати* (Март.).

пестýнчик фортýни. *Кость до обідом не мав вигляду пестунчика фортуни, навпаки, він був далеко блідшим, ніж завжди* (Л. Янов.).

ПЕТЕЛЬКИ: брáти за петéлькú див. брати; **брáтися за ~** див. братися; **водúтися за ~** див. водитися.

ПЕТЛЮ: встромúти гóлову в петлю див. встромити; **затягáти ~** див. затягати; **лíзти в ~** див. лізти; **накидáти ~** див. накидати.

петлю на шúю. Повіситися. *Нелегко без грошей. Саме легше петлю на шию або з мосту та в воду* (Тесл.).

попáсти у петлю див. попасти; **хоч у ~ лізь** див. лізь; **язúк у ~ скрутúло** див. скрутило.

ПЕТЛЯ: затягýється петля (зáшморг і т. ін.**).** Безвихідне, тяжке становище.— *Значить, затягується петля,— говорив Аркадій Павлович, думаючи зараз про своїх заклятих ворогів* (Шиян).

ПЕТРА: не до Петрá, а до різдвá кому. Хто-небудь немолодий, похилого віку. *І ми з вами, Сергію Петровичу, не молодшаєм! Вже й нам, як то кажуть, не до Петра, а до різдва!* (Л. Укр.).

ПЕТРІВКУ: мéрзлого в петрíвку див. мерзлого.

ПЕЧАЛЬНОГО: лúцар печáльного óбразу див. лицар.

ПЕЧАТКАМИ: за сімомá печáтками (печáтями). 1. Під суворим наглядом, контролем. *Уряд Пілсудського тримав архів В. І. Леніна за сімома печатками* (Наука..).

2. Недоступний для розуміння; прихований, скритий. *Виробничий процес «свого» цеху, а відтак і цілої фабрики.. не був для неї якоюсь новиною, ні загадкою за сімома печатками* (Коз.); — *Ці хлопці,— зауважила вона в бік юнаків,— для мене за сімома печатями, емоції приглушені, загнані вглиб* (Гончар).

ПЕЧАТКУ: накладáти печáтку див. накладати.

ПЕЧАТЯМИ: за сімомá печáтями див. печатками.

ПЕЧАТЬ: кáїнова печáть. Тавро зради, злочину. *Звістка про пійманого перекинчика швидко облетіла всі човни, і козаки один поперед одного лізли, щоб зазирнути на того, хто навік затаврував себе каїновою печаттю* (Добр.).

накладáти печáть див. накладати.

ПЕЧЕ: [аж] під п'яти пече кого, кому і без додатка. Хто-небудь не може встояти на місці від нетерпіння; комусь не терпиться. [К у л і ш е в и ч:] *То що з нею станеться? Прийде — надивитесь... А коли під п'яти пече, то біжіть і провідайте...* (Стар.); *Підкрались під нову хату. Гриць свиснув; переждав трохи, свиснув удруге... утрете... Все нічого не чути. А мене аж під п'яти пече* (Вовчок).

досáда пече див. досада.

печé вогнéм. Дуже жарко. [Х р а п к о (скидаючи картуза):] *Хху! душно! Прямо огнем пече! (Витирає лоба)* (Мирний).

як (мов, ніби і т. ін.**) вогнéм печé** кого. Хто-небудь дуже страждає морально; хтось занепокоєний чимсь.— *Розкажи ж нам, Одарочко, усі пригоди свої, любко,— кажу їй.— Та розкажи ж бо, розкажи! Нехай послухають! — каже брат та й вийшов з хати, мов його огнем пекло* (Вовчок).

ПЕЧЕНЕ: печéне й варéне, з сл. к и д а т и, п о к и н у т и, з а л и ш а т и і т. ін. 1. Все або взагалі будь-яка робота. *Обидві сестри, тільки-но брат переступав поріг, кидали печене й варене і заклопотано квапились подати йому то свіжої води напитись та вмитись, то рушника* (А.-Дав.); *До нього [лікаря] прибув зненацька посланець із Амальфі.., щоб він кидав печене й варене і негайно їхав туди, бо там зчинилася велика бійка і багато люду поранено* (Боккаччо, перекл. Лукаша); *То нападе на неї таке, що вона всю хату переверне, прибираючи та чепуривши її .. А то знов загуляє, заведе, покине все печене й варене і грає, як метелик* (Григ.).

2. Всілякі страви. *Стіл був завалений печеним і вареним.* **варéне і печéне.** *Гей до мене! Є у мене і варене і печене: Буде людям, буде й вам* (Гл.).

ПЕЧЕНИЙ: як рак печéний див. рак.

ПЕЧЕНОГО: давáти печéного гарбузá див. давати; **діставáти ~ гарбузá** див. діставати; **підкладáти вогню до ~** див. підкладати.

ПЕЧЕНОЇ: гірш печéної рéдьки див. гірш; **~ крúги** див. криги.

ПЕЧИ: хоч на вогні (вогнéм) печú кого. Що не

роби. *Такий уже чоловік був той Назар: усе йому жарти. Здається, хоч його на огні печи, він жартуватиме* (Вовчок); — *І годі! Ні слова не скажу більш, Хоч ти мене вогнем печи* (Головко).

ПЕЧИНА: сіль тобі на язи́к, печи́на в зу́би див. сіль.

ПЕ́ЧІ: танцюва́ти від пе́чі див. танцювати; **як ду́рень з ∼** див. дурень.

ПЕЧІ́: вигріва́тися на печі́ див. вигріватися; **лежа́ти на ∼** див. лежати; **сиді́ти на ∼** див. сидіти.

ПЕЧІ́НКАХ: сиді́ти в печі́нка́х див. сидіти.

ПЕЧІ́НКИ: бра́ти за печі́нки́ див. брати; **виверта́ти ∼** див. вивертати; **ви́трясти ∼** див. витрясти; **відби́ти ∼** див. відбити; **в'ї́стися в ∼** див. в'їстися; **ди́явол в ∼** див. диявол; **лі́зти в ∼** див. лізти; **мара́ в ∼** див. мара; **надса́дити ∼** див. надсадити; **пекти́ в са́мі ∼** див. пекти; **тря́сця йому́ в ∼** див. трясця; **тя́гне за ∼** див. тягне.

як (мов, ні́би і т. ін.) на печі́нки, з сл. кри ч а́ т и, р е п е т у в а́ т и і т. і н. Дуже сильно. *Кричить, наче на печінки* (Укр.. присл..).

ПЕЧІ́НКУ: ма́тері у печі́нку див. матері; **щоб мені́ ∼ розду́ло** див. роздуло.

ПЕЧІ́НОК: добира́тися до са́мих печі́нок див. добиратися; **допіка́ти до живи́х ∼** див. допікати; **дохо́дити до живи́х ∼** див. доходити; **пробира́ти до ∼** див. пробирати.

ПЕЧІ́Я: гірка́ (пеку́ча і т. ін.) печі́я ухопи́ла за се́рце кого. Хто-небудь засмучений, прикро вражений. *Перше недовір'я перевернулось у віру, що Марина змилила їх* [одрадян]. *Гірка печія вхопила за серце* (Мирний).

П'ЄДЕСТА́Л: ста́вити на п'єдеста́л див. ставити.

П'ЄДЕСТА́ЛУ: па́дати з п'єдеста́лу див. падати.

П'Є́ТЬСЯ: не до те́бе (не до ньо́го, не до не́ї і т. ін.) п'є́ться (п'ють). Це не стосується того, про кого йдеться, до кого звертаються.— *Чого ж ти мовчиш, неначе не до тебе п'ється? — говорила Навроцька до мужа. — Бо таки не до мене...— обізвався Навроцький* (Н.-Лев.); [П и л и п:] *А тобі що? — Ні волика, ні корівки!.. Що ти за пашею бідкався, чи як?..* [Д е н и с:] *Не до тебе п'ють!* (Кроп.).

ПИ́ВА: навари́ти пи́ва див. наварити; **∼ не зва́риш** див. звариш.

ПИ́ВО: завари́ти пи́во див. заварити.

ПИ́ВШИ: не ї́вши, не пи́вши див. ївши.

ПИЙ: хоч во́ду пий див. напийся.

ПИ́КУ: верну́ти пи́ку див. вернути; **наїда́ти ∼** див. наїдати; **натовкти́ ∼** див. натовкти; **плюва́ти в ∼** див. плювати.

ПИЛ: аж пил кури́ть, з дієсл. Дуже інтенсивно.— *А Ласій таки курник буде. — Будує? — Аж пил курить* (Збан.); **аж кури́ть.** *Бились-бились — аж курить, аж іскри скачуть* (Укр.. каз-*

ки). **пилю́ка кури́ть.** *За віком* [Конопельський] — *теж не жовторотий підліток. Можна було вже і у вечірній* [школі] *вчитись. І працювати так, щоб аж пилюка куріла* (Збан.). С и н о н і м: **аж дим іде́.**

аж (ті́льки) пил [іде́ (клубо́читься)] хма́рою (слідом і т. ін.) за ким і без додатка. Дуже сильно, швидко. *Явдоха посадила її* [Солоху] *верхи на палички, .. палички чкурнули скільки духу, аж пил за ними хмарою* (Кв.-Осн.); *Івась побіг до хати.— Тільки пил пішов* (Воронько).

оберта́ти на пил див. обертати.

ПИЛИ́НИ: ні (ані́) пили́ни. Зовсім, абсолютно нічого немає. *За чумаком добре жити, .. є що їсти, є що й пити.. Нічим борщу посолити, На оборі ні шерстини, .. А в коморі ні пилини* (Укр. лір. пісні). П о р.: **ні зерни́ни, ні пили́ни.**

ні зерни́ни, ні пили́ни див. зернини.

ПИЛИ́НІ: не дава́ти пили́ні впа́сти див. давати.

ПИЛИ́НКИ: ні цу́ри, ні пили́нки див. цури.

ПИЛИ́П: ви́скочити як Пили́п з конопе́ль див. вискочити.

ПИЛИПІ́ВКУ: мов соба́ка у пили́півку див. собака.

ПИ́ЛОМ: як пи́лом припа́сти див. припасти; **∼ припада́ти** див. припадати; **розліта́тися ∼** див. розлітатися.

ПИЛЮ́КУ: пуска́ти в о́чі пилю́ку див. пускати.

ПИЛЮ́ЛІ: ковта́ти пилю́лі див. ковтати.

ПИ́ЛЬНЕ: бра́ти на пи́льне о́ко див. брати.

ПИНДЮ́ЧИТИ: пиндю́чити ніс (вульг. мо́рду і т. ін.). Поводитися чванливо, бундючно. *Пиндючить ніс Остапова Горпина І, знай, все мацає на шиї свій дукач* (Г.-Арт.); [Г е р а с и м:] *Ах ти ж поган! Мужва репача! Давно лизала панам руки, за верству шапки скидала, а тепер розжилася, кумпанію з панами водить і зараз морду пиндючить перед своїм братом!* (К.-Карий).

ПИ́НХВИ: дава́ти пи́нхви див. давати.

ПИПО́ТЬ: пи́поть тобі́ на язи́к див. тіпун.

ПИРОГИ́: на пироги́. У гості. *Часом влітку заїжджає у колгосп на пироги Син бажаний, дорогий* (Шпак).

ПИРОГО́М: ма́зати пирого́м зве́рху див. мазати.

ПИРЯ́ТИНСЬКА: верства́ пиря́тинська див. верства.

ПИСА́ЛА: щоб тебе́ писа́чка писа́ла див. писачка.

ПИ́САНИЙ: зако́н не пи́саний див. закон.

ПИСА́НКА: як (мов, ні́би і т. ін.) пи́санка. 1. Який відзначається надзвичайною гармонією барв, ліній і т. ін.; дуже гарний (про неживі предмети). *Як писанка лани* (Сос.); *Який чудовий хвартух! Їй-богу, наче писанка* (Н.-Лев.); *Село на нашій Україні — неначе писанка село, Зеленим гаєм поросло* (Шевч.).

2. Гарний на вроду; дуже вродливий (перев.

про жінку, дівчину).— *Гарна* [*молодиця*], *як писанка, дідько б її взяв,— промовив Єремія* (Н.-Лев.); *Приходь, найду тобі дівчину, як писанку* (Стельмах).

ПИСАНКОЮ: носи́тися як з пи́санкою *див.* носитися.

ПИСАНО: ви́лами [**по воді́**] **пи́сано.** Невідомо, як буде. *І цей про Олексу... Ніби йому самому не видно, на кого зазіхає зазнайкуватий бригадир: Але це ще вилами по воді писано... У Тетяни вередлива вдача* (Добр.); *Чи не прийдемо до вас ось такими силами: я, Садовський, Левицький.. Але це ще вилами писано* (Збірник про Кроп.). **ви́лами по воді́.**— *Слухайте, діти, що я вам пораджу,— встряла в розмову Бондариха,— те все, що ви кажете, може воно удасться вам, а може й ні, а більше того, що вилами по воді* (Вас.); // *Сумнівний щодо здійснення.* **ви́лами пи́саний.** *А щоб я пішла за тебе, то навряд.. наше сватання ще вилами писане* (Кв.-Осн.). С и н о н і м: **ба́ба на́двоє ворожи́ла; як сказа́ти** (в 1 знач.).

не про нас пи́сано. Уживається для підкреслення, що сказане стосується інших. *Аби ти не був такий темний, то міг би знати дещо про владик земних..— Сова про сову, а всяк про себе,— Ситник усміхався трохи погірдливо,— писано не про нас* (Загреб.).

ПИСАНОМУ: як (**мов, ніби** *і т. ін.*) **по пи́саному.** 1. *з сл.* г о в о р и́ т и, в і д п о в і д а́ т и *і* т. ін. Дуже чітко, не збиваючись. [І в а н П а в л о в и ч:] *Молодець* [*Андрій*], *говорить як по писаному!* (Кроп.); *Бригадири відповідали як по писаному. Один лише Сидір Підпара.. переплутав усі цифри* (Зар.). С и н о н і м: **як з кни́жки чита́ти.**

2. *з дієсл.* Легко, безпомилково. *За вісімнадцять літ свого подружнього життя Марія навчилася читати найдрібніші факти, як по писаному* (Вільде). С и н о н і м: **як по но́тах** (у 2 знач.).

3. *з дієсл.* Без будь-яких ускладнень; ніби за наперед продуманим планом або схемою. *Одімкнув* [*заступник коменданта*] *хвіртку в огорожі корівника. За цим, як по писаному, рудий Цункер відчинив, нарешті, двері «салону смерті»* [*концтабору*] (Коз.). С и н о н і м: **як по но́тах** (у 1 знач.).

ПИСАНОЮ: носи́тися як з пи́саною то́рбою *див.* носитися.

ПИСАТИ: писа́ти (**випи́сувати**) **мислі́те,** *жарт.* Іти нетвердою ходою, хитаючись, плутаючи ногами (про п'яного). *Піп, поспішаючи за кимсь, писав мислі́те і щось розмовляв сам з собою* (Мирний). С и н о н і м: **плести́ кре́нделі нога́ми** (у 1 знач.).

писа́ти кре́нделі нога́ми *див.* плести; **пішла́ ~ губе́рнія** *див.* губернія.

ПИСАЧКА: щоб тебе́ (**його́, її́** *і т. ін.*) **писа́чка писа́ла / списа́ла.** Уживається як лайка для вира-

ження незадоволення, гніву і т. ін., висловлених при згадуванні про писання.— *Іди собі! іди, йди — зайдикав Порох.. Я зараз чоловікові писатиму прошеніє* [*прохання*]..— *Щоб тебе писачка списала, проклятий!* (Мирний).

ПИСКА: робити з пи́ска халя́ву *див.* робити.

ПИСКОМ: не з на́шим (**невми́тим** *і т. ін.*) **пи́ском.** Недостойний братися за що-небудь, виконувати щось.— *Не з нашим писком!* — *гордо одказав Василь.*— *Як йому прохати..* — *і так як-небудь переб'ємося* (Мирний); — *Хочеш на гілляку за такі слова?.. То це недовга річ. Ви тільки гляньте на нього. З невмитим писком, а й собі до політики пнеться* (Жур.).

ПИСНУВ: щоб і не пи́снув, з дієсл. Надзвичайно сильно.— *Наустив вражий дід піхоту да хотів так придавити у Батурині старшину, щоб і не писнула* (П. Куліш); — *Ти візьми їх до рук, .. так візьми, щоб і не писнули* (Ю. Янов.).

ПИСНУТИ: і (**ані**) **сло́ва** (**сло́вом**) **не пи́снути** кому і без додатка. 1. Не видати якої-небудь таємниці, зовсім нічого не розповісти про щось. *Усі.. замовкли. Про архієреїв ніхто вже й слова не писнув* (Н.-Лев.); *І я побожу, й жінка моя, й діти мої, що я Боруховi за грунт ані словом не писнув* (Март.). С и н о н і м и: **ні па́ри з вуст; як води́ в рот набра́ти; ні гу-гу** (в 1 знач.); **ро́та не розкрива́ти.**

2. Не заперечувати, не протестувати проти кого-, чого-небудь. *Кулаки посипались на його* [*муляра*] *плечі. Інші робітники, що бачили цілу ту справу, мовчки працювали, похилені над цеглою і закусуючи зуби. Ніхто з них не писнув ані слова* (Фр.).

П о р.: **й сло́ва не сказа́ти.**

[**і**] **не** (**ані, хоч би**) **пи́снути.** Замовчати. [Х о р о ш у н к а:] *Посідайте мені зараз та й не писніть* (Вас.); [О к с а н а:] *Таточку, любий!..* [П а н а с:] *Цить, ані писни!* (Кроп.); // Не мати можливості сповістити про щось.— *Це не шуточка діло: узнають, що в мене той лист, уб'ють і на писну* (Головко).

сло́во пи́снути. Розказати кому-небудь щось.— *Тільки слово писнеш кому, стара... Задушу, спалю й душу чортові на виграшки віддам! Чула?* — *кинув* [*Андрій*] *і побіг* (Ле).

ПИСОК: розпуска́ти пи́сок *див.* розпускати.

ПИСЬМЕНСТВО: кра́сне письме́нство, *заст.* Художня література. *З отаких хлопців, що приходять до красного письменства не крізь літературні амбіції, а крізь- працю, .. буває толк* (Кор.).

ПИТАЙ: [**і**] **не пита́й** (**не пита́йте**). 1. *чого, про що.* Уживається для підкреслення того, що що-небудь стосується висловленого; більшою мірою, ніж згадане раніше; поготів, тим більше. *Озиме увосени через засуху не сходило... Видно.., що коли не помилує господь милосердний, то не буде з нього пуття. А яровини й не питай!..* (Кв.-Осн.).

2. Уживається для підтвердження, підсилення сказаного (перев. при відповіді).— *І не питайте, пане, біда: від полісовщиків тікаємо,— понуро прогугнів Левко* (Стельмах).

ПИТАННЯ: болюче (гостре *і т. ін.***) питання; болюча (гостра** *і т. ін.***) справа.** Назріле, складне для розв'язання завдання. *Мені щеміло серце за Жабі.. «Що з нею?» Одного дня це болюче питання було розв'язане: з контори тюрми сповістили, що мені дозволено побачитися з нею* (Досв.); *Тепер ніхто вже не знімав гострих, пекучих питань, як першого дня, коли Кирило приїхав на дачу* (Коцюб.); *Болючою справою для колишніх школярів було працевлаштування.*

питання стоїть руба. Що-небудь набуває надзвичайної важливості для когось. *Юначе славний, юнко люба! Коли стоїть питання руба, щоб захищати світ новий,— Удар готуй ти лобовий* (Тич.).

ставити питання руба *див.* ставити.

що за питання! Уживається для вираження беззаперечного ствердження чого-небудь (перев. при непотрібному чи недоречному запитанні). *Чи правда, що простий селянин.. може в Радянському Союзі стати депутатом парламенту? Що за питання! Звичайно, правда!* (Гончар).

ПИТАТИ: питати розуму в кого. Сподіватися на розумні вчинки кого-небудь, чиюсь розсудливість і т. ін. *Одважилось [щеня] вхопить Шматок м'ясця, щоб не кортіло. Лев бачить, що воно зробило, Та змилосердявся — мовчить, Бо у щеняти якого розуму питати?..* (Гл.).

питати / спитати броду. Розпитувати, дізнаватися про кого-, що-небудь перед тим, як починати щось робити, якось діяти.— *Про мене, мамо, спитайте броду,— не будете жалкувати на Немидору: вона дівчина здорова, робоча* (Н.-Лев.).

ПИТАТИСЯ: питатися чужого розуму. Звертатися до кого-небудь за настановою, порадою. *Щоб часом дарма не блудить, чужого розуму питайся* (Укр.. присл..).

ПИТИ: дати пити *див.* дати; **~ гірку чашу** *див.* випити.

пити (запивати *і т. ін.***) / випити (запити** *і т. ін.***) мирову (змирщину, змирщини).** Уживати спиртне з приводу примирення. *Насилу розборонили люди [супротивників], та й ведуть знову в шинок «мирову пити»* (Мирний); *Простила мені теща, та й змирщину пити: по чарці, по другій* (Укр.. казки, легенди..); *Вони скоро помирились, але на весілля так і не пішли — вдома випили мирову* (Земляк); *Устим приніс четверть самогону, запив мирову і наказав усім парубкам Оксена не зобижати* (Тют.).

пити запоєм. Бути п'яницею, алкоголіком. *Від житейських невдач хлопець пив запоєм.*

пити на брудершафт. Бути з ким-небудь у дружніх стосунках і звертатися один до одного на

«ти». *Ми на брудершафт не пили, в одній партії не перебуваємо, хіба ж що на роботі зустрічаємося* (Донч.).

пити очима кого, що. Жадібно дивитися на кого-, що-небудь. *Горять, міняться на очах сині, зелені, бузкові.. легкі осяйні хмарини. І стоїть на крутих східцях, п'ючи очима ту красу, невисока дівчина* (Коз.).

пити сльози чиї. Знущатися з кого-небудь, збиткуватися над кимсь, кривдити когось. *Скільки днів моїх ти губиш! Скільки сліз моїх ти п'єш! Чи таки ж мене не любиш? Чи одну ману даєш?* (Пісні та романси..).

пити (смоктати, ссати *і т. ін.***) кров** з кого, чию. 1. Тяжко визискувати, експлуатувати кого-небудь.— *Усе життя батько його, як павук, кров із нас пив. А зараз син його на нашому горі наживається* (Головко); *Як ссав [панич Льольо] народну кров, так буде і далі ссати* (Коцюб.). **попити крові (поту)** з кого, чиєї, чийого (тривалий час).— *Що ж, напанувались, попили заморських вин і людської крові, пора й честь знати. Під ці слова в усіх закапелках вагона дрібно подзвонювали збиті заробітчанські коси, що тупились у чужих.. степах* (Стельмах); — *Україну він любив, а тобі вона хіба не дорога? — Того й колошматиму вас [куркулів], що дорога. Досить ви з неї крові попили!* (Гончар); *Минулося з снопа восьмого чи десятого, попили [багатії] нашого поту — годі!* (Головко). С и н о н і м и: **дерти шкуру** (в 2 знач.); **видавлювати соки** (в 1 знач.); **тягти жили** (в 1 знач.).

2. Знущатися з кого-небудь, збиткуватися над кимсь, кривдити когось. *Мучилася [Горпина], а далі й схаменулася: «Чи я їм справді на глум далася? Один кат кров мою п'є, а та глуха пороча — горілку* (Л. Янов.); *Ми знаєм, де зимують раки, В якій вони живуть норі; І знаєм, що не вовкулаки П'ють нашу кров, а цензорі* (Черн.); *Годі вам над нами збиткуватися, годі нашу кров ссати!* (Фр.).

як мед пити, з сл. ж и т и. Дуже добре, в достатках, заможно. *Землю оре [Іван], добро складає. Мотря порядкує з свекрухою в хаті. Живуть, як мед п'ють* (Мирний).

як пити дати *див.* дати.

ПИТЬ: жаба пить дасть *див.* жаба.

ПИХУ: збивати пиху *див.* збивати; **набивати ~** *див.* набивати.

ПИШАТИ: пишати губи *див.* запишати.

ПИШИ: пиши [все] пропало. Неминуча невдача, втрата і т. ін. *Якщо під час похорону прилюдно візьме [доктор Безбородько] її під руку і поведе за катафалком, то цим признає себе нареченим, якщо ні,— то — пиши пропало!* (Вільде); — *Це ще якийсь чорт перехопить Данила з оружієм [зброєю] на дорозі, а тоді, пиши все пропало* (Стельмах); — *Земля від морозу тріскає,* корінь у пшениці рве. А порвало корінь, пиши пропало. Пересівай (Кучер).

ПИЩИКИ: у животі [аж] пи́щики гра́ють у кого і без додатка. Кому-небудь дуже хочеться їсти. *Та й їсти ж таки! В животі аж пищики грають* (Тесл.).

ПИЩИТЬ: аж пищи́ть. 1. Перебувати у дуже скрутному становищі. *Він [народ] під гнітом тяжким аж пищить* (Сам.).

2. Здійснюватися, робитися і т. ін. дуже швидко, інтенсивно. *Вона звивалась, як муха на окропі; робота аж пищала в її руках* (Коцюб.).

3. Дуже хотіти. — *Вона заміж — аж пищить!* — понизивши голос, таємниче повідомив Василь Сидорович (Збан.).

ПІВДА́РМА: за півда́рма див. півціни.

ПІВДОРО́ЗІ: на півдоро́зі. Не довівши до кінця, на середині.— *Ні, ви мене знаєте, Іване Семеновичу, я на півдорозі не спинюсь* (Ю. Янов.).

ПІВЕНЬ: півень убрі́д перехо́дить. 1. Дуже мілко. *Там, куди раніше можна було загнати цілий табун коней, тепер у липневу спеку півень переходив убрід* (Руд.).

2. Дуже мілкий, зовсім змілілий (про річку, струмок і т. ін.). *Рівчачок півень убрід переходить.*

черво́ний (вогня́ний) півень. Пожежа.— *Чи не Левко.. подарував панові червоного півня?* — розгадували деякі дядьки.— *Може, й Левко. Пан почастував його свинцем, а він віддячує вогнем* (Стельмах); *Сигналом для захоплення влади має бути червоний півень над панським палацом* (Д. Бедзик); *Ріс, грізним ставав гнів каховців, танцювали вогняні півні над білими панськими маєтками* (Рад. Укр.).

як (мов, ніби і т. ін.) півень на тік, з сл. д и в и́ т и с я, п о г л я д а́ т и і т. ін. Дуже обережно, обачно. *Він дивиться на життя як півень на тік: можна дзьобнути зернинку на дурничку — добре. Не можна — треба йти в інше місце* (Тют.).

ПІВКРО́КУ: ні (ані́) півкро́ку. 1. Не мати ніякої змоги пересуватися (іти, їхати і т. ін.). *У мене куля в коліні. Без коня.. ні півкроку* (Воронько).

2. Не прогресувати в якій-небудь справі. *Ми ж тиждень вже нівроку на місці топчемось, братва, вперед ані півкроку* (Дор.).

ПІВЛІ́ТРИ: без півлі́три не розбере́ш див. розбереш.

ПІВМІЗИ́НЦЯ: [ані́] на півмізи́нця, перев. із запереч. н е. Зовсім, абсолютно. *Я, добродію, артист, перш усього артист, і не схибив я перед українським театром ані на півмізинця...* (Збірник про Кроп.).

ПІВНЕМ: ходи́ти півнем див. ходити.

ПІВНИКОМ: ходи́ти півником див. ходити.

ПІВНІВ: до [дру́гих (тре́тіх)] півнів. За північ; до пізнього часу або до ранку. *Перший раз*

засиділись хлопці до півнів (Вас.); *Розтривожена звечора Гафія до других півнів не зімкнула очей* (Бабляк); *За вечерею ми [члени делегації] засиділися, як то кажуть, до третіх півнів, потім усім товариством поїхали в аеропорт і в літак сіли, не спавши* (Козл.); *Пізніми вечорами хлопець сідав за книги.., і він до третіх півнів просиджував над такими книгами* (Стельмах).

до пе́рших півнів. До півночі. *Докія прокидається до перших півнів* (Стельмах); *Одразу ж після служби Стулка неодмінно повертався до своєї просторої, забитої книгами оселі.. і до перших півнів чаклував над творами російських та українських авторів* (Головч. і Мус.).

після дру́гих півнів. Дуже пізно, далеко за північ. *Кухти не спали, будучи стурбованими раптовим зникненням напівродича. Христя вже кілька разів до хвіртки виходила.. Після других півнів — знову до хвіртки прийшла* (Іщук).

після тре́тіх півнів. На світанку. *Не міг заснути Гнат. Після третіх півнів, скрадаючись, він бережно відчинив хатні й сінешні двері, вийшов з хати* (Стельмах).

ПІВНІ́Ч: глу́па пі́вніч (ніч). Пізній час ночі. *Стужа осінньої глупої півночі Просто ступить не дає* (Граб.); *Кажуть, що в глупу ніч буває така година, коли засипає все на світі* (Н.-Лев.).

ПІВНЯ: пуска́ти черво́ного пі́вня див. пускати.

ПІВНЯМИ: з пі́внями. Надзвичайно рано, напередодні світанку. *Що божий день ми встаємо з півнями; Ще світяться по мосту ліхтарі* (Граб.). П о р.: **з трети́ми пі́внями.**

з тре́тіми пі́внями; у тре́ті пі́вні. Надзвичайно рано, напередодні світанку. *Стукне гость [гість] в перші чи в треті півні,— Встанемо, кинемо сон і роботу, Встанем, відчинемо гостю ворота* (Укр. поети-романтики..); *Схоплювався [Тимко] разом з третіми півнями, приходив до матері, що топила піч,.. скаржився, що йому марилося вночі* (Тют.). П о р.: **з пі́внями.**

ПІВНЯ́ЧЕ: ді́ло півня́че див. діло.

ПІВПА́ЛЬЦЯ: на півпа́льця. Зовсім мало, трохи. *Хоч ти на півпальця збрешеш, а лиха наробиш на весь вік* (Кв.-Осн.).

ПІВСЛО́ВА: з півсло́ва, з сл. р о з у м і́ т и і под. Зразу, без довгих пояснень. *І зав'язалась та переривчаста розмова; коли розумієш одне одного з півслова* (Стельмах); *З ним легко говорити, і він завжди з півслова розуміє* (Рибак); *Він.. глянув на мене швидким оком людини, яка навчилася розуміти інших з півслова* (Кор.). П о р.: **з пе́ршого сло́ва.**

ні півсло́ва, з сл. н е г о в о р и́ т и, н е с к а з а́ т и і т. ін. Зовсім нічого.— *Невже ти не підеш за мене?* — одразу зжахається Левко і тільки тепер згадує, що він же перед цим ні півслова не говорив Христині* (Стельмах). **ні півслове́чка.** *У цій книжці «Серед степів» цензура не зробила* аніякісінької заборони,— ні слова, ні півсловечка навіть не зачеркнула (Мирний).

ПІВСЛОВІ: на півслові (*рідко* **на слові**), *перев. з сл.* обрива́ти, замовка́ти, залиша́ти *і т. ін.* Раптово, зненацька зупинившись, перервавши що-небудь. *Він на півслові урива пісню* (Коцюб.); *Яцуба ненароком стрівся очима з донькою і враз на півслові осікся* (Гончар); *Нема в Рабів облич, лишень тіла.. Чому ж творець [Мікеланджело] покинув на півслові Свій труд.. Невже забракло генію тепла, Щоб оживити очі мармурові?* (Павл.).

ПІВСМЕРТІ: до півсмерті *див.* смерті.

ПІВТОРА: ні два, ні півтора́ *див.* два.

півтора́ людсько́го, *з сл.* сказа́ти, наговори́ти *і т. ін.* Що-небудь нерозумне, дурне; дурниця. *Що скаже, то півтора людського* (Номис); *Наговорив [Зінько] сім мішків гречаної вовни, а все півтора людського, що й купи не держиться!* (Гр.).

ПІВТОРИ: півтори́ калі́ки *див.* каліки.

ПІВЦІНИ: за півціни́ (**за півда́рма**). Дуже дешево. *Відрізав [солдат] з воза і вінок цибулі і зараз за півціни й продав* (Кв.-Осн.); *Квітникарки скрикували «весна! весна!» і ладні були віддати квіти за півціни* (Смолич); *За півдарма продав* (Номис); *За півдарма пани грунти у нас забирали* (Укр.. думи..). С и н о н і м: **за бе́зцінь.**

ПІДБИВАТИ: підбива́ти на гріх *див.* підводити; ~ **на слизьке́** *див.* заганяти.

підбива́ти / підби́ти клинці́ (кли́на, колодочки́ *і т. ін.***).** 1. *до кого і без додатка.* Залицятися до кого-небудь. *Ванько чув від робітників,.. що.. головний інженер підбиває клинці до хімічки Ольги* (Автом.); *— Може, він просто не байдужий до вас? — Та пробував підбивати клина, поганець* (Гончар). С и н о н і м и: **смали́ти халя́вки; стели́ти містки́; ханьки́ м'я́ти** (в 4 знач.).

2. *під кого, кому.* Здійснювати інтриги проти кого-небудь. *— Цей підлеглий не підбивав під мене клинці, не говорив, що в нього все гурчало в дні й ночі, аби він став директором МТС?* (Стельмах); *— Ну, як же так!. Приїжджає польська делегація.. Ждемо, ждемо, а вони в тебе … Знову ти мені, Степане Антоновичу, колодочки підбиваєш* (Жур.).

підбива́ти / підби́ти на свою́ ру́ку (руч) *кого, що.* Робити кого-небудь своїм прибічником у переконаннях, вчинках, діях *і т. ін. З усіх усюд неслися чутки, що й скрізь отак — не жнуть панського хліба, домагаються більшої ціни.. То й легко вже було «забастовщикам» усе село на свою руч підбити* (Головко).

підбива́ти / підби́ти під свою́ ру́ку *кого, що.* Брати під свою владу, підкоряти кого-небудь. *Загордився купецький Новгород, сам хотів жити, а його хотіли підбити під свою руку владимиро-суздальські князі* (Хижняк).

ПІДБИРАТИ: підбира́ти (добира́ти) / підібра́ти (добра́ти) ключ до душі́ (до се́рця) *чиєї (чийого), кого.* Знаходити підхід до кого-небудь, входити в довір'я до когось. *Гори педагогічної літератури написано.. про те, як підбирати ключі до їхніх розхристаних душ, а постане ось такий Кульбака перед тобою, і раптом бачиш, що ніякий стандартний ключик до нього не підходить* (Гончар). **підбира́ти / підібра́ти клю́чика (клю́чик) до душі́ (до се́рця).** Гостру розмову запили чаркою,.. і знову ж треба обережно підбирати ключика до чужої душі* (Стельмах); *Відчиняються двері — заходить секретар парткому Володимир Миколайович Линник. Не по літах мудрий, вдумливий. Уміє підібрати «ключик» до будь-якого серця* (Літ. Укр.).

підбира́ти (знахо́дити) / підібра́ти (знайти́) ключ (ключа́) *до кого — чого.* Застосовувати певний спосіб для розуміння кого-небудь, розгадування, розв'язання *і т. ін.* чогось. *Земля!.. це невичерпна комора достатку. Все у ній є. Зумій тільки підібрати ключ до неї* (Рад. Укр.); *Учених, котрі десятиріччями б'ються над загадками нерозшифрованих написів, не полишає віра, що вони врешті таки підберуть до них ключа* (Тих.); *Турбай знайшов ключі до тьмяних душ сектантів: треба розтлумачити їм, що тоскне і нудне вірування не тільки дерев'янить душі, а й трухлявить їхню ж плоть* (Вол.). **підібра́ти клю́чика.** *Мені випало «провозити» французів навчальним ЯКом. До кожного з них доводилося підбирати ключика, а хлопці були вразливі* (Хор.). **піді́брано ключ.** *Руднознавців здавна вабили кладові узбецької землі. Та лише в наш час підібрано ключ до скарбів надр* (Веч. Київ).

підбира́ти / підібра́ти ві́жки. Впливаючи на кого-небудь, посилити вимоги, суворість. *Мало, що сам [Павло Антонович] від рук одбивається, ще й Кужеля за собою тягне. Ні, треба, мабуть, трохи підібрати віжки* (Добр.). С и н о н і м: **підкру́чувати га́йку.**

ПІДБИТИ: підби́ти клинці́ *див.* підбивати; ~ **на гріх** *див.* підводити; ~ **на свою́ ру́ку** *див.* підбивати; ~ **на слизьке́** *див.* заганяти; ~ **під свою́ ру́ку** *див.* підбивати.

ПІДБИТИЙ: підби́тий бісом. Дуже сердитий. *Еней махає довгим списом, На Турна міцно наступа, «Тепер, кричить,— підбитий бісом,— Тебе ніхто не захова»* (Котл.).

підби́тий (підши́тий) вітром. 1. Старий, виношений, благенький (про одяг). *Зодягнуті червоногвардійці були хто як. В кого стріпана солдатська шинеля, в кого — вітром підбите пальтишко* (Смолич); *О, скільки гіркоти в псевдонімі [Кузьма Бездомний] отім, Редакторе з бензинної колонки, Коли на вулиці сьогодні в тебе дім, Підшитий вітром макінтошик тонкий* (Брат.).

С и н о н і м и: **на рйб'ячому хýтрі; рйб'ячим пýхом підбйтий.**

2. Несерйозний, легковажний (про людину).

підбйтий псом. Дуже злий. *Лисом підшитий, псом підбитий* (Номис). С и н о н і м: **підшйтий собáками.**

рйб'ячим пýхом підбйтий. Який не затримує тепла, погано гріє; старий, виношений (про одяг). *Де ті кожухи? Усі в шинельках, риб'ячим пухом підбитих* (Хор.). С и н о н і м и: **на рйб'ячому хýтрі; підбйтий вітром** (у 1 знач.).

ПІДБІР: як (мов, ніби і т. ін.**) на підбíр.** Найкращий (за якоюсь позитивною ознакою, рисою і т. ін.). *Вулицею міста йдуть хлопці. Ставні, дужі, ну, як на підбір!* (Рад. Укр.); *Матроси, На підбір — красиві, молоді,— З берега Дівчата русокосі Їм бажають щастя у труді* (Гірник).

ПІДВАЛИНИ: заклáдати підвáлини див. закладати.

ПІДВЕДЕТЬСЯ: рукá не підведéться див. рука.

ПІДВЕЗТИ: підвезтй візка кому. Нишком зробити прикрість кому-небудь. *Вчителька вона хороша, лагідна.., а я їй підвіз такого візка* (Сміл.). С и н о н і м: **підклáсти свиню.**

ПІДВЕЛО: підвелó живіт (животá) кому і без додатка. Кому-небудь хочеться їсти. — *Петро Лукич! — гукнув на Загнибіду Крамар.— А що? — Пора, братику [їсти]. Животи підвело,— мовив він, скривившись* (Мирний); *От аби у добру пору Закотилась Грушка в нору, Мав би кріт Собі обід. А тим часом Чує кріт — Підвело йому живіт* (Стельмах).

ПІДВЕРНУТИ: підвернýти під корйто кого. 1. Позбавити кого-небудь привілеїв, влади і т. ін.— *Підвернемо тепер ми під корито ваших полковників та гетьманів; заведемо на Вкраїні інший порядок; не буде в нас ні пана, ні мужика, ні багатого, ні вбогого* (П. Куліш).

2. Вийти заміж раніше, ніж старша сестра.— *Хороші твої дочки, Стехо! Тільки, Стехо, підверне Катруся під корито твою Ганнусю* (Барв.).

підвернýти під спід кого. Підкорити кого-небудь чийсь волі, владі. *Всім світом буде управляти [Еней], По всіх усюдах воювати, Підверне всіх собі під спід* (Котл.).

ПІДВЕРНУТИСЯ: підвернýтися під рýку див. підвертатися.

ПІДВЕРТАТИСЯ: підвертáтися (попадáти, попадáтися, потрапляти і т. ін.**) / підвернýтися (попáсти, попáстися, потрáпити** і т. ін.**) під рýку (в рýки).** 1. Випадково опинятися поблизу, поруч кого-, чого-небудь або так, що можна легко взяти, використати і т. ін. *Частував [Чіпка] кожного, хто підвертався під руку* (Мирний); *Їли жадібно, їли все, що кому попадало під руку* (Збан.); *Він [Франко] читав усе, що попадало в руки* (Коцюб.); *Громадяни хапають де тільки під руку попадається все належне до скульптури: ескізи,*

бюсти і т. ін. (Л. Укр.); *Ганяв [Роман Васильович] усіх, хто потрапляв під руку, як сидорових кіз* (Збан.); *Взяла [Софія] й собі газету, яка попалась під руку, і почала читати її* (Л. Укр.); *Коли починався бій, тоді тримайся.. Біда якомусь вайлові, якщо він потрапить Багірову під руку в таку мить!* (Гончар).

2. тільки **попадйсь (попадй** і т. ін.**) під рýку.** Уживається для вираження застереження або погрози.— *Ну, негіднику,— пригрозив, розтираючи око.— Попадись ти мені під руку в наступному кварталі* (Літ. Укр.).

ПІДВЕСТИ: [і] головй не підвестй. Стати фізично знесиленим, нездоровим, надто кволим. *Я захирів так, що й голови не підведу* (Г.-Арт.). П о р.: **лéдве гóлову підвестй.**

лéдве гóлову підвестй див. підводити; ~ **гóлову; ~ з руїн** див. піднімати; ~ **на гріх; ~ під вінéць** див. підводити.

підвестй / підвóдити під дурнóго хáту кого. Ошукати кого-небудь. *Поліцаї бігцем рушили в напрямі до райцентру. Дідові очі молодо сміялись. Другого дня поліція повернулась у село.., всі знали, що то дід Макар підвів їх під дурного хату* (Збан.).

підвестй / підвóдити під монастúр кого і без додатка. Обдуривши, накликати біду, поставити кого-небудь в скрутне або незручне становище.— *Вони — хитрі жінки, і мати й дочка, вони вам наговорять такого меду, що обіруч не підвести, а нишком підведуть під монастир — такі вони* (Вовчок); *Різні думки клопотали її голову. Що як він [панич] не прийде? Скаже: під монастир підвести хочете... І ніяка божба і клятьба не поможе... Тоді краще умерти!* (Мирний).

підвестй під однý графý; ~ пíдступ; ~ під хáлепу; ~ рйску див. підводити; ~ **рýку** див. піднімати.

ПІДВЕСТИСЯ: підвестйся з ліжка див. вставати; ~ **з руїн** див. підніматися.

ПІДВИЩУЮТЬСЯ: áкції підвйщуються див. акції.

ПІДВІШЕНИЙ: язйк підвíшений дóбре див. язик.

ПІДВОДИТИ: лéдве гóлову підвóдити / підвестú. Бути фізично знесиленим, нездоровим, надто кволим. [Ж і н к а:] *Моє найменше [дитя] лежить в пропасниці, а я сама над ранок ледве голову підвожу [підводжу]* (Л. Укр.). П о р.: **і головú не підвестú.**

підвóдити гóлову; ~ з руїн див. піднімати.

підвóдити (підбивáти) / підвестú (підбúти) на гріх кого. 1. Спонукати когось до якогось негожого, непорядного вчинку. *Із ріпи підставляли зуби, Ялозили все смальцем губи, Щоб підвести на гріх людей* (Котл.); — *То запасне сідло!.. Святкове! Не викидай, Хомо!..— Не підбивай мене, Макövею, на гріх* (Гончар).

2. Схиляти до інтимних стосунків, взаємин. *А зводницям [у пеклі] таке робили, Що цур йому вже і казать, На гріх дівок що підводили і сим учились промишлять* (Котл.); *Зводив собі на думку [відлюдник], яка вона гарна та молода дівчина, та почав уже й способу прибирати, як би її на гріх підвести* (Боккаччо, перекл. Лукаша).

підво́дити / підвести́ під віне́ць *кого, заст.* Спонукати до одруження кого-небудь.— *Як закомизиться вона, то старі зв'язану підведуть під вінець* (Стельмах).

підво́дити / підвести́ під одну́ графу́ *кого, що.* Уподібнювати, прирівнювати кого-, що-небудь у чомусь, не враховуючи відмінностей.— *Рідний син — і то якось після чарки давай шпиняти: а ви, тату, тоді таки дров наламали, кого слід і кого не слід — під одну графу підвели* (Гончар).

підво́дити / підвести́ пі́дступ *під кого.* Зловмисно готувати неприємність кому-небудь.— *Це Коцюбенко підвів під мене підступ! — сказав о. Артемій і постановив виселити Коцюбенка з села* (Н.-Лев.).

підво́дити / підвести́ під ха́лепу *кого.* Завдавати клопоту, неприємностей кому-небудь.— *Якова не слухайте. Баламут він. Собі погано зробить і вас під халепу підведе ...* (Смолич).

підво́дити / підвести́ ри́ску. Закінчувати, припиняти що-небудь (звичайно при обговоренні).— *Як, товариші? Підведемо риску, чи хай ще виступлять бажаючі?* (Ковінька).

підво́дити під дурно́го ха́ту; ~ **під монасти́р** *див.* підвести; ~ **ру́ку** *див.* піднімати.

ПІДВОДИТИСЯ: підво́дитися з лі́жка *див.* вставати; ~ **з руї́н** *див.* підніматися.

ПІДВОДИТЬСЯ: рука́ не підво́диться *див.* рука.

ПІДВОДНА: підво́дна течі́я *див.* течія.

ПІДВОДНЕ: підво́дне камі́ння *див.* каміння.

ПІДВ'ЯЗАТИ: підв'яза́ти язи́к *див.* підв'язувати.

ПІДВ'ЯЗУВАТИ: підв'язувати / підв'яза́ти язи́к (язика́). Мовчати.— *Не такий він дурень.., щоб базікати зайве. Гадаю, він мовчатиме. І коли ти сам підв'яжеш язика,— все залишиться шито-крито* (Тулуб).

ПІДГВИНТИТИ: підгвинти́ти га́йку *див.* підкручувати.

ПІДГВИНЧУВА́ТИ: підгви́нчувати га́йку *див.* підкручувати.

ПІДГИНАТИ: підгина́ти хвіст *див.* піджимати.

ПІДГОРНУТИ: підгорну́ти хвіст *див.* піджимати; **під чо́біт** ~ *див.* підгортати.

ПІДГОРТАТИ: підгорта́ти / підгорну́ти під чо́біт *кого.* Ставити кого-небудь у повну залежність, підлеглість. *Завзята, енергійна жінка може будь-якого чоловіка підгорнути під чобіт.* **підгорну́ти під чобіто́к.** *Оце сердешний Охрім ускочив! Так,*

вихо́де [виходить] *вона його добре під чобіток підгорнула? — озвалася пані* (Дн. Чайка).

підгорта́ти хвіст *див.* піджимати.

ПІДГОТО́ВИТИ: підгото́вити грунт *див.* готувати.

ПІДГОТОВЛЯ́ТИ: підготовля́ти грунт *див.* готувати.

ПІДГОТУВАТИ: підготува́ти грунт *див.* готувати.

ПІДДАВАТИ: піддава́ти / підда́ти жа́ру (вогню́, ду́ху *і т. ін.)* *кому і без додатка.* Спонукати кого-небудь до інтенсивнішої дії, викликати, посилювати запал у когось *і т. ін. Бідкалися тільки жінки, а чоловіки навіть піддавали жару: — Нехай горить. Отак би всіх панів за димом пустить* (Панч); *В барабані, любі браття, Чародійницьке щось є... Людям жару і завзяття Він у танцях піддає* (Воскр.); *У нашім повіті надто люди запалюються до кожної спільної роботи, але як нема кому далі піддавати вогню, то ціла робота поволі затихає* (Стеф.); *Поспішають [прочани], щоб до клечальної суботи прибуть на прощу. Тарасик налягає на ноги і духу піддає усім* (Косарик); *А тут ще піддала жару й Педоря; з грюкотом відчинивши двері, вона .. кинулась до самовару* (Мирний). П о р.: **підкида́ти жа́ру** (в 1 знач.).

піддава́ти / підда́ти жа́ру у вого́нь. Підсилювати, розпалювати, збуджувати чимсь певне почуття, переживання, суперечку *і т. ін.— Володимире, я прошу тебе! — морщилась шокована тітка Ніна і цим тільки піддавала жару в вогонь* (Дім.). С и н о н і м и: **підлива́ти ма́сла у вого́нь; підклада́ти вогню́.**

піддава́ти / підда́ти хо́ду. Швидше йти чи втікати звідки-небудь.— *Куди ти? Гунцвот! — тупа ногою пан.— Назад!.. Гусій тільки піддає ходу. Стоїть пан хвилину і дивиться в пустку* (Коцюб.); — *Мати ж не знає, куди я пішов,— непевно озирався Гриша, коли вибігли з хати.— Ех ти, мамзій,— зневажливо махнув рукою Митько, і Гриша піддав ходу* (Больш.).

ПІДДАВАТИСЯ: піддава́тися / підда́тися на ву́дку (на ву́дочку) *кого, чию і без додатка.* Дозволяти себе перехитрити, ошукати, обдурити *і т. ін.— Ти, братіку [братику], не ображайся, бо я колись був не розумніший, та вже тепер не піддаюся на вудку* (Тулуб). С и н о н і м: **ловитися на гачо́к.**

ПІДДАТИ: підда́ти жа́ру; ~ **жа́ру у вого́нь;** ~ **хо́ду** *див.* піддавати.

ПІДДАТИСЯ: підда́тися на ву́дку *див.* піддаватися.

ПІДДАЧУ: на підда́чу. Додатково до чого-небудь. *Коли я бачу, як на небі туча тучить,— душу всю мою озвучив громом гніву! — й на піддачу блискавками намогучить* (Тич.).

ПІДЕ: діло піде *див.* діло.

так не піде. Уживається для вираження категоричної незгоди кого-небудь з кимсь.— *Ні, так не піде... Мені треба точно знати. Довідка від кербуда є?* (Є. Кравч.).

шматóк не піде в гóрло *див.* шматок.

ПІДЖАТИ: піджáти хвіст *див.* піджимати.

ПІДЖИМАТИ: піджимáти (підгортáти, підгинáти *і т. ін.***) / піджáти (підгорнýти, підігнýти, підібгáти** *і т. ін.***) хвіст (хвостá). 1.** Втрачати упевненість, пиху, злякавшись чи засоромившись наслідків своїх дій, вчинків або відчуваючи свою провину. *Почував себе [Гнида] не зовсім добре, винувато підгортав хвоста й віддано лащився до Онохрія Литки* (Епік); — *Скоро ми, Василю, такого перцю фашистам всиплемо, що вони хвости підіжмуть і аж до самого Берліна тікатимуть без оглядки* (Цюпа); *В сірому тумані тепер усі бачили, як гайдамаки, підібгавши хвости, давали тягу до своєї казарми* (Панч); *Проць присів, підібгавши фальковитого [хвальковитого] хвоста, замовк і заспокоївся* (Бабляк).

2. Угамовувати свій запал, затятість і т. ін. в чому-небудь; утихомирюватися, заспокоюватися. *У Бачури підупав настрій. Дивна ця людина — Ковалів. То він рветься у бій, то підгинає хвоста* (Чаб.); *[Пріська:] Ви плюньте йому межи очі, чого він чіпляється? [Марина:] О, у мене недовго! Такого дам одкоша, що зараз хвоста підгорне* (К.-Карий).

ПІДІБГАТИ: підібгáти хвіст *див.* піджимати.

ПІДІБРАТИ: підібрáти вíйки; ~ ключ; ~ ключ до душí *див.* підбирати.

ПІДІГНУТИ: підігнýти хвіст *див.* піджимати.

ПІДІГРАВАТИ: підігравáти на дýдку *див.* грати.

ПІДІГРАТИ: підігрáти на дýдку *див.* грати.

ПІДІЙМАЄТЬСЯ: волóсся підіймáється вгóру *див.* волосся; **ногá не ~** *див.* нога; **~ внýтрішній гóлос** *див.* голос; **рукá не ~** *див.* рука.

ПІДІЙМАТИ: підіймáти вýха; ~ гóлову; ~ гóлос *див.* піднімати; **~ до небéс** *див.* підносити; **~ дух; ~ завíсу; ~ збрóю; ~ з руїн; ~ кéлих** *див.* піднімати; **~ на глум** *див.* брати; **~ на нóги** *див.* піднімати; **~ на одúн стýпінь** *див.* підносити; **~ на щит; ~ нóса** *див.* піднімати; **~ прáпор; ~ рýку; чолó** *див.* піднімати.

ПІДІЙМАТИСЯ: підіймáтися з руїн; ~ на гóлову; ~ на рíвень *див.* підніматися.

ПІДІЙМАЮТЬСЯ: рýки не підіймáються *див.* руки.

ПІДІЙМЕТЬСЯ: рукá не підіймéться *див.* рука.

ПІДІЙНЯТИ: підійняти вýха; ~ гóлову; ~ гóлос; ~ до небéс *див.* підносити; **~ дух; ~ завíсу; ~ збрóю; ~ з руїн; ~ кéлих; ~ на нóги** *див.* піднімати; **~ на щит; ~ нóса; ~ прáпор; ~ рýку; ~ чолó** *див.* піднімати.

ПІДІЙНЯТИСЯ: підійнятися з руїн; ~ на гóлову; ~ на рíвень *див.* підніматися.

ПІДІЙТИ: підійтú під плечé *див.* підходити.

ПІДІСКА: лúпнути, як смолá до підíска *див.* липнути.

ПІДІТНУТИ: підітнýти крúла *див.* підрізати.

ПІД'ЇДЕШ: на конí (на козí *і т. ін.***) не під'їдеш до кого.** Хто-небудь дуже гордовитий, пихатий; до кого-небудь неможливо знайти підхід. *Прочита вона, що її похвалили... уже до неї і на коні не під'їдеш* (Стар.); *[Красовська:] Поки ти у мене не будеш як слід пристроєна, не буде моя душа спокійна!.. Люди знайшлись би, звісно, коли б не пішла чутка про твою гордість, що до тебе і на козі не під'їдеш!* (Пчілка).

ПІД'ЇЖДЖАТИ: не на тій козí під'їжджáти / під'їхати до кого. Не знаходити належного, потрібного підходу до кого-небудь. *Хан винувато пошкріб за вухом.— Виховував [водія]. А от, виходить, не на тій козі під'їжджав до нього* (Дарда).

ПІД'ЇЗДІ: на під'їзді. Поблизу, недалеко від якогось пункту, місця і т. ін.— *Чиє військо? —* запитав [Семен] *у пришляхової охорони, яка спинила його на під'їзді до чорного в повечір'ї лісу* (Ле).

ПІД'ЇХАТИ: не на тій козí під'їхати *див.* під'їжджати.

ПІДЙОМ: важкúй на підйóм *див.* важкий.

ПІДКИДАЄ: так і підкидáє кого, з діесл. Кому-небудь дуже хочеться, кортить зробити щось. *Оленку так і підкидало побігти до них [дівчат], взятись за руки й самій заспівати разом з ними* (Кучер).

ПІДКИДАТИ: підкидáти (підсипáти) / підкúнути (підсúпати) жáру. 1. Викликати, посилювати запал у кого-небудь, спонукати когось до інтенсивнішої дії. *Коли скрипка починала підсипати жару і лоскотати танцюристці жили, молодиця не витримувала .. і кидалась в танець* (Коцюб.); *Кривий мій дибає Пегас. А як підкинуть жару, Сюди-туди сіпне — і враз Підскочить аж під хмару!* (Бернс, перекл. Лукаша і Мисика). П о р.: **піддавáти жáру.**

2. Говорити про кого-, що-небудь з іронією, з глумом або ускладнювати стосунки з кимсь, сприяючи посиленню неприємних емоцій. *Довгенько мовчали по тому. Іронічний Василь Сіромаха немов не хотів підкидати жару. А воно само собою склалося* (Больш.). С и н о н і м: **підсипáти пéрцю.**

ПІДКИНУТИ: підкúнути жáру *див.* підкидати.

ПІДКІВКАМИ: кресáти підкíвками *див.* кресати.

ПІДКЛАДАТИ: підкладáти / підклáсти вогню (хмúзу, дров *і т. ін.***).** Підсилювати, розпалювати, збуджувати чимсь певне почуття, переживання, суперечку і т. ін.— *Злодіїв, розкрадачів соціалістичної власності хочеш узяти під захист! — підкладає хмизу Степан Оксентійович* (Мушк.).

Синоніми: піддавáти жáру у вогóнь; підливáти мáсла у вогóнь.

підкладáти / підклáсти (підложúти) рýки (рідко плéчі) кому, під кого і без додатка. Безкорисливо надавати допомогу кому-небудь; робити все можливе для когось. *Треба руки підкладати, а не дарма гелготáти* (Укр.. присл..); — *Хоч панщини вже не робимо, а отже підкладáємо з своєї охоти плечі панам і панським посіпакам, аби лізли догори!* (Март.); — *Мені дитина помирає, розумієте? — крикнула пані* [до управителя].— *А мені що? Руки під неї підкласти?* (Дн. Чайка).— *Та я б руки під нього підложила, щоб видужав, та вік би весь не спала, за ним би дивилась, аби прочуняв* (Збан.).

підкладáти (підсувáти, підставлáти і т. ін.) / підклáсти (підсýнути, підстáвити і т. ін.) свиню кому. Нишком чи ненароком завдавати кому-небудь прикрощів, робити неприємність, підлість або діяти підступно проти когось. *Була* [виховователька] *сувора, ображена.— Що ж це, хлопчики, виходить? Я до вас якнайкраще, я вас всюди відстóю, хвалю, а ви мені свиню підкладáєте* (Збан.); *Як хотілося Маценкові зараз вилаяти Снігура, щоб не підставляв він «свиню» своєму старому другові* (Автом.); *Бійся тих, хто робить тобі дрібні послуги. Бо то вони підповзають, щоб зробити тобі велику підлість. Підкласти свиню* (Загреб.); *Конопельський зів'яв: — Та бачу ж — Курила висунув. Ну нічого, поживемо — побачимо. Але свиню ти мені підсунув добру* (Збан.); *Питання його мало означати: коли ти, Соловійовичу, підсунув мені свиню один раз, то, може, зараз підкажеш, до якої розмови треба готуватися* (Больш.). *підклáсти свинякý.— Ти мені підклав свиняку! — Закричав Мошна в злобі* (Воскр.). Синонім: підвезтú візка.

підкладáти (приклáдати) / підклáсти (приклáсти) вогню до печéного. Погіршувати становище, ускладнювати що-небудь чимсь.— *Казала ж тобі: не вір і не йди... А таки поліз, Хома невірний! До печеного та ще огню підкладáєш!* (Мирний); *До лиха — та ще лихо; до печеного — та ще вогню прикладають...* (Мирний). Синонім: прикладáти до жáру вогню.

ПІДКЛАСТИ: підклáсти вогню́; ~ вогню́ до печéного; ~ рýки; ~ свиню́ див. підкладати.

ПІДКОВАМИ: кресáти підкóвами див. кресати.

ПІДКОВУВАТИ: підкóвувати / підкувáти на всі чотúри кого. 1. Добре навчати кого-небудь, даючи глибокі знання. *Кожен вчитель мріє підкувати своїх учнів на всі чотири.*

2. Карати за які-небудь вчинки.— *Гляди мені, гляди,— в тон йому сказав Артем.— Підведи тільки нас! Я тебе підкую! На всі чотири!* (Головко).

ПІДКОВУВАТИСЯ: підкóвуватися / підкувáтися на всі чотúри. Добре навчатися чогось, набувати глибоких знань. [Вітровий:] *Моряки*

не здаються.. *Там у мене в курені ціла бібліотека, читаю, вчусь, веду бесіди в ланках як агітатор.. Одним словом, підковуюсь на всі чотири* (Корн.).

ПІДКОЛОДНА: підколóдна гадюка див. гадюка.

ПІДКОСИТИ: підкосúти на пні див. підрубувати.

ПІДКОТИВСЯ: клубóк підкотúвся до гóрла див. клубок.

ПІДКОЧУЄТЬСЯ: клубóк підкóчується до гóрла див. клубок.

ПІДКОШУВАТИ: підкóшувати на пні див. підрубувати.

ПІДКРУТИТИ: підкрутúти гáйку див. підкручувати.

ПІДКРУЧУВАТИ: підкрýчувати (закрýчувати, підгвúнчувати і т. ін.) / підкрутúти (закрутúти, підгвинтúти і т. ін.) гáйку (гáйки). Впливаючи на кого-небудь, посилювати вимоги, підтягувати в роботі і т. ін. *Раз він підкручував усім гайку, то не міг же обминути Барила* (Кучер); — *Не турбуйтесь!. Ось намацаємо слабкі місця, підкрутимо з вашою допомогою гайки і візьмемо темпи* (Коцюба); *Я буду крутий за правду і за інтереси нашого колгоспу, коли треба, горло перегризу, а спуску не дам. І прошу не ображатися, коли комусь і закручу гайку* (Кучер); [Майстер:] *Книш, підгвинти гайку і покріпись. Дивись на мене: я вже старий чорт, а не здихаю* (Мик.). Синонім: підбирáти віжки.

ПІДКУВАТИ: підкувáти на всі чотúри див. підковувати.

ПІДКУВАТИСЯ: підкувáтися на всі чотúри див. підковуватися.

ПІДКУРИТИ: підкурúти лáданом див. підкурювати.

ПІДКУРЮВАТИ: підкýрювати / підкурúти лáданом кого. Надмірно вихваляючи, підлещуватися.— *Я його* [Романа] *зненавиділа. Годі вже йому підкурювати мене ладаном* (Н.-Лев.).

ПІДКУСИВ: лукáвий підкусúв див. лукавий.

ПІДЛАТАТИ: підлатáти ніс кому. Побити кого-небудь, пошкодивши обличчя.— *Гляньте-бо, хлопці, як ляшки-панки сковзаються! — сміявся сотник.— Посковзаться трішечки ще, а ми вам носи підлатаємо* (Стар.).

ПІДЛИВАТИ: підливáти (доливáти) / підлúти (долúти) мáсла (олії, заст. олúви, лóю і т. ін.) у вогóнь (до вогню́). Підсилювати, розпалювати, збуджувати чимсь певне почуття, переживання, суперечку і т. ін.— *Товаришу Грак. Я вас попереджую,— суворо глянув на нього Палагутенко.— Не буду масла в огонь підливати* (Хижняк).— *Поява тут Калашника для нас надто небажана — зумисне підливав олії в огонь кєондз* (Головч. і Мус.); *Сидять* [спекулянти] *зараз у нашій хаті за столом та підливають лою у вогонь твоїй рідній матері* (Кучер);

А як же Дмитро з Полею? Якщо ти їх не помириш, то не приходь і додому. Ти ж підлив масла у вогонь (Автом.); *Цей оклик вояків долив оливи до огню. Обличчя ключника набігло кров'ю, зуби заскреготали* (Фр.). С и н о н і м и: **підкладати вогню; піддавати жару у вогонь.**

ПІДЛИТИ: підли́ти ма́сла у вого́нь *див.* підливати.

ПІДЛОЖИТИ: підложи́ти ру́ки *див.* підкладати.

ПІДМЕТКИ: в підме́тки не годи́тися *див.* годитися.

ПІДМЕТОК: стопта́ти не одну́ па́ру підме́ток *див.* стоптати.

ПІДМІНИВ: як хто підміни́в *див.* хто.

ПІДМОЧИТИ: підмочи́ти репута́цію *див.* підмочувати.

ПІДМОЧУВАТИ: підмо́чувати (хита́ти *і т. ін.***) / підмочи́ти (розхита́ти** *і т. ін.***) репута́цію (авторите́т).** Негідними вчинками, діями і т. ін. створювати негативну думку про кого-небудь, заплямовувати когось. *Народжена дитина не захотіла підмочувати чисту репутацію святого отця і вирішила стати янголятком — умерти* (Ф. Мал.); *Треба, щоб це було недозволенною річчю — хитати репутації тих, чиєю творчістю ми хочемо збагатити нашу духовну скарбницю* (Кундзич); *Історія з капустою сильно підмочила репутацію Миколи Проця* (Бабляк); *Знову п'ятірня [Авксентія Вереміновича] повзає по лисині.— Підмочив Василь свій авторитет. Оте чаркування...* (Больш.). **підмо́чена репута́ція; підмо́чений авторите́т.—** *Репутація в мене підмочена, Дмитре Івановичу,— згодом озвався Бубон.. Всі вважають мене якимсь ... баламутом* (Збан.); *Авторитет Хорунжого був підмочений не цілком доброчесною діяльністю його на лісових розробках* (Добр.).

ПІДНЕБІННЯ: язи́к приру́с до піднебі́ння *див.* язик.

ПІДНЕСТИ: [і] обіру́ч не піднести́. Дуже багато, велика кількість чогось. *Вони хитрі жінки, і мати, і дочка, вони вам наговорять такого меду, що обіруч не піднести* (Вовчок). **й не піднесе́ш.—** *Дурний би я був виступати.. Відразу пришиють тобі стільки гріхів, що й не піднесеш!..* (Коп.). **піднести́ в оча́х** *див.* підносити; **~ го́лову;** ~ **го́лос** *див.* піднімати; **~ до небе́с** *див.* підносити; ~ **ду́лю** *див.* давати; ~ **дух;** ~ **збро́ю;** ~ **ке́лих** *див.* піднімати; ~ **на блюдечку;** ~ **на оди́н сту́пінь** *див.* підносити; ~ **на щит;** ~ **но́са** *див.* піднімати; ~ **пинхви** *див.* давати; ~ **пілю́лю** *див.* підносити; ~ **пра́пор** *див.* піднімати; ~ **хрі́ну** *див.* підносити.

ПІДНЕСТИСЯ: піднести́ся ду́хом *див.* підноситися; ~ **на го́лову;** ~ **на рі́вень** *див.* підніматися.

ПІДНІМА́ЄТЬСЯ: воло́сся підніма́ється вгору́ *див.* волосся; **дух ~** *див.* дух; **нога́ не ~** *див.* нога; ~ **вну́трішній го́лос** *див.* голос; **рука́ не ~** *див.*

рука; **чуб ~ вго́ру** *див.* волосся; **язи́к не ~** *див.* язик.

ПІДНІМА́ТИ: підніма́ти (бра́ти *і т. ін.***) / підня́ти (взя́ти** *і т. ін.***) що ле́гко лежи́ть.** Красти. *Як же випадав коли такий нещасний день, що ні роботи, ні в шинку нікого, а в самого ні крихти хліба,.. не гріх тоді й підняти що легко лежить!..* (Мирний).

підніма́ти до небе́с *див.* підносити; ~ **на глум** *див.* брати; ~ **на оди́н сту́пінь** *див.* піднімати.

підніма́ти (ора́ти, зо́рювати *і т. ін.***) ціли́ну́.** Працюючи над чим-небудь, прокладати нові шляхи. *Звичайний критик.. мусить сам вироблювати перспективу, вгадувати значення,виясняти прикмети даного автора,мусить..орати цілину* (Фр.).

підніма́ти (піді́йма́ти, зво́дити *і т. ін.***) / підня́ти (піді́йня́ти, звести́** *і т. ін.***) на но́ги кого, що.** 1. Мобілізовувати, організовувати, примушувати кого-небудь активно діяти. *Уривчасті дзвінки внутрішньої сигналізації вмить піднімають усіх [підводників] на ноги* (Логв.); *Варчук ще подивився на хід миронносиць.. Треба ж якось підіймати чудом на ноги грішне село* (Стельмах); *На правах помічника комбайнера [Орися] підняла на ноги всю бригаду* (Д. Бедзик); *Після тарараму в Пущі-Водиці гестапівці підняли на ноги геть усю поліцайську шушваль* (Головч. і Мус.). **попідніма́ти на но́ги** (усіх або багатьох). *І пішла та звістка по всьому селу від хати до хати, попіднімала людей на ноги* (Мирний).

2. Будити, розбуджувати від сну. *Розпучливий брязкіт чавунних затулок, дух житньої соломи.. підняли на ноги сім'ю. Навіть найменший хлопчик вирнув десь з-під материної ковдри* (Коцюб.); *Мало не опівночі підняв на ноги [бригадир] Ліду і Марину, посадив у сани і повіз показати, якого перегеною розбудив* (Грим.).

3. Виліковувати кого-небудь, *Ледве дійшла я додому. Лягла і довго хворіла. Ну, потім тиха наша обстановка, тихе життя підняли мене на ноги* (Хотк.).

4. *що*. Робити що-небудь міцним; укріплювати. *Гарно послужив людям Степан Кучер, теж шахтар. І землю розділив по справедливості, і владу підняв на ноги, щоб твердо стояла* (Прил.).

підніма́ти (піді́йма́ти, підво́дити, зво́дити *і т. ін.***) / підня́ти (піді́йня́ти, підвести́, звести́** *і т. ін.***) з руї́н (з по́пелу, із зга́рищ** *і т. ін.***) що.** Відбудовувати, відновлювати що-небудь зруйноване. *Міста з руїн підводимо, Сади саджаєм людям* (Нех.); *Оту емтеес власними руками будував [Микола] — цеглинку до цеглинки. А після війни з руїн її зводив...* (Жур.); *Шахтар каже: — Ми самі були й будівельниками, підняли шахту з руїн* (Ю. Янов.); *Я словом, міцнішим сталі, Буду свій дім захищати, Живу я в новім кварталі, Що з попелу встиг підняти* (Рад. Укр.). **підня́ти з по́пелу і руї́н.** *Здавалося, потрібно буде багато* десятиріч, щоб підняти країну з попелу і руїн, залікувати тяжкі рани (Веч. Київ). **підніма́ти з руї́н і зга́рищ.** Завод є однаково дорогим тим, хто будував його,.. і тим, хто піднімає його з руїн і згарищ (Роб. газ.).

підніма́ти (підійма́ти, підво́дити, зво́дити і т. ін.) / підня́ти (підійня́ти, підвести́, звести́ і т. ін.) ру́ку (ру́ки) на кого. 1. Бити кого-небудь. Старий пригадав, як Тимко увірвав його по боку за Ташанню.. — А бодай би тебе так уперіщили, щоб ти й до рідного порога не доліз, аби знав, як на старого чоловіка руку піднімати (Тют.); Невже він і досі не міг розкусити цієї сумирної християнської вдачі, цього робочого вола, який і на дитину ніколи не підіймає ні голосу, ні руки (Стельмах); Юнак, що поважає себе, ніколи, ні за яких обставин не підніме руку на жінку, не образить її (Хлібороб Укр.).

2. з сл. **на се́бе.** Кінчати життя самогубством. Сама б на себе руки підняла, слухаючи, до якої біди довела вона матір (Кв.-Осн.); Де мені подітись з лютою нудьгою, Чим мені розбити злую тугу-муку? Ох, давно я зняв би вже на себе руку, Та жаль груди давить, серце, за тобою (Стар.).

3. Робити замах на кого-небудь, намагатися убити когось. Пальці [Трохима Івановича] намацали відточений ніж.. Але в цю останню хвилину.. з'явилася думка: «Зупинися, безумцю! На кого руку підіймаєш?» (Шиян); Дивилися мовчки на нас козаки, та ось несподівано й дзвінко один з них звернувсь до пониклих бійців: — Браті! Що ми робим? На кого ми руки підносим? (Сос.); Він тільки й чує шалене биття серця, шум у вухах.. Він пропустив! Він не наважився.. підняти руку на людину (М. Ол.).

4. Вступати в боротьбу з ким-, чим-небудь, засуджувати, ганьбити когось за щось. — Молюся, господи, помилуй .. Не дай знущатися лукавим І над твоєю вічно-славой Й над нами, простими людьми!.. І плакав Гус, молитву дія [діючи], І тяжко плакав. Люд мовчав і дивувався: що він діє, На кого руку підійма! (Шевч.); А інші кричали: — Сором!.. Хам підвів голову! Неслухняний раб збунтувався! Підніс руку на свого пана! О сором!.. Місто [на ранок] було в руках бунтарів (Ірчан).

підніма́ти (підійма́ти, підно́сити, підво́дити і т. ін.) / підня́ти (підійня́ти, піднести́, підвести́ і т. ін.) го́лову. Починати активніше, упевненіше діяти. Гордий і сміливий [Микола Джеря] представник нового молодого покоління селян, що вже не мириться з кривдою, піднімає голову проти гнобителів (Вітч.); — Знову, значить, підіймають [пильщики та матроси] голову, — нахмурився Гаркуша (Гончар); Вся Таврія в цей час була вже в тривозі.. Підводила голову контрреволюція по містах, нахабніло в степах куркульство (Гончар); [Орлик:] З дивізії повідомили, що в третьому

батальйоні агентура ворога підняла голову, почались неприємні розмови (Корн.).

підніма́ти (підійма́ти, підно́сити і т. ін.) / підня́ти (підійня́ти, піднести́ і т. ін.) го́лос. 1. Починати говорити, висловлювати свої думки. [Сестра Серахвима (піднімає голос до людей):] Чого ви зібрались? (Мирний); Ми помітили, що Поля хоче говорити.. проте піднести свій голос не наважувалась. Сев її підбадьорив, і вона розповіла свою коротку історію (Ю. Янов.); — А що, коли б узятися за затоплену Карапатівську рудню? — тихо, несміливо підніс голос худий високий дідок (Досв.).

2. Говорити голосніше, підвищувати тон, сердячись. — Цить мені, анахтем! — підіймає голос Дорохтей (Стельмах); — Але заспокойтесь, — кінчаю я, — я не хочу підносити свого голосу, я сваритися не буду (Ю. Янов.); — Наберетесь чимало клопоту, поки добудете свою царівну з зачарованого замку... — Чому так? — підняв голос Ломицький (Н.-Лев.); А на кого ж ці руки від віку робили, гей!.. І баба піднесла голос. В ній закипіло довго стримуване ремство (Бабляк).

3. Заявляти про себе, про свої права. — Не диво, що рідний брат гарчить, мов собака з-під воріт́ні, але щоб наймит підняв голос! (Стельмах).

4. Виступаючи, закликаючи до певних дій, відстоювати кого-, що-небудь. Мені доводиться підносити голос на захист балету, як видовища здорового й потрібного (Ю. Янов.); Мільйони, мільйони, мільйони Підносять голос: За мир! (Дор.).

підніма́ти (підійма́ти, підно́сити і т. ін.) / підня́ти (підійня́ти, піднести́ і т. ін.) [догори́] но́са (ніс). Гордовито, самовпевнено триматися, ставитися до інших зневажливо. Від таких розмов батька з матір'ю Кирилко.. ще дужче носа піднімав (Мирний); [Варка:] Бундючилися супроти нас люде [люди], і тепер і ми підіймемо догори носа (Кроп.). Синоніми: гну́ти ки́рпу; ду́ти гу́бу; де́рти го́лову.

підніма́ти (підійма́ти, підно́сити і т. ін.) / підня́ти (підійня́ти, піднести́ і т. ін.) дух кому і без додатка. Надихати, підбадьорювати кого-небудь. [Хрипун:] От прочитає [статтю] боєць, командир. Що він скаже про свій зв'язок? Піднімає це його бойовий дух (Корн.); — Яка це достойна річ приголубити людину. Людське ставлення підіймає дух і дає силу рукам (Ю. Янов.); Висока гордість дух підносить нам На згадку про новітній Севастополь, Що білими грудьми простистояв Фашистській ненажерливій навалі... (Рильський). **підня́ти дух вго́ру.** Ой чи в нас же в рідній хаті Нічого згадати, Нічим тугу розігнати, Вгору дух підняти? (П. Куліш).

підніма́ти (підійма́ти, підно́сити і т. ін.) / підня́ти (підійня́ти, піднести́ і т. ін.) збро́ю (меч, соки́ру і т. ін.) проти кого, за кого — що і без додатка.

Воювати з ким-небудь або намірятися вбити когось. *Поклялися Бела і Данило не піднімати зброї один проти одного* (Хижняк); *Я бачу серцем — месник у лісах Вбива чужинця, напува Десною. То ж Марко Гуща, Гуща у боях За рідний край підносить чесну зброю* (Нагн.); *Щасливий воїн, що в ім'я миру Свою підносить бойову сокиру, Во ім'я правди кривду тне з плеча!* (Рильський); — *Перш ніж підняти меч, мусимо показати Росії, хто ми [юнкери] такі, що ми несемо з собою* (Гончар); *Хто тільки вмів сокиру підняти, всі до Залізняка* (Ів.); *Хто меч підійме, від меча загине* (Л. Укр.).

піднімати (підіймати, підносити) / **підняти** (підійняти, піднести) **келих** (кухоль, чарку і т. ін.) **за кого — що.** Пропонувати випити за що-небудь, виголошувати тост. *Ми підносимо наші грузинські келихи з високим почуттям — за Україну, за дружбу, за нашу зустріч, за перемогу!* (Ю. Янов.); *Піднімем келихи! За все, що пережито, За наші лози, яблуні і жито, За нашу дружбу вип'ємо вина* (Дмит.).

піднімати (підіймати, підносити і т. ін.) / **підняти** (піднести, підійняти і т. ін.) **на щит [слави] кого, що.** 1. Звеличувати, вихваляти кого-, що-небудь. *Ми повинні всіляко піднімати на щит всенародної слави людину праці — справжнього господаря країни, творця всіх багатств* (Ком. Укр.); *Ливарний цех і весь наш завод чекають від вас чогось... гагановського. Щоб можна було підняти на щит...* (Мур.); *Важко стало працювати в газеті! І все ж він напише, обґрунтує свій задум — піднести на щит Цідібрагу [голову колгоспу]* (Автом.).

2. *що.* Наголошувати на чому-небудь. *Підносячи на щит слабші сторони Достоєвського, москвофіли замовчували викривальну силу його художніх творів* (Рад. Укр.).

піднімати (підіймати, підносити і т. ін.) / **підняти** (підійняти, піднести і т. ін.) **прапор** (стяг, знамено і т. ін.) **чого.** Вести боротьбу за що-небудь, в ім'я чогось; виступати з якоюсь ідеєю, відстоювати її. *Пролетарський Петербург піднімав над Росією горде червоне знамено революції* (Цюпа); *Тарас Шевченко високо підняв прапор боротьби усіх пригноблених народів* (Рад. літ-во); *Підносити прапор боротьби за мир і безпеку народів.*

піднімати (підіймати і т. ін.) / **підняти** (підійняти і т. ін.) **вуха.** 1. Наважуватися протидіяти кому-небудь.— *Правильно Данюша каже: «Коли це в мене було, щоб проти голосував хто?» А то аж сім! Підняли вуха* (Головко).

2. Активізуватися в рості (про рослини). *Найвища ефективність боронування — знищується близько 90—95 процентів сходів бур'янів — досягається, коли вони ще не вкоренилися і тільки-но.. піднімають вуха* (Хлібороб Укр.).

піднімати (підіймати і т. ін.) / **підняти** (підійняти і т. ін.) **завісу** (край завіси). Розкривати що-небудь приховане. *В оповіданні «У грішний світ» Коцюбинський підіймає завісу над тим, що діється за мурами монастирів* (Наука..); *Еней спинивсь, як вийшов з лісу. На сонці скулився, мов кріт,— Неначе хто підняв завісу В безмежний невідомий світ* (Воскр.); // Передбачати що-небудь.— *Нас і не дивує, що класний керівник підійняв край завіси над ближчим майбутнім однієї з своїх учениць* (Донч.).

піднімати (підіймати і т. ін.) / **підняти** (підійняти і т. ін.) **чоло,** *уроч.* Відроджуватися. *Степи квітчасті Сонце залило, Син землі у сонці-щасті Підніма чоло* (Мас.).

піднімати хвіст див. задирати.

ПІДНІМАТИСЯ: підніматися на ноги див. ставати.

піднімáтися (підіймáтися, підвóдитися і т. ін.) / **піднятися** (підійнятися, підвестися і т. ін.) **з руїн** (з попелу, із згарищ і т. ін.). Відбудовуватися, відновлюватися. *Поступово після війни підводилися з попелу міста і села. піднятися з руїн і попелу. Сплюндрований колись фашистами, піднявся з руїн і попелу Київ — квітуче місто над Дніпром-Славутичем* (Веч. Київ). С и н о н і м: **вставáти з пóпелу.**

піднімáтися (підіймáтися, підносится і т. ін.) / **піднятися** (підійнятися, піднестися і т. ін.) **на гóлову** (на багáто голíв) [**вище**] **кого, від кого, над ким.** Ставати набагато кращим від кого-небудь, значно перевершувати кого-небудь у чомусь. *Босяк Челкаш [М. Горького] тільки тим, що йому чужою була жадність до грошей, до «свого», на голову підіймався над «звичайним», «порядним» дрібним власником Гаврилом* (Талант..); *Тільки щасливим поколінням судилося піднестися на багато голів вище своїх предків, а може й правнуків* (Довж.).

піднімáтися (підіймáтися, підносится і т. ін.) / **піднятися** (підійнятися, піднестися і т. ін.) **на рівень** (до рівня) **кого, чого.** Ставати як хтось інший у розумовому, культурному, виробничому і т. ін. відношеннях. *Треба намагатися піднятися до рівня кращих представників народу.*

ПІДНІМАЮТЬСЯ: акції піднімáються див. акції.

ПІДНІМЕТЬСЯ: рукá не підніметься див. рука.

ПІДНОСИТИ: піднóсити гарбузá див. давати; ~ **гóлову; ~ гóлос** див. піднімати; ~ **дýлю** див. давати; ~ **дух; ~ зброю; ~ на щит; ~ нóса** див. піднімати; ~ **пинхви** див. давати.

піднóсити / піднести в очáх (рідше пéред очúма) **кого, чиїх.** Поліпшувати чиюсь думку про кого-небудь. *Проміння тої слави осявали й її... Це її підносило у власних очах* (Коцюб.); *Меланія залишалась однаковою, тією некрасивою, скованою, незграбною, яку він зустрів сьогодні в конто-*

рі. Даремно тепер силкувався Іван Федорович якось поправити становище і знову піднести свою колгоспницю в очах скульптора (Гончар).

підно́сити / **піднести́ пілю́лю** кому. Робити або говорити кому-небудь щось неприємне, прикре, образливе і т. ін.— *Каргат, видно, підніс Валентинові Модестовичу якусь нову пілюлю* (Шовк.). П о р.: **підно́сити хрі́ну**.

підно́сити / **піднести́ [те́ртого] хрі́ну (хро́ну, пе́рцю** і т. ін.) кому. Робити або говорити кому-небудь щось неприємне, прикре, образливе і т. ін. *Явтух візьме вас за петельки й вимагатиме, щоб розповіли колгоспникам про новітні течії в мистецтві.. Які художники, хто що малює, кого по голівці гладять, а кому перцю підносять* (Ю. Янов.); — *А що, Карпе,— казав Васюта, ідучи з громади,— от же бачиш, що не все вони [багатирі] нам, а й ми їм можемо вкрутити хвоста. З землею облизня вже піймали, а й тепер знову тертого хрону піднесли їм такого, що довго в носі крутитиме* (Гр.); *Мартоха частує свою супротивницю залізним бобом, а Дармограїха своїй суперниці від щирої душі підносить тертого хрону* (Гуц.). П о р.: **підно́сити пілю́лю**.

підно́сити (піднíма́ти, підíймáти і т. ін.) / **піднести́ (підня́ти, підíйня́ти** і т. ін.) **до небе́с** кого. Надмірно вихваляти, розхвалювати кого-небудь. *Зоя одразу атакувала Катрю десятками запитань,.. скаржачись водночас на головного режисера, що «затирає» молодь, і підносячи його до небес за те, що краще нього ніхто в театрі не розуміє реалістичної манери відтворення образу* (Рибак); *Через кілька тижнів після перших вистав мене, як організатора й режисера, згідні були піднести до небес* (Вас.).

підно́сити (піднíмáти, підíймáти і т. ін.) / **піднести́ (підня́ти, підíйня́ти** і т. ін.) **[ще] на оди́н (ви́щий, нови́й** і т. ін.) **сту́пінь (ще́бель)** що. Поліпшувати, удосконалювати що-небудь порівняно з попереднім станом. *Справжня автоматизація вносить корінний перелом у виробництво, підіймаючи його на новий, вищий ступінь* (Рад. Укр.); *Перемога нашої країни у війні піднімала світовий робітничий рух на якісно новий щабель* (Вісник АН); *Велика Вітчизняна війна з її.. небувалим масовим героїзмом, дорогою ціною здобутою, але ж такою всесвітньозначимою Перемогою піднесла на вищий щабель рівень історичного самоусвідомлення радянського народу і людини* (Рад. літ.-во).

підно́сити (подава́ти і т. ін.) / **піднести́ (пода́ти** і т. ін.) **на блю́дечку (на блю́ді, на тарі́лочці** і т. ін.). Давати можливість кому-небудь мати щось без будь-яких затрат, зусиль.— *Хіба мало ще серед нас отаких, що ждуть, сподіваються: десь хтось за нас і цю революцію зробить. На блюді піднесе* (Головко); *Хто думав, що миру досягти легко, що досить тільки словом згадати*

про мир, і буржуазія піднесе нам його на тарілочці, той зовсім наївна людина (Ленін); — *То що ж, може, партійна організація на блюдечку подасть цьому нерозгаданому сфінксові* [Преображенському] *свою згоду* (Ле). **на тарі́лочці.**— *До всього треба рук прикласти... А ми що такого зробили, що вимагаємо все на тарілочці? Нічого ми не зробили поки що* (Сліс.).

підно́сити пра́пор див. **піднíмáти**.

ПІДНОСИТИСЯ: підно́ситися / **піднести́ся ду́хом.** Ставати веселішим, бадьорішим, енергійнішим. *Одним душевним тільки рухом примусиш* [Н. М. Ужвій] *їх* [людей] *піднестись духом, змістовним стати у житті* (Тич.); *Коли з'ясувалося, що йому не загрожує ніяка небезпека, заспокоївся і піднісся духом* (Добр.).

підно́ситися на го́лову; ~ на рі́вень див. **підíймáтися**.

ПІДНОСИТЬСЯ: дух підно́ситься див. **дух**.

ПІДНЯВСЯ: дух підня́вся див. **дух**.

світ підня́вся див. **світ**; **чуб ~ вго́ру** див. **волосся; язи́к не ~** див. **язик**.

ПІДНЯЛОСЯ: воло́сся підняло́ся вгору див. **волосся**.

ПІДНЯТИ: підня́ти ву́ха; ~ го́лову; ~ го́лос див. **підíймáти; ~ до небе́с** див. **підно́сити; ~ дух; ~ завíсу** див. **підíймáти**.

підня́ти зачíпку, заст. Прийняти виклик. *Щось було зачíпливе й гостро-лукаве в її сухім, підкреслнім оці, яким метнула* [Марта] *на нього погляд. Але він зачіпки не підняв* (Коцюб.).

підня́ти збро́ю; ~ з руї́н; ~ ке́лих див. **підíймáти; ~ на глум** див. **брати**.

підня́ти на коту́рни. Безпідставно, невиправдано підносити кого-, що-небудь. *Виявилося, що деяких вчених незаслужено підняли на котурни.* **підня́тий на коту́рни.** *Художні засоби* [М. Рильського] *природно-емоційні, а не штучно підняті на котурни* (Мал.); *Зі сторінок наших книг майже зовсім зник піднятий на котурни герой, така собі ходяча «ідеальна схема», герой-надлюдина* (Літ. Укр.).

підня́ти на но́ги див. **підíймáти; ~ на оди́н сту́пінь** див. **підносити; ~ на щит; ~ но́са; ~ пра́пор** див. **підíймáти**.

підня́ти рукави́чку, заст. Прийняти виклик на дуель, поєдинок.

підня́ти ру́ку див. **підíймáти; ~ хвіст** див. **задирати; ~ чоло́; ~ що ле́гко лежи́ть** див. **підíймáти**.

ПІДНЯТИСЯ: підня́тися з колíн див. **встати; ~ з руї́н; ~ на го́лову** див. **підíймáтися; ~ на но́ги** див. **стати; ~ на рíвень** див. **підíймáтися**.

ПІДОЗРУ: стягти́ підо́зру див. **стягти**.

ПІДОШВИ: топта́ти підо́шви див. **топтати**.

ПІДОШВУ: з-під стоя́чого підо́шву ви́поре див. **випоре**.

ПІДОШОВ: стопта́ти не одну́ па́ру підошо́в *див.* стоптати.

ПІДПИРА́ТИ: підпира́ти [плечи́ма (голово́ю)] сте́лю. Мати дуже високий зріст. *Увійшов [Назар] і стоїть перед нами, стелю підпираючи* (Вовчок).

підпира́ти [спи́ною (плечи́ма і т. ін.)] сті́ни (стовпи́, одві́рок і т. ін.). Не мати певного заняття.— *Слухай, хлопче,— звернувся він до Данилка,— надінь шапку та погуляй біля землянки. Може, там хто стовпи підпиратиме, увійдеш, скажеш* (Панч).

ПІДПИСА́ТИСЯ: підписа́тися обома́ рука́ми *див.* підписуватися.

ПІДПИ́СУВАТИСЯ: підпи́суватися (розпи́суватися) / підписа́тися (розписа́тися) обома́ рука́ми під чим. Охоче і повністю погоджуватися з чим-небудь; виявляти свою повну згоду з чим-небудь. *Я з задоволенням прочитав дисертацію і обома руками підписуюсь під її науковими висновками.*

ПІДПУСКА́ТИ: підпуска́ти ля́си *див.* точити.

ПІДРІ́ЗАТИ: підрі́зати на пні *див.* підрубувати; ~ **під ко́рінь** *див.* рубати.

підрі́зати (підтя́ти, підітну́ти, притя́ти, зламати, прибо́ркати і т. ін.) / підрі́зувати (підріза́ти, підтина́ти, зла́мувати і т. ін.) кри́ла кому. Позбавити кого-небудь можливості здійснювати щось; підірвати міць, знесилити когось або обмежити поле його діяльності. *Усіх нас єднала свята любов до революції і люта ненависть до контрреволюції. Кожен з нас мріяв учитися, а Денікін підрізав крила* (Минко); *[Овлур:] Ось бояр приборкав він [князь], се правда! Всім воєводам, думам крил [крила] притяв* (Фр.); *— В палаці запахне духом Чонгарів і тоді одразу нам приборкають крила! — Пхе! я не люблю цього духу! — сказав гаркун-паша* (Н.-Лев.); *— Навіщо ж Валентинові Модестовичу підрізувати вам крила зараз, коли ви самі чимдуж мчите до своєї загибелі?* (Шовк.); *І знов у Кульчицького прокидається несамовита самовпевненість і образа: керувати б йому щонайменше округою, але нечуй-вітри щоразу підрізають крила* (Стельмах). **підрі́зати (підітну́ти) кри́льця.** *Залишати його [паровий млин] й надалі Шумейкові теж не можна. Наживається він, багатіє. Пора вже йому підрізати крильця* (Шиян); *На одній із прес-конференцій мені довелося бути свідком, як Микола Семенович.. підітнув крильця представникові однієї з тих газет, котрі прагнуть отруювати атмосферу взаєморозуміння* (Літ. Укр.).

ПІДРІ́ЗАТИ: підріза́ти кри́ла *див.* підрі́зати; ~ **на пні** *див.* підрубувати.

ПІДРІ́ЗУВАТИ: підрі́зувати кри́ла *див.* підрі́зати; ~ **на пні** *див.* підрубувати.

ПІДРОСТА́ТИ: аж [ніби] підроста́ти. Ставати

задоволеним, гордим, перев. побачивши, почувши, спостерігши що-небудь приємне.— *У мене ж нема того приданого, яке потрібно тобі,— дивується і непокоїться дівчина.— Дарма, наживемо якось,— аж підростає Левко в своїй щедрості* (Стельмах); *Неважко вгадати серед натовпу того, чиє саме прізвище в цю мить оголошується: аж ніби підростає одразу, світлішає обличчя* (Гончар).

ПІДРУБА́ТИ: підруба́ти на пні *див.* підрубувати; ~ **під ко́рінь** *див.* рубати.

ПІДРУ́БУВАТИ: підру́бувати (підрі́зувати, підріза́ти, підко́шувати і т. ін.) / підруба́ти (підрі́зати, підкоси́ти і т. ін.) на пні кого. Створювати кому-небудь перешкоди для здійснення чогось.— *Тепер на самому хлібі землевласник не проживе: американська пшениця і високе німецьке мито на хліб підрубали нас на пні* (Стельмах).

ПІДСИ́ПАТИ: підси́пати жа́ру *див.* підкидати; ~ **пе́рцю** *див.* підсипа́ти.

ПІДСИПА́ТИ: підсипа́ти жа́ру *див.* підкидати.

підсипа́ти / підси́пати пе́рцю. Говорити про кого-, що-небудь з іронією, з глумом або ускладнювати стосунки з кимсь, сприяючи посиленню неприємних почуттів, настроїв і т. ін.— *Іди та й лайся, про мене, хоч до самого вечора.. Підсипай, підсипай перцю,— насмішкувато сказав Карпо* (Н.-Лев.); *— Поляк цей — молодець! Підсипав перцю під кінець..,— говорить в першому ряду інспектор Гак Свирид, сміючись в бороду руду.— Що й говорить, як слід за зябра взяв доктрину ту,— відкидав з одвіт Омелько, сторож-дід* (Гонч.). С и н о н і м: **підкида́ти жа́ру** (в 2 знач.).

ПІДСМІ́ШКИ: підсмі́шки стро́їти *див.* строїти.

ПІДСО́ВУВАТИ: підсо́вувати ха́ле́пу *див.* підсувати.

ПІДСТА́ВИЛА: до́ля підста́вила но́гу *див.* доля.

ПІДСТА́ВИТИ: го́лову підста́вити; ~ го́лову під ку́лю; ~ но́гу; ~ плече́ *див.* підставляти; ~ **свиню́** *див.* підкладати; ~ **стіле́ць; ~ ши́ю** *див.* підставляти.

ПІДСТАВЛЯ́ТИ: підставля́ти (дава́ти і т. ін.) / підста́вити (да́ти і т. ін.) ши́ю [в ярмо́ (під ярмо́)]. 1. Брати на себе чиїсь обов'язки, обтяжуючи себе.— *Уже тепер годі за вас підставляти шию, годі!* (Вовчок).

2. Ставити себе у цілковиту залежність від кого-небудь. *А генерал.. не дожидає, поки піщанська громада самохіть підставить під ярмо шию* (Мирний).

підставля́ти / підста́вити го́лову (лоб, лоба, себе́ і т. ін.) під ку́лю (під ніж і т. ін.). Ставити себе під загрозу, ризикувати бути вбитим, ризикувати життям. *Ніколи й голови за віру й батьківщину Під кулю ти не підставляв* (Щог.); *Та і навіщо тобі лоба під кулю підставляти? Краще проберись* *до наших і передай* (Головч. і Мус.); *Запекло пробивалися рицарі, вони.. підставляли себе під сокири* (Хижняк).

підставля́ти / підста́вити но́гу *кому і без додатка.* Робити неприємності, перешкоджати кому-небудь в чомусь. *Кожному [старшому] бажалося вискочити перед начальством.. Через те кожен на кожного клепав, наговорював, всяк підставляв ногу другому* (Мирний); *Не схильний [індивідуаліст] раді́ти успіху товариша, а часто навіть прагне підставити товаришеві ногу* (Мист.). **підставля́ти / підста́вити ні́жку (колі́нця).** *Все йшло б гаразд, якби.. колеги.. не підставляли Вікторові ніжку* (Автом.); *Відчуваючи незрозуміле роздратування, продовжував Романенко.— Дехто думає так: догнати — не здожену, то хоч ніжку підставлю* (Жур.); *Мало не всі, за винятком корифеїв, почали завидувать моєму поспіху, почали, як кажуть, підставляти колінця* (Збірник про Кроп.).

підставля́ти / підста́вити плече́ *кому.* Допомагати кому-небудь, підтримувати когось.— *Він же не баба, щоб плакати, у нього своя натура.. А такому чоловікові треба плече підставляти* (М. Ю. Тарн.); *В найскрутніших ситуаціях мені неодмінно хтось простягував руку допомоги, підставляв плече* (Головч. і Мус.).

підставля́ти / підста́вити [свою́] го́лову [під обу́х]. Ризикуючи, наражатися на небезпеку. *Опришків цей аргумент.. не переконував, і підставляти свою голову під обух ради того нікому не хотілося* (Хотк.); — *Бувай здоровий, щасливо тобі залишатися. Бережись і даром голови не підставляй* (Тют.); — *Що ж, боїтесь голову підставляти, хай хтось інший жар вигрібає?!* (Дмит.).

підставля́ти / підста́вити стіле́ць (стільця́) *кому.* Робити кому-небудь неприємність, підлість, перешкоджати в чомусь.— *Підставлять вони [пани] стільця тому, хто не годить їм!* (Н.-Лев.). **підста́вити стільчика.**— *От тепереньки протопоп підставить мені стільчика,— говорив отець Харитін, бідкаючись* (Н.-Лев.).

підставля́ти свиню́ *див.* підкладати.

ПІДСТА́ВУ: дава́ти підста́ву *див.* давати.

ПІДСТУ́П: підво́дити підсту́п *див.* підводити.

ПІДСТУПА́Є: клубо́к підступа́є до го́рла *див.* клубок.

ПІДСТУПА́Й: без па́лиці (без бу́ка) і не підступа́й (ані при́ступ) *до кого і без додатка.* Хто-небудь дуже гордовитий, пихатий, сердитий і т. ін.— *А до Одарки так без палиці і не підступай.., нарядиться, напиндючиться, он яка пані!* (Мирний); — *Е, до неї тепер без бука і не підступай,— додав газда. Спаніла так, що годі* (Яцків); — *І чого се, бабо, усі сердиті такі сьогодні? Сказано, без палиці ані приступ,— обізвавсь він до баби* (Мирний).

ПІДСТУПИ́В: клубо́к підступи́в до го́рла *див.* клубок.

ПІДСУВА́ТИ: підсува́ти (підсо́вувати) / підсу́нути ха́лепу *кому.* Завдавати кому-небудь неприємностей, клопоту і т. ін.— *Хитра ти людина, Семене,— каже старий комісарові,— ніколи не знаєш, яку ти мені халепу підсунеш* (Ю. Янов.).

підсува́ти свиню́ *див.* підкладати.

ПІДСУ́НУТИ: підсу́нути го́лову під ко́лесо. Заподіяти собі якесь лихо, нещастя. [Б е б е х:] *Не бійсь: Гаркуша не який-небудь дурень — голову під колесо не підсуне* (Стор.).

підсу́нути свиню́ *див.* підкладати; **~ ха́лепу** *див.* підсувати.

ПІДТИНА́ТИ: підтина́ти кри́ла *див.* підрізати.

ПІДТОПТА́ТИ: підтопта́ти під но́ги *див.* топтати.

ПІДТО́ПТУВАТИ: підто́птувати під но́ги *див.* топтати.

ПІДТО́ЧИТЬ: кома́р но́са не підто́чить *див.* комар.

ПІДТО́ЧИШ: [і] го́лки не підто́чиш, з сл. з р о б и т и і т. ін. Дуже якісно, так, щоб не було претензій. *Мінери — народ спритний та меткий, зроблять — голки не підточиш* (Голов.). С и н о н і м и: **кома́р но́са не підто́чить; чин чи́ном.**

ПІДТРИМА́ТИ: підтри́мати компа́нію *див.* підтримувати.

ПІДТРИ́МУВАТИ: підтри́мувати / підтри́мати компа́нію. Не відмовлятися від участі в тому, що задумали чи роблять інші.— *Як же се? — запротестувала вона, затримуючи мою руку,— а я думала, що ви підтримаєте мені компанію в саду* (Л. Укр.); *Він вибачився, що підтримати компанію [піти з товаришами до театру] не може* (Рибак).

ПІДТЯГА́ТИ: підтяга́ти (підтя́гувати) / підтягти́ (підтягну́ти) живі́т. Бути напівголодним, недоїдати. *Там кухонь польових немає. В тилу владає інших світ. Згубив картки свої в трамваї,— Сиди і підтягай живіт* (Мал.); *От тільки з харчами та з водою у нас тугувато. Що ж, уріжемо пайок, іншого виходу немає. Підтягнемо животи* (Ткач.). П о р.: **підтя́гувати па́ски.**

ПІДТЯГНУ́ТИ: підтягну́ти живі́т *див.* підтягати.

ПІДТЯГТИ́: підтягти́ живі́т *див.* підтягати; **~ па́ски** *див.* підтягувати.

ПІДТЯГУВАТИ: підтя́гувати живі́т *див.* підтягати.

підтя́гувати (стя́гувати, затя́гувати і т. ін.) / підтягти́ (стягти́, затягти́ і т. ін.) па́ски (па́сок, ремінці́, очкурі́, пояски́ і т. ін.). Бути напівголодним, недоїдати. *Ти в армії був на всьому готовому, а ми паски підтягували* (Чорн.); — *Люди довго підтягували ремінці, на картках перебивалися,* *і якщо вони витворюють зараз собі.. культ.. шлунка,— то невже ти їх станеш осуждати [осуджувати] за це?* (Гончар); *Гітлер нікому не давав вільно дихати. Він усе підпорядковував війні.. Німці тільки й знали,* що *затягували пояски дедалі тугіше* (Загреб.). По р.: **підтягати живіт.**

ПІДТЯТИ: підтяти крила див. підрізати.

ПІДУТЬ: підуть ладй див. лади.

ПІДХОДИТИ: підходити / підійти під плече кому. Бути рівнею кому-небудь. [К о з у б с ь к а:] *Ніколи хам панові під плече не підійде!* (Кроп.).

ПІДШИТИЙ: підшитий вітром див. підбитий.

підшитий лисом. Дуже хитрий. *Лисом підшитий, псом підбитий* (Номис).

підшитий собаками. Дуже злий. *Добрий би був чоловік, та собаками підшитий.* (Укр.. присл..). С и н о н і м: **підбитий псом.**

підшитий трусом. Дуже боягузливий, лякливий. [Г о с т о м и с л:] *Біжіть! Чень там стоїть хто розумніший, Що не підшитий трусом!* (Фр.).

ПІЖМУРКИ: гратися в піжмурки див. гратися.

ПІЗНАЄ: і мати не пізнає див. мати ¹.

ПІЗНАТИ: давати пізнати див. давати.

ПІЗНО: поки не пізно. Завчасно. *Тікай, Катре, поки не пізно, поки тебе не застукали отут* (Кучер); *Знадвору обізвався голос Кушніра: — Іди, іди, чоловіче, поки не пізно!* (Стельмах).

рано чи пізно див. рано.

ПІЗНЬОГО: з ранку до вечора див. ранку.

ПІЙМА: як (мов, ніби і т. ін.) пійма пойняла кого. Хто-небудь безслідно зник, когось ніде немає. *Ми ще було по весіллях, а Чайченка — як пійма пойняла — нема, ніде не буває* (Вовчок).

ПІЙМАЄШ: в ложці води не піймаєш див. спіймаєш.

ПІЙМАТИ: [і] з собаками не піймати (не спіймати і т. ін.) кого і без додатка. Хто-небудь надійно сховався.— *Ну, по сій же мові та будьмо здорові! — каже Назар..— Тепер я вільний хоч на півроку; з собаками не піймають* (Вовчок).

піймати бога за бороду див. вхопити; **~ вовка за вуха** див. впіймати; **~ в сіті** див. ловити; **~ гаву** див. впіймати; **~ грінку** див. убити.

піймати / ловити на слизькому кого. Викрити кого-небудь, підстерігши його на місці злочину або на чомусь осудливому, протизаконному і т. ін. *Розмова [з Кайтом] мене вкрай збентежила. Те, що вважав за безсумнівне, за незаперечне — те похитнулося. Я не можу без сорому дивитися Кайтові в очі. Він буквально піймав мене на слизькому* (Кол.). С и н о н і м: **впіймати на гарячому.**

піймати на гарячому див. впіймати; **~ на гачок; ~ на слові** див. ловити.

піймати нитку (нитки) чого. Встановити зв'язок, послідовність у розмові, в розгортанні подій і т. ін., виявити основне в чому-небудь. *Перекинув [Чижик] одно [діло], перевернув друге, заглянув у третє, в п'яте, в десяте — натрапив слід, піймав нитку* (Мирний).

піймати облизня див. спіймати; **~ погляд** див. ловити.

піймати (спіймати і т. ін.) синицю в руку. Досягти чогось важливого, бажаного. *Енею глуздівно сказав [Турн]: «Я ставлю річ твою в дурницю, Ти в руку не піймав синицю, Не тебе, далебі, боюсь. Олимпські нами управляють* (Котл.).

піймати (спіймати і т. ін.) хвилину (випадок і т. ін.). Скористатися слушним моментом. *Демид пішов до Карпенків і, піймавши таку хвилину, як дівчина була сама в хаті, сказав їй про се* (Гр.).

ПІЙМАТИСЯ: пійматися на гарячому див. впійматися; **~ на гачок** див. ловитися.

пійматися (спійматися і т. ін.) у лабети (у лапи і т. ін.) кому. Попасти в залежність до кого-небудь.— *Одного ірода здихалася, другому [жандармові] в лабети піймалася!* (Мирний); [2-й чоловік:] *Мартин.. горілки не вживав, а як піймався у лапи глитаєві, розпився і звівся ні на що!* (Кроп.). А н т о н і м: **вирватися з лап.**

ПІК: годúни пік див. години.

ПІКОВОМУ: лишитися при піковому інтересі див. лишитися.

ПІЛОЧКИ: до пілочки, з сл. оббирати і т. ін. Повністю, не залишаючи нічого. *Робітниць оббирав [хазяїн] до пілочки* (Мал.).

ПІЛЮЛІ: ковтати пілюлі див. ковтати.

ПІЛЮЛЮ: золотити пілюлю див. золотити; **підносити ~** див. підносити.

ПІНА: аж піна з рота (на губах) скаче (летить, виступає і т. ін.). Дуже сильно, у великій мірі. *Кортіло.. Овксентових синів упіймати. Так кортіло, що аж піна на губах виступала* (Ков.).

ПІНКУ: знімати пінку див. знімати.

ПІНОЮ: з піною в роті (біля рота, на губах). Гаряче, з великим запалом. *Галчан поривався першим увійти в хату, але молодиці не пускали його.. Це доводило Йоча до лютості, ображало, як автора ідеї, і він з піною в роті, лаючись та розштовхуючи всіх, перся до дверей* (Коцюб.); *Коли я мав сумнівну приємність бачити тебе востаннє, ти з піною на губах стверджував, немов саме з моєї вини всі в інституті почали тупцювати на місці* (Шовк.).

ПІП: як піп на ризи, з сл. дивитися і т. ін. Гордо, з гідністю. *На свою.. латану свитину він [старець] дивився, як піп на ризи, й ставив себе коли не нижче дяка, то ніяк не нижче диякона* (Н.-Лев.).

ПІРНАТИ: пірнати з головою див. поринути.

ПІРНУТИ: пірнути з головою див. поринути; **як у воду ~** див. впасти.

ПІР'Ю: по своєму пір'ю. Відповідно до власних даних, можливостей або потреб. *Кожний вишукував товариша по своєму пір'ю* (Мирний); — *Коли* тобі так [захотілося].. женитись — візьми дружину по своєму пір'ю (Збан.).

ПІР'Я: аж [що й (тільки) і т. ін.] пір'я лети́ть (розліта́ється, си́плеться і т. ін.) / полети́ть (роз-си́плеться, поси́плеться і т. ін.). Дуже сильно. Б'ють козаки панську челядь, аж пір'я летить (Вас.); [Хмельницький:] Сьогодні ми пере-можемо... Дивись, козаки почали рубати крилатих [гусар]. Ох, і дають, аж пір'я сиплеться (Корн.); Під Малином їх уже чекають і всиплять такого жару, що з них тільки пір'я летітиме (Головч. і Мус.); — От в Росії та на східній Україні, так там багатіїв скубнули, що й пір'я полетіло (Чорн.).

вбива́тися в пі́р'я див. вбиватися; **не на́шого ~ пта́шка** див. пташка; **обби́ти ~** див. оббити; **розпуска́ти ~** див. розпускати.

ПІР'ЯМ: оброста́ти пір'ям див. обростати.

ПІ́СЕНЬКА: проспі́вана (доспі́вана, скі́нчена) пісенька (рідше пісня) чия. Настав кінець кому-, чому-небудь.— Ну, ..Корнію, проспівана твоя пі-сенька. Хоч би вже смерть, та не така паскудна (Збан.); Отаман нахмурив брови..— Занурумося в глухі кутки, а повесні, як сніг на голову...— Ні, пане отаман, наша пісенька вже доспівана! (Панч); Очі [Симона та Оксани] наповнилися радістю, жалем і смутою: їхня пісня вже проспіва-на, і ніколи ніхто з них вже не розкуйовдить одне одному зачісок так, як це зробили Левко й Еля (Рудь); [Адмірал:] Цей наказ — це слабкість їх [комітету]. Вони відчувають, бояться. Але їх пісня скінчена! (Корн.).

ПІ́СЕНЬКУ: співа́ти пісеньку див. співати.

ПІСКУ́: будува́ти на піску́ див. будувати; **буду-ва́тися на ~** див. будуватися; **з ~ мотузки́ су́чить** див. сучить.

ПІ́СНІ: заспіва́ти іншої пісні див. заспівати.

ПІ́СНЮ: скінчи́ти свою пісню див. скінчити.

ПІ́СНЯ: до́вга пі́сня. Те, що вимагає багато часу для завершення, здійснення, розповіді і т. ін.— Ага, що це у вас тут з Ганною скойло-ся? — дивляучись на сестру, запитав Данько.— Довга пісня,— жваво заговорила Вутанька (Гон-чар); Луки на Потоках. Тема для дисертації. Коли він напише її, коли захистить. Кандидатсь-кий мінімум, аспірантура... Довга, дуже довга пісня! (Рудь).

лебеди́на пісня; лебеди́ний спів чия, чий, кого. Останній (перев. найзначніший) твір, вияв талан-ту або здібностей, діяльності і т. ін. кого-небудь. [Світловидов:] Я всю душу вклав у цей проект!.. Він мені навіть уві сні ввижається: чи тому, що старість, чи, може, це вже моя лебедина пісня?.. (Баш); Його [О. Довженка] лебедина пісня.. «Поема про море» стала таким саме кіноепосом творчих дерзань і звершень нашо-го народу.. як «Повість полум'яних літ» — кіно-епосом ратного подвигу радянських людей (Лев.).

проспі́вана пісня див. пісенька.

стара́ пісня. Що-небудь, давно всім відоме.— Не шкода б було, якби витрачував сили на роботу, потрібну для нас, а то марнуюсь на те, щоб було що їсти родині. Але годі, це стара пісня (Коцюб.); Весь зал раптом завирував: — Годі! Чули! Геть! — неслося з усіх кінців.— Старі пісні! (Гончар).

ПІСО́К: ки́дати пісо́к у ві́чі див. кида-ти; **~ си́плеться** див. порохня; **хова́ти го́лову в ~** див. ховати.

як пісо́к на ви́лах, з сл. держа́тися, трима́тися і т. ін., ірон. Уживається для повного заперечення змісту слів держа́тися, трима́тися; зовсім не (держатися, триматися). Держиться, як пісок на вилах (Укр.. присл..).

ПІСО́ЧКОМ: протира́ти з пісо́чком див. про-тирати.

ПІТ: [аж] піт о́чі залива́є, перев. з сл. працюва́ти, труди́тися і т. ін. Дуже сильно, важко. Лише по хвилі Тихін подав із підземелля нетвердий голос: — Кого зобачиш зі склепу, як працюєш, аж піт очі заливає? (Літ. Укр.).

вганя́ти в піт див. вганяти.

крива́вий піт. Дуже тяжка, виснажлива праця. Всі проти мужика. А хто ж і коли за нього стояв? Хто йому коли добре слово за його кривавий піт, за його хліб і сіль промовив? (Стельмах).

ли́ти піт див. лити; **обте́рти ~ з чола́** див. обтер-ти; **точи́ти ~** див. точити; **у ~ ки́дати** див. кидати.

цига́нський (холо́дний) піт пройма́є (охо́плює, пробира́є і т. ін.) / пройня́в (охопи́в, пробра́в і т. ін.) кого і без додатка. Хто-небудь дрижить від нервового збудження, страху, холоду і т. ін.; когось лихоманить.— Зосю, циганський піт не проймає тебе? — гукають подруги (Стельмах); Холодний піт його пройма, Затіпавсь весь плечи-ма, Що хоче пити, .. сил нема... Мана перед очима (Граб.); Як почув [я], яка є панщина у пеклі на тих, хто.. повісті.. пише, так мене аж циганський піт пройняв (Кв.-Осн.); Танцює без чобіт [Ро-ман], умився так умився! Оце пробрав циганський піт, оце протверезився! (Дор.).

ПІТИ́: ви́соко піти́ [вго́ру]. Зайняти визначне становище в суспільстві, в певній сфері діяльності. Подякуй за це від мене Шестірному, скажи йому, що він не забариться високо піти вгору (Мир-ний); — По службі ти високо підеш, хороше жити будеш (Тют.). Пор.: **піти́ вго́ру** (в 1 знач.).

дале́ко піти́. Добитися, досягти великих успіхів, слави. В захопленні дивився на нього Дорош, милуючись його військовою виправкою. Такий піде далеко (Тют.); Допитливим хлопцем не міг нахвалитися учитель Горбенко: — Далеко піде твій синок, Тетяно Семенівно... (Інг.).

недале́ко піти́ див. втекти; **не ~ да́лі вух** див.

йти; ~ ва-ба́нк; ~ вго́ру; ~ в ді́ло; ~ в закла́д; ~ в зе́млю; ~ війно́ю *див.* іти.

піти́ в моги́лу (з життя́, від нас, до Бо́га *і т. ін.***).** 1. Загинути, вмерти. *При мені вже тоді з діток Маруша четверта в могилу пішла* (Тесл.); *Молодий і запальний поет Ярослав Шпорта.. був поранений і молодим пішов із життя* (Мас.); *Говорили люди в лютій скруті: — Вмер Ілліч. Пішов од нас Ілліч* (Мал.); *Де вони поділи побратима? Чи живий він, чи пішов до бога?* (Л. Укр.).

2. *тільки в* моги́лу. Залишитися невідомим, таємним.— *Ніхто й слова не почує про тебе. Що було між нами — в могилу піде!* (Стельмах).

піти́ в наро́д; ~ **в непа́м'ять** *див.* іти; ~ **вніве́ць** *див.* обернутися.

піти́ в пра́рву. Марно витратитися. *Одлунали постріли, одсмерділи гази, часу немало пішло в прірву...* (Ю. Янов.).

піти́ второ́ваними сте́жка́ми; ~ **в хід;** ~ **да́лі;** ~ **до вінця́** *див.* іти.

піти́ до жаб. Утопитися.— *Навіжений,— гримав батько.— Ти що, дужчий за Дніпро? — Я вже допливаю до самої середини.— До жаб пішли б обидва. Герой!* (Хор.). С и н о н і м: **піти́ ра́ків лови́ти.**

піти́ до рук; ~ **до чо́рта** *див.* іти; ~ **за течі́єю** *див.* пливти.

піти́ (збі́гти) за вітром (по вітру, за водо́ю). 1. Пропасти, марно зникнути, нераціонально кимсь витрачаючись, використовуючись і т. ін. *Якби все купляти, що нам треба, то газдівство швидко пішло би за вітром* (Томч.); *Тато гніваються: це ж два з половиною карбованці пішли за водою* (Стельмах); // Закінчитися безрезультатно. *Не зламав Роберт свого слова! Не пропала, не пішла по вітру Та громадська чесна умова* (Л. Укр.); // Зникнути безслідно.— *Бачиш, Олександро, твій чоловік, а моя жінка пішли десь за водою...* (Коцюб.); *Параска пригадала.. свої думки, свої надії... Ні одна з них не справдилася,— всі мов за водою пішли* (Мирний).

2. Минути, пройти без воро́ття. *Так якраз і є: ..добра слава — усе пішло за вітром* (Кв.-Осн.); *Нехай піде за вітром моє лихо!* (Н.-Лев.); *Минає день, тиждень, місяць, і півроку збігло за водою* (Вовчок).

піти́ з гарбузо́м (з гарбуза́ми). Дістати відмову при сватанні.— *Ну що? Будемо сватами, чи з гарбузами додому підеш?* (Стельмах).

піти́ з ди́мом; ~ **з сві́ту;** ~ **з торба́ми** *див.* іти.

піти́ / іти́ сте́жкою *кого, якою, чиєю.* Займатися тією самою справою, як хтось інший; наслідувати когось. *Її батько не раз та й не двічі нахиляв зятя, щоб той ішов з їм [ним] однією стежкою* (Гр.); *Мій брат був літературним працівником, я теж, напевне, піду цією ж стежкою...* (Вол.).

піти́ ко́лесом *див.* іти; ~ **крізь па́льці** *див.* текти; ~ **ку́рсом** *див.* іти.

піти́ моро́зом по спи́ні. Викликати неприємне відчуття холоду від переживання, переляку і т. ін. *Та пісня морозом пішла у мене по спині, зашкреблася у горлі, бо співала її не мати, а якась чужа красива жінка, котру я чомусь називаю матір'ю* (Григір Тют.).

піти́ навпросте́ць *див.* іти.

піти́ на гачо́к. Залишитися обдуреним, ошуканим. *Хто хоче працювати — ласкаво просимо, аби тільки не перетворювати всякий революційний почин в мертву букву,— на цей гачок ми не підемо* (Ленін).

піти́ [на дно] ра́ків (ра́ки) лови́ти. Утопитися. *Фашист думав Дніпро проплить — пішов на дно раки ловить* (Укр.. присл..); *Чом би з такого дива не поприходили й інші.. ті, що вчора чи позавчора дуба дали, кого вода змила, хто пішов на дно раків ловити* (Гуц.). С и н о н і м: **піти́ до жаб.**

піти́ на жебри; ~ **на же́ртву;** ~ **назу́стріч;** ~ **на не́бо** *див.* іти.

піти́ наніве́ць (вніве́ць). 1. Виявитися марним, даремним; закінчуватися безрезультатно. *Невже пішло все наніве́ць: бесіди, розмови, читання, робота в гуртках, піонерські збори?* (Донч.); *Хвилина розгубленості надто дорого обійшлася козацькій старшині! Адже ж все пішло наніве́ць...* (Тулуб); [Р я б и н а:] *Не дайте вніве́ць піти моїй праці і господарству* (Фр.). П о р.: **обернути́ся наніве́ць.** С и н о н і м: **піти́ на пси.**

2. Стати непридатним для чого-небудь; опустошитися. *Невже через мене оцей палац, оця пишна садиба, оця уся пишнота, оце усе добро стане руїною, піде вніве́ць?* (Н.-Лев.). С и н о н і м: **зійти́ ніна́що** (в 2 знач.).

піти́ наперекі́р *кому, чому.* Не погодитися з ким-, чим-небудь, виступити проти когось, чогось. *Дівчина наважилася піти наперекір всій бригаді.*

піти́ на побла́жку. Поступатися в чому-небудь. *Таке самовідчуття їм дуже до вподоби, і під його впливом вони поступово розчулюються і готові піти навіть на поблажку* (Тют.).

піти́ напроло́м; ~ **на пропа́ще;** ~ **на прю** *див.* іти.

піти́ на пси. Пропасти марно, безрезультатно. *Васюта стояв перед Ганною Матвіївною ні в сих, ні в тих. Тринадцять років женихання — і все, здається, пішло на пси* (Полт.). С и н о н і м и: **піти́ наніве́ць** (у 1 знач.); **обернути́ся наніве́ць.**

піти́ на ру́ку; ~ **на смерть;** ~ **на той світ** *див.* іти.

піти́ нівор́отом, *діал.* Пропасти, перевестися, не використатися з користю. *Пасіка також по смерті небіжчика Леся не пішла ніворотом* (Фр.).

піти́ одніє́ю сте́жкою; ~ **під ку́лі;** ~ **під ру́ку** *див.* іти; ~ **по ми́ру** *див.* ходити.

піти́ попідвіко́нню. Стати жебраком. *Жінка*

одно те, що не мала нічого, а друге, не вміла робити, пішла попідвіконню (Кв.-Осн.). С и н о н і м и: **піти на жебри; піти по миру; піти з торбами; простягнути руку** (в 2 знач.).

піти по різних стежках див. ходити.

піти порохом за вітром. Пропасти, зникнути.— *Сім'ю свою треба хазяйці так тримати, як мак у жмені: а то розсиплеться усе, порохом піде за вітром* (Вовчок).

піти по руках див. ходити; ∼ **прахом**; ∼ **пробоєм** див. іти; ∼ **проти течії** див. пливти; ∼ **своєю дорогою;** ∼ **слідом;** ∼ **у відкриту** див. іти.

піти у вічність. Зникнути безслідно, безповоротно. *Віра в безвір'я, Золото й грязюка.., Сила і немічність,— Все тут [на кладовищі] уляглося, Все пішло у вічність* (Щог.). П о р.: **канути у вічність.** С и н о н і м и: **відійти у небуття** (в 2 знач.); **відійти в минуле.**

піти у воду. Зникнути, щезнути безслідно. *Та ще, чуєш, не хрестися, Бо не все піде в воду...* (Шевч.).

піти у небуття див. відійти.

піти / ходити по нишпорках. Ретельно, старанно вишукувати що-небудь. *Блаженко сам пішов по нишпорках. Він натикався на багато дивовижних чудових речей* (Гончар).

піти ходором. Дуже захитатися, задвигтіти. *Зашумів такий вітер, що пішла ходором хата* (Вас.).

піти широким світом. Помандрувати куди-небудь. *Нагодував [чоловік] дітей, чим було, взяв на плече сокиру і пішов широким світом* (Три золоті сл.).

піти шкереберть див. іти; **як крізь землю** ∼ див. провалитися.

ПІТЬМИ: царство пітьми див. царство.

ПІШКИ: під стіл пішки ходити див. ходити.

до того (до цього) торгу і пішки. Дуже радий тому, що є, із задоволенням погоджується з цим. [Х и м к а:] *Гості ж, певно, не обмануть — прийдуть.* [П а л а ж к а:] *О-о, вони до того торгу і пішки!* (Мирний); — *Спасибі, братіку [братику] Василю, я до сього торгу і пішки, як ото кажуть,— осміхнувся Палій* (Морд.).

ПІШЛА: голова пішла обертом див. голова; **не** ∼ **чарка до рота** див. чарка; ∼ **вертітися машина** див. машина; ∼ **писати губернія** див. губернія; **чутка** ∼ див. чутка.

ПІШЛИ: аж виляски пішли див. виляски; **круги** ∼ **перед очима** див. круги; **мурашки** ∼ **по спині** див. мурашки.

ПІШЛО: бодай пропадом пішло. Уживається для вираження крайнього незадоволення, великого обурення чим-небудь. *Чумаки нове вигадали. Катрі в районі захотілося пожить. А бодай воно пропадом пішло* (Кучер). П о р.: **пропади ти пропадом; хай пропаде пропадом.**

коли (як, раз, якщо) [вже] на те пішло (пішлося) / іде́ться. За умови, що так повинно бути.— *Не осуди, жінко, не осуди, любко! Пускаю твої вишивані соловейки на високі гори! Летіть, коли вже на те пішло!..* (Гончар); *А вже як на те пішло, щоб умирати, то нікому з них не доведеться так умирати!* (Довж.); — *Твої збитки, раз на те пішло, на себе беру,— розщедрився Плачинда* (Стельмах); *Якщо вже на те пішло, то я згоден відповідальність за прапор взяти на себе* (Гончар); — *А як уже воювати, так воювати — хай же і я, старий, щось до добра причинюся, коли на те йдеться* (Козл.). **коли вже так пішлося.**— *Коли вже так пішлося, що придбав собі верещуху, що проти тебе не мовчить, то навчи, щоб мовчала* (Вовчок).

у голові все пішло обертом див. все.

як (мов, ніби і т. ін.) згори пішло *кому.* Перестало щастити кому-небудь. *Мов згори пішло Марусякові з того часу, як утекла попадя. Ну, от наче відрізала, неначе все щастя, всю удачу з собою забрала* (Хотк.).

ПІШЛОСЯ: коли на те пішлося див. пішло.

ПІШОВ: аж луск пішов див. луск; **мороз** ∼ **поза шкірою** див. мороз; **світ** ∼ **обертом** див. світ.

ПІЩИНКИ: лічити піщинки на долівці див. лічити.

ПЛАВАТИ: плавати мілко (на мілкому). Не мати достатніх здібностей, знань, сил, досвіду і т. ін. для якої-небудь справи.— *В агротехніці ти плаваєш мілко. А без агрономічних знань бригадир рільничої бригади не бригадир* (Логв.); *Все робив, як треба, як має бути, а «нагортав» купу браку. Лише після обіду вже трохи пішло, як у Вілі. Гаврюшка теж плаває на мілкому* (Літ. Укр.).

ПЛАВОМ: плавом пливти див. пливти.

ПЛАВУ: на плаву. У стані плавання, на воді. *Промигнув човен кулеметників, ведучи вогонь на плаву* (Гончар); *Завдяки самовідданості матроса Володимира Бучного наш корабель лишився на плаву* (Ткач).

ПЛАН: відійти на задній план див. відійти; **відсувати на задній** ∼ див. відсувати; **ставити на перший** ∼ див. ставити.

ПЛАНІ: на першому плані. Найголовніший, найважливіший або найголовніше, найважливіше. *На першому плані у Довженка, крім справ людини,— її духовний світ, широта її ідейного кругозору, її здатність «відкриватися» всенародному і вселюдському* (Не ілюстрація..).

ПЛАСТИНКУ: заводити пластинку див. заводити; **закручувати одну і ту ж** ∼ див. закручувати.

ПЛАСТОМ: лежати пластом див. лежати.

ПЛАТИТИ: платити / відплатити такою (тією, рідко тою) самою монетою *кому.* Відповідати кому-небудь на щось подібним вчинком, ставленням і т. ін. *Йойна зависливим оком дивився на Нуту, щодня бажав, щоб його ями позавалювалися.. Здається, що й Нута платив Йойні такою самою монетою* (Фр.); *Легінник ображався і платив тою ж самою монетою, негречно вдаючися в подробиці, чіпаючи навіть таку делікатну матерію, як питання літ* (Хотк.).

ПЛАТКИ: подавати платки *див.* подавати.

ПЛАТФОРМІ: стати на платформі *див.* стояти.

ПЛАХУ: класти голову на плаху *див.* класти.

на плаху, з сл. з а с у д и т и, п о с л а т и і т. ін. До страти. [Ш е в ч е н к о:] *Та як простить вельможним тим катам, Що вас було на плаху засудили і все життя згубили!* (Коч.); *У боротьбі проти короля Кромвель очолив народні маси і діяв дуже рішуче, він.. стратив короля, розправився з його прибічниками, декого послав на плаху* (Нова іст.).

ПЛАЧ: закушувати плач *див.* закушувати; **сміх і ~** *див.* сміх.

хоч плач, хоч скач. 1. Уживається для вираження марності чиїхось зусиль, неможливості, безсилля зробити що-небудь; що не роби. *Як стане було той Гопченко гопки, то вже не зіб'єш його нічим,— хоч плач, хоч скач, а зробить, як сказав* (Ю. Янов.). С и н о н і м: **хоч гопки скачи.**

2. Уживається для вираження скрутного або безвихідного становища, відчаю, досади і т. ін. *Машину цю створили винахідники.. Склали договір на роботу, а тепер хоч плач, хоч скач!* (Автом.). П о р.: **хоч плач.** С и н о н і м и: **хоч криком кричи; хоч вовком вий; хоч лобом в стіну бийся; хоч з мосту та в воду; хоч гвалт кричи; хоч кричи пробі.**

хоч [сядь та й (ти)] плач. Уживається для вираження скрутного або безвихідного становища, відчаю, досади і т. ін. [Ф е д і р:] *Тепер з одною конячкою ніхто в супрягу не приймає— хоч сядь та й плач* (К.-Карий); *Поривається бігти Катря, а ноги мов самі прикипіли до землі. Ніяк не несуть, хоч плач* (Кучер); *Знову.. дощ. Хоч ти плач* (Мисик). **хоч сідай та плач.** *А як нема листів, то такий мені жаль, такий жаль бере, хоч сідай та плач або сама пиши* (Ів.). П о р.: **хоч плач, хоч скач** (у 2 знач.). С и н о н і м и: **хоч вовком вий; хоч криком кричи; хоч з мосту та в воду; хоч гвалт кричи; хоч кричи пробі.**

ПЛАЧЕ: гілляка з мотузкою плаче *див.* гілляка; **палиця ~** *див.* палиця; **тюрма ~** *див.* тюрма.

ПЛАЧЕМ: давитися плачем *див.* давитися; **захлинатися ~** *див.* захлинатися.

ПЛЕМЕНІ: без роду й племені; ні роду, ні ~ *див.* роду.

ПЛЕМ'Я: юдине (іудине) плем'я (поріддя, коріння і т. ін.), зневажл., лайл. Зрадник. *І все'дно іудиному корінню недовго звиватися* (Стельмах).

ПЛЕСКАТИ: плескати (патякати, плести) язиком (язиками). 1. Багато говорити про щось неістотне, пусте; базікати, теревенити.— *Перестаньте плескати язиком! Мужчина називається!* — *з презирством кинула Оксана* (Автом.); — *Перестань!* — *прикрикнув на Даню Льошка. — Треба працювати, а не язиком патякати* (Мокр.); *Його підтримали й інші. Нема чого, мовляв, даремно плести язиком* (Збан.). **поплескати язиком** (певний час). *Під тином, на дубочках, де сходиться молодь язиком поплескати, насіння полузати, там можна і в хихоньки-хахоньки погратися, і характер свій показати* (Грим.); *Вона подумала, що син поплеще язиком про поле та насіння і замовкне, як було досі* (Чорн.). С и н о н і м и: **точити ляси** (в 1 знач.); **точити брехні; теревені правити** (в 2 знач.); **чесати язиком.**

2. Поширювати плітки, вигадувати що-небудь таке, чого немає і не було. *Подумала [Зоя], що в містечку завтра про неї плескатимуть язиками бознащо, але це враз і забулося* (Хор.); — *Верзеш ти щось, хлопче. Де ти був, що бачив — нас то не стосується: наше діло теляче.. Його [Михайла Івановича] підтримали й інші. Нема чого, мовляв, даремно плести язиком* (Збан.). **поплескати язиком (язиками)** (певний час). *Романиха — сільський дипломат, і перш ніж сказати, чого саме прийшла, разом із кумою перебере всі сільські новини, вивідає, поплеще язиком* (Ф. Мал.); *Тижнів два тому Віктор і Люда повернулися з відпустки і минулої неділі справили своє весілля. В селищі з цього приводу трохи поплескали язиками і замовкли* (Жур.).

ПЛЕСТИ: плести банелюки (плетеники і т. ін.). Говорити щось пусте, неістотне. *Що ти мені банелюки плетеш?* (Гал.-руські.. приповідки); *І ледарем обізвали, і безсовісним охрестили.. Усе мужньо я стерпів. Плетіть, думаю, свої плетеники* (Літ. Укр.).

плести інтриги. Діяти підступно, прагнучи досягти певної мети. *Стільки безглуздих інтриг плели кумоньки довкола його особи* (Вільде); *Плете [Кобза] інтриги й підбурює матросів проти комітету* (Укр. літ.).

плести лико. Говорити нескладно, безладно. *Всі засміялися, бо відчули, що він почав плести лико.*

плести мандрони, діал. Говорити нісенітниці, дурниці. *А Михайло коло кварти У шинку сидів і сміявся, строїв жарти Та мандрони плів* (Фр.).

плести (писати, виписувати і т. ін.) / виписати кренделі (кренделя) ногами, жарт. **1.** Іти нетвердою ходою, хитаючись, плутаючи ногами (про п'яного). *Дві постаті, обнявшись, плели кренделі по грязюці ногами* (Головко). С и н о н і м: **писати мислите.**

2. Танцюючи, робити незвичні па. *Танцював*

весь клас.. Він саме збирався виписати ногами якогось кренделя (Є. Кравч.).

плести́ (пра́вити) сухо́го (сма́леного) ду́ба. Говорити дурниці, нісенітниці, обдурюючи кого-небудь.— *Вона вірить сьому шарлатанові, а він їй плете сухого дуба* (Фр.); *Вона якогось дуба смаленого править та обіцяє груші на вербі* (Л. Укр.).

плести́ (снува́ти, спліта́ти, мота́ти, заво́дити і т. ін.) павути́ння (павути́ну). Підступно, жорстоко, хитро примушувати підкорятися своєму впливові. *Неофіційні дипломати плетуть тонке павутиння закулісних змов* (Рибак); *Майже всі вони були байськими боржниками, залежали від нього, а бай хитро плів навколо них свою павутину* (Донч.); *Та обоє вони не знали й не відали, як уже почав снувати своє чорне павутиння Матюша Жигай* (Шиян); *Кисельов, замислившись, вмить спліта́є павутиння над головами верхівнянських панів* (Рибак); *Куркуль павутину мотав, та сам від того сконав* (Укр.. присл..); *Він.. знав кожного вдачу, душу й заводив свою.. павутину на цілу околицю* (Н.-Лев.).

плести́ тене́та *див.* наставляти; **~ язико́м** *див.* плескати; **тереве́ні ~** *див.* правити.

ПЛЕТЕНИКИ: плести́ плете́ники *див.* плести.

ПЛЕЧ: голова́ злеті́ла з плеч *див.* голова.

ПЛЕЧА. І. з плеча́. І. з сл. в д а р я́ т и, б и́ т и і т. ін. Навідліг, з розмаху. *Замахнувши з плеча, пустила [дівчина склянку] дзвінко в голову сержанта* (Тудор).

2. з сл. г о в о р и́ т и, в и р і́ ш у в а т и і т. ін. Не подумавши, зразу.— *Як ти все швидко і з плеча вирішуєш,— поморщився Дончак* (Стельмах).

з чужо́го плеча́. Невідповідний за розміром або вже ношений ким-небудь іншим (про одяг). *На ньому був одяг з чужого плеча.*

порівня́ти плеча́ *див.* порівняти.

ПЛЕЧАХ: арши́н у пле́ча́х *див.* аршин; **ви́везти на свої́х ~** *див.* вивезти; **ви́їхати на ~** *див.* виїхати; **голова́ на ~** *див.* голова; **ма́ти го́лову на ~; ма́ти поро́жню макі́тру на ~** *див.* мати[2].

на пле́ча́х чиїх, у кого, з сл. л е ж а́ т и, б у́ т и і т. ін. 1. На чий-небудь відповідальності. *На його плечах лежало забезпечення безквартирних житлом* (Збан.); *У чоловіка стільки клопоту, весь район на його плечах, жнива на носі, а вона надумалась* (М. Ол.).

2. з сл. у в і й т и́, в с т у п и́ т и і т. ін. Безпосередньо за ким-небудь (ворогом, тим, хто відступає і т. ін.). *Пам'ятайте, що треба, що б там не було, на плечах противника ввійти в Крим* (Гончар); *Німці біжать з усіх сил.. Добре було б на їхніх плечах ускочити в ті окопи, що за старим бліндажем, і знову закріпитися в них* (Тих.).

нести́ на свої́х пле́ча́х *див.* виносити; **нести́ тяга́р на свої́х ~** *див.* нести; **своя́ голова́**

на ~ *див.* голова; **сиді́ти на ~** *див.* сидіти; **трима́ти на ~** *див.* тримати.

ПЛЕЧЕ: відчува́ти плече *див.* відчувати; **підставля́ти ~** *див.* підставляти; **підхо́дити під ~** *див.* підходити.

плече́ в плече́ (до плеча́, з плече́м). 1. Поруч, близько один від одного. *Романов сидив [на санях] зліва, плече в плече з Дмитром Івановичем* (Сиз.); *Вони [Качалов і Саксаганський] йдуть повільно, плече до плеча* (Мартич); *Недивлячись на те, що всі збились укупу, ходили одно біля одного, плече з плечем, а проте кожний вишукував товариша по своєму пір'ю* (Мирний). П о р.: **плече́м до плеча́** (в 1 знач.). С и н о н і м: **лі́коть в лі́коть.**

2. Дружно, одностайно, в тісному єднанні. *За правду [доведеться] твердо стати Хлоп в хлопа і плече в плече* (Фр.); *Жовтолиці люди йдуть до Леніна, Білі й чорні йдуть плече в плече* (Мал.). П о р.: **плече́м до плеча́** (в 2 знач.).

3. тільки плече́ в плече́. Однакові (перев. за певними позитивними якостями, ознаками і т. ін.). *Зібралися хлопці: лице у лице, плече у плече, дужі, відважні та гарні* (Дн. Чайка). С и н о н і м и: **оди́н в оди́н** (у 1 знач.); **як оди́н** (у 2 знач.).

спира́тися на плече́ *див.* спиратися.

ПЛЕЧЕЙ: бере́ з-за плече́й *див.* бере; **голова́ злеті́ла з ~; голова́ з ~** *див.* голова; **моро́з з-за ~ бере́** *див.* мороз.

ні з плече́й, ні з оче́й. Зовні непривабливий, непоказний (про людину). *Хоч хлопець і був ні з плечей, ні з очей, але всі його любили за його лагідну вдачу.* С и н о н і м: **ні з лиця́, ні з ро́сту.**

скида́ти з плече́й *див.* скидати; **тяга́р з ~ упа́в** *див.* тягар; **як гора́ з ~ звали́лася** *див.* гора; **як ски́нути го́ру з ~** *див.* скинути.

ПЛЕЧЕМ: плече́м до плеча́ (повз плече́). 1. Поруч, близько один до одного. *Ми просувалися плечем до́ плеча* (Коцюб.); *Сомкова старшина бачить, що лихо, скупилась тісно, плечем повз плече, да назад до намету* (П. Куліш). П о р.: **плече́ в плече́** (в 1 знач.). С и н о н і м: **лі́коть в лі́коть.**

2. Дружно, одностайно, в тісному єднанні. *Україна почула слова, Щоб стали народи плечем до плеча* (Рильський). П о р.: **плече́ в плече́** (в 2 знач.).

помі́рятися з плече́м *див.* помірятися.

ПЛЕЧИМА: дрижаки́ пробіга́ють за плечи́ма *див.* дрижаки; **закри́тися ~ й очи́ма** *див.* закритися.

за плечи́ма. 1. у кого, за чиїми і без додатка. У минулому. *У літературу [А. І. Шиян] прийшов не з порожніми руками. За плечима у юнака уже був чималий життєвий і трудовий досвід* (Коз.); *У більшості монтажників досвіду і вміння вистача́є. За їхніми плечима вже не одна.. електростан-*

ція (Роб. газ.); // Позаду. *Хоч сивина й припорошила скроні, Хоч за плечима вже півсотні літ,— Ми й досі комсомольці! Не холоне Вогонь сердець, Душі не в'яне цвіт* (Нех.); *Всі знали, що за його [парторга] плечима довгі роки царської каторги, рани громадянської війни* (Собко).

2. Зовсім близько, поряд. *Смерть за плечима, а біді весілля* (Укр.. присл..); *Закручено руки в ремені, і ноги в колодки забиті, Червона китайка прим'ята, біда за плечима стоїть* (Мал.).

за плечи́ма не носи́ти *див.* носити.

за плечи́ма та за очи́ма. Далеко позаду.— *Тільки що була Вербівка, а тут уже Grünerberg!.. Еге ж, маєте собі так! Вербівка давно зосталася за плечима та за очима* (Пчілка).

моро́з по́за плечи́ма хо́дить *див.* мороз; **мура́шки бі́гають по́за ~** *див.* мурашки; **ні пе́ред очи́ма, ні за ~** *див.* очима; **підпира́ти ~ сте́лю; підпира́ти ~ сті́ни** *див.* підпирати; **смерть за ~** *див.* смерть; **чу́ти кри́ла за ~** *див.* чути;

ПЛЕЧІ: бра́ти на плечі́; бра́ти но́ги на ~ брати; **вбира́ти го́лову в ~** *див.* вбирати; **випро́стувати ~** *див.* випростувати; **ви́пхати в ~** *див.* випхати; **ляга́ти на ~; ляга́ти тягаре́м на ~** *див.* лягати; **ма́ти ~** *див.* мати; **моро́з пробира́ється за ~; моро́з хапа́є за ~** *див.* мороз; **но́ги на ~** *див.* ноги; **переклада́ти на чужі́ ~** *див.* перекладати; **підклада́ти ~** *див.* підкладати; **покла́сти на ~** *див.* покласти.

розправля́ються / розпра́вляться плечі́ *у кого і без додатка.* Хто-небудь починає виявляти повною мірою свої сили, здібності, починає сміливо, рішуче діяти. *Розправляються плечі, в грудях росте високе почуття гордості* (Ткач).

тяга́р ляга́є на плечі́ *див.* тягар.

ПЛИВЕ: копі́йка в кише́ню пливе́ *див.* копійка.

неха́й (хай) пливе́ за водо́ю. Уживається для вираження побажання забути що-небудь, не повертатися до чогось (*перев.* неприємного). [Семен:] *Забудь, брате, те, що колись було; нехай те лихо пливе за водою!* (Кроп.).

ПЛИВТИ: пла́вом (як, мов, ніби *і т. ін.* **плав) пливти́ (плисти́, ли́нути** *і т. ін.*) / **попливти́ (поплисти́, поли́нути** *і т. ін.*). 1. Рухатися безперервним потоком (про людей). *Все більшало людей на вулицях. Плавом пливла колона. Вона все зростала* (Збан.); *По улицях — наче плав пливе! — кишить по їх народу всякого: і старі, і малі* (Мирний); *Плавом поплив людський натовп з шкільного подвір'я* (Збан.); // Прибувати у великій кількості кудись. [Яким:] *Народ так плавом і пливе до Хмельницького* (Гр.); *Народ як плав пливе; його [Тихона] сини і батраки знай відважують, а він тільки роздає* (Кв.-Осн.); *Пізньої осені та з першими сніговіями з Харкова на Полтавщину плавом плили голодуючі* (Гончар). Синонім: **ва́лом вали́ти** (в 1 знач.).

2. Безперервно збільшуватися, надходячи у ве-

ликій кількості. *Багатство садів, безмежного поля, лісів плавом пливло до княжих.. сусідів* (Скл.); *Війна принесла великі прибутки, і до Макарової кишені плавом пливли гроші* (Коч.).

пливти́ (іти́, текти́ *і т. ін.*) / **приплисти́ до рук (у ру́ки),** *перев.* з сл. **сам, сама́, само́.** Легко, без труднощів діставатися кому-небудь. *Матеріал для колгоспної стінгазети сам плив до рук* (Гур.); *Він таки ж господар, і гріх йому.. не брати того добра, що само в руки пливе* (Тют.); *На лови він їздив удень і вночі, риба йому йшла до рук, як приворожена* (Ю. Янов.); — *Що?! Таки не витримав? Ще б пак. Само добро в руки тече, а ти відвертаєшся* (Тют.); *Він, помовчавши, спитав, чи не зустрічала того чолов'ягу із запорозькою люлькою. Тож, відповідаючи на запитання, підкреслила [Флора], що він має цими днями зайти до них.— Я ж казав, що люлька таки припливе до моїх рук* (Коцюба).

пливти́ (плисти́, пли́нути, іти́ *і т. ін.*) / **попливти́ (поплисти́, попли́нути, піти́** *і т. ін.*) **за течі́єю (по течі́ї).** Пасивно підкорятися обставинам, нічого не роблячи для поліпшення свого становища. *Сидір Сидорович тим часом уже втягнувся [у крадіжку], зав'язав сумнівні знайомства, заплутався.. і поплив за течією* (Коз.); *Ігор несподівано заперечує: — Ні, я не попливу за течією.. Я перевірю себе* (Дмит.); [Олеся:] *Я закохана в свою думку, і якщо і ця душа не спивниться [сповниться], тоді опущу руки і попливу по течії* (Кроп.).

пливти́, куди́ вода́ несе́.— *Ні порадою, ні силою не переможеш нашого товариства. Лучче [краще] пливи, куди вода несе* (П. Куліш). Антонім: **пливти́ про́ти течі́ї.**

пливти́ (плисти́, пли́нути, іти́ *і т. ін.*) / **попливти́ (поплисти́, попли́нути, піти́** *і т. ін.*) **про́ти течі́ї (про́ти води́).** Діяти самостійно, всупереч установленим поглядам, зразкам і традиціям. [Вакуленко:] *Тоді скажіть, Надіє Іванівно, чого він так проти течії іде. Чого?* (Корн.); *Я два роки після інституту.. [працював] чесно. Ну, якось заступився за одного... пішов проти течії. Й одразу — чотири анонімки* (Мушк.). Антонім: **пливти́ за течі́єю.**

ПЛИГАТИ: плига́ти у вічі. Не стримуючись, говорити кому-небудь грубі, ущипливі слова. *Не зовсім дарма нападалася [свекруха] на Оксану, бо та таки мало що в хазяйстві уміла, та тільки чого ж вона так і кипіла, так і плигала в вічі, так страшно лаялась замість того, щоб показати або розказати* (Григ.).

ПЛИНУТИ: пли́нути за течі́єю; ~ про́ти течі́ї *див.* пливти.

ПЛИСТИ: пла́вом плисти́; ~ за течі́єю; ~ про́ти течі́ї *див.* пливти.

ПЛІТ: на́шому ти́нові двоюрі́дний пліт. Далекий родич. *Одного прекрасного вечора приходить у гості до Скоробагатьків якась далека їх родичка,* *того ступеня родичання, що називається..— нашому типові двоюрідний пліт* (Хотк.). С и н о н і м и: **через дорогу навприсядки; десята вода на киселі; через вулицю бондар.**

стрибати через пліт *див.* стрибати.

ПЛІЧ: голова злетіла з пліч; голова з ~ *див.* голова; **скидати ярмо з ~** *див.* скидати.

ПЛОДИ: давати плоди *див.* давати; **пожинати ~** *див.* пожинати.

ПЛОДУ: ні роду, ні плоду; одного роду, одного ~ *див.* роду.

ПЛОМЕНІЄ: пломеніє серце *див.* серце.

ПЛОТА: держатися, як сліпий плота *див.* держатися.

ПЛОТЬ: кров і плоть *див.* кров.

одна (єдина) плоть. *Нерозривне ціле. Мені здається, що ми — одне ціле: одна думка, одна плоть. І вже не лише у неї болить вивихнута нога, а біль і жаль пронизує всього мене* (Збан.); *Його [В. Маяковського] рядки, немов бичі свистючі, Пекли й разили, щоб навік збороть, Проти ворожої ставав він тучі, Бо знав, що Клас і він —єдина плоть* (Рильський).

плоть від плоті *кого, чого.* 1. *Рідна дитина. Геннадій відтворив статую Лаокоона з удавом. Права рука.. здирає гада з шиї; ліва — одриває його від стегна.. А все в цілому явилося перед очі батька уже не сином,— плоть від плоті,— а пластичним образом скам'янілої молодості і трагічно скованої сили* (Вол.).
2. *Невід'ємна, органічна частина, суть чого-небудь. Наші письменники, наші митці — діти трудового народу, плоть од плоті його* (Рильський).

ПЛУГ: той у луг, той у плуг *див.* той.

ПЛУГА: держатися плуга *див.* держатися.

ПЛУГОМ: ходити за плугом *див.* ходити.

ПЛУТАТИ: плутати (заплутувати, сплутувати) / заплутати (сплутати) [свої] сліди.
1. *Неодноразово змінювати напрям руху, дезорієнтуючи кого-небудь. Глухими вулицями втікали вони, плутаючи сліди* (Цюпа); *На Поліцейській вулиці він побіг через наскрізний двір і заплутав свої сліди* (Панч).
2. *Хитрувати, намагаючись відвести підозру. Плутати свої сліди й говорити безглузді речі — в цьому Самійло Овсійович був великим майстром* (Шовк.); *— Щоб сплутати сліди на випадок провокації, я й прийшов сюди раніше призначеного часу* (Цюпа). А н т о н і м: **наводити на слід.**

плутати ногами. 1. *Ходити. [Храпко:] Бісів дід! Аж порохня з його сиплеться, а ще таки плутає ногами* (Мирний).
2. *Іти повільно, важко, через силу, ледь пересуватися.— Бистріше [скоріше], не плутай ногами! — чує він знову Василів голос над головою* (Кос.); *Іде вона, тая людина страшна, йде вулицею, ногами плутаючи, на ціпок спираючись* (Вишня).

плутати (переплутувати і т. ін.) / сплутати (переплутати і т. ін.) [всі] карти *чиї, кому і без додатка. Розладнувати чиї-небудь плани, наміри, розрахунки, сподівання. Дроздовський полк тим часом мацав місцевість, до них ходила різна тамошня наволоч, з усіх кутків збиралися відомості, і наші люди ходили до них виказувати й плутати карти* (Ю. Янов.); *Турбував Сачка й дещо плутав карти маленький Петрик, якого.. Тася любить всім серцем* (Дмит.); *Козацька тактика переплутувала йому всі карти* (Тулуб). **всі карти переплутано.** *Він ледве стримувався від злості за те, що пришелепуватий Кукса своїм дурним пострілом так несподівано зірвав усю операцію. Тепер всі карти переплутано* (Кучер).

плутати праведне з грішним *див.* переплутувати.

ПЛУТАТИСЯ: плутатися в догадках *див.* губитися.

плутатися (вертітися) під ногами. *Заважати, набридати кому-небудь своєю присутністю, своїми діями. З насолодою посідали [Іван з Максимом] на призьбі перепочити та щоб не плутатись під ногами в жіноцтва* (Смолич); *— Вже скоро треті півні заспівають, а ти ще вертишся під ногами. Чи не час би спати без задніх ніг* (Стельмах).

ПЛЮВАВ: плював я *див.* я.

ПЛЮВАТИ: плювати діло. *Дуже проста, легка справа.— Я тепер за отрока при їх благословенії. Так що тепер мені і в вівтар зайти — плювать діло* (Мик.).

плювати мені (йому, їм і т. ін.) на кого — що, *безос. Хто-небудь нехтує кимсь.— Плювати мені на тебе та на твого преосвященного. Як жила, так і житиму! — відказала вона* (Мирний). П о р.: **плювати я хотів; плював я.**

плювати / наплювати з високого дерева. *Не варто зважати на що-небудь.— Він зразу ж зметикував, що це лукаве дівчисько не може нічого цікавого знати про нього, а якщо й знає, то напевно якісь бабські плітки, на які йому плювати з високого дерева* (Вільде).

плювати / плюнути (наплювати) в борщ *кому. Кривдити кого-небудь, робити комусь щось неприємне, прикре і т. ін.— Ти чого, відьмо недошмаляна, язика, мов халяву, розпустила? Що, тобі Пігловський в борщ плюнув!?* (Стельмах).

плювати / плюнути (наплювати) в вічі (в очі, межи очі і т. ін.) *кому. У різній формі виражати зневагу до кого-небудь. [Явдоха (до Грицька):] Що ж мені плювати тобі у вічі, коли ні ти мені, ні я тобі не заподіяли нічого лихого?* (Мирний); *— Коли ж пан сотник до тебе підійде, щоб шлюб приньмати [приймати], то тут і відкинься. — Отсе справді, що так,— каже Олена,— таки тут йому межи очі і плюну* (Кв.-Осн.); *Всі ми плекали тебе, хотіли в люди вивести. А ти плюнув нам у вічі* (М. Ю. Тарн.); *А нехай мине така* *лиха година, коли.. б діти їм у вічі наплювали* (Ю. Янов.).

плюва́ти / плю́нути (наплюва́ти) в ду́шу *кому.* Ображати кого-небудь, торкаючись найдорожчого, заповітного. *Погрожував [вчитель], що так цього не залишить, не дозволить собі в душу плювати* (Гончар); — *Покажіть того, хто на старість плюнув мені в душу! Хто зробив з мене злодія?!* (Зар.); — *Так, але за що він мені наплював у душу? — пригадав він розмову з Кузем* (Тют.).

плюва́ти / плю́нути (наплюва́ти) в крини́цю *чию.* Виявляти неповагу до кого-небудь. *Потім деякі Стадницькі почали писатися Стадніковими,.. бо для чого згадувати того хлопа, шляхетність якого починалася з козацьких київ... І ось тепер далекий нащадок простого стадника плює в криницю своїх пращурів* (Стельмах).

плюва́ти / плю́нути (наплюва́ти) в обли́ччя (в лице́, в пи́ку *і т. ін.) кому.* Виявляти зневагу, презирство до кого-небудь.— *Це не критика, а наклеп,— сказав Максим.— Мені плюють в обличчя, а я повинен усміхатися!* (Зар.); — *Німці в пику плюють, а я витрусь рукавом і знову зуби скалю* (Цюпа).

плюва́ти я хотів *див.* я.

ПЛЮВОК: плюво́к у ду́шу. Образа, зневага, що зачіпає найдорожче, заповітне. *Криві посмішки одного, другого, косий погляд головного агронома — це було для нього, як плювок у душу* (Жур.).

ПЛЮНЕ: [і] че́рез губу́ не плю́не. Хто-небудь дуже гордовитий, пишний, зарозумілий. *Із палати гордо суне, через губу вже не плюне, Руки в пах вгородив* (Фр.); *Він думав, що сей пройдисвіт ізробивсь тепер таким паном, що й через губу не плюне* (П. Куліш).

ПЛЮНУТИ: не дава́ти плю́нути в ка́шу *див.* давати; ~ **в борщ;** ~ **в ві́чі;** ~ **в ду́шу;** ~ **в крини́цю;** ~ **в обли́ччя** *див.* плювати.

плю́нути (наплюва́ти) і розте́рти, *грубо.* Не звертати уваги на що-небудь.— *Люди добрі, на цю хитрість Варчука і Денисенка треба наплювати і розтерти!* (Стельмах).

плю́нути / плюва́ти на все, *грубо.* Залишати що-небудь в такому стані, як є, відмовлятися від чогось суттєвого. *Видно було Корнієві, що не мед-таки Павлові на дачі і в досить-таки міцних висловах, товариша свого і «розпікав», і розважав трохи, а кінець-кінцем, радив конче плюнути на все та приїздити додому* (Головко); — *А панунця хай гамуються і не викрикують тут на мене, бо як мені того буде забагато, то візьму й плюну на все* (Вільде); — *На службі — інтриги, плітки, підсиджування,— гидливо відмахнувся Герн.— Обридло! Коли б.. були хоч якісь кошти, плюнув би на все та й пішов на демісію* (Тулуб).

плю́нути че́рез порі́г. Дуже мало побути де-не-будь, погостювати у когось. [А д е л а ї д а:] *П'єр! Їдем!* [Т е т я н а:] *Що це ти, невісточко моя золота? Плюнула через поріг та й з хати?* (К.-Карий).

як (раз) плю́нути. Дуже просто, легко, швидко. *Тепер такий час, такі умови, що як плюнути — підпасти під категорію українофілів* (Коцюб.); *До села добратись — раз плюнути* (Коз.); *Шкода, що тато зараз у командировці, а то можна було б його попросити винайти [машину], це б йому, напевне, раз плюнути* (Ів.). **як раз плю́нути.** *Розсердити його — як раз плюнути* (Мирний); — *Йому [лікареві] бухту переплисти як раз плюнути* (Кучер). **як плю́нути на во́ду.** *І як плюнути на воду — Він душі лишився!* (Рудан.). С и н о н і м: **як горі́хи лу́щити.** А н т о н і м и: **не і́грашки; не жа́рти.**

ПЛЯМА: бі́ла пля́ма. 1. Непізнаний, невивчений район, край, необжита місцевість і т. ін. *Охоплює висока гордість розум, Коли згадаєш чесних і відважних Російських відкривателів земель, Що в парусниках утлих випливали у небезпечну далечінь шумливу І плями білі на всесвітній карті Веселчастими барвами вкривали!* (Рильський); *Майже до кінця XIX століття кряж [Овруцько-Словечанський] залишався білою плямою на карті України* (Літ. газ.).

2. Недосліджене, маловивчене питання. *Історики літератури розкрили частину білих плям у біографії письменника [Леся Мартовича]. Проте ще й досі їх лишається немало* (Літ. Укр.).

лежи́ть пля́ма *на кому.* Хто-небудь запідозрюється у здійсненні чогось неприємного, ганебного і т. ін. *Піонервожатий думав про Павлика Голуба. На винахідникові й досі лежала пляма. І досі піонери звуть Павлика хуліганом* (Донч.).

роди́ма пля́ма *чого.* Недоліки, що є пережитком чого-небудь. *Таке негативне соціальне явище, як хабарництво, так давно розглядалось як родима пляма капіталізму.*

те́мна (чо́рна *і т. ін.) пля́ма.* Що-небудь негативне, яке ганьбить кого-, що-небудь. *Пригода, який був досі темною плямою на совісті бригади, так раптово зробив крутий поворот і, мовби нічого не трапилось, став поряд з усіма, як рівний з рівним* (М. Ю. Тарн.).

ПЛЯМУ: ки́дати пля́му *див.* кидати.

ПЛЯШКУ: загляда́ти в пля́шку *див.* заглядати; **лізти у** ~ *див.* лізти; **роздави́ти** ~ *див.* роздавити.

ПНІ: на пні. 1. У нескошеному, незрізаному вигляді (про хліб, траву, дерево і т. ін.). *Ви топите в океані кофе, боби, зерно, гноїте і спалюєте їх на пні, щоб не знизити ціни, в той час як мільйони людей умирають з голоду* (Довж.); *План же у Бердника був такий: пробравшися на верховину, купити на пні за дешеву ціну в знайомих гуцулів лісу на хату* (Мур.); *Вболівав [Твердохліб] серцем, коли не було дощу і нещасний* суховій палив на пні пшеницю під час наливу зерна (Цюпа); // Незірваний, невирваний і т. ін. (про овочі, плоди і под.). *Коли плоди доспівали, їх продавали на пні крамарям* (Кучер); *Виноград було зібрано лише частково. Решта пріла на пні* (Гончар). С и н о н і м: **у накорéнку.**

2. *перен., з сл.* п о с и́ в і т и, з а л и ш и́ т и с я *і т. ін.* Незайманий.— *Я стою на тім, щоб усі панни не йшли заміж. Нехай лучче [краще] посивіють на пні, як мають терпіти од деспотизму мужчин* (Н.-Лев.).

на пні лама́ти *див.* ламати; **підкоси́ти на ~** *див.* підрубувати.

ПНУ́ТИСЯ: пну́тися із шкі́ри *див.* лізти.

пну́тися на но́ги. Дуже прагнути поліпшити своє матеріальне становище, розжитися, розбагатіти. *Бідак-селянин пнеться на ноги, пнеться, поки зовсім з ніг звалиться, тоді за безцінь продасть йому [багатому] свій шматок поля* (Чорн.).

ПНЮ: як на пню ста́ти *див.* стати.

ПНЯ: до пня. Цілком, повністю, дощенту. [Я р о с л а в:] *Встає полків залізна стіна, щоб нашу Русь од хижаків південних Оборонить і знищить їх до пня* (Коч.); *Зайнялась і згоріла до пня хата* (Вітч.). **до пенька́.** *Хома послав Луку в свій ліс надрати лика; А мій Лука за лико увесь ліс очистив, до пенька!* (Бор.).

ПОБА́ЧЕННЯ: до ско́рого (швидко́го, приє́много і т. ін.) поба́чення. Уживається як формула прощання з ким-небудь з побажанням комусь здоров'я, благополуччя, зустрічі з ним. *Ні, не прощай, моя Маріє, а до побачення, мій друг* (Сос.). **до швидко́го і приє́много поба́чення.** *До швидкого і приємного для мене побачення!* (Коцюб.).

ПОБА́ЧИТИ: аж зо́рі поба́чити. У великій кількості, дуже.— *Напивайся, коханий, щоб аж лоб твердий був, щоб аж зорі побачив* (Гуц.).

не поба́чити у ві́чі *див.* бачити.

поба́чити ві́ку. Бути дуже старим. *В тітки Секлети Воропай коло криниці росла тополя. Хата в тітки уже похилилась, видно, побачила віку* (Гуц.).

поба́чити на [свої́ (вла́сні)] о́чі. Переконатися, упевнитися в чому-небудь. *Мені, може, що й трапиться... Дещо побачу на свої очі...* (Вовчок); [А е ц і й П а н с а:] *Щось там гомоніли, немовби ви розлуку мали брати. Тепер у бачу: брешуть. Найкраще так, побачити на очі, тоді ніяким брехням не повіриш* (Л. Укр.). **поба́чити свої́ми очи́ма.** *Надіюся, як доля коли-небудь понесе Вас до Полтави, то своїми очима побачите, чи здатна та «Лимерівна» на що-небудь* (Мирний).

поба́чити (повида́ти) світа́ (сві́ту, світ). Побувати в багатьох місцях, поїздити в різні країни, багато чого пізнати. [Г о л у б:] *«Я хочу, братіку [братику], летіть, побачить світа; у нас іще багато буде літа, Далеко вспію облітать»* (Гл.);

Хіба вже тебе ніхто не посвата, що ти за такого мандра підеш? Найдуться люде!..— А я хоч із ним світа побачу (Григ.); *Світу Солонько побачити вже трохи встиг* (Автом.); *Вона була попереду наньмичкою [наймичкою], .. так знала усякі порядки і світу повидала* (Кв.-Осн.). **набáчитися сві́ту.**— *Попитався б ти у Лискотуна: той чого вже не зна? усе зна. Та й світу таки набачився* (Кв.-Осн.).

поба́чити (помі́тити, постерегти́ і т. ін.) лопа́тки в горо́сі. Зазнати яких-небудь прикрощів, виявити, відчути щось неприємне, звичайно приховуване. *Ага, побачила лопатки в горосі* (Укр.. присл..); *Слава рознеслася по всьому повіту.. Секретар постеріг лопатки в горосі. Він тільки шморгонув носом і нічого нікому не сказав* (Мирний).

поба́чити світ. 1. Народитися. *Ми пройдемо, мій син, по харківському бруку, де ти побачив світ, де я почув твій сміх...* (Сос.); *Там, в тих суворих тундрових просторах, в ночах табірного тяжкого існування побачили світ його крихітні доньки* (Гончар); *Він [Т. Г. Шевченко] побачив світ 9 березня 1814 року в селі Моринцях* (Слово про Кобзаря).

2. *перен.* Бути опублікованим, надрукованим. *Хотілося б, щоб Ваша прегарна «Битва» побачила світ іменно у тому збірнику* (Коцюб.); *Нещодавно побачила світ хронобіографія О. П. Довженка* (Рад. літ-во); *У видавництві «Дніпро».. побачив світ роман В. Кучера «Голод», присвячений радянським морякам* (Літ. Укр.).

поба́чити сві́тло ра́мпи *див.* бачити.

щоб сві́ту бо́жого (свої́х ді́точок і т. ін.) не поба́чити. Уживається для вираження запевнення в правдивості чого-небудь.— *Добродію! — каже до його циган..— Щоб світу божого не побачив, коли я знаю де я, і що, і куди оце я зайшов* (П. Куліш); — *Душа ніжна, як вода в Дунаї, серце добре, хоч до рани прикладай: добро робить, образу забуває, правду кажу, щоб своїх діточок не побачила* (Тют.).

ПОБА́ЧИТЬ: сліпи́й поба́чить *див.* сліпий.

ПОБЕРИ: чорт побери́ *див.* чорт.

ПОБ'Є: хай мене́ Бог поб'є́ *див.* бог; **хай мене́ грім ~** *див.* грім; **хай мене́ святи́й хрест ~** *див.* хрест; **хай ~ лиха́ годи́на** *див.* година; **хай ~ моро́ка** *див.* морока; **хай тебе́ Бог ~** *див.* бог.

ПОБИВ: грім би мене́ поби́в; грім би ~; щоб грім ~ *див.* грім; **щоб роди́мець ~** *див.* родимець; **щоб тебе́ Бог ~** *див.* Бог.

ПОБИВА́Й: грець побива́й *див.* грець.

ПОБИВА́ТИ: побива́ти камі́нням *кого.* Засуджувати кого-небудь. *Коли приходить у світ митець, що промовляє тільки для людей із певним нахилом смаку та мислення, то чи треба за це побивати його камінням?* (Рильський).

ПОБИЙ: побий його́ тря́сця *див.* трясця; ~ мене́ хрест *див.* хрест; ~ тебе́ лиха́ годи́на *див.* година; ~ тебе́ хрест *див.* хрест.

ПОБИЛА: поби́ла лиха́ годи́на *див.* година; щоб ~ руда́ гли́на *див.* глина.

ПОБИТА: ка́рта поби́та *див.* карта; як ~ соба́ка *див.* собака.

ПОБИТИ: поби́ти глек *див.* розбити.

поби́ти реко́рд. Зайняти перше місце, стати першим, перемогти в чому-небудь. *Уперта бороть-ба за першість розгорілась на гарбузах. Рекорд побив здоровенний дядько Ананій* (Є. Кравч.).

ПОБИТИЙ: як поби́тий соба́ка *див.* собака.

ПОБИТИСЯ: поби́тися об закла́д *див.* битися.

ПОБИТУ: з я́кого побиту?, *розм.* Чому? З якої причини? [Ганна:] *Та що з тобою сталося, Трохиме? З якого це побиту ти зволікаєшся і людей багатих відсуваєш від своєї дочки?* (Кроп.).

ПОБИТОМ: нія́ким по́битом, *розм.* 1. Ніяк. *Вже Василь ніяким побитом і не відчепиться від неї* (Кв.-Осн.); *А вернутись без горілки ніяким побитом не можна...* (Коцюб.); — *Ану ступай сюди, шибенику! І вже по тому «ступай» я розумію, що кари не запобігти ніяким побитом...* (Григір Тют.).

2. Не можна, зовсім неможливо. *Кинулась ран-ком Пріська вийти з хати — ніяким побитом две-рей відчинити!* (Мирний).

таки́м по́битом *див.* робом.

яки́м по́битом? Як потрапив (потрапила) сюди, опинився (опинилася) тут? — *Здорові були, сва-те! — Здорові будьте й ви! Яким це побитом? — здивувався Хома* (Коцюб.).

ПОБІГАНКАХ: бу́ти на побіга́нках *див.* бути.

ПОБІГЕНЬКАХ: бу́ти на побіге́ньках *див.* бути.

ПОБІГЛИ: мура́шки побі́гли по спи́ні *див.* мурашки.

ПОБІГТИ: побі́гти очи́ма (по́глядом). Швидко подивитися куди-небудь. *Василина побігла очима схилом, до Бистрої* (Чендей).

як з гори́ побі́гти *див.* бігти.

ПОБІЙСЯ: побі́йся Бо́га *див.* бійся.

ПОБЛАГОСЛОВИТИСЯ: поблагослови́тися на світ *див.* благословлятися.

ПОБЛАЖКУ: дава́ти побла́жку *див.* давати; піти́ на ~ *див.* піти.

ПОБЛУДИТИ: поблуди́ти очи́ма *див.* блукати.

ПОБЛУКАТИ: поблука́ти очи́ма *див.* блукати.

ПОБОРОТИ: поборо́ти себе́. Подолати свої почуття, примусити себе зробити щось незалежно від бажання, можливостей і т. ін. *Душа завмер-ла... Що, як побачить хто? Але поборола себе [Катерина]. Увійшла до хати* (Хотк.).

ПОБОЯТИСЯ: не побоя́тися гріха́ *див.* боятися.

ПОБРАВ: кат його побра́в *див.* кат; чорт би ~; щоб чорт ~ *див.* чорт.

ПОБРЕХЕНЬКИ: точи́ти побрехе́ньки *див.* то-чити.

ПОБРЯЗКУВАТИ: побря́зкувати збро́єю. По-

грожувати війною. *Вороги нашої країни час від часу побрязкували зброєю.*

ПОБУВАТИ: побува́ти в ду́рнях. Опинитися у ненормальному, смішному становищі.— *Не сина з нею [дівчиною] поєднать, А забандюрилось старому Самому в дурнях побувать* (Шевч.). Си-но́нім: поши́тися в ду́рні.

побува́ти в рука́х *чиїх.* Зазнати якого-небудь впливу, втручання; бути відремонтованим. *Я роз-гвинчував електропатрони, знімав гнізда для про-бок запобіжника. В моїх руках побували м'ясо-рубка, знятий з дверей замок* (Автом.).

побува́ти. у бува́льцях *див.* бувати.

ПОВАГОЮ: з [вели́кою (висо́кою і т. ін.)] пова́гою. 1. Уживається як ввічлива форма пи-семного прощання. *Моя жінка засилає Вам [Па-насе Яковичу] і Вашій пані привіт. З високою повагою до Вас повік щирий М. Коцюбинський* (Коцюб.). П о р.: з поважа́нням.

2. тільки з пова́гою. Шанобливо, прихильно. *Андрієві вона подала вечерю з повагою, як до господаря, що має власний ґрунт і хазяйство* (Коцюб.); *Побачивши Тараса Григоровича, Тур-генєв хутко підвівся й уклонився поетові з пова-гою* (Ільч.); *Дівчиною як була [Марта], бігає, сміється, щебече; а тепер двір перейде тихо, велично, у вічі гляне з повагою* (Вовчок).

3. тільки з пова́гою. Повільно, не поспішаючи. *Андрій з повагою вийшов на ганок* (Коцюб.).

ПОВАЖАННЯ: мое́ (на́ше) пова́жання. Ужи-вається як привітання при зустрічі, у листі.— *Моє поважання, пане Мільку! Як ся маєте?..* (Март.); [Старий:] *А, Тетяна Іванівна. Наше вам пова-жання* (Мик.).

ПОВАЖАННЯМ: з [глибо́ким (висо́ким і т. ін.)] поважа́нням. Уживається як ввічлива форма писемного прощання. *Моє щире вітання Вашій дружині і родинам Гнатюків та Волян-ських. З глибоким поважанням Л. Косач* (Л. Укр.); П о р.: з пова́гою (в 1 знач.).

ПОВАЖНОМУ: у пова́жному ста́ні *див.* ста-ні.

ПОВАЛИТИ: ва́лом повали́ти *див.* валити.

ПОВАПЛЕНИЙ: гроб пова́плений *див.* гроб.

ПОВАРИТИСЯ: повари́тися / вари́тися в котлі́ кому. Побути тривалий час у якому-небудь склад-ному становищі, зазнаючи його впливу.— *Пова-риться він в заводському котлі з півроку,— прийде до тебе, а то й до мене, рекомендацію в партію просити* (Шовк.).

ПОВЕДІНКА: стра́усова поведі́нка (полі́тика і т. ін.). Намагання не втручатися в дійсність, не помічати її. *Страусова поведінка обивателя за-вжди викликає осуд.*

ПОВЕДУТЬ: куди́ о́чі поведу́ть *див.* очі.

ПОВЕН: на по́вен зріст *див.* зріст; ~ мішо́к *див.* мішок.

ПОВЕРГАТИ: поверга́ти / пове́ргнути в прах

(у по́рох) кого́, що́. Розбивати, знищувати кого-, що-небудь. *Він сп'янілий від люті, все трощив і повергав у прах на своєму шляху* (Добр.); *Хіба не ми в боях під Сталінградом, Повергли в прах нападників орду!* (Гонч.); *Він чув за плечем рівне дихання сина і писав захоплено, переможно, немов ведучи важкий бій і повергаючи в порох сильного й запеклого ворога* (Собко).

ПОВЕРГНУТИ: пове́ргнути в прах див. повергати.

ПОВЕРНЕННЯМ: з пове́рненням! Усталена форма поздоровлення у зв'язку з приїздом кого-небудь звідкись. [К а т е р и н а:] *З поверненням, Назаре Сергійовичу!* [Н а з а р *(підійшов:)*] *Здрастуй, Катю!* (Зар.).

ПОВЕРНЕШ: [що і] ши́лом не пове́рнеш. Дуже багато, велика кількість кого-, чого-небудь.— *Там людей біля клубу, що й шилом не повернеш* (Літ. газ.).

ПОВЕРНУВСЯ: язи́к не повернувся див. язик.

ПОВЕРНУЛОСЯ: життя́ поверну́лося го́стрим бо́ком див. життя; **~ ко́лесо істо́рії** див. колесо; **се́рце ~** див. серце.

ПОВЕРНУТИ: поверну́ти (верну́ти, привести́) до тя́ми (до стя́му, стя́мку). Змусити кого-небудь свідомо мислити, нормально сприймати дійсність. *Видно, так її розморило, що ні поштовхи сина, ні лайка такелажника не могли повернути до тями* (Баш); *Рип возів, притишені балачки привели його до тями* (Панч); *Вони підняли вгору гвинтівки, тричі вистрілили і ці постріли привели Орисю до тями* (Тют.); *Міцний, твердий Гризельдин голос, незляканий, сміливий погляд очей зразу повернув його до стяму* (Н.-Лев.).

поверну́ти гнів на ми́лість див. переміни́ти; **~ го́лоблі наза́д; ~ до життя; ~ до здоро́в'я** див. повертати.

поверну́ти но́са в той (цей і т. ін.**) бік.** Відмовитися від попередніх поглядів, переконань тощо. *Одразу [вороги] носи повернули в той бік. Взимку за Радянську владу розпиналися, а насправді, видно, тільки й ждали, доки ліси листям вкриються* (Гончар).

поверну́ти очи́ма. Подивитися, глянути. *Він [гетьман] вам булавою як тріпоне, та очима як поверне, так уся територія ходором ходить* (Вишня).

поверну́ти о́чі див. повертати.

поверну́ти / рідко **поверта́ти на путь пра́ведних.** Почати жити відповідно до прийнятих норм поведінки, моралі і т. ін. *Яків почав з сином гратися і все думав: що б це воно значило? Що поробилося з невісткою? Чи не хоче повернути на путь праведних, чи не спокутує свої гріхи?* (Мирний).

поверну́ти / поверта́ти на своє. Наполегливо намагатися спрямувати розмову або яку-небудь дію у потрібному для себе напрямі.— *От мені дивно, що ви її не пам'ятаєте? — знову вона повернула*

на своє.— *А вона вас добре знає* (Мирний). С и н о н і м и: **вести́ своє; гну́ти свою лі́нію.**

поверну́ти ро́зумом; ~ сло́во; ~ хліб; ~ язико́м див. повертати.

ПОВЕРНУТИСЯ: де (куди́) не поверну́тися. Скрізь, усюди. *Ті пишні великі очі так і сяють передо мною, як вечірня зоря, куди не повернуся* (Н.-Лев.); *Де не повернеться [козак заможний Клим], вона [доля] усюди з ним* (Гл.); *Вже ворог оточив дороги, куди не повернись..* (Сос.).

ніде (ніяк) [було] поверну́тися. 1. Дуже тісно. *Коли вперше з Петром Здором зайшов [Тиміш] до гуртожитку в призначену для них кімнату, Шпак накинувся на новачків: — Самим повернутися ніде* (М. Кол.); *За ними прийшли ще люди, так що.. в хаті ніде було повернутися* (Тют.).

2. Дуже багато. *Кругом їх набилося народу — повернутися ніяк* (Мирний).

поверну́тися до життя; ~ до тя́ми; ~ обли́ччям див. повертатися.

поверну́тися / рідко **поверта́тися спи́ною (плечи́ма** і т. ін.**) до кого — чого.** Виявити зневагу, байдужість і т. ін. до кого-, чого-небудь, знехтувати ким-, чим-небудь.— *Люди повернулися до них спинами.. А оті запроданці нічого не бачать із своїх нір і гадають, що вони мають на людей вплив...* (М. Ю. Тарн.).

ПОВЕРТАЄТЬСЯ: се́рце поверта́ється див. серце; **язи́к не ~** див. язик.

ПОВЕРТАТИ: поверта́ти з я́рмарку див. їхати.

поверта́ти на ки́сле. Розладнуватися, розпадатися, не удаватися. *Перша половина вечірки.. повертала зовсім на кисле* (Мушк.).

поверта́ти на путь пра́ведних; ~ на своє див. повернути.

поверта́ти / поверну́ти голо́блі (огло́блі) [наза́д]. 1. Змінювати напрямок свого руху, рушити в зворотному напрямку, вертатися. *Піди ти до свого генерала,— сказав робітник в окулярах,— і скажи йому, що робітники вимагають, щоб начальство сюди прийшло.. Ну, повертай голоблі!* (Панч); *«Куди ж я лечу? До Шевеля? Ні, не туди ноги несуть. А он куди — додому, значить. Виходить, що злякався, втік? Від Олексія... Як же це вийшло? Може, вернутись? Ні, повертати голоблі не варто»* (Логв.); — *А я, знаєте, ледве втримався, щоб назад додому не повернути голоблі* (Рибак); *Уже хотіли назад оглоблі повернути, аж із крайнього котеджа чолов'яга вибігає* (Літ. Укр.); // Іти звідкись геть, покидати, залишати кого-, що-небудь.— *Так як же з підсобкою од держави? На посів? — Здасте продподаток, тоді побалакаємо. Повертайте голоблі!* (Панч); *Варчук скривився, махнув їм рукою: — Нічого, баби, не вийде! Повертайте голоблі!* (Стельмах).

2. Робити, діяти в певному напрямі. *Коли б то знаття, яка власть установиться, тоді б Мирон знав, куди і як повернути голоблі. А що, як* насправді цар остався живим і готується з Англії повернутися в Росію? (Стельмах).

повертáти / повернýти до життя. 1. Виліковувати важкохвору людину.— *Мене підібрали санітари, відвезли до шпиталю, а там хірурги зшили,.. і як бачите, повернули до життя* (Гжицький).

2. Відновлювати кому-небудь сили, бадьорість після душевного занепаду, переживань і т. ін. *То гусла кров, то, повна дзвона й гула, у жилах клекотіла і текла... І до життя мене ти повернула любов'ю, що в душі твоїй жила* (Сос.); * Образно. Наповнювати життям, оживляти (про грунти, землі і т. ін.).— *Оце людина! Мертві піски повертає до життя кучугурні наші. Каракуми виноградниками вкрила* (Гончар).

повертáти / повернýти до здорóв'я. Одужувати. *Ганина мати, що почала вже повертати до здоров'я, ходить з одної кімнати до другої, роздивляється, чи все приладжене як треба* (Круш.).

повертáти / повернýти дýшу. Глибоко тривожити, хвилювати. *Як болізно [болісно] роздавалася шепелява вимова Берка, як вона доходила до самого її серця, повертала душу!* (Мирний).

повертáти / повернýти óчі. 1. Дивитися на кого-, що-небудь. *Захекані дівчата здивовано під одним кутом повертають очі на отця Вікентія* (Стельмах).

2. Звертати увагу на що-небудь.— *От і ви в Києві живете, і людьми освіченими зоветесь! Здається б, повинні повернути очі на громадські справи* (Мирний).

повертáти / повернýти [своїм] рóзумом (мóзком). Добре думати, міркувати. *В стороні від людей, од життя, не знавши ні нужди, ні клопоту.., привикла [Галя] сама повертати своїм розумом* (Мирний); *Він мусив тепер повертати своїм розумом: взяв у одного дуже багатого польського графа в посесію село Журавку і став посесором* (Н.-Лев.); *[Петро:] Що ж його робити тепер? А ну, розумна голово, поверни своїм мозком та скажи, що робити тепер?..* (Мирний). С и н о н і м: **мóзком ворушúти.**

повертáти / повернýти слóво [назáд] кому. Відмовлятися від сказаного раніше.— *Коли твій нелюб до тебе такий ласкавий, щоб уважив твоє прохання, то й я повертаю тобі назад твоє слово* (Стор.); — *Ярино,— він враз упав на коліна,— єдина моя, невже ти не бачиш, що я тебе покохав, кохаю безмірно. Ще не пізно, поверни Максимові слово, стань зі мною під вінець* (Панч).

повертáти / повернýти хліб, етн. Відмовляти тому, хто сватається. *Дівчина повертає старостам хліб.*

повертáти / повернýти язикóм (язикá). Бути спроможним говорити. *Смикнули гості [горілки] таки добре, аж спромоглись це повертати язиком* (Н.-Лев.); *Від Аркадія Павловича тхнуло міцним горілчаним перегаром. Він ледве повертав*

язиком (Шиян); *Найгірший був йому посел [посол] з Юрка, а проте мусив повернути язика, прощаючись* (П. Куліш); *Мусить [Нечіпір] щось-то і сказати, так і.. язика не поверне* (Кв.-Осн.).

ПОВЕРТÁТИСЯ: повертáтися / повернýтися до життя. Ставати знову здоровим. *Він дихав якось переривчасто, з натугою, і лице його відсвічувало незбавну радість людини, що повертається до життя* (Тют.).

повертáтися (обертáтися, ставáти) / повернýтися (обернýтися, стáти) обли́ччям (лицéм) до кого — чого. Спрямовувати свою увагу на кого-, що-небудь. *Тим відрадніше пам'ятати, що скрізь у світі є.. вірні трудящим люди, подібні Луї Арагону, що відійшов від сюрреалізму і повернувся обличчям до живого життя* (Рильський); *Сам Пепусовський говорив, що до села треба обернутися обличчям* (Стельмах).

ПОВЕРХНІ: кóвзати по повéрхні див. ковзати; **лежáти на ~** див. лежати.

ПОВЕРХНЮ: випливáти на повéрхню див. випливати.

ПОВЕСТИ: вýхом не повести́ див. вести; **~ очи́ма** див. поводити.

хоч би [тобí (собí, вам)] вýсом (ýсом, вýхом, бровóю) і т. ін.) повести. Не зважати, не реагувати на кого-, що-небудь, ні на що.— *Та я ж,— каже [Омелько],— скільки [скільки] разів і сам довідувався, і Параску засилав. Разом гукали на вас: «Пане! пора вставати!» А ви хоч би собі усом повели* (Мирний).

ПОВЗ: пройтú повз див. проходити.

ПОВЗАТИ: пóвзати в ногáх див. лазити.

пóвзати (лáзити) на колíнах перед ким — чим, рідко у кого і без додатка, зневажл. Принижуватися перед ким-небудь, просячи щось. *Все село бачило, як повзала вона перед доччиною тачанкою на колінах... щоб та не веліла палити святий хліб* (Гончар); *Той, хто злетів раз до сонця, хто відчув силу своїх крил і радість польоту, той не буде повзати на колінах* (Цюпа); *[Колісник:] Тепер ви тихі, як піймалися мені до рук. Тепер ви от на колінах у мене лазите, а тоді?..* (Мирний).

ПОВЗЕ: грунт повзé під ногáми див. грунт.

ПОВЗУТЬ: мурáшки повзýть по спинí див. мурашки.

ПОВЗУЧИЙ: повзýчий емпíризм див. емпіризм.

ПОВИВАТИ: стидóм повивáти гóлову див. повити.

ПОВИВАЧ: полоскáти повивач див. полоскати.

ПОВИВАЧА: з пови́вача. З раннього дитинства, з наймолодшого віку. *Клим, як усі барачні діти, порпавсь у попелі і копав свою шахту ще з повивача* (Логв.). П о р.: **з повитóчку.**

ПОВИДАТИ: повидáти сві́ту див. побачити.

ПОВИЛА: хмáра повилá див. хмара.

ПОВИЛАЗИЛИ: щоб мені о́чі повила́зили; щоб о́чі ~ див. о́чі.

ПОВИЛАЗИЛО: хіба́ (чи, що) [тобі (йому́, їй і т. ін.)] повила́зило. Уживається для вираження злості, незадоволення тощо; осліп (осліпла і т. ін.) чи що? [Дід Юхим (до Ганни):] А сонечко вже за сніданок! Чи нема у тебе там?.. [Ганна:] Їсти? Учора ж і послідки вишкребла — хіба повилазило? (М. Куліш); — Гей, гей, товаришу Пихтур,— кричав ще здалеку дід Олексій — хіба ж тобі повилазило, що ти не бачиш нашого вимпелу? А там сказано, що їздити забороняється (Чаб.); А хто ж цей шофер? Як же це так? Хіба йому повилазило, не бачив, що на людину їде,— бідкалася мати (Хижняк).

щоб (бода́й і т. ін.) **мені повила́зило.** Уживається як клятва, заприсягання у достовірності чого-небудь. Пор.: щоб мені о́чі повила́зили.

щоб (бода́й і т. ін.) **тобі (йому́** і т. ін.) **повила́зило.** Уживається як лайка з побажанням осліпнути кому-небудь. — А куди ж ти ото, ряба [корова], пішла, щоб тобі повилазило! (Тют.). Синоніми: щоб о́чі повила́зили; хай повила́зить; неха́й повила́зять о́чі.

ПОВИЛАЗИТЬ: хай (неха́й, бода́й і т. ін.) повила́зить кому. Уживається як прокляття з побажанням ослі́пнути кому-небудь.— Кого? Мене? Хай тому повилазить, хто мене бачив (Коцюб.). Синоніми: щоб о́чі повила́зили; щоб тобі повила́зило; неха́й повила́зять о́чі.

ПОВИЛАЗЯТЬ: неха́й повила́зять о́чі; о́чі ~.

ПОВИННОЮ: з **пови́нною,** з сл. іти́, прихо́дити і т. ін. Каятися перед ким-небудь у чомусь. Мені довелось бачити, як з лісів виходили зарослі, патлаті люди, щоб іти з повинною до органів радянської влади (Рильський); Свідчення виловлених [бандитів].. і тих, що самі приходять з повинною.. викривають попа (М. Ю. Тарн.); — Тим, хто прийде з повинною,— буде зменшено кару (Мур.).

ПОВИСАТИ: повиса́ти в пові́трі див. висі́ти; ~ на волоску́ див. висі́ти.

повиса́ти / пови́снути на ши́ї (на ши́ю) у кого, кому. Кидатися обіймати кого-небудь. Василько схоплюється з свого ліжечка, гарячими ручками тягнеться до мами і повиса в неї на ши́ї... (Ряб.); Хотілося [Марусі].. повиснути старій їмості [дружині священика] на ши́ї, пеститися (Хотк.); Як заголосить Маруся, та так і повисла йому на шию! (Кв.-Осн.).

ПОВИСНУТИ: пови́снути в пові́трі див. висі́ти; ~ на волоску́ див. висі́ти.

пови́снути на гілля́ці (на вербі́ і т. ін.). 1. Заподіяти собі смерть, повіситися. [Домаха:] Коли б одна була, може б у річку кинулася або повисла на гілляці; а тепер мушу жити, хоч важко..! (Кроп.); Коли б повиснув на вербі котрийсь з Мартинчуків чи Загайчиків, то й

дитина вказала б пальцем на Аркадія як морального призвідцю злочину (Вільде).

2. Бути·страченим через повішення.— А ти забула, що я давно на смерть вирокований [приречений], що коли б упіймали зараз, то вже завтра, може, повис би на гілляці (Гжицький).

пови́снути на ши́ї див. повисати.

ПОВИ́ТИ: стидо́м пови́ти / повива́ти го́лову чию. Осоромити, зганьбити кого-небудь.— І мати твоя, і бабка твої були чесного роду, а ти стидо́м повила мою голову сиву! Геть додому! — кричала вона до Насті (Коцюб.).

ПОВИТО́ЧКУ: з повито́чку. З раннього дитинства, з наймолодшого віку. Як цілком правдива душа, з повиточку зучена до правди, вона не знала тепер, як їй перебути цю першу кривду? (Л. Янов.). Пор.: з повивача.

ПОВІ́ДДЯ: відпуска́ти пові́ддя див. відпускати.

ПОВІДСИХАЛИ: щоб ру́ки повідсиха́ли див. руки.

ПОВІК: не змика́ти пові́к див. змикати.

ПОВІНЧАТИСЯ: із сиро́ю земле́ю повінча́тися. Померти. Саливон сповістив урочисту новину, що вже деякі дівчата в Німеччині направляли повні скрині одежі, повиходили заміж...— Із сиро́ю землею повінчалися!.. — гнівними голосами вигукували дівчата (Горд.).

ПОВІ́РИВ: сам собі не пові́рив див. сам.

ПОВІ́РИТИ: не пові́рити ву́хам; не ~ оча́м див. вірити.

ПОВІ́РЯТИ: свою́ ду́шу повіря́ти кому. Розповідати, довіряти кому-небудь потаємне, інтимне. [Тетяна:] Хоч правду, тату, вам скажу я, що як Тарас поїхав,.. здається — год минає!.. Другому б я цього і не сказала, а вас не соромлюсь; так вже привикла вам свою я душу повірять (К.-Карий).

ПОВІ́СИТИ: пові́сити го́лову; ~ но́са; ~ ярли́к див. вішати.

ПОВІ́СИТИСЯ: пові́ситися на ши́ю див. вішатися.

ПОВІ́ТРІ: ви́сіти в пові́трі див. висіти.

ПОВІ́ТРЯ: злітати в пові́тря див. злітати; полеті́ти ~ див. полетіти; рва́ти ~ див. рвати; рі́зати ~ див. різати.

як пові́тря, з сл. потрі́бний і под. Дуже, надзвичайно. Через сваволю і честолюбство Потьомкіна лишився без діла один із найталановитиших полководців Росії [Суворов] — саме тоді, коли він їй був потрібний як повітря (Добр.).

ПОВІ́ТРЯНІ: будува́ти повітря́ні за́мки див. будувати.

ПОВІ́ЯЛО: і́ншим (не тим і т. ін.) вітром пові́яло. Відчутно змінилися обставини, настрої, погляди і т. ін. Всі [в Кухтиній сім'ї] повірили, що іншим вітром повіяло і що жде їх щось нове, цікаве, нечуване досі (Іщук); — А ви ж торік *казали, що Заруба такий, як всі...— Всі казали, а тепер бачу, що не тим вітром повіяло* (Кучер).

свíжим вíтром повíяло. Змінилися обставини, настрої і т. ін. на краще. *Від її щирого голосу повіяло на Миколу свіжим вітром* (Кучер); *Торік з двома подругами прийшла вона на ферму і тут відразу повіяло свіжим вітром.. Приміщення побілили, причепурили* (Грим.).

холóдним вíтром повíяло. Змінилися обставини, настрої і т. ін. на гірше. *То йому привиджується удача: земля знову його, він такий радий.. Аж ось повіяло холодним вітром з другого боку... Нема землі!..* (Мирний); *Минули літа молодії, Холодним вітром од надії Уже повіяло* (Шевч.).

хóлодом повíяло. 1. Хто-небудь дуже стримано повівся з кимсь, неприязно поставився і т. ін. до кого-небудь. [О к с а н а:] *Він попрікає мене тобою. Зразу, коли приїхав, зустрів мене ласкаво, а коли взнав, що ти тут, так холодом од нього і повіяло* (Мороз).

2. Хто-небудь неприємно вражений. *Микола задумався. Холодом повіяло на нього від тої думки, але виходу не було* (Фр.).

ПÓВНА: пóвна головá *див.* голова; **~ кишéня** *див.* кишеня; **~ тóрба** *див.* торба; **~ хáта** *див.* хата; **~ чáша** *див.* чаша.

ПÓВНЕ: на пóвне гóрло *див.* горло.

ПÓВНИЙ: на пóвний зріст *див.* зріст; **на ~ гóлос** *див.* голос; **на ~ хід** *див.* хід.

пóвний вперед́, *перев. з сл.* д á т и *і под.* 1. Дуже велика, максимальна швидкість. *Механік-водій давав повний вперед, збиваючи полум'я зустрічним вітром і надіючись випорснути з вогняного мішка* (Гончар). П о р.: **пóвний хід** (у 1 знач.).

2. Команда, наказ рухатися з максимальною швидкістю.— *В одну мить знімаємося і повний вперед: на колесах же* (Сиз.). П о р.: **пóвний хід** (у 2 знач.).

пóвний гаманéць *див.* гаманець; **~ лоб** *див.* лоб; **~ мішóк** *див.* мішок; **~ порáдок** *див.* порядок; **~ хід** *див.* хід.

ПÓВНИМ: з пóвним прáвом *див.* правом; **~ хóдом** *див.* ходом.

ПÓВНИХ: на пóвних парáх *див.* парах; **на ~ парусáх** *див.* парусах.

ПÓВНІ: дихáти на пóвні грýди *див.* дихати; **на ~ грýди** *див.* груди; **на ~ óчі** *див.* очі; **~ вýха** *див.* вуха.

ПОВНІЙ: вúпити по пóвній *див.* випити; **при ~ амунíції** *див.* амуніції; **при ~ тямí** *див.* тямі; **у ~ мíрі** *див.* мірі; **у ~ фóрмі** *див.* формі.

ПÓВНІМ: на пóвнім гáзі *див.* газу.

ПÓВНО: аж гóлому пóза пáзухою пóвно. Уживається для повного заперечення змісту речення; нічого нема. *Набрав, що аж голому поза пазухою повно* (Укр.. присл..).

не пóвно рóзуму (умá) *у кого*. Хто-небудь

розумово обмежений, не може правильно мислити, діяти, оцінювати щось.— *Хіба ти не помітив по ній, що вона й здавну навіжена була?..— І справді,— вхопився пан за те слово,— не повно в неї ума було!* (Вовчок). П о р.: **Бог розумом зобúдив; Бог й рóзуму не дав; не при рóзумі.**

ПÓВНОМУ: в пóвному ажýрі *див.* ажурі; **на ~ газý** *див.* газу; **на ~ серйóзі** *див.* серйозі; **на ~ ходý** *див.* ходу; **у ~ парáді** *див.* параді.

ПÓВНОЮ: пóвною мíрою *див.* мірою.

ПÓВНУ: вúпити пóвну чáшу *див.* випити; **на ~ котýшку** *див.* котушку; **на ~ сúлу** *див.* силу; **~ хáту** *див.* хату.

ПОВОДÁХ: держáти в поводáх *див.* держати.

ПОВÓДИ: попустúти поводú *див.* попускати.

ПОВÓДИТИ: повóдити / поводúти (повестú) очúма (óком, пóглядом *і т. ін.***).** 1. *по кому — чому, на кого — що і без додатка.* Дивитися, спрямовувати зір на кого-, що-небудь. *Бандура поводить лютим оком по захаращеній долівці* (Кучер); *Ось він [лейтенант] зупиняється на відстані десяти кроків, мовчки поводить по солдатському гурті байдужим поглядом* (Кол.); *Як вовк, поводив він навкруги очима* (Коцюб.); *Парубки розгостилися, позасідали коло дівок, сміються, жартують, а на Марину ні один й оком не поведе* (Кобр.); // Оглядати щось. *Повів [Філіпчук] оком по цеху, по людях, по косах, по машині: все це було його* (Вільде); *Увійшла, не рипнувши дверима, повела скорботними очима — і закам'яніла на годину* (Уп.).

2. *за ким — чим.* Стежити за ким-, чим-небудь. *Тухольські громадяни, видячи її,... з уподобою поводили за нею очима* (Фр.).

ПОВОДИ́ТИ: поводúти за ніс *див.* водити; **~ очúма** *див.* поводити.

ПОВÓДІ: ітú на пóводі *див.* іти.

ПОВÓДКУ: ітú на поводкý *див.* іти.

ПОВОЗИ́ТИ: повозúти попá в рéшеті *див.* возити.

ПОВОЛÓКА: [мрíйна] поволóка спáла з очéй. Хто-небудь правильно зрозумів щось, що раніше усвідомлювалось по-іншому. *Приємне марево раптом розвіялось, мрійна поволока спала з очей — дівоче серце розкрилося іншому,— прийшла твереза думка, хлопець охляв, осунувся* (Горд.).

ПОВОЛОКТИ́: поволоктú кайдáни, *заст.* Піти на каторгу. *Його недовго мордували В тюрмі, в суді, а в добрий час.. Переголили про запас; .. І поволік Петрусь кайдани Аж у Сибір* (Шевч.).

ПОВОЛОЧИ́ТИ: поволочúти по тюрмах, *заст.* Тримати в ув'язненні, переводячи з однієї тюрми до іншої.— *Вже скільки по тюрмах поволочили, то він і лік тому згубив* (Коцюб.).

ПÓВОРОТАХ: лéгше на поворóтах *див.* легше.

ПОВОРÓТИ: крутí поворóти. Різкі зміни в суспільстві, в поведінці кого-небудь і т. ін. *Міня-*

лися влади. *Круті повороти робило життя* (Гончар); — *Я-то вийму [руки з галіфе], а от подивимося, що з тебе вийде. На крутих поворотах люди носи розбивають* (Тют.).

ПОВОРУХНУТИ: мо́зком поворухну́ти *див.* ворушити.

ПОВОРУШИТИ: мо́зком поворуши́ти *див.* ворушити; **па́льцем не ~** *див.* кивнути.

поворуши́ти па́м'яттю. Примусити себе пригадати що-небудь. *Містер Ейбл трохи поворушив своєю пам'яттю й примусив себе згадати, що ж іще знає він про ці.. країни* (Смолич).

ПОВСИХАЛИ: щоб ру́ки повсиха́ли *див.* руки.

ПОВСИХАЮТЬ: хай но́ги повсиха́ють *див.* ноги.

ПОВ'ЯЗКУ: зніма́ти пов'я́зку з оче́й *див.* знімати.

ПОГА́НЕ: пога́не о́ко *див.* око.

ПОГА́НИЙ: пога́ний (лихи́й) на о́ко (на о́чі), *етн.* У народних уявленнях, людина, що поглядом може зурочити, завдати шкоди. *Моя сусіда погана на око.* По р.: **лихе́ о́ко.**

пога́ний на язи́к. Грубий, нестриманий у висловлюванні. [О д а р к а:] *Мені здається, що я б його ніколи не покохала: такий у нього страшний погляд. Та сердитий, та поганий на язик!..* (Кроп.).

ПОГА́НИТИ: світ пога́нити. Жити, роблячи негідні вчинки.— *То скільки ж він буде світ поганити? А може, час уже вкоротити йому руки?..* (Головч. і Мус.).

ПОГА́НІ: жа́рти пога́ні *див.* жарти.

ПОГА́НІЙ: до́бра мі́на при пога́ній грі *див.* міна.

ПОГА́НО: пога́но лежи́ть *див.* лежить.

ПОГАНЯ́ТИ: поганя́ти до я́ми. Помирати. *Як принести води та мочить сухарі, то лучче [краще] поганяй до ями* (Укр.. присл..); *Колись за Франца Йосифа та польського панства бідак все життя пнувся на свою хатинку, витягав з себе соки й з нової хати поганяв до ями...* (Чорн.); // *Чекати смерті. Думка одна вже в мене тепер: поганяй до ями!* (Тесл.).

ПОГА́НЬ: рук (ру́ки) не пога́нь. Не встрявай у ганебну справу, в неприємну історію.— *Не погань руки об те падло. Слизню гадючою забруднишся* (Стельмах).

ПОГИБА́Й: хоч на мі́сці погиба́й. Уживається для вираження досади, незадоволення з приводу дуже тяжкого або безвихідного становища.— *Але оте «молоде покоління» — господи, се вже такі собаки, такі дзявкуни, що хоч на місці погибай!* (Фр.). С и н о н і м: **хоч ляга́й та помира́й.**

ПОГИБЕЛІ: в три поги́белі, з *сл.* з і г н у́ т и с я, з г о́ р б и т и с я, с к о́ р ч и т и - с я, с к р у т и́ т и с я *і т. ін.* **1.** Дуже сильно; низько. *Відкатні штреки [в шахті] низенькі і коногон згинається в три погибелі, посвистуючи*

на коника, який тягне вагонетки (Ю. Янов.); *Глущуки, згинаючись в три погибелі, тягли шляхом на гору воза з гноєм* (Чорн.); *На одному полустанку Леся побачила, як поруч із сухоребрю конячиною, запряженою в рало, тягнув, зігнувшись у три погибелі, чоловік* (М. Ол.); *Навіть коли вгледіли згорбленого в три погибелі чоловіка на сосновому окоренку біля входу до землянки, не відчули біди* (Головч. і Мус.).

2. Догідливо, улесливо, шанобливо. *Янкель і Тарас підійшли до дверей, Янкель скорчився в три погибелі і майже боком підкотився до гайдука* (Довж.); *Слуга.. вийшов до послів і, зігнувшись у три погибелі, мовчки показав обома руками на двері* (Іван.).

гну́ти в три поги́белі *див.* гнути; **гну́тися в три ~** *див.* гнутися; **~ нема́** *див.* нема.

ПОГИ́БЕЛЬ: на поги́бель кому, чию. Щоб хтось зазнав нещастя, лиха і т. ін.— *Над Іквою було село, У тім селі на безталання Та на погибель виріс я. Лихая доленька моя!..* (Шевч.); — *Як се — хліб жати?.. Хіба є така машина?..— А лихий знає тих німців! Може, вони на нашу погибель і таку машину вигадали* (Мирний); — *Вип'ємо, товариші, за Січ, щоб довго вона стояла на погибель бусурманам* (Довж.).

поги́бель його́ зна́є. Невідомо, незрозуміло.— *А оружжо [зброю]? — так погибель його зна, як то живо списав [маляр]! Оттак, бачиться, і стрельне* (Кв.-Осн.).

ПОГЛА́ДИТИ: не погла́дити по голі́вці; ~ по спи́ні *див.* гладити.

ПОГЛИНА́ТИ: поглина́ти очи́ма (по́глядом, зо́ром *і т. ін.*) **кого, що.** Жадібно, з напруженою увагою пильно вдивлятися в кого-, що-небудь. *Кузь аж ахнув, побачивши таку розкіш [тютюн]. Поглинав багатство очима та все промовляв: — Боже ж мій, які добрі люди є на світі!* (Тют.).

ПО́ГЛЯД: відрива́ти по́гляд *див.* відривати; **втопи́ти ~** *див.* втопити; **вту́пити ~** *див.* втупити.

затри́мується / затри́мається по́гляд чий, кого. Хто-небудь задивляється на кого-, що-небудь. *Ганні тепер лише тридцять і на ній завжди затримуються погляди зустрічних* (Шовк.).

ки́дати по́гляд *див.* кидати.

криви́й по́гляд. Підозра. *На криві погляди він волів не зважати* (Жур.).

лови́ти по́гляд *див.* ловити.

на пе́рший по́гляд (по́зір). На основі поверхового ознайомлення з чимсь. *Ішов справді парубок. На перший погляд йому, може, літ до двадцятка добиралося* (Мирний); *Всі ці люди [члени приймальної комісії] здавалися спокійними тільки на перший погляд і лише тому, що вміли себе тримати* (Тют.); *Настрій головнокомандувача [Врангеля] остаточно був зіпсований незначним на перший погляд інцидентом* (Гончар); *Перша увійшла Зоня, а за нею він. Змінився, на перший позір, не* *дуже* (Коб.). П о р.: **на пе́рше о́ко.** С и н о н і м и: **на позі́р** (у 1 знач.); **на по́гляд** (у 2 знач.).

на по́гляд. 1. *кого, чий.* Відповідно до чиєї-небудь думки, чийогось переконання. *На її погляд, він був гарний* (Коцюб.); *Вірно, на мій погляд, роблять перекладачі, віддаючи, як правило, західноукраїнські діалектизми Франка словами загальнолітературної російської мови* (Рильський); *Нічого аморального в його одруженні з Жанною, на погляд Сидора Сидоровича, не було* (Дмит.). П о р.: **з по́гляду.**

2. На основі першого враження, поверхового ознайомлення і т. ін. *Була [Орися] навіть трохи старша на погляд од своїх літ* (Гр.). П о р.: **на позі́р** (у 1 знач.). С и н о н і м и: **на пе́рший по́гляд; на пе́рше о́ко.**

оберта́ти по́гляд див. обертати; **переводи́ти** ～ *див.* переводити.

по́гляд (зір) прикипа́є / прикипі́в *чий.* Хто-небудь невідступно, пильно дивиться на кого-, що-небудь. *Ганна Іванівна злісно закусила губу. Її погляд прикипів до.. Лариних очей* (Шовк.).

по́гляд то́не див. зір; **поту́пити** ～ *див.* потупити; **спійма́ти** ～ *див.* ловити; **топи́ти** ～ *див.* топити; **хова́ти** ～ *див.* ховати; **чарува́ти** ～ *див.* чарувати.

ПОГЛЯДАТИ: погляда́ти згори́ див. дивитися.

погляда́ти ско́са (зи́зом, скри́ва і т. ін.) на *кого — що.* Ставитися недоброзичливо або з підозрою до кого-небудь, виявляти своє незадоволення кимось або чимось.— *Старий Навроцький людина проста, чесна, він одразу полюбив мене, а мачуха й досі скоса поглядає на мене* (Н.-Лев.); *Гаряча пора на полі давно перейшла, і хазяїн скоса поглядав на своїх наймитів, ніби шукаючи нагоди потурити з двору* (Мур.); *— Не до смаку це припало Мамаєві. Бачу, зизом поглядає на самого князя* (Ільч.); *Ой піду до брата... Брат мене приймає, А братова жінка Скрива поглядає* (Нар. пісня). П о р.: **диви́тися ко́со.** С и н о н і м: **диви́тися зи́зом** (у 2 знач.).

ПОГЛЯДИ: лови́ти по́гляди див. ловити; **притяга́ти** ～ *див.* притягати.

ПОГЛЯДІВ: з усі́х по́глядів див. погляду.

ПОГЛЯДОМ: блука́ти по́глядом див. блукати; **вбира́ти** ～ *див.* вбирати; **вли́пнути** ～ *див.* влипнути; **впива́тися** ～ *див.* впиватися; **же́рти** ～ *див.* жерти; **забира́ти** ～ *див.* забирати; **змі́ряти** ～ *див.* зміряти; **зни́зувати** ～ *див.* знизувати; **зустріча́тися з** ～ *див.* зустрічатися; **ласка́ти** ～ *див.* ласкати; **мі́ряти** ～ *див.* міряти; **оббі́гти** ～ *див.* оббігти; **обво́дити** ～ *див.* обводити; **обдава́ти** ～ *див.* обдавати; **обдаро́вувати** ～ *див.* обдаровувати; **обійма́ти** ～ *див.* обіймати; **обма́цувати** ～ *див.* обмацувати; **обмі́рювати** ～ *див.* обмірювати; **обпіка́ти** ～ *див.* обпікати; **обсипа́ти** ～ *див.* обсипати; **огорта́ти** ～ *див.* огортати; **окида́ти** ～ *див.* окидати; **охопи́ти** ～ *див.* охопити; **па́сти** ～ *див.* пасти; **перебіга́ти** ～ *див.* перебігати; **побі́гти** ～ *див.* по-

бігти; **пово́дити** ～ *див.* поводити; **поглина́ти** ～ *див.* поглинати; **полосну́ти** ～ *див.* полоснути; **прикипа́ти** ～ *див.* прикипати; **припа́сти** ～ *див.* припасти; **прово́дити** ～ *див.* проводити; **прийма́ти** ～ *див.* проймати; **прома́цувати** ～ *див.* промацати; **простроми́ти** ～ *див.* простромити; **сверджли́ти** ～ *див.* свердлити; **сковза́ти** ～ *див.* сковзати; **стріля́ти** ～ *див.* стріляти.

ПОГЛЯДУ: з пе́ршого по́гляду. Відразу ж. *Пронька безпомилково, з першого погляду може відрізнити сорочаче яйце від гавиного* (Донч.); *Наташа сподобалась йому з першого погляду* (Гончар). П о р.: **за пе́ршим пози́рком.**

з по́гляду *кого, чийого.* 1. Відповідно до чиєїсь думки, чийогось переконання. *«Біла Пустеля» [кінокартина] майже безфабульна річ — з погляду критики тридцятих років* (Ю. Янов.). П о р.: **на по́гляд** (у 1 знач.).

2. *чого.* Стосовно до чого-небудь. *Пролог мені дуже сподобався в першім уступі.., навіть нічого не можу сказати з погляду стилю* (Л. Укр.).

з уся́кого по́гляду; з усі́х по́глядів. Повністю, детально враховуючи всі моменти. *Вони [учні] були мені з усякого погляду ближчими й милішими, ніж мої колеги — учителі* (Довж.); *Семен Григорович звик кожну річ і кожне явище оцінювати всебічно, з усіх поглядів* (Дмит.); П о р.: **з усі́х бокі́в.**

не відрива́ти по́гляду див. відривати; **не відрива́ючи** ～ *див.* відриваючи; **не зво́дити** ～ *див.* зводити.

як погля́ну; як погля́нути. З першого враження. *Щодо українців, то вони, як поглянути, ніби зовсім завмерли [влітку 1905 року], нічим себе перед людьми не виявляють, хоч непомітна робота йде* (Коцюб.).

ПОГЛЯНЬ: куди́ не погля́нь. Кругом, усюди.— *Люди весь плац укрили. Куди не поглянь — старі або малі* (Стельмах).

ПОГНА́ТИ: погна́ти химе́ри див. гнати.

ПОГОВІР: пуска́ти поговір див. пускати.

ПОГОДИ: жда́ти бі́ля мо́ря пого́ди див. ждати.

ПОГОДУ: роби́ти пого́ду див. робити.

ПОГОДУВАТИ: погодува́ти штурханця́ми див. годувати;

ПОГОЛИТИ: без ми́ла поголи́ти див. голити.

ПОГОЛОСКУ: пуска́ти поголо́ску див. пускати.

ПОГОРДЖЕНИЙ: погор́джений мета́л див. метал.

ПОГРЕБІ: сиді́ти на порохово́му по́гребі див. сидіти.

ПОГРІТИ: погрі́ти руки; ～ спи́ну див. гріти.

ПОГУБИВ: як (мов, ні́би і т. ін.) курча́т (усі́ шляхи́) погуби́в. Хто-небудь розгублений, має розпачливий вигляд і т. ін. *Коли дощ або робота пильна не дасть нам побачитись, то журби не обберешся; ходиш, як курчат погубила* (Мирний);

Він сумно дивився, вона ж наче усі шляхи погубила, тільки усе до його ближче горнулася (Вовчок).

ПОГУБИТИ: погубити думки (мову, слова *і т. ін.***).** 1. Втратити на якийсь час здатність логічно мислити, говорити.— *Та ви справді мене зведете на постіль!..— І присів* [генерал], *погубивши всю мову* (Гр.). П о р.: **загубити думку.**

2. Обдумавши що-небудь з усіх боків, не прийти ні до якого висновку.— *Та й забарився ж ти! Де ти блукав так довго? Я вже й думки погубила...* (Л. Янов.).

погубити душу [з тілом (і тіло)], *заст.* 1. Померти, загинути. *Я так люблю мою Україну убогу, Що проклену* [прокляну] *святого бога, За неї душу погублю!* (Шевч.); — *Із дерева сього зломити ти мусиш гілку хоть* [хоч] *одну; Без неї бо ні підступити Не можна перед сатану; Без гілки і назад не будеш І душу з тілом ти погубиш, Плутон тебе закабалить* (Котл.).

2. *чию, кого.* Учинивши який-небудь злочин, призвести до смерті кого-небудь. *Добро той вдіє, хто.. у тюрму не посадове* [посадовить мужика], *Щоб душу погубить* (Мирний); *Дівка будь-що намагалася хлопця душу погубити.*

погубити кінці (кінець). Забути те, про що йшлося, чулося, що здійснювалося і т. ін. попереду. *Отець Харитін знов починав читати, але Онисія Степанівна вже давно погубила кінці й нічого не розуміла* (Н.-Лев.).

ПОДАВАЙ: тільки [так (і)] подавай / подай. Уживається для підкреслення чиєї-небудь можливості, потреби, чийогось бажання робити щось.— *Це хлопці навмисно придумали вам для буксира танка послати. А Єгипті цього тільки подавай..* (Гончар); *Як защебече* [Оксана]*,.. так усім весело, хоч цілий день слухав би її, а вже розсмішите — так подавай* (Кв.-Осн.).

ПОДАВАТИ: не подавати знаку *див.* давати.

не подавати (не показувати) / не подати (не показати) вигляду (виду). Не виявляти чого-небудь (своїх почуттів, думок, ставлення до чогось і т. ін.). *Хіба ж не знає вона, що тітка Докія ні-ні та й обмовляться, що вони хотіли б мати отаку проворну невістку.. Знає це й Дмитро, але, звісно, й вигляду не подає* (Стельмах); — *Натерпілася* [Вутанька] *від багачів. Виду не подавала, а скільки тих сліз потаємці ночами виплакала,— одна лиш подушка знає* (Гончар); *Він був злий і нарочито мовчав. Павло помітив це зразу, як тільки в хату зайшов, але не показував виду* (Кучер); *Виду не подала Тамара, що приємно їй було це почуття; вперше заговорила мати про листівки* (Хижняк); — *Ми, тату,.. летимо. Було це як грім серед ясного неба. Проте батько й виду не показав, тільки втерся мовчки* (Гончар). П о р.: **не давати знаку.**

подавати (давати, простягати) / подати (дати, простягти) [братню, помічну *і т. ін.*] **руку [допомоги] *кому* і без додатка.** Підтримувати когось, допомагати кому-небудь у скрутний для нього час. *Не знаєш ти* [чехословацький вчений] *мене, і я тебе не знаю, Та руку мій народ твоєму подавав* (Павл.); *Звідти ми подавали руки закарпатським своїм братам* (Уп.); *Тратять наші громади свої права, свої ґрунти, свої ліси і тратитимуть до останку, якщо ніхто не подасть їм помічної руки* (Фр.).

подавати думку *див.* подати; ~ **знак** *див.* давати; ~ **на блюдечку** *див.* підносити.

подавати / подати [свій] голос. 1. Видавати певні звуки, обзиватися. *Він лежав якийсь час тихо, потім знову подавав голос: — Хіба мені всяка гармонія потрібна?* (Мик.); *Наливайка пекли у мідному бику: уся Варшава збіглася послухати, як зареве бик, та нічого не почули — істлів, сердешний, а голосу не подав* (Стор.); — *Ви! Жовтороті! — несподівано подав голос Левченко.— Та як ви так смієте про неї?* (Гончар).

2. *за кого — що.* Висловлюватися на захист кого-, чого-небудь, на чиюсь користь.— *В нас кожний значний пан та магнат держить при своєму дворі сотню або й дві дрібної шляхти на службі.., щоб на сеймиках вони подавали свій голос за свого ментора* (Н.-Лев.); *Я голос подаю за людськість і людину, За міста цвіт гінкий, за красний зріст села* (Рильський); *Подаю свій авторський голос за участь Лілі і Оксани Ст. в моїй драмі* (Л. Укр.).

подавати / подати слово *кому.* Обіцяти одружитися, давати згоду на одруження з ким-небудь. [Х и м к а:] *Іване, голубе мій!.. Невже ти думаєш, я ворог твій? Нащо ж я тобі слово подавала?* (Мирний); — *Демид Кирилович сватав мене..— А коли ж се було? — спитав він.— Перед тим, як подавала тобі слово* (Гр.); [С а ш а:] *Ну, то ви бачили, а тепер почуєте! Скажу вам по дружбі веселу новину, Миколо Петровичу: я засватана!.. Я подала слово Павлущенкові* (Пчілка).

подавати правицю *див.* подати; ~ **приклад** *див.* давати.

ПОДАЙ: тільки подай *див.* подавай.

ПОДАЙСЯ: куди не подайся. Скрізь, з усіх боків.— *І чеберяв би далі, та, куди не подайся — усюди стіни заважають* [на печі]! (Стельмах).

ПОДАЛІ: подалі від гріха *див.* далі.

ПОДАРУВАВ: як п'ятака подарував *див.* дав.

ПОДАРУВАТИ: подарувати життя (рідше життям) *кому.* Залишати живим, помилувати кого-небудь. *Лев прокинувся, зловив її* [Мишу] *і хотів з'їсти. Але Миша стала благати його відпустити її і навіть обіцяла віддячити йому, якщо він подарує їй життя* (Езоп, перекл. Лукаша); *Пройшли літа. Мужніє ліра. А все в уяві зір жовніра над змовклим боєм, шумом трав і над похмурою рікою, коли я твердою рукою йому життя подарував* (Сос.); *Ткачі здебільшого сто-*

ять, мов на суді, наче ждуть, чи їх на смерть засудять, чи життям подарують (Л. Укр.).

ПОДАТИ: не пода́ти ви́ду *див.* подавати; не ~ зна́ку; ~ го́лос *див.* подавати; ~ знак *див.* давати; ~ на блю́дечку *див.* підносити.

пода́ти / *рідко* подава́ти ду́мку. Запропонувати, висловити пропозицію. *Думку тоді подала яноока богиня Афіна Мудрій Ікарія доньці.. Лук женихам принести для змагань в Одіссеєвім домі...* (Гомер, перекл. Б. Тена); *Підійшло ще кілька селищанських, оглядали пляму — слід від зниклої таблиці. Семко Дейнека подав думку, що треба б і міліціонера покликати і щоб вівчарку привів та пустив її по сліду* (Гончар).

пода́ти / подава́ти прави́цю. Духовно поєднатися, побрататися з ким-небудь. *Однокровному народу Наш народ подав правицю На єднання, на помогу* (Рильський).

пода́ти при́клад *див.* давати; ~ рушники́; ~ сло́во *див.* подавати.

руко́ю пода́ти. Зовсім близько, недалеко. *Взялися зараз за карти і почали розглядати, де.. знаходиться Брюссель. Знайшли і почали міркувати: рукою подати і до Лондона, і до Парижа, і до Німеччини* (Ленін); *Від солоних хуторів уже рукою подати до містечка* (Донч.); *Степан Васильович бадьоріше прямує до хутора. А від нього вже рукою подати до Медвина* (Стельмах); *Від Сімферополя до Євпаторії рукою подати* (Збан.).

ПОДВІЙНЕ: подві́йне дно *див.* дно.

ПОДЕРЖИТЬ: хай госпо́дь на сві́ті поде́ржить *див.* господь.

ПОДЕРЛОСЯ: воло́сся поде́рлося вго́ру *див.* волосся.

ПОДЗВІН: на по́дзвін не дба́ти *див.* дбати.

ПОДИВЛЮСЯ: як [коли́] подивлю́ся [на те́бе (на вас *і т. ін.*)]. Можна зробити висновок про кого-небудь.— *Хороший ти й парняга, як подивлюсь я на тебе!* (Головко); — *Моя [дівчина] цілі вечори мовчить, хоч би тобі слово, чекає, що я скажу... В тебе ж, коли подивлюсь, любов легше йде...* (Стельмах).

ПОДИРАЄ: аж моро́з подира́є по шку́рі *див.* мороз.

ПОДИХ: відда́ти оста́нній по́дих *див.* віддати; забива́ти ~ *див.* забивати; ле́две перево́дити ~; перево́дити ~ *див.* переводити; перейма́є ~ *див.* переймає; спира́є ~ *див.* спирає.

ПОДИХОВІ: на одно́му по́дихові (по́диху). Легко, без труднощів. *Не така вже й близька відстань од Семенютиного подвір'я до Змієвого валу, але Масюта здолав її, як мовиться, на одному подихові* (Головч. і Мус.); *Повість захоплює гострим сюжетом, барвистістю одмін, вона читається на одному подиху* (Літ. Укр.).

ПОДИХОМ: одни́м по́дихом. 1. Дуже швидко, миттю, блискавично. *Чутка про те, що побито*

іскрівців і що командир «Іскри» не хто інший, як колишній голова троянівської артілі Оксен, облетіла район одним подихом (Тют.).

2. Дружно.— *Хороше було б, коли б уся Руська земля одним подихом жила* (Хижняк).

ПОДИХУ: до оста́ннього по́диху (зітха́ння). До кінця життя, до смерті.— *Він до останнього подиху зберіг вірність присязі, вірність прапорові, вірність своїй Батьківщині,— говорив гвардії майор* (Гончар); — *Я вистою... Чуєш, Валюшо! Я не здамся до останнього подиху* (Цюпа); *Мов книга ти, моє кохання, але на книзі цій печать. Я до останнього зітхання її не можу прочитати* (Сос.). С и н о н і м и: до гробово́ї до́шки; до оста́нніх днів; до домови́ни.

не перево́дячи по́диху *див.* переводячи.

ПОДІБНОГО: нічо́го поді́бного! *див.* нічого.

ПОДІЄШ: що [ж] поді́єш. Уживається для вираження вимушеної згоди, примирення з чим-небудь. [К о б з а р:] *Не вбивайся так, чоловіче, що подієш? Така, видно, божа воля* (Мирний); *Вже мені не везе з перекладачами, що подієш* (Коцюб.); — *Жаль мені, Романе Григоровичу, прощатися з тобою, бо маєш в руках майстрову жилу... Але що ж подієш* (Стельмах).

ПОДІЛИЛИ: не поді́лили. Не дійшли згоди, посварилися. *Дві молодички гарненько цокотять, а тут дітвора змагається — чогось не поділили* (Вовчок); — *Чого ви такий злий на всіх, Мино Омельковичу? — раптом звертається вона [Надька] до нього.— Разом з нашим татом колись по заробітках ходили, а тепер... Ну що ви з ним не поділили?* (Вовчок).

ПОДІТИ: де поді́ти себе́ *див.* діти; не знати, де ~ о́чі *див.* знати.

ПОДІТИСЯ: де поді́тися *див.* діти.

ПОДІЯТИ: поді́яти з собо́ю. Покінчити життя самогубством.— *Василю.. Одумайся лиш краще. Пожалій і себе, і її [Мотрю]. Вона всю ніч тільки про тебе і балакала. Тебе візьмуть — вона з собою що-небудь подіє* (Мирний).

ПОДЛУБАТИ: в голові́ подлу́бати, *жарт.* Розміркувати, обдумати. [Н е ч и п і р:] *Легко сказати, Тяжко зробити: Перш треба подумать, в голові подлубать!* (Кроп.).

ПОДОБАЄТЬСЯ: як тобі́ це подо́бається *див.* це.

ПОДРАВ: аж моро́з подра́в по шку́рі *див.* мороз.

ПОДРАЛО: моро́зом подра́ло по шку́рі кого, у кого. Кого-небудь охопило неприємне відчуття холоду від сильного переляку, переживання і т. ін. *Усіх [панів] морозом подрало по шкурі від тієї речі і всі, глибоко зітхнувши, замолились: «одверни і спаси нас, святий владико!»* (Мирний).

аж поза шку́рою подра́ло.— *«Дурні! — крикнув гайдамака.— Ви б зробили так, як наші роб-*

лять,— вирізали та й годі».— Як сказав це, то в мене аж поза шкурою подрало (Мирний).

ПОДРОБИЦІ: удава́тися в подро́биці *див.* удаватися.

ПОДРОБИЦЬ: до найме́нших подро́биць. 1. з сл. обговори́ти, оповісти́ти, опи са́ти *і т. ін.* Дуже детально, докладно, вичерпно. з усіма́ подро́бицями. *Наприкінці з усіма подробицями описувалося, як і при яких обставинах Улас підривав авторитет Гната* (Тют.). у подро́биці (подро́бицях). *Та ще сповістить, коли і де б нам зібратися, щоб обговорити в подробицях статут про премію* (Мирний); *Прохаєте оповістити вам усяку пригоду у подробиці — годі!* (Вовчок).

2. з сл. зна́ти *і под.* Досконально, грунтовно.— *Він.. знав кожен цех до найменших подробиць, наче свій дім* (Кучер).

3. Дуже чітко. *Тиждень цілий перемучилася Маруся,.. не йшла до потоку. Уявляла собі до найменших подробиць, як сидить тепер Дмитрик* (Хотк.).

ПОДУМАВ: ніколи б не поду́мав. Уживається для висловлення подиву, обурення і т. ін. з приводу чого-небудь несподіваного, непередбаченого.— *Дмитро, це ти? От ніколи б не подумав!* (Стельмах). П о р.: **хто б поду́мав; поду́мати ті́льки.**

хто б поду́мав *див.* хто.

ПОДУМАТИ: мо́жна поду́мати. Уживається для вираження сумніву в правдоподібності сказаного, почутого і т. ін. *Можна подумати, що ці виродки* [буржуазні націоналісти] *не читали Шевченкового «Щоденника»* (Рильський).

поду́мати ті́льки. Уживається для вираження подиву, обурення і т. ін. з приводу чого-небудь несподіваного, непередбаченого.— *Подумати тільки: два роки не бачили її* [України], *два роки тільки чули, як вона стогне* (Гончар); — *Гай-гай, сину, скільки це літ отак не сиділи... Тільки подуматти: п'ята осінь* (Головко). П о р.: **ніколи б не поду́мав; хто б поду́мав.**

поду́май (поду́майте) ті́льки.— *А ти, мабуть, багато світу об'їхав? Ге ж?* — *перейшов Кузько на свою любиму тему.— Подумай тільки — весь Радянський Союз поїздом об'їхати* (Тют.); — *Зовсім обидно, Антон Петрович! Їй-богу, зовсім обидно* — *бідкувався Колісник.— Ви тільки подумайте: віл стоїть* [коштує] *шістдесят карбованців, а м'ясо по вісім копійок фунт* (Мирний).

ПОДУМАЮ: і не поду́маю (не поду́мали). Не вважаю за потрібне зробити щось.— *Ти приходь до нас на свято. Баранину будемо їсти.— І не подумаю,* жартував Шевченко (Тулуб); [Невідомий:] *Звичайно, ви арештованої не випустили?* [Пані Люба:] *І не подумали!* (Вас.).

ПОДУТИ: поду́ти тічо́к *див.* дути.

ПОДУШКИ: до поду́шки (до подушо́к). У постіль, на відпочинок, спати. *Не поцурайтесь хліба-солі, Годуйтесь, кушайте доволі, А там з труда до подушок* (Котл.).

ПОДУШНЕ: як (мов, ніби *і т. ін.*) за поду́шне. Невідступно, настирливо. *Настане ніч,— думки, як за подушне, оступлять...* (Мирний); *Мов за подушне, оступили Оце мене на чужині Нудьга і осінь* (Шевч.).

як пан за поду́шне *див.* пан.

ПОДЯКУ: дава́ти на подя́ку *див.* давати.

ПОЖАЛІЄ: і ба́тька рі́дного не пожалі́є *див.* жаліє.

ПОЖАЛІТИ: не пожалі́ти рук *див.* жаліти.

ПОЖАЛУЄ: і ба́тька рі́дного не пожа́лує *див.* жаліє.

ПОЖАР: не на пожа́р; як на ~ *див.* пожежу.

ПОЖАРУ: як з пожа́ру; як після ~ *див.* пожежі.

ПОЖАТИ: пожа́ти ла́ври; ~ плоди́ *див.* пожинати.

ПОЖДАНИКАМИ: годува́ти пождáниками *див.* годувати.

ПОЖЕЖІ: як (мов, ніби *і т. ін.*) із поже́жі (з пожа́ру), з сл. уско́чити, ´влеті́ти *і т. ін.* Дуже швидко. *Уже він* [Йонька] *і коси помантачив, уже й попробував, чи добре косять, уже дві люльки викурив, а в хаті й не думали прокидатися. Тоді він ускочив у хатину, як із пожежі: — Ти йтимеш сьогодні корову доїти чи ні?* (Тют.). П о р.: **як на поже́жу (в 1 знач.).**

як (мов, ніби *і т. ін.*) на поже́жі (на пожа́рі), з сл. бі́гати *і под.* В усі боки.— *Здурів! здурів! Їй-богу, здурів...* — *кричала Маланка, бігаючи по хаті, як на пожежі* (Коцюб.).

як (мов, ніби *і т. ін.*) після поже́жі (після пожа́ру). Розруйнований, занедбаний. [С е м е н М е л ь н и ч е н к о:] *Я покинув тебе* [країну] *ранньою весною; тоді ти була якась сумна, невесела, мов після пожежі* (Кроп.).

ПОЖЕЖНОМУ: в поже́жному поря́дку *див.* порядку.

ПОЖЕЖУ: не на поже́жу (на пожа́р). Нема потреби поспішати.

як (мов, ніби *і т. ін.*) на поже́жу (на пожа́р), з сл. поспіша́ти, бі́гти, пробі́гти *і т. ін.* 1. Дуже швидко. *Замполіт послав ординарця покликати сюди Сперанського. Ад'ютант пробіг, як на пожар, важко брязкаючи блискучими трофейними шпорами* (Гончар); *Початок тропаря він добре знав, що ж до кінця, то був трохи невпевнений, що скаже вірно, тому й поспішав мов на пожежу, щоб не дати очуматись законовчителю* (Добр.); — *Голуб жінку б'є! — дзвоне* [дзвонить] *чутка від хати до хати, і люди біжать немов на пожежу* (Мирний). П о р.: **як із поже́жі.**

2. з сл. крича́ти, склика́ти, уда ря́ти *і т. ін.* Дуже голосно. *Обертався* [Мемет]

на всі сторони і скликав, як на пожежу: — Усеїн!.. Места-фа-а-а!.. (Коцюб.); — А один у нас вартував біля церкви — почув лемент — та в дзвони. Ударив, як на пожежу (Збан.); Ось стоїть він [Петро Синичка] напідпитку На порозі гуртожитку І кричить мов на пожар: «Я вибійник! Я шахтар!» (С. Ол.).

ПОЖЕРТВУВАТИ: поже́ртвувати собою див. жертвувати.

ПОЖИВОК: на пожи́вок. Для їжі, споживання.— Нащо вам, мамо, ключі? Я буду видавати харч до пекарні на поживок для всіх! (Н.-Лев.). П о р.: **на пожи́ву** (в 1 знач.).

ПОЖИВУ: дава́ти пожи́ву див. давати.

на (у) пожи́ву. 1. Для їжі, споживання. Орав [Іван] поле, сіяв, косив, жав, молотив, складав зерно те на посів, те на поживу (Мирний); І мушка у павутинні дзвенить в поживу павуку (Сос.); — Люди чужії велять у поживу собі приганяти нашу худобу (Гомер, перекл. Б. Тена). П о р.: **на пожи́вок.**

2. Щоб з'їв хто-небудь. Мого ж Івасика було враз забито... Так і кинули його у степу хижакам на поживу (Тулуб).

ПОЖИНАТИ: пожина́ти / пожа́ти ла́ври. Користуватися наслідками чиїх-небудь успіхів, досягнень і т. ін. Хай книжка лежить собі, а ми, братко, давай пожинати лаври (Вас.); Кров залила професорове обличчя. Здогадався: операція на випадок успіху — відкриття в науці. Городенко не хоче пожинати лаври сама (Дмит.); А все починалося, мабуть, тоді, в окопах на донецькій землі, де завдяки збігові обставин Коротун уперше пожав чужі лаври (Літ. Укр.).

пожина́ти / пожа́ти плоди́ чого. Користуватися наслідками праці, діяльності і т. ін. Козакова розбирали піхотинські ревнощі.. А танкісти, пожинаючи десь поблизу плоди першості, стрімко йдучи вперед, залишали.. свіжі сліди своєї роботи (Гончар).

ПОЖИРАТИ: пожира́ти очи́ма див. їсти.

ПОЖИТИ: пожи́ти сме́рті, діал. Померти. Нащо вони [Остап і Соломія] стільки терпіли, стільки набідувались на Бессарабії, мало не пожили смерті у плавнях? (Коцюб.); З невидної дзвіниці забалакали нараз дзвони, мов знали, що хтось у селі пожив смерти [смерті] (Фр.).

ПОЖОВКЛО: в оча́х пожо́вкло див. жовтіє.

ПОЖОВТІЛО: в оча́х пожовтіло див. жовтіє.

ПОЗАДУ: залиша́ти позаду див. залишати; **залиша́тися ~** див. залишатися.

ПОЗАКЛАДАЛО: позаклада́ло ву́ха кому, безос., згруб. Хто-небудь утратив слух, не чує. Кричить, мов скажений, наче нам позакладало вуха (Н.-Лев.); — Та вже ж чую: не позакладало мені вух,— обізвалась Мокрина (Н.-Лев.).

ПОЗАРОСТАЛИ: ву́ха позароста́ли див. вуха.

ПОЗАТОРІШНІ: позато́рішні ви́шкварки див. вишкварки.

ПОЗАТОРІШНІЙ: як позато́рішній сніг див. сніг.

ПОЗАТЯГАЛО: аж животи́ позатяга́ло, безос., з словоспол. х о ч е т ь с я ї с т и і под. Дуже. Вийшли з церкви. Їсти нам хочеться — аж животи позатягало (Тесл.).

ПОЗАХМАРНОМУ: вита́ти у позахма́рному про́сторі див. витати.

ПОЗБАВИТИ: позба́вити го́лосу; ~ життя́; ~ сло́ва див. позбавляти.

ПОЗБАВЛЯТИ: позбавля́ти / позба́вити життя́ (ві́ку і т. ін.). Умертвляти, убивати і т. ін. кого-небудь. Він щиро не пам'ятав на ту хвилину, як удвох із .. дружиною залишились одного разу без обіду, бо шкода було позбавляти життя коропа, який плавав у них у відрі... (Ю. Янов.); [Хмельницький:] Згадайте ще недавні жертви предків наших. А премногих з ними козаків на спиці віткнули і іншими лютими муками життя позбавляли (Корн.); — Темний, дикий, безглуздий народ! Через якусь дурну вигадку, якусь нісенітну легенду він ладен був розбити мені дорогий апарат, скалічити або й позбавити мене життя (Коцюб.); Немов полуда, спало засліплення його [Бовдура] очей... Що він зробив?.. За що позбавив життя сесю молоду людину? (Фр.); — Мав би я силу, то враз і душі б тебе, й віку позбавив І відіслав би в оселю Аїда (Гомер, перекл. Б. Тена).

позбавля́ти / позба́вити [пра́ва] го́лосу кого. Забороняти кому-небудь брати участь у голосуванні. [Коваль:] Я пропоную конфіскувати майно. Заарештувати Чирву та ще кількох. Позбавити їх голосу (Мик.).

позбавля́ти / позба́вити сло́ва кого. Не давати можливості кому-небудь висловлюватися на зборах, на суді і т. ін. [Голос покликача:] Відпущеник Нартал сказав,.. що він би хтів скупатись в римській крові, за теє суд його позбавив слова (Л. Укр.).

ПОЗБИРАТИ: [і] зуб́в не позбира́ти, з сл. у д а́ р и т и і под. Дуже сильно.— В Черешні [корови] вдача норовлива, хвицнути може ратицею так, що й зубів не позбираєш, навіть я спершу боялась підходити до неї (Гуц.).

і кісто́к [сво́їх] не позбира́ти. 1. Уживається як погроза і виражає побажання жорстоко розправитися з ким-небудь, вчинити помсту.— Зась, пани, до нашої землі! Зась, бо й кісток своїх не позбираєте! — підіймає [Гончар] кулака (Стельмах). **й кісто́чок не позбира́ти.** [Орина:] А як зловлять.. [Петро:] Хай ловлять, нас таких уже сотня в лісі є. Так зустрінемо, що й кісточок не позбирають (Собко).

2. Загинути.— Хіба ж оця яма від бомби врятує?.. Як торохне, то й кісток не позбираємо.

Справжня домовина! (Ткач). *кісток не позбирати. Вже скоро фашисти не позбирають кісток!* (Горд.). П о р.: **кісток не зібрати.**

ПОЗБУВАТИ: позбувати / позбути жир (жи́ру). Худнути. [Х р а п к о:] *Їй-богу пострижу* [Дуню]! *Хай лиш там свого жиру позбуде* (Мирний).

ПОЗБУТИ: позбу́ти жи́ру див. позбувати.

ПОЗБУТИСЯ: позбу́тися вінка́. Втратити дівочу честь.— *Що хочеш дам. Найкращу хустку привезу.— За вашу хустку не одна дівчина вінка позбулася* (Стельмах).

позбу́тися глу́зду див. рішитися.

позбу́тися голови́. Загинути, вмерти. *Черниш думав про це. Справді, що понесло його в ті ворота, де він — дуже ймовірно — міг позбутися голови?* (Гончар). С и н о н і м: **позбутися життя́.**

позбу́тися життя́. Померти, загинути.— *Коли хочеш позбутися життя, то вийди з хати,— понуро перший відказав і змовк* (Л. Укр.). С и н о н і м: **позбу́тися голови́.**

позбу́тися клéпки. Втратити розсудливість, стати нерозумним, дурним. *Щось тільки скажеш чи зробиш не так, зараз і соромлять: «Такий великий, а що витворяє. Чи ти сорому і клепки заодно позбувся?»* (Стельмах).

позбу́тися ро́зуму див. рішитися.

ПОЗДОРОВ: поздоро́в Бо́же, заст. 1. *кого.* Уживається для вираження побажання здоров'я та добра.— *Та як ваша рука, поздоров боже, Олексію Івановичу, то й з тисячами вправиться! — казали панки* (Мирний).

2. *кого, кому.* Уживається для вираження подяки з побажанням здоров'я і всього доброго. *Я тепер (поздоров боже вас) хоч і багатий на папір, а все-таки на клаптику пишу, бо сказано, пустиня, де я візьму, як потрачу* (Шевч.); — *Це поздоров боже Насті,— казав старий, коли що хвалила Параска..— Це все вона у нас мастикує* (Мирний).

3. *кого.* Уживається як відповідь на вітання, побажання здоров'я і добра. [З а р у д н и й:] *Здрастуйте, діду.* [Я р о с л а в:] *Поздоров вас боже...* (Мокр.).

ПОЗЕЛЕНІЛО: в оча́х позеленіло див. жовтіє.

ПОЗИРКОМ: за пе́ршим по́зирком, діал. Одразу. *Пізнав* [Зам'ятальський] *мене за першим позирком і простягнув мені руку* (Фр.). П о р.: **з пе́ршого по́гляду.**

ПОЗИЦІЇ: здава́ти пози́ції див. здавати; **стоя́ти на ~** див. стояти.

ПОЗИЦІЮ: става́ти в пози́цію див. ставати.

ПОЗИЦІЯХ: лиша́тися на стари́х пози́ціях див. лишатися.

ПОЗИЧАТИ: не позича́ти чого. Є щось у кого-небудь.— *Не в їх тільки робота, і в других є,*

а мені рук не позичати (Мирний); *Нашому народові не позичати талантів* (Мист.).

оче́й у Сірка́ (Рябка, во́вка) позича́ти / пози́чити. Втратити почуття сорому, власної гідності. *Такії очей у вовка Позичать не стануть: Вони сорому ізроду Не мали й не мають* (Укр. поети-романтики); *І Павло пішов* [до Заруби], *очей у Сірка позичивши? Де ж твоя совість, чоловіче?* (Кучер); // *Постійно відчувати сором, негідність свого вчинку.* [Б и ч о к:] *І кращі від твоєї дочки живуть без шлюбу та ще й як живуть!..* [С т е х а:] *Живуть та цілісінький вік у сірка очей позичають!* (Кроп.); *І з парубками.. не сидить* [молодиця] *мовчки, а цокотить, кого попало і коренить, і ганить, а часом і москаля підвезе, та ще й очей у рябка не позиче — жива на небо лізе* (Стеф.).

ро́зуму не позича́ти кому. Хто-небудь дуже розумний, тямущий. *Ще рік і вона закінчить текстильний інститут, буде працювати на фабриці. Видно й тепер дочці не позичати розуму* (Автом.); *Це — Антін Андрійович, хай здоров буде. Він і освічений, і говорить красно, та й розуму йому не позичать* (Добр.).

ПОЗИЧИТИ: оче́й у сірка́ пози́чити див. позичати.

ПОЗИЧКАХ: загру́знути в пози́чках див. загрузнути.

ПОЗИЧКИ: влі́зати в по́зички див. влізати.

ПОЗІР: втупити позір див. втупити; **дава́ти ~** див. давати.

на пози́р, діал. 1. На основі першого враження, поверхового ознайомлення і т. ін. *До розбудження гордості в його душі причинилося богато* [багато] *малих і на позір невинних обстоятельств* [обставин] (Фр.); *Думитрашко за тогочасними звичаями був на позір побожною людиною* (Рад. літ-во); П о р.: **на по́гляд** (у 2 знач.). С и н о н і м и: **на пе́рший по́гляд; на пе́рше о́ко.**

2. *з сл.* н е м а́ є. Зовсім, абсолютно. *І на позір немає кавунів, а сіяв густо* (Сл. Гр.).

3. Напоказ. *З відчинених дверей на подвір'я падало світло, і ми вчотирьох стояли, наче навмисне, на позір людям, які — хто злякано, а хто здивовано — видивлялись на нас* (Мур.).

на пе́рший пози́р див. погляд.

ПОЗНАЧА́ЄТЬСЯ: познача́ється на світ (на ра́нок), безос. Починає світати. *Коли ми вирушили в дорогу, уже позначалося на світ.*

ПОЗОЛОТИТИ: позолоти́ти пілю́лю див. золотити.

позолоти́ти ру́ку. Дати гроші за ворожбу. *Мені циганка ворожити хоче, Лиш просить руку їй позолотить* (Павл.). **позолоти́ти ру́чку.** *Веселий натовп громадян.. оточив обідраних, схожих на бісенят циганчуків, які витанцьовують перед ними, простягаючи складені в ложечки долоні: «Красивий, багатий, позолоти ручку!»* (Дім.).

ПОЗОРУ: для позо́ру, *діал.* Для створення певного враження, потрібної думки про кого-, що-небудь. *Поцілував старий Марусяк сина, благословив і пішов на Косів: купити що для позору,.. аби не будити підозрінь* (Хотк.).

ПОЗУ: става́ти в по́зу *див.* ставати.

ПОЇДАТИ: поїда́ти очи́ма *див.* їсти.

ПОЇДЕШ: далеко не поі́деш (заі́деш) на кому, на чому. Не досягнеш потрібного успіху в чому-небудь. .. *не досить неписьменність ліквідувати, але треба ще будувати радянське господарство, а при цьому на самій письменності далеко не поі́деш* (Ленін); *Більше простору для нововведень, для різних обрядів сучасних... На самих вікторинах далеко не поі́деш* (Гончар); *Побачимо, як ти порядкуватимеш. На старих дідах далеко не поі́деш, а молодь на шахти беруть та на заводи* (Тют.). **дале́ко не заі́хати.** *Павлуша розумів, що на одному вірші, та й то чужому, далеко не заі́хати, треба все нові та нові* (Головко).

ПОЇДОМ: поі́дом і́сти *див.* їсти.

ПОЇЛИ: че́рви б поі́ли *див.* черви.

ПОЇСТИ: всі ро́зуми поі́сти. Стати дуже розумним. [Р я б и н а:] *Ще молоко на губах не обсохло, а воно гадає, що всі розуми поі́ло* (Фр.).

жда́ники (жда́нки) поі́сти (розгуби́ти). Втратити надію на можливість дочекатися кого-, чого-небудь.— *Добрий вечір,— привітався Шамрай.— Добрий,— відгукнулася Мар'яна.— Я вже й жданики поі́ла, а тебе все немає* (Собко); *Виглядала-виглядала, ждала-ждала Юлька, та й жданики поі́ла* (Рудь); *Ми ждали, ждали твоєї помочі, та й жданики поі́ли!* (Гуц.); [С т а р ш и н а:] *Дементій Васильович, ми вже вас ждали-ждали та й жданики поі́ли* (Кроп.); *Ждали, ждали, та й жданки розгубили* (Номис).

ло́жкою не поі́сти. Дуже багато, велика кількість чого-небудь.— *То він справді стільки грошви приніс, що ложкою не поі́сть, доки жити буде? — поцікавився Жменяк* (Томч.).

поі́сти бере́зової ка́ші *див.* скуштувати.

як (мов, ніби, на́че *і т. ін.*) **всі ро́зуми поі́сти.** Уживається для підсилення ознаки у значенні дуже, надто, занадто. *Мудрий, як би всі розуми поі́в* (Номис); — *Він, скажемо, на цей бік дурненький, а наші — такі всі розумні, наче всі розуми поі́ли* (Вовчок).

ПОЙНЯЛА: як пійма пойняла́ *див.* пійма.

ПОЙНЯТИ: не пойня́ти ві́ри *див.* йняти.

ПОКАЖЕ: пока́же час *див.* час.

ПОКАЗАТИ: ду́шу показа́ти; зу́би ∼ *див.* показувати; **не ∼ ви́ду** *див.* подавати; **не ∼ ноги́; не ∼ но́са; не ∼ оче́й** *див.* показувати.

показа́ти, де ко́зам ро́ги пра́влять. Провчити кого-небудь, завдаючи йому неприємностей, прикрощів і т. ін. *Терентій сердито сплюнув.. Шкода, що немає Бабака. Він би тобі показав, де козам роги*

правлять! (Рудь). С и н о н і м: **показа́ти, де ра́ки зиму́ють.**

показа́ти, де ра́ки зиму́ють. Провчити кого-небудь, завдаючи йому неприємностей, прикрощів і т. ін. *Брешеш, вражий сину... Ось коли б тільки мені до тебе добратися, я б тобі показав, де раки зимують* (Мирний); *Ось нехай він [німець] у наступ перейде на землі, а не під хмарами. Отут ми йому й покажемо, де раки зимують* (Кучер); *Немає на тебе, товаришу Чубарю, Бабака в обласному центрі! Він би тобі показав, де раки зимують!* (Рудь); — *Нічого, тобі в бригаді покажуть, де раки зимують* (Гашек, перекл. Масляка). С и н о н і м: **показа́ти, де ко́зам ро́ги пра́влять.**

показа́ти доро́гу *див.* показувати.

показа́ти ду́лю (фі́гу) [з ма́ком], *вульг.* Відмовити кому-небудь у чомусь, нічого не зробити, не допомогти і т. ін.— *В базарі він нам покаже дулю та й тим одбуде: хай зараз дає [гроші]* (Вас.); — *А що? — сказав [Латин],— чи поживились? От з Діомидом ви носились, А він вам фігу показав* (Котл.). С и н о н і м: **да́ти ду́лю** (в 1 знач.).

показа́ти клас чого і без додатка. Зробити, виконати що-небудь з великою майстерністю, з великим успіхом. *«Справді, весело, дівчата, Хоч трохи й пізно, а лягла зима! На лижах би! Та часу в нас нема, А то б могла я клас тут показати»* (Рильський); — *Ти пласт не цілою бери, а вмінням та підходом.— І все. Так ніби й не було це жодною подією.— Та серце дідове цвіло, пишалося надією: мовляв, Захар покаже клас* (Дор.); — *Коли б був талант, Снігур давно б уже переобладнав верстати по-своєму і показав би справжній клас роботи* (Автом.).

показа́ти кула́к *див.* показувати; **∼ на две́рі** *див.* вказувати.

показа́ти, на чо́му горі́хи росту́ть. Довести свою здатність, спроможність і т. ін. у чому-небудь.— *Ми, Саво, ще покажемо панству, на чому горіхи ростуть!* (Чорн.). С и н о н і м: **показа́ти, почо́му лі́коть ква́ші.**

показа́ти / рідко показу́вати [свої́] зу́би (ро́ги, па́зури). Виявити свою злостиву вдачу, злі наміри і т. ін.— *Хіба ти сама змалку не вивірила? Не дався він тобі ще узнаки? Підожди трохи, він покаже свої зуби ще гостріші, ніж колись... (Мирний); Тепер [після пожежі] настала для них гірка година. Батько до нестями марнувався, мати їла себе, свого чоловіка і дітей. Тоді й батько показав роги... (Круш.); Але, влещуючи однією рукою поспільство, пан Бжеський незабаром показав свої пазури* (Тулуб); — *Ось же написано чорним по білому — неблагонадійний! .. Це значить, що новий лад не може на вас покластися, що ви в любий момент можете показати свої пазури* (Збан.).

показа́ти / пока́зувати себе́ на ді́лі. Виявити

діяльністю свої здібності, позитивні якості, свій характер і т. ін. [Поля:] *Ні! Ти спочатку вивчи та покажи себе на ділі, а тоді вже й давай декламацію* (Мик.); *З нальоту кожен, сто чортів, до праці взявсь завзято, бо кожен сам себе хотів на ділі показати* (Дор.); *Покажи себе на ділі — Так говорять в нас в артілі* (Воскр.).

показа́ти, почо́му лі́коть ква́ші. Довести свою здатність, спроможність і т. ін. у чому-небудь. *Бачиш, виграли страйк... Показали Гельці, почому лікоть кваші...* (Мур.). С и н о н і м: **показа́ти, на чо́му горі́хи росту́ть.**

показа́ти п'я́ти; ~ **ре́бра** див. показувати.

показа́ти своє́. Виявити свої здібності, можливості і т. ін.— *Мене ніщо не лякає,— говорила Катерина.— От станемо в колгоспі на ноги, і моя ланка покаже своє* (Жур.); // Виявити, підтвердити і т. ін. що-небудь. *На півмісяця він їде до Каховки, а час і тривалі, спокійні роздуми своє покажуть* (Вол.).

показа́ти себе́. 1. Виявити свої здібності, можливості, позитивні якості. *Коли б тільки Чудин дав* [Мишуні] *час показати себе* (Ю. Янов.); — *Григорію Петровичу, будемо говорити прямо. Ви наробили багато дурниць — і на роботі, і в особистому житті.. Тепер вам дають змогу показати себе. Ось і покажіть. Беріть дільницю в руки* (Ткач):— *Не знаєш Юрка? Він же в нас ні се, ні те... Вайлуватий, нерішучий!.. Не вміє показати себе...* (Ряб.).

2. Видати себе за людину з певними якостями. *Не жили старші в миру й між собою: кожному бажалося вискочити перед начальством, показати себе за найкращого* (Мирний); *Мені хочеться.. показати себе веселим і цікавим, і ... красивим* (Ю. Янов.); *Кожна полонянка старається показати себе здоровою, ні на що не скаржиться* (Хижняк).

показа́ти спи́ну; ~ **спра́вжнє обли́ччя** див. показувати.

показа́ти това́р (крам і т. ін.) лице́м. Представити що-небудь з кращого боку, в найкращій якості. *Інакше кажучи, нікого не цікавить, що було у Вас на душі або дома, коли ви робили фільм. Ви мусите показати товар лицем* (Довж.).

показа́ти хара́ктер; ~ **хвіст** див. показувати.

ПОКАЗА́ТИСЯ: показа́тися на о́чі див. показуватися.

ПОКАЗУВАТИ: ду́шу пока́зувати / показа́ти. Щиро, з прихильністю ставитися до кого-небудь.— *Він сирота,— хто без мене його привітає? Хто про долю, про недолю, Як я, розпитає? Хто обійме, як я, його? Хто душу покаже?* (Шевч.).

зу́би пока́зувати / показа́ти. Посміхатися до кого-небудь. *Мій Омелько й собі.. до неї* [дячихи] *через тин: гі, гі, гі! і собі показує зуби* (Н.-Лев.); *А вулицею іде дядько Микола й питає: чи я сплю на пні, чи дрімаю? Я йому показую зуби й кажу:*

не сплю і не дрімаю (Стельмах); *Дівчата задивлялися на нього, часом і він показував їм зуби* (Ю. Бедзик).

не пока́зувати ви́ду див. подавати.

не пока́зувати на світ кого. Ховати кого-, що-небудь від сторонніх. *На зиму в степ перевів* [Улас Марину], *у землянці цілу зиму держав, на світ не показував, поки в неї коси не одросли* (Мирний).

не пока́зувати / не показа́ти ноги. Не приходити, не повертатися кудись, до кого-небудь. *Вийшов* [Василь] *з подвір'я рішуче, з твердим бажанням ніколи сюди не показувати ноги* (Чендей).

не пока́зувати (не явля́ти, не потика́ти і т. ін.) / не показа́ти (не поткну́ти і т. ін.) но́са. Не приходити, не з'являтися і т. ін. куди-небудь, до когось.— *А Клава Бережкова носа не показувала? — намагаючись надати своєму голосу цілковитої байдужості, запитав Андрій* (Собко).— *Не розумію я тебе, що ти за людина. Рая за тобою сохне, а ти й носа не показуєш* (Кочура); *А самі, мабуть, сидять у теплих хатах, сьорбають гарячий борщ і носа не показують* (Літ. Укр.); [Мальванов:] *Де ж мій Спичаковський? Давно пора одвезти на станцію ці ящики, а він пропав і третій день носа не являє* (Коч.). П о р.: **но́са не наверта́ти** (у 1 знач.); **оче́й не пока́зувати.**

оче́й не пока́зувати / не показа́ти. Не приходити, не з'являтися і т. ін. куди-небудь, до когось. *Часом цілі дні й тижні Єремія не показував очей в своїй господі, їздячи по своїх маєтностях* (Н.-Лев.); *Івась любив Карпа, і коли, провинившись у чому, не показував він очей, то Івась сам.. давай у дірки виглядати: чи не видно де товариша* (Мирний); [Прі́ська:] *Ну й сусідочки кругом обсіли. Тут такі тобі.. обсудливі, що хоч у свій двір очей не показуй* (Вас.); — *А чого це ти загордився, Тимофію? Всі люди, як люди, а ти котрий уже день і очей не показуєш* (Кучер); *Венера часто докучала Зевесу самою бриднеї. За те в неї молость і попала, Що нільзя показать очей* (Котл.); *Не можна Мотрі нікуди очей показати, щоб на неї пальцями не тикали* (Мирний). П о р.: **но́са не наверта́ти** (у 1 знач.); **не пока́зувати но́са.**

пока́зувати (відкрива́ти) / показа́ти (відкри́ти) спра́вжнє (ді́йсне, нове́ і т. ін.) обли́ччя. Давати можливість побачити справжні погляди, наміри, риси характеру і т. ін. — *Годі! — прошепотів я крізь зуби.— Кричиш? Ось ти й покажеш своє справжнє обличчя! — мало не плачучи, мовила Настка* (Автом.); *Я порішив чекати доказів своєї правоти, хоч уже черв'як сумніву заповз у мою душу. Ждати довелося недовго. Ванновський скоро показав своє дійсне обличчя* (Хотк.); *Друга світова війна відкрила нове обличчя Гамсуна — людиноненависницьке, фашистське обличчя* (Рильський).

пока́зувати па́льцем див. тикати.

пока́зувати / показа́ти доро́гу [да́лі] кому. Відмовляти, не задовольняти прохання кого-небудь. *На що вже Нестір був майстер проситися, але і йому раз у раз показували дорогу далі* (Гончар).

пока́зувати / показа́ти кула́к. 1. Погрожувати кому-небудь. *Охоплений нових надій тремтінням — А смерть уже на чоло клала знак,— Він небу, гордий, показав кулак* (Рильський).

2. Бути невдячним, платити за зроблене добро поганими вчинками. *Ти його борони від собак, а він тобі покаже кулак* (Укр. присл..).

пока́зувати / показа́ти на две́рі кому. Проганяти кого-небудь. *Друга б на її місці давно йому [чоловікові] на двері показала, раз він такий...* (Кучер).

пока́зувати / показа́ти порі́г (поро́га, одві́рок, одві́рка, доро́гу, шлях і т. ін.**).** Виганяти кого-будь.— *Ага, покосили, помолотили, то зараз мені дорогу показуєте?! Виганяєте, як пса коростявого?!* (Томч.); [Р у ф і н:] *Не можу я їм показать порога, коли їх сам в хату кликав* (Л. Укр.); [С т е п а н и д а:] *Коли вам, добродію, честю сказали, щоб ви минали нашу хату, так хіба хочете, щоб вам одвірка показали?* (Кроп.); *Я був певний, що на понеділок Семен знайде іншого наймита, а Степанові покаже широкий шлях* (Бузько); // Відмовляти кому-небудь у чомусь.— *Роксана казала, що ви надумали віддати її [заміж] у Коломию, боявся я, прийдемо до вас, а ви нам поріг покажете* (Хижняк).

пока́зувати / показа́ти п'я́ти. Швидко йти геть, тікати. [С л а в о к *(грізно):] Чого стовбичиш під чужим вікном? Підслухуєш? Ану показуй п'яти!* (Підс.). **пока́зувати п'я́тки.** *Гнат узяв у здорову руку олівець.— Давайте розберемо, хто в нас є такий на прикметі, щоб накрити, доки він сам п'яток не показав* (Тют.).

пока́зувати / показа́ти [свої́] ре́бра. Бути худим, виснаженим. *Огорожа погана, у дворі мало будівлі, ще менше живого: тільки коняка показувала там свої ребра* (Гр.).

пока́зувати / показа́ти спи́ну (поти́лицю) кому. 1. Відступати, тікати, виявляючи своє боягузтво. *Мав [Савка] святе правило — ніколи не показувати ворогові спини* (Д. Бедзик); *Князь Ігор був мудрий і сміливий. Княгиня Ольга пригадує, як рішуче й безжально судив він дружину свою, коли хто перед ворогом показував спину* (Скл.); *Суворов знав генерала Река як людину, що не звикла показувати потилиці ворогові* (Добр.).

2. Відвертатися або іти геть, виявляючи зневагу до кого-небудь.— *І стида і сорома [сорому] немає, й честі! Я йому спину показую, а він щодня... Сказано: з хама не буде пана! — каже розгнівана генеральша* (Мирний); — *От народжує типів епоха,— сказав Баглай до архітектора і з неприхованою, якоюсь навіть бридливою зневагою відвернувся від Лободи. І військкомен-*

ко теж одразу спину показав на знак презирства (Гончар).

пока́зувати / показа́ти хара́ктер. Виявляти впертість, стійкість і т. ін. у чому-небудь.— *Тимофію! — начальницьким голосом гукнув старшина.— Ти перед людьми свого характеру не показуй! Іди проспись!* (Смолич); *Та.. злагода, що жила колись у дідовій оселі, далеко відійшла від спадкоємців. Найбільше показувала характер братова* (Стельмах); *Викликали його один раз на допит — мовчить, викликали другий — знову мовчить, показує характер* (М. Ю. Тарн.).

пока́зувати / показа́ти хвіст (хвоста́) кому. Тікати від кого-небудь. *Не встигли підійти, як хлопці показали хвіст.*

пока́зувати себе́; ~ себе́ на ді́лі див. показати.

ПОКА́ЗУВАТИСЯ: пока́зуватися / показа́тися на о́чі. 1. З'являтися до кого-небудь, кудись і т. ін. *Левенець не був винятком. Його світлоярівська дружина Сашка викрила обман і негайно вигнала землеміра, заборонивши будь-коли показуватися на очі* (Загреб.); *Потім раптово Юрко.. місяців зо два не показувався на очі, і їй стало неспокійно на душі* (Стельмах); *Ганна, як на зло, так і не показувалася на очі. Відкрито ж розшукувати її не наважувався* (Стельмах).

2. кому і без додатка. Зустрічатися з ким-небудь. *Тільки непокоїла його та думка, як він покажеться дома родичам на очі?* (Март.); — *А не приходила [жінка]? — Ні,— сказав Тихін і поклав ложку,— не приходила, і сам ходив до неї, то не показалась і на очі* (Головко).

ПОКАРА́В: щоб тебе́ Бог покара́в див. Бог.

ПОКАРА́Є: хай мене́ Бог покара́є; хай тебе́ Бог ~ див. Бог.

ПОКИ: Бог зна по́ки див. Бог.

ПОКИДА́Є: ду́мка не покида́є див. думка.

ПОКИДА́ТИ: покида́ти / поки́нути бі́лий (цей, сей) світ. Помирати.— *Я вже, братику,— обернувсь Кирило Тур ізнов до Петра,— покидав зовсім сей світ* (П. Куліш); *А як настане мій час сей світ покидати, от тоді я тобі дам вольну* (Мирний); *Запровадь мене додому Меж мою родину: Там без жалю і без скарги Білий світ покину* (Рудан.); *Так ще мати робила, коли дівувала. І в тітки такі ж — з прошвою. Давно вони з матір'ю покинули цей світ, а рушники на згадку їй — Гальці* (Літ. Укр.). С и н о н і м и: **покида́ти грі́шну зе́млю; іти́ в дале́ку доро́гу; іти́ з сві́ту; відпра́витися на той світ.**

покида́ти / поки́нути грі́шну зе́млю. Помирати. *Напускає [отець Миколай] на своє досить земне обличчя святість і так підіймає руки, наче збирається покидати грішну землю* (Стельмах). С и н о н і м и: **покида́ти бі́лий світ; іти́ в дале́ку доро́гу; відпра́витися на той світ.**

ПОКИ́ДАТИ: покида́ти чуби́, заст. Стати солдатами. *Хлопці покидали чуби та пішли в рекрути.*

ПОКИНУЛА: душа́ поки́нула див. душа.

ПОКИНУТИ: поки́нути білий світ; ~ грішну зе́млю див. покидати.

поки́нути ду́мку. Не мріяти про кого-, що-небудь, не розраховувати на щось, не планувати чогось нездійсненного. *Треба було покинути думку про якесь справжнє діло серед свого люду, у рідній країні* (Коцюб.) С и н о н і м: **ви́кинути з голови́.** А н т о н і м: **не йти з ду́мки.**

поки́нути пече́не й варе́не див. кидати.

ПОКІЙ: вічний по́кій див. пам'ять.

ПОКІНЧИТИ: покі́нчити з собо́ю. Позбавити себе життя, вчинити самогубство. *Про М. Є. одержав учора листа від доктора. М. Є. покінчив з собою пострілом з револьвера* (Ленін); *І саме тому, що — на випадок катастрофи — у нього було тепер чим покінчити з собою, він почував себе майже в цілковитій безпеці* (Гончар).

покі́нчити раху́нки див. кінчати.

ПОКЛАДАТИ: і в голові собі не поклада́ти див. класти.

не поклада́ти рук, з сл. п р а ц ю в а́ т и і под. Невтомно, сумлінно, з великим завзяттям. *Було у неї одно добро, задля котрого вона [Пріська] робила-працювала, рук не покладала* (Мирний); *Робітники, інженери, вчені, академіки, майстри мистецтва і майстри плавок, забоїв, верстатів — всі працюють не покладаючи рук* (Довж.); *Євген Вікторович, не покладаючи рук, працює над великою науковою працею по хірургії* (Ле); *Не покладаючи рук, трудяться [металурги] над здійсненням своїх планів* (Наука..).

2. Працювати, трудитися. *Ніхто її не побачить ніде і ні з ким, усе за роботою та по господарству, цілий день рук не поклада* (Кв.-Осн.); *Юруш розказував, як то він піклується та падкує коло князівського добра, .. рук не покладає* (Н.-Лев.).

поклада́ти гріх на кого. Звинувачувати кого-небудь у чомусь. *Я ні на кого не покладаю гріха, як на Петра* (Сл. Гр.).

поклада́ти ду́шу див. віддати.

ПОКЛАДЕ: як Бог на ду́шу покладе́ див. Бог.

ПОКЛАДУТЬ: як (коли́) покладу́ть на ла́ву. Як помре хто-небудь. [М а й с т е р:] *Що ж тепер? Лежатимеш?..* [Д у д а р:] *Га? Я лежатиму? (Підводиться).* [Г о л о с:] *Мабуть, як на лаву покладуть, аж тоді...* (Мик.).

ПОКЛАСТИ: і ла́пки покла́сти. Утратити пильність, необачно довіритися кому-небудь. *Держав [Шовкун] тепер цілий повіт у своїх руках, заправляючи ним по своїй хіті, замість недалекого й ледачого «предводительського синка». Той і лапки поклав: роби, мов, що хоч, що знаєш!* (Мирний); [В а с и л и н а:] *Не роби так, як, буває, інші, що тільки парубок моргне їй, вона вже й лапки покладе* (Вас.).

[і] на зуб нічого покла́сти кому, у кого. Хто-небудь зовсім не має продуктів харчування. *Лук'ян, худий, сірий, злий, сказав: — Ви собі дома, може, хоч який сухар маєте, а нам і на зуб нічого покласти* (Панч). С и н о н і м и: **нема́ чого в рот покла́сти; кла́сти зу́би на поли́цю.**

нема́ чого в рот покла́сти див. нема; **~ в домови́ну** див. класти. **покла́сти в осно́ву** див. класти.

покла́сти в се́рці (до се́рця). Запам'ятати що-небудь. *Ті малі кияни, які гасають на роликових самокатах київськими вулицями, нехай замисляться і покладуть до серця імена двох своїх товаришів, яким було разом не більше, ніж півтора десятка років* (Ю. Янов.).

покла́сти го́лову див. зложити; **~ го́лову під соки́ру** див. класти; **~ ду́шу** див. віддати; **~ життя́** див. зложити; **~ зу́би на поли́цю** див. класти; **~ на вівта́р** див. нести; **~ на зуб** див. кидати; **~ на му́зику** див. класти.

покла́сти на [обидві] лопа́тки кого. Перемогти в дискусії, полеміці, суперечці кого-небудь. *Після натяку Башкуєва він просто не знав, що говорити, почуваючи, що його поклали на обидві лопатки* (Добр.).

покла́сти на папі́р див. класти.

покла́сти на пле́чі чиї, кому. Поставити кого-небудь перед необхідністю виконання, здійснення чого-небудь. *У воєнні роки історія поклала на плечі нашого народу важке завдання — вистояти і перемогти ворога.*

покла́сти на ча́шу ваги́ див. класти.

покла́сти о́ко. Виявити свою увагу, симпатії до кого-небудь. *Та й Фанас раніше за інших.. поклав око на Бурлаївну, підбивав клинці, вторував свою стежку до грушки над балкою* (Рудь); *Бо де ж є такий чоловік у Яблунівці, щоб на вродливу жінку, та не поклав свого ока* (Гуц.). С и н о н і м: **ки́нути о́ком** (у 3 знач.).

покла́сти осно́ву чому. Створити те, що є вихідним, початковим, основним для чого-небудь. *Саме І. І. Срезневський поклав основу історичному вивченню російської мови в її зв'язку з іншими слов'янськими мовами, насамперед з українською і білоруською* (Мовознавство).

покла́сти під соки́ру див. класти.

покла́сти поча́ток. Виявитися, стати зачинателем у чому-небудь. *Політ Юрія Гагаріна у квітні 1961 року поклав початок практичному освоєнню людиною космічного простору* (Веч. Київ); *Зводячи стіни першого добротного будинку на центральній вулиці, Свирид Карпович поклав початок у відбудові рідного села, порушеного фашистами* (Рад. Укр.).

покла́сти ру́ку на се́рце. Щиро, відверто. *Покла́вши руку на серце, давайте відразу скажемо, що виступ цей мав у собі від Дмитра Череди хіба що темперамент і стрімкивість у читанні* (Загреб.).

покла́сти тавро́ *див.* накладати; ∼ тру́пом *див.* класти; розжува́ти і в рот ∼ *див.* розжовувати.

ПОКЛИКОМ: за по́кликом се́рця. Відповідно до своїх прагнень, бажань, почуттів і т. ін. *Серед робітників народився чудовий рух — наставництво. Кадрові виробничники з власної волі, за покликом серця навчають молодь працелюбності, майстерності* (Роб. газ.). П о р.: **за велінням серця.**

ПОКЛОНИ: би́ти покло́ни *див.* бити.

ПОКОПАТИСЯ: покопа́тися в своїй голові́. Глибоко подумавши, зважити на що-небудь. *Сама у своїй голові покопайся, у своїй душі порийся та й спитай себе: чи винувата ти, чи ні?* (Мирний).

покопа́тися в своїй па́м'яті. Змусити себе згадати що-небудь. *Він глянув на Таню здивовано, мить покопався у своїй пам'яті, нічого там не знайшов* (Собко).

ПОКОПИРСА́ТИСЯ: покопирса́тися в душі́ чиїй (у се́рці чиєму). Проявивши надмірний інтерес до кого-, чого-небудь, дізнатися про щось інтимне, потаємне і т. ін. *Він покликав цього хлопчину, щоб трохи покопирсатися в його душі наодинці* (Кол.); [Л у ч и ц ь к а (*ніяково*):] *Всякому до мене діло, всяк хоче покопирсатися в чужому серці...* (Стар.).

ПОКОРИТИ: покори́ти се́рце *див.* покоряти.

ПОКОРЧИЛО: бода́й (щоб і т. ін.) но́ги і т. ін.) поко́рчило кому. Уживається як лайка з побажанням всього недоброго. [О х р і м:] *А бодай тобі ноги покорчило, стара собака, і чого він причвалав?* (Кроп.); *Тобі мало було мого сала, так ти ще до людини пристав жувати, щоб тобі язик покорчило!* (Тют.).

ПОКОРЯТИ: покоря́ти / покори́ти се́рце чиє. Викликати у кого-небудь любов до себе. [С е р е д а:] *Вдруге він уже не важився покоряти серця відважних трактористок* (Мик.); *Ви, пані,— ангел, Ви покорили моє серце* (Фр.); *Старий лікар вкрай покорив серце онука* (Грим.).

ПОКОТИ: хоч покоти, з сл. нема і под. Абсолютно, у повній мірі.— *Спробуй .. купити в нашому районі соснову або дубову дошку! Нема ніде, хоч покоти* (Автом.).

ПОКОТИЛАСЯ: голова́ покоти́лася *див.* голова; душа́ так і ∼ *див.* душа.

ПОКОТИЛИСЯ: покоти́лися дрібні сльо́зи *див.* сльози.

ПОКОТИСЯ: хоч покоти́ся. Дуже чисто, начисто. *«Ви вже, татусю, своє одробили, годі вам поратись». Та й попорав [Василь] і повичищає всюди, двір вичистить, вимете, хоч покотись* (Барв.).

ПОКОТИТИ: і го́ри покоти́ти. Справитися з найважчою роботою, з найскладнішими завданнями. *Коли б то Иван схаменувся Та з Дону вернувся! Я б ні о чім не тужила Й гори б покотила!* (Укр. поети-романтики..); — *Чую,— засміялася*

весело мати,— я чую та оце й думаю,— що за такими синами та й гори покотити! (Головко)

покоти́ти бо́чку *див.* котити.

ПОКОТИТИСЯ: ма́ло не покоти́тися по́котом від смі́ху *див.* лопнути.

ПОКОТОМ: ляга́ти по́котом від смі́ху *див.* лягати.

ПОКОЮ: не дава́ти по́кою *див.* давати.

ПОКРИВАЛОМ: під покрива́лом чого. Маскуючи чимсь що-небудь, використовуючи щось як прикриття, як захист і т. ін. *Отакий чоловік, мій зять! Під покривалом віри хова всі свої безсовісні діла* (Мирний); *Геть брехню під покривалом прав!* (Рильський).

ПОКРИВАТИ: покрива́ти / покри́ти го́лову (ко́су), *етн., заст.* 1. Одружуватися з ким-небудь (про дівчину, жінку).— *Ховайся, ховайся, дівчино! Час тобі скидати квітки та покривати голову хусткою!* — крикнув Василь (Н.-Лев.). покри́ти голі́воньку.— *Свята Покрівонько, покрий мені голівоньку* (Номис).

2. тільки док. ко́су. Стати покриткою. покри́та коса́. *Прийшли вісті недобрії — В поход затрубали. Пішов москаль в Туреччину; Катрусю накрили. Незчулася та й байдуже, Що коса покрита: За милого, як співати, Любо й потужити* (Шевч.).

ПОКРИВАТИСЯ: пи́лом покрива́тися *див.* припадати.

ПОКРИВАЄ: сла́ва покрива́є *див.* слава.

ПОКРИВИТИ: покриви́ти душе́ю *див.* кривити.

ПОКРИЙ: покри́й сира́ земля́ кого. Уживається для вираження та бажання смерті кому-небудь. *Обернулась [Оксана] до землі, заплакала навзрид і каже: «Покрий мене, сира земля, нехай я не бачу!..»* (Кв.-Осн.).

ПОКРИЛА: моги́ла покри́ла *див.* могила.

ПОКРИТИ: покри́ти го́лову *див.* покривати.

ПОКРИТИСЯ: пи́лом покри́тися *див.* припадати.

покри́тися земле́ю. Померти. *Легше, мої любі, покриться землею, Ніж бач[ить], як другий, багатий, старий, Цілує за гроші, вінчається з нею...* (Шевч.).

ПОКРИШКИ: бода́й він не знав ні дна ні по́кришки *див.* він; щоб ні дна ні ∼ *див.* дна.

ПОКРИШКУ: під по́кришку, з сл. с т р и́ г т и, с т р и́ г т и с я, обчикри́жити і т. ін. Суцільною рівною лінією на лобі й на потилиці, навкруг. *Тато, обчикриживши його «під покришку», та надивившись на той череп'яний комір, казав: «Знімай, Марку, сорочину, хай баби виперуть, а мою надінеш»* (Григір Тют.).

ПОКРОПИТИ: покропи́ти кров'ю (по́том, слізьми́ і т. ін.). Здобути великими зусиллями, тяжкою працею і т. ін. покро́плений кро́в'ю [й по́том]. *Город над Дунаєм, де кожен камінь покроплений кров'ю, мусив ще раз рятувати людей від смерті*

(Скл.); [М а м а й:] *Ось яка вона, значить, наша земля... кров'ю й потом покроплена* (Ю. Янов.).

ПОКРУТИТИСЯ: покрути́тися на слизько́му *див.* крутитися.

ПОКУ́ТУ: пусти́ти ду́шу на поку́ту *див.* пускати.

ПОКУШТУВАТИ: покуштува́ти бере́зової ка́ші *див.* скуштувати; ~ **гарбуза́** *див.* діставати; ~ **хлі́ба** *див.* скуштувати.

ПОЛАМА́Є: сам чорт но́гу полама́є *див.* чорт.

ПОЛАМА́ЛО: бода́й (щоб *і т. ін.***) ру́ки і но́ги полама́ло** *кому, безос.* Уживається як лайка з побажанням чогось недоброго.— *Куди ти тютюн ламаєш, бодай тобі руки і ноги поламало!* (Довж.).

ПОЛА́МАНИЙ: як (мов, ні́би, на́че *і т. ін.***) пола́маний** *хто, що.* Хто-небудь відчуває біль у всьому тілі. *Він від хвороби був такий, як поламаний* (Коб.); *Все тіло ниє, наче поламане* (Багмут).

ПОЛАМА́ТИ: полама́ти зу́би *див.* ламати.

полама́ти (переломи́ти *і т. ін.***) / рідко лама́ти ребра (кістки́** *і т. ін.***).** Сильно побити кого-небудь. *Всі обурювались вчинком невідомого, шофери нахвалялись ребра поламати* (Гончар); [О г н є в:] *Ти не дивися, що худенький і в окулярах, кістки може поламати [Орлик] будь-кому* (Корн.); *Всі з його сміються, діти дражнять, а він [Хомка] їм свариться кістки переломити* (Мирний); *Родина Гамаліїв з діда-прадіда перебойці. Образи не пробачать, з двох слів у бійку лізуть. Ще й досі топче землю Інокентій Гамалія, на старість бороду виховав, як просяний віник, а замолоду парубкам ребра ламав* (Тют.). П о р.: **облама́ти ре́бра** (в 1 знач.). С и н о н і м и: **полата́ти бо́ки** (в 1 знач.); **облата́ти бо́ки** (в 1 знач.).

полама́ти сло́во; ~ хребе́т; ~ язи́к *див.* ламати.

ПОЛАТА́ТИ: полата́ти дірки́ *див.* латати.

полата́ти зли́дні (убо́гість, убо́жество *і т. ін.***).** Налагодити чиї-небудь фінансові справи. *Що генеральша придбала, те й уплило за дочками. Треба, значить, знову складати, своє убожество полатати* (Мирний).

полата́ти / лата́ти бо́ки (рідко ре́бра *і т. ін.***).** 1. Сильно побити кого-небудь.— *Козацтво тепер стоятиме усі в зборі; полатаймо нам боки, та з тим і додому вернемось* (П. Куліш); *Марш до пекла, бо як вийду, То ще й боки полатаю* (Сам.); — *Як побачу тебе ще раз коло Василини, то так полатаю тобі ребра оцими кулаками, що ти й додому не дійдеш* (Н.-Лев.). П о р.: **облата́ти бо́ки** (в 1 знач.). С и н о н і м и: **полама́ти ре́бра; облама́ти ре́бра** (в 1 знач.).

2. *перен.* Карати когось. *Тепер мені погуляти, заки мені спокій. Та й заки мі лиха доля не латає боки* (Коломийки).

полата́ти литки́ *кому, жарт.* Покусати (перев. про собак). [П р о к і п С в и р и д о в и ч:] *Пій-*

май, Химко, собаку та прив'яжи на ланцюг, щоб часом не кинулась на кого та не полатала литок* (Стар.); [С т а р ш и н а:] *А клятий рябий пес трохи литок не полатав начальникові* (Кроп.).

полата́ти штани́ (жупа́н, кафта́н *і т. ін.***) кому.** Сильно побити кого-небудь.— *Чуєш, корчмарю, опришки чекають. Як маєш гроші, то давай сюди, бо відберуть та ще й кафтан тобі полатають* (Казки Буковини..).

ПОЛЕ: по́ле зо́ру. 1. Простір, який можна охопити поглядом; видимість. *Дуб зникає з поля зору* (Багмут); *Я з цікавістю розглядав птаха. Та він змахнув дужими крильми і впав до землі. Я відразу загубив його з поля зору* (Хор.).

2. Коло інтересів, предмет діяльності. *Чому в цій ліриці таке звужене поле зору автора..?* (Не ілюстрація..). **у по́лі зо́ру.** *Справа навчання працюючої молоді завжди має бути в полі зору обкомів, райкомів партії* (Рад. Укр.); *Питання пропаганди передового досвіду завжди в полі зору працівників міністерства* (Хлібороб Укр.).

ПОЛЕТИ́ТЬ: аж пір'я полети́ть *див.* пір'я; **дмухни́ і ~** *див.* дмухни; **тільки пух ~** *див.* пух.

ПОЛЕТІ́ЛИ: іскри з оче́й полеті́ли *див.* іскри.

ПОЛЕТІ́ТИ: полеті́ти ві́тром *див.* летіти.

полеті́ти в пові́тря. 1. Розлетітися на шматки від вибуху; вибухнути, зірватися. *Пароплав, на якому він мав повезти міни, полетів у повітря біля турецьких берегів* (Ю. Янов.). П о р.: **злетіти в повітря.**

2. Даремно пропасти. *Художник [Ференц] непокоївся, що будинок зірвуть, і вся праця його полетить у повітря* (Гончар).

полеті́ти в прі́рву; ~ догори́ нога́ми *див.* летіти; ~ **в трубу́** *див.* вилітати; ~ **до чо́рта** *див.* іти; ~ **к бі́су** *див.* летіти; ~ **пра́хом** *див.* іти; ~ **сторч голово́ю; ~ стрімголо́в; ~ шкере́берть; ~ як му́хи на мед** *див.* летіти.

[як (мов, ні́би, *і т. ін.***)] полеті́ти за (із) ві́тром.** 1. Набути розголосу, поширитися. *За вітром слава полетіла. По всіх усюдах і кутках* (Гл.).

2. Безслідно зникнути, пропасти, щезнути. *Її честь, яку здобула собі довгою службою у своєї пані, тепер розвіялася, немов із вітром полетіла* (Коб.).

ПОЛЕТЯ́ТЬ: тільки бри́зки полетя́ть *див.* бризки.

ПОЛИ́: з-під поли́, з сл. к у п у в а́ т и, п р о д а в а́ т и *і т. ін.* 1. Таємно, крадькома, незаконно.— *Нічого ані купить, ані тобі продати,— хіба з-під поли, крадькома* (Еллан); — *Тихцем з-під поли продавав [Марченко] чоботи на базарі* (Стельмах).

2. Нелегально, секретно. *Збір було призначено на вигоні біля тих самих вітряків, де глитайня підняла колись на крилі свого найлютішого ворога Яреська Матвія, що водився з кременчуцькими*

бунтарями і читав з-під *поли* селянам *проти*царські афішки (Гончар).

із полі́в в по́лу́, з *сл.* **в і д д а́ т и, п е р е д а́ т и** і т. ін. Безпосередньо від одного до іншого. *Не довго торгувались.. і стригун* [*кінь*] *із поли в полу перейшов до мене* (Збірник про Кроп.).

ПО́ЛИ: би́тися об по́ли рука́ми *див.* битися; **врі́зати ∼** *див.* врізати; **лови́ти за ∼** *див.* ловити; **як за ∼ тя́гне** *див.* тягне; **∼ вріж та тіка́й** *див.* вріж; **сми́кати за ∼** *див.* смикати.

ПОЛИВА́ТИ: полива́ти бру́дом *див.* обкидати.

полива́ти / поли́ти по́том, з *сл.* **з е́ м л ю, п о́ л е** і т. ін. Важко працювати, трудитися, обробляючи землю, і т. ін. *Сидить смерд на землі, та не він господар; оре землю, поливає її своїм потом, та бояринові і князеві кращу частку врожаю мусить давати* (Хижняк); *Перебивався* [*Гордіїв рід*] *тим, що абияк орав, скородив, засівав, поливав потом запорізькі волелюбні степи* (Дмит.); *— Коли оді*брали *ниву, то хай же я краще у воді бовтаму*сь, *ніж своїм потом чужу землю поливатиму...* (Л. Янов.). **поли́тий по́том.** *— Вся земля наша, одвіку, бо кожна грудка, кожен упруг политі потом* (Коцюб.).

полива́ти / поли́ти сльоза́ми (слізьми́, сльозо́ю і т. ін.**) кого, що.** Дуже, гірко плакати. *Не сонтрава на могилі Вночі процвітає, То дівчина заручена Калину сажає, І сльозами поливає, І господа просить* (Шевч.); *Не любить мене він, мамо,.. а я ж оддала найкраще... І знов поливала сльозами й кусала подушку гарячу* (Сос.); *Він* [Т. Г. Шевченко] *писав і не знав, що тисячі жінок поливатимуть сльозами його щирі, його гнівні рядки, його «Катерину»* (Ів.); *Він читав його* [«Кобзар»], *коли на душі було важко, читав і поливав сльозою читане* (Збан.). **полива́ти гірки́ми сльзьми́.** *Гомоніли одрадяни про несподіване Федорове щастя.. Коли б іще не довелося Федорові гіркими слізьми поливати те покумання...* (Мирний). **поли́тий сльоза́ми (слізьми́).** *Хай над нами* [загиблими] *світить ясна зірка, Навіть та потріскана фанірка, Людськими сльозами вся полита, в бронзі монументів не одлитая* (Мал.); [М а м а й:] *Ось яка вона, значить, наша земля... Слізьми полита* (Ю. Янов.).

ПОЛИВ'Я́НИМ: тю́тя з поли́в'яним но́сом *див.* тютя.

ПОЛИЗА́ТИ: як ме́ду полиза́ти. Щось дуже принадне, бажане. *Балакали ми, балакали, і чим більше товкли про той Борислав, тим він кращим, понадливішим здавався. Ну, просто так, як меду полизати!* (Фр.).

ПОЛИН: розкуштува́ти поли́н *див.* розкуштувати.

ПОЛИНОМ: душа́ заросла́ полино́м *див.* душа.

ПОЛИНУ: гірш полину́ *див.* гірш.

ПОЛИНУТИ: пла́вом поли́нути *див.* пливти.

поли́нути ду́мкою (ду́мками, мрі́ями) кудись,

поет. Уявляти себе де-небудь в іншому місці, у якомусь стані і т. ін. *Правда нам світитиме крізь хмари, Ми ж далеко думкою полинем* (Л. Укр.); *Михайло мимоволі полинув думками в Каховку* (Зар.); *Онук, закинувши руки за потилицю, полинув мріями своїми знову до Індії...* (Вол.).

ПОЛИ́ТИ: поли́ти бру́дом *див.* обкидати; **∼ по́том; ∼ сльоза́ми** *див.* поливати.

ПОЛИ́ТИЙ: поли́тий кро́в'ю. 1. Який зазнав багато горя, страждань; згорьований. *І постане на згарищах, на руїнах, на кладовищах, на политій кров'ю благородній землі нова наша Україна ще прекрасніша, ще дорожча на радість усьому світові* (Довж.); *Кров'ю галицька земля полита, Вся — неначе згарище одно* (Павл.); *Рясно полита кров'ю земля Європи за роки двох світових воєн* (Веч. Київ).

2. *кого.* Відвойований, здобутий важкою боротьбою. *Порослі травою окопи не дають забути, що земля ця полита кров'ю наших солдатів, які стояли насмерть* (Образотв. мист.).

ПОЛИ́ЦЮ: кла́сти зу́би на поли́цю *див.* класти.

ПОЛІ: трима́ти в по́лі зо́ру *див.* тримати; **шука́ти вітра в по́лі** *див.* шукати; **як билина в ∼** *див.* билина.

ПОЛІ́ЗЕ: шмато́к не полі́зе у го́рло *див.* шматок.

ПОЛІ́ЗЛА: душа́ в п'я́ти полі́зла *див.* душа.

ПОЛІ́ЗЛИ: бро́ви полі́зли на ло́ба *див.* брови; **мура́шки ∼ по спи́ні** *див.* мурашки.

ПОЛІ́ЗЛО: аж воло́сся полі́зло вго́ру *див.* волосся.

ПОЛІ́ЗТИ: в петлю́ полі́зти; живи́м до бо́га ∼; за сло́вом у кише́ню не ∼ *див.* лізти; **∼ в амбі́цію** *див.* ударитися.

полі́зти до чо́рта на ро́ги. Перебороти будь-які перешкоди, труднощі і т. ін. для досягнення своєї мети. *Він за бабою й на роги до чорта полізе* (Укр.. присл..); *Так любив* [Кирило] *молодиць та удовиць, що за бабою не побоявся б полізти й до чорта на роги* (Гуц.). П о р.: **полі́зти чо́ртові в зу́би.**

полі́зти (*рідко* **лі́зти) живце́м (живи́м) у моги́лу (в я́му).** Заподіяти собі смерть, позбавити себе життя. *Молоде, одважне, В бою як буде необач*не, *То може згинуть неборак; Тогді* [тоді] *не буду жить чрез силу, Живцем полізу я в могилу, Ізгину* (Котл.); *— Я і сама б хотіла скоріш по*мерти. *Так живцем у могилу не полізеш* (Стельмах); *— Лишалось одне — або живцем у могилу лізти, або протестувати, битись за життя* (Ком. Укр.). **живи́й у я́му (у моги́лу) полі́зеш.** *Було б хоч здоров'я, а то вийшов од пана од і до вітру хилюсь. Блідий, очі запали: нічого не зробиш, не полізеш у яму живий,— ходжу з сокирою, з ціпом, виглядаю роботи* (Тесл.); *Якби не Яковець, то, може, сама б, жива, за ним* [Петрусем] *у могилу полізла* (Григ.).

полі́зти на го́лі ша́шки; ~ на ніж *див.* лізти; ~ на пробі́й *див.* іти; ~ на ро́ги; ~ на роже́н; ~ на сті́нку; ~ про́ти рожна́; ~ ра́чки; ~ у ві́чі; ~ у пе́кло; ~ у пля́шку *див.* лізти.

полі́зти чо́ртові в зу́би. Перебороти будь-які перешкоди, труднощі і т. ін. для досягнення своєї мети. *Василь був сміливцем, відчайдушно-хоробрим хлопцем, який би самому чортові в зуби поліз* (Ю. Бедзик). П о р.: полі́зти до чо́рта на ро́ги.

полі́зти чо́ртові на ро́ги *див.* лізти.

ро́гом полі́зти. Збільшитися, посилитися. *Увесь день стояла в лісниковій хаті рожево-золота темрява, увесь день були замуровані вікна, і к вечору мороз рогом поліз* (Вас.).

ПОЛІНОМ: полі́ном не доб'є́ш *див.* доб'є́ш.

ПОЛІ́ТИКА: стра́усова полі́тика *див.* поведі́нка.

ПОЛІ́ЧЕНІ: дні полі́чені *див.* дні.

ПОЛІЧИ́ТИ: полічи́ти зу́би *див.* перелічити.

полічи́ти (порахува́ти, полоскота́ти, потовкти́ і т. ін.) ре́бра *кому*. 1. Дуже сильно побити кого-небудь. *Вилазь лишень; я тобі ребра полічу, як ніхто тобі їх не лічив...* (Мирний); *— Ми йому, сучому синові, зараз полічимо ребра,— підвелося вгору кілька важких кулаків* (Стельмах); *Скакав [Псякревський] з воза на віз,.. поки не перебив усі горшки на ярмарку. Торговці у відповідь порахували йому ребра і потягли його до поліції* (Казки Буковини..); *— Ти що, парубче, може, товчеників захотів? — нарешті вирвалося у Левка.— А то нам втрьох не довго ребра полоскотати* (Стельмах). С и н о н і м и: наби́ти мо́рду (в 1 знач.); нагрі́ти бо́ки; нагодува́ти цибу́лькою.

2. *перен.* Розгромити, перемогти в бою кого-небудь. *Сповістив подругу, що Червона Армія під Москвою потовкла фашистам ребра* (Горд.).

ПОЛІШИНЕ́ЛЯ: секре́т полішине́ля *див.* секрет.

ПОЛКУ́: на́шого по́лку прибуло́ *див.* прибуло.

ПОЛОВИ́НА: прекра́сна полови́на (стать) [ро́ду лю́дського], *жарт.* Жінки.— *Отож нічого не відказала [хазяйка], а тільки плюнула, так-таки й плюнула на вічний сором прекрасній половині роду людського...* (Коцюб.).

ПОЛОВО́Ю: голова́ не полово́ю наби́та *див.* голова; голова́ наби́та *див.* голова; ланту́х з ~ *див.* лантух.

ПОЛОВУ́: дава́тися як горобе́ць на по́лову *див.* даватися.

переві́ювати ~ *див.* перевіювати.

ПОЛОЖИ́ТИ: положи́ти в домови́ну *див.* класти.

положи́ти гріх на ду́шу. Зробити який-небудь непорядний вчинок, вчинити злочин. *Душе моя!.. Таки зрослась зо мною нерозривно. Чи гріх, чи два на душу я положу,— Ну що ж, коли не можу та й не можу Тебе віддерти* (Фр.).

положи́ти зарі́к. Поклястися, взяти на себе

який-небудь обов'язок. *Настя положила зарік якнайчастіше навідуватися до хрещениці* (Мирний).

положи́ти на ла́ві (на ла́ву, на ла́вку) *кого*. Призвести до смерті; умертвити. *Чоловіче Миколаю. І жив — не любила, і умер — не тужила, тільки трошки потужила, як на лаві положила* (Укр.. присл..). *Ой женися, мі зрадливий, та бери білявку, чей тебе ще до весілля положать на лавку* (У. Кравч.).

ПОЛОЖИТЬ: як Бог на ду́шу поло́жить *див.* Бог.

ПОЛО́Н: єги́петський поло́н; єги́петська нево́ля. Важке, нужденне, підневільне життя. *І знов настав єгипетський полон, та не в чужій землі, а в нашій власній* (Л. Укр.).

ПОЛО́НИК: як поло́ник між ло́жками, з *сл.* замі́ша́тися, потрапля́ти і т. ін. Не в своє середовище, між чужих. *Замішався, як полоник між ложками* (Укр.. присл..).

ПОЛОНИ́ТИ: полони́ти се́рце *чиє, кого*. Дуже сподобатися кому-небудь. *Ось молодий Ацамаз і побачив красуню. Серце юнацьке одразу вона полонила* (Перв.); *Багатотисячна аудиторія з нетерпінням чекала початку концерту. Адже Магомаєв встиг полонити серця слухачів* (Мист.).

ПОЛО́СКАТИ: полоска́ти повива́ч, *етн.* Пити спиртне після хрестин. *Того ж таки дня Карпа й Мотрю покликав їх кум у шинок полоскати повивач після похрестин* (Н.-Лев.).

ПОЛО́СКАТИСЯ: полоска́тися в горі́лці (у вині́ і т. ін.). Надмірно пити спиртне.— *Учора наїхала до пана погибель наша — мирові посередники. До третіх півнів полоскались у горілці і винах* (Стельмах).

ПОЛОСКОТА́ТИ: полоскота́ти не́рви *див.* лоскотати.

ПОЛОСНУ́ТИ: полосну́ти по́глядом *кого*. Пронизливо поглянути на кого-, що-небудь.— *Ганно! Дівчина кинулася, полоснула непроханого свідка гнівним гострим поглядом заплаканих очей і, не вимовивши й слова, подалася кудись униз* (Коз.).

як (мов, ні́би, на́че і т. ін.) ноже́м по се́рцю полосну́ти. Глибоко вразити кого-небудь, завдати болю, страждання і т. ін. *Мов ножем по серцю полоснули [Сеспеля] оті слова... Поховали чужі люди В чужій домовині...* (Збан.); *Цими словами наче ножем полоснув [Павло] по серцю* (Шиян); *Наче ножем по серцю полоснув батька божевільний крик його дитини* (Воскр.).

ПОЛОТНО́М: полотно́м доро́га *див.* дорога.

ПОЛОХКИ́Х: не з полохки́х *див.* полохливих.

ПОЛОХЛИ́ВИХ: не з полохли́вих (полохки́х). Сміливий, небоязкий. *Парубок був не з полохливих.— Та що це таке.. Бить будете мене? — сміливо казав він* (Вас.); *— Не з полохких я, пане мій, Ниць чолом не хилюсь...* (Граб.). П о р.: не полохли́вого деся́тка. С и н о н і м: не з за́ячого пу́ху.

ПОЛОХЛИВОГО: не з полохли́вого деся́тка див. десятка.

ПОЛОЮ: під поло́ю. Потай від інших, крадькома, таємно.— *Хоч Дорош і городянин, а, бач, поділився хлібом-сіллю, а ми, селюки, під полою зжували* (Тют.); *Та горе тим, хто зброю потайну Ховаючи, як злодій, під полою, Дерзне ступити на мости священні!* (Рильський).

ПОЛУДА: полу́да на о́чі впа́ла *кому.*
1. Хто-небудь почав погано бачити.— *Ти вже й справді став старий та ще й недобачаєш; тобі на очі вже полуда впала.* (Н.-Лев.).
2. Хто-небудь неправильно розуміє, усвідомлює певні явища дійсності. *Вона нічого не чула, полуда впала їй на очі.*

полу́да розпада́ється на оча́х див. луда.

[як (мов, ніби і т. ін.)] полу́да (лу́да) з оче́й спада́є (опада́є, сплива́є і т. ін.) / спа́ла (опа́ла, сплива́ і т. ін.) у кого, кому. Хто-небудь починає правильно розуміти, усвідомлювати щось незрозуміле раніше. *В людей спадає з очей полуда і прокидаються ті здорові думки, які дрімали в голові* (Вас.); *Порвала з сектантством і колгоспниця артілі «День перемоги». Вона пише: ...«Моєму терпінню настав край. Полуда спала з моїх очей»* (Наука..); *Всім міністрам і слугам царським відразу мов полуда з очей спала. Та ж се Лис!* (Фр.); *Мені зараз мов луда з очей спала* (Фр.); *За один день та за ніч важких роздумів у багатьох вітробалчан наче полуда з очей спала* (Головко); *Мені наче опала полуда з очей: я з сірого побачила раптом світ кольоровим* (Вільде); *Але настали дні! Сплила з очей полуда і ми побачили, де ворог і де брат* (Сос.).

ПОЛУДУ: зніма́ти полу́ду з оче́й див. знімати; **наво́дити ~ на о́чі** див. наводити; **ски́нути ~ з оче́й** див. скинути.

ПОЛУМ'Я: з вогню́ в по́лум'я див. вогню.

ПОЛУМ'ЯМ: займа́тися ~ див. займатися; **мов ~ обгорну́ло** див. обгорнуло; **паши́ти ~** див. пашіти. **горі́ти ~** див. горіти; **ди́хати ~** див. дихати; **хай воно́ ясни́м ~ гори́ть** див. горить.

ПОЛЮВАТИ: полюва́ти за двома́ зайця́ми див. ганяти.

ПОЛЯ: випада́ти з по́ля зо́ру див. випадати; **випуска́ти з ~ зо́ру** див. випускати; **одно́го ~ я́года** див. ягода.

ПОЛЯГЛА: голова́ полягла́ див. голова.

ПОЛЯГТИ: полягти́ тру́пом див. лягти.

ПОЛЬОТУ: з висоти́ пташи́ного ~ див. висоти; **птах висо́кого польо́ту; птах не на́шого ~; птах низько́го ~** див. птах.

ПОМАГА́Є: хай Бог помага́є див. Бог.

ПОМАГА́Й: помага́й (поможи́) Біг (Бог, Бо́же). Уживається як побажання кому-небудь успіху в роботі, в якійсь справі і т. ін.— *Помагай біг!* — гукнув вищий [чоловік] з пронизливими очима.— *А може б самі помогли!* — відказав Са-

ливон (Панч); *Антон стояв біля будинку, милувався спритністю кума і гукав: — Помагай біг, куме!* (Чорн.); *Ївга помолилась, паничам низенько поклонилась і сказала: — Боже вам помагай* (Кв.-Осн.); — *Коли чую: — Боже помагай, і день вам добрий! — Дивлюсь — се наша сусіда* (Вовчок).— *Я, мамо,— каже Чіпка,— піду в Омельник на ярмарок: — чи не куплю коняки.— Боже тобі поможи, сину!* (Мирний); *Жінки, проходячи шляхом з вузликами сніданків для своїх господарів, здалеку гукають Яреськам: — Боже поможи!* (Гончар). П о р.: **Бог на по́міч; хай Бог помага́є** (у 1 знач.).

ПОМАГА́Ч: ні грач ні помага́ч див. грач.

ПОМА́ЗАНІ: одни́м ми́ром пома́зані див. мазані.

ПОМА́ЗАТИСЯ: пома́затися в пани́ (па́ном і т. ін.). З погордою вважати себе людиною з привілейованим становищем.— *Колись сільські дівчата обминали того, хто в пани помазався* (Збан.); [М и к о л а:] *Він живе тільки тут, бач, возний — так і бундючиться, що помазався паном* (Котл.).

ПОМА́ЦАТИ: пома́цати очи́ма див. обмацувати.

ПОМЕЛО́: язи́к як помело́ див. язик.

ПОМЕЛО́М: мести́, як помело́м див. мести.

ПОМЕРК: світ поме́рк див. світ.

ПОМЕРКНУТИ: поме́ркнути в па́м'яті. Забутися. *Подвиг молодогвардійців ніколи не померкне в пам'яті* (Веч. Київ).

ПОМЕРТИ: поме́рти зо смі́ху див. вмирати.

ПОМИ́Ї: вилива́ти поми́ї див. виливати.

ПОМИЙНУ: зіпхну́ти в поми́йну я́му див. зіпхнути.

ПОМИЛИ́ТИСЯ: помили́тися адре́сою. Звернутися не до того, до кого потрібно; говорити не те, що слід.— *Ви бачите, що...— він на мить замовк, підшукуючи потрібні слова,— що ви трохи помилились адресою* (Донч.).

ПОМИЛУВАВ: Бог поми́лував див. Бог.

ПОМИ́ЛУЄ: хай Бог поми́лує див. Бог.

ПОМИН: на по́мин душі́ чиє́ї, рел. На молитву за померлого. *Після Кавунової смерті в посесора залишались його гроші. Думав [Микола] передати їх в церкву на помин душі небіжчика* (Н.-Лев.); — *Не встигнеш звикнути до людей [в'язнів], а їх уже в пам'ятку записуй,.. на помин душі* (Збан.).

ПОМИНА́Й: помина́й як зва́ли *кого.* Хто-небудь безслідно зник. *Накинув [Чіпка] на плече сірячину і хутко вийшов з хати.— Куди ти, сину? — питає його навздогін Мотря. Та сина — поминай як звали!* (Мирний); [Н а ц і є в с ь к и й:] *Давай бог ноги від такого шлюбу. Піду наче у проходку — і — поминай як звали!* (К.-Карий); — *Настю поминай як звали. На другий рік*

по Коліївщині татари як погнали її в ясир, так і слід захолов (Добр.).

ПОМИНАТИ: не поминáти лúхом (лихúм слóвом *і т. ін.*). 1. Не згадувати про кого-небудь погано.— *Жінко моя кохана! не поминай лихом мене, безщасного* (Вовчок); — *Матір побачиш — кланяйся. Хай не поминає лихом дочку свою непутящу* (Гончар); — *Бувай здорова, Орисю! Не поминай лихом* (Головко).

2. **тільки не поминáй лúхом.** Ввічлива форма прощання з ким-небудь.— *Не поминай лихом, лейтенанте! — попрощався моряк із своїм і Харкевича благодійником* (Голов.).

поминáти / пом'янýти дóбрим (незлúм *і т. ін.*) **слóвом** *кого.* З повагою, пошаною згадувати кого-небудь. *Хто вік по-божому прожив, Ніколи зла і кривди не чинив, Того до смерті будуть поважати і добрим словом поминати* (Гл.); *В сім'ї вольній, новій поминаємо сьогодні Тараса* [Шевченка] *незлим тихим словом* (Тич.); *Щоб там* [на могилах загиблих воїнів] *і клумби були, і квіти були, і лавочки, щоб можна було посидіти та добрим словом героїв пом'янути* (Вишня).

ПОМИНÍ: і в помúні, *з сл.* **не мáти, немá, не булó.** Зовсім, абсолютно. *Хата, звісно, ніколи не замикалася, а що в печі давно не топилось і взимку тепла в хаті не було і в помині, то двері розчинялись навстіж — так, як залишав їх Юз* (Гуц.).

ПОМИНУ: і пóмину немá *див.* нема.

ПОМИРАЙ: хоч лягáй та помирáй *див.* лягай.

ПОМИРАТИ: помирáти зо сміху *див.* вмирати; **хоч живцéм ~** *див.* гинути.

ПОМІНЯТИ: поміняти шúло на швáйку *див.* міняти.

ПОМІНЯТИСЯ: поміня́тися рóлями. Одному стати на місце іншого.— *Ну, їй-богу,— не переставала Віра Павлівна,— збоку можна подумати, що ми помінялися ролями, що тепер ви — дама, а я — ваш кавалер* (Хотк.). **рóлі поміня́лися.** *Ролі помінялися. В той час, коли зневіреного в усьому, одряхлілого невдаху Денікіна підбирав до себе на борт один британський корабель, по трапу, перекинутому з іншого чужоземного корабля,.. збігав пружною ходою джигіта новий молодий диктатор* [Врангель] (Гончар).

ПОМІРЯТИСЯ: помíрятися з плечéм *чиїм.* Перевірити свої сили, свою спроможність у боротьбі, в битві *і т. ін.*— *Нехай хоть стане він Бовою, Не наляка мене собою, Поміряюсь з його плечем* (Котл.). **Синонім: порівня́ти плеча.**

помíрятися сúлою *див.* мірятися.

ПОМІТИТИ: помíтити лопáтки в горóсі *див.* побачити.

ПОМІЧ: Бог на пóміч *див.* Бог.

ПОМІЧНУ: подáти помíчну рýку *див.* подавати.

ПОМІШАТИСЯ: в умí (умóм) помíшáтися. Стати божевільним; збожеволіти. *Еней од страху*

з плигу збився, В умі сердега помішавсь І зараз сам не свій зробився, Скакав, вертівся і качавсь (Котл.).

ПОМКИ: відбúти пóмки *див.* відбити; **прийтú до ~** *див.* прийти.

ПОМКУ: врíзатися в пóмку *див.* врізатися.

ПОМЛÍТИ: помлíти душéю *див.* мліти.

ПОМОЖЕ: помóже Бог *див.* Бог.

ПОМОЛИТИСЯ: як Бóгу помолúтися *див.* молитися.

ПОМОРДАСА: вхопúти помордáса *див.* вхопити.

ПОМОСТІ: як вúросте травá на помóсті *див.* трава.

ПОМУТИВСЯ: помутúвся рóзум *див.* розум; **світ ~** *див.* світ.

ПОМУТИЛОСЯ: помутúлося (помутнíло) в голові (в очáх) *у кого, безос.* Хто-небудь перебуває в стані, близькому до непритомності. *Од вікна до вікна швендя Уляна, вигледіла очі в сіру темноту. У голові в Уляни зовсім помутилося,— вона не знає, що робить, забуває, чого виходила в сіни* (Мирний); *Щось несподіване трапилось з Іваном: у голові помутилося, зачервоніло у віччю* [в очах] (Л. Янов.); *Все помутилося в очах Віри, здійнявши в душі її страшенну бурю* (Шиян); *Од страху в нього* [Успенського] *помутніло в очах, і він машинально побіг* (Панч).

ПОМУТНÍЛО: помутнíло в голові *див.* помутилося.

ПОМ'ЯТИ: пом'я́ти / м'я́ти бóки (рéбра *і т. ін.*) **кому.** Сильно побити кого-небудь. [Бурлака (за лаштунками співає):] *«Ой не йди туди, превражий сину, Де голота п'є!» Еге, іменно — не йди!* Мабуть, старшина догадався, що не прийшов на весілля, бо пом'яв би боки* (К.-Карий); — *Заради такого діла не страшно й боки пом'яти* (Кучер); — *Може, ти мене заведеш у такий двір, що й коляки скуштую.— Та в такий же то й думка завести,— жартує Чіпка,— бо однак ніхто тобі боків не мне...* (Мирний). **попом'я́ти бóки** (тривалий час).— *Та постійте, постійте трохи. Буде й вам* [піщанам] *те, що ведмедівцям! Попомнуть і вам боки, як подільцям!..* (Мирний). Синоніми: **дáти дрáнки; дáти наминáчки; дáти табáки понюхати.**

2. Завдати поразки кому-небудь, перемогти противника в бою, у боротьбі *і т. ін. Мов із гранітних глибин козацької Хортиці, виходить на безголов'я ворогам богатир Влас Харитонович* [герой роману Я. Баша], *що самому Піддубному колись м'яв ребра* (Літ. Укр.). Пор.: **наминáти бóки.**

ПОНЕСЛА: лихá годúна понеслá *див.* година; **трясця ~** *див.* трясця; **яка сúла ~** *див.* сила; **як бýря ~** *див.* буря.

ПОНЕСЛИ: самí нóги понеслú *див.* ноги.

ПОНЕСЛО: щоб тебé (його́ *і т. ін.*) **понеслó по**

нетрях та по **болотах** (**поверх дерева на безголов'я і под.**). Уживається як прокляття і виражає обурення, незадоволення чиїмись вчинками, діями і т. ін. *За тими волами я посивів парубком. Тепер тіися на старість, щоб йому дихати не дало, щоб його понесло поверх дерева, на безголов'я!* (Коцюб.).

що на язик понесло *див.* **що.**

як (**мов, ніби** *і т. ін.*) **на крилах понесло** *кого, безос.* Хто-небудь дуже швидко пішов, побіг кудись. [**Коваль:**] *Молода вже у фаті, а молодий баняки носить. Іди, Семене, бо дружки в хату не пустять.* [**Хима Стратонівна:**] *Ото ж бо. (Семен вийшов). Як на крилах понесло. Сказано любов* (Зар.). С и н о н і м: **як буря понесла.**

ПОНЕСТИ: понести на своїх плечах. Витерпіти. *Багато горя бачила Гнила Липа на своєму віку, багато поту, крові і сліз українців понесла вона на своїх плечах* (Колг. Укр.).

понести на язиках *кого, що.* Обсудити, обговорити кого-небудь. *Вже зранку старого Кавуна понесли баби на язиках,— скрізь розливалася повіддю масна новина: «Старого Кавуна приловили на крадіжці»* (Козл.).

понести сміття під чужу хату *див.* **носити.**

ПОНЕСУТЬ: куди очі понесуть *див.* **очі.**

ПОНІС: Бог поніс *див.* **Бог; грець поніс** *див.* **грець; чорт ~** *див.* **чорт.**

ПОНТ: брати на понт *див.* **брати.**

ПОНЮХ: ні за понюх табаки *див.* **понюшку.**

ПОНЮХАТИ: дати табаки понюхати *див.* **дати; не давати і ~** *див.* **давати; не ~ пороху** *див.* **нюхати.**

як (**мов, ніби, неначе** *і т. ін.*) **чемериці** (**тертого хріну** *і т. ін.*) **понюхати.** Бути неприємно враженим, приголомшеним, очманілим. *Заграв, заспивав, як мов до своєї. А вона* [дівчина] *мені як відспівала у вікно, то я мов чемерці понюхав* (Укр. поети-романтики..); *Та й закрутив же носом наш Кузьма Трохимович, неначе тертого хріну понюхав* (Кв.-Осн.); — *Передайте свою колекцію в музей, це буде краще грамоти. Купець закрутив носом, неначе тертого хріну понюхав* (Шап.).

ПОНЮШКУ: на одну понюшку. Зовсім мало. *За солдатів ручався Хоменко, як за себе, що не підуть вони проти своїх. А самих козаків на всі села і по п'ятеро не хватить. «На одну понюшку!» сміявся Хоменко* (Головко); *Ніколи не тужив за втраченим добром Ганжа. Може, тому, що й добра завжди було в нього на одну, як-то кажуть, понюшку* (Дім.).

ні за понюшку (**за понюх, за нюх**) **табаки** (**тютюну**), *з сл.* п р о п а с т и *і т. ін.* Нізащо, даремно. *Обсмалили б, як кабана,.. пропала б душа християнська ні за понюшку табаки...* (Коцюб.); *А що, як і Пилип прогайнує, пробайдикує найкращі літа свої так, як і він, Микита. Ні пшениці не намолов, ні чавуну не натопив... І пішов*

час ні за понюшку табаки (Рудь); [**Бичок:**] *А хіба я мало передавав старій грошима та хлібом? Та щоб так моє добро і пропало ні за понюх табаки?* (Кроп.); *Після балачки з зоотехніком подався я полуднувати, й так на душі чувся, наче пропала моя доля ні за нюх табаки* (Гуц.). С и н о н і м: **ні за копійку.**

ПОПА: возити попа в решеті *див.* **возити.**

на попа, *з сл.* с т а в и т и, з в о д и т и *і т. ін.* Сторч, у вертикальне положення. *Люди зводили ті стовпи «на попа», ставили їх по шнуру й закопували в землю* (Чорн.).

ПОПАВ: хто куди попав *див.* **хто.**

ПОПАДАЄ: зуб на зуб не попадає *див.* **зуб.**

ПОПАДАЄТЬСЯ: де тільки під руку попадається. Всюди, скрізь. [**Годвінсон:**] *Паліть усю гидоту ідолянську, що зібрана в сій хаті!* [**Річард:**] *Я не дам! Громадяни хапають де тільки під руку попадається все належне до скульптури* (Л. Укр.).

ПОПАДАТИ: на очі попадати *див.* **потрапляти.**

не в ті двері попадати (**попадатися, потрапляти**) / **попасти** (**попастися, потрапити** *і т. ін.*). Не те робити, казати і т. ін. *Лагідніший тон намісника знов збудив деяку надію. Та бідолаха* [Калинович] *знов не в ті двері попався* (Фр.).

попадати в точку *див.* **влучати; ~ в халепу** *див.* **потрапити.**

попадати на гачок *див.* **ловитися; ~ на слід** *див.* **напасти; ~ на язик** *див.* **потрапляти; ~ пальцем в небо** *див.* **попасти; ~ під руку** *див.* **підвертатися.**

попадати (**попадатися**) / **попасти** (**попастися**) **в лещата.** Опинятися в скрутному, безвихідному становищі. [2-й ч о л о в і к (до 1-го чоловіка):] *Хто раз попався у його* [Бичка] *лещата, годі вже пручатись!* (Кроп.); *Світлим, ніжним юнаком я попав у залізні лещата фронту* (Кол.).

попадати (**попадатися**) / **попасти** (**попастися**) **в руки** (**до рук**) *кого, чий, до кого, кому.* 1. Бути захопленим, спійманим і т. ін.; позбавляти кого-небудь волі. *За кожного спійманого прибережні козаки діставали плату. Сотки, тисячі нещасних* [втікачів] *попадалися до рук козакам* (Коцюб.); *Стефко бачив, як брати попалися в руки господаря* (Фр.); *Несподівано налетів Вишневецький з військом. Усе погребище попалось йому в руки* (Н.-Лев.); *Він* [штурмфюрер] *більш за все потерпає, аби не попасти в руки своїх колишніх поплічників* (Головч. і Мус.).

2. Опинятися в чиєму-небудь володінні, розпорядженні, у залежності від кого-небудь. *Він накрив рукавом листівку, потягнув її до себе і шаснув рукою в кишеню. «Значить, у вірні руки попала листівка», раді ла Тамара* (Хижняк); [**Анна:**] *Я знаю! ви надіялись на те, чигаючи у засідках на мене, що ганьбою підбита, я з одчаю до рук вам попаду, як легка здобич?* (Л. Укр.); *Сумно і страшно стало родичам, коли почули,*

в які руки попався їх син (Фр.); — А чи він би тебе пожалів, коли б ти йому тоді в руки попався? (Гончар).

3. Надходити в користування. Наша книжка як попадеться у їх руки, то вони аж репетують та хвалять те, що найпоганше (Шевч.); У Ваші руки попалися перші мої роботи, спроба пера (Коцюб.).

попадáти (попадáтися) / попáсти (попáстися) на мýшку. Ставати об'єктом постійного контролю, нагляду і т. ін.— Я думаю, що такі, як ти, ніколи не попадаються на мушку. Що ж там у тебе, Федоре? (Кучер).

попадáти / попáсти в живé місце кому. Дошкуляти кому-небудь, досаджаючи словами, діями і т. ін. Вовкун не дав йому прийти до слова.— Ага, бачиш, що мої слова попали тобі в живе місце! — кричав він, сміючись (Фр.).

попадáти / попáсти в тон кому, чий. Говорити або діяти так, як інші, наслідуючи кого-небудь. Він не любив панів, мабуть, то За то, що сам не вмів в їх тон попасти (Фр.); Лише той, кого Таня назвала Левицьким, стояв у куточку, замислений, і не пробував попасти в тон іншим (Панч).

попадáти / попáсти у нелáску. Втратити чию-небудь прихильність, викликати до себе нетовариське ставлення і т. ін. Буває, правда, що й такого масштабу працівники попадають у неласку, летять ізгори шкереберть (Гончар); Але через свою прихильність до тебе [царя Сов], через свою раду я попав у неласку (Фр.).

попадáти чóрту в зýби див. попасти.

попáсти (наскóчити, рідко **загнáтися** і т. ін.) **на слизькé (**рідко **на слизькý).** Опинятися в скрутному становищі.— А мені здалось, що ти, Андроне Потаповичу, попав на слизьке, а признатися не хотів,— засміявся Броварник (Стельмах); Агу! Троянці схаменулись, Та всі до Турна і сунулись; Пан Турн тут на слизьку попав! (Котл.); — Треба довідатися, куди ті гроші йдуть. Старшина побачив, що наскочив на слизьке, і зараз звернув у бік: — Гроші всі цілі (Гр.); Приснилось дещо тільки вранці, Та й то непевне та страшне: ..Що я боюся вийти з хати, Щоб не загнатись на слизьке (Сам.).

ПОПАДÁТИСЯ: на óчі попадáтися див. потрапляти; **не в ті двéрі ~; ~ в лещáта; ~ на гачóк** див. ловитися; **~ на мýшку; ~ в рýки** див. попадати; **~ під рýку** див. підвертатися; **~ чóрту в зýби** див. попасти.

ПОПÁЛА: вожжúна під хвіст попáла див. вожжина.

ПОПÁЛО: де попáло. Всюди, скрізь. Поки молода — вона ..віється де попало, з ким попало (Мирний).

кудú попáло. Не обираючи місця. Задравши голову, кляла [Килина Іванівна] і плювала куди попало (Мирний); Мемет колов куди попало,

з нестямою смертельно ображеного і з байдужістю різника (Коцюб.); Багато днів відступали вони [німецькі офіцери] під.. натиском Радянської Армії. Поглядаючи назад, на схід, де залишилась вся їх техніка, вони не раз падали доліlocalць куди попало, рятуючись від авіації (Довж.); // Врізнобіч, в усі боки. Тут і усі рушили із-за стола, та, хто куди попав (Кв.-Осн.); Вершники вже бігли там і там, куди попало (Хор.). С и н о н і м: **без лáду.**

що попáло див. що.

якúй попáло. Будь-який, не вибраний, не підібраний і т. ін. [П о е т:] Та гарні тії мрії.. (Не стямився, як узяв до рук перо і став писати на яких попало клаптиках, шпарко, ретельно, з радісним блиском в очах) (Л. Укр.).

як попáло. Без будь-якого порядку, без певної системи і т. ін.— Які ж ліки підуть на користь, коли їх пити як попало? (Л. Укр.); Туристи випадкові й кумедні, зібрані як попало (Мас.); Навколо трибуни маса дітвори, вдягненої як попало (Довж.).

ПОПÁРЕНИЙ: як (мов, ніби і т. ін.) **попáрений, з** сл. **скрúкнути, побíгти, схопúтися** і т. ін. Дуже швидко, раптово. Виткнулась [ящірка] і, забачивши їх, як попарена шмигнула в цеглиння (Мирний); — Га, що, як? — скрикнули ми всі, мов попарені, і до комісії. Комісія в ноги (Фр.). С и н о н і м: **як кропúвою попéчений.**

ПОПÁРУ: не знахóдити пóпару див. знаходити.

ПОПÁСТИ: на óчі попáсти див. потрапляти; **не в ті двéрі ~; ~ в лещáта** див. попадати; **~ в тон** див. попадати; **~ в тóчку** див. влучати. **~ до рук; ~ на гачóк** див. ловитися; **~ на зýби** див. потрапити; **~ на мýшку** див. попадати; **~ на óчі** див. потрапляти; **~ на слід** див. напасти; **~ на язúк** див. потрапити.

попáсти (перейтú) на той світ. Померти.— Ну-т, і задали ж ви мені мороки-т, командире... Не раз думав, на той світ скорше попаду-т, аніж виконаю-т ваші настанови (Головч. і Мус.).

попáсти під рýку див. підвертатися.

попáсти / попадáти пáльцем в нéбо. Сказати чи зробити що-небудь невлад, помилитися у поясненні чи визначенні чогось. [Л ю б о в:] От уже попали, вибачайте, пальцем в небо (Л. Укр.); Коваль слухав уважний і врешті, саме як дійшла [Катря] до того, що Дорошенко про заробітчан казав, крекнув і перепинив мову.— Еге ж, якраз попав пальцем у небо! — аж сплюнув Юхим (Головко).

попáсти (попáстися) / попадáти (попадáтися) чóрту в зýби. Опинитися в скрутному становищі. Пройшовши мідні труби, попав чорту в зуби (Укр.. присл..); — Уже вертавсь у Паволоч, думав, що ти попавсь навіки чорту в зуби, так їхав рятувати (П. Куліш). **попа́стися в зу́би біді.** *Моє-му поможи Енею, Щоб він з ватагою своєю Щасливо їздив по воді; Уже і так пополякали, Насилу баби одшептали, Попався в зуби був біді* (Котл.).

попа́сти (попа́стися) у петлю́ (в сильця́, у хому́т, у павути́ну *і т. ін.*). Опинитися в скрутному становищі, в несприятливих умовах. *Селянина* **так** *«звільнили» в 1861 році, що він відразу попав у петлю до поміщика* (Ленін); *За свій труд попав у хомут* (Укр.. присл..); *Ви* [каменоломи] *стали іграшкою в їх руках, попалися в їхні сильця* (Коцюба); *Василина попалась у ту павутину несподівано* (Н.-Лев.).

попа́сти у масть. Зробити щось дуже вдало. *Химочка попав якраз у масть і поспішив, щоб хтось інший не перейняв цієї уваги до себе* (Епік).

попа́сти у нела́ску *див.* попадати.

ПОПА́СТИСЯ: на о́чі попа́стися *див.* потрапля́ти; **не в ті две́рі** ~ *див.* попадати; ~ **на гаря́чому** *див.* впіймати ́ся; ~ **на гачо́к** *див.* ловитися; ~ **на му́шку** *див.* попадати; ~ **на язи́к** *див.* потрапи́ти; ~ **під ру́ку** *див.* підвертатися; ~ **у павути́ну** *див.* попасти; ~ **чо́рту в зу́би** *див.* попадати.

ПОПЕЛІ: не проспа́ти гру́шки в по́пелі *див.* проспати.

ПОПЕЛОМ: бра́тися по́пелом *див.* братися; **посипа́ти** ~ **го́лову** *див.* посипати.

ПОПЕЛУ: встава́ти з по́пелу *див.* вставати; **підніма́ти з** ~ *див.* піднімати; **підніма́тися з** ~ *див.* підніматися.

ПОПЕРЕД: лізти по́перед ба́тька в пе́кло *див.* лізти.

ПОПЕРЕДУ: іти́ попе́реду *див.* іти.

ПОПЕРХНУ́ТИСЯ: поперхну́тися сло́вом. Раптово замовкнути, не договорити, не закінчити якусь думку. — *А в нас плужок на печі єсть! А бандит питає: — Який там плужок? Він не стріляє часом? Чую: поперхнувся тато словом — мабуть, хотів удати посмішку* (Донч.); *Панна Ярина аж поперхнулась тим сердитим і зневажливим словом, котрим хотіла була дати одкоша молоденькому нахабі* (Ільч.).

ПОПЕЧЕНИЙ: як (мов, ніби і т. ін.) [кропи́-вою] **попе́чений,** з сл. схопи́тися, скри́кнути, побі́гти і т. ін. Дуже швидко, раптово. *Гава під впливом тих слів, мов кропивою попечений, і собі ж схопився на рівні ноги* (Фр.). С и н о н і м: **як попа́рений.**

ПОПИТАТИ: попита́ти до́лі. Спробувати зробити що-небудь, розраховуючи на успіх.— *Завтра рушаймо до панії, а потім і до вашої милості за рушниками.— З богом,— каже старий,— попитайте долі* (Вовчок).

ПОПИТИ: обмоло́тини попи́ти, *заст.* Відзначити частуванням горілкою, вином і т, ін. завершення молотьби. *Всі обмолотини попили, а вдова ще й не починала молотити* (Барв.); — *Саме обмоло-*

тини попили... Коли це — щось у хату. Прибився парубок хтозна й звідки* (Ю. Янов.).

ПОПІДВІКО́ННЮ: піти́ попідвіко́нню *див.* піти.

ПОПІДТИ́ННЮ: тиня́тися попідти́нню *див.* тинятися.

ПОПІЛ: перетво́рювати на по́піл *див.* перетво-рювати; **перетлі́ти на** ~ *див.* перетліти; **розві́яти на** ~ *див.* розвіяти.

ПОПЛАТИ́ТИСЯ: поплати́тися життя́м (голово́ю). Загинути. [М о л о д ш и й л і к а р:] *Неси-ла мені... розв'язати це зразу. Адже ж за невдачу доведеться життям поплатитись обом...* (Лев.); *Демонстративна страта гестапівської шпигунки у центрі Радомишля буде для тих, хто її сюди послав, найпереконливішим аргументом, що вона вийшла на партизанів і за це поплатилася життям* (Головч. і Мус.); *Адже за свій промах йому довелось би поплатитися першому, може, навіть власною головою* (Гончар). С и н о н і м: **заплати́-ти життя́м.**

ПОПЛИВ: був та попли́в *див.* був.

ПОПЛИВТИ́: пли́вом попливти́ *див.* пливти; ~ **за водо́ю** *див.* сплывти; ~ **за течі́єю** *див.* пливти.

попливти́ із рук *чиїх.* Почати швидко втрачати-ся, проживатися і т. ін. (про кошти, маєтки). *Він і достатками давніше володів, Та за бенкетами, за вловами поплив із щедрих рук його маєток* (Міцк.).

попливти́ про́ти течі́ї *див.* пливти.

попливти́ у кише́ню (у ру́ки) *кому.* Почати легко, без труднощів діставатися, надходити і т. ін. (про гроші, майно і т. ін.). *Він тепер заживе так, як ніколи ще не жив. Вибудує завод і гроші самі попливуть у його кишеню* (Мирний); — *Зда-ється, і наші коні та воли попливуть панам у кишені* (Стельмах).— *Відрізали* [землю].— *Скільки я на ту землю старався. Тягнувся до того достатку, і попливло моє щастя старцям у руки* (Стельмах).

ПОПЛИ́НУТИ: попли́нути за течі́єю; ~ **про́ти течі́ї** *див.* пливти.

ПОПЛИ́СТИ: пла́вом поплисти; ~ **за течі́єю;** ~ **про́ти течі́ї** *див.* пливти.

ПОПЛУТАВ: бог Мамо́на поплу́тав *див.* Бог; **лихи́й поплу́тав** *див.* лихий.

ПОПЛУТАЛА: нечи́ста си́ла поплу́тала *див.* сила.

ПОПОВЗЛИ: мура́шки поповзли́ по спи́ні *див.* мурашки.

ПОПОЛАМ: з го́рем (з ли́хом) попола́м. З великими труднощами, ледве. *В минулому тижні з горем пополам засіяв Василь свою нивку* (Цю-па); *З новим бульдозером Кузьма освоївся ще не зовсім, владарює над ним з горем пополам* (Гон-чар); *Змерзла ж то так, що зуб з зубом не зведе..*

З лихом пополам прибігла [Маруся] *додому* (Кв.-Осн.).

з гріхо́м попола́м. Не без помилок, не зовсім добре.— *З гріхом пополам закінчив церковнопарафіяльну школу* (Ков.); *Відстороняючи робочих та зоотехніків, Софія Карлівна і тут* [в зоосаду] *сама давала пояснення, хоча це й виходило в неї з гріхом пополам* (Гончар); — *Город засадили?* — *Засадили з гріхом пополам* (Гжицький).

перерива́тися попола́м *див.* перериватися.

ПОПОЛОСКА́ТИ: пополоска́ти в ро́ті (зу́би, го́рло *і т. ін.***).** Випити незначну кількість алкогольного напою. *Та й де їм, вишкваркам* [сучасному поколінню], *горілку ту кругля́ть, Як їх батьки колись та їх діди кругляли!.. Не вспіють квартою в ротах пополоскать,— Вже й по-індичому в шинку загеркотали!* (Г.-Арт.); [Д е н и с:] *Ото либонь Гарасим кладе стіжок, чи нема в нього хоч капелини* [горілки], *щоб хоч зуби пополоскать?* (Кроп.).

ПОПОРИ́ПАТИ: попори́пати у ха́ту. Тривалий час, довго ходити до кого-небудь. *Перш ніж заарештувать мене, попорипала поліція у хату* (Тесл.).

ПОПРЕ́Ш: про́ти пра́вди не попре́ш. Не приховаєш справжнього стану речей.— *Тур заявив, що годі. Каже: «Іду до червоних». Я, каже,.. тепер знаю, що тільки з червоним прапором нас прийме народ. Проти правди не попреш* (Панч).

ПОПРОБУВАТИ: попро́бувати ща́стя *див.* спробувати.

ПОПРОЩА́ЛА СЯ: душа́ попроща́лася з тілом *див.* душа.

ПОПРОЩА́ТИ СЯ: попроща́тися з життя́м *див.* прощатися.

ПОПУСКА́ТИ: не попуска́ти / не попусти́ти в обра́зу кого. Не допускати кривди над ким-небудь, заступатися. *Зате його рівні любили, як товариша, котрий нікому не попустить свого брата в образу* (Мирний). П о р.: **не дава́ти в обра́зу.** С и н о н і м: **не дава́ти на пота́лу.**

не попуска́ти / не попусти́ти свого. Не поступатися нічим, домагаючись здійснення своєї думки, рішення і т. ін. *Марко хоче грати молодого й Терешко хоче, той свого не попускає, і другий не попускає...* (Вас.); — *А ви, пане, вважайте, абисте голос* [при голосуванні] *не вкрали, бо як кара, то кара, як кримінал, то кримінал, а я свого не попущу!* (Март.).

попуска́ти / попусти́ти ві́жки (поводи́, заст. **узду́).** 1. *іст.* Послаблювати гніт, визискування. *Піщанам спершу начебто й поводи попустили. Пан навіть на новім хазяйстві подарував на сім'ю по дню поля* (Мирний); — *Не можна терпіти, щоб князь довше точив зуби на опришків, клював на їх вимоги попустити узду селянам* (Гжицький).

2. *розм.* Послаблювати вимоги, нагляд за кимось, чимось, керівництво ким-, чим-небудь. *Мати .*

все переказала синові й радила, щоб він таки держав Олесю в руках і не попускав віжок (Н.-Лев.); — *Передерій розгнівався: «Я,— каже,— начальник територіального виробничого управління. Я за весь район перед партією відповідаю. А ви раді, що вам віжки попустили* (Цюпа).

ПОПУСТИТИ: не попусти́ти в обра́зу; не ∼ свого; ∼ ві́жки *див.* попускати; **∼ патьо́ки** *див.* розпускати.

ПОПУТАВ: лихи́й попу́тав *див.* лихий.

ПОПУХЛИ: аж ву́ха попу́хли *див.* вуха.

ПОРА: пора́ (тре́ба) і че́сть (со́вість) зна́ти. Настав час залишити когось, іти звідкись, закінчити, припинити щось. *Хтось кинув з гостей: — Чи не пора вже нам і честь знати? Старицький підтакнув: — Авжеж, авжеж! І перший підвівся з-за столу* (М. Ол.); *Ну, годі вже мені пащекувати: наговорив гречаної я вовни аж три мішки... Пора вже й совість знати. Прощай, моє ластовенятко любе!* (Драй-Хмара).

ПОРАДУВАТИ: пора́дувати о́ко *див.* радувати.

пора́дувати се́рце. 1. Викликати радість, задоволення. *Кущуваті, окріплі посіви порадували серце хлібороба* (Стельмах).

2. Втішитися, задовольнитися чим-небудь. *Отут у садочку та в холодочку звелю вибудувати* [хату], *щоб тобі вільніше було до сина доступити, повсякчас його бачити. Чи винесуть його надвір прогулятись, то й ти на нього позирнеш, своє серце порадуєш...* (Мирний).

ПОРАХ: на пе́рших пора́х (поча́тках). У період виникнення, творення чого-небудь, на самому початку; спочатку. [З а г у б а:] *Тут же свої люди ще лишилися. Допоможуть на перших порах...* (Мам.); *Буде трудно, правда. А надто на перших початках — ну, то що?* (Хотк.).

ПОРАХОВАНІ: дні пора́ховані *див.* дні.

ПОРАХУВА́ТИ: на па́льцях мо́жна порахува́ти *див.* перелічити.

порахува́ти ре́бра *див.* полічити.

ПОРВАЛО: щоб тебе́ (його́, її́ і т. ін.**) на ку́сники порва́ло** лайл. Уживається як прокляття, побажання смерті, загибелі кому-небудь.— *Щоб же тебе на кусники порвало! — причитала Явдоха* (Тют.).

ПОРВАТИ: порва́ти ду́шу; ∼ жи́ли; ∼ кайда́ни; ∼ кишки́ *див.* рвати.

ПОРИ: без пори́. Передчасно. *Чи тільки терни на шляху знайду, Чи стріну, може, де і квіт барвистий? Чи до мети я певної дійду, Чи без пори той шлях тернистий,— Бажаю так скінчити я свій шлях, Як починала: з співом на устах!* (Л. Укр.).

до пори́ (до ча́су). 1. Якийсь час, не вічно. *До пори збан воду носить* (Номис).

2. До слушного моменту, покищо.— *Тільки б без галасу до пори, до часу, доки власними очима,*

руками не помацаєш початку того омріяного будівництва (Ле).

ПОРИВАЄТЬСЯ: душá поривається *див.* душа.

ПОРИВІ: у пори́ві. З великим хвилюванням, піднесенням. *У пориві безстрашшя, з гранатами в руках кидались з окопів бійці на громихаючі на залізних гусеницях танки* (Гончар); // *У стані сильного збудження, пристрасно. Хлопець в пориві припадає до її красиво викреслених вогкуватих губ* (Стельмах); *І, в пориві, підняла Маруся руки назустріч сонцю, обіллялась першим золотим його потоком, мов піднялася над землею,— і заспівала...* (Хотк.). **з пори́вом.** [Д е в і *(з поривом):*] *Се я зробив! Зовсім не дядько Річард!* (Л. Укр.).

ПОРИНАТИ: порина́ти з головóю *див.* поринути.

ПОРИНУТИ: пори́нути в себе. Зосередитися на власних почуваннях, бути в роздумах, не помічаючи нікого, нічого навколо себе; зробитися замисленим, відчуженим. *Він увесь поринув у себе* (Панч).

пори́нути (пірну́ти) / порина́ти (пірна́ти) з головóю в *що*. Повністю, цілком віддаватися чому-небудь, захопитися чим-небудь. *Я поринув з головою в театр, вбираючи в себе все багатство народних мелодій* (Минуле укр. театру); *Він кинувся до сейфа, витяг креслення, розстелив їх на столі, замкнув двері кабінету, сів у крісло й з головою поринув у роботу* (Собко); *Змушений жити в місті, далеко од народу, я часом з головою пірнаю в етнографічні записи* (Коцюб.).

ПОРІ: на порí ста́ти *див.* стати.

ПОРІВНЯТИ: порівня́ти плеча́ з ким. Позмагатися з ким-небудь.— *Нехай лиш Турн, що верховодить І всіх панів за кирпи водить, з Енеєм порівня плеча* (Котл.). С и н о н і м: **помі́рятися з плечем.**

ПОРІГ: і на порíг не пуска́ти *див.* пускати; **і на ~ не ступи́ти** *див.* ступити; **переступа́ти ~** *див.* переступати; **плю́нути через ~** *див.* плюнути; **пока́зувати ~** *див.* показувати; **че́рез ~ не перела́зити** *див.* перелазити.

ПОРІДДЯ: юдине порíддя *див.* плем'я.

ПОРІС: мох порíс *див.* мох.

ПОРОГА: порóга не переступа́ти *див.* переступати.

ПОРОГИ: висóкі порóги *чиї,* в кого. Дуже заможний, багатий хто-небудь; неприступний за своїм високим суспільним становищем і т. ін.— *Молодий, білявий, високий, тонкий і говорить дуже несміливо та тихо,— шепотіла Онися матері під самісіньким вухом,— але чорта з два: за дяка не піду; в нас високі пороги для дяків* (Н.-Лев.); [Р і ч а р д:] *А що найгірше.. переступати ноги не хотіли через високі дожеві пороги* (Л. Укр.).

оббива́ти порóги *див.* оббивати.

ПОРОДИЛА: як ма́ти породи́ла *див.* мати.

ПОРОЖНЕЧА: духóвна (душéвна, вну́трішня) **порожнéча.** Відсутність серйозних інтересів, глибоких переконань; стан спустошеності, розпачу, байдужості і т. ін. *І скільки було й є в Європі, в Америці не позбавлених літературного дару людей, що поскочувались до продажності, до повної духовної порожнечі* (Рильський).

ПОРОЖНЄ: перелива́ти з пустóго в порóжнє *див.* переливати; **~ місце** *див.* місце; **~ сéрце** *див.* душа.

ПОРОЖНІ: ходи́ти в порожні *див.* ходити.

ПОРОЖНІЙ: в ~ слід *див.* слід; **~ гамане́ць** *див.* гаманець; **~ звук** *див.* звук.

ПОРОЖНІМИ: з порóжніми рука́ми *див.* руками.

ПОРОЖНЮ: ма́ти порóжню макíтру на плеча́х *див.* мати.

ПОРОЖНЮ: на порожню́, з сл. б у т и, п р и й т и, п р и б у т и. Без вантажу; марно, даремно.— *Що це ти, Панасе, на порожню? Почекай, ось подадуть бетон,— говорив такелажник, не розуміючи, для чого це треба було пускати стрілу [кран] на порожню* (Коцюба).

ПОРОЖНЯ: порóжня голова́ *див.* голова; **~ душа́** *див.* душа; **~ кише́ня** *див.* кишеня; **~ скри́ня** *див.* скриня.

ПОРОЖНЬО: порóжньо в головí (у лóбі) в *кого.* 1. Хто-небудь не може ніяк зосередитись на чомусь, згадати щось, думати про щось (від перевтоми, спустошення і т. ін.). [О л е н а *(здавлює голову руками):*] *Що таке? Де я? Мозок висох!.. Порóжньо в головí! Давить мене, стискає кліщами залізними!* (Кроп.). **порожнéча в головí.** *Від втрати крові він страшенно ослаб. Дивна порожнеча була в голові: ані думок, ані почувань* (Тулуб).

2. Хто-небудь дуже нерозумний, нетямущий. *Побив мене йолоп за те, що в мене повний лоб, а в нього порожньо у лобі* (Сос.). **порожнéча в головí.** *Цю противну машкару багатозначності і глибокодумності на обличчі, що прикривала порожнечу в голові, Борисенко уже навчився розпізнавати* (Стельмах).

порóжньо в сéрці (на сéрці, в душí, на душí) в *кого, чиєму, чий.* Відчуття спустошеності, байдужості до всього навколишнього охоплює кого-небудь. [К н у р:] *Давно вже порожньо в моєму серці, як серед тії пустки* (Мирний); *Прощально киваю головою товаришам по камері. А на душі — порожньо, в голові гуляють важкі молоти: от і все* (Збан.).

ПОРОЖНЬОЇ: як з порóжньої бóчки *див.* бочки.

ПОРОЖНЬОМУ: на порóжньому місцí *див.* місці.

ПОРОЖНЬОЮ: з порóжньою кише́нею *див.* кишенею.

ПОРОЗІ: на [кра́йньому (кра́йнім)] порóзі життя́. У глибокій старості, доживаючи віку. *На* *крайнім порозі життя оддав старий своє, літами та негодами побите, серце малій дитині!* (Мирний).

ПОРОЛИ: не ши́ли не поро́ли *див.* шили.

ПОРОСЛА: доро́га те́рном поросла́ *див.* дорога.

ПОРОСЛО: се́рце остюка́ми поросло́ *див.* серце.

ПОРОСТИ: порости́ мо́хом. 1. Давно минути, забутися, зникнути. *Що було, то мохом поросло* (Укр.. присл..). С и н о н і м: **порости́ те́рном.**

2. Зістарітися, постаріти. *Одна на другу* [ворони] *позирали; Неначе три сестри старі, Що діву-вали, дівували, Аж поки мохом поросли* (Шевч.). П о р.: **обрости́ мо́хом.**

3. Зробитися черствим, бездушним. *Коли б могли Вони збудить луну і розтривадить рани В серцях людей, що мохом поросли.. Тоді б замовк-ли вже самі собою Кайданів брязкіт і такі слова...* (Л. Укр.).

порости́ те́рном (траво́ю, би́ллям *і т. ін.***).** Давно перестати існувати, щезнути навіки.— *Було та минуло — вже й порохом припало й терном порос-ло,— думав Ломицький,— небагато часу минуло, а вже мені обридло життя, монотонне та безцвіт-не...* (Н.-Лев.); *Повставай із могил, що було та биллям поросло* (Перв.); // Давно умерти, загину-ти.— *Нема Кирдяги.— А Прокопович? — І Прокоповича, і Череватого, і Нареченого, і Демида..— Поросли травою* (Довж.). С и н о-н і м: **порости́ мо́хом** (у 1 знач.).

ПОРОСТУТЬ: кістки́ траво́ю поросту́ть *див.* кістки.

ПОРОСЯ́: як порося́ на о́рчику, з сл. в е л и ч а́ т и с я, з а в е л и ч а́ т и с я, п и ш а́-т и с я, з а п и ш а́ т и с я. Надто, особливо.— *Чо-го ж ти запишалась як порося на орчику? — під-штовхнув її трьома пальцями Карпо* (Стельмах). С и н о н і м: **як свиня́ в дощ.**

ПОРОТЕ: зна́ти і ши́те і по́роте *див.* знати.

ПОРОТИ: поро́ти гаря́чку. Діяти поспіхом, не-обдумано.— *Тут гарячки, товариство, пороти ні-чого. Треба з усіх боків обміркувати* (Головко); *А через тиждень знов почав гарячку пороти наш сусіда. День і ніч бігає, як навіжений* (Є. Кравч.).

ПОРОХ: витрача́ти по́рох *див.* витрачати.

є ще по́рох у порохівни́цях (*рідше у порохівни́-ці*). Ще не витрачена енергія, сили, творчі можли-вості. *Квасолею годують, а м'язи ще грають, значить, не так просто висмоктати з мене силу мою, є, думаю, порох у порохівницях* (Мур.); — *За господарську лінію я не боюся,— вів далі батько.— Хоч мені вже й шістдесят, а є ще порох у порохівницях* (Минко).

на по́рох *з сл.* п е р е с у ш и́ т и с я, з і т л і-т и, п е р е в е с т и́ с я, з н и́ щ и т и. Зовсім, повністю. *Тютюн висох на порох.*

поверга́ти у по́рох *див.* повергати; **~ си́плеться** *див.* порохня; **розві́яти на ~** *див.* розвіяти; **розси́-патися на ~** *див.* розсипатися; **розтира́ти**

на ~ *див.* розтирати; **трима́ти ~ сухи́м** *див.* три-мати; **у ~ топта́ти** *див.* топтати.

як по́рох в о́ці. Хто-небудь дуже набридливий, надокучливий. *Так любить, як порох в оці* (Укр. присл..). С и н о н і м и: **сіль в о́ці** (у 2 знач.).

ПОРОХІВНИЦЯХ: є ще по́рох у порохівни́цях *див.* порох.

ПОРОХНО: порохно́ си́плеться *див.* порохня.

ПОРОХНЯ: порохня́ (по́рох, порохно́, пісо́к і т. ін.) си́плеться з кого. Хто-небудь дуже старий, немічний.— *А ще і піп у вас — порохня з нього сиплеться,— кинув Безпалько, переглядаючи гра-мофонні пластинки* (Головко); [Д і д о к:] *Може, ти й підтопталась, а я ще потанцював би.* [Б а б а:] *Ну, подумайте! Та з тебе ж порох сиплеться!* (Мам.); *А з нього, кажуть люди, вже сипався пісок* (Вороний); // *з сл.* с т а р и й. Ду-же, зовсім.— *Він був низький, присадкуватий, як печериця, старий, аж порохня з його сипалась* (Н.-Лев.); *Він уже підтоптаний, вже порохно з нього сиплеться,— не звертав уваги на його запитання рудий.— Він тільки те й робить, що троянди вирощує* (Гуц.).

ПОРОХОВІЙ: сиді́ти на пороховій бо́чці *див.* сидіти.

ПОРОХОВОМУ: сиді́ти на пороховому по́гребі *див.* сидіти.

ПОРОХОМ: па́хне по́рохом *див.* пахне; **пі-ти́ ~ за ві́тром** *див.* піти; **розсипа́тися ~** *див.* розсипатися.

ПОРОХУ: наси́пати по́роху на о́чі *див.* насипа-ти; **не дава́ти ~ впа́сти** *див.* давати; **не нюха-ти ~** *див.* нюхати; **~ не ви́гадає** *див.* вигадає.

як по́роху чого. Чого-небудь дуже багато, без-ліч.— *В тій річці пстругів, як пороху* (Фр.).

ПОРОШИНА: як [та] порошина в о́ці, з сл. о д и́ н, є д и́ н и й. Зовсім, абсолютно.— *Він у мене один, як порошина в оці!* (Мирний). **як [та] поро́шинка в о́ці.** [О к с а н а:] *Я ж знаю, що і я в тебе одна, як та порошинка ув оці* (Кв.-Осн.); — *Як вона* [Уляна] *мучиться бідна, як болів нещасна! Одна ж, як та порошинка у оці* (Мирний).

ПОРОШИНІ: не дава́ти пороши́ні впа́сти *див.* давати.

ПОРОШОК: розтира́ти у порошо́к *див.* роз-тирати.

ПОРПАТИСЯ: по́рпатися в па́м'яті. Намагати-ся згадати щось. *Порпався в пам'яті, сточував в одне шматки розмов, але зв'язати не вдалося* (Мушк.).

по́рпатися в собі. Займатися самоаналізом, довго роздумувати над власними діями. *Він не звик порпатись у собі, вивчати стан своєї душі чи аналізувати почування, що володіли ним у ту чи іншу хвилину* (Голов.).

ПОРУКА: кругова́ пору́ка. 1. Взаємна відпові-дальність у певному соціальному середовищі, колективі, групі за кого-, що-небудь. *Селяни були зв'язані круговою порукою, тобто відповідали один за одного своїм майном за сплату податків* (Іст. СРСР).

2. Взаємне утримання від чесного зізнання, приховування чогось (з метою порятунку, винагородження і т. ін.). *[Возний:] Всі грішні, та іще й як! І один другого так обманюють, як того треба, і як не верти, а виходить кругова порука* (Котл.); *Сатиричному зображенню кругової поруки нижчих і вищих інстанцій бюрократично-чиновницького апарату присвячено байку [Гребінки] «Рибалка»* (Іст. укр. літ.).

ПОРУШУВАТИ: пору́шувати сло́во *див.* ламати.

ПОРЯД: дава́ти по́ряд *див.* давати.

ПОРЯДКОМ: я́вочним поря́дком. Без попередньої згоди, погодження, дозволу; самовільно. *Революційна боротьба робітників і селян на Україні займала визначне місце в загальному ході революції 1905—1907 рр. Робітники явочним порядком запроваджували восьмигодинний робочий день, селяни захоплювали й ділили поміщицьку землю* (Іст. укр. літ.).

ПОРЯДКУ: в поже́жному поря́дку. Дуже спішно, терміново.— *В пожежному порядку вже організовано кілька ватаг* (Головко).

для поря́дку, з сл. з а п и т а́ т и, с к а з а́ т и. Для годиться, як звичайно, як завжди буває. *На подвір'я неквапом в'їхав вершник. Невидимий серед підвід, вартовий окликнув його суворим голосом:* — *Хто йде? Вершник, знаючи, видно, що вартовий уже впізнав його і запитує більше для порядку, відгукнувся хмуро, неохоче:* — *Свої* (Гончар).

привести́ до поря́дку *див.* привести.

ПОРЯДОК: дава́ти поря́док *див.* давати.

по́вний поря́док, де, в кого. Усе як слід, без порушень; цілком безпечно де-небудь.— *Я ляжу спати, Стецьку,— сказав, вмощуючись у своєму логові, Когут,— а ти вартуй, та гляди мені, щоб був повний порядок* (Цюпа).

ПОСАДИТИ: не зна́ти, де посади́ти *див.* знати.

посади́ти в калю́жу кого. Поставити кого-небудь в дуже незручне становище; переважити когось успіхами, результатами. *Аж нетерпеливився [Павлусь] — в класі ще хлопцям розповісти і в дворі теж. От посадить Славку в калошу, задаваку* (Головко).

посади́ти за стіл *див.* саджати.

посади́ти на казе́нні харчі́ (хліба́) кого, заст., ірон. Ув'язнити. *Усі казали: от, чого доброго, Йосипенка посадять на казенні хліба* (Мирний).

посади́ти на лід кого, рідко. Поставити кого-небудь у безвихідне, скрутне становище.— *Приймімось, човни попалім, Тоді [тоді] і мусять тут остаться [чоловіки] І нехотя до нас прижаться; Ось так на лід їх посадім* (Котл.); *Коли б ти*

кождим був стручечком подавився! Щоб в горлі він тобі кілком був зупинився! Коли б що тріснув був од його живіт, ніж мав оце мене та посадить на лід!* (Г.-Арт.).

посади́ти на милину́ *див.* садити.

посади́ти на па́лю (на кіл) кого. Стратити кого-небудь, насаджуючи на загострений кілок.— *Стривай, пане,— сказав Хліб.— Не віддавай мене на ганебну смерть, як пса. Не стріляй.. Звели посадити мене на палю, дай вмерти достойно лицарською смертю, як умерли батько мій і дід* (Довж.); *Один [запорожець] утопився в Дніпровім гирлі, Другого в Козлові На кіл посадили* (Шевч.).

посади́ти на стіл *див.* саджати; ~ на хліб та во́ду *див.* садовити.

посади́ти на ши́ю чию, кого. Обтяжувати кого-небудь турботами, певною опікою і т. ін., перекладаючи на нього утримання когось, догляд за кимсь. *Посадила чоловікові на шию свою своя́ченицю.*

ПОСАДОВИТИ: не зна́ти, де посадо́вити *див.* знати; ~ за стіл; ~ на стіл *див.* саджати.

ПОСВЕРДЛИТИ: посвердли́ти очи́ма *див.* свердлити.

ПОСВИСТ: як соба́ка на по́свист *див.* собака.

ПОСВИСТУЄ: вітер в голові́ посви́стує *див.* вітер.

ПОСВІТИТИ: посвіти́ти косо́ю *див.* світити.

ПОСВІТЛІШАЛО: посвітлі́шало в голові́ в кого, кому і без додатка. Думки стали виразними, чіткими; хто-небудь став добре розуміти, сприймати.— *Внизу під скелею був один Хома, а піднявся на скелю, то це вже зовсім інший Хома! І бачить далі, і чує далі. І в голові наче посвітлішало!* (Гончар).

посвітлі́шало на душі́ (на се́рці) в кого, кому. Стало кому-небудь приємно від розради, душевного заспокоєння. *Закрутилась, плин свій стишила Хмарина, як гора. Та від неї посвітлішало на серці в трударя* (Дор.); *Парубкові посвітлішало, полегшало на душі і від свого рішення, і від своєї несподіваної великодушності* (Стельмах).

ПОСВЯТИТИ: посвяти́ти лози́ною кого, жарт. Побити когось різками. *[Мати:] Він сьогодні таки доспівається, поки я посвячу його лозиною* (Вас.).

ПОСВЯТИТЬСЯ: вода́ не посвя́титься *див.* вода.

ПОСВЯТЯТЬСЯ: па́ски не посвя́тяться *див.* паски.

ПОСЕЛИВСЯ: біс посели́вся *див.* біс.

ПОСИВІТИ: посиві́ти в дівка́х *див.* сивіти.

ПОСИДЕНЬКИ: справля́ти посиде́ньки *див.* справляти.

ПОСИЛАТИ: посила́ти до бі́сового ба́тька кого. Висловлювати у різкій формі своє небажання спілкуватися з ким-небудь; лаятися.— *Ти ніколи* путнього слова не скажеш! До тебе з ласкою, а ти — з серцем! Тебе просиш, а ти до бісового батька посилаєш! (Мирний).

посила́ти до чо́рта (к чо́рту, к чорта́м [соба́чим, свиня́чим]). Лаяти кого-небудь, проганяти геть.— Старий надумав учетверте женитися.. А церква не дозволяє. Так він, каже, послав попа до чорта, привіз молоду до куреня і живе собі без вінчання (Смолич). **посила́ти до всіх чорті́в.** Олександра з злістю шпурляла що було в руках, хрьопала дверима та посилала всіх до всіх чортів (Коцюб.).

посила́ти / посла́ти на смерть (в моги́лу) кого. 1. Доручати кому-небудь дуже складне завдання, виконання якого пов'язане із загрозою для життя.— Скільки він [генерал] того люду на смерть посилав! — Тут Антоніна мало не заплакала (Довж.).

2. Відправляти кого-небудь на страту; страчувати.— І треба ж на смерть посилать чоловіка за таку нісенітницю,— думав Улас, вертаючись додому (Н.-Лев.).

посила́ти старості́в див. слати.

посила́ти сто сот чорті́в на спи́ну чию. Проклинати кого-, що-небудь, — О-О, о-о-о-о,— голосила посеред хати Явдоха, посилаючи сто сот чортів на Павлову спину (Тют.).

[ті́льки] по смерть [до́бре] посила́ти кого. Проклинати кого-, що-небудь; дуже довго забарився хто-небудь, виконуючи певне доручення, прохання і т. ін. Коли ось і Демчиха з оковитою...— Ой, жінко,— стріча Демко,— тебе б по смерть посилать, то б нажився чоловік (Вовчок); Ті ж і Горпина з галушками у двох мисках. [В с і:] Чого так довго там барилась? Тебе б тільки по смерть посилати (Кроп.).

ПОСИНІЛИ: ру́ки посині́ли див. руки.

ПОСИПАЛИСЬ: і́скри з оче́й поси́пались див. іскри.

ПОСИПАНО: нена́че (на́че і т. ін.) ма́ком поси́пано, з сл. п и с а́ т и. Дуже дрібно. Лист написано, наче маком посипано. Нена́че мачком поси́пано. А писала [Мелася] — ..неначе мачком посипано (Кв.-Осн.).

як горо́хом поси́пати див. сипати.

ПОСИПАТИ: поси́пати (приси́пати) по́пелом го́лову (го́лови), книжн. Вдаватися в тугу, втрачати мужність, надію.— Ну, друзі? — кинув бадьоро вусами [Жук] — Не казав я вам, що немає чого попелом голови присипати?.. Не говори, що справа не загине на Затишній? (Козл.).

ПОСИПЛЕТЬСЯ: аж пі́р'я поси́плеться див. пір'я.

ПОСІЙ: де не посі́й, там і вро́диться див. вродиться.

ПОСІЛО: ли́хо посі́ло див. лихо.

ПОСІЯТИ: посі́яти па́ніку; ~ ро́збрат див. сіяти.

ПОСКАКАЛИ: і́скри з оче́й поскака́ли див. іскри.

ПОСКАЧЕШ: поска́чеш цига́нської халя́ндри див. потанцюєш.

ПОСКУПИТИСЯ: не поскупи́тися на фа́рби, книжн. Висвітлювати, зображувати кого-, що-небудь надто виразно, перев. з перебільшенням. Ще тільки вчора Роман читав у газеті про нього захоплюючий нарис. Автор нарису не поскупився на фарби, використав.. усю свою палітру (Минко).

ПОСЛАВ: Бог посла́в; Бог ро́зум ~; з чим Бог ~; чим Бог ~; що Бог ~ див. Бог.

ПОСЛАТИ: посла́ти о́чі на кого — що. Спрямувати погляд, подивитися на кого-, що-небудь. Попритихали усі [піщани]; послали очі на шлях... (Мирний).

ПОСЛИЗНУТЬ: бода́й вони́ всі посли́знуть див. вони.

ПОСЛІДНІМ: ділитися послі́днім див. ділитися.

ПОСЛУЖИЛА: до́ля послужи́ла див. доля.

ПОСЛУЖИТЬ: до́ля послу́жить див. доля.

ПОСМІХ: виставля́ти на по́сміх див. виставляти.

ПОСМІХАЄТЬСЯ: до́ля посміха́ється див. доля.

ПОСМІХОВИСЬКО: виставля́ти на посміхо́висько див. виставляти.

ПОСМІШКОЮ: обдаро́вувати по́смішкою див. обдаровувати.

ПОСМІШКУ: заку́шувати по́смішку див. закушувати.

ПОСОЛЕНИЙ: як в'юн посо́лений див. в'юн.

ПОСПІТИ: поспі́ти з ко́зами на торг див. встигнути.

ПОСПІШАТИ: поспіша́ти попе́ред ба́тька в пе́кло див. лізти.

ПОСТАВИЛО: поста́вило прямце́м кого, безос. Хтось остовпів. Пищимуху так прямцем і поставило, наче хто шпигонув гострим ножем у серце (Мирний). П о р.: **правце́м поста́вити** (у 2 знач.).

ПОСТАВИТИ: поста́вити до сті́нки див. ставити.

поста́вити з голові́ на ноги. Повернути все, як було; надати чомусь первісного, реального змісту, значення. Повернувшись додому, господиня все поставила з голови на ноги.

поста́вити знак рі́вності див. ставати.

поста́вити з ніг на го́лову. 1. Неправильно викласти що-небудь, перекрутити. Частина виступаючих висунуту пропозицію поставила з ніг на голову.

2. Докорінно змінити що-небудь, перебудувати на нових засадах. Застосування машинного доїння поставило з ніг на голову роботу на молочних фермах.

поста́вити кра́пку; ~ кра́пку над «і» див. ставити.

поста́вити на висоту́ що. Забезпечити певний

розвиток кого-, чого-небудь, піднести. *Наше сільське господарство треба поставити на висоту.*

поставити на ка́рту; ~ на кін див. ставити.

поставити на коле́са. Забезпечити транспортом, зробити мобільним, здатним пересуватися за будь-яких умов. *Тепер Вася вирішив за будь-що поставити роту на колеса* (Гончар).

поставити на колі́на див. ставити.

поставити на одну́ до́шку див. ставити; **~ на рейки** див. переводити.

поставити на [рі́вні] но́ги. 1. *кого.* Виростити, виховати.— *Я круглий сирота: ні роду, ні плоду, ви мене на ноги поставили, ви мене до розуму довели* (Кв.-Осн.); *Каленик Романович і Ганна Сильвестрівна усиновили спочатку трьох хлопців-братів, потім ще двох, а разом з рідними синами поставили на ноги сім чоловік* (Сенч.); // Допомогти кому-небудь утвердитися, підтримати когось. *На флоті Павло був веселий, кмітливий і швидкий, як чайка в польоті. Це з ним тут щось сталося. Треба його поставити на рівні ноги, розбудити, щоб прокинувся назавжди* (Кучер). С и н о н і м: **ви́вести на доро́гу.**

2. Ви́ходити після хвороби, вилікувати. *Дбайливі лікарі поставили її на ноги після перенесеного жахливого голодування, після запалення легенів* (Хижняк); // Сприяти видужанню, оздоровити.— *Ні, мамо, ви вистудились, не гляділи себе ... І тільки сильні ліки зможуть вас поставити на ноги...* (Літ. Укр.).

3. *що.* Відбудувати, закласти основу для розвитку чого-небудь. [К о в ш и к:] *Що ти зробив для села?* [Р о м а н ю к:] *Мало зробив? Після війни людей з землянок в нові хати вивів, все господарство на ноги поставив і аж до середнього рівня довів* (Корн.).

4. *кого.* Спонукати до діяльності багатьох, викликати загальне зацікавлення, турботу про кого-, що-небудь. *Чутка про скликання загальних зборів горохом розкотилася по селу ще зрання і враз поставила всіх на ноги* (Епік); *Всіх поставить [Яцуба] на ноги, щоб тільки захистити дочку і викрити злочинне кубло, якщо воно там, в інституті, завелося* (Гончар).

поставити пе́ред фа́ктом; ~ пита́ння ру́ба див. ставити.

поставити під арши́н, *заст.* Взяти в рекрути. *А завтра хлопців поставлять під аршин.* С и н о н і м: **забри́ти лоб.**

поставити під уда́р див. ставити.

поставити по́за зако́ном *кого.* Позбавити кого-небудь прав громадянства, заступництва з боку державних органів. *Куди діватися? Власті нас не признають, поставили поза законом* (Цюпа); [А д м і р а л:] *Хто піде проти наказу, хто не виконає ультиматуму, той поставить себе поза законом* (Корн.).

поставити себе́ на мі́сце див. ставити.

поставити / ста́вити догори́ нога́ми *що.* 1. Внести докорінні зміни в що-небудь, перебудувати на нових засадах. [З у б:] *Винахід на винахід не скидається, вельмишановна Варваро Павлівно. Зараз мова йде про справу, яка всю нашу техніку взагалі догори ногами поставити може* (Собко).

2. Неправильно розтлумачити, висвітлити щось, надати чому-небудь протилежного змісту, значення. *Інформація про події часто ставить окремі факти догори ногами.*

поставити / ста́вити на мі́сце *кого.* Певними діями, зауваженнями дати можливість кому-небудь опам'ятатися від зарозумілості, чванства. *Чумакова мова починала тішити Обухова. Він розумів, що в кожну хвилину може поставити цього зарозумілого юнака на місце* (Збан.). С и н о н і м и: **збити пи́ху; втерти но́са** (у 2 знач.). А н т о н і м: **набити пи́ху.**

поставити / ста́вити на слу́жбу *кому, чому,* розм. Використати, застосувати в інтересах кого-, чого-небудь. *Після Жовтневої соціалістичної революції більшовицька партія поставила електрику на службу всьому народові* (Кучер); *Треба поставити на службу революції всю силу народної мудрості, весь життєвий досвід* (Гончар); *Досягнення Радянського Союзу в ракетній техніці наша країна поставила на службу мирові і прогресові людства* (Рад. Укр.).

поставити / ста́вити на чолі́ *кого, чого.* Зробити керівником, вождем кого-, чого-небудь; визнавати провідну роль за ким-, чим-небудь. *Встановивши диктатуру пролетаріату, Жовтнева революція поставила на чолі нашої великої держави робітничий клас* (Рильський).

поставити сті́ну; ~ хрест див. ставити.

правце́м (у праве́ць) поста́вити *кого.* 1. Померти. *Був би він рядовим — давно б лежав на операційному столі. А велике начальство само командує. Козириться, поки його правцем поставить* (Голов.).

2. Заціпеніти на місці; остовпіти. *Христю мов хто у правець поставив від такого питання, вона аж скорчилася* (Мирний). П о р.: **поста́вило прямце́м.**

ПОСТЕЛІ: облягти́ на сме́ртній посте́лі див. облягти.

ПОСТЕРЕГТИ: постерегти́ лопа́тки в горо́сі див. побачити.

ПОСТІ́ЛЬ: розділя́ти по́стіль див. розділяти.

ПОСТОЛИ: обу́ти в постоли́ див. обути.

ПОСТРА́Х: сі́яти по́страх див. сіяти.

ПОСТРІ́Л: [і] на гарма́тний по́стріл, з сл. д о п у с к а́ т и. Навіть на далеку відстань, зовсім не слід наближати кого-небудь до когось, чогось; не можна доручати щось. *Людей, які займаються господарством поверхово, без знання справи,.. і на гарматний постріл не можна допускати до керівництва* (Рад. Укр.).

ПОСТРІЛУ: на відстані гарма́тного по́стрілу *див.* відстані.

ПОСТУПИ: роби́ти по́ступи *див.* робити.

ПОТАЙНА: пота́йна́ гадю́ка *див.* гадюка.

ПОТАЙНИЙ: потайни́й соба́ка *див.* собака.

ПОТАЛУ: не дава́ти на пота́лу *див.* давати.

ПОТАНЦЮЄШ: потанцю́єш (поска́чеш) [у ме́не (у нас)] цига́нської халя́ндри. Уживається як погроза кому-небудь.— *Їй-богу, сину, не гай часу, їдь до Києва! Нехай тоді Ониська потанцює з своєю чехонею циганської халяндри* (Н.-Лев.); *«Тепер ти, голубчику шибенної вдачі, потанцюєш і поскачеш у мене циганської халяндри»,— звертався* [Плачинда] *в думках до Романа* (Стельмах).

ПОТАЧКУ: дава́ти пота́чку *див.* давати.

ПОТЕКЛА: сли́на потекла́ *див.* слина.

ПОТЕКТИ: потекти́ сві́тами, *заст., поет.* Зникнути, заїхати, залетіти дуже далеко, невідомо куди. *Вернули діти на селище, а по зозулі й місце застигло, потекла світами* (Ков.).

ПОТЕМНІВ: світ потемні́в *див.* світ.

ПОТЕМНІЛО: в оча́х потемні́ло *див.* жовтіє.

ПОТЕПЛІЛО: потепліло на се́рці *див.* потеплішало.

ПОТЕПЛІШАЛО: потеплі́шало (потепло́ло) на се́рці (на душі́) *у кого, безос.* З'явилися приємні, відрадні почуття, стало відрадно. *Потеплішало трохи на серці Тараса Григоровича при думці, що скрізь є добрі люди* (Тулуб); *На душі* [у Надії] *потеплішало, і все довкола набрало вже призабутої товариської святковості* (Баш).

ПОТЕРТИСЯ: поте́ртися між людьми́ *див.* тертися.

ПОТИ: у три по́ти, *з сл.* р о б и́ т и, т р у́ д и́ т и с я *і т. ін.* Докладаючи багато зусиль, надмірно, напружено. *Прийшов управитель. Сперту був криком напустився на них, але вгамували його одразу.— Самі на нього напали. «Доки знущання терпіти отаке: в три поти робили, а червою годуєш!»* (Головко). П о р.: **у по́ті чола́.** С и н о н і м и: **до деся́того по́ту; аж і́скри летя́ть.** А н т о н і м: **як мо́кре гори́ть** (у 1 знач.).

ПОТИКАТИ: потика́ти (ти́кати) / ткну́ти (по́ткнути) но́са. З'являтися, бувати де-небудь.— *А там ще зима: сніг, морози. І знову сиди в хаті, не потикай носа* (Мирний); — *Полізли, жевжики, у таку страшну печеру, що я, старий, побоявся б у неї носа поткнути,— пояснив учительці Харитон Макарович* (Мокр.); — *Що, як герман носа сюди поткне? Він же нас, як куріпок, тут перепотрає* (Головч. і Мус.).

ПОТИКАТИСЯ: потика́тися / поткну́тися на о́чі *кому, чиї.* З'являтися час від часу до кого-небудь, де-небудь, випадково стрічатися, несподівано поставати перед ким-небудь. *Я цілісінький день не їла і нікому на очі не потикалась* (Барв.); *Може, вона ще стільки ж не потикалася їй на очі,*

коли б не трапилась щаслива нагода (Юхвід); *Поткнешся панові на очі: — Хто сінокіс ізгарцював? (Манж.).*

ПОТИЛИЦІ: да́ти по поти́лиці *див.* дати.

ПОТИЛИЦЮ: ви́пхати в поти́лицю *див.* випхати; **не в ~ би́тий** *див.* битий; **показувати ~** *див.* показувати.

у поти́лицю, *заст.* 1. *з сл.* г н а́ т и, в и́ г н а т и, в и́ т у р и т и. Дуже грубо, з лайкою, з бійкою. *Пістряка лаяв-лаяв* [сотник] *на всі боки та в потилицю і вигнав його з хати* (Кв.-Осн.). 2. З протилежного боку, з тилу.— *Гей, пане хорунжий! Ану, візьми з собою завзятців з півсотка та спробуй їм* [нападаючим] *в потилицю зайти з болота* (Стар.).

чу́хати поти́лицю *див.* чухати.

ПОТИЛИЧНИКА: відва́жити поти́личника *див.* відважити; **да́ти поти́личника** *див.* дати.

ПОТИЛИЧНИКАМИ: годува́ти поти́личниками *див.* годувати.

ПОТІ: у по́ті чола́. Докладаючи всіх зусиль, напружено, самовіддано. *Микола з Андрієм трудилися в поті чола* (Збан.); *Франко оддає своє серце і всі свої симпатії тим, хто «в поті чола» добуває хліб не тільки собі, але й другим, тим, що самі не роблять* (Коцюб.). П о р.: **у три по́ти.** С и н о н і м и: **до деся́того по́ту; аж і́скри летя́ть.** А н т о н і м: **як мо́кре гори́ть** (у 1 знач.).

ПОТІВ: виганя́ти сім поті́в *див.* виганяти; **сім ~ зійде** *див.* сім.

ПОТКНУТИ: поткну́ти но́са *див.* потикати.

ПОТКНУТИСЯ: поткну́тися на о́чі *див.* потикатися.

ПОТОВКТИ: потовкти́ на пшоно́ *що.* Розбити вщент. *А тут ще ліс почали німці* [фашисти] *прострілювати. Намацають нас, як забаримось. Потовчуть стоячий танк на пшоно* (Ю. Янов.).

потовкти́ ре́бра *див.* полічити.

ПОТОВПИТЬСЯ: не пото́впиться в шку́ру *див.* втовпиться.

ПОТОМ: залива́тися по́том *див.* заливатися; **зро́шувати ~ зе́млю** *див.* зрошувати; **кро́в'ю й ~** *див.* кров'ю; **обкипі́ти ~** *див.* обкипіти; **облива́тися ~; облива́тися холо́дним ~** *див.* обливатися; **покропи́ти ~** *див.* покропити; **полива́ти ~** *див.* поливати.

ПОТОП: після нас (а там) хоч пото́п. Байдуже, що буде потім, майбутнє не цікавить кого-небудь. — *Вона, мені здається, далі свого носа не бачить. Аби їй було добре та тепло, а там хоч потоп* (Кучер).

ПОТОПАТИ: потопа́ти в безо́дні *чого, уроч.* Безслідно губитися; назавжди зникати у чому-небудь. *Кожний більш-менш порядний нарис ховає в собі безліч змісту. Щоб не потонути в безодні надзвичайних фактів, треба.. продумати конструкцію і п'єси, і оповідання, і сценарію* (Довж.).

потопа́ти в ро́зкошах *див.* тонути.

ПОТОПУ: від потóпу. З сивої давнини, з давніх-давен. *У джунглях Бразілії Плодилися [гадюки] від потопу* (Мур.).

до потóпу. Дуже довго, безконечно.— *Уже люди й додому поїхали, а тут, мабуть, до.. потопу сидітимем* (Тют.).

ПОТОЧИТИ: поточи́ти ля́си; ~ язики́ див. точити.

ПОТРАПИЛА: вожжи́на під хвіст потрáпила див. вожжина.

ПОТРАПИТИ: на óчі потрáпити див. потрапляти; **не в ті двéрі ~** див. попадати; **~ в тон; ~ під рýку** див. підвертатися.

потрáпити (попáсти) на [гóстрі (голóдні)] зýби кому. Стати предметом лихослів'я, пліток. *Попав їм [колгоспникам] Заруба на гострі зуби* (Кучер); *Уся сім'я Глущуків потрапила на голодні зуби, і хто тільки не хотів, той і не перемивав їй кісток* (Чорн.).

потрáпити (попáсти) на зубóк (на зýбки). [Іван:] *Вже він мені попадеться на зубок: я йому допечу, коли не кулаком, то язиком* (Кроп.).

потрáпити (попáсти, попáстися) / потрапля́ти (попадáти) на язи́к кому. Стати об'єктом розмов, пересудів, дотепів, жартів і т. ін.— *Вам вже й потрап на язик, Ярино Іванівно,— посміхнувся я* (Збан.); *Потрапила їм сьогодні на язик незлобива тітка Иваниха, що ніколи й ні про кого не сказала лихого слова..* (Літ. Укр.); *Тільки попади їй на язик. На весь куток іде слава* (Коп.); *Жінкам тільки попади на язик, засічуть, мов ті оси!* (Горд.).

потрáпити / потрапля́ти в нóгу з ким — чим. Погоджувати з ким-, чим-небудь свої слова і дії. *Справжній митець повинен потрапляти в ногу з життям. Пор.: іти в ногу* (в 1 знач.).

потрáпити у [сáму] ціль (тóчку). 1. Сказати, зробити саме те, що треба.— *Вони [селяни] мене бояться.. — З якої речі? — У мене таке враження.. — О-о,— зрадів Сергій.— Потрапили у саму точку* (Тют.). С и н о н і м: **влучáти в тóчку.**

2. Виявитися доречним, доцільним у певний момент, у даній ситуації.— *Визнаю, що, може, не тут мені з вами треба говорити. Натяк її [Ольги] одразу потрапив у ціль, породивши в ньому страх* (Шиян).

ПОТРАПИШ: в стýпі не потрáпиш див. влучиш.

ПОТРАПЛЯТИ: на óчі потрапля́ти (попадáти, попадáтися, навертáтися) / потрáпити (попáсти, попáстися, навернýтися) кому, чиї. 1. З'являтися перед ким-небудь, зустрічатися, бачитися. *А дитина після пригоди з Січкарем не дуже охоче попадала батькові на очі, бо він таки нагримав на неї* (Стельмах); *Розмови з ним не шукала [Маруся], не наверталася йому на очі — хто б пізнав, що кохає його!* (Вовчок); *В казармі Яресько, як і сподівався, одразу потрапив на очі командирові*

загону Шляховому (Гончар); // *перев. док.* Випадково зустрітися. *А бесіда була, видно, гарячою, бо за якийсь час Сперанський кулею вилетів звідти, червоний, як рак, і тут-таки за будь-здоров вибанітував свого ординарця, який перший попався йому на очі* (Гончар). А н т о н і м: **зійти з очéй.**

2. Бути помітним, на видноті, виразно виявлятися, поставати перед ким-небудь; знаджувати. *Був у неї і собака з міді кований, і зайчик череп'яний, мережані ушка. Все те ні до чого, а вкупі воно блищить. і на очі навертається, і рябіє — аж б'є* (Вовчок); *Нічого він [горобець] не тямив, ані гніздечка звити, ані зерна доброго найти,— де сяде. там і засне; що на очі навернеться, те і з'їсть* (Л. Укр.); *А Чіпка одно гуляє, з шинку до шинку сновигає, та знай тягне з господи все, що тільки на очі навернеться* (Мирний). П о р.: **лізти на óчі.**

потрапля́ти в нóгу; ~ на язи́к див. потрапити; **~ під рýку** див. підвертатися.

потрапля́ти / потрáпити в тон (в ритм, в такт) чого, який. Діяти згідно з іншими, за певними правилами, канонами, стилем і т. ін. *Захар мужнів духом,.. потрапляючи в дужий ритм великої перебудови країни* (Ле); *Леночка розповідала, вживаючи книжних зворотів мови, вона все хотіла потрапити в газетний тон* (Ю. Янов.).

ПОТРАФИВ: шляк би потрáфив див. шляк.

ПОТРЕБУВАТИ: потребувáти жертв див. вимагати.

ПОТРУСИТИ: потруси́ти зли́днями. Зазнати горя, нестатків, великої нужди. [К а л е н и к:] *Іди, іди! Здійлай [зроби] милость! ..Потрусиш злиднями, то й вернешся додому* (К.-Карий).

потруси́ти кали́тку (кали́ткою) в кого, чию. Примусити когось виплатити, витратити яку-небудь суму грошей.— *Ходімо,— згодився Довбня.— Потрусимо трохи попівську калитку...* (Мирний); // Понести витрати. *Такий час настав: і важкий, і надіями рясний. Гей доведеться, пане, й тобі якогось дня потрусити калиткою* (Стельмах).

потруси́ти кишéні у кого, чиї. Насильно забрати гроші в кого-небудь. *Найшли [козаки] льохи, скарб забрали. У ляхів кишені потрусили* (Шевч.); *Довбуш завжди радився перед кожним походом на доли, чи то мав карáти пана за збиткування над кріпаками, чи потрусити кишені орендаря-кровопивці або сільського дуки* (Гжицький).

ПОТРУХАМИ: з потрухáми (з пóтрухом). З усім, що є; цілком.— *Та я тебе з потрухами продам* (Цюпа); — *А ви, що Евруся згубили, Щоб ваш пропав собачий рід! Щоб ваші ж діти вас побили. Щоб з потрухом погиб ваш плід!* (Котл.).

ПОТРУШЕНІ: на потрýшені грýші. див. груші

ПОТУ: до деся́того (сьóмого) пóту, з сл.

працюва́ти, труди́тися *та ін.* До крайньої, граничної втоми.— *Я ще на панських плантаціях до десятого поту прополювала буряки, кров'ю руки сходили — знаю ціну отим клятим зайвим росткам* (Наука..). С и н о н і м и: **у три по́ти; у по́ті чола́; аж і́скри летя́ть.** А н т о н і м: **як мо́кре гори́ть** (у 1 знач.).

до крива́вого по́ту, з сл. п р а ц ю в а́ т и. Дуже виснажливо, понад силу. *Хіба закон працював на тих виноградниках до поту кривавого?..* (Коцюб.).

ПОТУПИТИ: поту́пити о́чі (по́гляд) [в зе́млю (до землі́)]. Дивитися вниз (на землю, на підлогу *і т. ін.*) від сорому, ніяковості тощо. *Він замовк, потупив очі в землю* (Мирний); *Стояв [Андрій], потупивши очі в землю* (Довж.).

ПОТУРАТИ: потура́ти се́рцю (се́рцеві). Діяти за власним бажанням, довірятися тільки особистим почуттям. *Святе писаніє читай, Читай, читай та слухай дзвона, А серцеві не потурай* (Шевч.); *Хай і моєму серцю тяжко Сказать тобі: навік прощай! Нехай і так, нехай і важко, А серцеві не потурай!* (Пчілка).

ПОТУХУ: на поту́ху, з сл. в и́ п и т и, *діал.* Під кінець, на прощання або на похмілля.— *Вип'ю чарку, вип'ю другу, вип'ю третю на потуху, П'яту, шосту, та й кінець* (Шевч.); — *Може, хто пулечку зіб'є або на потуху стаканчик-другий пуншу вип'є? — спитався Колісник* (Мирний); *Вони обнялися і тричі поцілувалися, — На потуху треба випити, .. в той від твоїх кулаків в голові аж джмелі загули* (Панч).

ПОТЯГНЕ: недо́вго потя́гне *хто.* Мало залишається жити кому-небудь, хтось скоро помре. *Снилося мені таке страшне-страшне: серце віщує, що вже недовго потягне [Гриць]* (Март.).

ПОТЯГНУВ: потягну́в чорт за язика́ *див.* чорт.

ПОТЯГНУТИ: не потягну́ти ніг. Не зрушити з місця.— *А бий тебе лиха година,— думаю,— зараз я покажу тобі дорогу, що й ніг не потягнеш з мого двору* (Ткач).

потягну́ти но́ги (чо́боти) *куди, за ким, за кого.* Повільно, ледве переступаючи, вийти, піти. *Хто таки й потягне ноги до хати чи в клуню на ночівлю, а хто.. тут на землю біля призьби повалиться у втомі* (Головко); *Андрій Перекат мить постояв, потім повільно, вже відчуваючи втому, потягнув додому свої важкі чоботи* (Собко).

потягну́ти ру́ку *див.* тягти.

ПОТЬМАРИВСЯ: потьма́рився ро́зум *див.* розум; **світ ~** *див.* світ.

ПОТЬМАРИТИ: потьма́рити ро́зум (мо́зок) *кому.* Позбавити чіткості сприйняття, розуміння; запаморочити. [Л и ц а р:] *Мені темниця очі засліпила, мені неволя розум потьмарила* (Л. Укр.); *Хвилювання потьмарило мозок* (Голов.).

ПОХИЛИЛО: похили́ло (потягло́ і под.) на сон (до сну) *кого, безос.* Комусь захотілося спати. *Очі посоловіли, він розігрівся біля вогню, і його*

похилило на сон (Тют.); [Д і д С а л и в о н:] *Чуєш, а мене потягнуло на сон* (Стельмах); *Запашний дух розпуклої верби, берези.. зламав дитяче завзяття, Марфу потягло до сну* (Горд.).

ПОХИЛИТЬСЯ: дмухни́ і похи́литься *див.* дмухни.

ПОХНЮПИТИ: похню́пити но́са *див.* вішати.

ПОХОВАТИ: похова́ти живце́м (живи́м) *кого.*

1. Позбавити всіх радощів життя.— *Ти чого до мене прийшов? — закричав, багровіючи від люті, Шумейко.— Вчити, як моїм добром розпоряджатись, кому що підписувати? Чи ти хочеш мене живцем поховати?* (Шиян).

2. з сл. с е б е́. Відмовитися від нормального способу життя, вести одиноке, аскетичне, позбавлене всіх радощів життя. *Треба в широкий світ, там, може, знов у люди вийду. А ні, то хоч знатиму, що не заснидіта я у Ведмежому Куті (от іще назва!), не поховала себе живою* (Л. Укр.). **похо́ваний живце́м.** *Найважче було те, що не було.. з ким перекинутися звичайнісіньким словом. У Сифара хоч бранки-козачки. А тут лежи, мовчи, наче похована живцем* (Тулуб).

похова́ти кінці́ *див.* ховати.

ПОХОДЕНЬКИ: справля́ти посиде́ньки та похо́деньки *див.* справляти.

ПОХОДИТИ: похо́дити з глибини́ душі́ *див.* іти.

ПОХОЛОЛО: похоло́ло в душі́ *див.* похолонуло.

ПОХОЛОНУЛО: похоло́нуло (похоло́ло) в душі́ (в гру́дях, у животі́, у п'ята́х, на се́рці) *в кого, кому, безос.* Стало кому-небудь страшно, моторошно, болісно від сильного хвилювання, раптового переляку тощо. *Тут Денис так глянув на Трохима, що у того жижки задрижали і у душі похолонуло* (Кв.-Осн.); *Сплеснула [Івга] руками і не знає, куди й розглядати... Так дух і займається, і в животі похолонуло* (Кв.-Осн.); *Далекий шлях, пани-брати, Знаю його, знаю! Аж на серці похолоне, Як його згадаю* (Шевч.); *Іду я через те пожежище, а в мене й у душі похололо. Мабуть, погоріли й мої хати, бо обидві стоять просто на улиці, недалеко од міста* (Н.-Лев.); *У грудях Зіньки похололо. Їй здалось, що збитий з ніг чоловік уже мертвий* (Шиян); *Макарові Івановичу аж у очах потемніло, аж у п'ятах похололо... От і справдилося його передчуття. От і нещастя...* (Коцюб.). С и н о н і м и: **бере́ з-за плече́й; жи́жки трясу́ться.**

се́рце похоло́нуло *див.* серце.

ПОЦІЛУВАТИ: поцілува́ти замо́к (у лома́ку), *жарт.* Нікого не застати де-небудь; піти ні з чим.— *Приходимо до Христі — аж у неї і хата закручена. Поцілувала Химка у ломаку, та й назад вернулася* (Мирний).

ПОЦІЛУНОК: поцілунок [від] Іу́ди; іу́дин (ю́дин) поцілу́нок, *книжн.* Зрадницький вчинок під виглядом доброзичливості, приязні. *Політика* чергування звірячих розправ і іудиних поцілунків робить своє діло і революціонізує студентську масу (Ленін).

ПОЧАСТУВАТИ: почастува́ти бере́зовою ка́шею *див.* частувати; **~ поти́личниками** *див.* годувати.

ПОЧАТИ: поча́ти зда́лека *див.* починати.

ПОЧАТКАХ: на пе́рших поча́тках *див.* порах.

ПОЧАТОК: вести́ поча́ток *див.* вести; **дава́ти ~** *див.* давати; **покла́сти ~** *див.* покласти.

поча́ток і кіне́ць *чого, книжн.* Все, суть, основа чого-небудь. [Є п и с к о п:] *Те слово — бог. Він альфа і омега, початок і кінець* (Л. Укр.).

ПОЧЕПИТИ: почепи́ти торби́ *див.* начепити.

ПОЧЕПИТИСЯ: почепи́тися на ши́ю *див.* вішатися.

ПОЧЕПЛЕНИЙ: язи́к почеплений до́бре *див.* язик.

ПОЧЕСАТИ: почеса́ти бере́зовим ві́ником *кого.* Побити кого-небудь різками.— *А то ж задля чого [на конюшню]? — зацікавившись, допитуюся я.— Щоб конюх Тришка березовим віником почесав* (Мирний). С и н о н і м и: **почастува́ти бере́зовою ка́шею; да́ти хльо́сту; вси́пати пе́рцю** (у 1 знач.).

почеса́ти спи́ну (ре́бра) *кому.* Побити когось. *Здавайся ж без одсічі, зграє! Життя вам дарують, за вашу ж вину Почешуть лиш гречно подлячу спину* (Стар.); *Коли сверблять із вас у кого Чи спина, ребра, чи боки, Нащо просити вам чужого? Мої великі кулаки Почешуть ребра вам і спину* (Котл.).

почеса́ти язика́ *див.* чесати.

ПОЧИНАТИ: почина́ти / поча́ти зда́лека (зда́ля). Не розкриваючи одразу своїх думок, намірів, говорити про суть справи не зразу, натяками, репліками.— *Да, кожного з нас щось жде у житті,— здалека і загадково починає Терентій і цим одразу насторожує допитливі очі Омеляна* (Стельмах); *Михайло Гнатович хотів почати здаля, спочатку вивідати, чи не запропонував хто якогось кращого способу* (Собко). С и н о н і м: **заходити збо́ку.**

ПОЧОМУ: показа́ти, почо́му лі́коть ква́ші *див.* показати; **~ ківш ли́ха** *див.* ківш.

ПОЧУБЕНЬКІВ: дава́ти почубе́ньків *див.* давати.

ПОЧУВАТИ: не почува́ти землі́ *див.* чути.

почува́ти себе́ бо́гом. Добре розумітися на чомусь, бути впевненим у своїх діях, маючи добру підготовку, міцні знання тощо.— *Хоч ти, Єгипто, й механізатор широкого профілю, на всіх машинах богом почуваєш себе, але шануйся: ще один лівак — і вилетиш аж за космос!* (Гончар).

рук, ніг не почува́ти *див.* чути.

ПОЧУЄШ: і сло́ва не почу́єш *від кого.* Хто-небудь дуже мовчазний, сором'язливий, неговіркий. [Г е б р е й:] *Я мушу знать, що я тут раб рабів,* —

що він мені чужий, сей край неволі, що тут мені товаришів нема. Більш ти від мене й слова не почуєш! (Л. Укр.).

ПОЧУТИ: за версту́ почу́ти *кого.* Одразу розпізнати, відрізнити кого-, що-небудь.— *Строкаря з економії від хозяйського за версту по духу почуєш* (Стельмах).

но́сом почу́ти *див.* чути.

ПОЧУТТЯ: почуття́ лі́ктя *див.* чуття; **хвилюва́ти ~** *див.* хвилювати.

ПОЧУХАТИ: почу́хати поти́лицю *див.* чухати.

ПОЧУХАТИСЯ: почу́хатися, де й не сверби́ть, *жарт.* Пережити несподівану невдачу, прикрість і т. ін. *Почухався, де й не свербить* (Номис).

ПОШЕПТАЛО: як сім баб пошепта́ло *див.* сім.

ПОШИРИЛАСЯ: чу́тка поши́рилася *див.* чутка.

ПОШИРШАВ: світ поши́ршав *див.* світ.

ПОШИТИ: поши́ти (обу́ти) / ши́ти (обува́ти) у ду́рні *кого.* Поставити кого-небудь у дуже незручне, комічне становище; одурити когось. *Став [Писар] її пильно прохати, щоб як би того пана Микиту зовсім у дурні пошити* (Кв.-Осн.); *Не скидалося на те, щоб Кеся так підступно затягувала мене в сильце, ловила на гачок, аби потім пошити перед усім класом у дурні й висміяти* (Збан.); *У дурні німчики обули Великомудрого гетьмана* (Шевч.); *Нема у світі вреднішого зілля аніж баба.. Вчора йому на ковзанці «Левку, миленький» співала, а сьогодні вже в дурні шиє* (Стельмах). С и н о н і м: **залиши́ти в ду́рнях.**

поши́ти у брехню́ *кого, що.* Підло звинуватити кого-небудь у неправді, заплямувати когось, щось. *Це ж ви Республіку пошили у брехню, і безоглядно повтікали за кордон* (Тич.).

ПОШИТИСЯ: поши́тися в ніщо́, *рідко.* Втратити повагу. *З такого смійся, що розганявсь до неба. А низько сів, пошився сам в ніщо* (Граб.).

поши́тися в соба́чу шку́ру. Зробитися невгамовно злим, недоброзичливим. *Пошився в собачу шкуру* (Укр.. присл..).

поши́тися (убра́тися, записа́тися) в ду́рні. Дати себе ошукати, одурити. [К у к с а:] *Пошилися в дурні обоє, треба вже мовчать.* [Д р а н к о:] *Перемудрували* (Кроп.); *Єгор глянув на Мічуріна і.. хотів замовкнути, щоб не пошитись у дурні й не стати посміховищем, та притаманна впертість взяла гору* (Довж.); *Може, інший сподобався, Той тобі любішим став? Я ж у дурні записався, Що тебе одну бажав!* (Пісні..). **поши́тися в ду́рники.** *Хто не хоче пошитися в дурники, того ми попереджаємо настійно: розкол і розкол безумовний* (Ленін). С и н о н і м: **побува́ти у ду́рнях.**

ПОШИТТЯ: не ма́ти і за бо́же пошиття́ *див.* мати.

ПОШЛИ: пошли́ Бог *див.* Бог.

ПОШЛЮТЬ: ста́рший, куди́ пошлю́ть *див.* старший.

ПОШТОВХ: дава́ти по́штовх *див.* давати.

ПОШУКАТИ: пошука́ти тако́го. Немає подібного до кого-, чого-небудь; хтось надзвичайний; щось дуже рідкісне. *Я сказав лиш, що в тебе краса Чарівна, пошукати такої* (Фр.); *Та нехай би там хоч і сто невісток було, а я Дарки не дам, бо я без неї як без рук. Пошукай-но ще такої дівки* (Л. Укр.); *Такої сливи, як у нас, пошукати треба* (Жур.); *Он яка вона, їхній снайпер і майбутній історик, Марія Богучар! Пошукайте такої дівчини на інших полках!* (Кучер). **такий, що пошука́ти.** — *А той Василь Коваленко, каже* [Пріська], *такий гарний, що по всьому світу пошукати... як картина...* (Мирний); *Скажу тобі, Демиде, такий кожух, що по всій Таврії пошукати!* (Гончар). С и н о н і м: **пошука́ти тако́го.**

пошука́ти тако́го вдень з вогнем (із сві́тлом, при со́нці і т. ін.). Немає подібного до кого-небудь; хтось незрівнянний, надзвичайний. — *Познайомся з моїм другом,— як заведений, торохтів Шаблистий, розливаючи портвейн.— Із Закриниччя хлопець, таких у районі удень з огнем пошукати* (Гуц.); *Такий був син, що пошукати таких удень, та ще з світлом* (Коцюб.). **пошука́ти тако́го вдень при со́нцеві із сві́чею.** *Смільчака такого, такого красеня, такого розумниці, як цей хлопчик удавася, пошукати по цілім широкім і великім світі та ще удень, при ясному сонцеві, та ще із свічею пломенистою* (Вовчок). С и н о н і м и: **пошука́ти тако́го; вдень з вогнем не знайти́** (в 2 знач.); **тре́ба з сві́чкою вдень шука́ти.**

ПОЯВИТИ: о́чі появи́ти *де, куди, до кого, заст.* З'явитися, навідатися кудись, до кого-небудь. *Тепер стидно в селі й очі появити: довіку будуть дражнити чорною радою!* (П. Куліш); *Такий мені сором, що вже швидко не можна буде далі мені між люди й очей появить* (Н.-Лев.); [Храпко:] *А двісті рублів узяв* [Тихоненко], *як одну копієчку взяв, та три роки ні куе, ні меле. Хоч би очі коли появив* (Мирний).

ПОЯС: бра́ти за по́яс *див.* брати; **затика́ти за ~** *див.* затикати.

ПОЯСА: держа́ти ко́ло свого́ по́яса *див.* держати.

ПОЯСКИ: вхопи́тися на поясни́ *див.* вхопитися; **підтя́гувати ~** *див.* підтягувати.

ПОЯСОК: по Мару́син поясо́к. Не по вінця; до смужки на поверхні чарки, склянки і т. ін. *Випий по Марусин поясок* (Укр.. присл..).

ПРАВА́: бра́ти свої права́ *див.* брати; **вступа́ти в ~** *див.* вступати.

ПРА́ВА [1]: **позбавля́ти пра́ва го́лосу** *див.* позбавляти.

ПРА́ВА [2]: **пра́ва рука́** *див.* рука.

ПРАВАХ: на пташи́них права́х, з сл. бу́ти, жи́ти. Не маючи законних підстав, надійного становища, захисту. *Ця людина без батьківщини знайшла притулок у Римі без дозволу італійських властей і живе на пташиних правах* (Літ. Укр.).

ПРАВДА: пра́вда на мо́ему (тво́єму, його́ і т. ін.) бо́ці. Хто-небудь не помиляється, правий, має рацію у чому-небудь. *Де і в чому він схибив, що не зміг заволодіти її серцем? Адже правда на його боці, на його?* (Гончар). П о р.: **пра́вда твоя́.**

пра́вда о́чі ко́ле кому. Кому-небудь дуже неприємно визнавати істину, слухати те, що було насправді. *Шакун на лайку мовчав як у рот йому води налито. Гірка правда, мабуть, дуже колола йому очі* (Мирний); *Він просто говорив усюди правду... А правда попам очі коле* (Цюпа).

пра́вда твоя́ (ва́ша, їхня). Хто-небудь не помиляється, правий, має рацію в чому-небудь. *А чванитесь, що ми Польщу колись завалили! Правда ваша: Польща впала, Та й вас роздавила!* (Шевч.); *Послухав цар Лев тої мови* [звірів], *а що сам був ситий і добродушний, то й каже: — Що ж, мої вірні піддані, правда ваша!* (Фр.); *Воно, звичайно, може, їхня правда. Мабуть-таки їхня. Не ті часи. Тепер вже на волах далеко не заїдеш* (Довж.). П о р.: **пра́вда на мо́єму бо́ці.**

ПРАВДАМИ: [уся́кими] пра́вдами й непра́вдами. Будь-якими засобами, навіть порушуючи існуючі норми, етикет і т. ін. *Не ждав* [інженер], *поки міністерство пришле йому гарних працівників: він сам їх.. шукав і правдами й неправдами перетягав на свій завод* (Загреб.); *Дехто з підліщан усякими правдами й неправдами видряпувавсь із злиднів* (Крот.). С и н о н і м и: **за всяку ціну; будь-якою ціно́ю.**

ПРАВДИ: виві́ряти пра́вди *див.* вивіряти; **доко́пуватися до ~** *див.* докопуватися; **ніде ~ діва́ти** *див.* дівати.

ПРАВДІ: диви́тися пра́вді в о́чі *див.* дивитися.

по пра́вді. 1. Як є в дійсності; не відступаючи від істини, насправді. *Я ворожбу такую знаю, Хоть що, по правді одгадаю, і вже ніколи не збрешу* (Котл.); *Та й жив ти не в трояндовім вінку, Лаврового по правді заслуживши* (Рильський). С и н о н і м: **по со́вісті.**

2. *з сл.* жи́ти. Чесно, справедливо. *Завжди він говорив їм: «Живіть з правдою і по правді»* (Стельмах).

щоб так по ~ ди́хав *див.* дихав.

ПРАВДОЮ: ві́рою і пра́вдою *див.* вірою; **розмину́тися з ~** *див.* розминутися.

ПРАВДУ: пра́вду ка́жучи *див.* кажучи; **~ мо́вити** *див.* мовити; **рі́зати ~** *див.* різати.

ПРАВЕ: пра́ве о́ко *див.* око.

ПРАВЕДНЕ: плу́тати пра́ведне з грі́шним *див.* переплутати.

ПРАВЕДНИКА: сном пра́ведника *див.* сном.

ПРАВЕДНИХ: поверну́ти на путь пра́ведних *див.* повернути; **сном ~** *див.* сном.

ПРАВЕДНУ: виво́дити на путь пра́ведну *див.* виводити.

ПРАВЕ́ЦЬ: праве́ць уда́рив *кого.* Хтось помер.— *Чудесний прейскурант смертей! Почив на лаврах дід Василь Хуряк. Гукає в небо Шабанов. Проповідника правець ударив* (Довж.).

у праве́ць поста́вити *див.* поставити.

ПРАВИЛАМИ: за всіма́ пра́вилами. Як годиться, як слід, дотримуючись усіх подробиць. *Сашко притишив машину і вів її поволі, за всіма правилами* (Кучер).

ПРАВИЛАХ: не в мої́х (його́, ва́ших і т. ін.) пра́вилах *що.* Що-небудь не властиве для когось, не притаманне комусь. [А н д р і й:] *Доносити на вас я, звичайно, не збираюсь. Це не в моїх правилах* (Мороз).

ПРАВИЛО: залі́зне пра́вило. Те, що не підлягає сумніву, не може бути зігнорованим (про усталені звичаї, принципи і т. ін.). *Дарина дуже добре знала залізні Комаренкові правила,— все, що він говорив, завжди було перевірене до найменшої рисочки* (Собко).

золоте́ пра́вило. Найбільш оптимальна форма поведінки, випробуваний засіб, спосіб, щоб уникнути чогось небажаного, досягти кращих результатів тощо. *Сава Петрович.. в'яло відповів, що, звичайно, і в цьому треба триматися золотого правила —«краще як краще»* (Головко).

ПРАВИЛЬНОМУ: стоя́ти на пра́вильному шляху́ *див.* стояти.

ПРАВИМ: ходи́ти пра́вим ро́бом *див.* ходити.

ПРАВИТИ: пра́вити відсебе́ньки, *фам.* Самовільно діяти, поводитися на свій розсуд.— *Що ви там одсебеньки правите? — весело прощебетала Жабі до Михайла.— Це не відсебеньки, а життя,— відповів він і спроквола пішов стежкою в напрямку села* (Досв.).

пра́вити своє́ (своє́ї). Відстоювати свій погляд, наполягати на чомусь. *Хоч як Платон умовляв її, малюючи звабливі картини міського життя, Галина правила своє* (Зар.); — *Одне діло робити, приміром, у затишку, у котловані, інше діло мерзнути під вітром,— правив своєї Тугай* (Коцюба).

пра́вити сухо́го ду́ба *див.* плести.

тереве́ні пра́вити (гну́ти, розво́дити, розпуска́ти, точи́ти, городи́ти, плести́, ліпи́ти) / розвести́ (розпусти́ти). 1. Говорити дурниці, нісенітниці. [К р и в о н і с:] *Там народ наш чекає, і я заприсягаюсь перед вами, що коли хоч один Кабак буде розводити теревені і ганьбити честь нашу, то я з такого Кабака (витягнув шаблю) отут зроблю цією шаблею кашу* (Корн.); *Нестор дивився на неї поблажливими, спокійними очима, як на дитину, що городить тереве́ні* (Вільде); — *Хто? Ти? Лев заревів,— така погана? Мене, такого пана, Сюди задурювать прийшла?.. Пішла! Бач, тереве́ні розпустила! Тікай, поки ще ціла* (Гл.).

2. Розмовляти про щось другорядне, незначне, дріб'язкове, марнуючи час. *Їм [жінкам] хоч цілий день, зібравшись у кучу, тереве́ні правити, а що мужики їх та діти без обіду, так то їм і дарма* (Кв.-Осн.); *Пасажири точили тереве́ні про цю станцію, про потяг, про ціни на борошно й залізничні квитки* (Досв.); *І двом десяткам.. дівчат і молодиць, злегка підпудрених пилюгою з зерна, ніщо не заважає, очищаючи насіння, неквапно ліпити свої тереве́ні* (Бабляк); *Дівчата, звісно ж дівчата, хи-хи та ха-ха, то співають, то гризуться, то як розведуть тереве́ні, так не зупинити, ні переслухати* (Збан.); // Багато, довго говорити про одне й те ж. *Тут треба щось робити, а не тереве́ні правити* (Коцюб.); *Мітинг тягся недовго. Новий комісар багато не балакав. Партизани теж не любили тереве́ні розводити* (Ю. Янов.). С и н о н і м и: **пле́скати язико́м** (у 1 знач.); **точи́ти бре́хні; точи́ти ля́си** (в 1 знач.).

ПРАВИЦЮ: пода́ти пра́вицю *див.* подати.

ПРАВЛЯ́ТЬ: показа́ти, де ко́зам ро́ги пра́влять *див.* показати.

[там (туди́, відтіля́)], де ко́зам ро́ги пра́влять. Дуже далеко, де важкі умови життя, де перебувають перев. не з власного бажання. *Збирається [Івга] на весілля, а жених там, де козам роги правлять! Побачимо, який з цього пива мед буде* (Кв.-Осн.); — *Комашко заведе твою Саню туди, де козам роги правлять* (Н.-Лев.); — *Рубонеш одного, а вони селом наваляться на тебе, дадуть, скільки вліз, духу, а потім · відправлять туди, де козам роги правлять* (Стельмах); [Г у ж і й:].. *Здоров, Романе! Відкіля це з'явився? [Л а н о в и й:] Відтіля, де козам роги правлять* (Мам.). **там, де Си́дір ко́зам ро́ги пра́вить.** — *Чого ж ти регочеш? Ну, кажи, що думаєш.— Я? — спитав Шестірний.— Я думаю так: попадись ти оце кому-небудь з такими думками, то й тобі буде на горіхи... Гулятимеш там, де Сидір козам роги править!* (Мирний). С и н о н і м и: **куди́ і во́рон кісто́к не зано́сить; де і пе́рець не росте́; де Мака́р теля́т пасе́.**

ПРАВО: дава́ти пра́во *див.* давати; **діставати** ~ *див.* діставати.

ПРАВОГО: пра́вого й винува́того. Усіх підряд, не розбираючись.— *Куля лукава: кладе правого й виноватого [винуватого]* (П. Куліш); *Тимашов ловить правого й виноватого* (Собко).

ПРАВОМ: з по́вним пра́вом. Цілком законно, справедливо. *Новелу «Сміх» [М. Коцюбинського] можна з повним правом зарахувати до зразків революційної сатири* (Рад. літ-во); *Наше місто [Київ] з повним правом називають гімнастичною столицею світу* (Веч. Київ). С и н о н і м: **по пра́ву.**

ПРАВУ: по пра́ву. Не без підстав, законно, справедливо. *Гейне сказав, і по праву сказав, ще* й другі слова, яких я не важуся сказати (Л. Укр.). Синонім: **з повним правом.**

слабість по праву руку *див.* слабість.

ПРАВЦЕМ: правцем поставити *див.* поставити; **щоб тебе ~ виправило** *див.* виправило.

ПРАГНЕ: чого душа прагне *див.* душа.

ПРАДІДА: з діда й прадіда *див.* діда-прадіда.

ПРАЗНУВАТИ: труса празнувати, *жарт.* Відчувати страх, лякатися.— *Тільки я ніколи не їздив по морю на вітрилах... Чи не заколихає часом? — А буває, що перекидаються? — Що, вже труса празнуєш?* (Вишня).

ПРАНЦІ: бодай його пранці та болячки з'їли *див.* болячки.

ПРАПОР: високо тримати прапор *див.* тримати; **нести ~** *див.* нести; **піднімати ~** *див.* піднімати; **стати під ~** *див.* стати.

ПРАПОРА: не схиляти прапора *див.* схиляти.

ПРАСУ: давати прасу *див.* давати.

ПРАТИ: як свекор пелюшки прати *див.* свекор.

ПРАХ: в пух і прах *див.* пух.

на прах (у прах), з сл. розбивати, розвіювати, валяти, розбити і т. ін. Дощенту. *Та гей, бики! Ломіть бадилля! Ломіть його, валіть на прах* (Рудан.); *Пан Трацький сумно похилив голову. Йому здавалось, що удари важкого обуха на прах розбивають ті алтарі, перед котрими він довгі літа молився* (Фр.); *Гітлерівський фашизм — це породження чорних сил світової реакції, концентрований вияв варварства і злочинів проти людства — був розгромлений в прах* (Літ. Укр.).

обертати на прах *див.* обертати; **падати в ~** *див.* падати; **повергати в ~** *див.* повергати; **розсипатися на ~** *див.* розсипатися; **струсити давній ~** *див.* струсити; **у ~ топтати** *див.* топтати.

ПРАХОМ: іти прахом *див.* іти; **нехай ~ ляже** *див.* ляже; **розпадатися ~** *див.* розпадатися.

ПРАЦІ: докладати праці *див.* докладати; **шкода ~** *див.* шкода.

ПРАЦЮЮТЬ: шарики працюють *див.* шарики.

сізіфова праця (робота), *книжн.* Надзвичайні зусилля, спрямовані на досягнення чого-небудь непосильного, які не дають бажаних результатів, є безплідними. *Спали гори в неясних рельєфах, Ріка то затихала, то знов шуміла, сповняючи сізіфову працю* (Хотк.); *Унікальні явища природи, довго не знаходячи пояснення, нерідко так обростають легендами, що згодом виколупати з них зернятко істини коштує багатьох років майже сізіфової праці* (Наука..); — *Та будь ласка! Робіть собі на здоров'я. Коли вам до смаку сізіфова робота!* — *спохмурнів трохи Макар Іванович* (Головко).

ПРЕ: з горла пре *див.* лізе.

з душі пре *чиєї, у кого,* грубо. 1. Хтось відчуває велику неприязнь, огиду до кого-, чого-небудь. *Як не бачу — душа мре, а побачу — з душі пре* (Укр.. присл..).

2. Хтось надмірно поїв, дуже переїв чого-небудь.— *Накуплю усього, що побачу, та й наїмся, щоб аж з душі перло!..* (Кв.-Осн.).

ПРЕВЕЛИКУ: на превеликy силу *див.* силу.

ПРЕДМЕТ: на предмет *чого, книжн.* Стосовно чого-небудь, для чого-небудь, з якоюсь метою.— *Обійди зараз хутір і скажи од мого імені, щоб усі збиралися на майдан. Мітинг буде. Дядько поправив шапку і недовірливо перехняв плечима: — Якщо на предмет хлібозакупки або про м'ясо, то трудно. Не зійдуться* (Тют.); *Зайшов [комірник] до голови в кімнату на предмет роз'яснення деяких питань* (Вишня).

ПРЕЗРЕННИЙ: презренний метал *див.* метал.

ПРЕКРАСНА: прекрасна половина *див.* половина.

ПРЕКРАСНИЙ: в один прекрасний день *див.* день.

ПРЕТЬСЯ: з горла преться *див.* лізе.

ПРЕСТОЛІ: сидіти на престолі *див.* сидіти.

ПРИБЕРЕ: земля прибере *див.* земля.

ПРИБИВ: грім би прибив *див.* грім.

ПРИБИЛО: як (мов, ніби і т. ін.) громом прибило *кого.* Дуже приголомшило, вразило кого-небудь щось (перев. несподіване, непередбачене). *Як громом прибило Масю, так цими словами: їй не жаль було за о. Гервасієм, як за батьком* (Свидн.).

ПРИБИРАТИ: прибирати / прибрати до [своїх] рук (рідко лап) 1. *кого, що.* Ставити в залежність від себе кого-небудь, примушуючи слухатися, підкоритися. *Ощадлива Векла почала потроху прибирати його до рук. Нашила десяток кофтин і послала Василя торгувати на базар* (Чаб.); [Старицький:] *Майбутній мільйонер* [Черепань]. [Андрій:] *Все прибирає до рук: і дворян, і цих голодних людей* (Мокр.).

2. *що.* Загарбувати, заволодівати чим-небудь.— *В тебе, Аркадію, кров аристократа... Карпо програє останній спадкоємний хутір, стоїть значно вище людини, котра розумно прибирає цей хутір до своїх рук* (Стельмах); *Та ще коли б Єдиний хліб Вони бажали мати, То ще б нехай, А то весь край Хотять* [хочуть] *до рук прибрати* (Сам.); *Як квочка курчат збирає під крила, так Василь Семенович прибрав до своїх рук цілий повіт* (Мирний). **попopen прибирати до своїх рук (до себе)** (про всіх або багатьох). *Усе поприбирала* [Настя] *до своїх рук* (Кв.-Осн.); [Дід:] *Роблять, що хотять* [хочуть]: *Сидір Кавун та писар орудують усім.., поприбирали наділи до себе, а тепер ніяк не відтягаємо* (К.-Карий).

прибирати / прибрати з шляху *що.* Усувати які-небудь перешкоди, створюючи умови для розвитку, функціонування чого-небудь. *Сюжет — це струмочок. Йдеш за течією цього струмочка і* копітко прибираєш із шляху все, що заважає його швидкому й вільному рухові (Донч.).

прибира́ти у думка́х. Роздумувати, міркувати. *Вгамувавшись крихітку, Він [пан] прибирать став у думках, як справдити свої погрози (Фр.).*

ПРИБИТИ: як гвіздко́м приби́ти, з *сл.* с к а з а́ т и, д о д а́ т и *і т. ін.* Чітко, категорично, переконливо (сказати, заявити).— *Ні! нема добра... немає — та вже, мабуть, його ніколи й не буде! — додасть [Мирон], як гвіздком приб'є, та й замовкне (Мирний); Сказав, як гвіздком прибив (Укр.. присл..).*

ПРИБИТИЙ: приби́тий го́рем див. убитий.

приби́тий на цвіту́. Хто-небудь недорозвинений, дурний від природи. *Се був чоловік прибитий ще на цвіту, плохий, похилий (Вовчок); — Ви на неї не зважайте. Вона ж на цвіту прибита. Раніше Василеві Прокоповичу жить не давала. Віру Андріївну гризла (Мушк.).*

як (мов, ні́би і т. ін.) гро́мом приби́тий (приглу́шений). Приголомшений, остовпілий (від якого-небудь враження, переляку і т. ін.).— *Дякую тобі за пиво, а до роботи в понеділок не маєш чого приходити, я вже прийняв [прийняв] другого. Нещасливий муляр став мов громом прибитий на ті слова (Фр.); Поклонились дідичі графові за таку високу ласку та й вийшли з палацу, неначе громом прибиті. Йшли до графа дідичами, а вийшли од його старцями: хоч бери торби та йди на жебри (Н.-Лев.); Пріська, що досі стояла коло печі, наче громом прибита, при тім слові Грицьковім уся затіпалася (Мирний); Дівчинка стояла наче приглушена громом (Донч.).*

як (мов, ні́би і т. ін.) до землі́ приби́тий. Хто-небудь дуже зажурений, мовчазний, з похиленою головою. *З-під насуплених брів засвітив гострий погляд, то окидав він [Чіпка] ним станового, то позирав на людей, що стояли мовчки, як до землі прибиті (Мирний).*

як (мов, ні́би і т. ін.) з-за вугла́ (ро́гу) [мішко́м] приби́тий (нама́ханий). Дуже вражений, приголомшений чим-небудь, внаслідок чого часто стає схожим на причинного, недоумкуватого.— *Ой, журиться мій Роман, журиться! — думала стара, виглядаючи в вікно.— І роботи з його нема, і все ходить та сумує, мов з-за угла прибитий. Шкода сина, шкода й себе! (Н.-Лев.); На Христю — як найшло що: безпам'ятна, наче з-за угла прибита, вона вешталася поміж людьми (Мирний); [Коваль:] Що тут вже думать, коли час приспів! Степане, а йди сюди! Чого ти такий, мов із-за вугла мішком прибитий?.. Хворий, чи що?.. (Кроп.); — Чого він такий? — Наче намаханий із-за рогу мішком (Панч); // З дивацтвами.— А я вам скажу, друзі: не спішіть кепкувати! Хай я трохи з-за рогу мішком прибитий, шукаю вітра в полі, а люди? (Прил.). П о р.: **мішко́м з-за ро́гу вда́рено.**

ПРИБЛУ́ДНА: приблу́дна вівця́ див. вівця.

ПРИБОРКАТИ: прибо́ркати кри́ла чиї, кому.

1. Позбавляти кого-небудь віри в себе, в свої сили, можливості. *Що було — те спливло, і час приборкав їй [дружині] крила (Гур.); Гей, куди ж подівались так швидко вони, Палкі пориви, мрії юнацькі..? Що приборкало крила козацькі? (Граб.).*

2. Позбавляти волі, свободи кого-небудь. *І синів ти [Україна] відважних ростила не для горя, тортур і ярма. Од крові і од сліз ошаліла, твоїх крил не прибор́кає тьма (Сос.); Воля в житті найдорожча, Але мені ти миліш: Сам я прибор́кав би крила, Тінню твоєю б я став (Олесь).*

3. Вплинути на кого-небудь своєю силою, авторитетом; угамувати когось. *[Ч о л о в і к 3-й:] Он Бурлака іде і люди з ним. [П е т р о:] Може, хоч трохи прибор́кає крила нашому Михайлові Михайловичу (К.-Карий).*

ПРИБРАВ: Бог прибра́в див. Бог.

ПРИБРАЛА: земля́ прибра́ла див. земля; **смерть ~** див. смерть.

ПРИБРАТИ: не прибра́ти глу́зду (ро́зуму, ума́). Не збагнути, не знайти якогось певного рішення.— *Тепер не приберу більш глузду, Як тут сих поселить прочан (Котл.); [Д з ю б а:] Коли б ти знала, Лесечко, яке мене лихо спіткало. Розуму не приберу, що й робити (Коч.); [К і н д р а т А н т о н о в и ч:] Я вже й ума не приберу, як на це діло дивитись (Кроп.).*

прибра́ти до свої́х рук; ~ з шля́ху див. прибирати.

ПРИБУЛО: на́шого по́лку прибуло́. Стало більше, збільшилася кількість людей з приходом, появою інших (про однорідну групу, угруповання, партію тощо).— *І я з вами. А як же! Воювали разом, тепер працюватимемо разом.— Значить, нашого полку прибуло,— весело сказав Сидорчук (Жур.); Побачивши гостя, Степка зойкнула і швидко прикрила рукою рота. Юхим відклав баяна, обнявся з Гайвороном: — Нашого полку прибуло! (Зар.); // З'явився на світ, народився ще хто-небудь.— Онук? — Парубок,— відповів батько. Старий весело мигнув сивими бровами: — Нашого полку прибуло (Коцюба).*

ПРИВЕДИ: не приведи́ Го́споди див. доведи.

ПРИВЕЗЕНИЙ: як (мов, ні́би і т. ін.) приве́зений, фам. Відчужено, як чужий, осторонь, ніяковіючи і т. ін.— *Чого ти стоїш, ніби сьогодні привезений? Он залостось тіста на руках на цілий хліб. Пообшкрябуй ножем тісто в діжу та порайся коло печі (Н.-Лев.); Він звернувся хмурий до наймички, що біля помийниці свиням готувала, і гримнув на неї: — Ти наче вчора привезена: приїхали, значить, випрягти треба! (Головко).*

ПРИВЕЛА: до́ля привела́ див. доля.

ПРИВЕЛО: ли́хо привело́ див. лихо.

ПРИВЕРНУЛОСЯ: се́рце приверну́лося див. серце.

ПРИВЕРНУТИ: приверну́ти се́рце до кого, чиє. Ви́кликати у когось почуття любові, симпатії і т. ін. *Роман став ласкавіший і вважливіший до Соломії, але не привернув до себе її серце* (Н.-Лев.); *На мою журбу й зітхання Я відповіді не маю, Чим я маю привернути Серце милої, — не знаю!* (Л. Укр.); *Голда бачила, що батько робив усе, щоб привернути до себе її серце* (Ткач).

ПРИВЕРТА́ЄТЬСЯ: се́рце приверта́ється див. серце.

ПРИВЕРТАТИ: приверта́ти до се́бе. Подобатися кому-небудь, здаватися гарним. *Завжди кожному кидалася [Марта] в очі, привертала до себе й найбільш усього білими та рівними, наче жорновки, зубами* (Мирний). А н т о н і м: **відверта́ти від се́бе.**

ПРИВЕСТИ: привести́ до тя́ми див. повернути; **∼ на світ** див. приводити.

привести́ / приво́дити до поря́дку. Змусити кого-небудь дотримуватися певних морально-етичних норм. [Т е л е ф о н і с т:] *Приведіть себе до порядку, зараз приїде делегація, швидко поїзд, міністр вийде на перон* (Корн.).

ПРИВІВ: Бог приві́в див. Бог.

ПРИВІД: дава́ти при́від див. давати.

ПРИВІ́ТУ: ні одві́ту, ні приві́ту див. одвіту.

ПРИВОДИТИ: приво́дити / привести́ до па́м'яті (до тя́ми і т. ін.) кого. 1. Виводити із становища непритомності. *Одна з дівчат побігла до аптеки телефонувати про швидку допомогу, а Сташка і стара Пйоткрова почали приводити зомлілу до пам'яті* (Вільде); *Коли його привели до пам'яті, він був блідий, мов труп* (Фр.).

2. Примушувати кого-небудь діяти реально, схаменутися, опам'ятатися. *Данило сидів і думав: «Отак і слід з боярами, щоб круте слово, мов вода холодна, до пам'яті приводило»* (Хижняк); *Параска намагалася привести чоловіка до пам'яті — верзе не знати що, хай отямиться* (Горд.). **привести́ до се́бе,** діал., рідко. *Хникання привело Олексу до себе. Одразу почув себе відповідальним за становище* (Хотк.).

приво́дити / привести́ на світ [бо́жий] кого. Давати життя, народжувати дитину. *Пані.. віддалася вчасно і від того часу жила буквально на те, щоб приводити дітей на світ і плекати їх* (Коб.); *А дівчина гине... Якби сама, ще й нічого, А то й стара мати, Що привела на світ божий, Мусить погибати* (Шевч.); *Іванова мати привела на світ дванадцятеро дітей* (Томч.).

ПРИВОЛОКЛА: лиха́ годи́на приволокла́ див. година.

ПРИВ'ЯЗАНИЙ: язи́к прив'я́заний до́бре див. язик.

як (мов, ні́би і т. ін.) прив'я́заний. 1. Нерухомий, остовпілий. *Петро хотів їхати поруч із верховим, да й сам не знав, як оставсь коло ридвана, мов прив'язаний* (П. Куліш).

2. Невідступно ходить за ким-небудь, постійно буває десь. [О л і м п і а д а І в а н і в н а:] *Се ж не тільки я, а й чужі люди бачать, що Орест мов прив'язаний до нашого дому* (Л. Укр.); *Андрій, не стишуючи кроку, наближався до дідуся, а Микола йшов за ним, немов прив'язаний* (Збан.).

ПРИВ'ЯЗІ: держа́ти на при́в'язі; держа́ти язи́к на ∼ див. держати; **іти́ на ∼** див. іти; **як Сірко́ на ∼** див. Сірко; **як соба́ка на ∼; як соба́ка, спу́щений з ∼** див. собака.

ПРИГНА́ЛО: ли́хо пригна́ло див. лихо.

ПРИГНУ́ТИ: пригну́ти до землі́ кого, що. Заставити кого-небудь коритися, зробити безсилим, податливим. [Х р а п к о:] *Зять — мировим! га? Тоді держіться у мене лиходії, що на мене брехню точите, проти мене зле замишляєте! Я вас — до землі пригну!* (Мирний); [К о в а л ь:] *Вони хотять, щоб страх і чорна туга пригнули наші душі до землі... Та не тужити я прийшов, а мститись, і помста наша громом пролуна!* (Лев.).

ПРИГО́Д: шука́ч приго́д див. шукач.

ПРИГО́ДІ: бу́ти у приго́ді див. бути.

ПРИГО́ДУ: про вся́ку приго́ду, рідко. Зважаючи на які-небудь обставини, на можливу потребу в чомусь. *Вхопивши оберуч дзюбак, я до кінця ручки прив'язав тонкий, а міцний шнур, що був у мене за поясом про всяку пригоду* (Фр.). П о р.: **на вся́кий ви́падок.**

ПРИГОРНУЛОСЯ: се́рце пригорну́лося див. серце.

ПРИГОРТАЄТЬСЯ: се́рце пригорта́ється див. серце.

ПРИГОРЩІ: у дві при́горщі не захо́пиш див. захопиш.

ПРИГРІТИ: пригрі́ти гадю́ку (га́дину, змію́ і т. ін.) на гру́дях (у па́зусі, за па́зухою і т. ін.). Виявити турботу, піклування про того, хто потім віддячує злом. *Оленчук, що стояв осторонь, піймав на собі гострий Килигеїв погляд: «Так оце воно таке, твоє благородіє? Пригрів на грудях гадюку?»* (Гончар); [А н д р і й:] *Не оступавсь би за його. А то, бач, пригрів гадюку у пазусі, вона й укусила* (Кост.); *Вихор сплюнув і гірко вилявся: — Пригріли гада за пазухою!..* (Кучер). П о р.: **відігрі́ти змію́ біля свого се́рця.**

ПРИДАВИТИ: придави́ти комара́, жарт. Задрімати, заснути. *Дід Козак з поміччю своїх онуків-парубчаків стежив, щоб ми часом не чкурнули десь у комору на примістку чи придавили комара і на возі з сіном, посеред двору* (Рудь). **придави́ти кома́рика.** *Коли ти ненароком придавиш комарика, звалишся снопом на дорогу, сількісь не заб'єшся!..* (Рудь).

ПРИДУМАЙ: ще що приду́май див. вигадай.

ПРИЗВОДИТИ: призво́дити до гріха́ кого.

Штовхати кого-небудь на негідний вчинок, спонукати до чогось аморального. *Раз і каже батько: — Як ти такий, що нас, старих, до гріха призводиш — іди собі, а ми вже якось самі* (Тич.); *Вона так вжахнулася, немов то хотіли її призвести до страшного гріха, до вічного сорому* (Л. Янов.).

ПРИЗМУ: крізь (чéрез) прúзму *чого*, книжн. 1. З певного погляду. *Оцінку значення класичної поеми [«Енеїда» І. Котляревського] Шевченко дає крізь призму усної народної творчості, сприймання твору народом* (Життя і тв. Т. Г. Шевченка); *Найбільш новаторські театри раз у раз вертаються до Софокла, Евріпіда, Шекспіра, Лопе де Вега. При цьому вони, звісно, подають глядачам цих геніальних драматургів у новому трактуванні, крізь призму сучасності* (Рильський). 2. Під впливом чого-небудь, у зв'язку з чимсь. *В моїй уяві крізь призму довгих літ і трагічної смерті того хлопчика його постать виросла понад свій дійсний розмір* (Фр.); *Найперший тематичний цикл оповідань Олекси Слісаренка становлять новели про братовбивчу імперіалістичну війну, на яку письменник дивиться крізь призму сприймання рядового бійця* (Рад. літ-во); *Душа моя вщерть виповнена тим коханням, і тому світ і людей, ба навіть природу, сприймаю через призму свого кохання* (Вільде).

ПРИЗОВУ: пéршого прúзову. Один із перших учасників чого-небудь і зачинатель, фундатор. *Це вони, українські вчителі, кресали іскри того полум'я, яке осяяло темну ніч минулого і початку нашого століття* (Літ. газ.); *В Українському республіканському будинку літераторів зібралися письменники, наукові, студентська молодь, щоб вшанувати пам'ять одного з поетів першого революційного призову — Володимира Сосюри* (Рад. Укр.).

ПРИЙДЕ: і в гóлову не прийдé. Ніколи не подумається, не з'явиться в думках, уяві що-небудь комусь. *Покрили мертве збите поле, немовби чорна сарана! Чорна сарана... Більш красномовний образ і в голову не прийде* (Вол.).

ПРИЙДЕШНІЙ: прийдéшній день *див.* день.
ПРИЙМАЄ: душá не приймáє *див.* душа; **сéрце не ~** *див.* серце.
ПРИЙМАТИ: вýхом землі приймáти, рідко. Бути насторожі, напоготові. *В службі треба ухом землі приймати* (Укр.. присл..).

приймáти до сéрця *див.* брати; **~ естафéту** *див.* прийняти; **~ на свій рахýнок** *див.* брати.

приймáти / прийнáти бій. Вступати в гарячу суперечку, в полеміку. [Ольга Антонівна:] *Я скажу, що тебе нема, що ти хворий.* [Лисенко:] *Ні, не треба... Я прийму бій. Все одно з ними треба колись схрестити мечі* (Мокр.).

приймáти / прийнáти на сéбе *що.* 1. Зазнавати впливу чого-небудь дошкульного, неприємного, брутального. *Як завжди в таких випадках, механік вигадав собі діло і зник, помчав у Брилівку, і весь шквал обурення за простій приймає на себе виконроб товариш Красуля* (Гончар); *Завили й загавкали спущені з цепу собаки. Їхню злобну навалу прийняв на себе парубок, який відступав останнім...* (Донч.). 2. Страждати за кого-небудь, переймаючись його болями, мукою і т. ін. *Я дуже радий, що Ви поправляєтесь, а все-таки часто згадую ті легенди, де одна людина приймає на себе чужу біду і слабість, і жаль мені, що се можливо тільки в казці!* (Л. Укр.); *Сам нахилявся над крихітним тільцем, що змагалося за життя, і мовчки приймав на себе той біль, той крик, той вибираючий душу доньчин плач* (Гончар).

приймáти / прийнáти на сéбе удáр (вогóнь *і* т. ін.**).** Прикривати, боронити кого-небудь від небезпеки, нападів, ганьби і т. ін., заступатися за когось. [Богушова:] *Певно, Марійка прийняла на себе удар, який мав упасти на Ганю* (Собко).

приймáти чолóм *від кого*, заст. Вітатися з ким-небудь. *Пан поплакав по своїй коханці, Далі й оженився на панянці. Нехорошу вибрав він панянку: Малі діти плакали щоранку. Вона од них чолом не приймала, Сіріток ногою відпихала* (Укр. поети-романтики..).

сéрцем приймáти / прийнáти *що.* Глибоко відчувати, розуміти що-небудь. *Тож не цурайтесь видом бідним, нескладним гомоном її [пісні], А серцем щирим і свобідним Прийміть і полюбіть її* (Фр.); *Летіли вдаль думки, немов осіннє листя, і серцем прийняла Оксана жах війни* (Сос.).
сéрденьком прийнáти. *Я віру Щирим серденьком прийняв* (Л. Укр.).

ПРИЙНЯВ: Бог прийнáв до сéбе *див.* Бог.
ПРИЙНЯЛА: могúла прийнялá *див.* могила.
ПРИЙНЯТИ: прийнáти в сéрце (в дýшу). 1. *кого.* Допустити кого-небудь до себе, зустріти прихильно, з любов'ю. *Він, він! За час майже шестирічної розлуки до невпізнання змінило його життя, змінило для інших, але не для неї, не для матері! Прийняла його в серце, яким є, здається, таким і ждала* (Гончар). 2. *що.* Лагідно сприйняти, погодитися з чим-небудь. [Руфін:] *Прісцілло,.. ти вимовила слово, якого я не смів промовить перший, бо думав,— ти його не приймеш в душу* (Л. Укр.).

прийнáти закóн; ~ на плéчі; ~ на свій рахýнок *див.* брати; **~ на сéбе удáр** *див.* приймати.

прийнáти (перейнáти) / приймáти (переймáти) естафéту *чого.* Продовжити чиїсь починання, традиції. *Письменник повинен бути гідним своїх великих попередників, з рук яких він прийняв естафету боротьби за людину, людину нової епохи* (Смолич); *Від таких майстрів, як Ф. Юхименко* *та Я. Халабудний, перейняли естафету творчості різьбярі молодшого покоління* (Знання..).

прийня́ти старості́в. Погодитись видати дочку заміж; дати згоду вийти заміж. [М а р и с я:] *Чом батько від Миколи старостів не прийняли? Я ж вам давно казала, що люблю його* (К.-Карий).

се́рцем прийня́ти див. приймати.

ПРИЙТИ́: прийти́ в но́рму див. входити.

прийти́ (*рідко* **дійти́**) / **прихо́дити** (*рідко* **дохо́дити**) **до па́м'яті** (*діал.* **до па́м'ятку, до по́мки**). 1. Повертатися до свідомості після непритомності. *В шпиталі Спориш, під впливом зимних компресів, на пару хвиль прийшов до пам'яті* (Фр.); [З а б р а м с ь к и й:] *Після першої ж ін'єкції вона прийшла до пам'яті, обличчя стало рухомим і розумним* (Коч.); *Баронеса прийшла до хати, впала на канапу і мало не зомліла, тільки при помочі спирту та різних оцтів прийшла до пам'ятку* (Л. Укр.); *Після кофію я зовсім прийшла до помки й почала прохати маму, щоб зоставила Марту при мені* (Мирний); *Проминули день і ніч, ще один день і нова ніч, але Ант не приходив до пам'яті, весь у вогні лежав на помості, з грудей його виривались хрипи й свист* (Скл.).

2. тільки док. Опам'ятатися, заспокоїтися (після страху, хвилювання і т. ін.). *Пригорнув Іван до серця Олесю востаннє та й побіг. Тоді Олеся, як до пам'яті прийшла, схопилась — уже нема, далеко, тільки пил слідом клубочиться* (Вовчок); *Під час отого розстрілу Вікторової фотокарточки, вченого [фашистським] офіцером, стара так перелякалася, що й досі не могла прийти до пам'яті* (Автом.); *Від того страху вона ніяк не прийде до помки, не знає, де ходить, що робить* (Мирний). С и н о н і м: **прийти́ в се́бе** (у 1 знач.).

3. Вернутися до нормального життя, виправляючи помилки, аморальну поведінку, вчинки і т. ін.— *Дякувати добрим людям, на правильну стежку стає. Прийшов до пам'яті. Ні світ ні зоря, а він уже на ногах, на роботу поспішає* (Цюпа). С и н о н і м: **прийти́ в се́бе** (в 2 знач.).

прийти́ до ро́зуму див. приходити.

прийти́ до сло́ва, *рідко*. Промовити що-небудь, висловитися. *Гава під впливом тих слів, мов кропивою попечений, і собі ж схопився на рівні ноги і замахав руками, але Вовкун не дав йому прийти до слова* (Фр.); *Здивовані християни не встигають прийти до слова* (Л. Укр.); *Короп прийшов до слова: — Чекай-чекай, Грицю, ти говориш ні се, ні те* (Март.).

прийти́ на па́м'ять див. приходити.

прийти́ / **прихо́дити в го́лову** (**до голови́, на ум, на ро́зум** і т. ін.) **кому.** 1. З'явитися, виникнути (про думки, здогади і т. ін.). *О зміні годин і о їх порядку не мав [Тимофій] найменшого поняття, тому ляпнув мені першу-ліпшу цифру, котра прийшла йому на розум* (Хотк.); // Згадатися (про минуле). *Як-то часто приходять мені на ум молоді*

літа: де що було, як... (Вовчок). С и н о н і м и: **приплива́ти до голови́, заходити в го́лову.** А н т о н і м и: **ви́летіти з голови́; як ви́бити з голови́ па́м'ять.**

2. Задумати, надумати щось зробити (про плани, дії і т. ін.). *Тоді-бо дійшло безладдя в Польщі до того, що робив усякий староста, усякий ротмістр, усякий значний чоловік, що йому в божевільну голову прийде, а найбільш із народом неоружним* (П. Куліш); *Хлопцеві мрії зразу увивались, йому чогось прийшло в голову: треба переховати халявки, щоб дяк не вкрав часом* (Вас.); *Мати розповіла, що складав старий стіжок соломи за хлівом, цілий день старався і вже вершити почав, як прийшло йому в голову чогось у хату сходити* (Тют.); *Раптом Соломія зупинилась і мало не зомліла од страшної думки. Їй прийшло до голови, що вона може не знайти Остапа, бо нічим не значила своєї дороги* (Коцюб.).

прийти́ / **прихо́дити в (до) се́бе.** 1. Опам'ятатися, заспокоїтися '(після страху, хвилювання і т. ін.). *Усі кинулись, поторопіли. Поки прийшли в себе, до їх убігає Пріська* (Мирний); *Тим часом першою прийшла до себе господиня дому. Низько кланяючись, підійшла вона до отамана* (Хотк.);

2. Повернутися до нормального фізичного стану, до доброго самопочуття. *Останнє вприскування [впорскування] прийшлось дуже тяжко, я насилу прийшла в себе і вже більш не дам робить експериментів* (Л. Укр.); *Я ще не прийшов до себе по дорозі, груди трохи болять, кашляю здорово і втомлений* (Коцюб.); *Вона так наїлася того незношного чаду, що очі рогом лізли, і довгий час не могла прийти до себе та, блимаючи очима, крутилася по хаті, як дурна вівця* (Хотк.); // Повернутися до свідомості після непритомності, зомління. [К а т е р и н а:] *Після операції, коли ви ще не прийшли в себе від наркозу, до вас підійшла Ганна* (Корн.); — *Від тієї ночі я почав приходити до себе* (Фр.). С и н о н і м: **прийти́ до па́м'яті** (у 2, 3 знач.).

ПРИЙТИ́СЯ: прийти́ся до душі́ (**до се́рця, до смаку́** і т. ін.) **кому.** Сподобатися, відповідати чиїмсь нахилам, природним здібностям, інтересам і т. ін. *Якщо робота прийшлася до душі, людина віддається їй уся, вболіває за доручену справу, шукає, що можна зробити краще, ніж робилося досі* (Оровецький); *І Чайці, і Соколову майор Савченко відразу ж прийшовся до серця* (Собко). *Інша дівочка, ще молоденька, що зроду вперше побачить такого парубка, що їй прийде по серцю, то й сама себе не розгада, що з нею діється* (Кв.-Осн.); *Потім їй попалась в руки історія і так само не прийшлася їй до смаку* (Н.-Лев.); — *Бач, як закрутив носом! Видно, не дуже до смаку прийшлась йому [монопольщикові] мужицька арихметика!* — *казали, сміючись, люди* (Вас.);

Життя [*міське*] *ще менше приходилось йому до смаку* (Фр.). **прийти́ до душі́.** *Чи так вона всім до душі прийшла, чи не було їм тоді чого іншого розважитись, тільки так комахою й налазять* [*паничі*] *і налазять* (Вовчок). **прийти́ся по душі́.** *Випили* [*гості*] *й варенухи. Посмакували. По душі прийшлась* (Морд.).

прийти́ся до па́ри. Підійти один одному, сподобатися.— *Будемо ж добре та й добре гуляти на весіллі! Нехай господь парує, коли собі прийшлись до пари!* (П. Куліш).

ПРИЙШЛА: ду́мка прийшла́ *див.* думка; **щоб ~ чо́рна годи́на** *див.* година.

ПРИЙШЛО: прийшло́ що до чо́го. Треба діяти. *Бачив він і таких, що повні молодечої відваги, викликали на герць потуги зла, а як прийшло що до чого — перші ж п'ятами накивали* (Коцюб.).

ПРИЙШЛОСЯ: до сло́ва прийшло́ся, *безос.* Трапилася нагода висловитися у зв'язку з певною розмовою чи подією, додати щось подібне до сказаного. *За вечерею розмови точилися всякі, а далі якось до слова прийшлося — похвалився Андрійко, які ковзани в подарунок на свято прислав Павлушці вчителевому дядько його з міста* (Головко); — *Та я хіба що? — заїкуючись, виправдувався знічений Харитон.— Хіба ж я проти? То тільки до слова прийшлося. Язик не туди повернувся, казавши...* (Смолич).

прийшло́ся до діла; со́лоно ~ *див.* приходиться.

ПРИЙШОВ: прийшо́в край *див.* край; **~ час** *див.* час.

ПРИКИДАТИ: прикида́ти (розклада́ти і т. ін.) / прики́нути (розкла́сти і т. ін.) в думка́х (у голові́, в умі́). 1. Визначати в уяві приблизну кількість чого-небудь, підрахувати що-небудь усно. *Омелян мимоволі прикидає в голові, скільки є грошей в калитці, і відсовує її до Терентія* (Стельмах); *Вона мимохідь зазирнула всередину їхнього* [*бульдозеристів*] *вагончика, на їхні кубла холостяцькі. Видно, полічила ліжка і прикинула в умі, що далеко не на всіх вистачає навіть цих спартанських ліжок* (Гончар).

2. Робити приблизні намітки, уявляти план якоїсь дії, перспективи розвитку чого-небудь, розмірковувати і т. ін. *Вигрівались* [*селяни*] *на нежаркому осонні і прикидали в думках, до чого братися тепер, з якого діла розпочинати своє трудне життя на великому згарищі війни* (Ю. Бедзик); *В саду Мічуріна він углядів великий бізнес, і вже навіть прикинув у думках усі можливості цього сміливого починання для фермерів Північних Штатів і Канади* (Довж.); *Дзелендзік прикидав собі в голові, як краще замінувати ту дорогу, щоб не пропустити жодного фашиста* (Збан.).

ПРИКИНУТИ: прики́нути в думка́х *див.* прикидати.

прики́нути / прикида́ти о́ком *на кого — що; кого — що.* Визначити, озираючи, приблизний об-

сяг, розмір і т. ін. чого-небудь. *Коли закінчили вичитувати і я прикинув оком на тих, кого викликали, то побачив, що мало хто залишився в тій конурі* (Збан.).

ПРИКИПАЄ: по́гляд прикипа́є *див.* погляд.

ПРИКИПАТИ: прикипа́ти / прикипі́ти очи́ма (по́глядом, зо́ром) до кого — чого. 1. Пильно, невідступно дивитися на кого-, що-небудь. *Інколи він відривається від книжки, обводить поглядом величезну кімнату спальні і знову прикипає очима до сторінки* (Багмут); *Настя швидко присіла на траву, обережно взяла фото, поклала його на долоню і прикипіла поглядом до Наталиного обличчя* (Собко); *Роксолана, обернувшись до порога, зразу зрозуміла, до кого зором прикипів цей велетень. Бо ж дивились на Ярину Подолянку всі* (Ільч.). С и н о н і м и: **впива́тися очи́ма; впина́ти о́чі; не відрива́ти оче́й.**

2. Пильно, зосереджено читати що-небудь. *Інколи він відривається від книжки, обводить поглядом величезну кімнату спальні і знову прикипає очима до сторінки* (Багмут); *Беручи до рук газету, він одразу ж прикипав очима не до того широкого розділу, де писалось про міжнародні події. Його, мов магнітом, тягли відомості під заголовком «Боротьба з голодом»* (Збан.).

як прикипа́ти *див.* прикипіти.

ПРИКИПАЮТЬ: но́ги прикипа́ють *див.* ноги.

ПРИКИПІВ: по́гляд прикипі́в *див.* погляд.

ПРИКИПІЛИ: но́ги прикипі́ли *див.* ноги; **о́чі ~** *див.* очі.

ПРИКИПІТИ: прикипі́ти до землі́. Завмерти, застигнути на місці від сильних переживань, великої несподіванки і т. ін.— *Марії нема. Може, пішла до дівчат... А може... я так і прикипів до землі, жахнувшись несподіваної думки* (Коцюб.).

прикипі́ти до се́рця *чим-небудь.* Полюбитися, сподобатися.— *Еге, навчив мене чернечий дід пісням та думкам, і які ж гарні були ті пісні й думки! Так до серця і прикипіли* (Стор.).

прикипі́ти на місці (до мі́сця). Завмерти, застигнути, остовпіти. *Старий викресав огню. «Що се з нею подіялося?» — думає, та як засвітив, глянув, так і прикипів на місці. Стоїть серед хати Горпина, аж почорніла і страшно дивиться, а на руках у неї мертва дитина* (Вовчок); *У старої серце похолонуло; як сиділа — так і прикипіла на місці* (Мирний); // Зупинитися, стати нерухомим. *Коли раптом щось — лусь! Стрельнуло хтось з рушниці. Так по селу і покотилось. Сестра прикипіла до місця, тільки руками вхопилась за груди, а швагер зірвався — і в сіни* (Коцюб.); *З-за хати вискакує німецький патруль і прикипає до місця, як.. по команді «струнко»* (Янов.).

прикипі́ти очи́ма *див.* прикипати.

прикипі́ти се́рцем (душе́ю). 1. *до кого.* Відчути велику прихильність до кого-небудь, щиро прив'язатися. *Отакий був наш Гриша Сонцебриз-*

ний. Влучний на слово, щирий і незлобивий у товаристві, він усім подобався, навіть Слюсаренко прикипів до нього серцем (Чаб.); *Вони якось відразу прикипіли серцем до нової виховательки, побачили в ній не тільки учительку, але й матір, людину близьку і рідну* (Збан.); // Покохати. *От і тепер прикипіла Горпина вже душею до Петруся, бо вже ніхто в цілім світі не був для неї рідніший, ніж він* (Григ.).

2. *до чого.* Замилуватися чим-небудь. *Ти мене, як сина, приголубить зміг, Прикипів я серцем до твоїх доріг* (Забашта).

3. *до чого.* Захопитися чим-небудь, полюбити щось. *Подруга Марійка тільки рік проробила, пішла з трактора. А Докія прикипіла серцем до справи* (Хлібороб Укр.).

як (мов, ніби *і т. ін.***) прикипіти / прикипа́ти.** 1. *до чого.* Щільно притулившись до чого-небудь, залишатися непорушним. *Пріська, хитаючись, підвелася, та як припала до кухля — неначе її уста до нього прикипіли, та поти всього не випила — не пустилася* (Мирний).

2. Нерухомо залишатися на якомусь місці. *Степан.. поліз на піч спати, а Пріська немов прикипіла до лави, й не рушила з неї до світанку* (Л. Янов.).

3. *до кого.* Закріпитися за ким-небудь, пристати (про прізвисько, звичку і т. ін.). *Виріс [Пилип], парубком став, одружився, а прізвище Клешня так і залишилось, мов прикипіло до нього* (Цюпа); *Пуп'янок і Пуп'янок! Відтоді прізвисько це, не зовсім сказати б яке розумне і поважне, наче прикипіло до хлопця* (Вол.).

ПРИКЛАД: бра́ти при́клад *див.* брати; **дава́ти ~ див.** давати.

ПРИКЛАДА́Й: хоч до ра́ни приклада́й *див.* клади.

ПРИКЛАДА́ТИ: прикла́да́ти вогню́ до пече́ного *див.* підкладати.

прикла́да́ти до жа́ру вогню́. Дошкуляти чим-небудь комусь, посилювати біль, переживання, горе. *Якби Василь знав, що в ці роки коїлося в серці Лукії, то співанкою не прикладав би до жару вогню* (Чорн.). **Синонім: підклада́ти вогню́ до пече́ного.**

ПРИКЛАДИ: хоч до ра́ни приклади́ *див.* клади.

ПРИКЛА́ДУ: ні до ла́ду́ ні до при́кладу *див.* ладу.

ПРИКЛА́СТИ: голови́ (ро́зуму, ума́) не прикла́сти (не приложи́ти). Не можна зрозуміти, знайти причину чого-небудь; не змогти розв'язати, вирішити щось.— *Ніяк голови не прикладу, де ти міг сало дістати?* (Стельмах); *Кривоніс думав і не міг прикласти розуму, де б дістав її [Ярину] Єремія в поході?* (Панч); *Стояв-стояв пан Уласович довгенько і розуму не приложить, що йому теперечки на світі й робити!* (Кв.-Осн.); *— І чого ви полізли до нас, ума не прикладу? У вас же*

своя ланка, свої буряки (Кучер); [Олекса:] *Я ума не приложу, що тут скоїлось?* (К.-Карий).

прикла́сти вогню́ до пече́ного *див.* підкладати.

ПРИКЛИКА́ТИ: прикли́кати до життя́ *кого.* 1. Виводити кого-небудь з непритомності, депресії, забуття і т. ін. *Ніхто не йшов їй на порятунок, аж дощ, що пустився коло півночі, прикликав її до життя* (Фр.).

ПРИКО́ВАНИЙ: як (мов, ніби *і т. ін.***) прико́ваний** *до чого, з сл.* с т о я́ т и, с и д і́ т и. Нерухомо, не залишаючи місця. *Вона сиділа, мов прикована до місця, і великими гарячими очима дивилась перед собою* (Кол.); *З переполошеним видом, блідий і ніби прикований до кам'яного тротуару, стояв [Стоколоса] на розі вулиці* (Фр.). П о р.: **як прип'ятий.**

ПРИКО́ВУВАТИ: прико́вувати до лі́жка *див.* прикувати.

прико́вувати о́чі (зір). Привертати чиюсь увагу, приваблювати зовнішнім виглядом. *Простягся кучерявий гай вербовий і стоїть на сторожі поміж річкою та шпичастими горами, що блакитними тінями лягли на блакитному небі і приковують до себе очі* (Коцюб.); *Дивився [Пасюга], як вона йде поміж високих старих осокорів. Щось було в її поставі таке, що подобалось, що приваблювало, що приковувало його зір...* (Гуц.).

прико́вувати / прикува́ти до ганебного стовпа́ *кого.* Піддавати публічному осудові, різко викривати кого-небудь. *Своїм яскравим памфлетом «Прекрасна Франція» Максим Горький прикував до ганебного стовпа французьких мілітаристів* (Рад. Укр.).

ПРИКОЛІ: на приколі. На місці (перев. відстою); без роботи, використання і т. ін. *Голова поважає Данила, бо якби не він, то стояли б ті нещасні два трактори на приколі, а так — в роботі* (Зар.).

трима́ти на приколі *див.* тримати.

ПРИКРИВА́ТИ: прикрива́ти ла́вочку *див.* закривати.

ПРИКРИ́ТИ: не ма́ти чим хребта́ прикри́ти *див.* мати.

прикри́ти [грішне] ті́ло *кому, чиє.* Одягти що-небудь на когось; одягнути когось скромно, абияк. *Дістали [люди] дечого у пана Уласовича з материзни, прикрили грішне Солошине тіло* (Кв.-Осн.); *Викопали хлопці яму чумакові; ..Бережно сердегу в землю опустили, Грішне його тіло, чим було, прикрили* (Щог.).

ПРИКУВА́ТИ: прикува́ти до ганебного стовпа́ *див.* приковувати.

прикува́ти / прико́вувати до лі́жка *кого.* Позбавити кого-небудь можливості рухатися, ходити (про тяжко хворих); приписати постільний режим кому-небудь. *Мене прикували до ліжка і не кажуть, коли дозволять навіть сидіти* (Коцюб.); *Ще в дитинстві Леся Українка тяжко захворіла на* туберкульоз, який прикував її на довгі місяці до ліжка (Наука..); *Трохи не все місто висипає на вулицю. Тільки ті, кого лиха хвороба приковує до ліжка, зостаються у хатах* (Мирний). **прикований до ліжка.** *Наум Харитонович, хоч і хворів останній час і часто лежав, прикований до ліжка, цікавився громадськими справами, як і раніш* (Головко).

ПРИКУПИВШИ: лиха прикупи́вши. З труднощами, зазнаючи важких випробувань. *Жили тепер, лиха прикупивши,— доїдали останні крихти* (Юхвід); *Перший раз ледве зібрав [Іван] людей. Та все ж, лиха прикупивши, зібрав якось кілька чоловік* (Ткач).

ПРИКУРИТИ: дава́ти прикури́ти див. давати.

ПРИКУСИТИ: прикуси́ти / прику́шувати язика́ (язи́к). Утриматися від запальних, гарячкових висловлювань, пересудів і т. ін.; замовкнути. *Вона догадалась, що вже наговорила сім мішків гречаної вовни, й прикусила язика* (Н.-Лев.); *Прикусила Оксана язика, а стара Кухтиха ще й пожурила невістку: — Одними охами та сльозами, невісточко, недовго й протягнемо* (Іщук); *Олена завжди вміла гостро відповісти Михасеві, і йому часто доводилось прикушувати язика* (Донч.). **прикуси́ти язичка́.** *Василина підвелася на коліна, оглянулася на дівчат, кинула їм, мов наказ: — Язички там!.. А далі не сказала, щоб прикусили язички. Дівчата одразу примовкли* (Кучер).

ПРИКУТИЙ: як (мов, ні́би і т. ін.) прику́тий до місця, з сл. стоя́ти, сиді́ти. Нерухомо, не сходячи з місця. *І враз він знову зупинився, наче прикутий до місця* (Донч.).

ПРИКУШУВАТИ: прику́шувати язика́ див. прикусити.

ПРИЛАТАТИ: ні приши́ти, ні прилата́ти див. пришити.

ПРИЛИПАТИ: прилипа́ти до рук див. липнути.

ПРИЛИПНУТИ: прили́пнути до рук див. липнути.

прили́пнути очи́ма до кого, чого. Пильно дивитися на кого-, що-небудь; вдивлятися, вчитуватися в щось. *[Бе́нтлі:] Більше жодних коштовностей у вас там не було? [Фрау Мільх (розгублено мовчить). Бє́лін (прилип до неї очима і ледве помітним рухом голови підказує їй відповідь)]* (Галан); *Сопливе книжки перегортає і, боже, боже, прилипло очима — читає!* (Ковінька).

прили́пнути [усі́м] се́рцем ([усіє́ю] душе́ю) до кого, чого. Зріднитися, полюбити кого, щось. *Усім серцем і всією душею прилип був [Опанас] до своєї батьківщини, жив у ній думками і жив нею* (Фр.); *Серцем Микола вже прилип до свого острова* (Збан.).

ПРИЛІПИТИ: приліпи́ти ла́тку див. приставити.

ПРИЛОЖИТИ: голови́ не приложи́ти див. прикласти.

ру́ку приложи́ти, заст., книжн. Підписатися. *Перший підписався Терлецький, а за ним ієрей Мельхиседек, раб божий, за себе й за свою неписьменну жінку, рабу божу Марту, руку приложив* (Н.-Лев.).

ПРИЛЮДНО: роздяга́ти прилю́дно див. роздягати.

ПРИЛЯГА́Є: се́рце приляга́є див. серце.

ПРИЛЯГЛО́: се́рце прилягло́ див. серце.

ПРИЛЯГТИ: приля́гти до се́рця кому. Видатися приємним, сподобатися. *Гулянки на вулиці не прилягли йому до серця, бо дикі, п'яні витівки були противні його тихій вдачі* (Дн. Чайка).

[ці́лим] се́рцем приля́гти до кого, заст. Виявляти велику прихильність до кого-небудь, схилятися на чиюсь сторону. *Коли стали за ними [студентами] полювати урядники, поліція та всякі хапуни, селяни ще більше серцем прилягли до цих весняних вістунів* (Дн. Чайка); *Мати, котра цілим серцем прилягла до нього, старалася влити в нього весь скарб тих шляхетсько-польських понять, поглядів і традицій, котрих сама винесла з свого батьківського дому* (Фр.).

ПРИМАЗАТИСЯ: прима́затися / прима́зуватися до сла́ви чиєї. Безпідставно видавати чиї-небудь заслуги і за свої досягнення.— *До чужої слави примазатись хочеш?* (Збан.); *[Го́рлов:] Командуючий зробить, вони зразу до його слави й примазуються* (Корн.).

ПРИМАЗУВАТИСЯ: прима́зуватися до сла́ви див. примазатися.

ПРИМАНКУ: взя́ти на прима́нку див. взяти; **клю́нути на ~** див. клюнути.

ПРИМІРИТИСЯ: приміри́тися / приміря́тися (примі́рюватися) о́ком (очи́ма). Озираючи що-небудь, приблизно визначити його розмір, обсяг і т. ін.— *Вікна будуть великі, їй би такі теж згодилися, приміpилась оком Катерина* (Перв.); *Дідусь замислено почухав борідку, помахуючи мотузкою, що тримав у руках, приміряючись оком до речей, як їх краще взяти* (Коп.). **примі́рювати / приміря́ти о́ком (очи́ма).** *Гуділо міщанство, виглядало з кутків, приміряло очима одіж на «їхніх комісарах»* (Ю. Янов.); *Окинувши вивчаючим поглядом місцевість, він.. ще раз приміряв оком, ніби пересвідчуючись у своєму висновку.— Так,— сказав він комусь уголос.— Отут найкраще місце...* (Жур.).

ПРИМІТІ: ма́ти собі́ на приміті див. мати².

ПРИНЕСЛА: лиха́ годи́на принесла́ див. година; **соро́ка на хвості́ ~** див. сорока.

ПРИНЕСЛО: ли́хо принесло́ див. лихо.

ПРИНЕСТИ: принести́ в пелені́ (в припо́лі) кого. Народити дитину, не перебуваючи в законному шлюбі. *Багачі своїми поглумками проходу не давали: — Дождалась? Ждала мати червінців таврійських, а дочка натомість байстря в пелені принесла!* (Гончар); *Офіцерик потім кудись заві-*

явся.., *а бідна попівна принесла оцього студента в приполі* (Збан.).

принестѝ на вівта́р *див.* приносити.

ПРИНІС: Бог приніс *див.* Бог; **лихѝй ~** *див.* лихий; **чорт ~** *див.* чорт.

ПРИНОСИТИ: прино́сити (віддава́ти, склада́ти) / принестѝ (відда́ти, скла́сти) на вівта́р (олта́р) *чого, чий, що, уроч.* Жертвувати чимось в ім'я великої мети, суспільних ідеалів. *Серед 28 героїв-панфіловців, які хоробро захищали Москву, були росіяни, українці, казахи, киргизи. У передсмертній записці вони писали: «Ми приносимо своє життя на олтар Вітчизни»* (Літ. Укр.); *Тобі [Україно] несу я сили всі, що маю; І працю тиху, і мої пісні На вівтар твій побожно я складаю* (Сам.).

ПРИНОСИТЬ: лихѝй прино́сить *див.* лихий.

ПРИПАДАТИ: пѝлом припада́ти (покрива́тися) / припа́сти (покрѝтися). 1. Не використовуватися. *Боже, він не слуха! Його робітня пилом припада. Флоренції загрожує розруха, а він на карнавалах пропада!* (Костенко).

2. *перен.* Не розвиватися, спустошуватися. *Живу... Дивлюсь, як хата валиться; чую, що й сама я пилом припадаю — якось дурнішаю, якось туманію, наче жива я землю входжу...* (Вовчок).

3. Давно забутися. *Принесла мені весна Те, що пилом вже припало. Знов земля мені тісна, Знов повітря мені мало* (Олесь). **пилко́м припа́сти.** *Одягнем шинелі, візьмемо з собою Пайок-одноденок, зупинимось де? І десь за тропою за голубою Дитинство і юність пилком припаде* (Мал.).

припада́ти до се́рця *див.* припасти.

припада́ти до смаку́ *див.* припасти; **~ до стіп** *див.* падати.

припада́ти / припа́сти до горі́лки (до ча́рки). Виявляти пристрасть до алкогольних напоїв; пиячити. *І почав був Андрій-столяр до горілки припадати — заливав нею свої образи* (Крот.); *— Він богобоящий і письменний, не дуже припадає до чарки. Він буде судити не за могоричі, а буде судити по правді* (Н.-Лев.).

припада́ти / припа́сти до сліду *чийого.* Постійно ждати, виглядати кого-небудь, бажаючи чийогось повернення. *Що то вона робить тепер, чи дума про нього? Ой, певно, сумує за молодим козаком, певно, припадає до його сліду...* (Коцюб.).

ПРИПАЛИ: о́чі припа́ли *див.* очі.

ПРИПАРКИ: да́ти припа́рки *див.* дати.

ПРИПАСТИ: пѝлом припа́сти; ~ до горі́лки.

припа́сти до мѝслі *кому.* Зацікавити, захопити кого-небудь, сподобатися комусь. [Т е т я н а:] *Помічаю я, що ти йому неабияк до мислі припала* (Кроп.); [М а р у с я (до Галі):] *Щаслива ти, що ти така весела. А з ким же більш ти любиш танцювати? Хто більш усіх припав тобі до мислі?* (Сам.).

припа́сти до сліду *див.* припадати; **~ до стіп** *див.* падати.

припа́сти / припада́ти до се́рця (до душі) *кому.* **1.** Викликати симпатію, почуття кохання, сподобатися кому-небудь. [Л у к і я:] *Певно, вона вже впала Хвилимонові в око!.. А що він їй до серця припав, то се вже видко...* (Кроп.); *Настя якось зразу припала йому до серця. Він не почував уже себе таким самотнім, як перше, наче з'явилась у нього яка близька родина* (Коцюб.).

2. Зворушити кого-небудь; сподобатися (про художні твори, музику і т. ін.). *Невже вам могли так припасти до серця мої вірші?* (Л. Укр.); *Лісту була знайома і припала до серця українська народна музика; про це свідчать дві фортепіанні п'єси — «Думка», для яких тематичним матеріалом послужили популярні народні пісні «Віють вітри» та «Ой не ходи, Грицю»* (Мист.); *— Раз чув, як ти комусь читала вголос мою повість...— так можна читати тільки те, що до душі припадає* (Л. Укр.). **припа́сти до серде́нька.** *Чим я маю привернути Серце милої,— не знаю! Може б, краще їй припали до серденька серенади?..* (Л. Укр.).

3. Відповідати чиїмсь думкам, сподіванням, нахилам, здібностям і т. ін.; імпонувати комусь. *Висловлена Бовдюгом премудрість припала до серця всім запорожцям* (Довж.); *Правда, з містечком Вадим ще не встиг ознайомитись, але робота йому припала до душі* (Кочура). С и н о н і м: **до душі** (у 2 знач.).

припа́сти / припада́ти до смаку́ *кому.* **1.** *що.* Виявитися співзвучним чиїмсь думкам, роздумам, сподіванням; імпонувати. *Олеся знала з романів про того Купідона та Амура, й ті слова дуже припали їй до смаку* (Н.-Лев.); *— Розмова припадає мені до смаку* (Н.-Лев.).

2. *хто.* Захопити кого-небудь, сподобатися комусь.— *Шукаю відповіді на запитання: чому ви припали до смаку отій Катерині?* (Рибак). С и н о н і м: **припа́сти до душі.**

припа́сти (прирости́) о́ком (очѝма, зо́ром, по́глядом) *до кого — чого.* Задивитися, милуючись ким-, чим-небудь. *Жінка підійшла до великої карти на стіні і зором припала до ясної зірки, де була Москва* (Кучер); *Перевів [Сахновський] на Наталку погляд.— Трохи литка виглядає в ажурній панчішці,— припав до неї поглядом* (Головко).

припа́сти се́рцем *до чого.* Захопитися чим-небудь, віддаючи всі сили, здібності, талант. *Дмитрова наречена залишилась у селі, ланковою призначили, до роботи серцем припала* (Інг.); *Краю мій зелений, вічна дорога, Та безсмертник в полі, грози в небесах, Припаду я серцем до твого порога, Як твоя кровинка, як твоя сльоза* (Стельмах).

як (мов, ніби *і т. ін.***) пѝлом (земле́ю) припа́с-**

ти / [ста́ти (поча́ти)] припада́ти. Потемніти, набувати сірого кольору. *Ніс йому загострився, обличчя мов пилом припало, сам трясеться, худий* (Л. Укр.); *Пролежав він тиждень, навіть не стогнав, а лице в нього стало ніби припадати землею* (Н.-Лев.).

ПРИПЕКТИ: припекти́ до живо́го *див.* припікати.

ПРИПІКАТИ: припіка́ти / припекти́ до живо́го. Викликати глибоке занепокоєння, образу (надмірними несправедливими докорами, репліками і т. ін.). — *Так бути вилазці чи ні? — спитав по хвилі Горностай, якого безділля у замку припекло до живого* (Оп.). С и н о н і м: **зачіпа́ти за живе́.**

ПРИПІЧКУ: на при́пічку ка́шу ї́сти *див.* їсти.

ПРИПЛАТИТИ: приплати́ти життя́м *див.* заплатити.

ПРИПЛИВАТИ: приплива́ти / приплвти́ до голови́. Оволодівати ким-небудь, з'являтися в уяві (про думки, образи і т. ін.). [К а з и б р і д:] *Тобі що до голови приплило? Іди геть! Не дурій!* (Фр.). С и н о н і м и: **заходити в го́лову; прихо́дити в го́лову. А н т о н і м и: ви́летіти з голови́; ви́бити з голови́ па́м'ять.**

ПРИПЛВТИ: приплвти́ до голови́ *див.* припливати; ~ до рук *див.* пливти.

ПРИПЛОДУ: ні ро́ду, ні приплоду *див.* роду.

ПРИПОЛІ: принести́ в приполі *див.* принести.

ПРИПОНІ: держа́ти на припо́ні; держа́ти язик на ~ *див.* держати; іти́ на ~ *див.* іти.

ПРИПУЩЕННЯ: перевершувати припу́щення *див.* перевершувати.

ПРИП'ЯТИЙ: як при́п'ятий до чого, з сл. с и д і т и, с т о я т и. Непорушно. *Андрій лишився один. Він сидів, як прип'ятий, навіть не здатний відірвати щоки від молодої топольки* (Гур.).

ПРИРІС: язик приріс до піднебіння *див.* язик. як (мов, ніби і т. ін.) до землі (до місця) приріс. Хтось не може зрушити, зійти з місця, остовпів. *Тодозя оступилась од князя й почувала, що в неї не стає сили рушити з місця: вона од жалю та горя неначе приросла до землі* (Н.-Лев.); *А у Оксани і руки, і ноги затрусились, стала, як укопана, як приросла до землі, ні з місця, ні пари з уст...* (Кв.-Осн.).

ПРИРОДИ: дитя́ приро́ди *див.* дитя; на ло́ні ~ *див.* лоні.

ПРИРОДНА: приро́дна річ *див.* річ.

ПРИРОСЛИ: но́ги приросли́ *див.* ноги.

ПРИРОСТАЮТЬ: но́ги прироста́ють *див.* ноги.

ПРИРОСТИ: прирости́ до се́рця (до душі́) кому, чийого (чиєї). 1. Ставати близьким, дорогим, рідним. *Баба відвернулася — їй самій серце краялось, а ся дитина чужа, «панська» дитина, за одинадцять літ успіла прирости їй до серця* (Фр.); — *Сава вже не Михайло! І він мій син! Адіть, Докійко, тут приріс мені до серця змалку, як грудка!* (Коб.).

2. Оволодівати цілком, захоплювати, полонити (про думки, мрії). [С о т н и к:] *Ні, трохи треба підождать. Воно б то так! та от що, брате: літа не ждуть! літа летять, А думка проклята марою до серця так і приросла...* (Шевч.).

пупови́ною прирости́ (зрости́ся, бу́ти зв'я́заним) з ким-, чим-небудь. Бути в нерозривних зв'язках з ким-, чим-небудь. *Я змушений був сидіти з Саньком на одній парті, бо зв'язаний був з ним міцною пуповиною* (Збан.).

се́рцем (душе́ю) прирости́ до кого. Відчути прихильність, прив'язатися до кого-небудь; полюбити, зріднитися. *Лагідна зовиця з першого ж дня серцем приросла до своєї молоденької невісточки* (Дім.); *У рідну хату повела дівчина бійця, душею приросла до нього, рада поєднати свою долю з ним* (Горд.).

ПРИСИЛАТИ: присила́ти старості́в *див.* слати.

ПРИСИПАТИ: приси́пати по́пелом го́лову *див.* посипати.

ПРИСІДОМ: за одни́м при́сідом. 1. Одночасно, разом. *За одним присідом вечеря з обідом* (Укр.. присл..).

2. Дуже швидко, відразу, тут же, не встаючи. *Пішов [В. Стефаник] прямо до редакції, сказав дати паперу і за одним присідом написав свій «Підпис»* (Письм.).

ПРИСІЛА: біда́ присіла *див.* біда.

ПРИСІСТИ: прис́істи фа́лди, зах. Працювати не відриваючись. *Оля була переконана в тому, що «мала» не дістане ніде двадцять п'ять золотих і повинна буде через те присісти фалди* (Вільде).

ПРИСКОМ: обси́пало при́ском *див.* обсипало; як ~ обсипа́ти *див.* обсипати.

ПРИСКУ: вси́пати при́ску за очку́р *див.* всипати; як хто кинув гаря́чого ~ *див.* хто.

ПРИСЛАТИ: присла́ти старості́в *див.* слати.

ПРИСЛУЖИТИСЯ: до́брим сло́вом прислужи́тися кому. Порадити щось щиро кому-небудь. *Старий староста й каже: — Позвольте вам поклонитись і добрим словом прислужитись* (Кв.-Осн.).

ПРИСЛУХАТИСЯ: прислуха́тися обо́ма. Бути дуже уважним, намагатися усе схопити. — *На уроках, сину, гав не лови, прислухайся обома.*

ПРИСМАЛЮВАТИ: присма́лювати ли́тки *див.* смалити.

ПРИСНИЛОСЬ: і уві сні не присни́лось би *див.* присниться.

ПРИСНИТЬСЯ: і [на́віть] [уві (у) сні] не присни́ться (не присни́лось) кому. Щось дуже дивне, незвичайне, яке не можна уявити. — *А що, панове, вам і не присниться там бути, де я побував* (Кв.-Осн.); — *Моя душа сміє і зможе таке, що іншому й не присниться...* (П. Куліш); — *Заходьте до мене. Я щось таке надумав, що вам і не приснилось!* (Панч).

ПРИСОЛОДЖУВАТИ: присоло́джувати язика́ *див.* присолодити.

ПРИСОЛОДИТИ: присолоди́ти / присоло́джувати язика́, *заст.* Звести наклеп на кого-небудь. *Чи не ти язика присолодив? Та́ він і руками й ногами відхристюється* [відхрещується]. *Не дух же святий навіває інспектора! От ми і зговорились докопатись до донощика* (Сл. Гр.).

ПРИСОХ: живі́т присо́х до спи́ни *див.* живіт; **язи́к ~ до піднебі́ння** *див.* язик.

ПРИСО́ХНЕ: присо́хне (присхне́), як на соба́ці, *розм.* 1. Загоїться, зникне (про виразки, хвороби і т. ін.).— *А що, Варко, полегшало тобі? — Та присохне, як на собаці* (Мирний); *— Лягайте завтра в військовий лазарет,— зрадів Лазаревський.— Може, через хворобу вас все ж таки залишать тут.— Ні,— відрубав Шевченко.— Якось викручуватись — це не для мене. Потрусить трохи і минеться, присохне, як на собаці* (Тулуб). 2. Залишиться при комусь, не пошириться далі, уляжеться (про щось неприємне). *Сумна повернула додому Маланка й нікому не похвалилась, що бачила й чула. Нехай вже воно присохне на ній, як на собаці* (Коцюб.); *Він подумав, що ніхто не бачив, ніхто не знає і все присохне, як на собаці* (Чорн.).

ПРИСО́ХНУТИ: присо́хнути на язиці́. Залишитися не висловленим (про слова, думки і т. ін.). *Міг би сказати Порфир, як матір не слухався, з двійок не вилазив, як тинявся цілими днями по пристанях, що аж у порт його занесло... Міг би, міг, одначе відповідь чомусь так і присохла на язиці* (Гончар).

ПРИСПІВ: приспі́в час *див.* час.

ПРИСТА́В: язик приста́в до піднебі́ння *див.* язик.

ПРИСТАВА́ТИ: пристава́ти / приста́ти до бе́рега *якого.* Знаходити, визначати своє місце в житті, своє покликання. *Дорогою він запитав у Савки: — Що ж ти, брат, на одному місці не тримаєшся? Електрозварником тобі не подобається, муляром — теж. Пристай до якогось берега* (Ткач); *Час тобі, дитино, вже приставати до якогось берега,— говорила* [мати] *доньці спокійно та розважливо,— бо закрутить тебе хвиля, закаламутить голову і пропадеш* (М. Ю. Тарн.); [К о в а л ь:] *То до якого ж берега пристанемо?* [Ц а р:] *Зараз нічого не скажу вам:.. На роздоріжжі я... Все думаю...* (Зар.).

пристава́ти / приста́ти до лиця́ (до ви́ду) *кому.* Личити, пасувати, гармонувати. *Ясно-синій колір дуже приставав їй до лиця* (Н.-Лев.); *Чорний здоровий платок, котрим була її голова і плечі аж до пояса прикриті, так і пристав їй до лиця* (Мирний).

ПРИСТА́ВИТИ: приста́вити (приліпи́ти) ла́тку *кому.* Сказати що-небудь дошкульне чи дотепне.— *О, щоб тебе з Денисом! Вже хоч що, а латку й приставить* (Кв.-Осн.); *На кождого знайде*

[Гжехоткова], *що сказати, кождому приліпить латку* (Фр.).

ПРИСТА́ЛА: душа́ приста́ла *див.* душа.

ПРИСТА́ЛО: се́рце приста́ло *див.* душа.

ПРИСТАНО́ВИЩЕ: оста́нне пристано́вище чиє, кого. 1. Місце, де хто-небудь похований; чия-небудь могила. *Він думав про Люду, і жаль стискав йому серце... Хоч би знати, де саме її останнє пристановище* (Трубл.). С и н о н і м: **вічна при́стань.**

2. Те, що підтримує, є хоч якою-небудь опорою для когось. *Як бачите, життя знову насмілялося з мене. Ідея спокути через власне страждання була моїм останнім пристановищем* (Лев.).

ПРИ́СТАНЬ: вічна при́стань, *уроч.* Місце, де хто-небудь похований, де покоїться чий-небудь прах; могила. *За два кілометри, біля Карлюжини,— цвинтар, вічна пристань видатного драматурга* [І. Карпенка-Карого] (Літ. Укр.). С и н о н і м: **оста́нне пристано́вище** (в 1 знач.).

ПРИСТА́ТИ: приста́ти до бе́рега; ~ до лиця́ *див.* приставати.

приста́ти на грунт, *заст.* Поселитися де-небудь постійно, осісти, зайнятися землеробством. *Він швидко покинув сю службу, послухав одного товариша, що нараяв йому йти до Борислава, заробити грошей, пристати на грунт* (Фр.).

приста́ти (приступи́ти) з [го́стрим] ноже́м до го́рла. Настирливо вимагати чого-небудь.— *Дід собі в комірчині овес видає, а баба в хатині ніяк від циганок не відчепиться: пристали з ножем до горла, де золоті дукачі заховані* (Тют.); *— А от як ці брати приступлять з гострим ножем до горла, то тоді й пізнають, що воно за брати* (Мирний). С и н о н і м: **наступи́ти на го́рло.**

ПРИСТРА́СТІ: при́страсті вляга́ються (вгамо́вуються) / вляглися́ (вгамува́лися, прохоло́нули). Зникає, спадає збудження, захоплення, піднесення і т. ін. *Високе небо незнайомого півдня, терпкий аромат близького поля діють на бійців, мов якийсь чарівний трунок: зникають денні сварки, вгамовуються пристрасті, всі стають ближчі між собою, одвертіші, мирніші, тихіші* (Гончар); *Пристрасті в нас уляглись, скороспілки ілюзій обпали. З ран, що життя завдало, ще хіба шрами болять* (Фр.); *І Каринський, і Васюта побоювались, що й ця нарада проходитиме неспокійно. Доба надто короткий строк, щоб прохолонули розбурхані вчора пристрасті* (Шовк.).

при́страсті спала́хують (розпа́люються, розгоря́ються, закипа́ють *і т. ін.*)**.** Збудження почуттів досягає великого напруження. *Сенько був із тих людей, у яких пристрасті спалахували скоро* (Фр.); *Хома бачив, що розпалюються пристрасті, і не знав, як угамувати їх* (Тулуб); *На жаль, у боротьбі думок, у наукових дискусіях, як і у всяких інших, пристрасті іноді розгоряються з такою силою, що початкова мета — з'ясування* істини — підміняється прагненням, що б то не стало, будь-якими засобами домогтися перемоги над своїм противником (Вибр. праці М. Г. Холодного); *Хто хоч раз був на футбольному полі, той добре знає, що ніде так пристрасті не закипають, як на футболі* (Дмит.).

ПРИСТРІЛЯНЕ: ма́ти пристрі́ляне о́ко *див.* мати.

ПРИ́СТУП: без па́лиці ані́ при́ступ *див.* підступай.

ПРИСТУПА́Й: і не приступа́й *див.* приступайся.

ПРИСТУПА́ЙСЯ: і не приступа́йся (не приступа́й). 1. *до кого.* Дуже гордий, сердитий, зарозумілий і т. ін. *Мотря думала теж про Галю. «Може, там така, що й не приступайся»* (Мирний); *Гарна була дівка. А горда та пишна, що й не приступай* (Коцюб.).

2. *до чого.* Дуже занедбаний, захаращений. *Колись новісінькі дощані ноші, тепер уквітчані недбайливими латками та наліпленими шарами цементу, лякали, хоч і не приступайся до них* (Ле). С и н о н і м и: **і не приступи́ти; і приступи́тись стра́шно** (в 1 знач.). А н т о н і м: **на всі бо́ки присту́пний.**

ПРИСТУПИ́ТИ: і не (ані́) приступи́ти *до кого.* **1.** Дуже гордий, сердитий, зарозумілий і т. ін. *Дивиться [Варка], наче зараз тебе з'їсть, не соливши, словами і січе, і руба, ані приступити...* (Вовчок).

2. *до чого.* Дуже захаращений, занедбаний. *Іде ремонт приміщення бібліотеки, тому до деяких книжкових фондів і не приступити.* С и н о н і м и: **приступи́тись стра́шно** (у 1 знач.); **і не приступа́йся.** А н т о н і м: **на всі бо́ки присту́пний.**

і приступи́ти стра́шно *див.* приступитись.

приступи́ти до бика́. Взятися за головне, подіяти рішуче. *Успіх будь-якої справи забезпечений, якщо вдається відразу приступити до бика.* **приступи́ти до бичка́.** — *Жарти жартами, а я оце поїду в Бендери та причепою причеплюсь, реп'яхом пристану до Бичковського, — обізвалась Христина. — Я вже знаю, з якого боку приступити до бичка* (Н.-Лев.).

ПРИСТУПИ́ТИСЬ: і приступи́тись (приступи́ти) стра́шно. 1. Дуже гордий, сердитий, зарозумілий і т. ін. *До директора заводу і приступитись страшно.* С и н о н і м и: **і не приступа́йся; і не приступи́ти.** А н т о н і м: **на всі бо́ки присту́пний.**

2. Грізний, небезпечний. *Оттак, бачиться, й стрельне [рушниця], що й приступитись страшно!* (Кв.-Осн.).

ПРИСТУ́ПНИЙ: на всі бо́ки присту́пний. Лагідний, спритний, розторопний, меткий. *Жвавий, на всі боки приступний, він надумався поширити свої комерційні справи виданням... книжок* (Вас.). А н т о н і м и: **і не приступа́йся; і приступи́тись стра́шно; і не приступи́ти.**

ПРИСТУ́ПОМ: бра́ти при́ступом *див.* брати.

ПРИ́СТУПУ: з пе́ршого при́ступу *див.* разу; нема́ ~ *див.* нема.

ні (ані́) при́ступу *до кого.* **1.** Хто-небудь надійно захищений, не може бути подоланий, захоплений і т. ін.— *Вже двічі набігали козаки, а нічого не вдіють: обіклалися боронами та засіками озеряни, і ні приступу до них* (Головко).

2. *перен.* Хто-небудь зробився недоступний, загордився.— *Оце вже Роман так замурується в своїй хатині з книжками, що до його ані приступу! — говорила Соломія до матері* (Н.-Лев.). С и н о н і м и: **і не приступа́йся; і приступи́тись стра́шно; і не приступи́ти.** А н т о н і м: **на всі бо́ки присту́пний.**

ПРИТАЇ́ТИ: притаї́ти дух *див.* зата́їти.

ПРИТЕРТИ: притерти ро́ги *кому.* Зробити покірним кого-небудь, приборкати, примусити підкорятися комусь. *Вже ми їм [хлопам] притремо роги!* (Фр.).

ПРИТИКИ: дава́ти прити́ки *див.* давати.

ПРИТИСКА́ТИ: притиска́ти / прити́снути до сті́ни *кого.* Ставити кого-небудь у безвихідне становище, домагаючись якогось зізнання або вчинку.— *Бог з вами, не притискатиму вас до стіни...* (Л. Укр.). **прити́снути до сті́нки.** [А р с е н:] *Мені якби ще отого шахрая, Геннадія, до стінки притиснути!* (Мороз).

ПРИТИСКОМ: з при́тиском. Дуже пристрасно, настійно. *Дідуню з великим притиском розпочав знов мову про те, що вже вже крайня пора взяти Юзі гувернантку* (Л. Укр.); *Щербатюк побагровів і заговорив з такою енергією і притиском, що з губ його почали зриватися.. краплі піни* (Ряб.).

ПРИТИ́СЛА: біда́ прити́сла *див.* біда.

ПРИТИ́СЛО: життя́ прити́сло *див.* життя.

ПРИТИ́СНУЛО: життя́ прити́снуло *див.* життя.

ПРИТИ́СНУТИ: до нігтя́ прити́снути. Знищити, ліквідувати, розправитися. *Я тебе за таку образу до нігтя притисну. Довго пам'ятатимеш.* **прити́снути до сті́ни** *див.* притискати.

ПРИТИ́ЧИНА: оце́ (ото́) так (яка́) прити́чина. Уживається для вираження великого здивування з приводу чогось несподіваного, незрозумілого, а також захоплення тим, що сталося. *Перелякався й Причепа і все намагався розтулити Савчині зуби.— Горілки! Та голову набік!.. Оце так притичина...* (Тулуб); *— Оце, яка притичина? Оце випадок!.. Неначе щось недобре віщує... Ото школода!..— говорила неспокійно Сусана Уласівна* (Н.-Лев.); *— І хто б це такий був? Ото притичина!* (Н.-Лев.). П о р.: **що за прити́чина?**

що за прити́чина (при́тча і т. ін.)? Уживається для вираження подиву з приводу чого-небудь незрозумілого чи несподіваного, а також захоплення тим, що сталося. [Х а л я в а:] *То розкажи ж нам, звідки взявся, Що за притичина така?* (Кроп.); [Р а б:] *Прибув високородний Публій* *в гості!* [Х у с а:] *З дружиною?* [Р а б:] *Сам, без жони прибув.* [Х у с а:] *Що за притичина?..* (Л. Укр.); *Починаю хвилюватись: що за притичина? Рішуче одмагатись: — Ніколи не писав і не буду!* (Вас.). П о р.: **оце́ так прити́чина.**

ПРИТКНУ́ТИ: приткну́ти го́лову (себе́) *де, куди.* 1. Знайти якийсь притулок, пристановище.— *Я бажаю собі гніздо звести, щоб було де голову приткнути під час лихої години...* (Мирний); *Хіба мало таких, як я. Хіба трохи тиняється по світу, де б свою голову прихилити, де б себе приткнути?!..* (Мирний). С и н о н і м: **го́лову прихили́ти.**

2. Використовувати чиїсь здібності, нахили, творче спрямування у певній галузі діяльності. *Вона* [старша] *стільки ж знає, як і всі — куди їх везуть, де спинять їхні долі, куди приткнуть дівочі голови...* (Ле).

ПРИТО́РКНУТИ́СЯ: і па́льцем не приторкну́тися *див.* торкатися.

ПРИТО́ЧИТИ: [своє́] **сло́во приточи́ти** *до чого.* 1. Висловити свою думку, додати від себе щось до вже сказаного. *Кожен поспішався щось додати, своє слово приточити і заразом на стіл поглядав, хотів побачити, що виходить на папері* (Коцюб.).

2. Внести неясність у чиюсь думку; перекрутити думку на свій лад, обманути.— *Навряд, Якове Дорохтейовичу, не такий чоловік Матвій. А коли не ймете віри, підіть до нього, він слова не приточить* (Стельмах).

ПРИТУ́ЛИ: хоч до ра́ни притули́ *див.* клади.

ПРИТУЛИ́ТИ: притули́ти горба́того до стіни́ *див.* притуляти.

ПРИТУЛЯ́Й: хоч до ра́ни притуля́й *див.* клади.

ПРИТУЛЯ́ТИ: притуля́ти / притули́ти горба́того до стіни́. Говорити щось недоречне, нелогічне. [М а р у с я:] *Ти вже почнеш чорт батька зна що вигадувать та притулять горбатого до стіни!* (Кроп.).

ПРИТУПИ́ЛО: купи́ло притупи́ло *див.* купило.

ПРИ́ТЧА: при́тча во язі́цех, *заст.* Предмет загальних розмов, постійних пересудів і т. ін. *Довелось самому розкидати* [добро], *розточити, І добра нікому не зробити ні на шеляг. І притчею во язіцех стати Добрим людям* (Шевч.); *Притчею во язіцех був свого часу фразеологічний словник Дубровського* (Рильський); *Але всі.. її вчинки не зашкодили їй стати в Бобринці притчею во язіцех* (Збірник про Кроп.); *Його соромливість стала вже притчею во язіцех рідних, друзів, сусідів* (Веч. Київ).

що за при́тча! *див.* притичина.

ПРИТЯГА́ТИ: притяга́ти / притягти́ до се́бе се́рце *чиє.* Привернути чиюсь увагу до кого-небудь; полонити. *З перших же зустрічей серце моє притягли працьовиті й мужні люди цієї багатонаціональної країни* [Югославії] (Рильський).

притяга́ти (притя́гувати) за воло́сся (за ву́ха) *що.* Невиправдано, безпідставно виставляти, показувати що-небудь. *Мене люди зовсім не за самий вірш лають, а за те, що я мало ідейна, чи то пак — мало тенденційна, але мені здається, що коли я буду тенденцію за волосся притягати, то всім буде чутно, як її волос тріщатиме нещасний* (Л. Укр.).

притяга́ти (притя́гувати) о́чі (по́гляди, зір і т. ін.) чиї (чий), *кого і без додатка.* Любов Прохорівна притягала до себе заздрі погляди (Ле); *Ненароком зелене вікно притягає зір* (Рибак); *Оселедець, бринза притягували голодні очі косарів* (Горд.); *Ті шлейки, нові, блакитні, зі срібними клямрами, притягували до себе заздрісні очі парубоцтва та приязні — дівоцтва* (Коцюб.).

ПРИТЯГЛО́: притягло́ живі́т до спи́ни *див.* притягує.

ПРИТЯГТИ́: притягти́ до се́бе се́рце *див.* притягати.

ПРИТЯ́ГУВАТИ: притя́гувати за воло́сся; ~ о́чі *див.* притягати.

ПРИТЯГУЄ́: притя́гує / притягло́ живі́т (живота́) до спи́ни *в кого, кому, безос.* Хто-небудь дуже схуд, виголодався. *Крізь злегка прочинені двері чути, як хтось помішує ложечкою в склянці чай. Скло дзвенить тонко, знайомо, і від того ще більше притягує живіт до спини* (Збан.); *Хіба ж і не щастя після пісної дороги, після сухарів та цибулі, від яких йому вже до спини притягло живота, натьопатись нарешті смачного гарячого борщу, набратися сили, без якої людину вітром зіб'є в цій вітристій Каховці!* (Гончар).

ПРИТЯ́ТИ: притя́ти кри́ла *див.* підрізати.

притя́ти язи́к (язика́) *кому.* Примусити кого-небудь менше говорити, поширювати якусь інформацію. *Притяти трохи язик, бо він собі балу-балу* (Козл.); *— Ти йому притни язика,— додав Петро, скоса зиркнувши на порожнє обличчя Никонова* (Горький, перекл. за ред. Варкентін).

ПРИХИЛИ́ТИ: го́лову прихили́ти *де.* Знайти притулок, влаштуватися де-небудь. *Прийдеш над сю гору,— пустиня, спалена сонцем, ні прутика, ні гіллячки, щоб хоч де голову прихилить мав* (Мирний); — *Доки живу — земля моя, я господар на ній. Гичак поділив, а тепер, на старість, не має де голову прихилити* (Томч.); — *Куди ж нам, Денисе, найкраще податися, де голову прихилити?* (Стельмах). С и н о н і м: **приткну́ти го́лову.**

прихили́ти ву́хо [своє́] *до кого.* 1. Прислухатися до кого-небудь, вислухати когось, зважити на чиє-небудь прохання. *Певні, що Ви, завжди одкликаючись щиро на громадські справи, прихилите ухо своє і до нашого щирого прохання* (Мирний); *Як людина, всім серцем відчуй, Придивись, прихили своє вухо, пожалься на сльози, Що кривавою хмарою в небо ідуть* (Вороний).

прихили́ти не́бо (не́ба, со́нце, світ і т. ін.) для кого, кому. Зробити для кого-небудь все, навіть неможливе. *Гірко було Маланці. От, зростила дитину, берегла, доглядала, рада була неба їй прихилити та зорями вкрити, а тепер оддай між люди на поневіряння* (Коцюб.); *Не вірте в мою ідеальність, а вірте тільки, що я Вас люблю і бажала б Вам справді «неба прихилити», та тільки не знаю, як се зробить* (Л. Укр.); *[К о с я к:] Оленько, кохана моя. Та я радий для тебе сонце прихилити* (Зар.); *Огрядний, з губами-варениками одутлуватому лиці, Шаблистий розмахував не руками, а голоблями — здаткими, здається, прихилити весь світ для Павла Жабокрика* (Гуц.).

ПРИХИЛИТИСЯ: **прихили́тися се́рцем** *див.* прихилятися.

ПРИХИЛЯ́ТИ: **прихиля́ти / прихили́ти до се́бе се́рце (серця́)** *чиї, кого.* Викликати приязнь, симпатії. *Маленька, кругловиденька, з терновими мрійними очима, вона зразу прихиляла до себе серце всякої людини* (Вас.); *Хоча С. Крушельницька, О. Мишуга, М. Менжинський і не мали змоги на рідній [сцені] демонструвати своє мистецтво, але й там, на чужині, вони зуміли прихилить до себе серця. Народи увінчували лаврами, підносили на Парнас їх, видатних співаків України* (Вітч.).

ПРИХИЛЯ́ТИСЯ: **прихиля́тися / прихили́тися се́рцем (душе́ю)** *до кого.* Приятелювати, любити. *Олег все більше звикав і прихилявся серцем до Люди, а Люда сміялася, пустувала й хто зна, що було у неї на думці* (Дмит.); *Не хотіла [татарочка] підсобляти в будь-якім підступі супроти Подолянки, до котрої татарочка, в неволі зів'явши, чомусь прихилилась душею* (Ільч.).

ПРИХИ́ЛЬНЕ: замо́вити прихи́льне сло́во *див.* замовити.

ПРИХО́ДИТИ: **прихо́дити в го́лову** *див.* прийти; **~ в но́рму** *див.* входити; **~ до па́м'яті; ~ до себе** *див.* прийти.

прихо́дити / прийти́ до ро́зуму. Усвідомлювати свої помилки, одумуватися. *От і почав наш горобчик до розуму приходити,— годі сваритися!* (Л. Укр.).

прихо́дити / прийти́ до тя́ми (*діал.* **до тя́мку**). 1. Повертатися до нормального фізичного стану після непритомності. *Власний свій організм він піддаватиме нечуваним випробам, зазнаючи таких перевантаг, коли на якусь мить навіть непритомнієш у польоті, приладів не бачиш, а тоді прийдеш до тями — глядь: є швидкість! Є потрібна швидкість...* (Гончар); *Софію занесли в будуар ледве притомну і положили на канапці. Перша її думка, як прийшла вона до тямку, була: «Ах, що буде зо мною?..»* (Л. Укр.).

2. Опам'ятатися, заспокоїтися (після страху, хвилювання і т. ін.). *Машина рушила, а Андрій все ще ніяк не міг прийти до тямку, і все здавалося*

йому, ніби він чує жартівливий голос: «Гаряча голова... Можна й туди [в полк]» (Ю. Бедзик).

прихо́дити / прийти́ на па́м'ять. Поставати в уяві, пригадуватися.— *Ще така в мене собача натура, що як п'яний, то зараз добрішаю: хочеться що-небудь доброго зробити... і покійний тато, царство їм небесне, приходять на пам'ять...* (Коцюб.); *Чого ж ти почала задумуватись після тих вечорів любих? Ти його речі до одного слова згадуєш; і вві сні вони тобі сняться, і прокинешся ранком — перше всього вони тобі на пам'ять приходять* (П. Куліш).

прихо́дити / прийти́ у світ (на світ, в життя́). Народжуватися. *Батько новонародженого був просто на сьомому небі, що в життя приходить ще один Мамайчук* (Гончар); *Сам Амор Діонин, кажуть, серед нив прийшов у світ* (Зеров); *Відколи Гапка прийшла на світ, Мартоха злагоднішала до чоловіка* (Л. Укр.).

ПРИХО́ДИТИСЯ: **прихо́дитися до смаку́** *див.* прийтися.

ПРИХО́ДИТЬ: ду́мка прихо́дить *див.* думка.

[і] в го́лову (в ду́мку) не прихо́дить / не прийшло́ *що.* Не думалося, не гадалося (про щось неймовірне). *Про те, що я можу програти усі свої три копійки, мені і в голову не приходило* (Панч); *Гризельда навіть не заздрила, щоб Тодозя кохала князя, й поважний суворий князь кохав Тодозю: це їй і в думку не приходило* (Н.-Лев.).

прихо́дить край *див.* край.

ПРИХО́ДИТЬСЯ: **прихо́диться / прийшло́ся до чо́го (до діла).** За умови, що треба діяти, робити щось. *Треба, щоб і ми любили один одного, як брати, у нужді помагали, один від одного біду відводили і коли до чого приходиться, один за одного страждали і біду терпіли* (Кв.-Осн.); *Спитаєшся пня й колоди, як прийдеться до чого* (Номис); *От наші критики не такі лицарі і коли приходиться до діла, то ставлять в одну лінію і поетів і поетес* (Л. Укр.); *— Цілий рік трубили про ту кукурудзу, а як до діла прийшлося, то всі по кущах!..* (Кучер); *Маруся шаблею так розмахувала, мов проворний козак, а як прийшлось до діла, то вона краще всіх воювала* (Укр.. казки).

со́лоно прихо́диться / прийшло́ся *кому, безос.* Хто-небудь перебуває у важких умовах, у скрутному становищі. *У Галичині років з п'ятсот тому назад.. солоно приходилось руському народові, котрий звали вони [князі та бояри] смердами* (Драг.); *Вийшли [солдати] до ротного, сміються, дякують Максимові, що, коли б не він, дуже б солоно прийшлося їм* (Мирний).

ПРИЦІ́Л: бра́ти на приці́л; бра́ти ~ *див.* брати.

дале́кий приці́л. Дії, плани, розраховані на досягнення перспективної мети. *Фантастика далекого чи близького прицілу повинна бути обов'яз-*

ково оригінальною (Вітч.). з далéким приці́лом. З далеким прицілом придумано (Літ. Укр.).

ПРИЦІЛИТИСЯ: прицілитися в тóчку див. цілитися; **~ óком** див. прицілюватися.

ПРИЦІЛІ: тримáти на прицілі див. тримати.

ПРИЦІЛЮВАТИСЯ: прицілюватися / прицілитися óком. 1. Оглядаючи, визначати приблизно місце, розмір, вагу і т. ін. чого-небудь. *Розставляла [Устина] пляшки з вином, ставила блюдечка з паюсною ікрою та дорогі рибні консерви, прицілювалась оком, де б краще поставити власного виготовлення салат* (Д. Бедзик).

2. *перев. док.* Спрямувати короткий погляд на кого-, що-небудь, мимохіть зважуючи, оцінюючи когось, щось.— *А тобі не спиться, Маріє?* — спитав Жменяк, примруживши одне око, а другим прицілившись на молоду ще вдовицю* (Томч.).

ПРИЧЕПЛЕНИЙ: язи́к причéплений дóбре див. язик.

ПРИШВУ: приши́ти при́шву див. пришити.

ПРИШЕСТЯ: до дрýгого пришéстя. Невідомо, до якого часу; зовсім, назавжди.— *Куди ти тютюн ламáєш, бодай тобі руки і ноги поламало! А бодай ти не виліз з того тютюну до другого пришестя!* (Довж.).

ПРИШИВАТИ: пришивáти (пришпи́лювати) / приши́ти (пришпили́ти) квітку (гапли́к, лáтку) кому. Давати клички комý-небудь, ображати когось в'їдливими репліками, дошкульними словами. *[Явдоха:] Та й осоружний оцей Печериця,— як він мені остогид! З кожного насміхається, кожному квітки пришиває, а сам же то? Якби глянув у воду на свою вроду* (Мирний); *Колісник, червоний, як стиглий кавун або печений рак, знай пришивав квітки то тому, то другому, перекидаючи чарку за чаркою* (Мирний); — *Усякий думає: «Пришпилюють мені латки, давай буду й я пришпилювати іншим!»* (Фр.); *Ятрівка таку квітку пришпилить, що і через тиждень сорому не збудешся* (Кв.-Осн.).

ПРИШИЙ: приши́й кобилі хвіст. Зайвий, непотрібний. *Була й новинка Карпенкова —«Суєта». Перші три акти добрі, а четвертий — приший кобилі хвіст* (Мирний); — *Хто я в «Сугаклії»? Голова чи, може, приший кобилі хвіст?* (Добр.). С и н о н і м: для мéблів (у 2 знач.).

ПРИШИТИ: ні приши́ти, ні прилатáти. Недоладно, невпопад. *Дивний чоловік, то мій товариш на правім боці .. Все думає, а бог знає над чим, а часом якщо скаже, то ні пришити, ні прилатати* (Фр.). С и н о н і м: ні до лáду ні до приклáду (в 2 знач.).

приши́ти квітку див. пришивати.

приши́ти при́шву (при́шви) до чого. Доповнити сказане кимсь, втрутитися в чужу розмову. *А молоденькі панночки раді, що й їм вільно пришити свою пришву до розмови, напереймі почали згадувати та декламувати уривочки з декадент-*

ських віршів (Дн. Чайка); *О! що то вже за дівка!.. Вона не вміла, як кому пришви пришити? Ну, ну! І проворна, і жартовлива [жартівлива] була* (Кв.-Осн.).

приши́ти спрáву кому. Несправедливо, безпідставно звинуватити кого-небудь у чомусь. *Твою Анничку, ті от ... засудили. Якусь там справу дівчині пришили, Вона в тюрмі згоріла, як свіча* (Забашта).

ПРИШИТИЙ: як (мов, ніби і т. ін.). 1. Хто-небудь добре, вправно тримається на чомусь. *Але він вже на коні — на коні як пришитий...* (Морд.).

2. *з дієсл.* Невідступно, постійно. *[Д р а н к о (кричить у себе на дворі):] І слухати не хочу! Знаю, які печериці підеш збирати! Сиди мені у хаті, як пришита!* (Кроп.); *Поївши, Софія заходилася прибирати в кімнаті. Микола ходив за нею, як пришитий* (Дім.); *Їй не страшно було, коло неї, мов пришитий... провожатий, що не один чи два вечори знай проводив її до самої хати* (Мирний).

ПРИШПИЛИТИ: пришпили́ти квітку див. пришивати.

ПРИШПИЛЮВАТИ: пришпи́лювати квітку див. пришивати.

ПРИЩЕМИТИ: прищеми́ти хвіст кому. Обмежити чиї-небудь дії, поставити когось в скрутне становище. *Він давно мені хоче прищемити хвіст* (Стельмах).

ПРИЩИКНУТИ: прищикнýти язикá кому. Позбавити кого-небудь можливості розпускати плітки і т. ін.; дотепно обірвати когось на слові. **прищикнýти язичкá кому.** *Поєдинок цей продовжувався в затаєних намірах, що їх виховував про себе Гнат, настирливо шукаючи такого випадку, щоб прищикнути Уласові язичка* (Тют.).

ПРИЯЗНИМ: диви́тися при́язним óком див. дивитися.

ПРИЯЗНЬ: зайти́ у при́язнь див. зайти.

ПРІРВИ: на краю́ прíрви див. краю.

ПРІРВОЮ: опини́тися над прíрвою див. опинитися.

ПРІРВУ: летíти в прíрву див. летіти; **піти в ~** див. піти; **штовхáти в ~** див. штовхати.

ПРОБА: прóба перá див. спроба.

ПРОБИ: висóкої (найви́щої, чи́стої) прóби. 1. *що.* Що-небудь високої якості; досконале, майстерно зроблене. *Проза Петра Панча — література високої проби* (Роб. газ.).

2. *хто.* Хто-небудь дуже обдарований, талановитий у чомусь. *Франко — лірик високої проби, і його ліричні вірші просяться часто в музику* (Коцюб.). А н т о н і м: низькóї прóби.

низькóї (невисóкої) проби. 1. Що-небудь недосконале, недоведене. *Не завжди щастить журналам приходити на зустріч з читачем з повноцінним «багажем»: трапляються.. і твори невисокої ідейно-художньої проби* (Рад. літ-во).

2. *хто.* Хто-небудь поганої вдачі, нерозвинений, некультурний. *Він переконався, що молодий граф Едвін — чоловік дуже низької проби, картяр і розпусник* (Фр.). А н т о н і м: **високої про́би.**

ПРОБИВ: дрож проби́в *див.* дрож; **час ~** *див.* час.

ПРОБИВАЄ: дрож пробива́є *див.* дрож.

ПРОБИВАТИ: пробива́ти доро́гу до се́рця; ~ шлях *див.* прокладати.

пробива́ти / проби́ти стіну́. Ціною великих зусиль долати опір, добиваючись чогось. *Пробити стіну байдужості.*

ПРОБИРАЄ: дрож проби́ра́є *див.* дрож; **моро́з ~ по шку́рі** *див.* мороз; **хо́лод ~** *див.* холод; **цига́нський піт ~** *див.* піт.

ПРОБИРАЄТЬСЯ: моро́з пробира́ється до ті́ла *див.* мороз.

ПРОБИРАТИ: пробира́ти до печіно́к. Сильно впливати, діяти на кого-небудь. *Добрий тютюнець — до печінок пробирає...* (Збан.).

пробира́ти / пробра́ти до сліз. Справляти сильне враження. *Приспів пробирає аж до сліз* (Тич.).

пробира́ти (прони́зувати) до [са́мих] кісто́к (до косте́й). Викликати у кого-небудь відчуття сильного холоду. *Ранок був сірий, туманний. Вночі знову йшов дощ, дув пронизливий сирий вітер, пробирав до кісток* (Сиз.); *Міцний мороз пробирав аж до кісток* (Кач.); *Осіння вже пора по-вовчи закрадалась. І холод до кісток рибалок пробирав* (Рильський); *Дощ перестав, стало ніби ясніше, але вітер пробирав до костей і ліс голосніше шумів, шепотів* (Ірчан). **пробра́ло до сами́х кісток,** безос. *До самих кісток пробрало його холодом та вологістю* (Грим.).

ПРОБИРАЮТЬ: дрижаки́ пробира́ють *див.* дрижаки.

ПРОБИТИ: проби́ти грудьми́ доро́гу (шлях) *кому.* Ціною власних зусиль допомогти кому-небудь у досягненні якоїсь мети. *Любити своє дитя — це ще не все, ти зумій грудьми пробити йому дорогу* (Гончар).

проби́ти доро́гу до се́рця *див.* прокладати.

проби́ти сльозо́ю *кого.* Розчулити, зворушити кого-небудь плачем. *Заскорузлого бюрократа не проб'єш сльозою.*

проби́ти стіну́ *див.* пробивати; **~ триво́гу** *див.* бити.

ПРОБІ: крича́ти пробі *див.* кричати; **хоч кричи́ ~** *див.* кричи.

ПРОБІГ: кіт пробіг *див.* кішка; **моро́з ~ по́за шкі́рою** *див.* мороз.

ПРОБІГАЄ: моро́з пробіга́є по́за шкі́рою *див.* мороз; **дрож ~ по спи́ні** *див.* дрож.

ПРОБІГАЮТЬ: мура́шки пробіга́ють по спи́ні *див.* мурашки; **дрижаки́ ~ по спи́ні** *див.* дрижаки.

ПРОБІГЛА: кішка пробі́гла *див.* кішка; **~ соба́ка про́між нога́ми** *див.* собака.

ПРОБІГЛИ: мура́шки пробі́гли по спи́ні *див.* мурашки; **дрижаки́ ~ по спи́ні** *див.* дрижаки.

ПРОБІЖИТЬ: ми́ша не пробіжи́ть *див.* миша.

ПРОБІЙ: іти́ на пробі́й *див.* іти.

ПРОБКА: як про́бка, з сл. д у р н и й. Дуже обмежений, нерозвинений. *Великий хлопець, а дурний як пробка.*

ПРОБКУ: наступа́ти на про́бку *див.* наступати.

ПРОБЛЕМА: пробле́ма но́мер оди́н. Завдання, що має першочергове значення для кого-, чого-небудь. *Проблема номер один сьогоднішнього господарювання — комплексна механізація* (Знання..); *Розвідувачі надр проникають у найглухіші і найпустельніші місця, де проблемою номер один стає добування води* (Веч. Київ); *Після твого повернення для нас проблемою номер один буде твоє здоров'я* (Дмит.).

ПРОБНИЙ: про́бний ка́мінь *див.* камінь.

ПРОБОЄМ: іти́ пробо́єм *див.* іти.

ПРОБРАВ: дрож пробра́в *див.* дрож; **моро́з ~ по шку́рі** *див.* мороз; **хо́лод ~** *див.* холод; **цига́нський піт ~** *див.* піт.

ПРОБРАВСЯ: моро́з пробра́вся до ті́ла *див.* мороз.

ПРОБУВАТИ: про́бувати кисли́ць. Зазнавати покарання, докорів. *Була вона [сестра] якась утла на здоров'я, і.. через неї мені часто доводилось од матері пробувать кислиць: оце було зачеплю її або штовхну, .. то вона зараз біжить до матері жалітися; а мати мені зараз.. було добре намне чуба або наскубе вуха* (Н.-Лев.).

про́бувати на зуба́х (на зуб, на зу́би). Перевіряти що-небудь на твердість, міцність. *Став пробувати [заробітчанин] на зуб новопридбану косу* (Гончар); *— Який гарний [біб],— вона брала його в жменю, пробувала на зуби, розгортала по всьому столі, милувалась і раділа* (Чорн.).

про́бувати себе́ в чому. Зайнятися чим-небудь, перевіряючи свої можливості. *Крім поезій ліричних і гумористичних пробував себе [В. Самійленко] й у драматичному роді* (Сам.). С и н о н і м и: **про́бувати си́ли; про́бувати себе́.**

про́бувати / спро́бувати [своє́] перо́ в чому. Починати писати в певному літературному жанрі. *Не поодинокі в літературі випадки, коли поет звертається до прози чи пробує своє перо в якомусь іншому, новому для нього жанрі* (Літ. Укр.). С и н о н і м и: **про́бувати си́ли; про́бувати себе́.**

про́бувати / спро́бувати [свої́] си́ли в чому, де. Починати займатися чим-небудь; вивіряти свої можливості, талант в чомусь. *Під впливом свого приятеля Федькович і сам почав пробувати сили в літературі* (Л. Укр.); *Зовсім самостійною моєю роботою, де я пробував свої сили як сценарист, режисер і актор одночасно, був фільм «За стіною»* (Бучма); *Наші молоді прозаїки пробують свої* сили і надзвичайно важливому жанрі — в літературі для дітей (Смолич). С и н о н і м и: **про́бувати себе́; про́бувати перо́.**

про́бувати ща́стя див. спробувати.

ПРОВА́ДИТИ: прова́дити химе́ри див. гнати.

ПРОВАЛИ́ВСЯ: щоб я провали́вся див. я.

ПРОВАЛИ́СЯ: хоч провали́ся. 1. Уживається для вираження цілковитої байдужості до чого-небудь, безпорадності і т. ін. *А от худобі ніяк ради не вміла дати, хоч провались з нею* (Головко).

2. Уживається для вираження бажання зникнути від зніяковіння, сорому і т. ін. *Соромно, хоч провались.*

хоч провали́ся в безо́дню. Уживається для вираження бажання зникнути від зніяковіння, сорому і т. ін. *Іноді за свої вчинки так соромно буває, що хоч провалися в безодню.*

ПРОВАЛИ́СЬ: провали́сь ти (воно́ *і т. ін.***).** Уживається для вираження бажання позбавитися кого-, чого-небудь, звільнитися від когось, чогось. *Прийшла пошта і роботи принесла цілу коробку. Та провались воно все,— дай хоть [хоч] вільно дихнути!..* (Мирний).

ПРОВАЛИ́ТИСЯ: ла́дний провали́тися крізь зе́млю див. ладний.

хоч (ма́ло) крізь зе́млю провали́тися. З'являється бажання щезнути, перестати існувати (перев. від сорому, страху і т. ін.). [Л ю б о в:] *Коли б ви знали, як мені часом буває сором при спогадах, просто хоч крізь землю провалитись!..* (Л. Укр.); *А як щось поламається? Та ще й на Віриній ділянці! Тоді хоч крізь землю провалися* (Хор.); [Г а л и н а:] *Відчепись! Говорила я тобі. Бачиш, як незручно вийшло. Мало крізь землю провалитися* (Собко). С и н о н і м: **ла́дний провали́тися крізь зе́млю.**

щоб мені́ [крізь зе́млю] провали́тися. Уживається для вираження запевнення у правдивості сказаного.— *Щоб мені крізь землю провалитись, щоб я з місця того не зійшла, як тому правда, що Хівря набрехала* (Григ.).

щоб тобі́ (йому́ *і т. ін.***) провали́тися,** лайл. Уживається як побажання зникнути.— *Щоб тобі голова на в'язах звернулась, щоб тебе перша куля не минула! Гидкий! Осоружний! Щоб тобі провалиться, проклятому!* (Вас.).

як (мов, ніби *і т. ін.***) крізь зе́млю провали́тися (піти́).** Раптово, безслідно зникнути.— *Люданський тільки що був тут і десь дівся, мов крізь землю провалився* (Крот.); *От одного разу весною позичив дід коней та й поїхав орати власну ниву. Цілий день шукав дід ту ниву, а вона ніби крізь землю провалилась* (Україна..); *Кума десь ділась, неначе крізь землю провалилась* (Н.-Лев.); — *І коней не знайшли? — Ні, як крізь землю пішли всі семеро* (Головко); **на́че крізь зе́млю пропа́ли.** *Треба вам сказати, що як тільки прокотив возик з писарем, то усі наче крізь землю пропали*

(Вовчок). С и н о н і м и: **як коро́ва язико́м злиза́ла; як ві́тром зду́ло; як у во́ду впа́сти** (в 1 знач.); **лиз злиза́в** (у 1 знач.); **як хап ухопи́в.**

ПРОВАЛЯ́ТИ: проваля́ти ду́рня див. валяти.

ПРОВЕСТИ́: провести́ в життя́; ~ в оста́нню путь див. проводити.

провести́ го́лос. Заспівувати. [Ш у м а й к о:] *Давайте, я проведу голос, а ви за мною* (Мик.).

провести́ лі́нію; ~ межу́; ~ очи́ма; ~ парале́ль див. проводити; **~ химе́ри** див. гнати.

ПРОВИ́НУ: спок`у́тувати прови́ну див. спокутувати.

ПРОВІ́Д: на про́від, з сл. **к л и́к а т и, в и к л и к а́ т и.** До телефону, на телеграф (перев. про офіційне спілкування). *Черниша викликали на провід. Говорив начальник артилерії* (Гончар).

ПРОВІ́ДНА: провідна́ зі́рка див. зірка; **~ ни́тка** див. нитка.

ПРОВІ́ТРИТИ: провітрити го́лову (мо́зок). Перепочити від розумового напруження, перевтоми.— *Як у вас, механіку, щодо культроботи? Може, перекинемось, мозок провітримо? Обоє зайшли в каюту механіка і щільно причинили за собою двері. Гусаров витяг з-під подушки карти* (Донч.).

ПРОВОДЖА́ТИ: проводжа́ти / провести́ в оста́нню путь кого. Хоронити, ховати кого-небудь. *Вранці небіжчика перенесли на козацький байдак, і вся флотилія вирушила до Кінбурна, проводжаючи бойового отамана в останню путь* (Дор.); — *Бачте,— говорить молодичка,— в баби не так і багато близьких людей, що прийдуть провести її в останню путь* (Гуц.).

ПРОВОДИ́ТИ: прово́дити курс на що. Спрямовувати свої дії на досягнення, здійснення чого-небудь; втілювати в життя. *Щоб досягти успіху в перебудові, необхідно і далі проводити курс на демократизацію всіх ланок суспільного життя.*

прово́дити / провести́ в життя́ що. Здійснювати, втілювати на практиці що-небудь. *В значній більшості Рад, принаймні в робітничих Радах, після останніх перевиборів, більшовики вже одвоювали у дрібнобуржуазних партій більшість. І вже побували проводити в життя декрети Ради Народних Комісарів* (Головко); [О г н е в:] *Чекаю на запитання.* [Г о р л о в:] *А чого ж чекати? Розкажи, чому оперативний план не провів у життя?* (Корн.).

прово́дити / провести́ лі́нію яку, чого. Діяти відповідно до чого-небудь, згідно з чимсь. *Він* [М. Чернишевський] *різко проводив ту лінію викривань зрад лібералізму, яка доними ненависна кадетам і ліквідаторам* (Ленін); *Письменники України готові проводити лінію Верховної Ради республіки на розбудову суверенної України* (Літ. Укр.)

прово́дити / провести́ межу́ між ким — чим. Відокремлювати, розглядати як не рівноцінне, не рівнозначне за сутністю, значенням і т. ін. *Я і сам знаю, що не можна провести межу між живим і мертвим; що не тільки жиють, а на життя мають таке саме право рослини і навіть камінь...* (Коцюб.).

прово́дити / провести́ очи́ма (по́глядом) кого. Довго, проникливо, не відриваючись, дивитися на кого-небудь, услід комусь. *Горпина стоїть на хатньому порозі біла, як хустка, і проводить того москаля очима* (Вовчок); *Учнів молодших класів Мартин Іванович проводить поглядом до самої роздягальні* (Коп.).

прово́дити (робити, наводити) / провести́ (зро́бити, навести́) парале́ль. Порівнювати, зіставляти однакові або однорідні явища. [М а й с т е р:] *Зробімо паралель: вам дорогий ваш хист, мені — наука* (Л. Укр.); *Можна навести паралель між витягуванням під час кування та прокату* (Метод. викл. фрез. спр.).

ПРОВОДІ: ви́сіти на про́воді див. висіти.

на про́воді, *перев. з сл.* б у т и. Говорити через телефонну трубку.— *Генерал Костецький на проводі,— сказав Петриченко і подав у вікно трубку Савичеву* (Перв.); *Гукнув [полковник] телефоністам: — З'єднайте з командуючим! За хвилину на проводі уже був командуючий* (Голов.).

ПРОВОРНИЙ: прово́рний (швидки́й) на язи́к. Говіркий, балакучий. *Хай же друга невістка, що була тільки на язик проворна, кида їх разом з своєю коровою* (Григ.); *І гарна б жінка була Хвеська, усім гарна, та тільки на язик швидка* (Україна..). С и н о н і м: **язи́к без кісто́к.** А н т о н і м: **не ви́давиш сло́ва.**

ПРОВЧИЛО: життя́ провчи́ло див. життя.

ПРОГЛЕДІТИ: прогле́діти (прогля́діти, проди́витися) [всі] о́чі. Втомитися від виглядання, очікування кого-небудь звідкись. *В той день Оксана прогледіла на дорогу всі очі* (Панч); *Впала ніч... шакали виють... Вітер... Мов зима! Я всі очі прогляділа,— Милого нема* (Крим.); *Я ж очі продивилась, виглядаючи судженого* (Панч).

ПРОГЛИНУЛА: як земля́ проглину́ла див. земля.

ПРОГЛЯНУТИ: і о́ком не прогля́нути чого, куди. Дуже густий, темний, високий (про хащі, зарості і т. ін.). *А он і гуси: їм колись у нас Жилося нічогенько. В таких пищали комишах Їх виводки, що й оком не проглянуть* (Рильський).

ПРОГРИЗТИ: прогри́зти го́лову див. гризти.

ПРОГУДІТИ: прогуді́ти ву́ха див. прокричати.

ПРОДАВАТИ: продава́ти ви́трішки. Вештаючись без діла, бездумно роздивлятися на кого-, що-небудь.— *А я більше не піду до їх сидіти в кутку та витрішки продавати,— сказала писарша* (Н.-Лев.); *— Ти чого сюди прийшов? Витрішки продавати?* (Больш.). С и н о н і м и: **торгува́ти ви́трішками; купува́ти ви́трішки.**

продава́ти зу́би. Сміятися без причини, нарочито насміхатися, усміхатися. *Але одного дня таки не витримав: він сказав їй, що взяв її не на те, щоб вона продавала зуби та реготалась з парубками* (Коцюб.); *Ця дурна дівка завжди продавала зуби.— Ги-ги...* (Мик.); *Між людьми чесними зубів не продавай* (Укр.. присл..). С и н о н і м и: **суши́ти зу́би; торгува́ти зуба́ми; ска́лити зу́би.**

продава́ти / прода́ти ду́шу кому. Втрачати свою гідність, давати згоду служити комусь; зрадити. [Г а н ж а (до Лизогуба):] *Єзуїтам продав душу. Ти гетьмана хотів отруїти. Ксьондз Тарновський розказав, як душу ти продав їм, іудо!* (Корн.); *— Мені злодій давав півсотні карбованців, щоб я нікому не казав, а я йому: і за сто не продам душі своєї!* (Рильський); *Для науки я і до чорта пішов би, як один німецький учений, тільки так, щоб душі не продати* (Стельмах).

ПРОДАЖ: зу́би на про́даж див. зуби.

ПРОДАЖНА: прода́жна шку́ра див. шкура.

ПРОДАСТЬ: ку́пить і прода́сть див. купить.

рі́дного ба́тька прода́сть хто. Хто-небудь непорядний, здатний зрадити.— *Знаємо ми таких приятелів [станового]. Вони вам за медаллю рідного батька продадуть! — тикаючи пальцем, гукав Пищимуха* (Мирний).

ПРОДАТИ: прода́ти о́чі псо́ві. Зробитися безсоромним, втратити гідність задля якоїсь вигоди, користі.— *Розспівався. Найшов час!..— Не чіпайте його, хлопці,— подалі від лиха.— Усе скупив, бо псові очі продав!..— Наїв черево на чужому горі* (Стельмах).

ПРОДЕРТИ: проде́рти о́чі див. продирати.

ПРОДЗВОНИТИ: продзвони́ти по душі́ церк. Оповістити про чиюсь смерть ударами у дзвони. *Пособорували генеральшу в обідню годину, а на ранок і по душі продзвонили...* (Мирний).

ПРОДИВИТИ: продиви́ти о́чі див. продивляти.

ПРОДИВИТИСЯ: продиви́тися о́чі див. прогледіти.

ПРОДИВЛЯТИ: продивля́ти / продиви́ти о́чі. Неусипно виглядати кого-небудь. *Як голуб сивенький не верне до ночі, За ним друг миленький продивляє очі* (Пісні та романси..); *Прислухалась наша мати Біля спаленої хати, Де чорніє яворина, Прислухалася три днини, Видивлялася три ночі, Продивляла мати очі* (Стельмах).

ПРОДИРАТИ: продира́ти / проде́рти о́чі. 1. Просипатися, вставати з постелі. *До неї інколи вривалися Гранчакові діти. Кожне ж тільки-но продере очі, норовило поперед другого вскочити у взуття* (Стельмах); *Перевертався з боку на бік й Ілько. Звечора начебто задрімав, а потім продер очі, і вже ніяк сон його не брав* (Чендей).

2. Прозрівати, розуміти що-небудь. *Промайнула воля, Задурманений неволею люд почав продирати очі...* (Мирний).

ПРОДИХНУТИ: не продихну́ти. 1. Немає чим дихати, задихаєшся (від високої концентрації чого-небудь, скупчення чогось і т. ін.). *Обірвалася гиря, прошуміла повз плече, підняла куряву — не продихнеш* (Вол.); *Від цигаркового диму не продихнути в тісному коридорі* (Гончар).

2. *перев. з сл.* р о б о т а. Дуже багато. *Степці тепер роботи було — не продихнеш. Прала бинти, чергувала ночами, при важких операціях теж частенько вистоювала* (Ю. Бедзик). С и н о н і м: **непочатий край.**

ПРОДИХУ: без про́диху. Не зупиняючись, невідступно, неусипно.— *Знаєте, як ми там наступали!.. Не до писання було!.. День і ніч без продиху!.. Кілометрами, а не ярдами!..* (Гончар).

не дава́ти про́диху *див.* давати.

ПРОДУВНА: продувна́ бе́стія *див.* бестія.

ПРОЇСТИ: зу́би проїсти *див.* з'їсти.

ПРОЇХАТИСЯ: проїхатися на вороних. Бути забалотованим на виборах.— *Як доходить діло до звітно-виборних зборів, то не їсть і не п'є Кіндрат Дорофійович. Не хоче, як кажуть, проїхатися на вороних* (Логв.).

ПРОЙДЕ: но́мер не про́йде *див.* номер.

ПРОЙДЕНИЙ: про́йдений ета́п *див.* етап.

ПРОЙМАЄ: дрож пройма́є *див.* дрож; хо́лод ∼ *див.* холод; цига́нський піт ∼ *див.* піт.

ПРОЙМАТИ: моро́зом (дро́жем, дро́жжю) проймати / пройня́ти *кого, що.* Викликати відчуття холоду, судорожного тремтіння від великого хвилювання, несподіванки, переляку. *Мене морозом пройняло. Чи знаєш, Галю, що відтоді я не можу чути пісні з сими словами* (Л. Укр.).

проймати до живця́. Дуже хвилювати, турбувати, дошкуляти. *До самого живця тими словами проймає* (Мирний).

проймати / пройня́ти до [са́мого] се́рця (до [са́мої] душі). Глибоко зворушити, розчулити кого-небудь. *Несамовита печія, жалюча ураза пройняла аж до серця* (Мирний). П о р.: **пройма́ти се́рце** (у 1 знач.).

проймати / пройня́ти о́ком (очи́ма, зо́ром, по́глядом) *кого.* Суворо, різко дивитися на кого-небудь. *Очима проймає!.. Коли б міг, то очима лизнув* (Укр.. присл..); *Там ангел помсти злий, суворий дух темниці, Проймав мене знов зором огневим* (Л. Укр.); *Іван підсунув під лавку кошик, і машиністу нема куди ноги поставити. Але він лише подивився на Івана, пройняв його оком наскрізь і погладив свого вуса, мовляв, знаю, знаю...* (Чорн.). П о р.: **прони́зувати очи́ма; простроми́ти по́глядом.**

проймати / пройня́ти се́рце (ду́шу). 1. Глибоко зворушувати, розчулювати кого-небудь. *Огненне слово його [Т. Шевченка] наскрізь проймало серце не тільки тих, кому близьке було народне горе, а й тих, кому байдуже було до того* (Мирний); *Сосна шуміла, шуміла. І здавалося хлопцеві, що то ридає його рідна мати, і плач цей проймав йому серце, застилав якоюсь сірою наміткою очі*

(Воскр.); *Мені пані уже як напише лист до мого сина, дак уже теє слово проречисте прийме й душу й серце* (Барв.). П о р.: **пройма́ти до се́рця.**

2. Викликати сильні, неприємні відчуття. *Зголоднілі заробітчани запалими очима суворо поглядали на панські сади, городи. Мстиве почуття проймало душу* (Горд.); *Я ж тебе ще раз прохаю — не ходи! — мовила молодиця, не відповідаючи на її питання, котре наче гострим ножем пройняло її серце* (Л. Янов.); *Хай би серце вразила стріла, Аніж покора серце пройняла* (Бажан).

пройма́ти сльозо́ю *кого.* Глибоко вражати, розчулювати кого-небудь, доводити до плачу.— *Проповіді так говорить [батюшка], неначе Златоуст. Не то що бабів, а й черствий чоловічий рід сльозою доброти і каяття проймає* (Стельмах).

ПРОЙМАЮТЬ: дрижаки́ прийма́ють *див.* дрижаки.

ПРОЙМЕ: аж сльоза́ пройме́ *див.* сльоза.

ПРОЙНЯВ: дрож пройня́в *див.* дрож; хо́лод ∼ *див.* холод; цига́нський піт ∼ *див.* піт.

ПРОЙНЯТИ: моро́зом пройня́ти; ∼ до се́рця; ∼ о́ком; ∼ се́рце *див.* проймати.

ПРОЙТИ: пройти́ [і] Крим і Рим [і мідні тру́би], *ірон.* Побувати всюди, надивитися всього, зазнати різних випробувань (*перев.* стосується осіб з поганою репутацією, низькою культурою поведінки).— *Беремо ж сюди* [в спецшколу] *найтрудніших, тих, що вже пройшли Крим і Рим, інший і дорослий не бачив такого, що воно вже встигло пережити* (Гончар). **пройти́ Крим, Рим і тру́би. *Перед ними була досить широка цементова труба. Дівчина зигинці упевнено ввійшла в неї.— Денисе, відтепер кажи: пройшов Крим, Рим і будапештські труби,— не втримався Хаєцький. На нього цикнули* (Гончар). П о р.: **пройти́ вого́нь і во́ду.** С и н о н і м: **пройти́ крізь си́то і ре́шето.**

пройти́ [крізь] вого́нь і во́ду [і мідні тру́би]. Зазнати всіляких випробувань, виявитися дуже спритним, мужнім, витривалим. [К о с т ь:] *Страх не люблю отих «глибокорозумних», надто спритних, що пройшли вогонь і воду* (Мороз); *Навіть він, Пушкарьов, що пройшов, як говориться, крізь вогонь, воду і мідні труби, не зміг би заробити собі на прожиток* (Бурл.). П о р.: **пройти́ Крим і Рим.** С и н о н і м: **пройти́ крізь си́то і ре́шето.**

пройти́ крізь ву́шко го́лки *див.* пролізти.

пройти́ [крізь] чисти́лище. Зазнаючи великих випробувань, позбутися багатьох вад, недоліків. *Як хотіла б вона стати іншою... Але яким зіллям їй змити з себе ганьбу, які чистилища пройти, щоб виринути перед ним оновленою, гідною його кохання* (Гончар).

пройти́ (перейти́) крізь си́то і ре́шето. Зазнати всіляких випробувань, набути чималого досвіду у чомусь. *Волосний писар, що вже двадцять і один рік писарює, пройшов крізь сито і решето і знає добре, де чим пахне, догадавсь, що цей учи-*

тель ...теє [неблагонадійний]... (Гр.); *Він знав, що статечні господарі суворо осуджують оту «відьомську бабу», котра на своєму віку перейшла крізь сито й решето* (Речм.). С и н о н і м и: **пройти Крим і Рим; пройти вогонь і воду.**

пройти (перейти) / проходити (переходити) через руки *чиї, кого*. Опинитися на певний час у кого-небудь, побувати під чиїмось впливом, піддаватися чиємусь втручанню, дії і т. ін. *Він покличе його листом на поєдинок, тільки лист той мусить пройти перше через Антонінині руки* (Коцюб.); *Через руки Марка Вовчка пройшла не одна кореспонденція, надіслана за кордон Герцену для опублікування в «Колоколе»* (Рад. літ-во); *Поставити там [на об'єктах] кілька хороших фахівців і організувати справу так, щоб через їхні руки пройшли всі новачки* (Тарн.); *Виявилось, які порядки заведено в земстві, скільки перейшло через Колісникові руки грошей* (Мирний); *Через руки словникарів проходить великий фактичний матеріал.*

пройти повз *див.* проходити.

пройти / проходити перед очима (зором). Зримо поставати в уяві, детально уявлятися (про образи, пережиті події і т. ін.). *Йому пригадалися давні літа.. Перед очима пройшло власне життя — в огні, в тривогах,.. в нестатках* (Мик.).

пройти / проходити школу [життя]. Набути досвіду, змужніти, загартуватися в чомусь. *Десятки українських літераторів добру школу життя проходили на будівництві Дніпрогесу, де кожен працював не місяць, не два, влітку і взимку* (Літ. Укр.).

пройти ручку *чого, на чому*. Скосити смугу в один покіс. *Прокіп пройшов ручку на вівсі й, не розбираючи, що то він косить, і розмахнувшись, махав та махав грабками, доки не зайшов в бур'ян...* (Н.-Лев.).

ПРОЙШЛА: чутка пройшла *див.* чутка.

ПРОЙШЛАСЯ: мов з косою пройшлася смерть *див.* смерть.

ПРОЙШОВ: мороз пройшов поза шкірою *див.* мороз.

ПРОКВАСИТИ: проквасити душу. З'їсти, випити чого-небудь кислого, гострого.— *Оце вам м'яка паляниця, а це і ягідок привезла,— може, схочете проквасити душу* (Мирний).

ПРОКИДАЄТЬСЯ: прокидається серце *див.* серце.

ПРОКИНУЛАСЯ: прокинулася душа *див.* серце; **~ совість** *див.* совість.

ПРОКИНУЛОСЬ: прокинулось серце *див.* серце.

ПРОКЛАДАТИ: прокладати (пробивати) / прокласти (пробити) дорогу (шлях, стежку і т. ін.) до серця *чийого*. Домагатися розуміння, прихильності, любові в кого-небудь. *Мені хочеться так підібрати акторів, дати їм такі ролі, щоб їм найменше довелося пробивати дорогу до вашого*

[глядача] *серця через приклеєні бороди та вуса і найскладніший шлях перевтілювання* (Довж.). С и н о н і м: **знаходити дорогу до серця.**

прокладати (пробивати) / прокласти (пробити) шлях (шляхи, дорогу, стежку, *рідко* **путь)** *кому і без додатка*. 1. Бути зачинателем, провідником чого-небудь. *Олександр Петрович Довженко завжди був серед тих, хто проклав нові шляхи в мистецтві, втіливши у своїх творах найпередовіші ідеї нашого суспільства, його подих, героїчну і трудову наснагу* (Нар. тв. та етн.).

2. *собі*. Здобувати визнання у кого-небудь, поширюватися. *Нове прокладає собі шлях, чимраз більше входить у практику* (Хлібороб Укр.); *Слабими струмками прокладало на Україні собі дорогу до читачів літературне живе українське слово* (Пит. походж. укр. мови); // Добиватися певних успіхів у житті, утверджуватися. *Воздвиженський не любив науки, не поважав її, мав її тільки за спосіб прокласти собі стежку в житті* (Н.-Лев.).

ПРОКЛАСТИ: прокласти дорогу до серця *див.* прокладати; **~ шлях** *див.* прокладати.

ПРОКЛЯТА: проклята душа *див.* душа.

ПРОКЛЯТИЙ: будь проклятий *див.* будь; **щоб я був ~** *див.* я.

як проклятий. 1. *з сл.* робити, працювати. Самовіддано, самозречено. *Коли вона спала, я майже не бачив. З рання й до вечора ганяла своїх наймитів і сама працювала, як проклята* (Минко).

2. Який втратив самовладання, не усвідомлює своїх вчинків, дій і т. ін. *Вернулась додому — місця собі не знаходила. Як проклята — Остапка ні за що вибила. Сама плакала потім* (Головко); *До гатки хлопці добралися благополучно. Стали спускатися до Ташані; Дениса мотало в голоблях, як проклятого,— Держіть, хлопці, бо напира,— просив він, з трудом стримуючи воза* (Тют.).

ПРОКОВТНЕШ: язик (язика) проковтнеш. Дуже смачне що-небудь. [Я в д о к и м:] *Мабуть, смачна* [горілка], *що й язика з нею проковтнеш, як покуштуєш?..* (Кроп.).

ПРОКОВТНУВ: як (мов, ніби і т. ін.) аршин (палицю, багнета) проковтнув. Неприродно прямо, дуже виструнчено. *Ноги переставляв так, наче йшов по криці й остерігався впасти, а в попереку був прямий, як багнета проковтнув* (Гуц.); *Мар'янка визирала в віконце. Олексій ішов, випроставшись так, як Юрко, мов проковтнув палицю, а руки держав униз, мов ломаччя* (П. Куліш); *Волосся було старанно зачесане. Обличчя начебто застигло. А тримався він так, ніби аршин проковтнув* (Шовк.). С и н о н і м и: **як семисотна верства.**

ПРОКОВТНУТИ: проковтнути (затягти, затягнути) язика (язик). Зробитися мовчазним, замовкнути. *Говорушки Клава й Мила на уроках* говорили, А на зборах — навпаки: Червоніли і мовчали, Наче в рот води набрали,— Проковтнули язики! (Бойко); — Цить-бо,— урвав пісню бандит.— Сказав же: проковтніть язики (Мур.); Хоч би слово сказав, а то затягнув язик і мовчить (Цюпа). **затягнýло язикá** кому, безос. Затихли тости і промови, Всім затягнуло язика (Воскр.). С и н о н і м и: **не вúпустить пáри з вуст; ні пáри з вуст; як водú в рот набрáти; ні гу-гý** (в 1 знач.); **і рóта не розкрúти.**

ПРОКОТИТИ: прокотúти на воронúх (з вітерцéм) кого. Не проголосувати за когось, не обрати кого-небудь кудись. Люди почали говорити про те, щоб на наступних зборах прокотити Гризоту на вороних, а замість нього поставити мого тата (Речм.); Хапунця прокотили з вітерцем (Вишня).

ПРОКРИЧАТИ: прокричáти (прогудíти і т. ін.) **вýха** кому, про кого — що. Надокучити, набриднути комусь нестримними розмовами, гучними вимогами і т. ін. про щось. Сідаючи до столу, Федір ще раз засоромив Настусю.— Ну, от і повернувся наш Михайло, А то вже вона мені тут вуха прогуділа — коли повернеться, та коли повернеться. Як молодого ждала... (Збан.). П о р.: **протрубúти вýха.**

ПРОКРУСТОВЕ: прокрýстове лóже див. ложе.

ПРОКРУСТОВОМУ: містúтися на прокрýстовому лóжі див. міститися.

ПРОЛАЗИТИ: пролáзити / пролíзти в шпáрку. Хитрощами, улесливістю домагатися чого-небудь, проникати куди-небудь. Справжній митець увіходить у мистецтво не потихеньку, не пролазить у шпарку, прикриваючись вигаданим прізвиськом, а йде сміливо, відверто, через головний вхід (Загреб.).

ПРОЛАМАТИ: проламáти лід див. ламати.

ПРОЛАМУВАТИ: пролáмувати лід див. ламати.

ПРОЛЕТИТЬ: чутнó, як мýха пролетúть див. чутно.

ПРОЛИВАТИ: проливáти крокодúлячі сльóзи див. лити.

проливáти (лúти, розливáти) / пролúти (розлúти, розіллáти) кров. 1. за кого — що і без додатка. Гинути, вмирати, відстоюючи щось, захищаючи кого-, що-небудь. Не раз, Україно, в жорстокім бою Ти кров проливала священну свою (Рильський); [М і р і а м:] Учителю! чи ти мені позволиш пролити кров мою? (Л. Укр.); — Отакий гадюка,— аж сичав Латочка.— Син за Радянську владу кров проливав, а він... (Тют.); [В а л е н т:] .. Чи мало християн у війську служить? [М а р т і а н:] Але ж вони там служать по неволі, а ти по волі мав би лити кров, косити цезарські орли, приймати з нечистих рук вінці! (Л. Укр.); Щораз, як ми кров нашу розливали За рідний край,— яка користь тому? Мерзенного деспота уквітчаєм Та й молимось, як богові, йому

(Граб.); Я боротись за правду готов, Рад за волю пролить свою кров (Фр.); — Ти знову в цвіту, мов калина, знялась із ридань і золи. За тебе, моя Батьківщино, Не марно ми кров пролили! (Сос.).

2. кого, чию. Вбивати когось, завдавати нищівного удару кому-небудь. Богдан писав, що козаки зовсім не мають охоти проливати братерську кров в битві, ладні й зараз іти на мир, і просив князя Домініка уладнати змагання та колотнечу між козаками та поляками (Н.-Лев.); Ти знов благословиш розливати кров твого народу! Слухай, віддай мені моїх синів... (Коцюб.); [Ж і р о н д и с т:] Кров Цезаря проливши, Брут обмив усе болото цезарських тріумфів (Л. Укр.); І сам я особисто пролив крові ворожої чимало (Довж.). **пролúти мóре крóві.** [Г е л е н а:] Чоловіче! Ти справді хочеш покарать мене? Чи ти на те пролив се море крові за честь мою й свою, щоб тут прилюдно ганьбить її й плямити самохіть? (Л. Укр.).

проливáти піт див. лити.

проливáти / пролúти світло (світ) на що. Прояснювати, робити щось зрозумілим, умотивованим. Фольклорно-етнографічні записи Гоголя проливають світло на ті перші джерела, з яких письменник черпав натхнення у своїй творчості (Вол.); Теорія реалізації Маркса пролила світло і на питання про національне споживання й доход (Ленін); Вивчення властивостей античастинок та їх взаємодії з речовиною може пролити світло на гіпотези, що висуваються тепер для з'ясування деяких явищ, спостережуваних у всесвіті (Наука..).

проливáти сльóзи див. лити.

ПРОЛИТИ: пролúти кров див. проливати; **~ піт; ~ сльóзи** див. лити.

ПРОЛІГ: проліг містóк див. місток.

ПРОЛІЗЕ: вуж не пролíзе див. вуж; **вовк не ~** див. вовк; **мúша не ~** див. миша.

ПРОЛІЗТИ: пролíзти в шпáрку див. пролазити.

пролíзти (пройтú) крізь вýшко гóлки. Зробити щось неймовірне, винятково складне. Наш Іван, коли хочеш знати, і крізь вушко голки проліз (Д. Бедзик).

ПРОЛІТАЄ: чутнó, як мýха пролітáє див. чутно.

ПРОМАЗАТИ: промáзати спрáву, фам. Зазнати невдачі, втратити щось. По-моєму, не гаразд відкладати твою «Світову річ» на великдень,— тепер кращий сезон, а тоді дехто роз'їдеться, дехто з любителів замотається, то ще й знов промажуть справу (Л. Укр.).

ПРОМАЙНУТИ: промайнýти в пáм'яті див. виринати.

ПРОМАХ: давáти прóмах див. давати.

не прóмах. Кмітливий, спритний; ділок. Сам дідусь був не промах: за словом у кишеню не лазив (Ковінька); [В и б о р н и й:] Наталка не промах!.. О, розумна і догадлива дівка! (Котл.).

ПРОМАХУ: без прóмаху (*розм.* **без промáшки**) 1. Влучно, в ціль (стріляти, кидати і т. ін.).— *Не здумайте тікати,— суворо сказав Андрій і поплескав рукою по чорному стволу гвинтівки. Німецька, б'є без промаху* (Тют.); *Машина йде, як крейсер. Повітря всередині важке. Комісар висуне перископа, гляне,— і знову смалить без промашки. Німці метушаться, як подурілі* (Ю. Янов.).

2. Точно, безпомилково. *Я не знаю села Горбачів, так щоб без промаху. Не знаю, чи зможе воно дати стільки, як тут ухвалили* (Мик.).

ПРОМАЦАТИ: промáцати грунт *див.* прощупати; **~ очúма** *див.* промацувати.

ПРОМАЦУВАТИ: промáцувати / промáцати очúма (пóглядом) *кого, що.* Вивчати, вивіряти, вдивлятися в кого-, що-небудь. *Він ліниво почав торгуватися з Мироном. Під час цього торгу Данило помітив, як його промацував очима здоровий дядько* (Стельмах); *Редактор довго промацував Ярослава поглядом* (Мушк.); *Лукан обома руками розгладив кущики вицвілого волосся, смикнув себе за коротеньку, недавно відпущену борідку, рудими очима промацав клас* (Збан.).

С и н о н і м: **обмáцувати очúма**.

ПРОМАШКИ: без промáшки *див.* промаху.

ПРОМАШКУ: давáти промáшку *див.* давати.

ПРОМЕТЕЇВ: прометéїв вогóнь *див.* вогонь.

ПРОМИТИ: промúти óчі *кому.* Допомогти кому-небудь зрозуміти, усвідомити реальні факти; розкрити перед кимось сутність явищ, подій тощо. *На душі його почало робитися легше, легше, свободніше при самій думці, що його капітал не пропаде марно, не піде в руки неробів, котрі швидко зуміють промити йому очі* (Фр.).

ПРОМИТОЇ: немá промúтої вóди *див.* нема.

ПРОМІНЯТИ: проміняти шúло на швáйку *див.* міняти.

ПРОМІРЯТИ: промíряти [свій] шлях. Прожити вік. *От уже шлях свій промірявши, батько помер мій спокійно; Дев'ять десятків прожив він на своєму віку* (Зеров).

ПРОМОВУ: держáти промóву *див.* держати.

ПРОМОЧИТИ: гýби промочúти *див.* вмочити. **промочúти / промóчувати гóрло (гортáнь).** Випити (перев. про спиртні напої). *Навіть під час богослужіння вмів [піп] викроїти невеличкий «антракт», вийти в ризницю і промочити горло* (Мельн.); *— Постривай, пане гетьмане, розкажу все, дай перше промочити гортань. Тільки в вас такі нікчемні кубки, що ні в віщо гаразд і налити* (П. Куліш); *Зійдуться в шинок людці розважитись, візьмуть півкварти, кварту, щоб було чим горло промочувати* (Мирний).

ПРОМОЧУВАТИ: гýби промóчувати *див.* вмочити; **~ гóрло** *див.* промочити.

ПРОНЕСТИ: пронестú в сéрці *кого, що.* Зберегти пам'ять про кого-, що-небудь, незмінно любити, плекати надії на майбутнє. *Через фронти в серці*

Людмилу, як мрію, проніс, а тепер біля самого, сказать би, порога — в першій-ліпшій спідниці заплутатись?* (Головко).

ПРОНИЗАТИ: пронизáти очúма *див.* пронизувати.

ПРОНИЗУВАТИ: пронúзувати (прошивáти) / пронизáти (прошúти) очúма *кого.* Суворо, пильно оглядати кого-небудь. *Довбуш мовчки прошивав його [Блоху] очима, поки той не опустив своїх* (Гжицький); *Пронизала [Галина] сірими сердитими очима хлопця і пішла не оглянувшись* (Чаб.). П о р.: **проймáти óком; простромúти пóглядом**.

ПРОНИЗУЮТЬ: óчі пронúзують *див.* очі.

ПРОНИКАТИ: проникáти / пронúкнути в [сáму] дýшу (в сéрце, до сéрця) *кого, кому і без додатка.* 1. Намагатися зрозуміти стан, почуття, думки кого-небудь. *Верхня губа її, вкрита золотистим пушком, ледь помітно дрижала, а очі, здавалося, проникали Прохорові в саму душу* (Шиян); *Пані ще привітніше всміхнулася, намагаючись проникнути не тільки в звучання його голосу чи в зміст слів, але і в молодечу сотникову душу* (Ле); *Така дівчина! І скільки вона віршів тих знає— слухав би її й слухав! І зараз ось наче в думки заглянула Данькові, в саму душу проникла* (Гончар); *Не здатні [примітивні твори] проникнути в серце читача, торкнутися самих живих струн його душі* (Літ. газ.).

2. Викликати хвилювання, зворушувати. *Козак Гаркуша у М. Л. Кропивницького був сповнений шляхетності, чарівності у поведінці і духовної краси. Голос його проникав у душу* (Минуле укр. театру); *Піднявся страшний крик попечених, що проникав до серця тих людей, котрі дивились на ту страшну смерть* (Н.-Лев.).

ПРОНИКНУТИ: пронúкнути в дýшу *див.* проникати.

ПРОПАВ: і слід пропáв *див.* слід; **пан абó ~** *див.* пан; **терпéць ~** *див.* терпець.

ПРОПАДАЄ: хай пропадáє прóпадом *див.* пропаде.

ПРОПАДАЙ: пропадáй ти прóпадом *див.* пропади.

ПРОПАДАЛО: де нáше не пропадáло *див.* наше.

ПРОПАДАТИ: пропадáти прóпадом. Терпіти страшні нестатки, злидні, жити нужденно. *Вони разом згинали коліна, благаючи бога, щоб припустив до вечері ті душі, що їх ніхто не знає, що пропадом пропадають* (Коцюб.); *— Плакала я, плакала, гірко горювала, п'ять літ пропадом пропадала* (Григ.).

ПРОПАДЕ: хай (нехáй) пропадé / рíдше пропадáє прóпадом. Уживається для вираження крайнього незадоволення, великого обурення чим-небудь. *Хай пропаде пропадом, щезне війна, нехай це буде тоді, коли в ній згорять ті, хто її почав*

(Гонч.); *То вже як що кому, люди добрі. Богачеві великдень оцей — радість, а хирляковi бідному — клопіт один, нехай пропадом пропаде* (Козл.). П о р.: **пропади ти пропадом; бодай пропадом пішло.**

ПРОПАДИ: пропади / рідше пропадай ти (ви, він, вона і т. ін.) пропадом (рідше прахом). Уживається для вираження крайнього незадоволення, великого обурення чим-небудь. — *Іди он до свого верстата й працюй. — А пропади ти пропадом! — махнув рукою Максим і, вкрай роздратований, пішов до свого робочого місця* (Ткач); *Та пропади вони пропадом, ті знімки, яке їм діло до того, що вона кореспондент! Вона ж не тільки кореспондент, а ще й людина...* (Перв.); *Кров з тебе гнатимуть [пани], а не горілку ..Кому черево наросте аж вище носа, а тобі жили тягтиме, пропади воно прахом* (Коцюб.); — *Чую, що все мені противне, все гидке: і чоловік, і панщина, і життя моє безщасне... Пропадай воно все пропадом... Піду я світ за очі... Коцюб.). пропадом би ви пропали. Все їм мало, оцим голодранцям, вже й Гаркушин хутір їм поперек горла став! Пропадом би ви пропали, торбешники вічні!* (Гончар). П о р.: **бодай пропадом пішло; хай пропаде пропадом.** С и н о н і м: **хай воно горить.**

ПРОПАДОМ: бодай пропадом пішло *див.* пішло; **пропадати ~** *див.* пропадати; **пропади ти ~** *див.* пропади; **хай пропаде ~** *див.* пропаде.

ПРОПАДУТЬ: бодай вони всі пропадуть *див.* вони.

ПРОПАЛА: і чутка пропала *див.* чутка.

ПРОПАЛО: пиши пропало *див.* пиши.

ПРОПАСНИЦІ: як (мов, ніби і т. ін.) у пропасниці, з *сл.* т р я с т и с я, т р у с и т и с я, т р е м т і т и і *т. ін.* Дуже сильно. *Жорна м'яко шамотіли по зерну: кіш трясся, як у пропасниці* (Коцюб.); *Жінка стоїть з зацiпленими устами і від того все тіло тремтить, як у пропасниці* (Головко); *В його руки трусились наче в пропасниці* (Н.-Лев.). С и н о н і м: **як у лихоманці** (в 1 знач.).

ПРОПАЩА: пропаща душа *див.* душа.

ПРОПАЩЕ: іти на пропаще *див.* іти; **~ діло** *див.* діло.

ПРОПЕКТИ: пропекти до серця; ~ очима *див.* пропікати.

ПРОПИСАТИ: прописати іжицю *кому, заст.* Суворо покарати кого-небудь. *Треба б йому іжицю прописати* (Номис).

ПРОПИСНА: прописна істина *див.* істина.

ПРОПІКАТИ: пропікати / пропекти до серця. Глибоко вражати, зворушувати і т. ін. *Це все було, не може бути й мови!.. І вогких уст сердите надування, I усміх, що до серця пропікав, I досить легкодумне розставання* (Рильський).

пропікати / пропекти очима (поглядом) *кого.* Дивитися на кого-небудь гостро, проникливо, з осудом і т. ін. *Переді мною Борис Стоян з рудим*

їжачкуватим чубом. — *Ти чому не був на першій парі? — пропікає він мене своїми гострими очима* (Ю. Бедзик); *Минув для нього той вік, коли бере нетерплячка женитися, хоч ще й тепер не одну дівчину пропікав чортячими смоляними очима* (Літ. Укр.); *I така затятість застигла на її висіченім обличчі, на ліплених дугах брів, на припухлих губах, що Роман спересердя пропік сестру поглядом, чортихнувся* (Стельмах).

ПРОПІКАЮТЬ: очі пропікають *див.* очі.

ПРОПЛАКАТИ: проплакати очі *див.* виплакати.

ПРОПОВІДЬ: читати проповідь *див.* читати.

ПРОПОЛІСКУВАТИ: прополіскувати горло *див.* прополоскати.

ПРОПОЛОСКАТИ: прополоскати / прополіскувати горло *чим* (перев. про алкогольні напої). Випити. [С т е п а н Д е м и д о в и ч:] *Гапко! Не забудь положити.. в повозку сальця й ковбаску. Та принеси нам чого-небудь горло прополоскати* (Сам.); *Iван прополіскував горло горілкою і знов, як та качка, жбурляв вареники в пельку та глитав похапцем* (Н.-Лев.).

ПРОПОНУВАТИ: пропонувати / запропонувати руку [й серце] *кому, заст.* Звертатися до дівчини (жінки) з проханням стати дружиною. *Стаха мала хлопців більше, ніж пальців на обох руках, а проте ніхто з них не пропонував їй свою руку* (Вільде); *Без кінця, без кінця Пропонує руку. А що любить — ні слівця, Про любов — ні звуку* (Підс.). С и н о н і м: **просити руки.**

ПРОПУСКАТИ: не пропускати / не пропустити свого. Уміти скористатися з чого-небудь у власних інтересах. *Павло з Катрею запросили Барила й Домну на весілля, посадовили на воза до музик.. — От клятий Бариляка! I тут свого не пропустить. Таки напросився* (Кучер).

пропускати / пропустити крізь горло *що.* Витрачати гроші, майно на алкогольні напої. — *Радше все крізь горло пропущу, — і худобу, і господарство, і землю!* (Фр.); — *В сімдесят п'ятому полку.. якийсь капітан пропустив крізь горло цілу полкову касу* (Гашек, перекл. Масляка).

пропускати (пускати) / пропустити (пустити) повз вуха (мимо вух, мимо ушей, повз слух, мимо уваги) *що.* Не реагувати на те, що говорять. *Петро пропускав повз вуха медоточиві слова. Йому огидний цей невисокий, з невеличким черевцем, білоголовий чоловік* (Д. Бедзик); — *Чим я відрізняюсь, скажімо, від коня? — Або від барана? — кидає один із тих, що ждуть касира. — А тим, — пропускає Гриня репліку мимо вух, — що чотирнадцять мільярдів клітин вкладено в оцю черепну коробку* (Гончар); *Мимо ушей пропускала [Люба] щоденні гострі новини, які випереджали одна одну й глибоко зачіпали народ* (Ле); *Смерть! Досі Кудрявець ніколи не замислювалась над нею.. Вона байдуже пропускала його* [слово «смерть»] *повз свій слух* [Коцюба); — *Хто хоче слухати — хай слухає, а може в кого запор слуху від ситої їжі, то хай повз вуха пропустить* (Збан.); *Мертва тиша запала поміж столами, ніхто ще не знав, чи слід зважати на п'яне верзякання блазневе, чи пустити його повз вуха* (Загр.); *Марусяк нібито пускав усе те мимо вух, набирався рівнодушного* [байдужого] *вигляду, але всередині у нього все кипіло й варилося* (Хотк.); — *Загоряєш, Петя? Шофер пропустив мимо уваги цей стертий вираз, відчинив гараж, обійшов навколо машини* (М. Ю. Тарн.). **пускáти з вýха в вýхо.** *Це Невмій, бува, й прослуха, Та пускає з вуха в вухо, Бо збагнув уже Невмій: Є у нього захист свій* (Стельмах).

не пропустúти свого; ~ крізь гóрло; ~ повз вýха *див.* пропускати.

ПРОПХÁТИСЯ: [і] перепелúці нікуди пропхáтися. У великій мірі, дуже. *Біля нього простирався жовтий і синій лубин* [люпин], ..*боками буйний та густий, що й перепелиці нікуди пропхатися* (Март.).

ПРОРИВ: на прорúв. На допомогу.— *Чи надовго до нас приїхав товариш із заводу? Чи тільки на прорив, як то кажуть?* (Кучер); *Йшов партизанський загін на прорив У чорнім гранатнім диму* (Мур.).

ПРОРІЖУТЬСЯ: зýби проріжуться *див.* зуби.

ПРОСВІТИЛО: просвітúло в голові́ *кому, у кого.* У кого-небудь раптом виникла якась думка або здогад про щось. *Мені нараз, мов блискавкою, просвітило в голові й обняло холодом. Ось що, вона, очевидно, знаходилася під впливом.. моєї матері* (Стельмах).

ПРОСВІТКУ: без прóсвітку. 1. Не припиняючись і не подаючи ознак закінчення. *Війна без просвітку йде* (Вовчок); *Перед її очима все ніби розстелялась якась чорна ніч без просвітку, довгий шлях у степу* (Н.-Лев.); *Потечуть каламутні дні, без просвітку, сірі, одноманітні* (Д. Бедзик).

2. Без радості, душевного спокою. *Не без просвітку, оновлений, заглиблений Захар вертався додому* (Горд.).

не давáти прóсвітку *див.* давати; **немá ~** *див.* нема.

ПРОСВІТЛІЛА: головá просвітліла *див.* голова.

ПРОСВІТЛІЛО: просвітліло на душі́ *у кого.* Кому-небудь стало легше, радісніше, веселіше. *Від приємної звістки у дівчини просвітліло на душі.* С и н о н і м: **відлягло́ від сéрця.**

у голові́ просвітліло *у кого.* Хто-небудь вийшов із стану непритомності, запаморочення, збудження і т. ін. *Твердохліб лежав один у кімнаті і прислухався до самого себе і чув, як стугоніла у скронях кров. В голові просвітліло, коли б тільки не тупий біль у потилиці* (Цюпа).

див. нема.

ПРОСВІЧУВАТИ: просвíчувати очúма *кого.* Пильно вдивлятися в кого-небудь.— *До чого це він гне? — пронизливими, з холодним одливом очима просвічує Терентія, і тому на мить здається, що Омелян дивиться крізь нього, мов крізь скло* (Стельмах).

ПРОСИДЖУВАТИ: просúджувати штанú *див.* протирати.

ПРОСИДІТИ: просúдіти штанú *див.* протирати.

ПРОСИМО: ласкáво прóсимо. Ввічлива форма запрошення або дозволу зробити що-небудь. *На фронтоні головного будинку аеровокзалу великий транспарант: «Ласкаво просимо!»* (Рад. Укр.).

немá прóсипу *див.* нема.

ПРОСИТИ: просúти рукú *в кого, кого, чиєї.* Звертатися до дівчини (жінки) або до її батьків з проханням дати згоду на шлюб.— *Ласкава панно Гризельдо! Чи дозволиш мені просити твоєї руки в твого шановного ясновельможного панотця? — спитав згодом у неї Заславський* (Н.-Лев.); — *Приходив Іщенко, колишній жених Саші, докоряв дівчині нестійкістю, освідчувався в любові і просив руки* (Гжицький); *Нарешті вирішив* [Гарецький] *поїхати до Огієвських освідчитись Любі і просити в батьків її руки* (Кочура). С и н о н і м: **пропонувáти рýку.**

ПРОСИПУ: без прóсипу, *перев. із сл.* п ú т и. Постійно, безперервно, не протверезуючись.— *Кирило Іванович.. тікав чимдужче у свою хату, запираючи її на крючок, і пив там без просипу днів три — п'ять, тиждень* (Мирний); *Він виявився п'яницею, та таким, що п'є без просипу* (Гончар).

ПРОСИТИСЯ: просúтися (прохáтися) на папíр. Що-небудь варто записати, описати. *До людського горювання Скрізь я прислухався,— Сумний голос безталання На папір прохався* (Граб.).

ПРОСИТЬ: ї́сти не прóсить. Що-небудь комусь не заважає, не завдає турбот. *Нехай лежить: воно їсти не просить* (Номис); *Ліда слухала докори.. і відказувала: — Чого викидатиму, коли та макітра ціла? Хай стоїть, їсти не просить. А тільки борщ у горщику смачніший, ніж у каструлі* (Гуц.).

кáші (ї́сти) прóсить, *жарт.* Подертий і потребує лагодження (про взуття та одяг). *Він дав Дикунові свою стару кирею і майже нові чоботи, бо козакове взуття вже давно просило каші* (Добр.); [З о з у л я:] *Товаришу комбриг! Як іти? Голодні, обідрані... Ось, глянь!.. Чоботи зуби повишкіряли, каші просять* (Мокр.); *І чоботи в мене роти пороззявляли, їсти просять* (Кв.-Осн.).

ПРОСИТЬСЯ: аж прóситься. 1. Є всі умови для чого-небудь. *Піднявся* [заєць] *на задніх лапах і стеріг вухами. Саме аж просилося гримнути в нього...* (Коб.).

2. Є велика потреба в чому-небудь. *Критика Словника 1948 р., широке його обговорення поможуть усунути недоліки і належно поповнити для нового видання. А це нове видання, як то кажуть, аж проситься* (Рильський).

про́ситься на язи́к. Дуже хочеться сказати щось.— *Будеш тут контролювати слово, коли прокльони на язик просяться* (Ле).

сам у рот про́ситься див. сам.

так і про́ситься в рот (на гу́бу). Дуже смачний, такий, що хочеться з'їсти. *Без мене коровая не спечуть.. Уже як спечу, то так і сяє, як сонце. Як пух, як дух. Так і проситься на губу* (Тют.). С и н о н і м: **сам у рот лізе.**

ПРОСИХАЮТЬ: о́чі не просиха́ють див. очі.

ПРОСКО́ЧИТЬ: ми́ша не проско́чить див. миша.

ПРОСЛУ́ХУ: ні слу́ху, ні про́слуху див. слуху.

ПРОСНУ́ВСЯ: і ме́ртвий просну́вся б див. мертвий.

ПРОСО́ХЛИ: о́чі просо́хли див. очі.

ПРОСПА́ТИ: не проспа́ти гру́шки в по́пелі. Не пропустити чого-небудь, використати для себе все, що тільки можна.— *Я.. не дуже приязно поглядаю на хитреньку й задерикувату тіточку, яка ніколи не проспить ні чужої, ні своєї грушки в попелі* (Стельмах).

проспа́ти ца́рство небе́сне. Утратити, прогавити щось важливе, не скористатися якоюсь можливістю.— *Бачите, проспали царство небесне,— сміється чоловік з рушницею.— І сотню свою проспали, і вістових, і коні* (Гжицький); *Гайворона розбудив високий зчіплювач вагонів з ліхтарем у руках: — Проспиш усе царство небесне. Зараз ось автобус на Косопілля піде* (Зар.); *Встане [Комар] в ту пору, коли ще чорти навкулачки не б'ються. Ходить по двору, й стогне, і бурчить. Страшно боявся, щоб ми часом не проспали царства небесного* (Ковінька).

ПРОСПІ́ВАНА: проспі́вана пі́сенька див. пісенька.

ПРОСТИ́: прости́ Го́споди, *заст.* Уживається для вираження того, що грубість, різкість і т. ін. висловленого усвідомлюється тим, хто веде розмову. *У неї вже руки посохли од праці, вона вже жили з себе висотала, аби не здохнути, прости господи, з голоду* (Коцюб.); *До кошового підбіг запорожець, облитий окропом, з запорошеними очима.— Ну його з такою війною! Поливають гарячими помиями та піском, начебто не козаки ми, а шершні, прости господи!* (Довж.); — *Денис Кошара — то не хлопець, а якась, прости господи, прірва* (Григір Тют.).

ПРОСТИ́БІ: за прости́бі (за прости́біг), *заст.* Даром.— *Думаєш, хтось тобі сеї весни продаст або дасть [насіння] за простибі?* (Чендей).

спаси́бі і прости́бі див. спасибі.

ПРОСТИ́Г: і слід прости́г див. слід.

ПРОСТИ́Й: прости́й сме́ртний див. смертний.

ПРОСТИ́ТЬ: Бог прости́ть; хай Бог ~ див. Бог; **хай Ма́ти Бо́жа ~** *див.* мати[1]; **хай мене́ Бог ~** *див.* Бог.

ПРОСТІ́Р: відкрива́ти про́стір див. відкривати; **знахо́дити ~** *див.* знаходити.

ПРО́СТО: ~ не́ба *див.* неба.

ПРОСТОВОЛО́СИЙ: го́лий, бо́сий і простоволо́сий *див.* голий.

ПРОСТО́РІ: вита́ти у позахма́рному про́сторі *див.* витати.

ПРОСТОТА́: свята́ простота́ *див.* наївність.

ПРОСТРОМИ́ТИ: ку́рці ніде (нема́є де) голови́ простроми́ти. Де-небудь дуже тісно.— *Он у Гордія Кошари, ото сім'я. Як сядуть навколо столу обідати — курці немає де голови простромити* (Григір Тют.). С и н о н і м и: **ніде го́лки встроми́ти; ку́рці ніде клю́нути; го́лці ніде впа́сти** (в 1 знач.).

простроми́ти по́глядом (очи́ма) кого. Подивитися на кого-небудь дуже неприязно, вороже. *З гурту вийшов худий горбоносий Галабурда і, підбивши високу сиву шапку на потилицю, простромив гострим роз'ятреним поглядом кошового* (Добр.); *Гаврило не скоро спитав: — Це ти, блазню, промовив? Кажи! Га? От саме тоді один одного простромили вони ненависними очима* (Мик.). П о р.: **пройня́ти о́ком; прониза́ти очи́ма.**

ПРОСТУВА́ТИ: простува́ти путь *див.* верстати.

ПРОСТЯГА́ТИ: простяга́ти но́ги *див.* витягти.

простяга́ти / простягну́ти ру́ку (ру́ки) до чого, на що. 1. Намагатися заволодіти чим-небудь, захопити, привласнити щось. *Хай би вже поміщицьку [землю] ділили [селяни], а то до хазяйської руку простягають* (Стельмах); *Думаю про землю нашу. Зі сходу — татари, та й тут, із заходу, ворогів вистачить. Угорський король руки простягає. Не жити нам спокійно, Дмитрію* (Хижняк).

2. Жебракувати, просити милостиню.— *Знов старцювати?..— Ні, не буду, не хочу бачити того Гаврилка, що навчив мене руку простягати* (Коцюб.); *Образно.— Де ж це видано, щоб і в жнива, коли день годує рік, робити вісім годин.— Норма промислового робітника.— Так через оцю норму і осипався хліб на пні, через цю норму і простягають руку до держави: «Дайте, не минайте»* (Стельмах). **простяга́ти ру́ку за ми́лостинею.**— *Коли б часом мені знов не довелось простягати руку за милостинею, бо до дочки я не вернусь,— сказала Майбородиха* (Н.-Лев.). С и н о н і м и: **іти́ по ми́ру; іти́ з торба́ми; піти́ попідві́конню; іти́ на же́бри; по лю́дях ходи́ти.**

простяга́ти / простягти́ па́зури до кого — чого, рідко на кого — що. Намагатися підкорити собі, своєму впливові кого-, що-небудь, завдаючи болю, страждань. *Дівчат старому навели.. І розійшлись, Замкнувши двері за собою. Облизавсь* *старий котюга, І розпустив слини, І пазорі* [пазури] *простягає До Самантянині, Бо була собі на лихо найкраща меж ними* (Шевч.); *— Сину, бачу, ти Знов сумніву гадюці піддаєшся! Знов пазури на ум твій простяга Той темний дух!* (Фр.); *Її чиста душа не могла примиритися з мерзотністю тіуна. До неї він простяг свої паскудні пазури, хотів збезчестити* (Хижняк); *Ми здобудемо мир у промінні зорі, що самі ми створили її, І даремно до нас простягли пазури за морями війни палії* (Сос.).

простяга́ти ру́ку *див.* подавати.

ПРОСТЯГНУТИ: простягну́ти но́ги *див.* витягти; ~ ру́ку *див.* простягати.

ПРОСТЯГТИ: простягти́ но́ги *див.* витягти; ~ па́зури; ~ ру́ку *див.* простягати.

ПРОСУНУТИ: ніде го́лки просу́нути *див.* встромити.

ПРОТЕРТИ: протерти з пісо́чком; ~ о́чі *див.* протирати.

ПРОТЕРТИМИ: іти́ проте́ртими стежка́ми *див.* іти.

ПРОТИ: дму́хати про́ти вітру *див.* дмухати; **за і ~** *див.* за; **не ма́ти нічо́го ~** *див.* мати².

ПРОТИВНОМУ: у проти́вному ра́зі *див.* разі.

ПРОТИРАТИ: протира́ти (проси́джувати) / проте́рти (проси́діти) штани́. Довго перебувати де-небудь (перев. про навчання в школі або про сидячу роботу). [Б а к л а ж е н к о:] *Вони встигли прославити себе на фрезерних станках, поки ми протирали штани на шкільній парті* (Мик.); *Всю війну я провів у Казахстані.., мамаша мала втіху, що я з бронею в кишені просиджую штани в заводській лабораторії* (Рибак). **сто штанів проте́рти.** *Малюпусінький* [прізвище] *буде їх тут редагувати. Життєлюб, ерудит, сто штанів протер на студійних стільцях, сто директорів пережив* (Гончар).

протира́ти / проте́рти з пісо́чком. Суворо критикувати, лаяти кого-небудь. *Я розповідав йому про поведінку викладача математики Батожчука.— На конференції треба буде протерти з пісочком,— зігнувся над столом Будяк* (Збан.).

протира́ти / проте́рти о́чі. Прокидатися, вставати після сну.— *Даю тобі слово, Тимоше,— озвався він по якийсь хвилі,— що завтра ви ще й очей не протрете, як я вже упораюсь з своїм* [трактором] (Д. Бедзик).

ПРОТКНУТИ: па́льцем (ки́єм) не проткну́ти. 1. Дуже тісно. **проткну́ти па́льцем не мо́жна.** *Кругом народу — проткнути пальцем не можна* (Мирний).

2. *з словоспол.* т а к и́ й, щ о. Уживається для підкреслення високого ступеня ознаки або вияву чогось. *Тут* [на грядках] *і жито, і картопля, і квасоля — така тіснота, що й києм не проткнеш* (Мур.). С и н о н і м и: ніде го́лки встроми́ти; ку́рці ніде клюну́ти; го́лці ніде впа́сти (в 1 знач.).

ПРОТОПТАНА: прото́птана доро́га *див.* дорога.

ПРОТОПТАНИЙ: прото́птаний шлях *див.* дорога.

ПРОТОПТАНИМИ: іти́ прото́птаними стежка́ми *див.* іти.

ПРОТОПТАТИ: протопта́ти сте́жку; ~ сте́жку до се́рця *див.* топтати.

ПРОТОПТУВАТИ: прото́птувати сте́жку; ~ сте́жку до се́рця *див.* топтати.

ПРОТОЧИТИ: проточи́ти / рідко прото́чувати го́лову *кому.* Надокучати кому-небудь чимсь, настирливо вимагати що-небудь у когось.— *Оце добре, що ти сама про його* [нього] *замовила, а то вже він проточив мені голову: єднайте та й єднайте Оленку* (Барв.). П о р.: прогри́зти го́лову.

ПРОТОЧУВАТИ: прото́чувати го́лову *див.* проточити.

ПРОТРУБИТИ: протруби́ти (протуркоті́ти, протуркота́ти, протурча́ти, проту́ркати) [всі] **ву́ха** *кому.* Дуже надокучити кому-небудь постійними розмовами про одне і те саме.— *Та вже бачу,— зітхнула Ольга Павлівна.— Жінки всі вуха мені на буряках протрубили* (Кучер); *— Іван вже мені про вас вуха протуркотів* (Собко); *Не треба його дратувати. І так протуркали йому вуха всякими вигадками* (Головко); *— І вже ти протуркала мені уші тим Максимом!* — *сказав він* (Фр.). П о р.: прокрича́ти ву́ха.

ПРОТУРКАТИ: проту́ркати ву́ха *див.* протрубити.

ПРОТУРКОТАТИ: протуркота́ти ву́ха *див.* протрубити.

ПРОТУРКОТІТИ: протуркоті́ти ву́ха *див.* протрубити.

ПРОТУРЧАТИ: протурча́ти ву́ха *див.* протрубити.

ПРОТЯГНУТИ: протягну́ти но́ги *див.* витягти; ~ час *див.* тягти.

ПРОТЯГТИ: протягти́ час *див.* тягти.

ПРОХАНИЙ: про́ханий хліб *див.* хліб.

ПРОХАТИСЯ: проха́тися на папір *див.* проситися.

ПРОХІДНИЙ: прохідни́й двір *див.* двір.

ПРОХОДИТИ: прохо́дити пе́ред очи́ма *див.* пройти.

прохо́дити / пройти́ повз. Не помічати чого-небудь, не надавати важливого значення чомусь. *Щось говорили жінки, шамотіла чиясь одежа, хтось мовчки ішов у ліси, але те все проходило повз неї* (Стельмах); *Він не хотів і не міг допустити, щоб його студенти так зневажливо і зверхньо ставились до нових шукань у науці,.. він не міг дозволити собі пройти повз* (Рибак).

прохо́дити черво́ною ни́ткою (стрі́чкою), книжн. Бути основним, провідним у чому-небудь, наскрізь пронизувати щось. *Через усю поему* [«Матрос Гайдай»] *червоною ниткою проходить ідея трепет-*

ної любові радянської людини до своєї Вітчизни (Вітч.). Червоною ниткою через усю книгу проходить заклик до збереження нашої планети від екологічної кризи (Наука..); *Тема Батьківщини червоною стрічкою проходить крізь усі твори* [художньої виставки] (Літ. Укр.). **наскрíзною нúткою прохóдити.** *Через усю творчість О. Толстого наскрізною ниткою проходить ствердження ідеї вічної нетлінної любові, яка перемагає смерть, страждання, розлуку* (Рад. літ-во). **виступáти червóною нúткою.** *Часом у неї* [Кобилянської] *тенденція надто виступає червоною ниткою і разить очі, мов дисгармонія барв* (Л. Укр.).

прохóдити чéрез рýки; ∼ **шкóлу** *див.* пройти.

ПРОХÓДИТЬ: морóз прохóдить пóза шкíрою *див.* мороз.

ПРОХÓДУ: не давáти прохóду *див.* давати.

ПРОХÓЛОВ: і слід прохолóв *див.* слід.

ПРОХОЛОНÝВ: і слід прохолóнув *див.* слід.

ПРОХОЛÓНУЛИ: прúстрасті прохолóнули *див.* пристрасті.

ПРОЦÉНТІВ: на всі сто процéнтів *див.* сто.

ПРОЦІДИ́ТИ: проціди́ти крізь зýби *див.* цідити.

ПРОЧÁХ: і слід прочáх *див.* слід.

ПРОЧИ́СТИТИ: прочи́стити óчі *кому.* Допомогти кому-небудь помітити або зрозуміти що-небудь.— *Куди мене завів? — Так ми ж із городів зайшли. Бур'яни — хат не видно.— То, може, тобі очі прочистить? — сердито хекав Кир у спину Йонці* (Тют.).

ПРОЧИТÁТИ: прочитáти лéкції; ∼ **між рядкáми;** ∼ **моли́тву;** ∼ **нотáції;** ∼ **прóповідь** *див.* читати.

ПРОЧИЩÁЮТЬСЯ: мíзки прочищáються *див.* мізки.

ПРОЧУ́ХАНА: давáти прочу́хана *див.* давати; **дістáти** ∼ *див.* дістати.

ПРОЧУ́ХАНКИ: давáти прочу́ханки *див.* давати.

ПРÓШЕНИЙ: прóшений хліб *див.* хліб.

ПРОШИВÁТИ: прошивáти мóзок *див.* прошивати; ∼ **очи́ма** *див.* пронизувати.

ПРОШИ́ТИ: проши́ти очи́ма *див.* пронизувати.

проши́ти / *рідко* **прошивáти сéрце (дýшу, мóзок).** Викликати, спричиняти у кого-небудь глибоке, гостре почуття. *Пісня та йому прошила серце Райдужно-солодкою стрілою, І поніс її хлопчина в люди* (Рильський); *Одна блискавиця страшного невиясненого болю, що прошила його* [Владка] *душу і потрясла його мозок, — і всі ці світлі примарні замки* [про кохання] *розвіялись парою* (Фр.); *Електричною іскрою прошивають мій мозок слова поета, що родяться з забуття* (Ірчан).

ПРОЩÁЄ: хай Бог прощáє *див.* Бог; **хай Мáти Бóжа** ∼ *див.* мати [1].

ПРОЩÁЄТЬСЯ: душá прощáється з тíлом *див.* душа.

ПРОЩÁТИСЯ: **прощáтися / розпрощáтися (попрощáтися) з життя́м (з [бíлим] свíтом, з тíлом і душéю).** Умирати.— *Гей, скоріше до збройні! — І не думайте втікати: кругом драгуни! — Хто не вийде — прощайся з життям! — По списках будуть викликати!* (Стельмах); — *Пропали всі ми з головами, Прощаймось з тілом і душами, Останній наш народ пропав!* (Котл.); *Скрипаленчиха вже давно б із життям розпрощалась, коли б не трималася поки що душа в тілі надією на побачення з сином* (Збан.); *Всіх барон від того часу вільними зробив, На розп'ятті в тім поклявся Та й зо світом розпрощався, Зникла смутку тінь На обличчі непорушнім* (Граб.). С и н о н і м и: **лишáти свíт** (у 2 знач.); **лежáти на смéртному лóжі** (в 1 знач.).

ПРОЩУ́ПАТИ: прощу́пати (промáцати) грунт. З'ясувати, перевірити, вивідати що-небудь; дізнатися про щось. *Бронко зразу зміркував, що через цю дівчину можна було б прощупати грунт на фабриці Гольдштрома* (Вільде); *Мамій вирішив ретельно промацати грунт щодо можливості одруження з Тетяною* (Добр.).

ПРОЯСНИ́ЛОСЯ: проясни́лося / рідко проясню́ється в голові. Відновилася здатність мислити чітко, виразно, логічно. *Холодний.. душ значно освіжив хворого. В голові трохи прояснилося, нестерпний біль у скронях ущух* (Добр.); *Гаряча хвиля б'є до серця, в голові прояснюється. Він не хоче вмирати. Він хоче жити* (Коцюб.).

ПРУЖИ́НАХ: як (мов, нíби і т. ін.) на пружи́нах (на пружи́ні). Легко, швидко, енергійно. *Самієв, підскочивши, як на пружинах, енергійно махнув кулачком офіцерам-артилеристам: давай* (Гончар); *Ще раз крутнувшись перед дзеркалом, він* [Яків], *мов на пружинах, вийшов з хати* (Стельмах); *Голос пані Бровко підскочив угору, як на пружині* (Вільде).

ПРУЖИ́НІ: як на пружи́ні *див.* пружинах.

ПРЮ: іти́ на прю *див.* іти; **ставáти на** ∼ *див.* ставати.

ПРЯМÁ: прямá дорóга *див.* дорога; ∼ **лíнія** *див.* лінія.

ПРЯ́МО: би́ти пря́мо в лоб *див.* бити; **диви́тися** ∼ **в óчі** *див.* дивитися.

ПРЯМЦÉМ: постáвило прямцéм *див.* поставило.

ПРЯ́СТИ: на остáнню пря́сти. Бути близьким до смерті. *Дивиться* [Губрій], *аж його дочка поблідла, мов рутонька в'яла: зомліла, мов на останню пряде* (Барв.).

пря́сти на тонкý (на тонкé). 1. Бути тяжко хворим; бути при смерті. *Не забув* [Клим] *про хвору Соломію. Вже ні за що не береться, на тонке пряде. Тільки й того, що .повешитається понад* балкою, цілющі трави шукаючи (Рудь). Синонім: **ле́две ди́хати** (в 1 знач.).

2. Ставати непридатним для використання.— *Ходім наберемо в мішки трохи, поїду вторгую на якусь матерію. Бо й у тебе вже кофта на тонку пряде, а у Василя сорочка розлізлася* (Хлібороб Укр.). Синонім: **на ла́дан ди́хати.**

пря́сти ни́тку. Одноманітно, надокучливо говорити про одне і те ж. [М а р і я:] *Хтось щастя виглядав через ці вікна, а тепер лежать вони гамузом, наче непотріб.— Ти чого так довго прядеш нитку про них? Коли щось надумалась, кажи* (Стельмах); — *Розв'язували в класі задачку,— вперто пряла свою нитку математичка.—..Безумовно, вдома ніхто не розв'язав, почали морочитися з нею в класі* (Збан.).

пря́сти очи́ма. 1. Раз у раз поглядати на кого-, що-небудь, швидко переводячи погляд. *А інспектор підходить до неї та очима так і пряде по ній* (Вас.); *Поздоровкався [бандит], правда, а очима на всі боки пряде. А потім і каже: «...Я кинув у ваш двір вузлика. Де ви його поділи?»* (Гроха); *Воно, бачиш, як пряде очима на хліб. Воно й мене з'їсть. Не вечеряло та й дивиться* (Ковінька).

2. Пильно стежити за ким-, чим-небудь. *На тебе [радянського бійця] світ очима пряде* (Гончар).

то́нко пря́сти. Робити що-небудь не так, як слід, нерозумно, необдумано.— *Тонко ж ти прядеш, голубе, коли на позичені гроші такі коні купуєш* (Коцюб.).

ПСАЛТИРЮ: як по псалтирю́ чита́ти див. читати.

ПСИ: піти́ на пси див. піти; **пусти́тися на ~** див. пустатися.

ПСІВ: хоч псів гони́ див. гони.

як псів (соба́к). Дуже багато. *Панів як псів* (Номис).

ПСОВІ: прода́ти о́чі псо́ві див. продати; **~ під хвіст** див. хвіст.

ПСУВАТИ: псува́ти / зіпсува́ти кров кому. 1. собі. Нервувати, дратуватися. *Всі ці причепки редактора я передбачив, але мені від того не легше і мушу псувати собі кров* (Коц.); [К і т т е л ь г а в с:] *Щоб не псувати собі крові ще більше, то чи не доладніше було б, пане начальнику, попробувати якось миром влагодити?* (Л. Укр.).

2. кому. Завдавати кому-небудь багато неприємностей, клопоту; примушувати нервувати, дратувати когось. *Був у нас в ті роки такий собі шашіль житомирський, клоп грушевий, скільки він мені крові зіпсував.. та цур йому!* (Гончар); *Багато крові зіпсували німцям сміливі підпільники* (Д. Бедзик). **попсува́ти чима́ло (нема́ло) кро́ві** (тривалий час). *Тепер не варто розказувать всіх тих більших і менших злоключеній [нещасть], що причепились до мого [організованого Л. Українкою] вечора, але крові вони попсували мені чима-*

ло (Л. Укр.); *Характером своїм свавільна Орина немало попсувала крові батькам* (Стельмах).

псува́ти / зіпсува́ти обі́дню кому і без додатка, заст. Заважати, шкодити кому-небудь у якійсь справі. *Тадей Станіславович торкнувся рукою плеча Левченка: — Зіпсував обідню старий доносщик. І чарки по-людськи не допив* (Стельмах).

псува́ти (тріпа́ти, ша́рпати) не́рви. 1. чиї і без додатка. Хвилювати, непокоїти, виводити з спокійного, урівноваженого стану кого-небудь. *Люба мамочко!.. Хоч літературна робота, каже він [п. Дерижанов], і псує нерви, та не настільки, як шарваркове життя в великому місті* (Л. Укр.); *Ураган Жовтня шарпав нерви кардиналів і прелатів* (Галан).

2. собі. Хвилюватися, роздратовуватися, збуджуватися. *Маму поцілуй за її поцілунок і попроси, щоб не застуджувалася та не псувала собі нервів* (Коцюб.); *Чи варто псувати собі через нього нерви?* (Донч.); *Трудно вже тепер зважити, котра з нас котрій була винна листа..— Хто міг, той писав, краще був би того не робив, бо шарпав нерви і собі і другим* (Л. Укр.).

ПТАХ: би́тися на́че птах у клі́тці див. битися.

важли́вий (важни́й, вели́кий) птах; важли́ва (ва́жна, вели́ка, не проста́) пти́ця. Людина, яка займає високе становище в суспільстві і має владу, вагу, великий вплив. *Якщо і вам трапляється десь на шосе «хорх», знищуйте його, не цікавлячись тим, хто в ньому їде. В ста випадках зі ста ви знищите якого-небудь надзвичайно важливого фашистського птаха* (Загреб.); *Люди знають, який то важний птах був землемір* (Чорн.); *Колись він [голова] був унтером і забрав у голову, що він дуже великий птах. Усі селяни, старі і молоді, були в його ніби некрути* (П. Куліш); *Язик, що привів він разом з товаришами, виявився важливою птицею* (Рибак); *Дивувались пастухи, ламали в гадках голови: — Хто він? Був, мабуть, важною птицею, коли й з шаблями біля нього і очі йому зав'язали, щоб не зурочив довколишнього степу* (Гончар); *Піймали велику, мабуть, птицю..— Чи не самого Дорошенка?* (К.-Карий); [Я ц и х а:] *Соцький, бач, велика птиця!* (Кроп.); *Йонька зрозумів, що бородань не проста птиця і що від нього тепер залежить, відпустять Йоньку чи ні* (Тют.). Синоніми: **птах висо́кого польо́ту; вели́ке цабе́; вели́ка ця́ця** (у 1 знач.). Антоніми: **невели́ка пти́ця; невели́ке цабе́; невели́ка ця́ця.**

вільний птах; вільна пта́ха (пти́ця). Людина, незалежна у своїх вчинках, поведінці. *Мені нічого боятися. Я вільна птаха; // Людина, не зв'язана шлюбом.— Нема в мене чоловіка... І не було!.. Я — дівчина.. Вільна птаха. Де схочу — там сяду* (Ряб.); — *Ти одружений? Діти в тебе є? Я вільна птиця. А що?* (Перв.).

перелі́тний птах; перелі́тна пта́ха (пти́ця). Людина, яка не затримується довго на одному місці.—.. *В холодних кошарах не золота шерсть, а свиняча щетина виросте,— майже з презирством відповів Стадницький, думаючи, що з Лісовського ніколи не буде господаря — співучий перелітний птах та й годі* (Стельмах); *— Що ж це за перелітні птахи такі? — спитав Микола...— Та з вашого ж брата, з фабзавучників. .. Дома сидячи, загориться — поїду на шахту. Поїде, спробує, аж там не так легко, як гадалось, та й назад* (Ткач); *Така «перелітна птаха», якою я була і мусила бути по умовах нашої сцени, могла заробляти тільки «перельотами»* (Л. Укр.); *— Ну, а я, що я,— продовжував Марко.— Птиця перелітна, яка шукає пристановища і хоч якої-небудь поживи, щоб не здохнути* (Цюпа).

птах (пти́ця) висо́кого польо́ту. Людина, яка займає значне становище в суспільстві і має владу, вагу, великий вплив у якомусь колективі.— *Там серед послів сьогодні якийсь птах високого польоту завітав до нас у коло,— згадав Шаула, виходячи на майдан* (Ле). С и н о н і м и: **важли́вий птах; вели́ке цабе́; вели́ка ця́ця** (у 1 знач.). А н т о н і м и: **птах низько́го польо́ту; невели́ка ця́ця; невели́ке цабе́.**

птах (пти́ця) не на́шого польо́ту. Людина з іншого кола, іншої суспільної ваги. *І тут же раду давав Павлові щодо Людмили — плюнути й ногою розітерти. «Раз те, що не нашого польоту птиця, та й нарешті — не в цьому щастя». Нагадував приказку про сало без хліба і що з того буває. То отак, мовляв, чисто і з коханням* (Головко). С и н о н і м: **не на́шого пера́ пта́шка.**

птах (пти́ця) низько́го польо́ту. Людина, яка не займає визначного становища в суспільстві. С и н о н і м и: **невели́ка пти́ця; невели́ке цабе́; невели́ка ця́ця.** А н т о н і м и: **птах висо́кого польо́ту; вели́ке цабе́; вели́ка ця́ця** (у 1 знач.); **важли́вий птах.**

ра́нній птах; ра́ння пти́ця. 1. Людина, яка встає і починає працювати вдосвіта.— *Не думала я, що ви такий ранній птах,— сказала Густя* (Фр.); *Жінка — ранній птах: ще сонце у колисці, а вона на ногах* (Стельмах); *— Ну, та й рання ж птиця оця молода матушка .. будить нас до півночі,— не дала вволю виспатись* (Н.-Лев.).

2. Невитримана, нетерпляча людина, дії якої не завжди продумані.— *І не гарячкуй, Іване Артемовичу, бо опечешся. Ти ранній птах, а я стріляна птиця* (Стельмах).

си́ній птах; си́ня пти́ця. Символ щастя, ідеалу; те, що втілює для кого-небудь найзаповітніші мрії, прагнення.— *Вам не здається,— обізвалася сусідка,— що тепер море як синій птах щастя* (Коцюб.); *На літературних ловах, в полюванні за синьою птицею істини, перед судом історії і читача, Остап Вишня лишився невмирущим* (Літ. Укр.).

стрі́ляний (обстрі́ляний) птах; стрі́ляна пти́ця. Досвідчена, бувала людина, яка багато дечого бачила, зазнала. *Таки не вадило б кілька карточок вирізать з Вашого роману. Комендант, як виявилось, був уже стріляна птиця* (Головко); *Герус був стріляною птицею, його вже раз судив революційний трибунал, але все якось при допомозі друзів обійшлося* (Стельмах); *— Не всі ж «чительники» [читачі] такі «обстріляні птахи» в літературі всякої школи, як я, то може, іншому й книжка випадає з рук* (Л. Укр.). П о р.: **стрі́ляний горобе́ць; би́тий жак.** А н т о н і м: **жовторо́те пташеня́.**

ПТАХА: ві́льна пта́ха; перелі́тна ~ див. птах.

ПТАХІВ: де́рти птахі́в див. дерти.

ПТАША́: жовторо́те пташа́ див. пташеня.

ПТАШАЧЕ: пташа́че молоко́ див. молоко.

ПТАШЕНЯ́: жовторо́те пташеня́ (пташа́). Молода недосвідчена людина. *Полюбуйся на цього майбутнього доктора наук, котрому забракло сил впоратися з жовторотим пташеням* (Ю. Бедзик); *..Не могла зрозуміти, як отакі жовтороті пташенята наважуються суперечити самому Ковалеві, не рахуючись з його славою й авторитетом* (Собко); *Призначають у середню школу пташа жовтороте, а потім беруться за голови,— бурмотів він сам до себе, походжаючи по кабінету* (Збан.). А н т о н і м и: **стрі́ляний птах; стрі́ляний горобе́ць; би́тий жак.**

ПТАШИНЕ: пташи́не молоко́ див. молоко.

ПТАШИНИЙ: пташи́ний база́р див. базар.

ПТАШИНИХ: на пташи́них права́х див. правах.

ПТАШИНОГО: з висоти́ пташи́ного польо́ту див. висоти; **тільки ~ молока́ нема́** див. нема.

ПТАШКА: би́тися як пта́шка див. битися.

бо́жа пта́шка. Безтурботна людина. *Такою зросла ця, так би мовити, божа пташка під.. батьківськими крилами* (Ле).

зальо́тна пта́шка див. птиця.

не на́шого пера́ (пі́р'я) пта́шка. Людина, що не належить до певного кола, чимсь відрізняється від нього. *У дверях будинку показалась господиня. Ще була молода і хороша, тільки [тільки] блідолика пані. Зараз було видно, що се не нашого пера пташка. Не та в неї хода, .. не та й постать, да й українська одежа якось їй не припадала* (П. Куліш). С и н о н і м: **птах не на́шого польо́ту.**

як ві́льна пта́шка, з сл. ж и т и. Незалежно, самостійно, безтурботно. *Не маючи дітей, вона згодом .. продала землю, поклала гроші в банк і жила собі як вільна пташка* (Н.-Лев.).

ПТАШОК: па́сти пташо́к див. пасти.

ПТИЦІ: одного́ гнізде́чка пти́ці. Однаковий чимсь (поглядами, думками, соціальним становищем, характером, поведінкою і т. ін.). *Поміщик та піп були одного гніздечка птиці* (Укр.. присл..). С и н о н і м и: **одного́ по́ля я́года** (в 2 знач.);

недалéко втектú; одúн від óдного недалéко відбíг; одúн óдного вáртий; однúм мúром мáзані.

ПТИЦЯ: **важлúва птúця; вíльна ~** див. птах.

зальóтна (залíтна) птúця (птáшка). 1. Не-тутешня, прибула звідкись людина.— *Кого ж свататимемо?* — *Варку Линíвну..* — *Еге, це заíжджа, пташка залíтна* (Вовчок).

2. Кокетлива людина. *Дочка була зальотна птиця І ззаду, спереду — кругом* (Котл.).

знáтна птúця, зневажл. Заможна людина, по-важна особа. *З усіх боків дівчата так і пострілю-вали поглядами на цю знатну, в картатому костю-мі, птицю, що не вміла навіть сидіти до ладу на траві* (Гончар). С и н о н í м и: **велúке цабé; велú-ка рúба.** А н т о н í м: **невелúке цабé.**

невелúка птúця. Нічим не визначна особа. — *Як ви насмілились вийти з табору?!..* — *Не галасуйте, пане майстре, невелика птиця!* (Ю. Янов.). С и-н о н í м и: **невелúка цúця; невелúке цабé; птах низькóго польóту.** А н т о н í м: **важлúвий птах.**

перелíтна птúця; ~ висóкого польóту; ~ не нá-шого польóту; ~ низькóго польóту; рáння ~ див. птах.

рідкá птúця. Той, хто нечасто трапляється. *Ворожили Ядзі старе дівоцтво, бо в теперішніх часах шляхтич з яким-таким маєтком,— то рідка птиця і, певне, не схотів би брати панничку з невеличким і непевним маєтком* (Кобр.).

сúня птúця; стрíляна ~ див. птах.

що за птúця? 1. Хто такий; яка людина. [Г н а т:] — *Якийсь новий [прокурор] і, кажуть, молодий... У Ковалівці не бував... Хто його знає, що за птиця?* (Кучер). С и н о н í м: **що за одúн.**

2. зневажл. Уживається для вираження зневаги, приниження і т. ін. кого-небудь.— *Цить, ка-посне! Либонь не знає... Ще й огризається, щеня! Що ти за птиця!? Ти — Ягня!* (Гл.).

ПУГОЮ: **як пýгою по водí.** Безрезультатно. *Скільки не говори, а все як пугою по воді.* С и-н о н í м: **як горóхом об стíну.**

ПУД: **почóму ~ лúха** див. ківш; **~ солí з'íсти** див. з'їсти; **як ~ вагú скúнути** див. скинути.

ПУДУ: **давáти пýду** див. давати.

ПУЗА: **від пýза**, з сл. íсти, годувáти, н а г у л я́ т и с я і т. ін. Досхочу.— *На фронт би швидше. Там хоч годуватимуть від пуза,— ви-словлював він [Денис] заповітну думку* (Тют.); *Ну чого ж це ти такий сумний? Дружок твій женишся, нагулявся ти на весіллі від пуза* (Гуц.).

ПУЗИР: **мúльний пузúр.** Щось нетривке, неміц-не, яке піддається швидкому руйнуванню. *Надії на швидкі зміни виявились мильним пузирем.*

ПУЗО: **наїдáти пýзо** див. наїдати.

ПУКАТИ: **пýкати від смíху**, діал. Дуже сміяти-ся. *Співаночок таких вимудрує [Яків], що пукати від сміху* (Хотк.). С и н о н í м и: **аж за бóки хапáтися** (в 1 знач.); **заливáтися рéготом; лягáти від смíху; лóском лягáти.**

ПУЛЬС: **відчувáти пульс епóхи** див. відчу-вати.

ПУП: **пуп землí.** Центр, основа всього. *Жодна з існуючих держав, незалежно від її укладу і політики, не повинна вважати себе пупом землі.* (Рад. Укр.); *Чимало цікавого є у Вашінгтоні. Загалом столиця вражає надмірною бундючністю. Це місто державних чиновників, які твердо пере-конані, що саме тут пуп землі, що саме вони вершать сучасне й майбутнє людства* (Дмит.); // Людина, що вважає себе найважли-вішою серед усіх.— *Ти знову Сагайдакові в адво-кати? — холодно зазвучав голос Мамія.— Ні, ко-ли так, навмисне не поступлюсь. Та тільки вду-майся, що він меле! Це ж якесь марення. Я... я пуп землі!..* (Добр.).

пуп розв'я́жеться кому, у кого і без додатка. 1. Хто-небудь докладає великих зусиль, працює натужившись.— *Змахни піт, Іоне, а то очі виїсть...— Без звички не те, що очі виїсть, а й пуп може розв'язатися* (Чаб.).

2. Уживається як погроза кому-небудь. *Тут тобі й пуп розв'яжеться* (Номис).

пуп трíщúть у кого. Хто-небудь дуже напружу-ється, надривається. *Працює так, що аж пуп тріщить;* // Кому-небудь доводиться переживати складний період, тимчасові труднощі. *Вимагала держава хліба — йшов хліб, м'ясо було потріб-не — і м'ясо давали олбинці... Тріщали пупи в багатеньких, їм Прокоша ніякого спуску не давав* (Збан.).

рвáти пуп див. рвати; **трясця тобí в ~** див. трясця.

як (мов, нíби і т. ін.**) на пуп**, з сл. к р и ч á т и, р е п е т у в á т и. Дуже голосно, з великим напру-женням, надривно. *Все море зараз спузирило, Водою мов в ключі забило, Еней тут крикнув як на пуп* (Котл.); *Хлопець ріс крикливий і запальний. Як приходив час годування — кричав як на пуп* (Тют.); *Аж он поромщик їх, проноза, На землю впав, як міх із воза, І мов на пуп репетовав [репетував]* (Котл.). С и н о н í м и: **як на живíт; як недорíзаний.**

як пуп (бýбон, буз), з сл. с ú н і й, п о-с и н і л и й і т. ін. Дуже, у великій мірі. *Горпина одігнала мух, узяла легеньке покривало і прикри-ла діток. Потім заглянула в світлицю, де, як пуп синій, лежав Яків і спав мертвим сном, і поверну-ла в кухню* (Мирний); *Тряслась [Сивилла], крек-тала, побивалась, Як бубон синя стала вся* (Котл.).

ПУПА: **брáти на пýпа** див. брати; **надривá-ти ~** див. надривати; **не жалíти ~** див. жаліти; **реготáти на ~** див. реготати; **рíзати ~** див. різати.

ПУП'ЯНКА: **з пýп'янка (з пýп'янку).** Від на-родження. *І я ж, і я в Аркадії вродився, Природою й мені Із пуп'янка веселий вік судився*

(Шіллер, перекл. Лукаша); — *Я завжди голодний, як вовк. Залишиться де в кого хліб, я і його виміняю на сигарети, але мені й того мало. Такий я вже з пуп'янку* (Гашек, перекл. Масляка). **з пу́п'яночка**. *З пуп'яночка сирота, Захарко поневірявся по наймах* (Крим.).

ПУСКА́Є: [аж] сли́ну пуска́є / пу́стить. Хто-небудь має сильне бажання придбати щось, оволодіти чим-небудь і т. ін. *Браконьєри з мосту аж слину пускають, що стільки під ними пропливає весняного живого добра, а вихапувати не маєш права* (Гончар); *Тоді пан усміхнувся лукаво і показав попові торбу грошей. Піп аж слину пустив, угледівши стільки грошей* (Україна..).

ПУСКА́ТИ: бульки́ (бу́льбахи) пуска́ти / пусти́ти. 1. Тонути.— *Вже й очі вирячив бідаха наш Максим, Уже й бульки пуска, немов у сітці щука..* (Рильський); *// Загинути.— Він* [кіт] *такий мій, як і твій! — відповів Павло.— Але твій уже бульки з моря пускає, а мій ще бігає...* (Кучер).

2. Втрачати сили, можливості, надії і т. ін.— *Вже так довоювались* [Петлюра і поляки], *що останні бульки пускають* (Стельмах).

і на о́чі не пуска́ти / не пусти́ти *кого.* Не допускати до кого-небудь, кудись; не хотіти бачити когось.— *Пішли — коваль, Цигуля, Невкипілий і ще душ кілька. Але князь і на очі до себе не пустив* (Головко). С и н о н і м: **і на порі́г не пуска́ти.**

і на порі́г не пуска́ти / не пусти́ти *кого.* Забороняти кому-небудь приходити кудись, не допускати, не хотіти бачити когось.— *Я б і на поріг її* [Марину] *не пустив* (Мирний); — *Колись нас .сюди й на поріг не пустили б, а тепер тут, бачу, й закурити можна* (Гончар). С и н о н і м: **і на о́чі не пуска́ти.**

пуска́ти в ді́ло *див.* пустити; **~ гадю́чку** *див.* закидати.

пуска́ти (запуска́ти і т. ін.) / пусти́ти (запусти́ти і т. ін.) о́чі під лоб (під ло́ба). Виражати певний внутрішній стан людини (ніяковість, сором'язливість, розгубленість і т. ін.). *Тепер же тобі хоч би півслова промовив* [Василь]: *усе тільки погляне на Марусю, тяжко здихне і пустить очі під лоб* (Кв.-Осн.).

пуска́ти кров з но́са *див.* пустити.

пуска́ти (лови́ти і под.) / пусти́ти (злови́ти і под.) півня. Видавати фальшиві звуки під час співу чи розмови. *Один соліст у хорі торгівців зірвався і пустив «півня»* (М. Ю. Тарн.). **пусти́ти пі́вника.** *Брехня,— скрикнув Михайлик, аж півника пустив своїм хлоп'ячим басом* (Ільч.).

пуска́ти ми́ляну ба́ньку, *діал.* Вигадувати нісенітниці.— *Майстер він говорити казки, Миляну пускати баньку* (Фр.).

пуска́ти (пе́рти) / пусти́ти тума́н (туману́, рідко тумана́) [у ві́чі] *кому.* Навмисне робити що-небудь незрозумілим, заплутаним. *І в декларуванні*

земельної політики хитромудрі есерівські голови *пускають туман* (Еллан); [Б а б у с я:] *Та вони* [ворожбити] *вже слово такеє знають. Туману пустили і здиміли.* [Хлоп'я:] *А як туман пускають?* (Л. Укр.); — *Ну, не пріть же мені тумана в очі, а говоріть по правді,— сказав Густав* (Фр.); — *Не доберу я толку в твоїх речах,— каже Петро.— Що за охота тобі мене морочити? То заговорив буцім щиро, то знов туман у вічі пустив* (П. Куліш); — *Тут щось таки добре наплутано. Видно, він пустив туману не тільки мені, а й вам* (Смолич). С и н о н і м: **наводити полу́ду на о́чі.**

пуска́ти повз ву́ха *див.* пропускати.

пуска́ти / пусти́ти бі́сики (ге́дзики) [очи́ма (о́ком)] *кому, на кого.* Привертаючи до себе увагу, поглядати на когось. *Так ще з чотирнадцяти років вона* [Юля] *навчилася грайливо вицокувати високими каблучками модельних черевичок, пускала бісики на хлопчаків і одягала білі прозорі платтячка* (Тют.); *Марина ..молила бога, щоб він надоумив рядчика поставити біля неї кучерявого Василя Прудоусенка.., що як стрінеться де-небудь з Мариною, то знай пуска їй бісики очима* (Мирний); *Дівчата ласкаво позирають на Кирушу й Зінька, бісики пускають очима, радіють, що обидва хлопці стали поряд з таким оркестром* (Кучер); *Не виглядають у .. вікна виговорені обличчя горничних, не пускають гедзиків прохожим очима, не роздається їх регіт голосний, їх забави молоді* (Мирний); *Сиджу я під образами.. очима на Тетяну спідлоба гедзики пускаю. А вона червоніє і не знає, чи сміятися, чи ніяковіти* (Стельмах); *// Кокетувати, заградати з ким-небудь. А то сама* [Тонька] *присіла на колесі біля нього, бісики очима пускала, а він уже й розтанув...* (Гончар). С и н о н і м и: **кида́ти ге́дза; гра́ти очи́ма; гостри́ти о́чі; стріля́ти очи́ма** (в 2 знач.).

пуска́ти / пусти́ти віц, *діал.* Говорити дотеп. *Я.. не хотів тебе прогнівити, лиш пустити віц* (Стеф.).

пуска́ти / пусти́ти в (на) лю́ди (в світ). Публікувати, видавати. *А вже як коли пускати у люди «Повію», то треба, щоб вона була не згірше тих перших двох частин, що вже побачили світа* (Мирний); — *Я не маю і не матиму нічого проти Вашого заміру пустити у люди «Серед степів» не в черговій книжці «Хвиля за хвилею», а в збірникові* (Мирний); — *Франко ж казав, що се* [повість «Жаль»] *найкраща моя річ і що гріх було б не пустити її в світ* (Л. Укр.).

пуска́ти / пусти́ти в о́чі дим (пилю́ку) *кому.* Вводити в оману кого-небудь.— *Кому ви дим пускаєте в очі? Хіба в цьому — в благополучній загальній цифрі — і є всі найзаповітніші інтереси району?* (Ряб.).

пуска́ти / пусти́ти в розхі́д (в розхо́д) *кого.* Розстрілювати, знищувати кого-небудь.— *Не заривайся. А коли візьмеш* [Жмеринку] *— менше* *пускай в розхід* [полонених]. *Це не завжди досягає мети* (Довж.); *Тоді шовковій цій пам'ятці не надали особливого значення, хоч молодого Огієнка й пустили за неї в розход* (Гончар); *— Будете чинити опір — пустимо в розход!* (Шиян).

пускати / пустити в хід. Застосовувати, використовувати що-небудь. *Протягом години мінометникам кілька разів доводилося пускати в хід гранати, іти врукопаш* (Гончар); *Пристав, що сидів уже в тачанці, не дозволяв пускати у хід зброю, велів брати злочинців голіруч* (Гончар); *Бувало, бешкетна парубота одного кутка посвариться з другим та й пускає в хід не тільки рушниці, але й кулемети* (Стельмах); *Кілька ударів ножем розпушили землю. Рубін вигорнув її на себе і знову пустив у хід ніж* (Сенч.).

пускати / пустити грунт з-під ніг. Переставати бути впевненим у собі, в своїх силах, позбавлятися того, на чому тримається суспільне чи службове становище, світогляд і т. ін. *Промінь згас над рідним краєм; А ми, скільки кожен зміг, У провалля себе пхаєм. Грунт пускаємо з-під ніг* (Граб.). П о р.: **втрачати грунт під ногами.**

пускати / пустити дур [у голову, рідше **у тім'я]** кому, на кого. Запаморочувати, затьмарювати чию-небудь свідомість. *Амату з Турном я з'єднаю І сим Енея укараю, Латину ж в тім'я дур пущу* (Котл.); *Ось бач, який ти гольтіпака, Який пустив на себе дур, Блуджу по світу, мов бурлака* (Укр. поети-романтики..).

пускати / пустити душу на покуту. Залишати кого-небудь живим; помилувати кого-небудь. [І г н а т:] *Ой простіть мене, батечки!... Не буду! Простіть!...* [П а в л о:] *Чорт!* [І г н а т:] *Ой пустіть душу на покуту!..* (Кост.). П о р.: **пускати з душею** (в 1 знач.).

пускати / пустити з душею кого. 1. Залишати живим кого-небудь. [П а н Д у ш е ч к а:] *Так і так, розказує, здибав мене в лісі Кармелюк, пограбував до ниточки, тільки що пустив із душею* (Вас.). П о р.: **пускати душу на покуту** (в 1 знач.).
2. Залишати кого-небудь без будь-яких засобів існування.— *В рік волі, коли одним землю ланцюгами наділяли, а інших з душею на волю пускали, побував у нас один старий благочестивий батюшка* (Стельмах).

пускати / пустити з торбою (з торбами) [по світу (по миру)] кого і без додатка. Розоряти, доводити до зубожіння, злиднів. *Від хати до хати пішов поголос: полковник людина добра, має Христа в серці. Другий би по світу з торбою пустив, а він, гляди, гроші ще дав, землю повернув* (Рибак); *— Чи не ти пустила по миру з торбами мене?* (Н.-Лев.); *То була хлопська п'явка — не дай господи! Кілько людей той чоловік з торбами пустив!..* (Фр.); *— То панунця хочуть для забави собі всіх нас з торбами пустити*

(Вільде). П о р.: **пускати по світу** (в 2 знач.). С и н о н і м: **лишити як на воді** (в 1 знач.).

пускати / пустити коріння в що, в чому.
1. Приживатися, закріплюватися, обживатися де-небудь. *Міцно пустив коріння його рід тут, на Україні, хоч сам Дмитро Сергійович [Жемерікін] росіянин, курський, з невеличкого села Никанорівки* (Літ. Укр.); *Пристав до вдовиці й прийми: двоє дітей, батько старий, хазяйство не яке, зате млин оце. Якщо як, то, може, й зовсім коріння пущу отут* (Головко). **пустити корінь.** *Тут треба корінь пустити, а не сидіти на чемоданах і чекати, що через рік-два тебе перекинуть в інший район* (Цюпа); *До того обійстя вам ластівки по веснах прилітали, а восени подавались од вас у далекий світ... Там ви пустили корінь, бо там ваша Василина — честую її голову — до колиски клала та й співала вашим дітям* (Чендей).
2. Ставати постійним; надійно, міцно утверджуватися. *Розлад у Сніжковій сім'ї все глибше пускав коріння своє* (Горд.); *Довгий шлях робить часом думка,.. поки вона вляжеться в твоїй голові, пустить коріння* (М. Ю. Тарн.); *Люди стали на мирну колію, вже Радянська влада пустила глибоке коріння в народ, аж раптом Дереш вигулькнув* (Речм.). **пускати корінці.** *Писар почув, що в йому запалюється злість, що вона пускає в його душі корінці й паростки та все глибше та ширше* (Н.-Лев.).

пускати / пустити ману [в вічі]. Обдурювати, змушувати вірити в що-небудь нереальне. *Як же лучалося йому вийти на вулицю, аби піти куди на вечорниці, він зараз пускав їм [парубкам] ману в вічі* (Мирний); *— Ходімо разом,— гукають перші.— Куди? — Та до пана ж. Волі правити.— Ідіть, коли його [пана] самого вже правцем поставило,— хтось одказав. Душ з п'ять зареготало.— Та то ману тільки пускають. Знаємо ми,— твердили перші* (Мирний); *— От нехай лиш побачу, що він [Гуща] тут ману пускає та книжки людям читає,— зараз руки назад та й до врядника* (Коцюб.); *— Привезли якогось свого слідувателя [слідчого] з Мойсенець і хочуть слідство наводити на те вбивство. Ману пускають* (Ле). **напустити ману** на кого.— *Ой то не од ракотиць знаки! То хтось зумисне покопирсав ломакою, щоб напустити на нас оману,— сказала Гризельда, придивляючись до слідів* (Н.-Лев.). С и н о н і м: **напускати дурману.**

пускати / пустити на вітер. 1. з сл. г р о ш і, з а р о б і т о к, д о б р о. Легковажно, марно витрачати. [Г е р м і о н а:] *Немає за що ганити тебе, хіба за те, що ти свій заробіток пускаєш так на вітер* (Л. Укр.); *Як тільки свято — в нього [Більграйфа] повно гостей, оперету розігрують, як у Відні, де він, бувши молодим, гроші на вітер пускав* (Мур.); *Це ж треба уже зовсім розуму позбутися, щоб узяти та власною рукою пустити* на вітер усе своє добро, загорьоване довгою, тяжкою працею... (Бузько). П о р.: **викидати на вітер**; **пустити за вітром** (у 1 знач.). С и н о н і м: **мести від воріт**. А н т о н і м и: **мести до воріт**; **гребти під себе**.

2. з сл. с л о в а́. Говорити даремно. *Хлопець не любив пускати слова на вітер.*

3. з сл. з д о р о́ в'я. Ставитися до себе абияк, не шкодувати себе. [К р е ч е т:] *Серед нас ще багато варварів, які пускають своє здоров'я на вітер, розкидаються найдорожчим* (Корн.).

4. з сл. с л а́ в а. Не оцінювати належним чином. *Ярославову славу на вітер пускає* [Всеслав] (Мирний).

пускати / **пустити на волю божу** *кого.* Не затримувати кого-небудь. *Вася Багіров ніколи не вдавався до ганебної для гвардійця втечі, а бився хоч один проти десятьох, поки його не скидали з коня і пускали на волю божу* (Гончар). С и н о н і м: **на чотири боки** (в 1 знач.).

пускати / **пустити на дно** *кого.* Доводити до злиднів, зубожіння. *В часи насильницької колективізації не одну селянську родину пустили на дно.*

пускати / **пустити нурка.** Поринати у щось, заглиблюватися.— *Ти пускаєш нурка у всьому, до чого б не забирався, дрібнішого чи більшого* (Коб.).

пускати / **пустити око (погляд)** *перев.* на кого — що. Задивлятися на кого-небудь; виявляти зацікавленість, інтерес до кого-небудь. *Робиш що, а очі.. пускаєш в далечінь тривожну* (Головко); *Він любощів співець. Овідій ніжний, він пускає погляди по обрію врозгін* (Кочур).

пускати / **пустити під меч** *кого* — що. Знищувати. *То правда, панове, Не багато Коновченко по долині Чернень погуляв,— Самих найстарших п'ятсот чоловік рицарів під меч пускав* (Укр.. думи..).

пускати / **пустити під укіс.** 1. Викликати аварію поїзда, спричиняючи його падіння на схил насипу залізниці. *Організація діяла під самим носом ворога, час від часу руйнуючи шлях на Бахмач,.. пускаючи під укіс поїзди...* (Д. Бедзик); *У травні підпільники пустили під укіс ешелони з літаками та машинами* (Коз.).

2. Довести до занепаду.— *Ось куди Мусій Завірюха із Павлюком гнуть! Хоче перевести добро! Пустити артіль під укіс!* (Горд.).

пускати / **пустити поголоску (поговір, чутку, ясу** і т. ін.**).** Поширювати неправдоподібні відомості про кого-, що-небудь. *Потому бігав по людях, розпитував, пускав поголоски, і коли вони знов доходили до його, значно змінені і більш рішучіші, він* [Андрій] *радів, хвалився Маланці і вірив* (Коцюб.); [П р я х а:] *Вмерла наша королева, король не встиг жалоби доносити,· а вже посватався до неї* [принцеси].. [Ш в а ч к а:] *Ну,*

се, може, так вона пускає чутку!* (Л. Укр.); *Навмисне пускали чутки Людомирові друзі, що його вивіз з собою Теодосій, але розлючений Бенедикт не вірив* (Хижняк); *Ранком біля колодязя жінки, що прийшли по воду, знайшли листівку... На те якраз нагодилась з відрами Настя Гірчак. Зірвала листівку, гнівно заговорила: — Знову брехні пускають!* (Цюпа); *Під вечір по селу розійшлося, що йдуть козаки. Хто пустив поголоску, звідки вона узялась, ніхто добре не знав* (Коцюб.); — *А я послав козака навпереймиі. ..Постривай,— кажу,— попе, ще, може, вернемо сокола з клітки! А тут і поміж миром пустив таку поголоску, що Сомко вже на волі* (П. Куліш); [К р а с о в с ь к а:] *Так то-то ж! По-моєму, наприклад, Спасенкові зовсім нема чого ходити так часто! Тільки поговір пустить та інших женихів одіб'є* (Пчілка); *Хтось пустив ясу, що десь тут серед есесівських недобитків гасають, маскуючись під рядових, відомі воєнні злочинці* (Гончар).

пускати / **пустити по колу (по кругу)** *що.* Частувати присутніх по черзі чим-небудь (перев. спиртними напоями). *Сілецьких, Варчиних родаків, привіз Стратон Дордюк, який одразу ж засадив гостей за стіл і пустив по колу першу чарку* (Літ. Укр.).

пускати / **пустити по світу (по миру)** *кого.*

1. *перев.* ким. Робити кого-небудь кимсь, якимсь. *А скільки всюди бідноти Щодня у світ пускаєш ти* [банкнота]! *Ти крадеш кров і піт в сіроми І в панській несеш хороми* (Бернс, перекл. Лукаша і Мисика); *А що тих бідних покриток Пустив по світу з байстрюками! Отже й нічого! — А жонатий І має двоє діточок Як ангеляточок* (Шевч.); *Ти мене знівечив, прогнав з своєї хати, з рідного краю, пустив по світу волоцюгою* (Н.-Лев.); *Бачите, бачите, сусідо? Сидить собі і ні гадки, ані думки, йому байдуже, що, може, і хату спалять, і хазяйство пограбують, і старцями по світу пустять. Йому все байдуже, аби кисет був повний* (Тют.); *Якого тільки лиха тут не накликав пан на мужицькі голови: і вижене вас з ваших грунтів, і оренду висудить, і старцями по світу пустить. То нащо, ласкавий пане, за один раз так багато зла робити?* (Стельмах). **пускати поміж люди.**— *Виоремо тебе, ниво, обсіємо. Не зерно, а серце своє вкладемо в тебе, щоб зародила ти нам щастя, щоб не пускала ти поміж люди старців і старчат* (Стельмах).

2. Доводити до зубожіння, злиднів. [М о л о д и ц я:] *Голова, бодай вона йому* [чоловікові] *луснула, як наробила мені отакого клопоту! Сам без вісті забіг, а мене з малими діточками по миру пускає* (Мирний). П о р.: **пускати з торбою.**

пускати / **пустити сльозу (сльози).** 1. Плакати. *Компаньйонка баронеси підпирала сидячого Швейка і також пускала сльози* (Гашек, перекл. Масляка); *От хай хтось хоч найменше словечко* похвали викаже на його [Потопальського] адресу, одразу ж, як віск, розтопиться його душа, і вже він готовий сльозу пустити, готовий цілувати того, хто сказав те добре слово (Збан.).

2. Жалітися кому-небудь, викликаючи до себе співчуття. *Та сльозу пустив Невмій: — Я не вмію працювати, Це говорить навіть тато* (Стельмах); *У робочому фартусі, з кельмою в руці спускається з свого ангара, питає моряка зацікавлено: — Про що це тобі Яцуба там наливав? За дочку все? Мабуть, і сльозу пустив?* (Гончар).

пуска́ти / пусти́ти черво́ного пі́вня *кому.* Підпалювати що-небудь, викликати пожежу з метою розплати, помсти. *Не раз скривджені графські наймити й сільська біднота оголошували страйки, пускали червоного півня в панські фольварки* (Хлібороб Укр.); *— Хай-но тільки зачепить [пан], ми йому покажемо, що таке Дике Поле та сиверські козаки! — Червоного півня пустимо* (Тулуб); *— Набридло,— визнав Кирило і лагідно сказав: — бачу, ви люди свої, правду сказати вам не гріх... Пустив би я червоного півня ігумену в маєток і на Низ Дніпра подався б...* (Рибак). **пусти́ти пі́вня.** *— Хай тільки одбере [пан діда]... Я йому такого пущу півня!.. грізно каже Чіпка. Дід аж не стямився.— Схаменись* (Мирний).

пуска́ти / пусти́ти ша́пку по кру́гу. Збирати гроші з присутніх, підставляючи шапку. *За вантажницьким звичаєм, пустили портовики шапку по кругу і на зібрані гроші підкупили капітана англійського судна* (Гончар).

пуска́ти / пусти́ти шпи́льку (шпильки́), стрілу́ (стрі́ли). Говорити кому-небудь щось дошкульне, неприємне; робити ущипливе зауваження і т. ін. *Інколи.. його просто гедз нападав — і тоді він ставав нестерпучим, пускав Раїсі шпильки, глузував з її екзальтації* (Коцюб.); *Лагунський поставив кісточку, але гра розладналась. Лагунська уїдливо то пускала шпильки на його адресу, то сердилась на Рязанцева, що невміло підтримував її своїми ходами* (Коцюб.); *Тритузному тільки й лишається, що час від часу пускати.. стріли своїх сарказмів.— Оце ж вам і хвеномен ...Оце вам і з живчиком та з перчиком,— кидає він, не озираючись* (Гончар); *Христина пустила шпильку Бородавкіній. Бородавкіна втямила це. Її брови насупились, і між ними мигнули легенькі зморшки* (Н.-Лев.); *Їй так і кортіло пустить якусь чергову шпильку на адресу Лебедя* (Баш). **підпусти́ти шпи́льку.** *Грушевський з насолодою підпустив Шептицькому цю шпильку. Він натякав на повстання строкових у карпатських маєтках графа Шептицького* (Смолич); *Вона перемогла себе, щоб не підпустити шпильки о. Несторові* (Фр.). А н т о н і м: **ма́зати ме́дом ре́чі.**

пуска́ти юшку *див.* пустити.

ПУСКА́ТИСЯ: пуска́тися на дно *див.* опускатися; ~ **на свої кри́ла** *див.* пуститися.

пуска́тися / пусти́тися бе́рега. 1. Занедбуючи себе, порушувати загальноприйняті норми суспільної поведінки; розбещуватися. *Володю не цікавлять події в інтернаті й труднощі Ліди. Йому видно одне: вона мало буває вдома. Він розбещується, пускається берега* (Літ. Укр.); *Чіпка — наче таке собі діло вигадав — кожнісінький день гуля та гуля... Зовсім пустився берега...* (Мирний); *Мав цей маляр якийсь хист у роботі, але, видно, вже зовсім пустився берега* (Ів.).

2. Втрачати спокій, холоднокровність, рівновагу від хвилювання, страху, сорому і т. ін. *А гірше ще його злякало, Як щось у очах засіяло, От тут-то берега пустивсь; А послі [потім] дуже удивився [здивувався], Як під кислицей [кислицею] опинився* (Котл.); *Пам'ятала [Надійка] лиш якесь вихрування перед очима... Шалений струс серця, удар крові в обличчя, знову шум у скронях і... Вже вона була внизу, стояла, не здаючи собі справи, остаточно пустившись берега, перед Сидором Сидоровичем* (Коз.).

3. Робити що-небудь по-своєму, відповідно до власного бажання, розуміння, уподобання. *Ми спробували його спочатку натяками вговорити. Але він уже пустився берега і нікого не слухав* (Коз.); *Хоч я не шліфував покірності перлину І тягаря гріхів з плечей своїх не скину, Все ж не пускаюся я берега надії, Бо тільки істину я визнаю єдину* (Мисик).

4. Вигадувати, уявляти собі те, чого немає і не було. *Я, пригадуючи оповідання нашого полісовщика, одчайдушно пускаюся берега.— До нашої свинки унадився веприк. Тільки звечоріє, а він уже хвіст бубликом* (Стельмах); *— Оце так,— промовив він здивовано.— Що ж це я скажу завбудинку? Та що б не сказав... І він пустився берега своєї нестримної фантазії, забувши про всі неприємності* (Мик.).

пуска́тися / пусти́тися ду́ху. 1. *заст.* Помирати. *Схватив його за чуб рукою, Меч в серце засадив другою, Волсент і духу тут пустивсь* (Котл.).

2. Пришвидшувати біг (перев. про коней). *Коні біжать, духу пускаються, а він все свариться: чого помалу їдеш?* (Свидн.); *Саме з горбочка спустились і коні пустилися духу.. Трр! натягав цупкі віжки Степан: ..Іч, як згори — так біжить, як опечена..!* (Тич.).

ПУСТА́: пуста́ голова́ *див.* голова; ~ **кише́ня** *див.* кишеня.

ПУСТЕ́: пусте́ ді́ло *див.* діло; ~ **мі́сце** *див.* місце.

ПУСТЕ́ЛІ: го́лос вола́ючого в пусте́лі *див.* голос.

ПУСТИ́Й: пусти́й ві́тер *див.* вітер; ~ **гамане́ць** *див.* гаманець; ~ **звук** *див.* звук; ~ **лоб** *див.* лоб; **тягти́ ~ но́мер** *див.* тягти.

ПУСТИМИ: з пусти́ми рука́ми *див.* руками.

ПУСТИНІ: гóлос волáючого в пустúні *див.* голос.

ПУСТИТИ: бýльки пустúти; і на поріг не ~; на óчі не ~ пáри з вуст *див.* пускати; не ~ пáри з вуст *див.* випустити; ~ віц; ~ в лю́ди *див.* пускати.

пустúти в непáм'ять *кого, що.* Забути кого-, що-небудь.— *Я пущу все в непам'ять. А як вони [опришки] не послухають.., то певно попадуть на шибеницю* (Хотк.); *Коли царський уряд вживав усіх заходів, щоб пустити в непам'ять українського поета, його слова й популярність в народі зростала, ім'я Кобзаря України переростало в символ незламного борця за народну славу* (Рад. літ-во).

пустúти в óчі дим; ~ **в розхíд;** ~ **в хíд** *див.* пускати; ~ **гадю́чку** *див.* закидати; ~ **грунт з-під ніг;** ~ **дур;** ~ **дýшу на покýту** *див.* пускати.

пустúти жукá *кому.* Завдати кому-небудь прикростей.— *Він може нам нашкодити,— міркую голосно.— Не зможе. Я йому такого жука пущу, що ураз заціпить* (Кач.).

пустúти [з] дúмом ([з] вогнéм, з вітром і дúмом). Знищити вогнем; спалити. [С т а с ь:] *Він [Кармелюк] ще, кажуть, нахвалявся перепороть різками всю комісію і димом пустити всі їх папери* (Вас.); *Через Федора Рубанця комітет дізнався, що бандерівці готують у селі Рудниках різню поляків, а заразом мають намір пустити з димом загальний колгоспний двір* (Д. Бедзик); *Ой чия то хата скраю, що я її не знаю? Або її вогнем пущу, або розстріляю* (Укр.. пісні..); *Проклятий фашист все село під небо з вогнем пустив* (Коп.); *Дорош обкульгав згарище.. і зняв кашкет. «Невже самі люди, що це творили, пустили з вітром і димом?»* (Тют.). **дúмом за вітром пустúти.**— *Та йому [панові] й ногою на нашу землю не дати ступити. Кубло димом за вітром пустити!* (Головко). С и н о н і м: **пустúти за вітром** (у 3 знач.).

пустúти з душéю; ~ **з тóрбою;** ~ **корíння;** ~ **манý;** ~ **мúляну бáньку;** ~ **на вíтер;** ~ **нуркá;** ~ **óко;** ~ **óчі;** ~ **півня;** ~ **під меч** *див.* пускати.

пустúти під ніж *кого.* Винищити порізавши. *Вдрались у село поганці-фашисти. Розграбували артіль, корів під ніж пустили* (Літ. Укр.).

пустúти під укíс *див.* пускати.

пустúти під шум *кого.* Позбавити життя когонебудь.— *Лучче б я тебе під шум пустила, ніж мала отак видавати [заміж]! Будеш, Ганю, безталанна,— не кляни, серце, своєї матері!* (Н.-Лев.).

пустúти пóгляд; ~ **поголóску;** ~ **по кóлу** *див.* пускати.

пустúти / пускáти в дíло. Застосувати, вжити що-небудь з користю. *Марина .. казала: — Бач, якби не я, то ви б і не догадалися горіле [борошно] в діло пустити! А тепер як літа діждемо, назад добрим вернемо* (Мирний).

пустúти (розвíяти, розмáяти і т. ін.) за вíтром.

1. *з сл.* **грóші, цíнності** *і т. ін.* 1. Марно витратити (перев. легковажно). *Одержали [хлопці] першу зарплату і ... за три дні гроші пустили за вітром* (Літ. Укр.); *Павлюк із Завірюхою.. воліли б ті здобутки розвіяти за вітром* (Горд.). **розмáяти по вíтру.** *Але в житті і я свій, може, хист (Коли він є) по світу не розмаю...* (Рильський). П о р.: **пустúти на вíтер** (у 1 знач.). С и н о н і м и: **вúкинути на вíтер; местú від ворíт.** А н т о н і м и: **местú до ворíт; гребтú під сéбе.**

2. Не доглянути, не зберегти кого-, що-небудь.— *Хвалився [старий] якось: «Ось привезуть курчат, збережеш усіх, поки не виростуть, баян тобі восени забезпечений. А пустиш за вітром, начувайся...»* (Добр.).

3. Знищити вогнем; спалити. *Андрій нахилився старому до вуха, спитав таємниче: — А що якби і їх [уланів] отак? Щоб і їхні фільварки пустити за вітром?* (Д. Бедзик). С и н о н і м: **пустúти дúмом.**

пустúти сльозý *див.* пускати.

пустúти собí кýлю в лоб (в лóба, в гóлову, в скрóню). Застрелитися. *В бурхливому каятті він ладен був пустити собі кулю в лоб* (Ю. Бедзик); — *Да, коли б от немає сталося — всі діти вимерли за одну ніч на всій землі, ..я б, мабуть, на ранок пустив би собі кулю в голову* (Головко); *Я поки й віку, не збагну, як Ничипір Безхлібний міг у тридцять шостому році пустити собі кулю в скроню!* (Тихий).

пустúти (спустúти) / рідко пускáти (спускáти) юшку (кров, мáзку) [з нóса] *кому, рідко з кого.* Дуже побити кого-небудь, завдаючи ран, або вбити когось.— *Покиньмо кров врагам пускати. Пора нам відсіль уплітати,— Низ Евріалові сказав* (Котл.); *«Насамперед треба йому пару разів затопити в пику,— думав поручик,— потім пущу йому юшку з носа, відірву вуха, а далі — побачимо»* (Гашек, перекл. Масляка); — *Як тебе, Левку, скалічили.— Не плач. Пустили пани тобі юшку, ну та ще будем з них робити м'ясо* (Стельмах); — *Що,— каже,— пожив по-людському, обмінив кров? От нехай пущу йому кров з носа, тоді побачу, яка вона в нього тепер* (Коцюб.); [Ш м е т е л ю к (схоплюється):] *Я не той, за кого я себе видаю! Я авантюрник? Не гідний бути в комсомолі? Я тобі кров пущу за такі слова!* (Мик.); — *Знову, значить, підіймають [пильщики] голову,— нахмурився Гаркуша.— Мало їм у п'ятому крові пустили...* (Гончар); *Кур"іпка помітила, що Півні й між собою б'ються, аж поки не спустять кров один одному* (Езоп, перекл. Мушака); — *Я йому спустив кулаками чимало мазки* (Н.-Лев.).

пустúти тумáн; ~ **червóного півня;** ~ **шáпку по крýгу;** ~ **шпúльку** *див.* пускати.

ПУСТИТИСЯ: пустúтися бéрега *див.* пускатися.

пусти́тися в ледащо. Стати безпутною, легковажною людиною. *Батьки, які синів не вчили, .. Кипіли в нефті [нафті] в казанах; Що через їх синки в ледащо Пустилися, пішли в нінащо* (Котл.).

пусти́тися ду́ху *див.* пускатися.

пусти́тися (зійти́) / пуска́тися (сходити) на пси. 1. Втратити своє добро, повагу до себе, добре ім'я, зовсім зубожіти, знікчемніти.— *По мойі смерти* [смерті] *пустить* [Броніслав] *усе моє добро за один рік та й піде в світ блукаючи або пуститься на пси* (Фр.).

2. Втратити свій колишній вигляд, своє значення; занепасти. *Тепер наш Борислав зовсім на пси зійшов!* (Фр.). С и н о н і м: **сходити наніве́ць.**

пусти́тися на дно *див.* спускатися.

пусти́тися / рідше пуска́тися в забрі́д, *ірон.* Не стриматися у виявленні своїх почуттів, настрою і т. ін. *Там* [в гаремі] *зроду жевріє любов, І як порою запалає, То з толку хоч кого збиває, Се і Знеможенко дознав: Ет, як мудривсь, стерігся, штився, А все-таки в забрід пустився* (Укр.. поети-романтики..).

пусти́тися / пуска́тися на свої кри́ла. Почати самостійно діяти, турбуватися про себе на власний розсуд. *Сів на могилу* [син] *й думає, що тепер робити? Чи йти до школи й далі чи пуститися уже на свої крила?* (Три золоті сл.).

ПУСТИТЬ: слину пу́стить *див.* пускає.

ПУСТО: в кишені пу́сто [аж гуде́] у кого. Хто-небудь зовсім не має грошей. *«Згадай, який прийшов до мене, Що ні сорочки не було; І постолів чорт мав у тебе. В кишені ж пусто, аж гуло»* (Котл.). С и н о н і м и: **вітер у кише́нях** (у 2 знач.); **порожня кишеня; пустий гамане́ць; копійки нема́ за душею.** А н т о н і м и: **по́вна кишеня; набитий гамане́ць.**

хай (бода́й, щоб) тобі (йому, вам *і т. ін.)* [бу́де] пу́сто!** Уживається для вираження недобрих побажань, невдоволення, осуду.— *Матерія гарна, а пошита — мішок мішком. Проклята швачка, щоб їй пусто!* (Л. Укр.); *Загинуть зуби ваші, Не з'їсте тоді і каші, Не кажу вже про капусту, Хай вам, зайче, буде пусто!* (Стельмах). **бода́й їм сім раз на день пу́сто!** *А бодай їм, божевільним, Сім раз на день пусто!* (Манж.).

ПУСТОГО: перелива́ти з пусто́го в поро́жнє *див.* переливати.

ПУСТОМУ: на пусто́му місці *див.* місці.

ПУСТОЮ: з пусто́ю кише́нею *див.* кишенею.

ПУТА: лама́ти пу́та *див.* ламати; **~ Гімене́я** *див.* ланцюги; **рва́ти ~** *див.* рвати; **розбива́ти ~** *див.* розбивати.

ПУТІ: збива́тися з путі́ *див.* збиватися.

ПУТІВКА: путі́вка в життя́. Те, що відкриває кому-, чому-небудь дорогу до чогось, дає можливість зайняти певне становище у суспільстві. *Я вас завжди любитиму, бо ви мені дали путівку в життя* (Ю. Янов.); *Буковинський ансамбль дає путівку в життя пісням сучасних композиторів* (Мист.); *Уже сьогодні дістає путівку в життя великовантажний самоскидний автопоїзд у складі тягача і причепа загальною вантажопідйомністю двадцять шість тонн* (Наука..).

ПУТНЬОГО: не ва́ртий пу́тнього сло́ва *див.* вартий.

ПУТТЯ: без пуття́. Даремно, марно, не так як слід. *Дарка з Улянкою кинулись до роботи. З поспіху, а то з перестраху Улянка спотикалась і розсипала без пуття пісок* (Л. Укр.); *Навіщо мучусь я і скнію без пуття!* (Рильський); *Під кашкетом сторч, скуйовджено і без пуття вихрилося препаскудне руде волосся* (Смолич). А н т о н і м: **до пуття́.**

дово́дити до пуття́ *див.* доводити.

до пуття́. Добре, як слід, достеменно. *Молодиця не вміла до пуття спекти хліб та паляниці* (Н.-Лев.); — *Чого з язика не зірветься, коли не вмієш до пуття говорити* (Стельмах); *Кожне село мало своїх утікачів, а звідки вони були — чи з Польщі, чи з Волині, ніхто до пуття не знав* (Сліс.). А н т о н і м: **без пуття́.**

дохо́дити до пуття́ *див.* доходити; **збива́ти з ~** *див.* збивати; **зби́тися з ~** *див.* збитися; **з ~ спи́тися** *див.* спитися; **наставля́ти на ~** *див.* наставляти; **не бу́де ~** *див.* буде.

ні пуття́ ні ла́ду. Що-небудь позбавлене логіки, змісту і т. ін. [Я в д о х а:] *От бачите: як я вигадала — то всім весело, а то розпочали свою бесіду — ні пуття їй ні ладу* (Мирний). С и н о н і м: **ні ла́ду ні скла́ду** (в 2 знач.).

ПУТЬ: верста́ти путь *див.* верстати; **виво́дити на ~ пра́ведну** *див.* виводити; **вируша́ти в оста́нню ~** *див.* вирушати; **держа́ти ~** *див.* держати; **наставля́ти на ~** *див.* наставляти; **поверну́ти на ~ пра́ведних** *див.* повернути; **проводжа́ти в оста́нню ~** *див.* проводжати; **проклада́ти ~** *див.* прокладати.

ПУХ: в пух і прах. 1. з сл. р о з б и в а́ т и, р о з б и́ т и. Вщент, остаточно. *Ми ворога-ворона на кожній території знищимо — розіб'ємо в пух і прах* (Герас.).

2. з сл. р о з н о с и т и, р о з н е с т и́. Дуже, сильно. *Розчервонівшись, немилосердно кублячи вже не дуже й пишну кучму, «головний» когось розносив у пух і прах по телефону* (Збан.); — *Рознесуть нас, Тарасе Демидовичу, на зимовій конференції,— шкріб гостре підборіддя Шухновський.— Рознесуть в пух і прах* (Збан.).

тільки пух полети́ть. Безжалісно, немилосердно. *Діставши прочухана від Гриценка, він* [Іван] *крикнув йому: «Обшарпанець ти, і батько в тебе тільки Крути-Гаврило, а мій — начальник, кишне твого старого чорта з роботи, тільки пух полетить»* (Сенч.).

ПУХА: ні пу́ха ні пера́ *див.* пуху.

ПУХИ: доби́ти до пухи́ *див.* добити.

ПУХЛОГО: за пу́хлого ду́шу *див.* душу; **чо́рта пу́хлого** *див.* чорта.

ПУХЛУ: за пу́хлу ду́шу; ні за ∼ ду́шу *див.* душу.

ПУХНЕ: голова́ пу́хне *див.* голова.

ПУХНУТЬ: аж ву́ха пу́хнуть *див.* вуха.

ПУХОМ: земля́ пу́хом *див.* земля; **ри́б'ячим** ∼ **підби́тий** *див.* підбити.

ПУХУ: не з за́ячого пу́ху. Небоязкий, хоробрий, сміливий.— *Ну, от що. Ти мене не лякай. Я не з заячого пуху* (Тют.). С и н о н і м и: **не полохли́вого деся́тка; не з полохли́вих.**

ні пу́ху (пу́ха) ні пера́. Усталена форма побажання удачі, успіху в якійсь справі, в чому́-небудь. *Берестовський поліз у кабіну.— Ні пуху вам ні пера,— побажала йому Варвара* (Перв.); *[Рогуля (до директора):] Ну, ні пуха вам ні пера. Коли молодь вас підтримає— ви на коні* (Мур.). С и н о н і м: **ні луски́ ні за́бри.**

ПУЧКА: як пу́чка, з сл. г о́ л и й. Дуже бідний, убогий. *Голий, як пучка* (Номис).

ПУЧКАМИ: ру́чками та пу́чками *див.* ручками.

ПУЧКИ: оберну́ти круг пу́чки *див.* обвести.

ПУЧКОЮ: і пу́чкою не торкну́ти *див.* торкнути; ∼ **не доторка́тися** *див.* доторкатися.

ПУЧОК: з пу́чок [та з ру́чок]. Власною тяжкою працею. *Із пучок та з ручок живе* (Номис); *Ми хоч бідні, але чесні. Хоч живемо з пучок, проте і для нас є місце в церкві* (Коцюб.); *Батько розгнівався: «Я господарство теє з ручок та з пучок збирав, а ти будеш його руйнувати»* (Чорн.). П о р.: **ру́чками та пу́чками.**

як свої́ п'ять пу́чок *див.* п'ять.

ПУ́ШКУ: бра́ти на пу́шку *див.* брати.

ПУШКУ́: ри́льце в пушку́ *див.* рильце.

ПХАЄ: го́рлом пха́є *кому, безос.* Хто-небудь дуже багатий, заможний. *Багач так має, аж йому горлом пхає, а бідняк лиш слинку ковтає* (Укр.. присл..).

ПХАТИ: пха́ти в домови́ну *див.* класти; ∼ **но́са** *див.* встромляти.

пха́ти вік (біду́, життя́). Жити погано, бідувати. *Так свій вік пхає, як з моста та в воду* (Номис); *Вдова-мати з дочкою зараз пхають біду заробітками в пральні солдатської білизни* (Коз.); *Він дійсно вернув назад до Галичини, ..пхав з дня на день нужденне життя, давнє щастя утекло* (Ков.).

ПХУ: пху на те́бе *див.* тьху.

ПШИК: зроби́ти з ле́меша пшик *див.* пшик.

ПШОНО: потовкти́ на пшоно́ *див.* потовкти.

П'ЮТЬ: не до те́бе п'ють *див.* п'ється.

П'ЯВКА: як п'я́вка кри́кне. Уживається для вираження повного заперечення змісту слова; зовсім не буде. *Тоді то буде, як п'явка крикне* (Укр.. присл..). С и н о н і м и: **як рак сви́сне** (в 1 знач.); **як бабак сви́сне; як ви́росте трава́ на помо́сті.**

П'ЯВКИ: як (мов, ні́би *і т. ін.*) п'я́вки за се́рце ссуть *кого.* Кому-небудь дуже погано. *За серце — мов п'явки ссуть, у грудях глухо і сухо, та жарко...* (Мирний).

П'ЯВКОЮ: впива́тися п'я́вкою в се́рце *див.* впиватися.

П'ЯДЬ: ні на п'ядь, з сл. н е в і д с т у п а́ т и, н е в і д х о́ д и т и *і т. ін.* 1. Нітрохи, ніскільки. *Тут кожен п'ять разів загине, А не відступить ні на п'ядь* (Павл.). 2. Нікуди. *Від матері ні на п'ядь і ні з ким вже ніґде не водилась [Оксана] і не зналась* (Кв.-Осн.). С и н о н і м: **ні на крок** (у 2 знач.).

П'ЯНИЙ: як (мов, ні́би *і т. ін.*) п'я́ний. 1. Хто-небудь перебуває у стані напівсвідомості, запаморочення. *[Маруся:] Чи ти знаєш, Марто, що я сеї ночі й очей не закривала? З самого досвітку ходжу та плутаюсь, як п'яна* (Вас.); *Мчить Андрій, мов п'яний, у посвисті куль, у шабельному блиску* (Довж.). 2. з дієсл. Безладно. *Ідуть колонами, хитаючись, як п'яні, німецькі загони* (Довж.); *Писав [Йосип] — куди краще від самого дяка, у того літери мов п'яні, то сюди, то туди порозхилялися* (Мирний).

П'ЯНИХ: з п'я́них оче́й *див.* очей.

П'ЯТ: до п'ят *див.* п'яти; з голови́ до ∼ *див.* голови.

П'ЯТА: п'я́та коло́на *див.* колона; **як соба́ці** ∼ **нога́** *див.* нога.

П'ЯТАК: за п'ята́к (за п'ятака́): 1. з сл. п р о д а в а́ т и, п р о д а в а́ т и с я *і т. ін.,* зневажл. Не вагаючись, з готовністю. *Вчинків його славних люди не зазнали. Драгів [друзів] мав, і за п'ятак продати* (Граб.); *Кому тільки вони [отамани] не продавалися за п'ятака самі й не продавали многостраждницьку Україну?!* (Вишня). 2. Даром, марно. *Одні невмиті, .босі й голі на смерть ідуть за п'ятака* (Сос.). **за зла́маний п'ята́к.** *Так усе майбутнє і минуле Пропаде за зламаний п'ятак* (Перв.).

на п'ята́к. Зовсім мало, небагато. *Придививсь пічник-мастак: Тяга йде не дуже,— Діла цього — на п'ятак, Любий ти наш друже...* (Мал.).

па́ра п'ята́к *див.* пара; **ціна́ — п'ята́к** *див.* ціна.

П'ЯТАКА: не ва́ртий п'ятака́ *див.* вартий; **як** ∼ **дав** *див.* дав.

П'ЯТАКИ: розмі́нювати на п'ятаки́ *див.* розмінювати.

П'ЯТАМИ: накива́ти п'ята́ми *див.* накивати; **перемі́ряти го́лими** ∼ **світ** *див.* переміряти.

П'ЯТАХ: гна́тися по п'ята́х *див.* гнатися; **похоло́нуло у** ∼ *див.* похолонуло.

П'ЯТЕ: п'я́те ко́лесо до во́за *див.* .колесо.

п'я́те [хоч] че́рез деся́те. 1. Не все підряд, вибірково. *Денис брав книжки од батюшки, з неохотою читав п'яте через десяте* (Н.-Лев.);

І знов.. силкувався Якимко постерегти тяму тієї чудної для українця мови, і знов він постерегав тільки п'яте через десяте! (Н.-Лев.); [Максим:] *Коли б.. ви по-нашому, по-простому балакали, .. то, може б, і я розумів там що п'яте, хоч через десяте* (Кроп.).

2. Не повністю, плутано. *Касій п'яте через десяте розповів йому правду* (Мик.).

3. Дещо, трохи. *Почав [Плужник] розпитувати: давно з колгоспу?.. Що там?.. Аж засмутився, що студент знає тільки п'яте через десяте, і то з листів* (Грим.).

4. Поспіхом, похапцем. *Поснідавши п'яте через десяте, Микола одягнувся, вхопив ранець з книжками і вибіг з хати* (Гжицький).

як п'я́те ко́лесо до во́за *див.* колесо.

П'ЯТИ: [аж] по [са́мі] п'я́ти; [аж] до [са́мих] п'ят. Дуже довгий.— *Дозволь мені, мати, Дівчину узяти, Що у неї русі коси Аж по самі п'яти* (Дмит.); *У двері просовується якась дивовижна фігура. Щось цибате, в довгій, аж до п'ят, свитині невиразного якогось кольору* (Хотк.).

аж п'я́ти губи́ти *див.* губити; **би́ти у ~** *див.* бити; **врі́зати ~** *див.* врізати; **дух у ~ хова́ється** *див.* дух; **душа́ в ~ тіка́є** *див.* душа; **заганя́ти ду́шу в ~** *див.* заганяти; **куса́ти за ~** *див.* кусати; **лиза́ти ~** *див.* лизати; **ма́зати са́лом ~** *див.* мазати; **насіда́ти на ~** *див.* насідати; **наступа́ти на ~** *див.* наступати; **пекти́ ~** *див.* пекти; **під ~ пече́** *див.* пече; **пока́зувати ~** *див.* показувати; **~ сверблять** *див.* ноги; **у ~ б'є** *див.* б'є.

П'ЯТИ: без п'яти́ хвили́н *див.* хвилин.

П'ЯТИХ: з п'я́тих рук *див.* рук.

П'ЯТКИ: душа́ в п'я́тки тіка́є *див.* душа; **ма́зати ~ са́лом** *див.* мазати.

П'ЯТНИЦЮ: як середа́ на п'я́тницю *див.* середа.

П'ЯТНИЦЬ: сім п'я́тниць на ти́ждень *див.* сім.

П'ЯТОЮ: під п'я́тою *у кого, чиєю, з сл.* бу́ти, сиді́ти, перебува́ти *і т. ін.* 1. У залежності від кого-небудь. *Був же [Степан] такий тихий та боязкий, вічно під п'ятою у своєї Соломії сидів, а це бач як вирвався наперед* (Кучер).

2. Під гнітом, утиском кого-небудь. *Західна Україна, Північна Буковина і Закарпаття перебували під п'ятою іноземних поневолювачів* (Прапор ком.); *Разом з холодною зимою 1878 року спливла інша зима — зима майже п'ятивікового перебування [болгарського народу] в турецькій неволі, під п'ятою султанів, пашів* (Образотв. мист.).

П'ЯТЬ: ні в дві ні в п'ять *див.* дві.

ні в п'ять ні в де́в'ять (де́сять), *з сл.* ста́ти, стоя́ти *і т. ін.* Знітившись, розгубитися. *Доктор стояв, як то кажуть, ні в п'ять ні в дев'ять* (Фр.); *Пани регочуться, мужики поставали, ні в п'ять, ні в десять. Вони поспускали голови і не знають, що діяти* (Стеф.). С и н о н і м: **ні в дві ні в три** (в 1 знач.).

як свої́ (свої́х) п'ять па́льців (пу́чок), *з сл.* зна́ти, ви́вчити, затве́рдити *і т. ін.* Дуже добре, досконало. *Думав [Максим]: що в тих москалях? аж воно одна тобі муштра.. Так затвердив, як свої п'ять пальців* (Мирний); *Він знав місто і прилеглі райони, як свої п'ять пальців* (Хижняк); *Санаторці — хитрющий народ, не довго тут жили, а норов кожного як свої п'ять пальців вивчили* (Збан.); *Товариство закликало мене до коша, бо я всі гирла, як свої п'ять пучок, знаю* (П. Куліш). **кра́ще за свої́ п'ять па́льців.** *Шахту знав [Кучугура] краще за свої п'ять пальців* (Чорн.). С и н о н і м: **як вла́сну доло́ню.**

Р

РАБ: раб бо́жий, раба́ бо́жа, *жарт., ірон.* Людина взагалі. *Схопили сердешного Левка. Зараз рабу божому руки поясами зв'язали і ноги спутали, щоб не побіг та не втік* (Кв.-Осн.); *Погляд .. наче говорив: «Ти, чоловіче, не намагайся таїтися, викладай душу відразу, бо однаково раба божого розкушу»* (Голов.); *Вікентій з співчуттям запитав [у Мар'яна Поляруша], де він тепер живе,.. згадав добрим словом рабу божу Фросину* (Стельмах); // Звичайна людина. *Одного разу і мене — раба божого — командир у курінь свій закликав* (Баш).

РАБА: раба́ бо́жа *див.* раб.

РАДА: ра́да в ра́ду. Спільно обговоривши яке-небудь питання, що-небудь.— *Треба нам [птахам] вислати на звідини до ворожого табору, щоб ми знали, хто у них генерал.. Рада в раду, вислали Комаря, бо сей найменший і найхитріший* (Фр.); *Рада в раду, та й порішили їхати* (Боккаччо, перекл. Лукаша).

РАДИ: ра́ди Бо́га *див.* Бога.

РАДИЙ: дідько ра́дий *див.* дідько.

ра́дий (рад, ла́дний ла́ден *і т. ін.***) [би] не́бо (не́ба, со́нце) прихили́ти (нахили́ти)** *кому, для кого і без додатка.* Хто-небудь готовий зробити для когось більше, ніж це можливо. *Рад би я небо прихилить, та не хилиться* (Укр.. присл..); *Гірко було Маланці. От, зростала дитину, берегла, доглядала. Рада була неба їй прихилити та зорями вкрити, а тепер оддай між люди на поневіряння* (Коцюб.); [Косяк:] *Оленько, кохана моя. Та я радий для тебе сонце прихилити*

(Зар.); *Батько з матір'ю .. для одиначки .. ладні нахилити неба, тільки б вона рук не доклала, тільки б не натомилась* (Гуц.).

ра́дий (рад) [чи] не ра́дий (не рад). Незалежно від бажання, всупереч усьому. *Коли вже зовсім непереливки, тоді вихід один: кидати хату та їхати вслід за синами. До невісток та онуків. Раді не раді, а приймайте до гурту* (Дім.); — *Веди, старий, зараз мою дівку на службу туди, куди свою водив.. Дід рад не рад, а бере та й веде бабину дівку в той ліс, що свою відвів* (Укр.. казки, легенди..).

чорт ра́дий *див.* чорт.

РАДІЄ: душа́ раді́є *див.* душа.

РА́ДІСТЬ: діли́ти го́ре і ра́дість *див.* ділити.

соба́ча ра́дість, *жарт.* Дуже дешева ковбаса найнижчої якості. *Через нестатки часто доводилось обідати бутербродами з собачою радістю.*

така́ ра́дість, така́ ра́дість, *ірон.* Уживається для вираження нещирого задоволення з приводу чого-небудь.— *Така радість, така радість бачити пана,— хоча заочі на цього пана Никанор махає рукою і зневажливо кричить одне слово: «Ет!»* (Стельмах).

РАДІ́ТИ: раді́ти душе́ю (се́рцем). Відчувати насолоду, втіху і т. ін. від чого-небудь.— *Наймись у нас дитину доглядати,— кажуть їй, а вона й душею радіє* (Вовчок); *Тато чує це [лепетання дитини], дивиться на дитину крізь вії й серцем радіє...* (Мирний). П о р.: **душа́ раді́є.**

РА́ДОСТІ: з яко́ї ра́дості? Чому, з якої причини, для чого.— *Хочете, щоб і мені піднесли печеного чи сирого гарбуза. Батько засміявся: — Дурний, тобі не піднесе.— І чого це за якої радості? Може, я багатший за тих, що сватались до неї?* (Стельмах). **на яки́х це ра́дощах?** *Аж перед світом приплівся Чіпка додому.. Як глянула Мотря на його, то й перелякалася.— Що це, сину?.. на яких це радощах?* (Мирний). П о р.: **з яко́ї ре́чі?**

РА́ДОЮ: з ра́дою душе́ю *див.* душею.

РА́ДУ: дава́ти ра́ду; дава́ти собі́ ∼ *див.* давати.

РАДУВА́ТИ: ра́дувати / пора́дувати о́ко (зір) чий, кого і без додатка. Приємно вражати, вабити кого-небудь своїм виглядом. *А далі на північ — хліба й хліба, смагляві густі пшениці, що навіть юне десятикласницьке око радують своїм повноколоссям* (Гончар); *Тече Псьол... Тече, на сонці вилискує, землю поїть, ліси годує і око радує..* (Вишня); *Вона, певно, всі свої риси передала цій великоокій дівчинці, яка, очевидно, теж не буде високою і не станом, а обличчям порадує людські очі* (Стельмах); // Милуватися виглядом кого-, чого-небудь. *Знає вона й те, що Олексій Іванович так любить свого сина. А коли любить, то чому йому на нього не подивитися, не порадувати очей* (Мирний). С и н о н і м и: **милува́ти о́ко** (в 2 знач.); **ласка́ти о́ко** (в 2 знач.); **ті́шити о́ко; чарува́ти зір.**

РАДУ́ЄТЬСЯ: душа́ ра́дується *див.* душа.

РАЗ: в са́мий раз. 1. Якраз, вчасно. *Мати його обох чоловіків пережила, а ще здавалась наче молодою, ще б заміж в самий раз іти* (Григ.).

2. Так, як потрібно, добре. *Коли б у нього була зайва сорочка або, скажімо, валянці — вони довго не втримались би в хаті, адже мав чимало друзів, яким би та сорочка чи взуття прийшлося в самий раз* (Збан.); *Як подивлюсь на твоє господарство, все в тебе виходить в самий раз: ти машинерію любиш, а жінка землі дає лад не гірше за якогось господаря* (Стельмах).

3. Такий, як треба. *Треба, щоб у кожної людини одяг був у самий раз.* **са́ме в раз.** *Коваль завжди має пильнувати свого заліза, щоб воно у горні не перепалилося, і недоплавилося. А щоб було саме в раз* (Кучер).

в сто (в ти́сячу і т. ін.) раз (разі́в). Набагато, значно. *Душу неначе обвіяло якимись райськими пахощами, в сто раз приємнішими й солодшими за троянди та фіалки* (Н.-Лев.); *Люба мамочко!.. Я бачу, що я не вдвоє, а в сто раз краще устроєна тута!* (Л. Укр.); *Все святкувало, все стало прекраснішим в тисячу разів* (Хотк.).

за (в) оди́н раз. 1. Дуже швидко, за короткий час. *Хіба в земстві не ті люди, що й були?.. Хіба вони в один раз перемінилися?..* (Мирний). С и н о н і м: **за одни́м ма́хом** (у 2 знач.).

2. Зразу, за один прийом. *Довго крутив Йонька той шматочок сала з усіх боків та прицмокував і вирішив з'їсти за один раз* (Тют.). П о р.: **за одни́м ра́зом.** С и н о н і м и: **з ма́ху** (у 1 знач.); **одни́м ма́хом** (у 1 знач.); **за одни́м ма́хом** (у 1 знач.).

і́нший раз. Іноді, інколи, часом. *На віку, як на довгій нитці: інший раз шиєш, шиєш — і нічого, а як коли, то одразу починають вузли в'язатись* (Укр.. присл..); *Мірошник той Хомою звався, І був він чоловік такий, Що негаразд за діло брався; А інший раз Буває дорогий і час* (Гл.). П о р.: **і́ншим ра́зом** (у 2 знач.).

ко́жний (ко́жен, вся́кий) раз. Завжди, постійно. *І кожний раз на голос того співу Із мого серця квіти виростають* (Л. Укр.); *Ну, як вам розказать про Осінь ясноокую, як Кожний раз вона приходить на степи...* (Сос.); *Кожен раз, як Іван прокидавсь по обіді з припухлими трохи очима, блідим обличчям..— Кирило корчивсь якось та тікав з хати, щоб того не бачить...* (Коцюб.); *Паромщик їх щонайглавніший З Енеєм їздив всякий раз, Йому слуга був найвірніший — По-нашому він звавсь Тарас* (Котл.); *Унадився ж наш Василь до старого Наума що божий день: то діло було до коваля, то до бондаря.. приходив за ділом, та усякий раз зайде до Наума* (Кв.-Осн.). **ко́жного ра́зу.** *Заходячи до мінометників, замполіт кожного разу* *питав, чи зберігається в них той альпійський канат, з яким вони колись штурмували скелю* (Гончар).

на пе́рший раз. Для початкового стану; спочатку. *Всьому знає* [Галя] *лад дати. А що вона має лишнє там, то то ще краще. Буде об віщо на перший раз руки зачепити* (Мирний).

на цей (*заст.* **на сей**) **раз.** Зараз, тепер, у даний час, момент. *Простіть за короткий та безладний лист. На цей раз не можу з думок зібрати докупи* (Коцюб.); *Школа Кирилові Івановичу на сей раз як у пригоді стала* (Мирний); // *Знову. І на сей раз Мартоха через Гапку передала свій головний хатній обов'язок Дарці* (Л. Укр.).

не раз [**і не два**]. Часто, багаторазово. *І не раз мені здається, Що сиджу я у полоні І закута у кайдани Невидимою рукою* (Л. Укр.); *Не раз і не два марила Хима над цією думкою та звикла до неї* (Коцюб.); — *Пам'ятаєш, я не раз казав тобі перед війною про свою жадобу до життя?* (Довж.); *Не раз і не два Воронцов ішов у бойових порядках піхоти, коли було скрутно* (Гончар). **не раз, не два.** — *Я в пекло стежку протоптала, Я там не раз, не два бувала* (Котл.). **не раз і не двічі.** *Адже й він українець, і він патріот.. се доведено не раз і не двічі. Хто, як не він, ще за часів студентства вісім місяців висидів у в'язниці?..* (Коцюб.).

от тобі́ й раз! Уживається для вираження здивування, занепокоєння, незадоволення з приводу чогось небажаного, несподіваного, непередбаченого і т. ін. — *А за що продав* [хліб], *Чіпко? — Ні за що.. подарував.. — От тобі й раз! от і прогуляємо... чортового батька!.. — чухаючи потилицю, блеє Матня* (Мирний); — *А хто ж тобі давав розпорядження там пасти? — От тобі й раз!.. Хіба ж ви забули, як ми їхали степом і ви казали, що там сільрадівська толока і щоб я тамечки пас* (Тют.). С и н о н і м и: **от тобі на!; от. тобі ма́єш!; на́ тобі!; туди́ до ли́ха!**

раз, два і в да́мках, *фам.* Уживається для підкреслення швидкості виконання чого-небудь. *Розписуються! — в натовпі голосно зітхає Домка Стельмахова. — Наче в церкві.. — Де там! — гуде на неї Юхим Барило. — У церкві ж патлатий ще водить кругом табуретки, наче телят. А тут раз, два і в дамках...* (Кучер); — *Познайомтесь,— сказав заникуючись завземвідділом. — Товариш Тхір Методій Іванович.— Вам, Петре Петровичу, може, й товариш,— відказав Тхір.— Але не тим, хто гадає— раз, два і в дамках!* (Панч). С и н о н і м: **раз-два — і гото́во.**

раз-два (**раз-раз**) — **і** [**вже**] **гото́во** (**і кіне́ць**). Уживається для підкреслення швидкості виконання чого-небудь. *А як же воно із свобідного та усе зробилося князевим? — Та як?.. Воно легко робиться: раз-два й готово* (Хотк.); *Василь розв'язав вузлика і, не розгортаючи хустки, подав*

дідові. — От, бач, як воно означа,— молодість. Раз-раз — вже й готово (Хотк.); — *Чуєш, зараз мені погодись з жінкою,— обернувсь старшина до Гната,— щоб мені не було межи вами незгоди! В мене нема довго! Раз-два — і кінець* (Коцюб.).

раз-два і пої́хали. *Ні, щось тут у вас надто швидко вирішується. Раз-два і поїхали. Дивіться, щоб потім на такій же швидкості повертатись не довелося* (Собко). С и н о н і м: **раз, два і в да́мках.**

раз за ра́зом. 1. Ритмічно, послідовно, повторюючись. *Снаряди прогули при самій землі. Гармати гатили раз за разом по тому ж самому місці* (Гончар); *Він косив поваги, раз за разом махаючи косою і майже не відчуваючи її в руках, така вона була легка* (Тют.).

2. Один за одним. *Папа враз.. підбіг до вікна.. і раз за разом вистрілив* (Смолич). **за ра́зом раз.** *В пилу й гуркоті обози летять на схід за разом раз, і колобками по дорозі буханки котяться повз нас...* (Сос.).

раз [**і**] **наза́вжди** (*розм.* **наза́вше**). 1. До кінця, остаточно. *Сидів* [Платон] *у тяжкій задумі. Треба вирішувати, раз і назавжди покласти край оцим сумнівам, що ятрили його душу* (Зар.); *Робота з людьми — творча робота. В ній не може бути раз і назавжди встановлених прийомів* (Рад. Укр.); *Суспільно-історичні погляди Костомарова не були раз назавжди визначеними; вони змінювались, еволюціонували* (Вітч.); *Треба раз назавше признати, що серйозна праця для маси української неможлива, поки не буде в Росії політичної волі* (Драг.); *Дивиться* [Ясногорська] *на Маковея здивованим, нерухомим, раз назавжди зупиненим поглядом. Ось-ось ворухнуться напіврозтулені вуста, оживуть в тонкій посмішці, а рука потягнеться, щоб підвестись...* (Гончар). **раз назавсігди́.** *Повернувши літературу Росії раз назавсігди на дорогу реалізму, Гоголь послужив багато для скріплення літературного діла росіян північних і полудневих* (Драг.).

2. На весь час, навічно. *В яких би він відносинах не був до тебе, для мене він уже раз назавжди брат* (Л. Укр.); *Та сі вагання й муки переміг я, вони вже пережиті раз назавжди* (Л. Укр.); [Горе́цький:] — *От що, Славку, запам'ятай собі раз і назавжди: я за все своє життя не зробив нікому жодної підлості навмисне* (М. Ю. Тарн.); *Гнилиця — широке, розгалужене торфовище, величезне болото. Тепер воно зникло, і зникло раз назавжди, бо люди більше не хочуть дихати болотяними випарами* (Чаб.). **раз навсігди́.** — *Гадюко! — кричав він несамовитим голосом.— Кара божа! Відчепися, коли не хочеш почути оцього молотка, щоб раз навсігди успокоїлась!* (Коб.); *Взагалі ж перекладачам, особливо початківцям, треба раз назавжди запам'ятати, що*

робота перекладацька — почесна, але важка, що це — творчий процес (Рильський).

раз на віку́. Рідко, нечасто. *Геть-чисто всі поприбігали, бо таке ж тільки раз на віку трапля́ється* (Гуц.).

раз на все. Назавжди. *Громадському чоловікові через те найпотрібніше раз на все розпрощатись із вірою* (Драг.).

раз од ра́зу. Через певні проміжки часу; іноді. *Присушений паперами і чужою горілкою, писар.. щось вичитував з паперів і раз од разу питально поглядав на старшину* (Стельмах). П о р.: **раз у раз** (у 1 знач.).

раз плю́нути див. плюнути; ~ **ступну́ти** див. ступнути.

раз та гара́зд. Хоч рідко, зате добре. *Любий Михайлику!.. не гнівайся, що так рідко пишу, але ж бачиш, — раз та гаразд* (Л. Укр.).

раз у раз. 1. Через певні проміжки часу. *Ще треті півні не співали, Ніхто ніде не гомонів, Сичі в гаю перекликались, Та ясен раз у раз скрипів* (Шевч.); *Аксинья раз у раз вибігала на вулицю подивитися, чи не йде Тарас Григорович, і бідкалася, що перестоїть печеня* (Тулуб); *Черниш не міг стримати себе, щоб раз у раз не виглядати за насип. Висоти не було* (Гончар). // *Іноді, у деяких випадках. Хіба ж це нормально, що Ліні раз у раз стає соромно за батька, її дратує ота його впевненість у власній безгрішності, намагання всіх на свій лад перевиховувати* (Гончар). **раз по раз.** *Нас, дівчат, усіх гаптувати посадовила [панночка]. Сама й учить, раз по раз надбіга, чи шиємо* (Вовчок); *Раз по раз мені здається, що.. усе, чим я жив, усе, що мене тішило.., обійдуть у мене навіки!* (Кроп.); *Поручившись у хаті, Ганна раз по раз поглядає на них [паляниці] і радіє, що хліб удався* (Зар.). **раз поз раз.** *Важке зітхання [Галі] спиралося у грудях і раз поз раз виривалося здавленим криком плачу* (Мирний). **раз по ра́зу.** *Як почула таке Мотря, то й лиця на ній не стало:.. тільки раз по разу тяжко зітхала* (Мирний); *На санях жваво заворушився, забився великий живий вузол, крізь проріхи його раз по разу висовувались і ховалися повеселілі обличчя малечі* (Стельмах). П о р.: **раз од ра́зу.** С и н о н і м: **час від ча́су.**

2. Весь час, постійно; щоразу, завжди. *Робо́тяща, тиха дівка [Параскіца].. Чом вона хати не держиться? Чого раз у раз ховається десь од людей?* (Коцюб.); *І все, куди не йду, далекий полустанок і од снаряда дим над житом раз у раз...* (Сос.); *Читаючи драматичні поеми Лесі Українки чи її ж «Кам'яного господаря», раз у раз чуєш ніби відгук сталевих і оксамитних водночас ямбів Пушкіна, відгук його «Маленьких трагедій»* (Рильський); *Я знов у Трускавці. Якась хороша згадка Мене сюди манила раз у раз* (Воронько); // *Дедалі, поступово. Натовп сунув*

і більшав раз у раз: за чоловіками бігли жінки, дітваки вистрибом вганялися по обочинах (Смолич). **раз по раз.** *Вештаючись раз по раз по ярмарках, промислюючи полотнами, став Чіпка відомий на цілий повіт* (Мирний); *Голос бринить монотонно і жалібно, немов хтось торкає раз по раз одну струну* (Л. Укр.); *Ім'я своєї жінки Іван повторював раз по раз. Її він безтямно любив* (Минко).

3. В той же час, водночас. *Відомо, що хороші біологи й фенологи раз у раз і пристрасні мисливці. Але й хороші мисливці раз у раз вдумливі й ненаситно цікаві біологи та фенологи... Допомога їх науці — неоцінення* (Рильський). С и н о н і м: **ра́зом з тим.**

4. Через певну відстань; у деяких місцях. *Шосе.. проведено так нерозумно, що воно раз у раз лізе вгору* (Коцюб.); *Раз у раз дорогу загороджував бурелом. Бійці, як білки, вправно перескакували по столітніх повалених деревах* (Гончар).

ще (іще) раз. Знову, повторно. — *Ще раз переконуємось: в малому тілі — великий дух, — подарував комплімента Марисі Павлівні довготелесий Берестецький* (Гончар); *Брюховецького величали другим Хмельницьким, що іще раз стає за Вкраїну супротив її ворогів і дарує мирові волю* (П.Куліш).

як раз та два. Дуже швидко, вмить, миттю. — *Так і держи все під запором, а то, як раз та два рознесуть [кріпаки]!* (Мирний).

РАЗІ: в іншому ра́зі. Інакше. *Повинно зостатися щось од огню непорушне: в іншому разі матерія сперше в ніщо б оберталась. І вже з нічого речей розмаїтість у нас поставала* (Зеров); *В іншому разі, мабуть, запалення легенів вхопив би, а тут відбулись самими дрижаками* (Гончар). П о р.: **у проти́вному ра́зі.**

в ра́зі чого. 1. З настанням, появою і т. ін. чого-небудь. *В разі потреби кожний співробітник має обняти репортерську службу, щоб обслужити газету* (Фр.); — *Другий взвод буде в заставі, за квартал від казарми. Щоб в разі якої несподіванки прийняти на себе удар* (Головко); *Промінь лазера допомагає в разі відшарування сітківки, при пухлинах всередині ока і деяких судинних захворюваннях органів зору* (Веч. Київ). С и н о н і м: **на ви́падок.**

2. Якщо, коли. *В разі вдень температура не підвищується, а лишається незмінною, це є ознакою настання затяжної негоди* (Колг. Укр.).

в уся́кому (уся́кім) ра́зі. Принаймні. *Одно в усякому разі ясно. Природа не виробляє на одному боці власників грошей і товарів, на другому боці власників самої тільки робочої сили* (Маркс); *Значна частина поетичної спадщини Шевченка написана силабічними, в усякому разі не силаботонічними в уживаному розумінні слова розмірами* (Рильський); // *Хоч би.*

[Ф о р т у н а т:] *Та... теє... чи суд помилував би... після жертви?* [С е м п р о н і й:] *У всякім разі поменшив би кару* (Л. Укр.). С и н о н і м: **у кóжному рáзі** (в 2 знач.).

на рáзі. Зараз, в даний момент. *Там були двері, які вели в середину, але на разі двері стояли зачинені* (Загреб.).

ні в я́кому (я́кім) рáзі. Ні за яких умов, ні за яких обставин; нізащо. *Ні в якому разі не треба брати дерев весняної рубки* (Ю. Янов.); *Порада для людей розумової праці: працювати слід стоячи. Звичайно, наскільки це дозволяють умови праці. Так ви уникатимете застою кровообігу. Ні в якому разі не працюйте в сутінках і при місячному світлі* (Наука..); [Й о г а н н а:] *Може б, ти дозволив мені до них [гостей] сьогодні не виходить?* [Х у с а (владно):] *Ні в якім разі! Маєш їх вітати якнайгречніше* (Л. Укр.).

у кóжному (кóжнім) рáзі. 1. За будь-яких обставин; завжди. *В кожному разі ти будеш знати [коли приїду], з дороги писатиму тобі, хоч не листи, то одкритки* (Коцюб.).

2. Принаймні.— *Дякую тобі, Печорін... Ти розумієш мене?..* — *Ні, але в кожному разі нема за шо дякувати,— відповів я, не маючи справді на совісті ніякого добродіяння* (Лерм., перекл. за ред. Рильського); *Так і жив він, і збільшався На вазі і на повазі І кінця життю такому Не чекав у кожнім разі* (Сам.). С и н о н і м: **в усякому рáзі.**

у крáйньому (крáйнім) рáзі. Хоч би. *І. Франко був переконаний в тому, що серед сучасного йому молодого покоління нема нікого, хто не читав би програмний роман «Что делать?» чи, в крайньому разі не чув про нього* (Рад. літ-во).

у протú́вному (протú́внім) рáзі. Інакше. *Надрукує [кореспондент] замітку в газеті [про поведінку голови], а на другий день після цього Гнат визнає себе винним і дасть слово покращити роботу і поведінку, в противному разі його знімуть із цієї посади* (Тют.); *Динамку крутили руками. Найчастіше це робив Денис.. Але це траплялося тільки тоді, коли йшли фільми любовні або революційні, в противному разі Денис кидав ручку* (Тют.); *Відкривають зовнішні двері завжди в бік сіней. В противному разі двері набрякають під час дощу або замерзають взимку в нижній частині* (Жилий буд. колгоспника); — *Ану, розтлумачте слова того Кушнірика.., бо в противнім разі ваші голови покотяться землею* (Казки Буковини..). П о р.: **в іншому рáзі.**

у такóму рáзі. За даних обставин, умов; тоді.— *Нам треба домогтися окремого клаптя землі для осідку війська.. Тільки в такому разі ми зможемо захистити козацтво від усяких напасників і врятувати козацькі вільності* (Добр.); — *Трупи — морока і затримка пароплава. Хто в такому разі осудить помічника капітана, коли він накаже*

опустити трупи за борт? Тихий плеск води — і по всьому (Ю. Янов.).

РАЗОМ: вихлю́пувати рáзом з кýпелем і дити́ну див. **вихлюпувати.**

за одни́м рáзом. Зразу, тут же. *І летить [ковбок] із цілою своєю великою силою й повагою, виміряє, щоб за одним разом вибити геть аж на вільне море. Ударив!..* (Хотк.); *Коли б мені літ двадцять назад,.. то оцей стакан за одним разом до дна осушив, а тепер то невеличкими ковтками треба випивати* (Мирний). П о р.: **за одú́н раз** (у 2 знач.); **одни́м мáхом** (у 1 знач.); **з мáху** (в 1 знач.).

іншим (дрýгим) рáзом. 1. Не тепер, не зараз; пізніше. *Христя зам'ялася.— Багато, бабусю, казати.— А багато, то хай іншим разом — кращим часом* (Мирний); *Іншим разом Віталій теж тільки сміявся б, а зараз при грубуватих цих пустощах йому було ніби аж трохи ніяково* (Гончар); *Другим разом напишу тобі більше, а тепер бувай здоров* (Шевч.); *Хочеться мені.. спробувати свої сили на великій речі, на романі — та лячно. Ну, та про це другим разом, коли дозволите ще написати до Вас* (Коцюб.).

2. Іноді, інколи, часом. *Він усіх вважав за ленінградців. Іншим разом починав: — Знаєш, друже... Ермітаж відбудували. Саша добре знав, що це не так* (Гончар). П о р.: **інший раз.**

рáзом з тим. Одночасно, в той самий час, момент; водночас. *Йонові.. легше якось зробилось на серці, хоч разом з тим соромно перед дочкою* (Коцюб.); *Почорніли заводі в озерах І ясніші стали разом з тим* (Рильський). С и н о н і м: **раз у раз** (у 3 знач.).

РАЗУ: з пéршого рáзу (прú́ступу). Відразу, з самого початку.— *Федоре, панів куме! Іди подивися, до якого шлюбу твою дочку наряджають!* — *гукала на весь садок прикажчикова жінка, що з першого разу зненавиділа Федора* (Мирний); *До виступу свого він ставився якнайуважніше. Бо — зуміє зацікавити з першого разу, тоді вже — півділа. Тому так рився старанно в книжках, забувши все навколо* (Головко); *В той день все вдалося Залізнякові з першого приступу: деталі наче самі припасовувалися одна до одної без жодного перекосу* (Собко).

ні (й) рáзу. Ніколи. *Привітай оцього доброго і благородного сотника Хаїрова. Ми з ним укупі жили два года і ні разу не лаялись* (Шевч.); *Боже милий, ніхто ще в житті ні разу не' поцілував її в руку,.. і тільки за цю велику жалість вона могла б піти за Свиридом на край землі* (Стельмах); *Ні, батько ні разу, наскільки пам'ятає Гордій, не почастував ним [нагаєм] хлопця* (Крот.).

одногó рáзу. Якось. *Одного разу попрохав він у мене карбованця* (Мирний); *Одного разу довелось мені проїздити через невеличке.. село* (Коцюб.); *Платон Воронько, будучи учасником ковпакáвського рейду, почув одного разу від гуцула свого пісню, складену для партизанів* (Рильський); // *Колись. Аж усміхнувся* [Дорошенко], *згадавши, як одного разу, ще давно-давно, доставили з Канади партію закуплених коней* (Гончар.). **одúн раз**. *Один раз Тарас показав синам на маленьку цятку, що чорніла далеко, й промовив: Гляньте, дітки, он скаче татарин* (Довж.).

РАК: бодáй рак урáчив *кого, жарт.* Уживається для вираження недоброго побажання кому-небудь. *Бодай тебе курка вбрикнула або рак урачив* (Укр.. присл..); *А бодай мене рак урачив, ніж я діждався такої таємниці довідатися...* (Гуц.).

вúшептатися як рак у тóрбі *див.* вишептатися; **сísти як ~ на мілинí** *див.* сісти.

ще [і] рак не свистáв. Нічого не починалось робити. *І світ настав, та ще рак не свистав* (Укр.. присл..).

як(колú, дóки, пóки) рак свúсне, *ірон.* 1. Уживається для вираження повного заперечення змісту речення. *Це тоді буде, як рак свисне* (Укр.. присл..); *Безбородько тоді ожениться з найстаршою з Річинських, коли рак свисне* (Вільде); *— Ми також маємо уряди соборної України в Берліні, Парижі й Варшаві.— Ну і чекайте з ними, поки рак свисне,— закінчив Крук розмову з.. лакузою в тюрмі* (Козл.).

С и н о н і м: **на малéнького Ю́рія.**

як (мов, нíби *і т. ін.*) **рак на мілкóму (на мілí, на мілинí),** *із сл.* л и ш ú т и с я, з о с т á т и с я і т. ін. Без засобів існування, без підтримки і т. ін. *У тюрмі просидів він недовго, але вийшов з неї, лишившися буквально, як рак на мілкому, без будь-яких перспектив у майбутньому* (Рад. літ-во); *І зостались ми, 22 чоловіка, як рак на мілі* (Кроп.); *Лишившись наче рак на мілині, він відправився в те село* [маєток генерала Живанова], *де його батько був кілька років управителем* (Минуле укр. театру).

як (мов, нíби *і т. ін.*) **рак** [**печéний, варéний**]. Дуже червоний. *Коли б видніше було, Власов побачив би, як Василь наче рак став від тих слів його* (Мирний); *Вуха стали як печені раки.*

як (мов, нíби *і т. ін.*) **рак у тóрбі,** *із сл.* ш е п т á т и *і т. ін.* Дуже тихо, невиразно, нечітко. *Хто ж не знає, що Мар'ян не тямив ні бе, ні кукуріку, а це заглядає в книгу, ще й шепоче щось, мов рак у торбі* (Стельмах).

РАКА: лíзти рáка *див.* лізти; **упустúти ~ з рóта** *див.* упустити.

РАКИ: знáти, де рáки зимýють *див.* знати; **показáти, де ~ зимýють** *див.* показати.

як (мов, нíби *і т. ін.*) **рáки з мішкá.** У різні боки (розбігатися, розтягатися і т. ін.). *— І горілка, й пиріжки, й усякі витребеньки,— гульня йде, і спинити їх* [Тодоську і Охріма] *нікому. А хазяйствечко, як раки з мішка* (Дн. Чайка).

РАКÍВ: годувáти рáків *див.* годувати; **пектú ~** *див.* пекти; **пітú ~ ловúти** *див.* піти.

РАКОМ: догорú рáком *див.* догори; **лíзти ~** *див.* лізти.

РАЛÉЦЬ: кривáвий ралéць. Масові вбивства. *Підкошує силу козачу біда Та зігнана ляхом голота... Немає рятунку: єдиний кінець — Ушкварить катюгам кривавий ралець!* (Стар.). П о р.: **кривáва бáня; кривáвий бенкéт** (у 2 знач.); **кривáва óргія** (у 2 знач.).

РАМКАХ: тримáти себé в рáмках пристóйності *див.* тримати.

РАМКИ: вихóдити за рáмки *див.* виходити; **ламáти ~** *див.* ламати; **укладáтися в ~** *див.* укладатися.

РАМПИ: бáчити свíтло рáмпи *див.* бачити.

РАМУ: хоч за рáму кладú *див.* клади.

РАМЦÍ: хоч у рáмці встав *див.* встав.

РАНА¹: від (з) рáна до рáна (до зорí, до нóчі *і т. ін.*). Весь день. *Буде пісня дзвеніти весняна, Що на рідних колгоспних полях Ми з тобою від рана до рана І один у нас радісний шлях* (Бойко); *Дрімучі* [ліси], *Не налюбуються собою у Дніпрі І з золотої глиняної кручі Все дивляться від рана до зорі* (Нагн.). С и н о н і м: **з рáнку до вéчора.**

РАНА²: незагóєна (незагóйна) рáна. Те, що, не зникаючи, турбує людину, змушує постійно переживати. *Коли Юлічка запитала його про сестру, він не міг відповісти одразу. Це запитання влучило прямо в його живу, незагоєну рану* (Гончар); *Йому було прикро, що необережною розмовою роз'ятрив незагойну рану в серці старенького* (Збан.).

РАНЖИР: під одúн ранжúр. Нехтуючи індивідуальними рисами; однаково. *Люди — різні, їх не можна рівняти під один ранжир* (Наука..).

РАНЖИРОМ: за ранжúром; по ранжúру. 1. За ступенем значимості, важливості і т. ін. *Гості за суворим ранжиром посідали до пишного іменинного столу* (Полт.).

2. За встановленою формою. *Одежа у всіх запорожців була по ранжиру однакова і одного кольору* (Стор.).

РАНИ: хоч до рáни кладú *див.* клади.

РАНИТИ: рáнити дýшу (сéрце) *кому, чию, чиє і без додатка.* Завдавати кому-небудь душевного болю, страждань. *Він любив її щиро, і кожда* [кожна] *звістка про неї, зла чи добра, ранила його душу* (Фр.); *Ті суди-пересуди, ясна річ,* долинали й до слуху Івана і гострими скалками болісно ранили йому душу (Головч. і Мус.); *Раїса чула в серці гостру й холодну крицю. Та криця різала її, ранила серце, доводила до розпуки* (Коцюб.).

РАНКУ: **від (з) ра́нку [й (та)] до ра́нку.** Довгий час. *Від ранку й до ранку — стук, грюк, хлюпанина* (Мирний); *А як з ранку та до ранку стали люди обридать, Ох зробив собі землянку, Оха більше не видать* (Л. Укр.).

з (від) [са́мого (ра́ннього)] ра́нку (ра́ння) до [са́мого (пі́знього)] ве́чора (до сме́рку, до смер-ка́ння, до темна́, до [пі́зньої] но́чі). Весь день; протягом довгого часу. *Трудно буде в кузні день у день з ранку до вечора* (Головко); *Наче й мота-єшся по району з ранку до смерку, а все ж таки не косиш, не молотиш* (Цюпа); [Ш и н к а р к а:] *Крячуть, крячуть чорні галки з рання до смеркан-ня; Брешуть, брешуть вражі хлопці, що є в них кохання* (Рудан.); *Цілими днями сіялись крізь сіре сито осінні дощі, а коли їх не було, то над полем від ранку до самого вечора бродили тумани* (Гончар); *Під вогнем бійці на переправі, і на тій — на правій стороні теж вогонь від ранку до смеркання* (Гонч.); *Ну, а нам з весною стільки діла! Ми в труді від ранку до темна, Щоб, як ліс, озимина шуміла, Щоб, як військо, встала ярина* (Дор.); *Білка сумочку свою Розстебнула у гаю І від рання до смеркання В сумку зносить харчу-вання* (Стельмах). **з ра́ннього ра́нку до пі́зньої ні́ченьки.** *Рученьки терпнуть, злипаються віченьки... Боже, чи довго тягти? З раннього ранку до пізньої ніченьки Голкою денно верти* (Граб.). С и н о н і м: **від ра́на до ра́на.**

РАННІЙ: **молоди́й та ранні́й** *див.* молодий; **∼ птах** *див.* птах.

РАННЯ¹: **з ра́ння до ве́чора** *див.* ранку.

РАННЯ²: **ра́ння пти́ця** *див.* птах.

РАННЬОГО: **з ра́ннього ра́нку до ве́чора** *див.* ранку.

РАНО: **ра́но чи пі́зно.** Неодмінно (про те, що обов'язково відбудеться, здійсниться і т. ін.). *Все жде його, все вірить, що рано чи пізно повернеться він і визволить її з Гаркушиного полону* (Гончар); *Тарас Шевченко передчував, знав і розумів, що, рано чи пізно, йому не минути сутички з царатом* (Літ. Укр.); *Кожна людина рано чи пізно відчуває потребу звернутися в думках до минулого; осмис-лити пережите, підвести підсумок своїм життєвим шуканням* (Вітч.). **ра́ніше чи пізні́ше.** *Варвара розуміла, що.. її зустріч з Лажечниковим була неминучою; раніше чи пізніше вона мала його зустріти* (Перв.). С и н о н і м: **не тепе́р, то в четве́р.**

РАНУ: **влучи́ти в живу́ ра́ну** *див.* влучити; **си́пати со́лі на ∼** *див.* сипати; **я́трити ∼** *див.* ят-рити.

РАТИЦІ: **відки́нути ра́тиці** *див.* відкинути.

РАХІВНИЦІ: **скида́ти з рахівни́ці** *див.* скида-ти.

РАХУБА: **раху́ба б узяла́** кого, що. Уживається для вираження великого незадоволення з приводу чогось.— *Сідайте, підвеземо! — Та я вже якось дійду і пішки. Рахуба б узяла ті автобуси: дві години... — Ну, то сідайте!* (Панч).

РАХУБИ: **добира́ти раху́би** *див.* добирати; **не да́ти ∼** *див.* дати.

РАХУБУ: **вско́чити в раху́бу** *див.* вскочити.

РАХУВАТИ: **рахува́ти ре́бра** *див.* лічити.

РАХУНКИ: **зво́дити раху́нки** *див.* зводити; **кін-ча́ти ∼** *див.* кінчати; **ма́ти ∼** *див.* мати².

РАХУНКУ: **без раху́нку.** Остаточно, до кінця. *Усю силу, усю любов, усю душу свою без рахунку клала молода мати на.. [дитину]* (Дн. Чайка).

бу́ти на раху́нку *див.* бути.

на раху́нку у кого. Хто-небудь має трудові, бойові і т. ін. здобутки. *На рахунку в Яшка був не один вправно змонтований шлюз* (Дмит.).

скида́ти з раху́нку *див.* скидати.

РАХУНОК: **бра́ти на свій раху́нок** *див.* брати; **відно́сити за ∼** *див.* відносити.

в раху́нок чого. 1. Відповідно до чого-небудь. *Колгоспи і радгоспи брали зобов'язання здати до кінця року додатково 300 тисяч тонн молока. В рахунок цього зобов'язання вже надійшло на заготівельні пункти 656 тисяч тонн молока* (Рад. Укр.).

2. За планами якого-небудь періоду, часу. *Ма-шинобудівники випускають продукцію в рахунок грудня* (Рад. Укр.).

запи́сати на свій раху́нок *див.* записати.

за раху́нок 1. чого. Використовуючи що-небудь з певною метою. *Підвищується родючість ґрунтів за рахунок збільшення виробництва і внесення органічних добрив* (Хлібороб Укр.).

2. який, чий. На чиї-небудь або якість кошти. *Багато клубних будинків споруджується за раху-нок місцевих фінансових джерел і коштів колгос-пів* (Наука..). П о р.: **на раху́нок** (у 2 знач.).

на раху́нок який, чий. На чиї-небудь або якісь кошти. *А в коло в чорнім хороводі Сплелися всі, хто кат свободі, Кому вино солодить шлунок, Хто хоче на чужий рахунок Ходити в злоті, у шовках...* (Сос.); *Початкову освіту Є.С. Федоров здобув у сім'ї, а після смерті батька навчався в військовій гімназії на казенний рахунок* (Видатні вітч. гео-графи..). П о р.: **за раху́нок** (у 2 знач.).

РАЦІОНАЛЬНЕ: **раціона́льне зерно́** *див.* зерно.

РАЦІЮ: **ма́ти ра́цію** *див.* мати².

РАЧКИ: **лі́зти ра́чки** *див.* лізти; **щоб ∼ ла́зив** *див.* лазив.

РАЧКУВАТИ: **рачкува́ти наза́д.** Відмовлятися, відступати від прийнятого рішення, наміру, дано-го слова і т. ін. — *Ну, а я тому, що вже вмерло, що повинно було умерти, уклонятися не буду.*

Треба уперед йти, а не назад рачкувати! (Мирний). П о р.: **лíзти назáд.**

РАЮ: як (мов, нíби *і т. ін.***) у раю,** *із сл.* ж и т и.

1. Безтурботно, спокійно, безпечно. *У Римській поставить стіни, В них буде жити, як в раю* (Котл.); *Приїхавши, я три дні жила, як у раю* (Л. Укр.); *Ховрак допитує куму, А та йому: Наставили мене суддею до курей, Я їх кохала, як дітей; .. Всі добрість бачили мою, Бо всі жили, мов у раю* (Гл.).

2. У злагоді. *Живуть [хто щиро любить] як у раю: не тільки сварки і лайки межи ними нема, та й думки противної одно проти другого не зна* (Кв.-Осн.).

РВАТИ: [аж] пéльку рвáти. Дуже голосно сміятися, кричати і т. ін. [Б а в м е р ж и х а:] *Регочеться [Август], аж пельку рве, хоч би там що робилось* (Л. Укр.).

[аж] рвáти бóки (живíт) [сміючúсь]. 1. Дуже сміятися, реготати. *Та й заведе якої-небудь такої чудної казки, що діти аж боки рвуть, регочуться* (Дн. Чайка); *Тепер сміялися всі: ..качалися, рвали боки, душилися* (Загреб.); *Люди рвали животи з потіхи, насідали з усіх боків, щоб подивитись на Петра* (Хор.). С и н о н і м и: **рáчки лáзити** (в 2 знач.); **вхопúтися за живíт.**

2. *із сл.* с м і я т и с я. Дуже, у великій мірі. *Третю добу не спимо. А він [Дунай] ще й жартує... Як скаже,.. — боки рвеш сміючись* (Мур.). П о р.: **рвáти кишкú.** С и н о н і м: **рáчки лáзити** (в 3 знач.).

[аж] рвáти, дéрти, скýбти *і т. ін.* **на собí [на голові] волóсся (пáтли, чýба).** Впадати у великий відчай, розпач, дуже переживати, побиватися. *Ведуть гайдамаки через майдан чотирьох приречених уже на страту. Митько у відчаї. Чи ж може він спостерігати ще й тепер! Але що ж він може й зробити! Аж волосся на собі рве хлопець* (Головко); *Якого ти бісового батька качаєшся та рвеш на голові волосся?* (Мирний); *Він аж дер на собі волосся* (Крим.); *А принц аж волосся на собі скубе, чому випустив дівчину й не спитав, де живе* (Три золоті сл.); *Стоїть «Кейс» аніруш. Уже й іржею почав братися. А пан чуба рве на собі: великі гроші відвалив за ту машину* (Речм.). **мáло не рвáти на собí волóсся.** *Сеспель мало не рвав на собі волосся, адже він експлуатував товариша, безсовісно користувався безмежною добротою друга* (Збан.). **аж пáтли собí рвáти.** *Писар перші слухав з холодної, як добрі люди гуляли на весіллі, та аж патли собі рвав, що не йому досталась козир-дівка* (Кв.-Осн.).

[аж] рвáти [ногáми] зéмлю. 1. Дуже швидко йти, бігти. *Антін не йде, а рве ногами землю* (Чорн.).

2. *з сл.* т а к и й, *що.* Швидкий, баский (перев. про коней).— *Іздять вони [пани] у таких коляс-*

ках, *що хитає, як у колисці, возять їх такі коні, що аж землю рвуть* (Вовчок).

рвáти вудúла. Бути дуже злим, роздратованим на кого-, що-небудь. *І зараз він [Заболотний] уже рве вудила, нервується, його діяльну натуру дратує всіма визнаний припис триматись осторонь* (Гончар). С и н о н і м и: **рвáти й метáти; вéргáти громú.**

рвáти гóрло (горлянку). Надривно кричати, галасувати. *Справник з фаетона захрипів.. до громади зірваним голосом: видко тепер кожного дня доводиться рвати горло* (Стельмах). С и н о н і м и: **дéрти гóрло** (в 1 знач.); **дéрти рóта.**

рвáти / зривáти підмéтки на бігý (на ходý). Сміливо, рішуче, відчайдушно діяти, вміло робити що-небудь. *Офіцери водили піхоту в кількаразові нічні атаки. І Козаков вів свою лобату братву, що вміла на бігу рвати фашистські підметки, вів, гукаючи в темряву ночі: «Дайош золоту Прагу!»* (Гончар); *— Я.. знав чимало таких, що в тилу, як то кажуть, на ходу підметки зривали, а тут перед лицем смерті, ставали жалюгідними боягузами* (Гончар).

рвáти й метáти. Бурхливо виявляти своє незадоволення, роздратування. *Армія окупантів не виконувала наказу свого командування... Генерал Д'Апсельм — командуючий окупаційною армією — мав підстави рвати й метати* (Смолич). С и н о н і м и: **вéргáти громú; рвáти вудúла.**

рвáти на шматкú *див.* **розривати.**

рвáти óчі. 1. Різко виділятися чим-небудь. *Любив [Зігфрід] красивий, елегантний, але такий, що не рвав очей, одяг* (Коз.).

2. *на кого, рідко з кого.* Задивлятися на кого-небудь.— *Не рви очей на чужих дружин, Васю,— повчально промовив він... — Окрім того, ніколи не пробуй закохуватися на весіллях і взагалі на святах* (Загреб.); *Ходять вони [дівчата] вулицями в дівочих чобітках, обступають тебе звідусіль та очі з тебе рвуть* (Гончар).

3. *кому, рідко.* Привертати чию-небудь увагу; приваблювати кого-небудь. *Смаглявий красень в генеральських лампасах, рвав очі він чулим до краси селищанським молодицям...* (Гончар).

рвáти повíтря (тúшу). 1. Гучно лунати (про звуки). *Від часу до часу музику переривали громовісні вигуки тисячі голосів, що, зливаючись з нею на мить, рвали повітря переможним зойком* (Досв.); *Крики рвали повітря, люди підстрибували, махали руками* (Горький, перекл. Ковганюка).

2. Голосно говорити, кричати. *Маркушевський не дає йому опам'ятатись і рве тишу знервованим лихим голосом: — Ви вдалися до непотрібних експериментів...* (Ю. Бедзик).

рвáти / порвáти дýшу (сéрце) *кому, чию, чиє.* 1. Викликати страждання, душевний біль; завдавати мук. *Зника північний гість, та погляд той і мова Лишають в серці слід кривавий і страшний,*

І вдень мені в очах стоїть той гість дивний, А душу рве й гнітить нескінчена розмова... (Л. Укр.); *Спомини минулого коротенького щастя рвали душу* (Хотк.); *Так чого ж плачеш? Чого рвеш моє серце?* (Фр.); *— Води! — попрохав ранений. Серце Соломії рвала та просьба Остапова* (Коцюб.); *[Лицар:] Той порив порвав мені востаннє ржаву душу, її неволя ржею так посіла, а що порвало — героїзм чи розпач, сама тн зваж* (Л. Укр.). **сéрце рвáти на шматкú.** *Бодай не діждати своє серце на шматки рвати* (Укр.. присл..).

2. Завдавати кому-небудь фізичного болю. *І заметався, застогнав опришок. Рви душу — а не скажу* (Хотк.).

С и н о н і м: **я́трити сéрце.**

рвáти / порвáти жи́ли (ру́ки, си́лу). Дуже важко, над силу працювати. *«Чому ж він сам досі не лягає?» — подумав Хома про командира роти.— Весь день нарівні з нами рвав собі жили, і вночі не приляже...»* (Гончар); *Один сидить в теплі, в добрі, у світлих покоях, на чужих сльозах нажитих, а другий з року в рік жили свої рве в роботі і лишається жебраком* (Хор.); *Блукати по наймах — це добре знає кожен із них: гірко! Рвати руки на чужій праці, ламати спину, губити здоров'я...* (Головко); *Рве [хлопець] силу, аби догодить господареві* (Горд.); *— Ти звідки.. знаєш, що таке земля і чи дорожча вона за крові!? Зароби її перше, порви спершу свої жили на ній* (Стельмах). **рвáти на собí жи́ли.** *Добру годину рвали на собі жили, пересаджуючи через ручиці важкі колоди* (Тют.).

рвáти / порвáти кишки́ [з (від) сміху (рéготу)]. Дуже, до знемоги, до знесилення сміятися. *А старший боярин, пан Бістряк, рве кишки зо сміху та біга по селу, та збира свій поїзд, щоб швидше на посаг молодих садовити* (Кв.-Осн.); *Раз... (О! сміху було! Хлопці аж кишки порвали від реготу) змалював він таки нашого отця Микити кобилу, та як же живо вчистив — так навдивовижу!* (Кв.-Осн.); *Хлоп'ята одповідають: «Ох, комік цей Цюпа, просто кишки можна порвати!»* (Ю. Янов.). П о р.: **рвáти бóки.** С и н о н і м: **вхопúтися за живíт; рáчки лáзити** (в 2 знач.).

рвáти пуп. 1. Надриватися, дуже голосно говорячи, кричачи. *— Чого ти кричиш? Чого ти пупа рвеш?* **рвáти пупки́.** *Так ті актори пупки рвали, що старенькій причудились розбійники в моїй квартирі* (Літ. Укр.). С и н о н і м: **рвáти гóрло.**

2. Дуже важко, над силу працювати. *Рвеш пупа на тій роботі і копійки за це одержуєш.* П о р.: **рвáти жи́ли.** С и н о н і м: **пуп трíщить.**

рвáти / рвонýти кíгті. Тікати. *У вісімнадцятому році німецько-германську отару з України вигнали, й Оврам з ними кігті рвонув* (Ковінька).

рвáти (розрива́ти і т. ін.) / порвáти (розірвáти, розрубáти і т. ін.) кайдáни (пу́та, ланцюгú) *чого,* які і без додатка. 1. Визволятися від гніту. *Рве*

Африка одвічні кайдани (Сос.); *На наших очах розвалюється ганебна система колоніалізму. Народи Азії, Африки, Латинської Америки рвуть кайдани колоніального рабства* (Наука..); *Сини Міцкевича, Словацького, Шопена, Сини Коперника, заковані .сини! Рвіть ланцюги тяжкі!* (Рильський); *Отож порви, порви всі пута, скинь ярмо, Що так тебе намучило; Насмілься буть щасливим, геть покинь усе, що до землі пригнічує* (Зеров); *Справжню свободу і щастя киргизам, як і іншим пригнобленим народам царської Росії, приніс Великий Жовтень. Він розрубав вікові пута, які сковували творчі сили киргизького народу, вирвав його з безпросвітних злиднів і темряви* (Роб. газ.); *[Неофіт-раб:] Утомлені своїм довічним рабством, вони гадають розірвати пута і скинути ярмо з своєї шиї* (Л. Укр.). С и н о н і м и: **скида́ти ярмó; ви́сунути ши́ю з ярмá.**

2. Звільняти від того, що заважає вільно діяти, мислити і т. ін. *Ми.. повинні пам'ятати про класову обмеженість Пушкіна.. Але нема сумніву, що він підносився над своїм класом, розривав його пута могутнім поривом свого генія* (Рильський); *Щоб жить — ні в кого права не питаюсь. Щоб жить — я всі кайдани розірву. Я стверджуюсь, я утверджаюсь, бо я живу* (Тич.); *«А справді, чи здатен він що-небудь зрозуміти з того, що сталося?» — думав Дорошенко, дивлячись на примовклого, понуреного Яцубу. Чи знайде в собі силу порвати пута минулого, розкуватись, випростатись?* (Гончар).

рвáти словá. Говорити уривчасто.— *Чого ж ти стоїш, Хведоре? — спитала Пріська.— Сідай! Що скажеш доброго! — Та я се до вас...— рвучи слова, несміло почав він* (Мирний).

рвáти слух (ву́ха). Викликати неприємні почуття (перев. про звуки). *Вереск і гармидер, п'яні співи і завзяті «торги» рвали слух* (Фр.); *Плач і стогін рвали вуха* (Панч).

РВА́ТИСЯ: рвáтися душéю [і тíлом] куди. Дуже прагнути куди-небудь. *На що ж я змалку рвавсь так душею і тілом у другий край, край — думки глибокої і широкої* (Мирний); *На фабриці він дізнався, що радянське військо визволило західноукраїнські землі, і душею рвався у свої Карпати* (Чорн.).

рвáтися з шку́ри див. лíзти.

рвáтися чéрез тéрни. Досягаючи чогось, долати великі перешкоди, труднощі, терпіти страждання і т. ін. *Вона перейняла від матері насторогу, затаєну скаргу на світ, а Василь сперечався з нею, він рвався через терни й проривався, і за це його поважали* (Мушк.).

РВЕ́ТЬСЯ: душá рвéться ; душá ~ нáдвоє див. душá.

РВИ: хоч зу́би рви. Уживається для вираження стану, коли людина не може володіти собою.

Дідич, такий п'яний, що хоч йому зуби рви, ліг тут же на лавиці й одразу захропів (Казки Буковини..).

РЕБРА: аж ре́бра зна́ти *див.* знати.

[аж] ре́бра сві́тяться. 1. Дуже худий. *При батькові, і при матері, є що їсти й пити, а ребра в дитини світяться проти сонця* (Літ. Укр.).

2. *з сл.* х у д и́ й. Дуже, у великій мірі. *Худий, аж ребра світяться* (Номис).

3. *із сл.:* г о́ л и й. Абсолютно, зовсім. *Голий, аж ребра світяться* (Укр.. присл..).

аж ре́бра хо́дять [здухвинами], *з сл.* п р а ц ю в а́ т и *і т. ін.* З великим напруженням, інтенсивно. *Віталій працює щиро, аж ребра ходять здухвинами* (Гончар).

вирі́внювати ре́бра *див.* вирівнювати; **облама́ти** ~ *див.* облама́ти; **пока́зувати** ~ *див.* показувати; **полама́ти** ~ *див.* поламати; **пола́тати** ~ *див.* пола́тати; **полічи́ти** ~ *див.* полічити; **пом'я́ти** ~ *див.* пом'яти; **почеса́ти** ~ *див.* почесати; **узя́ти за** ~ *див.* узяти.

РЕБРА́МИ: світи́ти ре́брами *див.* світити.

РЕБРО́: ада́мове ребро́, *жарт.* 1. Жінка. **ада́мові ребе́рця.** *Місцеві «батюшечки» дуже слабкі щодо «адамових реберців» і мало не щотижня за ту слабкість платять власними святими ребрами...* (Вишня).

2. Спільне джерело, спільна основа чого-небудь. *Від Адамова ребра ведуть свій рід і мужики, і пани* (Стельмах).

біс штовха́є під ребро́ *див.* біс; **да́ти під** ~ *див.* дати.

РЕБРО́М: ста́вити пита́ння ребро́м *див.* ставити.

РЕВА́НШ: бра́ти рева́нш *див.* брати.

РЕВИ: ре́ви насі́ли *кого.* Хто-небудь голосно заплакав. [З і л я:] *Обидили її, покривдили, то її й реви насіли* (Вас.).

РЕГОТА́ТИ: регота́ти (смія́тися) на пу́па. 1. Плакати. *Нехай наші вороги регочуть на пупа.* П о р.: **смія́тися на ку́тні.**

2. Уживається для вираження недоброзичливого побажання кому-небудь зла, чогось поганого і т. ін. [К о в а л ь:] — *Я толкую Домці, що цих коней Заруба за нею послав, що він, мовляв, вибачається, а вона й слухати не хоче. Таке мені слово сказала, що я повторяти не буду. Клятий Шугалія регоче, реготав би ти на пупа* (Кучер).

РЕГОТА́ТИСЯ: регота́тися на ку́тні [зу́би] *див.* смія́тися.

РЕГОТИ: [аж] ре́готи беру́ть *кого і без додатка.* Кому-небудь дуже хочеться сміятися.— *Ану глянь у дзеркало, козак Китиця...— Ой, гарно, аж реготи беруть,— хихикнула Домка* (Кучер). **ре́гіт розбира́є.**— *Смійтеся, смійтеся! — каже Пищимуха.— Вас регіт розбирає, а мені не до смішки...* (Мирний).

РЕГО́ТОМ: дави́тися ре́готом *див.* давитися; **залива́тися** ~ *див.* заливатися.

РЕГО́ТУ: дави́тися від ре́готу *див.* давитися; **ма́ло не ло́пнути з** ~ *див.* лопнути; **хапа́тися за бо́ки з** ~ *див.* хапатися.

РЕДЬКА: як (мов, ні́би *і т. ін.*) **гірка́ (па́рена) ре́дька,** *з сл.* н а б р и д а́ т и, н а д о к у ч а́ т и, о б р и́ д н у т и *і т. ін.* Дуже, сильно, надзвичайно. *Сидять, розмовляють, таки все про свої шкільні справи. Така вже звичка у вчителів! От, здається, повинно б те все обриднути, як гірка редька. Ні, дивись, як зійдуться, зараз таки про своє* (Пчілка); — *Набрид, мов гірка редька* (Донч.); *За ці дні надокучив йому балакучий начальник, як парена редька* (Стельмах). **Як соба́ці ре́дька.** *Обрид, як собаці редька* (Укр.. присл..).

РЕДЬКИ: гірш гірко́ї ре́дьки *див.* гірш.

РЕДЬКУ: як соба́ка ре́дьку *див.* собака.

РЕЙКИ: переводи́ти на ре́йки *див.* переводити; **перехо́дити на** ~ *див.* переходити.

РЕКО́РД: поби́ти реко́рд *див.* побити.

РЕМЕНІ: де́рти ре́мені *див.* дерти; **кра́яти** ~ **зі шкі́ри** *див.* краяти.

РЕМІНЦІ: підтя́гувати ремінці́ *див.* підтягувати.

РЕПА́ЄТЬСЯ: голова́ ре́пається *див.* голова.

РЕПЕРТУА́РІ: у своє́му репертуа́рі. З своїми звичками, з своїми рисами характеру.— *Гаразд, погодився [Кроква], щоб закінчити розмову.— Добре, Леоніде Потаповичу. Не зважайте на мої підозри.. я, як завжди, в своєму репертуарі* (Дмит.).

РЕПУТА́ЦІЮ: підмо́чувати репута́цію *див.* підмочувати.

РЕП'ЯХ: ли́пнути як реп'я́х *див.* липнути.

як (мов, ні́би, *і т. ін.* **[той] реп'я́х [до кожу́ха (до штані́в, у соба́чий хвіст** *і т. ін.*)],** *з сл.* п р и с т а в а́ т и, ч і п л я́ т и с я, л и́ п н у т и *і т. ін.* Настирливо, настійно. *Гмиря аж скипів.— І чого ти до мене причепився, як реп'ях!* (Головко); *Знаєш, Альберт, не липни до мене, як реп'ях. Що ти від мене хочеш?* (Автом.); [М у с і й:] *Ну й чоловік!... До кожного чіпляється, як той реп'ях* (Гр.); *Друга б. здається, бачивши, що я від неї, і собі б від мене, і чудово б було; так ні, липне, як той реп'ях* (Кроп.); *Пізніше, правда, вже не покрикував [інженер], зате чіплявся, як реп'ях до штанів* (М.Ю. Тарн.); — *Ет, втомлено махнув рукою Терентій.— Вчепився в дурне слово, наче реп'ях у собачий хвіст* (Стельмах). **мов реп'я́х кожу́ха.** [Д і д С е м к о:] *Для тебе зняв би і сорочку з себе, Аби ото послухався. Так ні! Тримався місця, мов реп'ях кожуха* (Підс.). С и н о н і м: **як смола́.**

РЕП'ЯХА́Х: як у реп'яха́х, із сл. у б о р г а́ х. Уживається для підкреслення великої кількості чого-небудь. *Панок це був задрипаний — в бор-*

гах, як у реп'яхах, але пихатий, шкідливий і мстивий (А.-Дав.).

РЕТЯЗЬ: увірвався ретязь. Закінчилось терпіння. [А н н а:] *Я тому замкнулася в твердиню неприступну, щоб не посмів ніхто сказать: «ба, звісно, зраділа вдівонька,— ввірвався ретязь!»* (Л. Укр.).

РЕЦЕПТИ: давати рецепти *див.* давати.

РЕЦЕПТУ: як (мов, ніби і т. ін.) по рецепту. Дуже точно; без усяких відхилень. [К а т е р и н а:] *А ти, я бачу вже смикнув...* [М о р ж:] *Прийняв точно, як по рецепту* (Корн.).

РЕЧЕЙ: стан речей *див.* стан.

РЕЧІ: гострий на речі *див.* гострий.

до речі. 1. У потрібний момент, вчасно.— *А чиї це коні, Тимоше? Не ваші часом? — А то ж чиї? — Що ти кажеш! — якось по-хлоп'ячому зрадів Артем.— І як же це до речі: саме цих саней мені невистачає* (Головко); // Потрібно, слід. *Був собі одважний лицар, Нам його згадать до речі, Він робив походи довгі,— Від порога та до печі* (Л. Укр.); *«Максиме, влієся сніговій, спочити б нам було до речі»* (Нагн.).

2. Потрібний, своєчасний.— *А чого ж, це ідея, юні помічники були б нам якраз до речі* (Гончар).

3. Так, як треба. *Він мало їв і на питання давав не до речі відповідь* (Коцюб.); *Маруся зрозуміла, що сказала щось не до речі* (Хотк.); *Мічурін усміхнувся. Він дуже любив цього скромного трудівника, завжди привітного і доброзичливого... і шанував його уподобання іноземних слів, які частенько вживались не до речі* (Довж.). // Незручно. *Воно трохи і не до речі, просить мов той старець* (Шевч.).

4. Принагідно, побіжно. *Хочу себе потішити, що літом буде нам краще і ще заспіваємо з Вами разом у Криворівні. До речі: коли Ви збираєтеся туди?* (Коцюб.); *До речі, про берези Ще дещо пригадав я* (Рильський); *— До речі, де ви живете? — Біля деревообробного заводу* (Є. Кравч.). С и н о н і м и: до слова мовити; між іншим (у 2 знач.).

з якої речі? На якій підставі, чому? — *Так от він жаліється, що ти досі йому своєї дочки не доставила.— Якої дочки? З якої речі? — гнівно відказала Пріська* (Мирний); [П и с а р:] *Нехай старшина [напився] на радощах.. а вже з якої речі пив — сам не знаю* (К.-Карий); *Мене бояться [селяни],— спохмурнів Дорош.— Сергій.. спідлоба глянув на Дороша веселим оком: — З якої речі?* (Тют.). П о р.: **з якої радості?**

і гич не до речі *див.* гич; **мазати медом** ~ *див.* мазати; **медові** ~ *див.* слова; **називати** ~ **їх іменами** *див.* називати.

РЕЧОВИЙ: речовий доказ *див.* доказ.

РЕШЕТИЛІВСЬКА: як решетилівська толока *див.* толока.

РЕШЕТІ: возити попа в решеті *див.* возити; **чудеса в** ~ *див.* чудеса; **як в** ~ **води** *див.* води.

РЕШЕТО: брати на решето *див.* брати; **дурних у** ~ **ловити** *див.* ловити; **пам'ять стала, як те** ~ *див.* пам'ять; **пройти крізь сито й** ~ *див.* пройти; **точитися, як через** ~ *див.* точитися.

як (мов, ніби і т. ін.) [те] решето, з сл. п а м ' я т ь. Слабий, поганий. *Тепер то я тільки довідався, що в мене пам'ять стала, як те решето* (Мирний).

РЕШЕТОМ: носити воду решетом *див.* носити; ~ **не накрити** *див.* накрити; ~ **у воді зірки ловити** *див.* ловити.

РЕШТА: та й буде решта! Уживається для вираження остаточного, кінцевого вирішення справи. *Як мати лежать у пов'язках та пектись гарячим залізом, то краще поїхать, куди там вже виберем, та зробить операцію та й буде решта!* (Л. Укр.).

РЕШТИ: до решти. 1. Дощенту, дотла. *Один загін захопив Самійла Лаща в його селі, куди він втік. Козаки вбили його й зруйнували його палац до решти* (Н.-Лев.); *Поїхав [Стадницький] .. відпочивати на чужинські цілющі води та й там вдруге одружився на чарівній панноччі, батько якої з широким аристократичним умінням розтринькував до решти статки своїх дідів* (Стельмах).

2. Повністю, зовсім. *Вже міг би бути лист в відповідь на мій з Цюріха.. Коли не отримаю нічого.., то пропаде до решти той веселий настрій, з яким я їхала до Неаполя* (Л. Укр.); *Одяг Мстислава подерся до решти і замазався скальною олією* (Оп.); *Слухай дурного догматика — і ти будеш духовно виснажений до решти* (Загреб.); *— Заговорив завгосп уже спокійніше, докірливо й гірко похитуючи головою... Ніяк з вас отой сопух загряничний [закордонний] до решти не вийде!* (Бабляк). **до решки.** *— Хіба ж, мамо, у цій лахманині можна виходити на вулицю?.. — Вже навіть лиштва посіклася до решки,— тереблячи, піднімає вгору подолок спіднички* (Стельмах). С и н о н і м: до кінця; до дна (в 2 знач.); без останку (в 1 знач.); до точки (в 2 знач.).

РИБА: битися як риба в саку; битися як ~ **об лід** *див.* битися.

велика риба. Впливова людина, поважна особа. *Отець її — дуже велика риба, один з перших багачів в Бориславі і Дрогобичі* (Фр.). С и н о н і м и: велике цабе; знатна птиця.

вскочити, як риба в невід *див.* вскочити.

ні риба ні м'ясо. 1. Безвольна, безхарактерна людина. *Тепер я бачу, через що «Правда» притягає до себе все-таки чимало людей,— через те, що на світі.. страх багато тих людей, що мовляли Ви, ні риба, ні м'ясо, а треба ж і їм десь подітись* (Л. Укр.); *— Цей Безкоровайний ні риба ні м'ясо, а нам він пригодиться* (Хижняк); *До війни [Па-*

нас Чуйко] *їздовий в Удовенковій бригаді, про якого бригадир із зневагою говорив: «ніщо», або —«ні риба ні м'ясо»* (Д. Бедзик). **С и н о н і м и: ні жа́рене ні па́рене; як з кло́ччя баті́г** (у 3 знач.).

2. Щось не зовсім визначене; неясне, невиразне. *Ні риба ні м'ясо, а щось наче гриб!.. Ні риба ні м'ясо — і в раки не годиться* (Укр.. присл..); *— Ні риба ні м'ясо, а щось наче гриб маслючок! — нагадую* (Гуц.). **С и н о н і м: ні се ні те** (в 2 знач.).

як (мов, ні́би *і т. ін.***) ри́ба з водо́ю.** 1. *із сл.* ж и́ т и. Дружно, мирно, у злагоді. *Ой як вірно мене любиш, Будем жить з тобою Цілий вік, моє серденько, Як риба з водою* (Укр. поети-романтики..); *Одружившись, Кармель був зовсім поправився: суму того не було й віди, жінка в його пишнілась, як пишна рожа, й жили вони з нею, як риба з водою* (Вовчок).

2. Нерозлучний з ким-, чим-небудь.— *Ви з книжками, як риба з водою,— сказав Фесенко* (Н.-Лев.); *— Відтепер ми з тобою, як риба з водою* (Гуц.).

як ри́ба, *із сл.* м о в ч а́ т и. Зовсім нічого не говорити. *[Журавель:] Та що ж тепер казати? Я мовчу, як риба* (Мик.).

як ри́ба у воді́ 1. *перев. із сл.* п о ч у в а́ т и, п о ч у в а́ т и с я *і т. ін.* Вільно, невимушено, добре. *Побували ми з Марком Лукичем в усіх значних центрах України.., двічі возив він нас до Петербурга, де він мав великі знайомства серед письменників і артистів. Там він себе почував, як риба у воді* (Збірник про Кроп.); *Тут, біля креслень, вона почувала себе, як риба в воді* (Собко); *Давно минув той час, коли вона, щойно ставши дружиною дипломата, перед кожним прийомом хвилювалась.. Ні, тепер вона тут як риба у воді* (Гончар).

РИБИ: і ри́би налови́ти, і ніг не змочи́ти *див.* наловити.

РИБКУ: лови́ти ри́бку *див.* ловити; **спійма́ти золоту́ ~** *див.* спіймати.

РИБУ: знов за ри́бу гро́ші *див.* гроші; **лови́ти ~ в каламу́тній воді́** *див.* ловити; **ма́ти на ~** *див.* мати; **но́сом ~ ву́дити** *див.* вудити.

РИБ'ЯЧЕ: як ри́б'яче о́ко *див.* око.

РИБ'ЯЧИМ: ри́б'ячим пу́хом підби́тий *див.* підбитий.

РИБ'ЯЧОМУ: на ри́б'ячому ху́трі *див.* хутрі.

РИДАННЯМИ: дави́тися рида́ннями *див.* давитися.

РИЗ: до самі́сіньких риз *із сл.* н а п и́ т и с я *і под.* Дуже сильно. *Хіба ж він знав, що вчитель такий благородний чоловік? Сьогодні піде з ним на мирову і нап'ється до самісіньких риз* (Стельмах).

РИЗИ: як піп на ри́зи *див.* піп.

РИЗИК: на свій страх і ри́зик *див.* страх.

РИЛА: ні ву́ха ні ри́ла *див.* вуха.

РИЛО: верну́ти ри́ло *див.* вернути; **наби́ти ~** *див.* набити.

РИЛЬЦЕ: ри́льце в пушку́ у кого, чиє. Хто-небудь причетний до чогось ганебного, осудливого. *Згадавши, що в одного з її [трійки] членів теж було в минулому рильце в пушку, Толик намагається пом'якшити оргвисновки* (Довж.); *Вихопився з кучугури Прокіп і закричав, погрожуючи зброєю: — Мене, значиться, в сніг?.. Та я тебе... Згадай, на які діла мене підбивав? Не посмієш? Рильце в пушку* (Шиян).

РИНВИ: як з ри́нви, з сл. л и́ т и. Суцільним потоком, дуже рясно (про дощ). *Дощ лле, як з ринви.*

РИНВУ: з дощу́ та під ри́нву *див.* дощу.

РИПАТИСЯ: сиді́ти й не ри́патися *див.* сидіти.

РИПОМ: за одни́м ри́пом. Одночасно з чим-небудь, заразом. *За одним рипом з Остапом і Мусій вийшов з хати* (Головко); *— Посидів би ще, Михею.— Ганна чекає...— Та й ми за одним рипом.— Мирон теж встає* (Зар.).

з ри́пом *див.* скрипом.

РИСК: на свій страх і риск *див.* страх.

РИСКИ: дохо́дити до ри́ски *див.* доходити.

РИСКУ: підводи́ти ри́ску *див.* підводити.

РИССЮ: труси́ти ри́ссю *див.* трусити.

РИСТЮ: труси́ти ри́стю *див.* трусити.

РИТИ: ри́ти очи́ма зе́млю. Дивитися вниз, під ноги. *А ідеш мимо і дивишся в землю — знов кричать: — Ей!.. Що очима землю риєш? Мабуть, сумліне [сумління] нечисте носиш?* (Хотк.).

РИТМ: вхо́дити в ритм *див.* входити; **потрапля́ти в ~** *див.* потрапляти.

РІВЕНЬ: підніма́тися на рі́вень *див.* підніматися.

РІВНА: рі́вна доро́га *див.* дорога.

РІВНИЙ: як (мов, ні́би *і т. ін.***) рі́вний з рі́вним.** Рівноправний, рівноцінний з ким-небудь; однаковий. *Микола з Максимом розмовляв, як рівний з рівним* (Рибак); *Ми просимо, князю, твоєї ласки — пристати до нашого табору і злучитись з нами докупи, як рівний з рівними* (Н.-Лев.).

РІВНІ¹: на рі́вні. 1. Як слід, як належить. *[Родіон (подивився на його годинник:] Точно! Ідіть, Антоне Лукичу. Щоб все було на рівні...* (Корн.). **С и н о н і м и: як ли́чить; у ладу́** (в 1 знач.).

2. *чого.* У повній відповідності з чим-небудь. *Вміти творити — це означає бути.. мислителем своєї епохи, свого часу, бути на рівні передових ідей свого часу, бути виразником інтересів свого суспільства* (Довж.); *Головне — організувати колгоспне виробництво на рівні вимог часу* (Ю. Янов.).

РІВНІ²: поста́вити на рі́вні но́ги *див.* поставити.

РІВНІЙ: на рі́вній нозі́ *див.* нозі.

РІВНО: все рі́вно *див.* все.

все рі́вно що. Подібно до чогось; так само, як.

Не бійсь мене; я знаю бога небесного! Він покара за злеє діло, усе рівно, що за душогубство (Кв.-Осн.); *«Що як проженуть, бува? — думав він.— О сором!.. на все місто, на весь повіт, на всю губернію! Прогнаний, все рівно що штемпльований»* (Мирний).

РІВНОВАГИ: виводити з рівноваги *див.* виводити; **виходити з ~** *див.* виходити.

РІВНОВАГУ: втрачати рівновагу *див.* втрачати.

РІВНОГО: нема рівного *див.* нема; **не мати собі ~** *див.* мати².

РІВНОЇ: зійти з рівної дороги *див.* зійти.

РІВНОСТІ: ставити знак рівності *див.* ставити.

РІВНЯ: дорости до рівня *див.* дорости.

РІГ: зігнути у баранячий ріг *див.* зігнути.

РІД: вести рід *див.* вести.

РІДКА: рідка птиця *див.* птиця.

РІДКІСТЬ: на рідкість. Надзвичайно, дуже. *Вона [природа] його наділила на рідкість розкішним красномовством* (Стельмах).

РІДНА: і рідна мати не впізнає *див.* мати¹.

РІДНОГО: і батька рідного не жаліє *див.* жаліє; **~ батька продасть** *див.* продасть; **як за ~ батька; як на ~ батька** *див.* батька.

РІЖ: хоч ножем ріж. 1. Дуже густий.— *Сметани чверть гладущика баба збирає, а кисляк такий, хоч ножем ріж, хоч пальцями колупай* (Стельмах).

2. *з сл.* **г у с т и й.** Дуже, у великій мірі. *Сметана така густа, що хоч ножем ріж.*

хоч ріж (ріжте) кого. Уживається для вираження впертості чи стійкості кого-небудь.— *Не встає* [*верблюд*]? — *Спитав* [*чоловік*].— *Хоч ріж його, проклятого!.. (С. Ол.); — Чи не навідатись нам у Піски, що там діється? — я не піду, хоч мене ріжте,— каже Матня* (Мирний). **хоч би різали.—** *От мовчав би! — озвався Корній до Семена тремтячим здавленим голосом,— і чого ти заводиш, як тая баба? Хоч би мене різали, я б не плакав* (Л. Укр.).

РІЗАТИ: без ножа різати кого і без додатка. Завдавати кому-небудь неприємностей.— *Іване Тарасовичу? А я весь вечір вас розшукую. Бачите, що робиться? Без ножа ріжуть (Жур.); — Ну, що тут у вас сьогодні? — спитав Левченко. Кадук без ентузіазму, похмуро глянув з-під насуплених брів.— Те, що й учора,— буркнув він неохоче.— Шаблій без ножа нас ріже (Д. Бедзик); // Завдавати кому-небудь душевних страждань, мук.— Ти ж мене без ножа ріжеш! Прямо по серцю пиляєш! — гірко одказала Пріська (Мирний); — От би-с мовчав та не різав мене без ножа! — скрикнув чоловік і, знов похиливши голову, захлипав, мов дитина (Фр.); — Бійся бога, май серце, Борух! Чого мене ріжеш без ножа?!* (Март.).

різати / вирізати паси з кого. Катувати кого-небудь, знущатися з когось.— *Дайте мені його в руки, то я з нього виріжу паси* (Тич.).

різати око [очі]. 1. Бути дуже примітним, різко виділятися серед чогось чим-небудь незвичайним. *Послана на кушетці й неторкана постіль особливо ріже око (Коцюб.); Здалеку ця мішанина стилів різала око, псувала архітектурний ансамбль. Але зблизька· ті будинки виростали в усій величі й красі* (Кучер).

2. Неприємно вражати зір, викликати болючі відчуття в очах (перев. про яскраві кольори). *Білим сніговим килимом вкрита земля, і блиск цей ріже очі (Хижняк); З останніх сил тримався Яресько в сідлі. Нудотна гаряча втома розламувала тіло, зорі до болю різали око, іскрились, мов потовчене скло, у снігах (Гончар); При розміщенні рослин у паркових насадженнях треба враховувати колір квітів, листя, стовбурів, плодів, не допускаючи сполучень, які ріжуть око* (Колг. Укр.). **аж [в] очі ріже.—** *Аж очі ріже,— Ліда відвертається від антени вбік, мабуть, кулька металева та блиск її дівчинку нервують (Гончар); Смуги гречок блищать на сонці, неначе лиснючий атлас, аж в очі ріжуть* (Н.-Лев.).

3. Викликати неприємні почуття (тривогу, хвилювання), нервувати, бентежити кого-небудь.— *А тобі ріже око, що я чужу людину в хату прийняв* (Тют.).

різати під корінь *див.* рубати.

різати правду [в очі (у вічі)]. Говорити безпосередньо кому-небудь прямо, відкрито, відверто. *Як перед більшим менший чоловік До правди повернуть язик одважиться, по стародавній мові, Що хлібець їж. А правду ріж , Того й гляди — утнуть, як Комарові (Гл.); Правило в нас таке: виходь ось тут на лінійці і перед лицем товариства відкрито говори. Будь ти хоч третьокласник, а хочеш сказати слово критики про восьмикласника, сміливо виходь і правду ріж йому в живі очі! (Гончар); — Мій приятель.. Роботящий і чесний чолов'яга.. У попереднього керівництва в немилості був. За критику і одвертість недолюбляли. Правду в вічі різав (Рад. Укр.).* **різати правду-матку в вічі.** *Вдача вже така моя: Мамці, друзям, татку І начальству в вічі я Ріжу правду-матку* (Воскр.). **різати правду-матінку просто в вічі.** *Через ці кляті порядки і пішов я з гвардії, тому що звик різати правду-матінку просто в вічі* (Тулуб).

різати пупа. Приймати дитину під час пологів.— *Яка ж я баба? Хіба я вам пупа різала? — сказала зобижена Ярина* (Н.-Лев.).

різати / різонути (різнути) вуха (вухо, слух). 1. Неприємно, різко, грубо звучати (про звуки). *Різали вуха незвичні слова власників отих рундуків і крамничок: — Мадам, тільки для вас, справжнє «Коті»... (Рибак); Поема до друку не годилася, а серед віршів були цікаві. Брунькасті і важкі вони трохи різали слух, але й будили* думку (Мушк.); — *Мухо, ти?* — запитав [Федір] розгублено. *На це прізвисько Муся раніше покірно і навіть охоче озивалася. Тепер воно різонуло їй вухо. Прозвучало образливо і принизливо* (Ткач); *Від телефону відривається жвава дівчина в голубій косинці.— Ви до кого; бабусю? — різнуло вуха прикре слово.— До секретаря...* (Хижняк); // *чим і без додатка.* Неприємно вражати, дратувати кого-небудь, діяти на органи слуху. *Гайдученко.. недбало насвистує грайливого мотива, і мотив той ріже ухо фальшем* (Сліс.); *На розхряпаних вікнах сиділи хлопці й співали. А їхні голоси високі, неоднакові, різали вухо дзвінком і гострим склом* (Мик.); *Я не вбачаю ні одного виразу* [в сонетах Грінченка], *щоб різав ухо та потребував зміни* (Сам.).

2. *без додатка.* Виділялися серед чого-небудь. *У маленькому творі кожна зайвина і неточність одразу впадає в око, ріже слух, калічить художню тканину* (Літ. Укр.); *У творах Толстого селянська мова тісно зв'язана з усією тканиною оповіді, вона не ріже слуху, не звучить настирливо, вона органічна* (Рад. літ-во).

рı́зати / різону́ти (різну́ти) ноже́м *кого по чому.* 1. Завдавати душевних мук, переживань. *Йдіть уже, тітко Ярино, йдіть!.. Хіба сліпі, що в неї* [матері] *душа болить, серце крається, що ви її по ранах ножем ріжете?* (Гуц.).

2. Неприємно вражати, ображати кого-небудь.— *Ти що, молодичко, всіх п'яних з рову витягаєш? І чоловік не боронить? Га? Ха-ха-ха! Ножем різонув Ганну той сміх* (Курт.).

рı́зати / різону́ти (різну́ти) по живо́му [тı́лі] *кого.* Завдавати душевного болю, сильно вражати, ображати чимось кого-небудь. *Краще хай буде гірше одному, а не всім,— промовив розсудливо і лише опісля помітив, що різонув брата по живому тілі* (Стельмах).

рı́зати / розрı́зати повı́тря (ти́шу). 1. Різко лунати (про звуки). *Знову різало повітря якесь гостре свистіння* (Гр.); *Розрізав густе повітря постріл рушниці* (Коцюб.).

2. Порушувати тишу різкими звуками. *Ранішній кашель не давав йому спокою. Він бухикав, гавкав, вив, ричав, як цілий звіринець, і гострими звуками різав вранішню тишу* (Коцюб.).

рı́зати се́рце див. краяти.

РІЗАЧКА: щоб рı́зачка попорı́зала. Уживається як лайка з побажанням чого-небудь лихого, недоброго. *Щоб тебе різачка попорізала!* (Укр. присл..).

РІЗДВА: не до Петра́, а до різдва́ див. Петра.

РІЗКИЙ: рı́зкий на язı́к. Здатний говорити грубо, з образливою прямотою. *Різкий на язик, грубуватий, як усі сини півдня, Селаброс часом грубо різав правду в вічі* (Н.-Лев.).

РІЗНИХ: говори́ти на рı́зних мо́вах див. говори-

ти; **з ~ кінцı́в** див. кінців; **ходи́ти по ~ стежка́х** див. ходити.

РІЗНИ́ЦЬКИЙ: різни́цький соба́ка див. собака.

РІЗНИ́ЦЯ: вели́ка рı́зниця. Уживається для вказівки на щось протилежне висловленому; зовсім інша справа.— *Яка тобі, Іване, різниця; сьогодні* [їхати] *чи завтра?.. — Велика різниця* (Стельмах).

яка́ рı́зниця? Хіба не однаково? *Поет знизав плечима зневажливо: — Не розумію, чому! Яка різниця?* (Л. Укр.); — *Ну, хай я після певних видозмін.. не буду Григорієм Мамайчуком, а буду, скажімо, кавуном або динею..— Або й будяком, яка різниця? Головне, що я буду* (Гончар).

РІЗНІ: на рı́зні лади́ див. лади; **на ~ кінцı́** див. кінці.

РІЗНУВ: як хто різну́в див. хто.

РІЗНУТИ: різну́ти ву́хо; ~ ноже́м див. різати.

РІЗОК: да́ти різо́к див. дати; **скуштува́ти ~** див. скуштувати.

РІЗОНУВ: як хто різону́в див. хто.

РІЗОНУТИ: різону́ти ву́хо; ~ ноже́м див. різати.

різону́ти (різну́ти) в ду́мці. Зненацька, блискавично з'являтися у свідомості кого-небудь. «*Напад? — різонуло в думці.— Зміні ще рано йти». З мороку виринула постать офіцера* (Багмут).

РІЗЦЯ: вихо́дити з-під різця́ див. виходити.

РІК: за ро́ком рік. Поступово, у хронологічному порядку. *За роком рік Касіян зображує події Жовтня і перших років будівництва Радянської держави. Його роботи присвячуються Дніпрогесу і новобудовам Донбасу* (Вітч.); *Я занотував деякі зустрічі з ним* [з Ю. В. Шумським] *рік за роком* (Вітч.).

не пе́рший рік. Давно, протягом довгого часу. [Т к а л я:] *Не перший рік живе вона* [принцеса] *між нами* (Л. Укр.); — *Чуєш, Омеляне, не перший рік ми знаємо один одного* (Стельмах). П о р.: **не пе́рший день.**

не рік, не два. Тривалий відрізок часу, довго. *Ми дивимось на стан речей сумніше і думаєм, що нам це не рік, не два їсти біду, поки здобудемо яку-небудь ідеальну політичну волю* (Л. Укр.).

рік у рік. Постійно протягом тривалого часу. *Я з норми не виходжу, та й лікар потачки не дає.. І, зрештою, не можна рік у рік по-санаторськи бездіяльно жити, а треба навчатись «бути здоровою в умовах нормальних», а себто в умовах не лежня, а людини* (Л. Укр.); **з ро́ку в рік.** *З року в рік безконечними валками рухались сюди зі степових економій рипучі чумацькі мажари, навантажені відбірним експортним зерном та тюками тонкорунної вовни* (Гончар); *З року в рік підтверджують свою високу репутацію митці студії науково-популярних фільмів* (Літ. Укр.).

як (мов, ніби і т. ін.) рік, *із сл.* д е н ь , д н і

і под. Дуже довгий. [О д а р к а:] *А день сьогодні як рік для мене* (Зар.); *Дні — як рік* (Сос.).

РІКАМИ: кров ріками ллється *див.* кров; **лити-ся ~** *див.* литися.

РІКИ: медові [ї] та молочні [ї] ріки, *нар.-поет.* Повний достаток. *Україна — це тихії води і ясні зорі, зелені сади, білі хати, лани золотої пшениці, медовії та молочнії ріки* (Вас.).

молочні ріки і киселеві (масляні) береги. Заможне, повне достатку, безтурботне життя.— *Хай тобі сняться молочні ріки і масляні береги* (Добр.).

РІКОЮ: литися рікою *див.* литися.

РІПИЦЮ: [аж] по саму ріпицю. Уживається для вираження крайньої межі в чому-небудь.— *Іди, вони [німці] тобі приріжуть [землі]. Як одхватять, то аж по саму ріпіцю* (Тют.). С и н о н і м и: **по саме нікуди; далі нікуди.**

утнути по саму ріпицю *див.* утнути.

РІСКИ: ріски в роті не було *див.* було; **~ в рот не брати** *див.* брати.

РІЧ: вести річ *див.* вести.

видима (ясна) річ. Безумовно, безсумнівно. *Ідемо ми так, ледве ноги витягаємо. Видима річ, що заблудилися* (Хотк.); *В казковий край, видима річ, летіли [чайки], якусь шукаючи там здобич золоту* (Рильський); *Ясна річ, що Шевченко серйозно ставився до своєї поетичної творчості, коли так точно датував свої рукописи* (Життя і тв. Т.Г. Шевченка); *Ясна річ, що радянська літерату-ра — це література, яка дивиться вперед* (Риль-ський); *Смолярчук підійде до клуні крадькома, тихо, мов той кіт... Ясна річ, він хоче застукати злодіїв на гарячому* (Кос.).

відома (певна, природна) річ. Уживається для вираження ствердження чого-небудь; зрозуміло; без сумніву. *Відома річ, кого огнем пече, тому скрізь вода мріється* (Вовчок); *Духом поїхали вони до заміського веселого шинку.. «Ельдорадо». Тут, річ відома, молодіж прогулювала батьківські та материнські гроші* (Хотк.); *Шкода за минулим, річ відома, Та й теперішнє колись мине... Але хай поб'є тих осорома, Хто весну зимою проклене!* (Рильський); [К р у с т а:] *Та певна річ! Римля-нин же порядний не пристане до секти бузувірної, що богом собі осла назвала?* (Л. Укр.); *І от саме.. в першу хвилину зустрічі, природна річ, в усіх них послабла пильність* (Головко).

в тім-то й річ (справа). Уживається для наголо-шення, підкреслення того, що висловлюється.— *Я ж кажу, хто не рискує, той шампанського не п'є,— збадьорився Корній, мовби заворожений Сіробабиними пляшками.— В тім-то й річ, що цей якраз і не рискує,— засміявся вузькоокий льотчик* (Гончар). С и н о н і м: **то ж то й воно.**

в чім (в чому) річ? Що трапилось? — *Сьогодні йдемо з Островським мимо одного такого будинку, прапор над ним біліє, а зайшли всередину — нема*

нікого. В чім річ? *Потім уже бюргерська наймичка все розповіла* (Гончар).

держати річ *див.* держати.

дивна (надзвичайна) річ! Уживається для ви-раження здивування, захоплення, обурення і т. ін. *І дивна річ! Відтоді я зненавидів свій апарат, наче він був винуватцем моїх мук...* (Ко-цюб.); *Але дивна річ! Майже завше се єднання настроїв закінчувалося драматично* (Хотк.); *Див-на річ — мені і на думку не спало з'ясувати щось Севові* (Ю. Янов.). П о р.: **нечувана річ.**

інша річ (справа); інше діло. Зовсім не такий. [К н у р и х а:] *Звісно, ви черниці, йому [Богу] служите: А ми, миряни — зовсім інша річ* (Мир-ний); — *Ех, сорочко, моя сорочко! Я сам тебе скоро виперу.. На вас-от — інша річ! Все новень-ке та чистеньке... З голочки.. А на пузі повз,— сказав сержант* (Гончар); *Я .пишу мемуари.. Інша справа тепер. Я пишу насамперед для себе, і мені все цікаво* (Ю. Янов.); *Труднувато буде тепер щось знайти,— сідає Марія на лаву.., а по її обличчю снують невеселі думи.— Це весною — ін-ше діло* (Стельмах). С и н о н і м: **не той табак.**

нечувана річ! Уживається для вираження за-хоплення, здивування і т. ін. *Татари гули.. Зачеп-лено не тільки Маметову честь, але й честь усього роду.. Річ нечувана!* (Коцюб.). П о р.: **дивна річ.**

річ у собі. Щось нерозкрите, непізнане.— *Най-гірше, коли ніхто не чує, який у тебе голос, ніхто не бачить, яке у тебе серце...— сказала раптом жур-но.— Ти є, а ніби тебе немає... Річ у собі* (Шев-чук); *Бажання говорити в мистецтві про високі поняття, про великі діла, про революційні зміни — це річ у собі. Замале тільки бажання! Потріб-не уміння* (Мист.).

РІЧКАМИ: литися річками *див.* литися.

РІЧКОЮ: литися річкою *див.* литися.

РІЧКУ: щуку кинути у річку *див.* кинути.

РІЧЦІ: крапля в річці *див.* крапля.

РІШАТИСЯ: рішатися / рішитися життя. Запо-діювати собі смерть. *Ні, не тому життя свого рішатись, Хто тільки вічністю задовольниться* (Сам.).

РІШИТИ: рішити життя *кого.* Убити кого-не-будь. *Зараз же рішу тебе життя.*

РІШИТИСЯ: рішитися життя *див.* рішатися.

рішитися (позбутися) розуму (ума, глузду). Втратити здатність нормально мислити, діяти і т. ін. *Всі так ізвикли [звикли] бачити його без подружжя, що надзвичайно здивувались, почув-шися [почувши], що він має одружитися..— От, на старість розуму рішився!* (Гр.); — *Цей Павло ума рішився: от сам на себе і зводить лихо — чує-те?* (Вовчок); *Він з її волі ніяк не вийде: мов тая дитина, за спідницю держиться, зовсім свого глузду рішився!* (Дн. Чайка); *От вернувся [ху-дожник], відчинив лиш двері І — остовпів!.. На полотні якісь химери, Строкаті кола, плями... Наче* *хто топтавсь* [по картині].. *Художник глузду не позбувся трохи* (Косматенко). С и н о н і м и: **стра́титися ро́зуму; з глу́зду з'ї́хати; позбу́тися кле́пки.**

РОБИ́ТИ: з (від) ні́чого роби́ти. Через відсутність діяльності. *Пейсатий корчмар сидить на порозі своєї корчми і від нічого робити перебирає пальцями* (Хотк.); *Від нічого робити вони кидали маути, намагаючись зачепитися петлею за сучок дерева* (Багмут); *Од нічого робити швейцарка куняє в просидженому старому кріслі* (М. Кол.).

ні́чого (нема́ що) роби́ти. Неможливо вчинити так, як хочеш, треба примиритися з тим, що є. *Нічого робити: давай Василь Семенович закликати до себе не багатих і не великородних паничів, аби тільки з дворянського кодла* (Мирний); *Купці підводять Січкариху до дверей, вона мац рукою до клямки, а кругом ворушиться одна вовна, ворушиться, сопе і регоче. Перелякалася баба, та нічого робити* (Стельмах); *Прикро мені дуже, що прийдеться нидіти по тих клініках,— се варто пекла! — але вже нема що робити* (Л. Укр.). С и н о н і м и: **що роби́ти?; що ти роби́тимеш?**

роби́ти ді́ло. Працювати. *Не дошила Стеха урочної роботи..,— Уляна винна: вона своїми реготами та теревенями не дає дівчатам діла робити!* (Мирний); *— Що це сталося з Романом? — Десь дляється, а овечок не загнав. Він же такий хазяйновитий, робить діло без загаду. А це... Де це він?* (Н.-Лев.); *І досить балачок. Треба діло робити. Час не стоїть* (Головко); *От і похвалилися. А треба було не хвалитися, а діло робити, та з толком, а не язиком...* (Тют.).

роби́ти до́бру (весе́лу) мі́ну при недо́брій (пога́ній) грі́. За зовнішнім спокоєм приховувати тривогу, незадоволення, неприємності, прикрощі і т. ін. *Не вішати носи, коли в серці кішки скребуться, робити добру міну при зовсім недобрій грі,— на таке здатний не всякий* (Шовк). **роби́ти до́брі мі́ни.** *Усі* [в сім'ї] *намагались робити добрі міни, а кожен про себе думав: чи доведеться ще зійтися усім хоч раз у житті?* (Гжицький).

роби́ти з губ (з пи́ска) халя́ву. Не виконувати своєї обіцянки; брехати; перебільшувати. *Не годиться халяву з губи робити* (Номис); *— Коли хтось робить із губи халяву, тобто розминається з правдою, собачка мій завше гавкає...* (Ільч.); *— Чого ти чванишся? Старці, злидні, животи з голоду присохли до спини, а воно приндиться. Кажу наймай* [Гафійку], *каятимешся потім.— Е, я такого не люблю. Нащо роби з писка халяву* (Коцюб.).

роби́ти / зроби́ти вели́кі о́чі. Виявляти подив, здивування. *О. Василь робив великі очі.— А-а-а!.. Так, то, може, ви варили* [каву]? (Хотк.); *А ти б не розкидала свої куделі по всіх кутках... Сусана зробила великі очі* (Коцюб.). С и н о н і м: **диви́тися вели́кими очи́ма.**

роби́ти / зроби́ти ви́гляд (рідко вид). Удавати що-небудь, прикидатися. *Маркушевський, знав, що професор Ясень не полюбляв його, можливо, навіть почував до нього відразу, однак.. робив вигляд, начебто все йде як слід* (Ю. Бедзик); *Богдан стояв осторонь і робив вигляд, ніби його зовсім не стосується вся гра* (Ю. Янов.); *Підходить* [гуцул] *до Василя і стоїть кілька хвиль.. Василь робить вид, що не помічає, і говорить із приятелем* (Хотк.).

роби́ти / зроби́ти з му́хи слона́ (вола́, бугая́). Надто перебільшувати щось, надавати великого значення чому-небудь незначному. [Г р а ф:] *Я не дивуюся нічому, бо вспів переконатись, що люди часто з мухи слона роблять* (К.-Карий); *— Ти мене, Письменний, не лякай,— з почуттям власної гідності сказав Подорожній,— і не роби з мухи слона* (Мур.); *Може, я перебільшую, з мухи роблю вола? Може, взагалі це дрібниця?* (Літ. Укр.); *Поступово буря в ньому вщухла, і він остаточно вирішив, що Ріта зробила з мухи слона* (Збан.); *Вони б усюди брехні рознесли, Зробили б бугая із мухи...* (Гл.).

роби́ти / зроби́ти ми́лість кому і без додатка. Виявляти бажання допомогти, піти назустріч кому-небудь. *І таким голосом, наче робив.. милість, вимовив* [Василько] *стримано і поважно* (Донч.).

роби́ти / зроби́ти пого́ду. Вирішально впливати на що-небудь, бути визначальним. [П е т е р с о н:] *Ви не належите до людей, які роблять погоду* (Галан); *Могутній на силу, Красивий на вроду, У всяку погоду чудовий Дніпро, Бо нині він сам уже робить погоду своєму народу на щастя й добро* (С. Ол.); *— Яким би не був голова колгоспу, без вас, люди, без ваших рук, душевності і великодушності він погоди не зробить* (Стельмах).

роби́ти / зроби́ти по́ступи. Досягати вищого ступеня розвитку, більшого вияву. *Відрадно, що демократія робить поступи в усіх сферах життя нашого суспільства. Хороба* [хвороба] *зробила такі поступи, що приликаний четвертого дня лікар міг тільки ствердити, що його наука не придасться тут ні на що* (Фр.); *— Зробили твої відносини до неї які поступи до певності? — спитав я його* (Кобр.).

роби́ти / зроби́ти своє́ [ді́ло]. Виконувати те, що належить, що призначено. *Старости робили своє діло: вони умовляли.. Сикліту Британову віддавали дочку за Василя Мітлу* (Григ.); *На страту йди спокійно, сміло, впади обірою оман, Чекісти зроблять своє діло, будь певний, пане отаман!* (Сос.); // Відповідно діяти. *Зусилля наших шістьох рук, щира робота Тайах і наша, горілка в роті й шлункові — зробили своє діло. Незнайомий остаточно прокинувся* (Ю. Янов.); *Не придатні до життя, хворобливі, штучні, наду-*

мані форми [творчості], зробивши своє, гинуть (Еллан).

роби́ти / зроби́ти траге́дію з чого. Уявляти собі щось надто важким і безнадійним. *Десятки тисяч наших дівчат воюють, і не тільки в медсанбатах, а й на передовій, і не роблять з того трагедії* (Перв.).

роби́ти / зроби́ти честь. 1. чому. Бути чиєю-небудь прикрасою, гордістю. *Видавались з маси співу такі чисті та дужі голоси, котрі зробили б честь сцені у великих театрах* (Н.-Лев.); *У нашому інституті вторік [торік] одкрили картинну галерею.. Навіть не підозрювали, яке багатство там лежить. Такі твори зроблять честь і столичному музеєві* (Гуц.).

2. кому. Позитивно характеризувати кого-небудь.— *Такий погляд на виховання дітей робить вам честь,— сказав Ломицький* (Н.-Лев.); *Надзвичайна сумлінність у творчій роботі, напрочуд велика працьовитість, довіра до режисера робили честь талановитому російському акторові Бєлову* (Довж.).

роби́ти з се́бе ду́рня (ду́рника). Прикидатися таким, що нічого не розуміє; удавати з себе наївну, нетямущу людину. *Не робіть із себе дурня, Йойно! Адже при вас учора Нута возив кип'ячку — свою, не вашу. Ще якраз під парканом одна бочка трісла. Ви самі бачили, самі сміялися!* (Фр.). С и н о н і м и: **ко́рчити ду́рня; валя́ти ду́рня** (в 2 знач.); **гра́ти ду́рня** (в 1 знач.).

роби́ти ки́слу мі́ну див. скривити.

роби́ти на́голос на чому — що. Зосереджувати увагу на чому-небудь, виділяти щось як головне серед інших, другорядних ознак, надавати перевагу чомусь. *Дарвін робить наголос в основному на внутрівидовій боротьбі* (Наука..); *Природно, що дослідник робить наголос на великій любові М. Садовяну до творчості найвидатніших геніїв російської літератури* (Літ. Укр.); *Працювати краще — значить робити наголос на ефективність і якість* (Рад. Укр.).

роби́ти / нароби́ти [бага́то, чима́ло] шу́му. Викликати багато розмов, привертати до себе загальну увагу. *Уже перша збірка «Лірики», видана ще тоді в Славгороді, наробила шуму, принесла йому і славу й гроші* (Головко).

роби́ти о́чки кому. Грайливо поглядати на кого-небудь, кокетуючи з ним.— *Тікаймо. Цей грек робить нам очки,— сказала Саня й схопилась з лави* (Н.-Лев.).

роби́ти парале́ль див. проводити.

роби́ти про́мах див. давати.

роби́ти свої́м (його́ і т. ін.) ро́бом. Чинити, діяти за власним (його і т. ін.) розсудом. *Мій батько був чоловік дуже відмінний від інших наших селян і любив робити все своїм робом* (Гр.); *Така думка, що нехай люди його робом роблять, то усе добре буде* (Вовчок).

роби́ти ста́вку на що. Покладати великі надії на що-небудь, розраховувати на щось. *Дорош вирішив не йти ні на прохання, ні на приниження, а вибрав інше: сидіти і терпеливо чекати, що буде далі; тобто, він робив усю ставку на витримку* (Тют.); *Ідеологічна реакція робить ставку на залишки міщанських обивательських смаків у нашому суспільстві, не без підстав розраховуючи на те, що від поганого смаку ближче до поганого вчинку* (Талант.).

роби́ти (стро́їти) / зроби́ти фі́глі (фі́гля). Вдаватися до жартів, пустощів, трюків, щоб насмішити або обдурити когось. *Вона любить фіглі робити і опісля на все горло сміятися* (Кобр.); *Зазнав він і двобоїв I різні фіглі молодечі строїв, Що аж тепер, лише на згад про них З-під уса прискає нестримний сміх* (Рильський); *Бачать діти, що старий батько з ними фігля зробив* (Сл. Гр.).

роби́ти сце́ну кому. Сваритися з ким-небудь, виражаючи своє незадоволення. *Спочатку О. Василь байдужно приймав це піклування, та врешті воно почало йому докучати, особливо коли Раїса робила йому сцени за те, що він не бережеться* (Коцюб.).

що [ж (тут)] роби́ти? Доводиться миритися з тим, що є.— *Що мої гроші! Що ж робити, коли нема більш!* (Кв.-Осн.); *Доведеться два дні не виходити на вулицю, посидіти в хаті, та що ж робити! Уже ж краще, ніж компрометація...* (Коцюб.); *Що тут робити? Мусили ми чекати 3 години другого поїзда* (Коцюб.). С и н о н і м и: **що ти роби́тимеш?; нічого роби́ти**.

РОБИТИМЕШ: що ти роби́тимеш? див. ти.

РОБИТЬСЯ: що [ті́льки] ро́биться! Уживається для вираження здивування, захоплення чим-небудь.— *Забрав, кажу, Жмеринку! Бар забрав! Забрав Комарівці! — Хлопці, що робиться! — гукнув, зрадівши Щорс.— Василю Назаровичу, та ти не батько, а справжній червоний генерал* (Довж.); — *Господи! що тільки робиться на вигоні! — вскочивши в хату, замість привіту прокричала сусіда* (Мирний).

РОБОМ: нія́ким (жо́дним) ро́бом. Ніяк.— *Звідкіль шугають сюди ті птахи, ніяким робом не дізнаємось про це* (Н.-Лев.); *Люблю й сам, щоб вади людської натури, принаймні в фантастичному оповіданні, справлялись, але жодним робом не перемагали* (Сам.).

роби́ти свої́м ро́бом див. робити.

таки́м ро́бом (по́битом). 1. Так.— *Вона [філоксера] може причепитися з землею до сапи, якою підгортаєте кущ, до ніг худоби чи людини, яка проходить по зараженому місцю, і таким робом її легко рознести по всіх виноградниках* (Коцюб.); *Думки не давали Денисові спокою. А що, якби піти та заховатися там поміж кущами та й допильнувати — де коні візьмуться? Може таким робом викрив би він і коновода* (Гр.); *Почався* і йшов [спір] *таким побитом, що діло, замість того, щоб виясниться, тільки більше запутувалось* (Драг.).

2. *Отже. Якийсь гурт молоді ходить між яток і співає.. Таким робом, окрім сидячих і стоячих, є ще й ходячі хори* (Коцюб.).

ходи́ти лихи́м ро́бом; ходи́ти чи́стим ~ див. ходити.

яки́мось ро́бом. *Якось. В житті й такі випадки є: Якимось робом диким Великий муж малим стає* (Воскр.).

яки́м ро́бом. *Як.* [К і н д р а т:] *Яким ти робом опинилась тут?* [М а р у с я:] *Прийшла на прощу до святих печерських...* (Сам.); — *Переночуємо тут? — Ні, я додому,— підвівся з саней Мар'ян.— Додому?! То яким робом? — ще голосніше і недовірливо крикнув фурман* (Стельмах).

РОБОТА: мо́кра робо́та див. справа.

робо́та лежи́ть. *Не здійснюється, не виконується те, що потрібно комусь зробити. Робота лежить, а дівчата своє справляють... Регочи, співи* (Мирний); *Робота лежить, а я мучуся бездіяльністю і проклинаю життя* (Коцюб.).

сізі́фова робо́та див. праця.

РОБО́ТИ: не варт това́р робо́ти див. товар; **уганя́ти ко́ло ~** див. уганяти.

РОБО́ТУ: бра́ти в робо́ту див. брати.

РОГА: як з ро́га доста́тку (Амальте́ї). *У великій кількості, щедро, рясно. Розгорнувши блокнот, Зоня шпурнула цифрами, як з рога достатку* (Вільде); *Осінній холодок над спраглою землею Шатро гаптоване широке розіп'яв. І з рук його падуть, як з рога Амальтеї, Плоди, налиті вщерть, і довгі пасма трав* (Рильський).

РОГА́ТИНУ: як віл на рога́тину див. віл.

РОГИ: бра́ти бика́ за ро́ги; бра́ти за ~ див. брати; **виставля́ти ~** див. виставляти; **вкрути́ти ~** див. вкрутити; **де ко́зам ~ пра́влять** див. правлять; **до бі́са на ~** див. біса; **лі́зти чо́ртові на ~** див. лізти; **наставля́ти ~** див. наставляти; **облама́ти ~** див. обламати; **показа́ти, де ко́зам ~ пра́влять** див. показати; **прите́рти ~** див. притерти.

ро́ги висо́кі росту́ть *у кого, рідко кому. Хто-небудь відчуває силу, самостійність, впевненість, виходить з-під влади, залежності, контролю кого-небудь. А вже ми будемо старатися, щоби їм роги не надто високі росли: скоро ще троха зачнуть носитися бутно, а ми цап,— плату знижимо, і свищи тоді тонко, так, як ми хочемо!* (Фр.).

скрути́ти ро́ги само́му чо́ртові див. скрутити.

РОГОМ: о́чі ро́гом див. очі; **~ полі́зти** див. полізти.

РО́ГУ: з-за (і́з-за) ро́гу. *Нишком, крадучись, таємно.* [К л а в д і я:] *Чоловік.. стріляв з-за рогу, підло, по-злодійському, в керівника народних повстанців* (Сміл.); [Б а ш л и к о в:] *А батарея там же?* [2-й б о є ц ь:] *Наказав* [командир] *викотити на відкриту позицію. Он тягнуть.* [О с т а п е н к о:] *Він такий, не любить з-за рогу* (Корн.); *Відкрито не виходять, із-за рогу б'ють, і це ж тільки початок, .. а скільки їх ще буде, скільки ще куль із-за рогу просвистить, поки все ввійде в береги і життя потече, як широка течія дніпрова* (Гончар).

мішко́м з-за ро́гу вда́рено див. вдарено; **як з-за ~ мішко́м приби́тий** див. прибитий.

РОДИ́ЛА: як ма́ти роди́ла див. мати.

РОДИ́ЛО: не роди́ло в черепку́ *у кого. Хто-небудь розумово відсталий, ненормальний. І в них* [у дорослих] *теж чогось вискакували клепки,.. не варив баняк, у голові літали джмелі, замість мізків росла капуста, не родило в черепку, не було лою під чуприною* (Стельмах). С и н о н і м и: **несповна́ ро́зуму; нема́ кле́пки.**

РОДИ́МА: роди́ма пля́ма див. пляма.

РОДИ́МЕЦЬ: щоб (бода́й) роди́мець поби́в *кого, лайл. Уживається як лайка з побажанням лиха кому-небудь. Щоб тебе родимець побив!* (Укр. присл..); — *Бодай їх родимець змалечку побив був, як отак хліборобити! — Огир аж одкинувся на спинку стільця* (Головко).

як роди́мець уда́рив див. параліч.

РОДИ́НИ: чуття́ єди́ної роди́ни див. чуття.

РОДИ́ННЕ: роди́нне во́гнище див. вогнище.

РОДИ́ТИСЯ: роди́тися без соро́чки; ~ в соро́чці; ~ під щасли́вою зі́ркою див. народитися.

РО́ДУ: без ро́ду [й пле́мені (й праро́ду)]. *Хто-небудь одинокий. Кинув він усе та й утік до Києва, ізгоєм став, неприкаяною людиною, без роду й племені* (Хижняк); *«Сама я, дитино моя»,— каже баба. ...«Дев'ятьох дітей поховала, онуки в землю полягли, правнуки не задержалися, а ти, бабо, доживай віку без роду й прароду..»* (Ю. Янов.). П о р.: **ні ро́ду ні пле́мені; ні ро́ду ні пло́ду.**

від ро́ду до ро́ду. *У всіх поколіннях, від батьків до дітей. «Вічно з братами у праці й бою, Разом від роду до роду!» — Так провіщає нам правду свою Воля народу* (Рильський); *В глибині між вербицями дім* [Рильського]. *Нині вірші народяться в нім. Ті, що будуть від роду до роду Йти по збуджених душах народу* (Воронько). **з ро́ду в рід.** *Слухайте і розкажіть про цю дружбу, хто живий зостанеться, дітям і онукам,— долітали слова Тараса.— Хай перейде її слава з роду в рід...* (Довж.).

з (від) [са́мого] ро́ду. *Від народження.* [П а л а ж к а:] *Ти інше серце маєш. Добре воно в тебе з самого роду* (Мирний); *Сліпий Андрійко співає...— Сліпий від роду? — Де там, осліпили* (Стельмах); *Мій дід від роду теж піїт,— робив добро, як завжди, тихо, ніде про себе не кричав, він не любив пустого крику* (Сос.).

і́ншого ро́ду, і́ншого заво́ду. *Не схожий на кого-небудь, інший, не такий, як хтось.— Що і за* утішний [Власов]. *Сказано іншого роду, іншого заводу... Зараз видно* (Мирний).

не полохли́вого ро́ду *див.* десятка.

ні ро́ду ні пле́мені *у кого.* Хто-небудь одинокий. [П е т р о:] *Не убивайте мого сина! ..Бачите, у мене нема ні роду ні племені, він у мене один одним* (Кост.); *Не мав козак ні роду ні племені, ні батька ні матері, ні сестри ні брата — всіх полонили бусурмени* (Пригара). П о р.: **ні ро́ду ні пло́ду; без ро́ду.**

ні ро́ду ні пло́ду (ні припло́ду). Хто-небудь одинокий, без родичів, без батьків, без дітей.— *Я круглий сирота: ні роду, ні плоду, ви мене на ноги поставили, ви мене до розуму довели* (Кв.-Осн.); *Куди вона тепер подінеться, сліпа, хто її прийме назад до панського двору? У неї ж ні роду, ні плоду* (Кучер); *Щось своє, щось рідне почула я в йому; може і в його, як у мене, ні роду, ні приплоду, та ніхто ні пригорне, ні привітає...* (Мирний). П о р.: **ні ро́ду ні пле́мені; без ро́ду.**

одного́ ро́ду, одного́ пло́ду. Хто-небудь ‘дуже схожий на когось звичками, манерами, зовнішністю і т. ін. *І той [Йосип], і цей [Яків] — одного поля ягода; одного роду, одного плоду...* (Мирний). С и н о н і м: **одного́ по́ля я́года.**

РО́ДУ: на ро́ду *у кого.* У родині.— *І на роду не було в нас такого, щоб хто сім'ю кидав! — завіряла Марина* (Горд.).

на ро́ду напи́сано *див.* написано.

РО́ДЯТЬСЯ: не ча́сто ро́дяться. Рідкісний. *Такого майстра я рік шукав, такі майстри не часто родяться* (Ю. Янов.).

РО́ЄМ: ро́єм рої́тися *див.* роїтися.

РО́ЖЕВИХ: у рожі́вих фа́рбах *див.* фарбах.

РОЖЕ́ВІ: диви́тися крізь рожі́ві окуля́ри *див.* дивитися; ~ **мрії́** *див.* мрії.

РОЖЕ́ВОМУ: ба́чити в рожі́вому сві́тлі *див.* бачити.

РОЖЕ́ВУ: диви́тися крізь рожі́ву при́зму *див.* дивитися.

РОЖЕ́Н: лі́зти на роже́н *див.* лізти.

РОЖНА́: лі́зти про́ти рожна́ *див.* лізти.

РОЖНІ́: як живце́м пекти́ся на рожні́ *див.* пектися.

РОЗБЕРЕ́: біс не розбере́ *див.* біс; **Госпо́дь його́** ~ *див.* Господь.

РОЗБЕРЕ́Ш: без півлітри (без півлітра) не розбере́ш (не розбере́шся), *жарт.* Дуже важко що-небудь зрозуміти.— *Діла, брат. Такі діла, що без півлітри не розбереш* (Збан.); *— Хто ж винен?.. дивувався Петрюк. — Дідько його знає...— Кифір чорним пальцем розгладжував брови, тер бороду, пропогоджувавсь.— Тут без півлітра не розберешся...* (Бабляк).

РОЗБИ́В: як паралі́ч розби́в *див.* параліч.

РОЗБИВА́ТИ: розбива́ти лід *див.* ламати.

розбива́ти ло́бом горі́хи. Марно витрачати зусилля, час на що-небудь, займатись пустою спра-

вою.— *А кажуть, що комендант до вас кожну ніч ходить.— Ну, досить лобом горіхи розбивати* (Тют.).

розбива́ти / розби́ти в пух і прах. Знищувати остаточно, повністю; перемагати у бою. *Ми ворога-ворона на кожній території знищимо — розіб'ємо в пух і прах* (Гер.). **у прах розби́ти.** [Ш е л ь м е н к о:] *Не віднімайте, Трохимович!.. Я його [Бутилочкіна] у прах розіб'ю* (Кв.-Осн.).

розбива́ти / розби́ти кайда́ни (око́ви, пу́та і т. ін.**).** Звільнятися від насильства. *Не насмілюються [люди] звести очі на Хо, глянути страхові в вічі... Хо знає, що тільки одиниці зважуються на це, а зважившись, знаходять силу розбити кайдани* (Коцюб.); *Ми розбили вже окови, Ворогів ми спиним сказ, Прапор наш, залитий кров'ю, Не одбить нікому в нас* (Укр.. думи..); *Там, де змагається Захід, Там, де прояснює Схід,— Треба, товаришу, брате, Пута порвати, розбить!* (Ус.).

розбива́ти / розби́ти лоб (ло́ба). 1. Схилятися перед ким-, чим-небудь; поклонятися комусь, чомусь.— *Створили собі ідола і давай перед ним розбивати лоби...* (Гончар). С и н о н і м: **би́ти ло́бом.**

2. *кому.* Докладати максимум зусиль для здійснення чого-небудь.— *Ех,— зітхнув Миня,— добре було б по чарочці.. Скажи він це трохи раніше, Люда лоба собі розбила б, а чарочка стояла б на столі* (Перв.).

розбива́ти / розби́ти ніс (но́са) *на чому, де.* Зазнавати великих невдач, неприємностей, зазнавати поразки. *От подивимося, що з тебе вийде. На крутих поворотах люди носи розбивають* (Тют.). С и н о н і м: **лама́ти карк** (у 2 знач.).

розбива́ти / розби́ти се́рце (ду́шу) *чиє, кому.* Завдавати кому-небудь болю, страждань і т. ін. *Свічки рясні в церкві тій палали, куривсь кадила запахущий дим, плачливі співи серце розбивали* (Фр.); *За оцим рогом підстеріг її [Оксану Сергіївну] знехтуваний поклонник і сказав, що вона розбила його серце* (Ю. Янов.); *Чи то недоля чи неволя, чи то літа ті летячи Розбили душу* (Шевч.). **розби́тее се́рце.** *І тепер я розбитее Серце ядом гою...* (Шевч.); *Дивись, а у нього волосся сивіє, Поглянь, вже у нього і серце розбите* (Коцюб.); *В розбитім серці не шукай снаги* (Граб.).

РОЗБИ́ЛОСЯ: розби́лося се́рце *див.* серце.

РОЗБИРА́Є: доса́да розбира́є *див.* досада; **хміль** ~ *див.* хміль.

РОЗБИРА́ТИ: розбира́ти по кісточка́х *див.* перебирати.

РОЗБИ́ТИ: розби́ти в пух і прах; ~ **кайда́ни** *див.* розбивати; ~ **лід** *див.* ламати.

розби́ти (поби́ти) глек (гле́ка, го́рщик, го́рщика, макі́тру і т. ін.**).** 1. Розірвати, порушити дружні стосунки; посваритися. *Зі своєю свахою*

Марія Дмитрівна не стрічається: розбила глека під час першого же знайомства (Вітч.); Дівер з невісткою Розбив горщик з лемішкою (Чуб.); [С т а р ш и н а:] За віщо там у вас взялося? З якого побиту горщика розбили? (Кроп.); Вість, що приїхали з «Зірки» за позичкою і що по цій причині голова колгоспу й директор школи розбили макітру між собою, безумовно, просочилася з партзборів у масу (Бабляк). **розби́ти гле́чики.** Чи то справді він продовжував залицятися до дівчат, чи то наговорили, однак не змирилася Люся. Глечики розбили швидше, ніж ліпили їх звабливими вечорами (Літ. Укр.). **розби́вся глек.** Останнім часом у нас з Лавровим розбився глек (М. Ол.).

2. Розірвати сімейні узи; розлучитися. Я, може, за день-другий і розпишуся з Христею, бо зі своєю бабою глека побив на друзки (Гуц.). **розби́ти гле́чик.** [Д і д:] Наша головиха.. Вона таки голова! Одна тільки біда — чоловік їй підходящий не знаходиться. Років, мабуть, з вісім уже, як розбила глечик з своїм Іваном, та так і досі сама (Лев.).

розби́ти се́рце див. розбивати.

РОЗБИ́ТОГО: ко́ло розби́того кори́та див. корита.

РОЗБІР: на розбі́р шапо́к, із сл. п р и б у́ т и, з' я в и́ т и с я і т. ін. Під кінець, пізно, на завершення чого-небудь.— Спокійно, князю, поки що все йде, як треба, а деякі неполадки... Де їх не буває? — співчутливо говорив Олесь, потай радіючи, що до Різні «пугачі» прибудуть, як мовиться, на розбір шапок (Головч. і Мус.). **пе́ред розбо́ром шапо́к.** Турецька армія, яка так і не воювала, вступивши в світову війну, за турецьким звичаєм, перед самісіньким розбором шапок, досі не демобілізується й існує в розмірі воєнного часу (Смолич). П о р.: **на шапкобра́ння.**

РОЗБО́РУ: без розбо́ру. Усе підряд, не вибираючи. Тарас багато і часто без розбору читав про історичне минуле своєї України (Кол.).

ніко́му нема́ розбо́ру див. нема.

РОЗБРАТ: сі́яти ро́збрат див. сіяти.

РОЗБРА́ТУ: я́блуко ро́збрату див. яблуко.

РОЗБУ́ДЖУВАТИ: розбу́джувати / розбуди́ти зві́ра в кому. Сприяти прояву грубих, жорстоких, звірячих інстинктів. Запах свіжої крові подіяв на худобу зовсім разюче, розбудив у сумирних волах диких, роз'ярених звірів (Гончар).

РОЗБУДИ́ТИ: розбуди́ти зві́ра див. розбуджувати.

РОЗБУХА́Є: голова́ розбуха́є див. голова.

РОЗВАЛЮ́ЄТЬСЯ: голова́ розва́люється див. голова.

РОЗВА́РЕНИЙ: як (мов, ніби і т. ін.) розва́рений. Який перебуває у розслабленому стані; розморений, незібраний, втомлений. Біганина по різних районних установах та організаціях добре

натомила Зарубу й Кавуна, і вони сиділи за столом наче розварені (Кучер).

РОЗВЕРЗА́ЄТЬСЯ: не́бо розверза́ється див. небо.

РОЗВЕРНУ́ТИСЯ: є де розверну́тися. Вільно, просторо. Будинок вийшов красивий, добротний. Дві кімнати, веранда, кухня, Є де розвернутися (Колг. Укр.). А н т о н і м: **розверну́тися ні́як.**

розверну́тися ні́як (ні́де, не мо́жна). Дуже тісно, немає простору. В завулку розвернутись не можна було. Довелося посунути назад усю колону (Голов.). А н т о н і м: **є де розверну́тися.**

РОЗВЕСЕЛИ́ТИ: і ме́ртвого (і ме́ртвих) розвесели́ти. Бути дуже дотепним, веселим, жартівливим. В будь-яке товариство тебе приймуть, всюди ти бажаний, бо знають, який ти компанійський, вмієш і мертвих розвеселити! (Гончар).

розвесели́ти се́рце див. веселити.

РОЗВЕСТИ́: розвести́ демаго́гію; ~ кисли́ці; ~ пари́; ~ розво́ди; ~ рука́ми див. розводити; **теревені́ ~** див. правити.

РОЗВИ́ДНИЛИСЯ: розви́днилися о́чі див. очі.

РОЗВИДНЯ́ЙСЬ: а там хоч [і] не розвидня́йсь. Уживається для вираження повної байдужості до висловленого, здійсненого і т. ін. Його підняли на сміх: — Фальшивомонетчик! В кутузку його.— Ну, як хочете,— образився Кулик, під загальний регіт сходячи з ганку.— Моє таке: прокукурікав, а там хоч не розвидняйсь! (Гончар). С и н о н і м: **після нас хоч пото́п.**

РОЗВИДНЯ́ТИСЯ: розвидня́тися в [те́мній] голові́ (в оча́х) у кого, кому. Хто-небудь став правильно, краще розуміти, усвідомлювати що-небудь. В голові у Соломії розвиднілось. Жах її щез без сліду. Вона знала, що робити (Коцюб.); Тепер і решта косарів зрозуміла, до чого зна суворий запорожець, і вони загомоніли всі разом. Розвиднілося трохи і Верізі в голові (Панч); Німеччина за цей час розпочала революцію і нам стало розвиднятися в темній голові (Ю. Янов.); Так от, щоб нам хоч трохи розвиднилось в очах, земство прислало дуже вченого чоловіка, пана Тугаєвича. Послухайте його і на вус намотайте, що воно, як, чому і до чого (Стельмах).

РОЗВІШУВАТИ: розві́шувати / розві́шати (розві́сити) ву́ха (у́ха). 1. з сл. с л у́ х а т и і под. Уважно, з цікавістю, з великим захопленням. Іноді почне [Грицько] верзти таке, як той москаль, що вернувся в рідне село по білету. Хлопці слухають, уха розвішавши, роти порозявлявши (Мирний).

2. Виявляти великий інтерес. Я знов розвішував вуха, слухаючи їх оповідань, жартів, вигадок (Фр.); Бабоньки, чого розвісили вуха, баламутство слухаючи? (Стельмах).

3. Заслухавшись, захопившись чиєюсь розмовою, забувати про все інше.— І тобі отсе, запорожцеві,.. не сором признатись? — каже Шрам,

бо й він, старий, розвішав уші, як поніс той свої баляндраси (П. Куліш); *Кидає* [Терентій] *шапку на лаву і одразу ж ошпарює Уляну невилитою злобою:* — *А ти чого вуха, мов лопухи на смітнику,* розвісила? Чом і досі не бачу сніданку на столі? (Стельмах). **порозвішувати вýха (ýха)** (про всіх або багатьох).— *Годі вам, товаришу, з ними в розмову заходити. Ви тільки потурайте їм, то вони до ранку розпитуватимуть. Ба, як вуха порозвішували. Давайте спати..,* — *запропонував господар* (Кир.); // *перед ким. Заслухавшись, втрачати пильність, пропускати щось.— Ото ж і єсть розум!* — *жорстоко добивав пані Свойську муж.— Вас вона проти Хомутовникова під'южила, піддрочила ваш великопанський гонор, ви перед нею розвісили вуха,.. а вона з-під того вашого носа й висмикнула Хомутовникова!* (Пчілка).

4. *перев. док.* Слухаючи повірити в почуте. [Ю д а:] *«Я заспокою вас.. я вас потішу...» Аякже, сподівайся!* Він [Мессія] *здалека спокоєм і потіхою манив, а скоро хто було розвісить вуха і справді піде з ним, як я дурний, тому таке ярмо він клав на шию, що аж додолу гнуло* (Л. Укр.); *Набрехав їм* [Масло], *а вони й вуха розвісили* (Хижняк); — *Йому тут наплескали деякі, а він розвісить вуха, як лопухи, і слухає,— не здавалась Щуренко* (М'ястк). **порозвішувати вýха** (про всіх або багатьох). *Коли вже заманулось йому здійснювати свої зарозумілі вигадки, пішов би на велике перспективне підприємство — там, напевно, знайшлись би такі, що порозвішували б вуха, слухаючи його* (Шовк.).

РОЗВІЯЛО: як (мов, ніби і т. ін.) вітром розвіяло *що і без додатка.* Що-небудь зникло безслідно. *Восени були два добрих прикладки* [стіжки сіна], *а потім як вітром розвіяло. Зосталися самі з'їдини* (Тют.); *Кураторове обличчя розтяглось у широчезну посмішку. Та раптом страшна думка забилася в голові. Його веселість немов вітром розвіяло: що буде, коли та баба заговорить* (Марк.). С и н о н і м и: **як корóва язикóм злизáла; як у вóду впáсти; як водóю вмило; як вітром здýло.**

РОЗВІЯТИ: розвíяти на пóпіл (на пóрох). 1. Знищити, не залишивши слідів. *Ні! Не бути панам на Вкраїні, ми на попіл розвієм їх!* (Сос.). 2. Відкинути, заперечити що-небудь. *Господарювання комуни* [згодом — колгоспу] *на занехаяних хутірських землях було таки творчим! І ця трудова воля на порох розвіяла всі нікчемні і глумливі чутки, що їх сіяли глитаї навколо комуни* (Літ. Укр.).

РОЗВІЯТИСЯ: розвíятися пúлом *див.* розлітатися.

розвíятися по світу (по світі). 1. Зникнути, загубитися. *Щоб не розвіялось по світу те, як*

кажуть, фантастичне оповідання дідугана, я списав його для моїх земляків* (Стор.). 2. Опинитися в різних місцях, далеко один від одного. *Засіяно поля жорстоких війн, Розвіялись по світі ветерани* (Ю. Янов.).

РОЗВОДИ: розвóдити розвóди *див.* розводити.

РОЗВОДИТИ: розвóдити андрóни *кому і без додатка, діал.* Говорити дурниці, нісенітниці; дурити, морочити, туманити кого-небудь. *..Ви* [піп] *приватно із амбони* [амвону] *Хлопам розводите андрони І всюди клеплете щодня, Щоб кинули горілку пити?* (Фр.) С и н о н і м: **плестú мандрóни.**

розвóдити антимóнії (антимóнію). Вести беззмістовну, непотрібну розмову. *Виступи робітників були короткими. Аматорам поговорити просто не давали розводити антимоній* (Шовк.); *Блудний син і незламний батько не будуть розводити антимоній. Ігор і рота не розтулить* (Шовк.); *На його місці людина прагнула б залишатися непомітною, а цей розводить антимонію, хизується набутим у Сибіру досвідом* (М. Ю. Тарн.).

розвóдити бобú (на бобáх). Вести пусту розмову з ким-небудь. [Х в е д і р:] *Іван!.. Што* [що] *нам тут боби розводить?* (Мирний); [Р я б и н а:] *Ех, буду я з тобою тут на бобах розводить.. ваша читальня розв'язана та й годі!* (Фр.).

розвóдити дипломáтію. Діяти обережно, не розкриваючи своїх намірів. [М о т р я:] *Піду таки до них додому та у старої Заморенчихи розпитаю. І справді, чого ж тут дипломатію розводити?* (Мороз).

розвóдити ля́си *див.* розводити.

розвóдити / розвестú демагóгію. Пустими, непотрібними розмовами навмисне впливати на почуття людей; розкладати, дезорганізовувати кого-небудь. *В темному провулку перешіптувалась група повстанців.— Я вас питаю, була революція чи не була? Була. А що виходить? Маршировка, кандьор,— розводив демагогію вертлявий розбещений Рогов* (Довж.); — *А демагогію тут розводити тобі теж не слід,— уже гостріше відказав моторний* (Ле).

розвóдити / розвестú пари (пáру). Спонукати до чого-небудь. *Жан пробасив раптом: — Ну, міноносце, розведи пару* (Коцюб.); [С а ш к о:] *Ну, розводь пари* [бренькнув на гітарі], *ось тобі дзвінок* [свиснув], *ось свисток, а ось* [показує на хвіртку] *зелена вулиця* (Зар.).

розвóдити / розвестú розвóди з ким. Бути надто несміливим, не виявляти належної рішучості, наполегливості в чому-небудь.— *Ну як так можна!* — *казала я товаришці,— чого ти розводи розводиш з тим попом? Яке він має право видавати тобі твої заслужені гроші по п'ятаку* (Л. Укр.).

розвóдити / розвестú рукáми. 1. Виражати здивування, захоплення, розгубленість і т. ін. *І досі ще Федір Іполитович руками розводить, пригаду-*

юци, чим же, зрештою, заполонило те замурзане створіння переповненого самоповагою хірурга (Шовк.); *Оксен знав, що люди, яким він вказав на неполадки, замість того, щоб виправити їх,.. будуть виправдовуватися і присягатися, що вони в тому не винні, і розводитимуть руками* (Тют.); [П и с а р:] *От тільки статистика мені в печінках сидить — та нічого, не ударим в грязь лицем: таку статистику підведем, що тільки руками становий розведе* (К.-Карий).

2. Виявляти свою неспроможність щось зробити, у чомусь розібратися і т. ін. *Стара їмость стискала руки.— Та чому ж ти так повів себе з парохіянами [парафіянами]? Чому ж вони так тебе не люблять? ..ненавидять? Отець Василь розводив руками* (Хотк.); *Одного разу десь загубилася теличка Любка. Оляна подумала: теля пристало до чужої череди. А черід на луках багато. Де шукати? Спитала одного пастуха, другого. Всі розводять руками: — Не бачили, не знаємо...* (Шап.); *— Я певен, що тут [складаючи радіоприймач] навіть академік який-небудь розвів би руками* (Гончар).

розвóдити / розвестú сентимéнти. Виявляти надмірну чутливість.— *Ось вона сидить тут і думає про нас. Не розводьте драм і сентиментів* (Ю. Янов.); *Він справді знав, як Підіпригори допоміг Нечуй-вітер, і не раз насміхався над ним: «Найшов з ким сантименти [сентименти] розводити!»* (Стельмах).

розвóдити / розвестú шýри-мýри. Фліртувати з ким-небудь. [Ф е н ь к а:] *Вони захопили власть! Вони [бузанівські міністри] об'явили його [Андрія Дудку] народним президентом! А він розводить шури-мури з Люською!* (Мам.); *— Багато ти своєму недоліткові дозволяєш! Любовні шури-мури в ефірі розводить! Засмічувати ефір нікому не дозволимо* (Гончар).

розвóдити (розсипáти) / розвестú (розсúпати) кислúці. Перебувати у гнітючому настрої, скаржитись, плакати жаліючись, піддаватися відчаю.— *У твої роки я на заводі працював по десять годин. А ти? Не розводь кислиці! — Віктор тер очі, схлипував* (Автом.); *— Яка ж у тебе любов, коли ти покохав гоноровиту панну, а зразу й кислиці розсипав, тільки дістав одкоша!* (Ільч.).

розвóдити теревéні *див.* правити.

розвóдити хúмині кýри. Говорити про що-небудь пусте, не варте уваги.— *Ти мені, Бреус, не кажи,— вигукнув тоненьким голоском Тягнирядно. ..Йому правду кажуть, а він химині кури розводить* (Добр.). С и н о н і м: **вигáдувати такé, що і в борщ не крúшать.**

РОЗВОРУШИТИ: розворушúти рáну; ~ сéрце *див.* ятрити.

РОЗВОРУШУВАТИ: розворýшувати рáну; ~ сéрце *див.* ятрити.

РОЗВ'ЯЖЕТЬСЯ: пуп розв'яжеться *див.* пуп.

РОЗВ'ЯЗАВСЯ: язúк розв'язáвся *див.* язик; як мішóк ~ *див.* мішок.

РОЗВ'ЯЗАЛИСЯ: рýки розв'язáлися *див.* руки.

РОЗВ'ЯЗАТИ: розв'язáти вýзол *див.* розв'язувати.

розв'язáти вустá (гýбу). Почати говорити.— *Ти вже й розв'язала губу,— заговорила мати.— Або ж не правду кажу? — озвалась Мася* (Свидн.).

розв'язáти дýшу *кому, чию.* Позбавити кого-небудь душевних мук, переживань, полегшити його душевний стан. [Г а л о ч к а:] *Як я любила його, ти знаєш, Олено. Скажи йому се, що і вмерти хочу швидше, щоб розв'язати його душу* (Кв.-Осн.).

розв'язáти капшýк *див.* розв'язувати.

розв'язáти / розв'язувати рýки *кому, чиї.*
1. Звільнити від родинних обов'язків. *І порадила тоді подруга моя.. віддати його до неї в дитячий будинок. Не знала я, що інше замислено: аби розв'язати мої дівочі руки* (Логв.). **розв'язані рýки.** *В Лапшевича руки розв'язані: ні свата, ні брата* (Панч).

2. Звільняти від будь-яких обмежень, давати можливість діяти, жити і т. ін. вільно, за власним розсудом тощо. *Сміливо відривайся від берега, заглиблюйся в ліс, виходь на оцю дамбу.. Тоді ти одразу відчуєш себе вільніше, розв'яжеш собі руки для маневру...* (Гончар); *Обручов боявся відступити від букви закону.— Ну, гаразд. Пишіть резолюцію: «На розгляд бригадного генерала Федяєва». Цим самим ви знімете з себе будь-яку відповідальність, а мені розв'яжете руки,— сказав, нарешті, Федяєв* (Тулуб).

розв'язáти / розв'язувати язúк (язикá, рóта, мóву). 1. Почати голосно говорити після мовчання. [Р о м а н ю к:] *А художник, правда, мовчав, але пив теж добре, потім тільки розв'язав язика* (Корн.); *Я уперто мовчав і не хотів ні співати, ні казати вірші. Всі присутні ласкаво заохочували мене розв'язати язика* (Думки про театр); *Насилу розв'язав [Василь] рота! Не велика розмова та велика втіха* (Кроп.). **порозв'язáли язичкú** (про всіх або багатьох). [К о п и с т к а (замислився):] *Треба було б мовчати!* [Д і д Ю х и м:] *Як мовчати?* [К о п и с т к а:] *Хай би вони язички свої порозв'язали...* (М. Куліш).

2. Призвести до невимушеної розмови, бесіди. *Гульня розв'язала язики, розбуркала зомлілі, пригнічені душі* (Мирний); *Перерва, на якій учасники засідань звичайно відпочивають від часу суперечок, на цей раз ще більше розв'язала язики* (Добр.); *Данилюк сидів розгублений. ..Не для того він зайшов сюди, щоб розхвалювати та розгнівати стару жінку. Він мав намір хитрощами розв'язати їй язика, та ось куди заблудив* (Марк.); *Нічна пізня доба, чарка горілки — розгортують душу, розв'язують мову* (Н.-Лев.). **порозв'язувати язикú** (про всіх або багатьох).

Горілка порозв'язувала язики. Той журиться вголос... Той розказує про зрадливу дівчину (Мирний).

3. Говорити що-небудь без міри. *Що тільки не говорив йому той пройдисвіт!.. мабуть, сп'яна розв'язав свій язик* (Цюпа); *Голову даю навідруб, що бебехівські кендюхи враз розв'яжуть язики й викажуть, де ховається совіцький [радянський] парашутист* (Головч. і Мус.); *Ах ноче! Вибач, що так охоче Я розв'язав свого язика! Це вже звичка в мене така — Поговорити!* (Плужник). **порозв'язувати язики** (про всіх або багатьох). *Дисципліна в усьому була!.. А зараз порозв'язували язики! Мелють таке, за що раніш давно б уже на соловецьких випасах білих ведмедів пасли..* (Гончар).

4. **кому.** Дати можливість кому-небудь вільно висловлювати свою думку.— *Ми, інтелігенти, повинні вказати народові законні форми, розв'язати йому язик і старатися пізнати його потреби* (Фр.). А н т о н і м: **скувати язик.**

розв'язати світ (пýта) кому. 1. Звільнити від шлюбних обов'язків.— *Забудьте усе і не споминайте... я вам розв'язала світ... Ви знайдете своє щастя... а я...* (Кв.-Осн.); *[П а р а с к а:] А коли я вже тебе здихаюсь, руда сатана! Коли вже ти мені світ розв'яжеш!* (М. Куліш).

2. Позбавити від душевних мук, переживань.— *Он, кажуть, помилування уже оголосили для тих, хто добровільно вийде з лісів.— Ох не для мене то, Вусте. Багато на душу взяла.— Не все ще пропало, Ганно. Ще не пізно світ собі розв'язати* (Гончар).

3. заст. Звільнити від кріпацтва. *[О л я:] Але перш ніж його [Т.Г. Шевченка] вчити, треба було йому розв'язати світ. Треба було викупити його від пана на волю* (Вас.).

РОЗВ'ЯЗУВАТИ: розв'язувати / розв'язати вýзол. Вирішувати досить складне, заплутане питання. *Вона хотіла виїхати таємно від нього, порвати все одним махом, в одну мить розв'язати той тугий.. вузол* (Збан.). **розв'язати вýзлики.— Не знаю... Може, ти й правильно робиш.— Напевне правильно.—..Тільки щось надто швидко. Ніби в кіно, коли до кінця лишилося хвилини три і всі вузлики розв'язати треба* (Собко).

розв'язувати / розв'язати капшýк. Не скупитися на гроші. *Син у неї — мов той панич, чистий да митий, мов огірок. І хата, кажуть, у неї, як віночок. То й певен був окружний, що вона зараз капшук розв'яже* (П. Куліш). С и н о н і м и: **труснýти калúткою; вúвернути кишéні** (в 1 знач.).

розв'язувати язúк див розв'язати.

РОЗВ'ЯЗУЄТЬСЯ: язúк розв'язується див. язик.

РОЗГИНАЄТЬСЯ: спúна не розгинáється див спина.

РОЗГИНАТИ: не розгинáти спúни. Важко, багато працювати, не маючи перепочинку. *Від ночі до ночі чарував [Данило] на господарстві багача. Спини не розгинав* (Казки Буковини..); — *Може, погуляєш з Ганнусею? Бо вона цілий день примочки всілякі мені робила, то й натомилася... Спини не розгинала* (Літ. Укр.). **не розгинáтися.** *Ми з тестем з ранку до ночі на полі не розгинаємось, теща їсти варить* (Мур.).

РОЗГИНÁЮЧИ: не розгинáючи спúни, з сл. п р а ц ю в á т и, р о б ú т и. Дуже важко, багато, без відпочинку. *Приведено її малою до дядька Максима та дядини Софії, і з того часу працює вона, не спочиваючи, не розгинаючи спини* (Л. Янов.); *Завжди було важко дивитися [Тарасові], як від зорі до зорі, не розгинаючи спини, працюють люди на ланах* (Ів.). **не розгинáючись.** *Сама [жінка] працювала не розгинаючись і других підганяла, щоб гав не ловили, не байдикували* (Кучер).

РОЗГІН: у розгíн, із сл. о р á т и. Від середини до країв. *Савка й Бортняк орють в розгін* (Бабляк).

РОЗГЛЯДИТЬ: і сліпúй розглядúть див. сліпий.

РОЗГОДИНИЛОСЯ: розгодúнилося на сéрці (на душí) кому, у кого. У кого-небудь з'явився гарний настрій; комусь стало радісно. *Дівчинка.. зашарілася, спалахнула вдячним поглядом і в цю хвилю була така щаслива, що Христі знову розгодинилось на серці* (Мирний).

РОЗГОНІ: у розгóні (у розгóнах). Посланий, відряджений куди-небудь. *Батько зараз забіг на хвилинку додому і справді єсть, а не гасає в своїх вічних розгонах* (Гончар); *Таксі в розгоні!* (Зар.).

РОЗГОНУ: з розгóну. 1. На повній швидкості. *Упав [Потап] з розгону на сани і вдарив коняку* (Коцюб.); *Здається, за якийсь кілометр дорога скінчиться, ось-ось машини з розгону налетять одна за одною на скелю і розсиплються вщент* (Гончар).

2. Щосили. *Він почоломкався з Климом, високо піднявши долоню і плеснувши нею з розгону по Климовій долоні* (Н.-Лев.); *Вутанька внесла знадвору в'язку свіжої соломи, кинула з розгону серед хати* (Гончар); — *Ой мамочко! — ожила Христина, метнулась до скрині, з розгону підвела важке віко, перегнулася, вихопила з прискринька тоненький разочок намиста* (Стельмах).

3. із сл. з у п и н ú т и с я. Раптово, різко. *Чужинець, видно, теж ніяк не сподівався на таку зустріч і зупинився з розгону, важко дихаючи* (Гончар); *Спинилися [два хлопчики] з розгону на горі* (Бажан); *Мар'ян уже наближався до лісу.. Перед ним з розгону зупинилися сани* (Стельмах).

РОЗГОРІЛИСЯ: óчі розгорíлися див. очі.

РОЗГОРНУТИ: розгорнýти пáрус див. розгортати.

РОЗГОРНУТИМ: розго́рнутим фро́нтом *див.* фронтом.

РОЗГОРНУТИСЯ: є де розгорну́тися. Наявні відповідні умови для якої-небудь діяльності. *Клуб абиякий, зате є де розгорнутися* (Логв.). А н т о н і м: **ніде розгорну́тися.**

ніде розгорну́тися. Відсутні відповідні умови для якої-небудь діяльності.— *Тісно нам стало в ланках. Ніде розгорнутися на тій землі, що для ланки відміряно* (Кучер). А н т о н і м: **є де розгорну́тися.**

РОЗГОРТАТИ: розгорта́ти / розгорну́ти па́рус. Виходити в плавання.— *А ви, значить, знову в рейс? Знов розгортаєте парус? — зверталися рибалки до капітана* (Гончар).

РОЗГОРЯ́ЮТЬСЯ: о́чі розгоря́ються *див.* очі.

РОЗГРИЗТИ: розгри́зти горі́х. Вирішити, розплутати якусь важку справу. *Нехай вже раз той горіх розгризу* (Номис).

РОЗГУБИТИ: розгуби́ти жда́ники *див.* поїсти.

розгуби́ти обручі́ від макі́три, *жарт.* Втратити здатність правильно думати, діяти.— *А що ж плакати? — скинув картуза син.— Краще б заплакав, дурноверхий, коли розгубив обручі від макітри* (Стельмах). С и н о н і м: **розгуби́ти ро́лики.**

розгуби́ти ро́лики, *фам.* Втратити здатність правильно думати, діяти. *Женька цитькнув на них: «Ви що, ідіоти, зовсім ролики розгубили? Пізнають!»* (Хижняк). С и н о н і м: **розгуби́ти обручі́ від макі́три.**

розгуби́ти ро́зум (тя́му). Втратити здатність діяти обдумано, поміркровано. *На те лихо неначе розум розгубив він на порозі при зустрічі з графинею* (Ле).

розгуби́ти слова́ *див.* розгублювати.

РОЗГУБЛЮВАТИ: розгу́блювати / розгуби́ти слова́. Втрачати здатність говорити те, що хотіти, забувати те, про що хотілося сказати.— *А чого ж ти тут, біля хвіртки? — до решти розгублює [Роман] ті слова, якими не раз думалося зустріти дівчину* (Стельмах). **розгу́блені слова́.** *Зараз її тривожили скороминущі образи, летючий спогад, розгублені, невимовлені слова* (Донч.).

РОЗГУЛЯТИСЯ: ніде розгуля́тися о́ку. Де-небудь дуже тісно. *На вулиці ніде було розгулятися оку. Погляд упирався в протилежні будинки, такі самі, як і той, що в ньому мешкав Кукулик* (Загреб.).

РОЗДАВИТИ: роздави́ти (роздуши́ти) чве́ртку (пля́шку, півлі́тру *і т. ін.***),** *фам.* Розпивати спиртне.— *А пошукай-но, жінко, чи не знайдеться в тебе погрітися нам чим-небудь після дороги? — сказав Матвій, скидаючи кожуха.— Ми з Іванком не відмовимось чвертку роздушити* (Моск.); *Шпилька підвівсь і мовить: — Може, почекаємо? Скоро Палажка на обід прийде. Півлітру роздавимо...* (Є. Кравч.).

роздави́ти як му́ху *кого.* Нещадно, не докладаючи зусиль знищити.— *Бережись,— кричить Чіпка,— укладу! Як муху роздавлю.— Та, повертаючись на одній нозі, одно руками махає, як вітряк крилами...* (Мирний); — *Шпак ти, а не командир! Вершників своїх, жменьку нещасну, в тил нам поставив. Щастя твоє, що ми догадалися: як мух би роздавили!* (Лев.).

РОЗДАЮТЬ: роздаю́ть дрижаки́ (дрижакі́в). Дуже холодно десь.— *Як то післязавтра? — здивувався Стеценко.— Хіба він, той хор, у мене в хаті? І чого це комендантові припекло, як на вулиці дрижаків роздають?* (Хор.).

РОЗДЕРТИ: розде́рти се́рце *див.* роздирати.

РОЗДЗВОНЮВАТИ: роздзво́нювати / роздзвони́ти по сві́ту. Поширювати скрізь якусь новину, плітку, чутку і т. ін. *Матуша Прохіра була ні в тих ні в сих. Вона ж сама дала раду, вона ж роздзвонила по світу, і тепер з того всього нічого не вийшло* (Коцюб.).

РОЗДИРАТИ: роздира́ти ву́ха. Неприємно, різко діяти на органи слуху (про звуки). *Бряжчало намисто у молодиць на грудях, жіночий вереск роздирав вуха* (Коцюб.).

роздира́ти / розде́рти се́рце (ду́шу) [на шматки́ (по шматка́х)]. Завдавати кому-небудь душевного болю, переживань. *Залізняк попереду.. А за ним німий Ярема.. Тяжко йому, Тяжко, а не плаче, Ні, не плаче: змія люта.. Серце роздирає* (Шевч.); *Думки по шматках роздирали сьогодні парубочу душу* (Стельмах).

роздира́ти рота́ від ву́ха до ву́ха. Дуже сміятися. *Тепер сміялися всі.. роздирали роти від вуха до вуха* (Загреб.).

РОЗДІЛИТИ: розділи́ти ло́же *див.* розділяти.

РОЗДІЛЯТИ: розділя́ти (діли́ти) / розділи́ти ло́же (по́стіль) *з ким.* Бути з ким-небудь в інтимних стосунках. [К а с с а н д р а:] *Троянки у неволі — і живі! Обходять кросна, розділяють ложе, дітей годують еллінам на втіху...* (Л. Укр.); *Параска-Роксолана, бач, саме й мріяла про те, щоб розділити свою постіль — не з осоружним Демидом, а з молоденьким сотником, з якого вона мала намір випестувати вправного коханця* (Ільч.).

РОЗДМУХАТИ: роздму́хати кадило *див.* роздмухувати.

РОЗДМУХУВАТИ: роздму́хувати (роздува́ти) / роздму́хати (розду́ти) кадило. 1. Створювати навколо чогось галас, розмови, балачки. *Пан радник таки хоче роздмухати кадило? Ну, що ж! тим гірше для нього* (Кулик).

2. Розширювати яке-небудь починання. *Богобоязливий Кіндрат.. господарське кадило почав роздувати з маленького* (Ковінька); — *Новий цех організовуватиму.. Спершу це не цех буде, а так — невеличка установка. А там подивимось. Проте мені вже видно: таке кадило роздмухаємо...* (Шовк.).

РОЗДОРІЖЖІ: на роздорíжжі (на розпýтті), перев. з сл. б ý т и, с т о я́ т и. У стані нерішучості, важких роздумів, вагань. *Після важкої розмови про батька [Рустем] почув себе краще. ..Чув, що стояв досі на роздоріжжі і врешті вибрав шлях* (Коцюб.); *[К о в а л ь:] То до якого ж берега пристанемо? [Ц а р:] Зараз нічого не скажу вам... На роздоріжжі я... Все думаю* (Зар.); *[А д а:] Тепер я починаю розуміти ненависть Івася до багатих, з якої я все сміялася. І розуміння це, хоч неясне, слабе, вбиває мене, Бо на роздоріжжі я* (Ірчан); *Він сам був на роздоріжжі. Куди він віз її? Нащо йому було рятувати цю туземку?* (Ю. Бедзик).

РОЗДУВАТИ: роздувáти кади́ло *див.* роздмухувати.

РОЗДУЛО: щоб мені печíнку роздýло. Уживається як форма запевнення в чому-небудь. *І ви мені не вірите! Та щоб у мене язик відсох! Щоб мені печінку роздуло!* (Корн.).

РОЗДУТИ: роздýти кади́ло *див.* роздмухувати.

РОЗДУШИТИ: роздуши́ти чвéртку *див.* роздавити.

РОЗДЯГАТИ: роздягáти / роздягти́ (роздягнý-ти) прилю́дно (до остáнньої ни́тки) кого. Викривати справжню суть кого-небудь. *А тільки зачепи його — так і почне тебе висміювати. Та ще так гарно висміє, що спочатку й не зрозумієш, що то тебе роздягли прилюдно* (Збан.).

РОЗДЯГНУТИ: роздягнýти прилю́дно *див.* роздягати.

РОЗДЯГТИ: роздягти́ прилю́дно *див.* роздягати.

РОЗЖАРИЛАСЯ: атмосфéра розжáрилася *див.* атмосфера.

РОЗЖЕНЕШСЯ: не розженéшся на чому. Неможливо що-небудь зробити, вдіяти за існуючих обставин, умов. *На такому наділі не розженешся, хіба що в петлю до панів та глитаїв залізеш, і зашморгнуть вони тебе, що й землиці тій не рад* (Цюпа).

РОЗЖОВУВАТИ: розжóвувати / розжувáти і в рот (до рóта) клáсти / поклáсти (положи́ти) кому. Дуже докладно пояснювати.— *Воно й так зрозуміло,— образився Сафат, якому здалося, що йому розжовують і до рота кладуть* (Ю. Янов.); *[Д р а н к о:] Я ні, я зовсім не догадливий! [К у к с а:] А мені розжуйте і в рот положіть, то я й тоді не догадаюсь* (Кроп.).

РОЗЖУВАТИ: розжувáти і в рот поклáсти *див.* розжовувати.

РОЗЗУТИ: роззýти óчі. Уважно подивившись, побачити, помітити що-небудь. *Роззуй очі* (Номис).

РОЗЗЯВИТИ: аж рóта роззя́вити, *грубо.* Виявити, виразити сильне здивування, захоплення і т. ін. *Взяли слуги Іванка й одягли в царську одіж. Коли його повели на полуденок, то і сам цар*

аж рота роззявив — ледве його впізнав (Три золоті сл.); « — Оце,— каже мати,— тут твій хазяїн живе». Зайшли в двір. ..На ганку чоловік стоїть, одягнений у погане та ще й латане. «Кланяйся,— шепче мати,— це твій хазяїн». Я аж рота роззявив. Оце хазяїн? Та він же на дурного Ілька схожий (Тют.). **аж роти́ пороззявля́ли** (про всіх або багатьох). *В хаті всі притихли. Чути було ззаду голоси: — Не вставай!.. Вухами слухайте! Дітвора біля стола — аж роти порозззявляли, зацікавлені* (Головко); *Раптом перестала [Настя] плакати, взяла у Катюші балалайку і так утнула «Вийду я на реченьку», що ті аж роти пороззявляли* (Чаб.).

і рóта не роззя́вити *див.* розкривати; **не давáти і рóта ~** *див.* давати; **~ пащéку; ~ рот** *див.* роззявляти.

РОЗЗЯВЛЯТИ: і рóта не роззявля́ти *див.* розкривати.

роззявля́ти / роззя́вити пащéку (пéльку), *вульг.* Кричати, лаючи кого-небудь, скаржитись на когось і т. ін. *[В і т а л і й:] Може, сам ти і шага не варт, та тільки що ніхто тобі цього ще в вічі не сказав! [П е т р о (до людей):] Добре відчитав! [В с і (тихо):] Соломон... Соломон!.. [Р у с а л о в с ь к и й:] Чого ти так пащеку роззявив? Та нехай тобі зашіпить! (К.-Карий).* **пороззявля́ли пéльки** (про всіх або багатьох).— *Коли б я не ходив у походи і не бачив турків.. ніколи не був би я гетьманом, і наша січова сіромашня тоді на мене пельки пороззявляла б, вимагаючи, щоб мою землю залічили до земель, які щороку розподіляють* (Тулуб). П о р.: **розкривáти рот** (у 3 знач.).

роззявля́ти / роззя́вити рот (рóта), *фам, грубо.* 1. Говорити, казати що-небудь, починати говорити щось. *Добре йому [дуці] у палатах під кришею Вина — горілочку пить. ..Рота як слід він не вспіє роззявити,— Зараз готове усе* (Граб.); — *Та жодної награди...— почав був виправдовуватися лавушник, але родичка.. не давала Скоробагатькові навіть рота роззявити* (Хотк.); *Так повелося на вічі — не захочуть слухати, ..не дадуть і рота роззявити* (Хижняк). П о р.: **розкривáти рот** (у 1 знач.).

2. Слухати дуже уважно, захоплено, здивовано; заслуховуватися. *Тож як почне розказувати, де він тільки не бував і чого він не видав, так тільки рота роззявивши* (Кроп.); *Надвечір зібралося до клубу багато людей. Посидів і я, послухав трохи. Аж розсердився: байки мені сокочуть, а я рота роззявив* (Жур.); *У хаті слухали, роззявивши роти, намагаючись не пропустити жодного слова* (Качура). П о р.: **розкривáти рот** (у 2 знач.).

3. Бути дуже враженим чимось. *Вчитель, коли йшов у тюрму, заніс йому книги. І читає їх чоловік, іноді таке скаже, що дядьки з дива рота роззявляють..* (Стельмах); *Дійсно, стоять [німці]. От чортові душі,— махають зупинитися.. Комісар*

тоді висунув голову та як лайнеться за німецьким манером. Вони тільки роти роззявили та ще й честь віддали (Ю. Янов.) **пороззявля́ти роти́** (про всіх або багатьох). *Наймити йшли слідом і пороззявляли роти, дивлячись на ту церемонію* (Н.-Лев.); *Глухі діди роти пороззявляли, бо ще ніколи не бачили таким [збудженим] свого Заруйбу, розважливого й статечного* (Кучер).

4. Бути неуважним. *Ну, чого ж ти рот роззявила? Мерщій!* (Шевч.); *Матрос кричав на Пувичку:* — *Подай! Чого роззявив рота?* (Мик.); *Ну, гони биків, чого рота роззявив* (Тют.); *А баби все під'юджують..:* — *Ото нам батьки! Ото нам парубки красні! Коби їм з-перед носа вхопили дочок і дівчат — вони б лиш дивились, роззявивши рота* (Коцюб.). **пороззявля́ти роти́** (про всіх або багатьох).— *Чого роти пороззявляли? — суворо знизує він їх [товаришів] очима,— зроду не бачили панночки?* (Вас.). С и н о н і м и: **лови́ти га́ви** (в 3 знач.); **лови́ти зіва́к** (у 1 знач.); **лови́ти ро́том мух.**

5. *на що і без додатка.* Посягати, зазіхати на що-небудь чуже. *А вертаючись додому [шляхта],— бо військова служба раз — нелегка, а вдруге — й небезпечна,— осідались на батьківських ґрунтах — і роззявляли роти...* (Мирний); *Отже, капосна дитина — в голубник полізла... На чуже добро ще змалку рота роззявляє* (Голов.). **пороззявля́ти роти́** (про всіх або багатьох).— *Он, бач, тепер між козацькою старшиною боввваніють, наче гриби в траві, товстопикі бургомістри од міщан. А он порозявляли роти на раду і мужицькії виборні* (П. Куліш). П о р.: **розкрива́ти рот** (у 4 знач.).

6. Просити їсти. *Нелегка це справа — вигодовувати пташенят: весь час роти роззявляють.* **пороззявля́ли роти́** (про всіх або багатьох). *Яка земля, такі й люди. Вона сита, й вони ситі; вона голодна, й вони роти пороззявляли...* (Мирний).

7. Рватися, зношуватися (про взуття), *жарт.* *Треба купити синові нове взуття, бо один черевик уже рот роззявив.* **пороззявля́ли роти́** (про всіх або багатьох). *Свити в мене кат-ма!.. або ось і чоботи в мене роти пороззявляли, їсти просять* (Кв.-Осн.).

РОЗІ: як таба́ка в ро́зі див. табака.

РОЗІБРА́В: хміль розібра́в див. хміль.

РОЗІБРА́ЛА: доса́да розібра́ла див. досада.

РОЗІБРА́ТИ: розібра́ти ніч [по шматка́х]. Наставати ранку.— *І де це ти, чоловіче, чапиш ото до такої пори? — незлобиво, більше з співчуттям, запитала вона.— Вже люди ніч розібрали, а ти ніяк з тою зборнею не розпрощаєшся...* (Іщук); *Коли місяць переплив через середину неба, Юрій Дзвонар,.. вклонився гулянню:* — *Чуєте, добрі люди вже ніч по шматках розібрали, а півні нагогошуються, щоб ранок проспівати. То*

не час вам, сякі не такі, додому летіти?* (Стельмах).

розібра́ти по кісточка́х див. перебирати.

розібра́ти смак *чого.* Відчувати повною мірою що-небудь. *Він добре розібрав смак провідницького життя* (Коцюб.).

РОЗІГРА́ТИ: розігра́ти роль див. розігрувати.

РОЗІГРІВА́ТИ: розігріва́ти / розігрі́ти кров. Викликати збудженість у кого-небудь. *Міцна, настояна на перці горілка розігрівала кров, збуджувала уяву* (Добр.).

РОЗІГРІ́ТИ: розігрі́ти кров див. розігрівати.

РОЗІГРУВА́ТИ: розігрува́ти / розігра́ти роль *кого.* Удавати з себе кого-небудь. *Йому подобалося розігрувати роль непокірного бунтаря, для якого не існує ні звичаїв, ні порядків* (Збан.).

РОЗІЙШЛИСЯ: доро́ги розійшли́ся див. дороги.

РОЗІЛЛЯ́ТИ: водо́ю не розілля́ти див. розлити; ~ **кров** див. проливати.

РОЗІМКНУ́ТИ: розімкну́ти уста́ див. розмикати.

РОЗІМ'Я́ТИ: розім'я́ти ко́сті див. розминати.

РОЗІП'Я́ТИЙ: як (мов, ніби *і т. ін.***) розіп'я́тий,** з сл. с т о я́ т и і под. З розведеними в сторону руками і широко розставленими ногами. *Хлопець, як розіп'ятий, стояв, тримаючись руками за виступи дюралюмінієвої обшивки* (Ле).

РОЗІРВА́ЛО: щоб (хай би) розірва́ло *кого, лайл.* Уживається для вираження великого незадоволення, обурення і т. ін. *Котяра цю сметану з'їв, щоб його розірвало!*

хай би порозрива́ло (про всіх або багатьох). *Різні саботажники пишуть дьогтем.. Зносять людям баштани й сади. Коли б хоч їли, хай би їх порозривало, а то тільки шкоду роблять!* (Є. Кравч.).

РОЗІРВА́ТИ: розірва́ти за́шморг див. розривати; ~ **кайда́ни** рвати; ~ **на шматки́;** ~ **сон;** ~ **ува́гу** див. розривати.

РОЗІРВА́ТИСЯ: як не розірва́тися. 1. Дуже голосно кричати, співати і т. ін. *Дуже закумкали жаби в болоті, засвистали черепахи у сазі, а солов'ї — як не розірвуться* (Мирний).

2. з сл. к р и ч а́ т и, с п і в а́ т и і т. ін. Дуже. *Курка в курнику кричить як не розірветься: мабуть, яйце знесла.* **як не порозрива́ються** (про всіх або багатьох). *І здалека видно, як огненна в'язка човнів тих пливе по чорному дну рову, музика тне, люди, як не порозриваються, співають* (Мирний); *За сонцем усе живло прокинулось. Там коники кричали та сюрчали, як не порозриваються; там перепели хававкали* (Мирний).

РОЗІРВИ: хоч ру́ки розірви́. Дуже багато роботи, клопоту і т. ін., що важко виконати одній людині. *Хоч руки розірви! Тільки те й знай: тому їсти дай, того напувай..* (Ковінька). П о р.: **хоч розірви́ся** (у 1 знач.).

РОЗІРВИСЯ: хоч (на́двоє) розірви́ся (перерви́ся). 1. Дуже багато роботи, клопоту і т. ін., що важко виконати одній людині. [К и л и н а:] *Ой, тітко, вдовиці — хоч надвоє розірвися!.. (Л. Укр.); — Хоч розірвися. І там треба побувати, і туди заглянути, і суши собі голову, чим скотину догодувати (Кучер); — Максиме, як же ти двері навішуєш? — То покажіть,— просить Максим.— Мені ж треба йти ліжечка робити, хоч розірвись...* (Зар.). П о р.: **хоч ру́ки розірви́.**

2. Що не роби, все марно, безрезультатно. *Так повелося на вічі — не захотіли слухати, хоч розірвися, не дадуть і рота роззявити* (Хижняк).

РОЗ'ЇДАТИ: роз'їда́ти се́рце див. ятрити.

РОЗ'ЇСТИ: роз'їсти се́рце див. ятрити.

РОЗКАЖИ: ба́тькові своє́му ли́сому (кому́сь іншому і под.) розкажи́, фам. Уживається для вираження недовіри до сказаного, висловленого.— *Чіпка добрий чоловік: за кожним кумуватиме...— Батькові своєму лисому розкажи! — приснув Грицько* (Мирний); — *Для овець не так мої ноги, як мій голос потрібний. Все тіло моє навіки застудилось, а голос і досі дзвенить.— Це, Сергію, комусь іншому розкажи. Перед старою треба цілий день стовбичити на ногах, ніякий дзвін тут не допоможе* (Стельмах). **неха́й ба́тькові своє́му розка́же.—** *Нехай вона [бариня] батькові своєму розкаже — знов встряг Назар* (Панч).

РОЗКВАСИТИ: розква́сити гу́би, фам. 1. Розплакатися.— *О, синочку мій! — аж руки бабуся ламає.— Ну, чого розквасила губи? — обзивається чернець в прихожої.— Молиться йди* (Тесл.); *Маруся ж розквасила губи і з очей їй покотилися на червоні щоки великі, як дощові краплини, сльози* (Юхвід).

2. Почати задаватися, чванитися. *Розквасить губи [Одарка] та й дума, що ось-то яка я красуня!.. Хороша, як курка задрипана!* (Кроп.).

РОЗКВИТАТИСЯ: розквита́тися з життя́м. Померти, загинути. *Постріл.. остаточно примусив моржа розквитатися з життям* (Трубл.).

РОЗКВІТАТИ: розквіта́ти / розквітнути душею (се́рцем). Пройматися, сповнюватися радістю, щастям. *Як же він зрадів, як розквітнув душею, коли.. почувся схвильований голос: «Егей, земляче, та й ти тут?»* (Збан.).

РОЗКВІТНУТИ: розкві́тнути душею див. розквітати.

РОЗКИДАТИ: розкида́ти на ві́тер див. кидати.

розкида́ти / розки́нути ка́рти (ка́ртами, на ка́ртах). Ворожити. *Сяде [пані] та все картами розкидає: се вже у неї перша була забавка* (Вовчок).

розкида́ти / розки́нути на па́льцях. Рахувати що-небудь. *Почухав Тугокопилий поперек, перевернувся на правий бік і акуратненько розкинув на пальцях — копійок хватить! Одна каса в комо-*

рі під бочкою зарита, друга — під грушею (Ко-вінька).

розкида́ти / розки́нути ро́зумом (умо́м, думка́ми, голово́ю). 1. Напружено, зосереджено думати, шукаючи виходу із якогось становища. *Простому чоловікові треба розумом розкинути, щоб дочці скриню придбати* (Мирний); *Невже ти не можеш нічого зробити?.. Ану ж бо розкинь розумом, ти ж міцний хлопець* (М. Ю. Тарн.).

2. Продумувати що-небудь; розмірковувати над чимось. *Ми з моїм приятелем — італійцем довго вчились механіки, довго розкидали розумом та роздивлялись, як зроблені дзигарі на баштах, і.. самі наважились зробити такий годинник, тільки маленький* (Коцюб.); *Розкинула я розумом: і по городі, і по горищі, і по хлівах,— нема де сховать або хоч прихистить [пшеницю]* (Н.-Лев.); *Хто вона така [Марта], щоб я нею милувалася? Артистка? Хазяйка? Та у неї і хвоста в хліві нема, не те, що корови. .. Тепер візьміть і розкиньте умом: чи варто ж їй справляти іменини? Та ще такі.. на все село?..* (Ряб.); *Розкидав тепер [Тихонюк] головою на всі боки. Правда, війт мав гнів на старого Марусяка; то був газда достатній, не залежний, любив і правду сказати в очі* (Хотк.).

3 Уміти швидко і добре міркувати, розмірковувати, бути кмітливим, розумним. *Дружина лише вражено зітхнула, в душі горда за чоловіка, що вільно розкидав умом, удавався на складні міркування* (Горд.).

розкида́ти тене́та див. наставляти.

РОЗКИДАТИСЯ: розкида́тися слова́ми. Бути необачним у висловлюваннях. *Батька не на жарт стривожила ця мова дочки, бо він знав, що в неї не було звички розкидатися сильними словами* (Головко). **розкида́ти слова́ми.** [Т е о ф і л:] *Сивизна ж то мені не дозволяє словами розкидати необачно, я тільки те скажу, чого я певен* (Л. Укр.).

РОЗКИНУТИ: розки́нути ка́рти; ~ на па́льцях; ~ ро́зумом див. розкидати; **~ тене́та** див. наставляти.

РОЗКЛАДАТИ: розклада́ти в думка́х див. прикидати; **~ по поли́чках** див. розкласти.

розклада́ти / розкла́сти ро́зумом [сяк і так]. Все зважувати перед тим, як приймати яке-небудь рішення. *Людина розкладає розумом на найпростіші елементи все довкола, навіть саму себе* (Мушк.); [Г р и ц ь к о:] *Уже ж я і сяк розкладаю, і так, голова кругом від думок іде, і нічого не пригадаю* (Мирний).

РОЗКЛАСТИ: розкла́сти в думка́х див. прикидати; **~ на но́ти** див. класти.

розкла́сти / розклада́ти по поли́чках. Розібрати все до дрібниць, встановлюючи певну систему, логічну послідовність. *Любить чоловік [Кирик] дивитися за порядком, не тільки на своєму обійсті,* *а й на чужому, і в сусідську душу прагне зазирнути, щоб розкласти все там по поличках* (Гуц.).

РОЗКОВУВАТИ: розко́вувати / розкува́ти си́ли в кому, які. Давати можливість проявлятися з усією повнотою. *Говорив Євген Панасович про те, що революція покликала народ до нового, світлого життя, розкувала в ньому сили, які досі гнітилися та топталися гнобителями* (Речм.).

розко́вувати / розкува́ти сло́во (мо́ву). Створювати умови для вільного розвитку. *Що є портрет, що малював Брюллов, Не для того, щоб однести в музей,— А щоб Тараса-кріпака звільнить з оков, Щоб слово розкувать землі моєї* (Павл.).

РОЗКОШАХ: купа́тися в ро́зкошах див. купатися; **тону́ти в ~** див. тонути.

РОЗКРАЯТИ: розкра́яти се́рце див. краяти.

РОЗКРИВАТИ: [і] ро́та не розкрива́ти (не роззявля́ти) / не розкри́ти (не розза́явити). Мовчати, нічого не говорити. *Після цього баба вже й рота не роззявляла* (Григ.); — *Стояли, кажуть, всі — як один, зціпивши зуби, і навіть рота ніхто не розкрив* (Гончар); *Хоч голову скрути, Про мене!.. Я тепер і не роззявлю рота* (Г.-Арт.). С и н о н і м и: **не обмо́витися сло́вом** (у 1 знач.); **ні гу-гу** (в 1 знач.); **ні па́ри з вуст** (у 1 знач.); **не ви́пустити па́ри з вуст; як в рот води́ набра́ти; проковтну́ти язика́**.

розкрива́ти ду́шу; ~ о́чі див. відкривати.

розкрива́ти / розкри́ти гамане́ць (гама́н). Давати гроші на що-небудь; робити витрати.— *Я піду від маєтку до маєтку, від мільйонера до мільйонера, я шмагатиму їх своїми залізними цифрами, я заставлю їх, зрештою, розкрити свої гаманці* (Гончар).

розкрива́ти / розкри́ти ка́рти. Повідомляти кому-небудь про свої плани, наміри, задуми і т. ін.— *Шілінг розкриває свої карти,.. Він мріє про революцію в Німеччині* (Кол.); *Фашисти швидко розкрили свої карти. Щодо України у них була ясна і давно накреслена лінія* (Гжицький); *За вечерею Семен Федорович розмовляв з дружиною. І тоді Фросина розкрила перед ним усі карти Макара Підгрітого — Хоче стати на твоє місце* (Зар.). **розкрива́ти части́ну свої́х карт.** *Сідлав коня і лаявся [Дмитро]: перспектива бічи [бігти] дорогою цілком не усміхалася йому, бо се значило розкривати частину своїх карт. Але з огляду на Марусю — годі було інакше* (Хотк.). С и н о н і м: **відкрива́ти ка́рти.**

розкрива́ти / розкри́ти обі́йми. Тепло, приязно зустрічати кого-небудь. — *Ідіть до мене,— кликала вона, розкриваючи обійми. Він [полковник], мов божевільний, кинувся до неї і у звірячому безумстві схопив дівчину* (Епік). *Ти вернулась, прийшла, наче з дальніх країв, мов з холодного царства Валгали. І назустріч тобі я обійми розкрив,— в серці тихо і сонячно стало* (Сос.).

розкрива́ти / розкри́ти рот (ро́та). 1. Починати

говорити після мовчання, казати що-небудь.— *Ну й дали ж ви їм!* — хекаючи, вигукнув він до хлопців, що, вийшовши з бур'янів, стояли вже на видному.— *Сам Махно їх вів!* — А... а... хлаг [прапор]? — *розкрив рота Левко* (Гончар); *Василь довго не міг отямитися, поява Ніни була такою несподіваною, що він не встиг рота розкрити* (Хижняк). П о р.: **розявля́ти рот** (у 1 знач.).

2. Здивовано або захоплено слухати кого-небудь. *Андрій від несподіванки розкрив рота. Про санбат він гадки не мав. .. Виявляється, тут, в цих крайніх хатах розмістилася якась Гречкунова медицина* (Ю. Бедзик); *Чоловік повертає голову і з подиву розкриває рота, а сокира сама вислизає з руки: вулицею, погойдуючись,.. пливли його воли* (Стельмах). П о р.: **роззявля́ти рот** (у 2 знач.).

3. **на кого.** Лаяти кого-небудь, кричати на когось.— *Чого це ти на мене рота розкрив?* П о р.: **роззявля́ти пащеку.**

4. **на що.** Посягати на що-небудь.— *Ну, чого ж, і ти був хазяїном. П'ять моргів землі чужої мав. Широко розкривав рота на чуже добро* (Цюпа). П о р.: **роззявля́ти рот** (у 5 знач.).

розкрива́ти / розкри́ти себе́. Виявляти, показувати свої здібності, можливості у чому-небудь. *М. Рильський розкриває себе як майстер філологічного аналізу творів Т. Шевченка, О. Пушкіна, М. Гоголя.. та ін.* (Літ. Укр.).

РОЗКРИТА: розкри́та душа́ див. душа.

РОЗКРИТИ: не дава́ти і ро́та розкри́ти див. давати; **~ гамане́ць** див. розкривати; **~ ду́шу** див. відкривати; **~ ка́рти; ~ обі́йми** див. розкривати; **~ о́чі** див. відкривати; **~ рот; ~ себе́** див. розкривати.

РОЗКРИТИМИ: з розкри́тими обі́ймами див. обіймами.

РОЗКРИТОЮ: з розкри́тою душе́ю див. душею.

РОЗКУВАТИ: розкува́ти си́ли; ~ сло́во див. розковувати.

РОЗКУСИТИ: розкуси́ти міцни́й (тверди́й) горі́х (горі́шок). З великими труднощами впоратися з чим-небудь, розв'язати якесь складне завдання. *Вночі хлопець розкусив твердий «горішок»: винайшов простісінький пристрій і обробив з товаришами всі деталі* (Рад. Укр.); [С-р:] *Як ковбаса та добра чарка,— На якийсь час минеться й сварка.* [С-д:] *А може й справді перекусим: Твердий оріх ми ще розкусим* (Олесь).

РОЗКУШТУВАТИ: розкуштува́ти поли́н у чому і без додатка. Відчути, зрозуміти іронію, образу і т. ін. у ставленні до себе. *Вона наче не дочула свекрушиного слова, хоч розкуштувала полин* (Н.-Лев.).

РОЗЛАЗИТИСЯ: розла́зитися / розлізтися по сві́ту. Розходитися, роз'їжджатися в різні місця. *Сорок дві могили налічив Прокопенко, сорок дві...* — *Ось так, царство небесне, як стояли рядоч-*

ком, так їх окупанти з гайдамаками і розстріляли,— сказала підійшовши Прокопенчиха.— Більшовицьке, мовляв, гніздо... Ну, а дітки по світу розлізлися і не зібрати тепер (Довж.).

РОЗЛЕТІТИСЯ: розлетітися на прах див. розсипатися; **~ пилом** див. розлітатися; **~ як мильна булька** див. лопатися.

РОЗЛИВАЙ: хоч водою розливай кого. Не можна спинити у сварці, бійці і т. ін. Мовчки слухала Орина сварки батька та дочки. Зчиняли бучу, хоч водою їх розливай (Чорн.);— Дід Інокенша. З батьком свято письмо читають. Біда з ними. Читають, а тоді як заведуться, так хоч водою розливай (Тют.).

РОЗЛИВАТИ: розливати кров див. проливати; **~ сльози** див. лити.

РОЗЛИВАТИСЯ: розливатися / розлитися по жилах. Охоплювати весь організм. Молода невитрачена сила хвилею вдарила в груди, розлилась по всіх жилах, запрохалась на волю (Коцюб.).

розливатися соловейком див. співати.

РОЗЛИЙ: не розлий вода див. вода.

РОЗЛИТИ: [і] водою не розлити (не розілляти) кого. 1. Жити дружно, не розлучити, не роз'єднати кого-небудь. Про Валю та діда Маркіяна люди казали: «злигався старий з малим, що їх і водою не розіллєш: скрізь удвох» (Вас.); Всі вони [артилеристи] зв'язані міцною дружбою; їх і водою не розіллєш (Кучер); Сьогодні ж генетиків та хіміків водою не розлити, з їхнього творчого єднання народилася дивовижна наука — молекулярна біологія (Наука..); Ще на ярмарку Цимбала подружилася з артіллю орловців, а вже пізніше — водою не розлити не тільки Федора Андріяку з Прокошкою-орловцем, але й багатьох інших українських та російських трудівників (Про багатство літ-ри). 2. які. Нерозлучні, дружні. І все ж таки дивно-дивне. Отакі подруги були — водою не розлити (Головко); Останнім часом Тимко з Віктором стали такими друзями, що, як кажуть, і водою не розіллєш (Збан.). 3. без додатка. Міцний, щирий, приязний (про стосунки, почуття).— А чого він у ту Америку повіявся? — запитує Настя про панича.— Родичі там у нього чи, може, любовниці? — Вгадала, Насте,— посміхнувся Гаркуша.— У Фальцвейнів з Америкою давня любов. Водою не розіллєш (Гончар); — Пасічник береже для когось іншого дочку, тому й не поспішає віддати за Петра.— Та в них там така любов, що й водою не розлити... (Сол.).

розлити кров див. проливати; **~ сльози** див. лити.

РОЗЛИТИСЯ: розлитися по жилах див. розливатися.

РОЗЛІТАЄТЬСЯ: аж пір'я розлітається див. пір'я; **голова ~** див. голова.

РОЗЛІТАТИСЯ: розлітатися на порох див. розсипатися; **~ прахом** див. іти.

розлітатися (розвіюватися) / розлетітися (розвіятися) пилом (в пил). Переставати існувати, знищуватися, зникати безслідно. Все старе розлітається в пил (Сос.); Для чого ж були роки, наповнені солдатчиною..? Щоб пилом розвіятися всім твоїм ілюзіям (Гончар).

розлітатися як мильна булька див. лопатися.

РОЗЛУКА: розлука з душею. Смерть.— Якби не Максим,— каже,— була б тобі, вражий сину, з душею розлука! (Пригара).

РОЗЛУЧАЄТЬСЯ: душа розлучається з тілом див. душа.

РОЗЛУЧАТИСЯ: розлучатися / розлучитися з світом (з життям). Умирати. [Таранець:] Горе та лихо, лихо та горе, одно за одним іде.. напада на чоловіка, душить його, а він не хоче розлучитись з світом (Кв.-Осн.); Його повісили сірим світанком під жахливі крики цілої тюрми. Молодий мрійник розлучився з життям під гуркіт і шал нашого протесту (Ю. Янов.).

РОЗЛУЧИЛАСЯ: душа розлучилася з тілом див. душа.

РОЗЛУЧИТИСЯ: розлучитися з світом див. розлучатися.

РОЗЛЯГАЄТЬСЯ: аж луна розлягається див. луна.

РОЗЛЯГЛАСЯ: аж луна розляглася див. луна.

РОЗМАХУ: з [усього] розмаху. 1. Щосили. Він підскочив до саней і з розмаху вгатив сокиру в рожен (Стельмах); Лукія вишарпнула передавач у нього з рук і з усього розмаху трахнула об підлогу (Гончар). **з розмахом.**— Ой, як же ви мене перелякали! Ухопила його за ліву руку і з розмаху ударила межи плечі (Март.). 2. На повній швидкості. Вдоволений Сивенко зажмурює очі, сміється і з розмаху сідає на місце (Вас.).

РОЗМАХУВАТИ: розмахувати кулаками після бійки. Доводити, говорити, відстоювати і т. ін. що-небудь після всього, коли вже пізно. [Ольга:] Тепер треба подумати про те, щоб підправити господарство, а розмахувати кулаками після бійки — чи варто? (Мик.).

РОЗМИКАТИ: розмикати / розімкнути уста. Починати говорити. Почувала [Гаїнка], що мусить щось сказати, відповісти на ці слова, та не могла розімкнути уста (Гр.); — У себе в кімнаті своїй обидві співають — нема вгаву, а в бесіді ..уста не вміють розімкнути, німіють (Вовчок). **уст не розмикати.**— Де шукати [скарб]? — Та козак німував.— Чи, може, де в печері? Запорожець уст не розмикав (Ільч.).

РОЗМИКАЮТЬСЯ: уста не розмикаються див. уста.

РОЗМИНАТИ: розминати / розім'яти кості (кістки). За допомогою рухів, зміни положення тіла позбутися втоми, скованості, оніміння суглобів і т. ін. *Автострада уже запрудилась на кілометри, ...люд, що, певне, звик до різних пригод у дорозі, поводиться досить стримано, без нервувань: той гумку жує над кермом, той вийшов, розминає кості* (Гончар); — *Ти вирішив трохи кістки розім'яти. Як тут: усе спокійно?* (Головч. і Мус.); *Дід Мусій зліз з свого воза. «Розім'яти старечі кості час»,— подумав, пошукав очима Василя, попростував до нього* (Рибак). **розім'яти кісточки.** *Після відбою козаки гомінким натовпом поверталися на своє місце.— Ну, трохи розім'яли кісточки? — допитувався генерал.— Не ремствуємо* (Добр.).

РОЗМИНАТИСЯ: не розмина́тися / не розмину́тися з ча́ркою. Пиячити. [Н а т а л я:] *На й грошей (Дає). Пошли вартового купити горілки... Обидва з чаркою не розминаються... Хай нап'ються, поки поснуть, тоді я прийду...* (Гр.).

РОЗМИНЕТЬСЯ: ні з чим не розми́неться. Вчасно скористується чим-небудь, нічого не упустить. *У Нечипора була уся батькова натура. Злодіяка такий, що ні з чим не розминеться: і цигана обдурить, і старця обікраде* (Кв.-Осн.).

РОЗМИНУТИСЯ: не розмину́тися з гріхо́м, *заст.* Не уникнути чогось неприємного, недоброго. *Ніякий чоловік з гріхом не розминеться,— І в селах так, і в городах* (Гл.).

не розмину́тися з ло́жкою. Прийняти запрошення до частування, погодитися щось з'їсти. [В а с и л и н а:] *.Годуйся ж, чим бог дав!* [Я к и м:] *Та вже з ложкою не розминуся, бо таки виголодався* (Гр.).

не розмину́тися з ча́ркою *див.* розминатися.

розмину́тися з пра́вдою. 1. Вчинити несправедливість, діяти неправильно. *Громада сама почувала, що розминулася з правдою, продаючи Денисові землю* (Гр.).

2. Говорити неправду; брехати. *Та тільки чи правда те, що д. Чайченко каже, буцімто українці так-таки зовсім не читають галицьких поетичних виробів? «Насмілюємось» не тільки бути певними, але й сказати ясно, що д. Чайченко грубо розминувся з правдою* (Фр.).

РОЗМІНЮВАТИ: розмі́нювати / розміня́ти на п'ятаки́. Поступатися своєю честю, переконаннями, сумлінням заради користі, вигоди. *Майор внутрішніх військ Яцуба не з тих, що по базарах свою честь розмінюють на п'ятаки, йому пенсії вистачає. Та ще ж і дружина вносить свій пай* (Гончар).

РОЗМІНЮВАТИСЯ: розмі́нюватися / розміня́тися на дрібни́ці (на дрібно́ту). Витрачати свої сили, енергію на щось малозначиме, другорядне, не варте уваги. *Іван лежав і думав. Треба братися за велике, а не розмінюватися на дрібниці* (Кол.); *Лає себе Малинін за те, що в Безкоровайному помилився. Думав, що з нього буде хороший*

комсомольський вожак, а він на дрібниці розмінявся (Хижняк); *І скаже суд: «Чи виконав достоту Призначення своє ти на землі, Чи, може, розмінявся на дрібноту?»* (Рильський).

РОЗМІНЯТИ: розміня́ти на п'ятаки́ *див.* розмінювати.

РОЗМІНЯТИСЯ: розміня́тися на дрібни́ці *див.* розмінюватися.

РОЗМОВ: без за́йвих розмо́в *див.* слів.

РОЗМОВА: розмо́ва коро́тка *див.* мова.

от і вся розмо́ва. На цьому й кінець; більше нічого говорити; все сказано. *Чого мати не спита [в Оксани] —«Не знаю. Не бачила. Не чула..» От і вся розмова* (Кв.-Осн.).

пуста́ розмо́ва; пусті́ розмо́ви. Непотрібна, беззмістовна балаканина; балачки, не варті уваги. *Паничика того вона бачила не раз у баронеси, він завжди вклонявся їй, а часом ще й зачіпав своєю пустою розмовою, але обходився без належної поваги* (Л. Укр.); *Непримиренна боротьба з паперовою тяганиною і бюрократизмом, пустими розмовами на засіданнях, вимогливість до товаришів — ото й були ті основні риси нашого стилю роботи* (Знання..). С и н о н і м: **пусті́ слова́.**

РОЗМОВИ: медо́ві розмо́ви *див.* слова.

РОЗМОВУ: переводити розмо́ву *див.* переводити.

РОЗМОТАТИ: розмота́ти клубо́к *див.* розмотувати.

РОЗМОТУВАТИ: розмо́тувати / розмота́ти клубо́к (клубка́). Розкривати, з'ясовувати суть якої-небудь складної, заплутаної справи. *Гандзюк уважав чомусь, що його будуть допитувати першого: старший же він, і з нього, виходить, треба розмотувати клубка!* (Кос.); *В думках він теж називає пана прізвиськом, але зломити мужиків йому хочеться не менше, ніж панові, і він уперто веде свою дорогу маракує [думає], чи не можна з другого кінчика розмотати клубок* (Стельмах). П о р.: **розплу́тувати клубо́к** (у 1 знач.).

РОЗМ'ЯКЛО: розм'я́кло се́рце *див.* серце.

РОЗМ'ЯКШИТИ: розм'якши́ти се́рце *див.* розм'якшувати.

РОЗМ'ЯКШУВАТИ: розм'якшувати / розм'якши́ти се́рце *чиє.* Викликати у кого-небудь почуття доброти, лагідності; розчулювати когось.— *Може, хлопчик хотів лише розм'якшити батьківське серце? — висловив припущення Юрій Матвійович* (Вол.).

РОЗНЕСЛАСЯ: чу́тка рознесла́ся *див.* чутка.

РОЗНОСИЛА: лиха́ годи́на розноси́ла *див.* година.

РОЗНОСИТИСЯ: розно́ситися / рознести́ся за вітром. Зникати, пропадати, губитися і т. ін. *сум бере, що без життя, без плоду, На рій дурниць* *моє життя звелось, Гадав служити рідному народу, Та чисто все за вітром рознеслось* (Граб.).

РОЗНОСИТЬ: як сорока на хвості розносить *див.* сорока.

РОЗНОСИТЬСЯ: чутка розноситься *див.* чутка.

РОЗПАДАЄТЬСЯ: луда розпадається на очах *див.* луда.

РОЗПАДАТИСЯ: розпадатися / розпастися прахом (у прах, на прах). Зникати безслідно. *Всепотужний трон Єгови розпадався прахом* (Фр.); *Вийми ти любов з снастей природи — всесвіт миттю розпадеться в прах* (Шіллер, перекл. Лукаша).

РОЗПАДЕТЬСЯ: луда розпадеться на очах *див.* луда.

РОЗПАЛЮВАТИ: розпалювати кров *див.* хвилювати.

РОЗПАЛЮЮТЬСЯ: пристрасті розпалюються *див.* пристрасті.

РОЗПАРИТИ: розпарити кістки *див.* розпарювати.

РОЗПАРЮВАТИ: розпарювати / розпарити кістки. Добре прогріватися в лазні, на печі і т. ін. *Домна Федорівна, присівши біля лежанки, на якій старий розпарював кістки, сумно переказала їхні з Уляною балачки* (Логв.).

РОЗПАСТИСЯ: розпастися прахом *див.* розпадатися.

РОЗПАЧУ: доводити до розпачу *див.* доводити.

РОЗПЕКТИ: розпекти душу *див.* розпікати.

РОЗПИРАЄ: гнів розпирає груди *див.* гнів.

РОЗПИРАТИ: розпирати груди (душу, серце) кому, чий, чию, чиє і без додатка. Охоплювати, переповнювати кого-небудь (про певне почуття і под.). *Вона живе в мені тепер якоюсь мрією, за котрою розпирає туга груди* (Коб.); *«Невже не розімкнуться, щоб пропустити!» — майнула думка у Щупака, і лють розпирала йому груди* (Головко); *Радість розпирала хлопцеві груди, пронизувала, здавалось, кожну клітину його молодого тіла* (Кир.); *Обурення і сміх разом розпирають дівочу душу, але вона.., насупилась, гримнула на парубка: «Безсовісний ти, Левку»* (С ельмах); *Глуха неприязнь уже не лише до господині, а й до господаря розпирала серце* (Збан.).

РОЗПИСАТИСЯ: розписатися обома руками *див.* підписуватися.

РОЗПИСУВАТИСЯ: розписуватися обома руками *див.* підписуватися.

РОЗПЛАТИТИСЯ: розплатитися кров'ю *див.* розплачуватися.

РОЗПІКАТИ: розпікати / розпекти душу (серце і т. ін.) чию, чиє, кому. Викликати у кого-небудь відчуття гніву, душевного болю, страждання і т. ін. [М а р у с я:] *Мамо! ти розпекла мою душу, запалила помстою моє серце. Я ненавиджу ворогів, що зруйнували наш рідний край* (Н.-Лев.).

РОЗПЛАЧУВАТИСЯ: розплачуватися / роз- **платитися кров'ю** за що. Бути вбитим або покараним за що-небудь.— *А хто кров'ю розплачуватиметься за їхні вчинки? Жінки та діти?..* (Головч. і Мус.).

РОЗПЛИВАТИСЯ: розпливатися / розпливтися від жиру. Ставати дуже товстим, повним. *Вона не була поганою, коли б не розпливалася від отого жиру, що в молодому, свіжому організмі видавався як дегенерація* (Ле).

РОЗПЛИВТИСЯ: розпливтися від жиру *див.* розпливатися.

РОЗПЛУТАТИ: розплутати клубок *див.* розплутувати.

РОЗПЛУТУВАТИ: розплутувати / розплутати клубок (вузол; нитку і т. ін.). Розкривати, з'ясовувати суть якої-небудь складної, заплутаної справи.— *Бачите, що робиться? Без ножа ріжуть. Я хочу завтра поїхати до вас, щоб разом з Божком розплутати цей клубок* (Жур.); *Він певен, що натрапив на кінець ниточки, але як розплутати клубка, не знає. Перше, що треба,— це розшифрувати таємний зміст цидулки* (Сліс.); *На мить не припиняв я пошуки уперті,— я мислю гострою усі вузли розплутав* (Мисик). **розплутати клубочок.**— *Ну, що ж,— осміхнувшись, розвів руками слідчий,— доведеться якось уже самим розплутати цей клубочок...* (Коз.). **ниточку розплутати.** *Сирота глумливо гмукнув. Добре, що одного зіпав [браконьєра], цей ниточку розплутає* (Гуц.). П о р.: **розмотувати клубок.**

РОЗПОРЯДЖАТИСЯ: розпоряджатися собою. Діяти, жити на свій розсуд, за своїм бажанням.— *Ти мені вже нічого не заборониш, розпоряджаюсь собою у сьому сама!* (Гончар).

РОЗПРАВИ: нема розправи *див.* нема.

РОЗПРАВИТИ: розправити крила *див.* розправляти; ~ **плечі** *див.* випростувати.

РОЗПРАВЛЯТИ: розправляти плечі *див.* випростувати.

розправляти (розпростувати, розпростирати і т. ін.) / розправити (розпростерти, розпростати і т. ін) крила. 1. Повною мірою виявляти свої сили, здібності і т. ін. *Після себе залишили [Дарина і Андрій Гайворони] добро. Добро і дітей... Старший з них розправляє крила...* (Зар.); *Не спи, народ, розпростуй дужі крила, Над даллю міст, аулів і портів* (Перв.); *Якби тому хлопцеві дати можливість розправити крила! Якими талантами, якою глибиною мислі, яким дотепом, яким генієм у винахідництві, якою красою мови й пісні блиснув би він перед світом* (Вільде); *Перебування Міцкевича в Росії — у Москві та Петербурзі — дало йому можливість на всю широчінь розправити свої крила* (Рильський); *У колективі він зумів повністю розправити крила.*

2. Набирати сили, могутності, всебічно розвиватися. *Спи спокійно, поет! Україна твоя вже розправила крила орлині так, як мріяв колись ти*

в жагучих піснях, на засланні, в тяжкій самотині (Сос.); // Зміцнюватися, завойовувати право на життя, розквіт і т. ін. *Розправляй же, мій народе, свої дужі крила* (Коломийки); *Молоде підприємство почало впевнено розправляти крила* (Веч. Київ).

РОЗПРАВЛЯТЬСЯ: розпра́вляться плє́чі *див.* плечі.

РОЗПРАВЛЯЮТЬСЯ: розправля́ються плє́чі *див.* плечі.

РОЗПРОСТАТИ: розпроста́ти кри́ла *див.* розправляти; ~ **плє́чі** *див.* випростувати.

РОЗПРОСТЕРТИ: розпросте́рти кри́ла *див.* розправляти.

РОЗПРОСТИРАТИ: розпростира́ти кри́ла *див.* розправляти.

РОЗПРОСТУВАТИ: розпро́стувати кри́ла *див.* розправляти; ~ **плє́чі** *див.* випростувати.

РОЗПРОЩАТИСЯ: розпроща́тися з життя́м *див.* прощатися.

РОЗПУКИ: доводити до розпу́ки *див.* доводити; **душа́ рве́ться від** ~ *див.* душа.

РОЗПУСКАТИ: розпуска́ти па́зури *див.* випускати.

розпуска́ти / розпусти́ти ві́жки. Послаблювати вимогливість до кого-небудь. *Вони взялися за них* [хлопців] *як слід, не розпускали віжок і підтягли насамперед штаб для всіх активістів* (Мик.).

розпуска́ти / розпусти́ти ву́ха. 1. з сл. с л у х а т и *і под.* Уважно, з цікавістю, з великим захопленням. *Слухаю його, вуха розпустила: умів, умів мене Тарас заспокоювати* (Мур.); *Слухав той, слухав, розпустивши вуха, і відчував себе на десятому небі* (Цюпа).

2. Довірливо слухати. [Ш е л ь м е н к о:] *Потурайте, Мотрюсю,— не знаю, як вас по батюшці,— що ми служиві, вам, будучи говоримо! Тільки розпустіть вуха, то і забожимося, що і на вербі є груші* (Кв.-Осн.). П о р.: **розставля́ти ву́ха.**

розпуска́ти / розпусти́ти го́лос *чий.* Не стримуючись, дуже голосно, на повну силу кричати, співати, лаятися і т. ін. *Ще тюпаючи до погреба, вона завела пісню, а як опинилася в його темній самотині, то так розпустила свій голос — аж луна знялася* (Мирний).

розпуска́ти / розпусти́ти губу́ (гу́би), *грубо.* 1. Не стримуватися в розмові, говорити багато зайвого, неприємного. *«Ти цить, невістко, та не розпускай губи, Як бачиш коцюбу, то позбираєш зуби». Я молоденька, уміла одвіт дати: «В коцюбі два кінці, будемо зуби міряти»* (Укр. ..пісні); [7-й п а р у б о к:] *Іноді таке неподобне сплеще* [Соломія], *що й парубкові соромно слухати. Там як розпустить губу, так і не вговтаєш її* (Кроп.); *Омелян думав: «Куди ж пак губи розпустив* [куркуль Олексій]: *«Сякі-такі, христопродавці...»— думав, що в старости проліэе... а воно люди з вухами»* (Панч); // *з ким.* Говорити про щось

неістотне, пусте, не варте уваги. *З ким це ти губу розпустив?* (Кроп.).

2. Плакати.— *Ну, приїхали за мною козаки, та й годі. А вони вже й розпустили губи. Ех, бабська натура! А ще просить — зостанься з нами жити. Що за життя козакові з такими плаксами!* (П. Куліш).

3. Піддаватися сентиментальному настрою, розчулюватися. [М а р и н а:] *Я, Прісю, не знала, що ви любитесь, ну й правда, іноді сама його зачіпала, жартувала, а він і губи розпустив* (К.-Карий).

розпуска́ти / розпусти́ти за ві́тром (по ві́тру). 1. Марно витрачати гроші, заробіток, спадщину і т. ін.; не бути заощадливим. *Служивши чесно, без пороку, З боргів покійник батько жив, Три бали він давав щороку І все за вітром розпустив* (Пушкін, перекл. Рильського).

2. Знищувати, не залишаючи сліду. *Світ здається викінченим, як поема митця старого,— а буває часом, Коли хотілось би його зламати, Розвіяти, по вітру розпустить* (Рильський).

розпуска́ти / розпусти́ти мо́рду (пи́сок), *грубо.* Висловлюватися грубо; лаятися.— *Чого се розпустив морду, як халяву? Та се не Січ: тут тобі гетьман не свій брат* (П. Куліш); — *Як я тогід посилав за тобою на толоку, то ти ще й писок розпустила: «Не піду,— каже,— на попа робити!»* (Март.).

розпуска́ти / розпусти́ти ню́ні (сли́ни) *зневажл.* 1. Плакати. [Г а л ь к а:] *Я не хочу жити у панів!* [С а в к а:] *Ну, Галочко, годі! Не годиться комсомольці нюні розпускати* (Мам.); *Ти чого слини розпустив, як баба Горпина, що пасе панських гиндичат* (К.-Карий). П о р.: **розпуска́ти патьо́ки.**

2. Послаблюючи контроль над собою, перестаючи стримуватися у виявленні своїх почуттів, настрою і т. ін.— *Та пустіть, я ж до батька,— почав просить.— Ша! — сердито мовив Перепелиця. У воєнне врем'я не можна нюні розпускати* (Гуц.); — *Мало нас,— зітхає Ванек. І це чомусь страшенно обурює Кайта.— Мало? Ти.. не скигли, не розпускай нюні* (Кол.); [В а с и л ь:] *Верни її, братіку! Покайся, перед усім миром покайся!..* [М и т р о х в а н:] *Ач, розпустив слини!* (Кроп.).

3. Ставати зворушеним. *Як Богданові хотілося обняти цю повненьку, пухленьку молодичку, сказати їй багато гарних слів, та не годилося нюні розпускати* (Больш.); *Більше він ніколи не буде писати Наталці, досить, а то розпустив нюні. Любов, любов* (Зар.); *О, вже розпустив нюні! А фашисти із нашим братом що роблять?* (Головч. і Мус.). **розпуска́ти сли́нки.** *Видно розпустила* [жінка] *слинки перед тобою, от ти й розкис* (Мирний).

розпуска́ти / розпусти́ти па́щеку. Говорити не те, що треба.— *На печі заохкала дружина.—*

Прикуси язика, старий дурню. При дітях розпустив пащеку (Збан.).

розпуска́ти / розпусти́ти пі́р'я (хвіст). Пишатися, красуватися перед ким-небудь, намагаючись сподобатись комусь, привернути до себе увагу. *Та де ж пак — пір'я розпустив, розкокошився...* (Шовк.).

розпуска́ти / розпусти́ти (попусти́ти) патьо́ки (сльо́зи, рю́ми, рю́мси). Плакати. *І знову розпустила [баба] патьоки і заголосила на всю хату* (Стор.); *— За що знущаєтесь ви надо мною так? За що?.. За що?...— сказав [неборак] та й попустив патьоки...* (Г.-Арт.); *[Омелько:] Ти ще тут рюми розпустив... Геть!* (Кроп.); *[П а н і (до Ярини):] А ти чого тут рюмси розпустила?* (Вас.). П о р.: розпуска́ти ню́ні (в 1 знач.).

розпуска́ти / розпусти́ти себе́ (свої́ не́рви, своє́ се́рце). Не стримуючись, давати волю своїм почуттям. *Коли ти хочеш стримувати себе, «не розпускать себе», як ти виражаєшся, то треба ж і помагати собі* (Л. Укр.); *— От я, бувало, в військовому училищі, як тільки розпущу свої нерви, так і «губа»* (Мур.); *[Г а н н а:] Розпустила ти своє серце, навіть і про бога забула?* (Кроп.).

розпуска́ти / розпусти́ти язика́. 1. Не стримуватися у розмові, говорити багато зайвого.— *Але ж і ти, Марто, й справді велика брехуха, вже дуже розпустила язика! — сказав Мельхиседек до своєї жінки* (Н.-Лев.); *Онилька вже й не рада була, що з дурного розуму розпустила язика — все Явдосі розказала про діло* (Григ.); *Зрозуміли одне — не розпускай язика навіть у камері* (Збан.). С и н о н і м: дава́ти во́лю язико́ві. А н т о н і м: держа́ти язи́к за зуба́ми.

2. Говорити багато взагалі, ставати говірким. *Кума сіла проти мене та й розпустила язика. Та вже й вміє балакати!* (Н.-Лев.); *Раніше так рідко балакав [Гнат], тепер розпустив язика і після кожного їх слова казав «не слухайте їх, хлопці, ходім та й ходім!»* (Григ.). * Образно. *Всякої всячини довелося наслухатися про Христине дитя, бо як не наслухаєшся, коли вся Яблунівка розпустила свого довгого язика* (Гуц.). **розпусти́ти язичо́к.** *Ніхто [з дівчат] за галасом спочатку й не помітив, що він [учитель] уже давненько стоїть у дверях. А вони так розпустили язички, що в порожньому залі луни ходили* (Речм.).

3. Лаяти, ганьбити кого-небудь.— *А ти знаєш хто ми? — Заробітчани.— Помовч, паскудо.— Для чого ви так, пане підполковнику? — з докором промовив сотник.— А чого ж ти розпустив язика, мов халяву? Не знає, а ляпає грязюкою на нас* (Стельмах).

тереве́ні розпуска́ти див. правити.

РОЗПУСТИТИ: розпусти́ти ві́жки; ~ ву́ха; ~ го́лос; ~ губу́; ~ за ві́тром; ~ мо́рду; ~ ню́ні *див.* розпускати; ~ па́зури *див.* випускати; ~ патьо́ки; ~ пащеку; ~ пі́р'я *див.* розпускати.

розпусти́ти ханькй́, *грубо.* Почати багато говорити; розбалакатися. *Як розпустить свої ханьки, так і за день не переслухаєш* (Сл. Гр.).

розпусти́ти язика́ *див.* розпускати; **тереве́ні** ~ *див.* правити.

РОЗПУТТІ: на розпу́тті *див.* роздоріжжі; **стоя́ти на** ~ *див.* стояти.

РОЗПУХА́Є: голова́ розпуха́є *див.* голова.

РОЗРИВА́ЄТЬСЯ: голова́ розрива́ється *див.* голова; **душа́** ~ **на́двоє** *див.* душа.

РОЗРИВА́ТИ: розрива́ти кайда́ни *див.* рвати.

розрива́ти (рва́ти) / розірва́ти на шматки́ *кого* і без додатка. 1. Постійно звертатися до кого-небудь з проханнями, дорученнями і т. ін. *Розривають на шматки, не можна зосередитись.*

2. Знищувати. *Він би хтів на шматки розірвати й тітку, й дядька, і дітей їх* (Коцюб.). **розірва́ти на маню́сінькі кусо́чки.— *Гляди [чоловіче], щоб ти поділив його [гостинець] на частини, щоб кожному — досталó — коли ж гаразд не поділиш — то тут тобі .й амінь! Таки тут тебе і розірвемо на манюсінькі кусочки* (Мирний).

розрива́ти / розірва́ти за́шморг *який.* Прориватися з ворожого оточення, з полону і т. ін. *Сам хід подій підказував: треба діяти рішуче і негайно, аби розірвати отой зашморг, поки він ще не такий тугий. Але що саме треба робити? Як перехитрити гітлерівців?* (Головч. і Мус.).

розрива́ти / розірва́ти [оста́нню] ни́тку. Остаточно припиняти стосунки, спілкування з ким-небудь, знищувати те, що зв'язує кого-небудь з чимсь. *Постукав [Л. Толстой] у віконце кучерської і наказав, Щоб коней потихеньку запрягли В родинну бричку.. Так розірвав живу останню нитку, Яка в'язала його із колишнім* (Рильський).

розрива́ти / розірва́ти се́рце (ду́шу, гру́ди). 1. Завдавати болю, примушувати страждати, переживати. *В'ється вона [туга] коло серця, серце розриває* (Рудан.); *[О д а р к а:] Годі ж, Улясю, годі, моя доненько! Не розривай мого серця! Іди у хату, та вбирайся; вечір близенько, скоро старости прийдуть* (Кв.-Осн.); *— Скрізь бачу вбогих людей, бідаків роботящих. От що моє душу розриває! От що моє серце розшарпує!* (Вовчок); *Розпач, відчай розривали її груди, хвилинами з'являвся такий жах, що ціпеніло серце* (Донч.).

2. *із сл.* ща́с т я. Переповнювати кого-небудь (про почуття, позитивні емоції). *Щастя не вміщувалось у серці, щастя розривало груди! Та чи ж довго тішився він тим щастям?* (Коцюб.).

розрива́ти / розірва́ти сон. Будити кого-небудь; заважати, не давати спати комусь. *Мавра ніч не спала, неспокійні думки розірвали сон* (Горд.).

розрива́ти / розірва́ти ува́гу *чию.* Заважати кому-небудь бути зосередженим. *Таке безнастанне* наслухування так розривало його увагу, що не міг нічого з прочитаного розуміти (Март.).

РОЗРИВАЮТЬ: думкѝ розрива́ють мо́зок див. думки.

РОЗРІЗ: іти́ в ро́зріз див. іти.

РОЗРІЗАТИ: розріза́ти повітря див. різати.

РОЗРІЗІ: у ро́зрізі якому, чого. З певного погляду на ті чи інші явища. Саме цими якостями характеризується новий італійський цикл М. Бажана, в якому в гострому соціальному розрізі трактуються минуле й сучасне (Вітч.).

РОЗРУБАТИ: розруба́ти ву́зол; ~ го́рдіїв ву́зол. розрубувати; **~ кайда́ни** див. рвати.

РОЗРУБУВАТИ: розру́бувати / розруба́ти ву́зол (вузлѝ) чого і без додатка. Швидко розв'язувати що-небудь складне, заплутане. Коцюбинський вирішив розрубати вузол одним махом (Сміл.); Зі сторінок наших книг майже зовсім зник герой — надлюдина, який з легкістю надзвичайною розрубував усі вузли найскладніших протиріч (Літ. Укр.).

розру́бувати / розруба́ти го́рдіїв ву́зол. Просто, рішуче, сміливо розв'язувати складне питання. Тільки одне, тільки прихід Аркадія міг нарешті розрубати оцей гордіїв вузол, та й після його приходу поведінка Валерії всім могла б видатися підозрілою (Собко); Мстислав зарікався більше не стрічатися з Настею, не морочити ні себе, ні її, раз і назавжди розрубати для них обох цей незручний гордіїв вузол (Логв.). **рубати го́рдіїв (тимофі́їв) ву́зол.** Іде [Маріка], реучи ногами, нікуди не дивиться. Що за комбінація,— не можу догадатися. Але молодиці проворливіші від мене і гордіїв, чи тимофіїв, вузол рубають влучними словами. Показалося все дуже просто (Хотк.).

РОЗРЯДИЛАСЯ: атмосфе́ра розряди́лася див. атмосфера.

РОЗРЯДИТИ: розряди́ти атмосфе́ру. Зняти або послабити напруження; змінити становище на краще. Сев зрозумів, що треба розрядити атмосферу. Він голосно засміявся, дістав з коробки два сірники, зломив у одного сірку і махнув рукою в повітрі.— Тепер тягніть,— звернувся він до Тайок (Ю. Янов.); Сварливу, затхлу атмосферу першою розрядила моя добренька рідненька матуся (Ковінька).

РОЗСИПАЄТЬСЯ: розсипа́ється від вітру. Неміцний, нетривкий, ні на що не придатний.— Та як їх [писачок] робота і тут така, як і не вашому світові — то воно, як і у вас нікуди не годилося, так і тут від вітру розсипається (Кв.-Осн.).

РОЗСИПАТИ: розсипа́ти бісер сви́ням див. метати; **~ кисли́ці** див. розводити.

РОЗСИПАТИСЯ: розсипа́тися / розси́патися бісером перед ким і без додатка. Надмірно догоджати кому-небудь, підлещуючись до нього. Терезка зникла за дверима, Брановський трохи

пригнітився, що Терезка кинула йому такий короткий «добрий день» і пішла. А він такого галасу наробив, бісером розсипався по двору (Томч.).

розсипа́тися / розси́патися горо́хом. 1. Уривчасто лунати (про звуки). Хлопці збились тісно в отару й, спотикаючись та пхаючи один одного в спину, сунули гуртом кругом ялинки. Горохом розсипались голоси (Вас.).

2. Дуже швидко, уривчасто говорити. Не розсипайся горохом — говори спокійно.

розсипа́тися на по́рох див. розсіпатися.

розси́патися бісером; ~ горо́хом див. розсипатися.

розси́патися (розлетітися) / розси́патися (розлітатися) на по́рох (на прах, по́рохом, пра́хом). 1. Зникнути без сліду, перестати існувати, загинути. Прекрасний Києве, на предковічних горах! ...За чорні всі діла Хай вороги твої розсиплються на порох! (Рильський); Три тижні тому Конрад Вінкель і не гадав, що ця могутня оборона розсиплеться на порох під ударом росіян (Коз.); Жде [«Хо»] того сміливого, хто гляне йому у вічі, щоб самому навіки спочити, порохом розсипатися (Мирний); Ось самотня хата. Чи повернеться до неї син або онук? Чи розлетяться прахом на грізних мінах, і сліду від них не залишиться? (Довж.).

РОЗСИПЛЕТЬСЯ: аж пі́р'я розси́плеться див. пір'я; **дмухни́ і розси́плеться** див. дмухни.

РОЗСИХАЮТЬСЯ: обручі розсиха́ються див. обручі.

РОЗСОХЛИСЯ: розсо́хлися кле́пки див. клепки.

РОЗСТАВИТИ: розста́вити ву́ха див. розставляти; **~ па́стки; ~ тене́та** див. наставляти.

РОЗСТАВЛЯТИ: розставля́ти / розста́вити ву́ха (у́ха). Слухати з повним довір'ям, дуже уважно, захоплено, забуваючи про все навколишнє. [Х р а п к о:] Дурепо! дурепо! Він каже, а ти віриш? Розставила уха, слухаєш? (Мирний). **порозставля́ти ву́ха** (про всіх або багатьох). Незабаром запал його вичерпався, хотілося плюнути на самого себе і на слухачів, що порозставляли вуха на його балаканину (М. Ю. Тарн.). П о р.: **розпуска́ти ву́ха** (в 2 знач.).

розставля́ти тене́та див. наставляти.

РОЗСУД: на ро́зсуд чий, кого. Згідно з рішенням. Ляховський схилив голову, віддаючи свою пропозицію на шефів розсуд (Шовк.); — Терміново треба хлопцям доручити розповсюдження [листівок]. Одну наклеїти на майдані. Одну — на твій розсуд (Ю. Янов.); Він тримався самовпевнено, все робив на свій розсуд і терпіти не міг ніякої критики (Минко); Добре працюєш, маєш від табірного начальника подвійну пайку хліба, і твоє право — розпоряджатися нею на власний розсуд (Гончар). **за ро́зсудом** чиїм. Треба забути [Кутузову] про листи царя, про недовіру, що оточує *в головному штабі армії, а діяти за власним розсудом, щоб малою кров'ю, без баталій виграти перемогу* (Кочура).

РОЗТЕРТИ: плюнути і розте́рти див. плюнути.

РОЗТИРАТИ: розтира́ти / розте́рти (зіте́рти, сте́рти) на по́рох (у по́рох, на прах, у порошо́к). 1. Знищувати, розбивати вщент. *Радянський народ розтер на порох, знищив мерзенних агентів фашизму* (Тич.); *Дошкульно тіло краяли вітри, пронизували грози ятаганні,— але мене хоч в порох розітри — я знов перемагатиму в змаганні* (Луц.); *Гнів кипить в очах суворих,— Хай не лізе клятий ворог,— Розітрем його на порох* (Нех.); *Ми всіх катів зітрем на порох, Повстань же, військо трударів!* (Вороний); [2-й з прохачів:] *Ти б їх скрушив, тих вражих монтанівців, стер би в порох!* (Л. Укр.).

2. Нищівно викривати, критикувати кого-небудь. *Але в думці Горецький не мовчав. Він нищив своїх противників, громив їх впень, розтирав на порох, але вони про це нічого не знали* (М. Ю. Тарн.); *Один хвалько шептав другому: — Ти ж тільки не кажи нікому, Як я піймав його на слові І трахнув у своїй промові! Я в порошок розтер його? — Кого? — Ну, та начальника ж свого* (Воскр.). С и н о н і м: **оберта́ти на пил.**

РОЗТИНІ: у ро́зтині ча́су. В історичній перспективі. *О. Довженко завжди боровся за надзвичайно ємке панорамне кіномистецтво. Він усвідомлював його величезні можливості змалювання життя у глибокому розтині часу* (Вітч.).

розтіка́тися крізь па́льці див. текти.

розтіка́тися [ми́слями (ми́слю)] по дре́ву, книжн. Довго розумувати або розповідати про що-небудь дуже детально, докладно. *Розуміючи те, що я далеко не геній і розтікатися мислями по древу мені нічого, я уперто думав над тим: що писати? Прозу чи п'єси?* (Збан.); *Бо коли Боян, бувало, пісню у натхненні віщому складав, розтікався він по древу мислю, сірим вовком по землі шугав* (Забіла); *Та годі у ліричній мові По древу розтікатись нам!* (Рильський).

РОЗТОПИТИ: розтопи́ти лід (кри́гу). 1. Ліквідувати холодність, недовір'я і т. ін. *Марта лежала. Вона чекала. Може, він гляне на неї, заговорить, розтопить лід* (Коцюб.); *Звідки взялася ця прірва між мною й ним? Невже нічим не повернути його, не розтопити лід?* (Гончар); *Публіка залишалась байдужою і холодною. Я не знав, що робити і як грати, щоб розтопити цей лід* (Думки про театр).

2. *чого*. Позбутися загрози чого-небудь. *Зробимо все, щоб назавжди розтопити лід холодної війни* (Рад. Укр.).

РОЗТРАВИТИ: розтрави́ти ду́шу див. розтравлювати.

РОЗТРАВЛЮВАТИ: розтра́влювати / розтрави́ти ду́шу (се́рце) кому. Викликати у кого-небудь тяжкі, болісні переживання.— *Не розтравлюй мені душу цим Яковом,— одразу хмурніє Терентій.— Відщепився від нашого роду, мов тріска від дерева, і вже не прикладеш, не притулиш її* (Стельмах). С и н о н і м: **я́трити се́рце.**

РОЗТРАТИТИ: розтра́тити себе́ див. розтрачувати.

РОЗТРАЧУВАТИ: розтра́чувати / розтра́тити себе́. Витрачати свою енергію, здібності на що-небудь дріб'язкове. *Нещасливий в особистому житті, він мало дорожив ним і розтрачував себе з феноменальною силою* (Довж.).

РОЗТРОЮДЖУВАТИ: розтроюджувати се́рце див. ятрити.

РОЗТРОЮДИТИ: розтроюдити ра́ну; ~ се́рце див. ятрити.

РОЗТУЛИТИ: [і] ро́та ([і] вуст) не розтули́ти. Мовчати.— *А чому так? Чому хлопець вибирає [дівчину], га? — казала з запалом, наче я сперечався з нею, хоч я й рота не розтулив.— А чому дівчина не має права?* (Гуц.); *Блудний син і незламний батько не будуть розводити антимоній. Ігор і рота не розтулить: одне-єдине батькове слово — і баба з воза, кобилі легше* (Шовк.); *І все в ній [Роксолані] кричали ці слова зневаги, але дружинонька не розтулила й вуст* (Ільч.).

розтули́ти вуста́. — *Я складу свою думку після того, як вислухаю пояснення чоловіка, що приніс сюди ці речі,— вперше розтулив вуста командир* (Головч. і Мус.).

не дава́ти і ро́та розтули́ти див. давати.

РОЗУМ: би́стрий на ро́зум див. бистрий; **бі́дний на ~** див. бідний; **бог ~ одібра́в; бог ~ посла́в** див. бог; **бра́ти в ~; бра́ти ~** див. брати; **бра́тися за ~** див. братися; **відбира́ти ~** див. відбирати; **втрача́ти ~** див. втрачати; **глузд за ~ заверта́є** див. глузд; **держа́ти ~ у голові́** див. держати; **ду́мка спа́ла на ~** див. думка; **загуби́ти ~** див. загубити; **зайти́ за ~** див. зайти; **замути́ти ~** див. замутити; **затемня́ти ~** див. затемнювати; **зато́плювати ~ у ча́рці** див. затоплювати; **затума́нювати ~** див. затуманювати; **заши́ти ~** див. зашити; **здоро́вий ~** див. глузд.

ку́рячий (коро́ткий) ро́зум, зневажл., ірон. 1. у кого. Хто-небудь розумово обмежений. [Харитошка:] *Наука говорить: у здоровому тілі — здоровий дух.* [Куць:] *А я чув інакше: сила воляча, а розум курячий* (Мам.).

2. Нездатність, неспроможність логічно, тверезо мислити. *Ні, враже, ти нарвався не на того! Тоді — коротким розумом своїм ти не збагнув ще сили молодого, нового ладу* (Гончар).

ма́ти ро́зум; ма́ти свій ~ див. мати; **наво́дити на ~** див. наводити; **навча́ти на ~** див. навчати; **на ~ кво́лий** див. кволий; **на ~ небага́тий** див. небагатий; **наставля́ти на ~** див. наставляти; **па-**

морочити ~ див. паморочити; **потьма́рити** ~ *див.* потьмарити; **прийти́ на** ~ *див.* прийти; **розгуби́-ти** ~ *див.* розгубити; **сплива́ти на ро́зум** *див.* спливати.

тьма́риться (**тумані́є, му́титься, га́сне** і т. ін.) / **потьма́рився** (**помути́вся, пога́снув** і т. ін.) **ро́зум** кому, у кого, чий і без додатка. Хто-небудь втрачає ясність думки, мислення. *Сміх так вразив Свирида Яковлевича, що він, задихаючись, став біля воріт, не знаючи, чи не тьмариться йому розум* (Стельмах); *Страшні думки вставали в Зіньковій голові, вони пекли його, палили, що аж розум його туманів* (Гр.); — *Як я здумаю про те* [минуле], *то в мене розум мутиться, в очах плями замріють!..* (Мирний); *Микола Щорс наближався. Ось він, при одному імені якого кров застигала в петлюрівських жилах і гаснув розум...* (Довж.); *Стис мені серце холод льодовий, розум потьмарився, І від тяжкого жаху я прокинувсь* (Л. Укр.); — *Бий, мене! Карай мене, Романе. Мій злочин. Я заслужив. Сам не знаю, що зі мною робилося... Мабуть, розум помутивсь у мене* (Шиян).

ум за ро́зум захо́дить *див.* ум.

РОЗУМИ: **всі ро́зуми пої́сти; як всі** ~ **пої́сти** *див.* поїсти.

РОЗУМІ: **не при [своє́му (при своі́м)] ро́зумі (умі́)**. Хто-небудь розумово обмежений, не може правильно мислити, діяти, оцінювати щось.— *А що поробляєш, чоловіче? — повторив. І знову мовчання. «А, та це дурний Тодосик,— догадався дід.— Від народження не при своєму розумі. Ох горе»!* (Донч.); *У Калиниччиній руці затремтіла книжка.— Ти не при своєму розумі, Петре. Раз божишся, що не на податками ходиш* (Маркуш); *Така вона* [Горпина] *стала якась не при умі* (Вовчок); [О д а р к а:] *Та що це ти плещеш таке? Мов не при своїм умі* (Мирний). **при своє́му умі́**. *Федора обурено сплеснула руками: — Та ти, хлопче, при своєму умі* (Дарда). **при ро́зумі до́брому**. [М а т у ш к а г у м е н я:] *Що то старий чоловік, що то при розумі доброму* (Мирний). П о р.: **несповна́ ро́зуму; бог ро́зумом зоби́див; бог ро́зуму не дав; не по́вно ро́зуму**.

[чи] при (в) [своє́му] ро́зумі (ро́зумові). Уживається для вираження здивування, застереження при необачних, необдуманих діях кого-небудь.— *Ти в своєму розумі, чоловіче?! — круглішають очі Окуня. Одне слово «агітатор» пахне Сибіром і пеклом водночас.— Да за це тебе в холодну мало закинути. Це ж бунт і крамола* (Стельмах); [М а л ь в а н о в:] *Та чи ти при розумі. Чого ти приїхала! Тобі ж не можна виходить, вставати в таку жахливу погоду!* (Коч.); [М а т у ш к а г у м е н я:] *Свят! свят! Чи ти при своєму розумові, чоловіче?* (Мирний). **чи не в своє́му ро́зумі?** *Коли стурбована Христинка стала на порозі, він одразу пригорнув її до себе.— Чи ти, Левку, не*

в своєму розумі? — зашипіла дівчина, вислизнула з його рук* (Стельмах).

РОЗУМІ́ТИ: **розумі́ти се́рцем (душе́ю)**. Інтуїтивно здогадуватися, відчувати. *Дуже любила Марія читати газети, слухати бесіди комуністів. Бо серцем розуміла, що ці люди від душі бажають народу щастя* (Колг. Укр.); *А от тепер, коли минуле покрилося вже прозорчастим туманом, тепер тільки всією душею розумієш, як чисто тоді все було* (Хотк.); *Безперечно, ви не маєте своїх дітей і нікого з близьких не втратили на війні. Бо коли б ви розуміли все це душею, то не підписали б цього холодного листа* (Логв.). **розумі́ти всім ті́лом**. *Созоненко всім тілом розуміє, що робиться біля нього, значущо дивиться на Варчука і знову щось вигадує нове* (Стельмах).

РОЗУМІ́Ю: **оце́ я розумі́ю** *див.* я.

РОЗУ́МНА: **розу́мна голова́** *див.* голова.

РОЗУ́МОВІ: **дя́кувати своє́му дурно́му ро́зумові** *див.* дякувати.

РО́ЗУМОМ: **бог ро́зумом зоби́див** *див.* бог; **дохо́дити своі́м** ~ *див.* доходити; **жи́ти за́днім** ~ ; **жи́ти своі́м** ~ ; **жи́ти чужи́м** ~ *див.* жити; **забіга́ти напере́д** ~ *див.* забігати; **звихну́тися** ~ *див.* звихнутися.

з ро́зумом. 1. з сл. **жи́ти, вико́нувати** і т. ін. Так, як належить, як потрібно.— *Мені здається,— відрубав Несвітайло,— що й директиву треба виконувати з розумом* (Вільний).

2. Такий, як належить, як потрібно.— *З розумом фата! — тріумфував Йон і приступивсь ближче до дівчини* (Коцюб.).

3. Тямущий, розумний. *Новопризна[ч]ному голові троянівці були раді: хлопець молодий, з розумом, такий діло поведе* (Тют.).

крути́ти ро́зумом *див.* крутити; **поверта́ти** ~ *див.* повертати; **розкида́ти** ~ *див.* розкидати.

своі́м ро́зумом. Самостійно, сам. *Зметикував своїм розумом: робітник тепер — господар життя* (М. Ю. Тарн.).

[та] чи з ро́зумом? хто. Уживається для вираження здивування, застереження, коли хтось діє необачно, необдумано. *«Отак, боса в опорках?» Давид занепокоївся: «Та чи ти, дівчино, з розумом? Біжи, біжи прямо на піч»* (Головко). П о р.: **чи сповна́ ро́зуму**.

РО́ЗУМУ: **бог ро́зуму не дав** *див.* бог.

вели́кого ро́зуму. Дуже розумний.— *Хоч моя зустріч з Дмитром Івановичем* [Яворницьким] *була дуже давня, але про таких людей забути не можна. Це була людина великого розуму* (Шап.).

ви́жити з ро́зуму *див.* вижити; **випи́тувати** ~ *див.* випитувати; **відбі́гти** ~ *див.* відбігти; **вчи́тися** ~ *див.* вчитися; **держа́ти язи́к дале́ко від** ~ *див.* держати; **добира́тися** ~ *див.* добиратися; **добува́ти** ~ *див.* добувати; **дово́дити до** ~ *див.*

доводити; **дохо́дити до** ~ *див.* доходити; **збива́ти з** ~ *див.* збивати.

з вели́кого ро́зуму, *ірон.* Необдумано; здуру. «*Чи не одуріла наша Івга з великого розуму*» (Кв.-Осн.); *Всілякі чутки і всякі люди баламутять теперечки громаду.. Один баламутить по дурості своїй, а другий з великого розуму* (Стельмах).

звихну́тися з ро́зуму *див.* звихнутися; **зво́дити з** ~ *див.* зводити.

з дурно́го ро́зуму. Не тямлячи чого-небудь через недосвіченість.— *З дурного розуму, Юрчику, як то кажуть, якби чоловікові той розум напереді, що позаді приходить. Тепер вже не пішла* (Хотк.); [*Л и з я:*] *Хай краще Пантелеймон Петрович поможе в печі розпалити.* [*Г и р я:*] *Ще що скажи з дурного розуму!* (М. Куліш); *Вона з дурного розуму вдарилася в лірику... Владислав оцінить її натяки як чергове захоплення легковажної жінки* (Дмит.).

макі́тра ро́зуму *див.* макітра; **набира́тися** ~ *див.* набиратися; **навча́ти** ~ *див.* навчати; **не мого́** ~ **ді́ло** *див.* діло; **не прибра́ти** ~ *див.* прибрати; **несповна́** ~ *див.* несповна; **пала́та** ~ *див.* палата; **пита́ти** ~ *див.* питати; **пита́тися чужо́го** ~ *див.* питатися; **прихо́дити до** ~ *див.* приходити; **рі́шитися** ~ *див.* рішитися; **позича́ти** *див.* позичати; ~ **не прикла́сти** *див.* прикласти; **спада́ти з** ~ *див.* спадати; **сповна́** ~ *див.* сповна; **стра́титися** ~ *див.* стратитися.

тверезого ро́зуму. Розсудливий, поміркований, здатний правильно мислити, критично оцінювати. *Як людина тверезого розуму, він припускав, звичайно, можливість всяких ускладнень та несподіванок* (Головко).

РОЗХИТАТИ: розхита́ти репута́цію *див.* підмочувати.

РОЗХІД: пуска́ти в розхі́д *див.* пускати.

РОЗХОД: ви́вести в розхі́д *див.* вивести; **пуска́ти в** ~ *див.* пускати.

РОЗХОДИТЬСЯ: сло́во не розхо́диться з ді́лом *див.* слово.

РОЗХОДЯТЬСЯ: доро́ги розхо́дяться *див.* дороги.

РОЗХРИСТАНА: розхри́стана душа́ *див.* душа.

РОЗЧЕРКОМ: [одни́м] ро́зчерком пера́ (*рідко* **олівця́**). Не вникати в суть справи, не задумуватись. *Можуть скинути з посади [у Чернігові] одним розчерком пера, скалічити нагайками або шаблями* (Коцюб.); *Коли ж складні проблеми земного буття розв'язуються похапцем, поверхово, іноді одним розчерком олівця, тоді замулюються джерела, міліють і пересихають ріки, соковиті луки перетворюються в пустки* (Дмит.); *// Рішуче, не вагаючись. Як легко й просто це, мій дорогий Андрію, Враз — розчерком пера — з історії змести Петрарки, Пушкіна, Міцкевича листи, У вічність — ковану в залізні ритми мрію!* (Риль-

ський); *Взяв [учитель] олівець і одним розчерком пера викреслив у зошиті те, що треба* (Вільде).

РОЗЧИСТИТИ: розчи́стити під горі́х кого. Сильно вилаяти, покритикувати кого-небудь. *Він говорив відразу по двох телефонах, з кимсь лаявся, комусь дорікав і дивився на Василя з викликом, готовий щомиті спалахнути і розчистити інженера під горіх* (Загреб.).

розчи́стити шлях (путь) кому. Створювати сприятливі умови для успіху кого-небудь. *Хабарів давати він не збирався,— за це судять, він зуміє інакше розчистити путь своїй медалістці: закутий в лати своїх заслуг, тараном піде вперед, залучить на підмогу впливові свої знайомства* (Гончар).

РОЗ'ЯТРИТИ: роз'я́трити ра́ну; ~ **се́рце** *див.* ятрити.

РОЗ'ЯТРЮВАТИ: роз'я́трювати ра́ну; роз'я́трювати се́рце *див.* ятрити.

РОЇТИСЯ: ро́єм рої́тися. Рухатися великою масою. *Школа була ще зачинена і дзвоник не дзвонив, а дітвора, проте, купчилася коло його, роєм роїлася* (Дн. Чайка); *Колись, дуже давно, на землях, що розкинулися вздовж лісового берега Дніпра, буяли густі мішані ліси. В них роєм роїлося різноманітне птаство* (Наука..).

РОКАМИ: з рока́ми. Після того, як мине якийсь час. *З роками він стає більш поміркованим* (Літ. Укр.); *Зараз Марина студентка, а з роками стане досвідченим агрономом* (Роб. газ.).

РОКАХ: не по рока́х. Який не відповідає своїм віковим особливостям. *Він був не по роках серйозний.*

у рока́х. Немолодий. *Вона була вже у роках.*

РОКИ: ро́ки не ви́йшли *див.* літа.

РОКІВ: вихо́дити з ро́ків *див.* виходити.

РОКУ: без ро́ку ти́ждень *див.* тиждень.

з ро́ку до ро́ку. Поступово, протягом тривалого часу. *Не раз, Україно, в жорстокім бою Ти кров проливала священну свою, Ти з року до року все вище росла* (Рильський). **рік од ро́ку.** *Рік од року вертаючись із інституту, дуже запишна, гордовита стає панна Наталя* (Вас.). П о р.: **з ро́ку в рік** (у 1 знач.); **рік у рік.**

РОЛИКИ: розгуби́ти ро́лики *див.* розгубити.

РОЛІ: вихо́дити з ро́лі *див.* виходити.

в ро́лі кого, якій, із сл. б у т и, в и с т у п а́ т и, о п и н я́ т и с я і т. ін. Як хтось. *Зате, коли хочете знати, я сама в ролі критика буваю досить сувора* (Л. Укр.); «*Можливо, що дехто з оцих новаків потрапить саме до тебе в роту. Доведеться тобі, Женю, вже виступати в ролі ветерана — вчителя. Що ж... Навчай їх гвардійської науки...*» (Гончар); *Лабораторія біогеохімії та рослинних ресурсів опинилася, так би мовити, в ролі молодшої сестри інших лабораторій* (Наука..).

РОЛЯМИ: помінятися роля́ми *див.* помінятися.

РОЛЬ: витри́мувати роль *див.* витримувати; **відігра́ва́ти** ~ *див.* відігравати; **вхо́дити в** ~ *див.*

входити; **гра́ти** ~ *див.* ґрати; **розігрува́ти** ~ *див.* розігрувати.

РОМА́Н: крути́ти рома́н *див.* крутити.

РОМА́ШКИ: ворожи́ти на пелюстка́х рома́шки *див.* ворожити.

РОНИ́ТИ: рони́ти дух *за ким.* Дуже переживати, турбуватися за кого-небудь, уболівати за ким-небудь.— *Мало коли й дома сидиш — як те перекотиполе, все гуляєш. Я за тобою й дух роню, а ти за мене забуваєш* (Грінч.); *Хлопець раптом занедужав; се дуже засмутило матір, бо вона дух ронила за своїм одинчиком* (Боккаччо, перекл. Лукаша).

РО́СИ: з роси́ та з води́ *кому.* Уживається як побажання удачі, щастя, благополуччя. *Не хай же щастить нашому ювілярові! Нехай ніколи не цурається його творче натхнення! З роси йому та з води!* (Літ. Укр.).

РОСИ́НКИ: роси́нки в ро́ті не було́ *див.* було.

РОСИ́НУ: і (ні, ані) на ма́кову роси́ну. Ніскільки, нітрохи. *У нього і на макову росину не було почуття гумору* (Вол.); — *А ти ніскілечки й не журишся? — Ані на макову росину* (Стельмах).

РОСТЕ́: де вже й пе́рець не росте́ *див.* перець; **душа́** ~ *див.* душа; **ще мак** ~ **в голові́** *див.* мак.

РОСТИ́: рости́ вели́кий! Уживається для вираження подяки дитині, з побажанням всього доброго. *Великий рости, щасливий будь, себе не хвали, другого не гудь* (Укр.. присл..); *Дід зварив рибу, з'їв і похвалив: — Ще-м не їв такої рибки, відколи живу. Рости великий, хлопчику!* (Казки Буковини..).

хоч трава́ не рости́ *див.* трава.

РОСТУ́: ні з лиця́, ні з ро́сту *див.* лиця.

РОСТУ́ТЬ: золоті́ ве́рби росту́ть *див.* верби; **на вербі́ гру́ші** ~ *див.* груші; **показа́ти, на чо́му горі́хи** ~ *див.* показати; **ро́ги висо́кі** ~ *див.* роги; ~ **кри́ла** *див.* крила.

РОТ: вки́нути в рот *див.* вкинути; **в** ~ **не бра́ти** *див.* брати; **в** ~ **не ві́зьмеш** *див.* візьмеш; **дивити́ся в** ~ *див.* дивитися; **зав'яза́ти** ~ *див.* зав'язати.

за́йвий рот. Той,. хто обтяжує кого-небудь у матеріальному відношенні. *Вдома, у бідноті, у великій сім'ї, де не було місця зайвому ротові, жилось невесело* (Коцюб.); *На життя в його роки вже належить дивитись по-філософськи: треба ж комусь і тут вчити дітвору, і це далеко ліпше, аніж з забороною на вчителювання зайвим ротом повертатися в родину сільського шевця, де дітей, мов роси* (Стельмах); *Не сподівався і простий лісоруб Василь Павличко, що його син Дмитро буде не зайвим ротом у хаті, а закінчить університет, стане відомим українським поетом* (Рад. Укр.).

запхну́ти рот *див.* запхнути; **зна́ти з ми́ски та в** ~ *див.* знати; **криви́ти** ~ *див.* кривити; **набира́ти води́ в** ~ *див.* набирати.

на весь рот. 1. *із сл.* г а л а с у в а́ т и, г у-

к а́ т и, п о з і х а́ т и *і под.* Дуже голосно. *Жінки, порозпускавши коси, Розхристані і без свиток, Розтрьопані, простоволосі Галасовали на весь рот* (Котл.); *Рябко всю божу ніч не спав Та гавкав на весь рот, злодіїв одганяв* (Г.-Арт.); *Василь стоїть серед двору, приклав до рота рупором руку, гукає на весь рот* (Вас.); *Усі співають на увесь рот, а вона і губоньок не роззіва, та її голосочок чуть від усіх* (Кв.-Осн.); // Дуже сильно, не приховуючи, відкрито. *Він заворушився в сінях,... і, позіхаючи на весь рот, одсунув засува* (Н.-Лев.); *На санаторному подвір'ї — якийсь рух, тріск сухого морського піщаника. Хтось там по-ранковому хрипло відкашлюється, позіхає на весь рот* (Збан.); *Куркуленко сів у кутку, башлик розв'язав, либиться на весь рот, вуса підпруджує* (Тют.).

2. *із сл.* ї с т и, у п л і т а́ т и, к о в т а́ т и *т. ін.* З великим апетитом, зі смаком, жадібно. *Вона сіла за стіл і, зачувши дух свіжих котлеток та горошку, зовсім забула про поезію і уплітала котлети на весь рот* (Н.-Лев.); *Тим часом убралась свиня в хату, звалила діжу з тістом, воно поплило по хаті, свиня глита його на весь рот* (Україна..). С и н о н і м: **аж за вуха́ми лящи́ть**.

не клади́ па́льця в рот *див.* клади; **не лі́зе в** ~ *див.* лізе; **нема́ чого́ в** ~ **покла́сти** *див.* нема; **рі́ски в** ~ **не бра́ти** *див.* брати; **розжо́вувати і в** ~ **кла́сти** *див.* розжовувати; **розкрива́ти** ~ *див.* розкривати.

рот на замо́к. Уживається для вираження заборони говорити, розмовляти.— *З'явишся в Троянівку — рот на замок* (Тют.).

сам у рот лі́зе *див.* сам; **так і про́ситься в** ~ *див.* проситься; **що на** ~ **налі́зе** *див.* що; **як води́ в** ~ **набра́ти** *див.* набрати; **як заці́пило** ~ *див.* заціпило; **як у** ~ **кладе́** *див.* кладе.

РО́ТА: аж піна з ро́та ска́че *див.* піна; **видира́ти з** ~ *див.* видирати; **ви́летіло з** ~ *див.* вилетіло; **відкрива́ти** ~ *див.* відкривати; **відрива́ти від** ~ *див.* відривати; **де́рти** ~ *див.* дерти; **зама́зувати** ~ *див.* замазувати; **засупо́нити** ~ *див.* засупонити; **затуля́ти** ~ *див.* затуляти; **з** ~ **ве́рне** *див.* верне; **і** ~ **не розкрива́ти** *див.* розкривати; **лови́ти слова́ із** ~ *див.* давати; **не дава́ти і** ~ **роззя́вити** *див.* давати; **не пішла́ ча́рка до** ~ *див.* чарка; **не па́ри з** ~ *див.* вуст; **тягти́ слова́ з** ~ *див.* тягти; **упусти́ти ра́ка з** ~ *див.* упустити.

РО́ТІ: аж у ро́ті чо́рно *див.* чорно; **забу́ти язика́ в** ~ *див.* забути; **з пі́ною в** ~ *див.* піною; **і горо́бець у** ~ **не наслі́див** *див.* горобець; **кри́хти в** ~ **не було́** *див.* було; **неха́й язи́к у** ~ **ру́ба ста́не** *див.* язик; **пополоска́ти в** ~ *див.* пополоскати; **сли́на в** ~ **ко́титься** *див.* слина; **у** ~ **чо́рно** *див.* чорно; **щоб язи́к у** ~ **ру́ба став** *див.* язик.

РО́ТОМ: лови́ти ро́том мух *див.* ловити.

РУ́БА: пита́ння стої́ть ру́ба *див.* питання.

стаба́ти ру́ба; ста́вити ~ *див.* ставити; **шмато́к**

хлі́ба стає́ ~ в го́рлі *див.* шматок; **щоб язи́к у ро́ті ~ став; язи́к стає́ ~** *див.* язик.

РУБА́ТИ: руба́ти дро́ва *див.* наламати.

руба́ти кана́ти. Припиняти стосунки з ким-небудь, поривати з кимсь — чимсь.— *Я тут не зміг би працювати.. Або повна довіра, або... руба́ти кана́ти* (Мушк.).

руба́ти (рі́зати) / підруба́ти (підрі́зати) під ко́рінь *кого, що.* Підривати основу існування кого-, чого-небудь. *Самогонщиків треба рубати під корінь* (Кучер); *Мене* [Задніпровський] *ріже під корінь* (Стельмах).

руба́ти / рубону́ти з плеча́. Говорити, діяти різко, категорично. [Т а р а с:] *Я Врангеля не боявся, а тут більшовика Гармаша злякаюся?* [М о с я:] *Рубай з плеча і все* (Мик.); — *Христе!..— Така була тиха та слухняна, і на тобі — наче представник який, вже рубає з плеча* (Кучер). **тне з плеча́.** *Щасливий воїн, що во ім'я миру Свою підносить бойову сокиру, Во ім'я правди кривду тне з плеча!* (Рильський); // *Робити що-небудь зопалу, не подумавши. Ми значно ближче підійшли в ладу своєму життєвому До гармонійності — хоча не треба й тут рубать з плеча: Любов — це досить мудра штука* (Рильський); *А отутечки ви пересолили... У вас дітки нетипові. Родяться нетипово троє в день! Ви рубонули з плеча: «У робітниці В. ранком народилися дві дівчинки й хлопчик»* (Ков.).

РУБЕ́ЦЬ: рубе́ць на рубці́. Дуже старий, латаний (про одяг). *Посадили мене зараз сорочки латати і духу перевести не дали. Рубець на рубцю* [на рубці́], *латка на латці!* (Барв.).

РУБІКО́Н: перехо́дити рубіко́н *див.* переходити.

РУБЦЯ́: до рубця́, із сл. **з мо́кнути, п р о м о́ к н у т и** *і т. ін.* Дуже сильно, повністю. *Якщо ж дощ захопив нас у степу, то, промоклі до рубця, ми в такий день маєм право гнати худобу додому раніше* (Гончар). **до ру́бчика.** *Шукач вільного абсолюту, обкислий під зливою до рубчика, він все ж нічим від себе не відштовхує* (Гончар). С и н о н і м: **до ни́тки.**

нема́ рубця́ сухо́го *див.* нема.

РУБ'Я́М: руб'ям трясти́ *див.* трясти.

РУДА́: щоб поби́ла руда́ гли́на *див.* глина; **як ~ ми́ша** *див.* миша.

РУДО́Ї: а́ні рудо́ї ми́ші *див.* миші.

РУЇ́Н: встава́ти з по́пелу і руї́н *див.* вставати; **підніма́ти з ~** *див.* підніма́ти; **підніма́тися з ~** *див.* підніматися.

РУЇ́НАХ: лежа́ти в руї́нах *див.* лежати.

РУК: аж і́скри з рук си́плються *див.* іскри.

без рук, без ніг. Дуже втомлений. *Ідемо, як чорти. Бах! Бах! Два влучення заразом. Шостий раз уже були б без рук, без ніг — коли б не радянська броня* (Ю. Янов.).

вали́тися з ~ *див.* валитися; **вибива́ти з ~; вибива́ти ко́зирі з ~** *див.* вибивати; **видира́ти з ~** *див.* видирати; **випуска́ти ві́жки з своі́х ~; випуска́ти з ~** *див.* випускати; **вирива́ти з ~** *див.* виривати; **вислиза́ти з ~** *див.* вислизати; **вихо́дити з ~** *див.* виходити; **відби́тися від ~** *див.* відбитися; **дава́тися до ~** *див.* даватися; **ді́ло не втекло́ ~; ді́ло ~** *див.* діло; **дістава́тися до ~** *див.* діставатися; **додава́ти ~** *див.* додавати; **доклада́ти ~** *див.* докладати; **до ~** *див.* руки; **дохо́дити до ~** *див.* доходити; **збува́ти з ~** *див.* збувати.

з дру́гих (тре́тіх, п'я́тих, деся́тих *і т. ін.*) **рук.** Через когось, через посередників; не безпосередньо. *Вони товарняком дісталися серед ночі до Харкова.., а вдень із третіх рук здобували квитки, щоб хоч здалеку побачити й почути Маяковського* (Жур.); *Прийдешні покоління не з третіх рук мають знати, якою ціною здобувалася перемога над Гітлером!* (Головч. і Мус.). **з дру́гої руки́.** *Я була лише людиною з якоюсь силою, з якимось духом, а проте.. Правда? Справедливість? Їх нема! Нема для того, що приневолений приймати їх з другої руки...* (Коб.).

з пе́рших рук. Безпосередньо від кого-небудь. *Квачило буквально згорає од нетерплячки з перших рук отримати інформацію про знаменитого партизанського ватага* (Головч. і Мус.); *Там, де є цікавий досвід, найцінніше одержати його з перших рук* (Рад. Укр.).

з-під рук *у кого.* З близької відстані від кого-небудь. *З-під рук у батька вхопила його чабанські ножиці і вже замахнулась ними обстригувати, вкорочувати свої вії* (Гончар). С и н о н і м: **з-під но́са** (в 1 знач.).

з рук *чиїх.* 1. Від кого-небудь.— *Спасибі, дочко. І смачне, і з рук рідної дитини, та не за тим я прийшла* (Тют.).

2. *із сл.* **к у п у в а́ т и, п р о д а в а́ т и** *і т. ін.* Не через торгову мережу, не у магазині. *Бабуся купила з рук дуже гарний костюмчик для внука.*

з рук випада́є *див.* випадає.

з рук у ру́ки (до рук). 1. *із сл.* **п е р е х о́ д и т и, п е р е м і щ а́ т и с я** *і т. ін.* Від одного до іншого. *Місто переходило з рук у руки по кілька разів* (Довж.); *Всі товари не мають споживної вартості для своїх власників. Отже, вони повинні завжди переміщатися з рук у руки* (Маркс); *Під час громадянської війни селище із разів двадцять переходило з рук до рук* (Панч).

2. Безпосередньо кому-небудь. [Ю д а:] *Так само продають їх* [людей], *як і все, як гуси, як худобу.. А потім з рук в руки віддають їх тому, хто купить* (Л. Укр.).

іти́ до рук *див.* іти; **ли́пнути до ~** *див.* липнути; **не випуска́ти з ~** *див.* випускати; **не вихо́дити з ~** *див.* виходити; **не втече́ ~** *див.* втече; **не жалі́ти ~** *див.* жаліти; **не мину́ти ~** *див.* минути; **не поклада́ти ~** *див.* покладати; **не спуска́ти з ~** *див.* спускати; **пливти́ до ~** *див.* пливти; **попада́ти до ~** *див.* попадати; **поплИвти́ із ~** *див.*

попливти; **прибира́ти до** ~ *див.* прибирати; ~ **не ви́стачить** *див.* вистачить; ~ **не пога́нь** *див.* погань; ~ **не чу́ти** ~ , **ніг не чу́ти** *див.* чути; **сплива́ти з** ~ *див.* сплавати; **схо́дить з** ~ *див.* сходить.

як без рук *без кого — чого.* 1. Зовсім безпомічний, безпорадний. *Я Дарки не дам, бо я без неї як без рук* (Л. Укр.); *Сулейман дуже зрадів, діставши чотки — без них він був як без рук* (Коцюб.); *Я без рушниці як без рук. Без неї я боюся й мух!* (Олесь); *— Погано ти, братіку, думаєш про вістових, якщо хочеш знати, то вістовий — це права рука командира... Без вістового командир взагалі як без рук* (Ткач).

2. Зовсім погано, не можна обійтися без кого-, чого-небудь.— *А в хазяйстві все ж, як не є, відерце мусить бути.— А звісно, без відра, як без рук,— погоджується Дорошко* (Цюпа); *— Тату,— з докором озвався Павло.— Нащо ви так говорите? Адже той мотор нам ні до чого, а в колгоспі без нього, як без рук* (Кучер). **як без руки́ правиці.** *Сотник Костомара кричить: — Пропала справа! Без Ніжинського полку, як без руки правиці!* (П. Куліш).

РУКА: важка́ рука́ *у кого.* Хто-небудь дуже сильний, без особливих зусиль може дуже боляче вдарити. *Так глипнула [молодиця] ..на чоловіка, що він аж зіщулився, бо — всі знали — рука в Корніїхи важка* (Гончар); *— Забудь сюди дорогу. Я тебе не знаю — ти не знаєш мене. Бо рука в мене важка* (Гуц.). П о р.: **важки́й на ру́ку.** А н т о н і м: **до́брі ру́ки.**

легка́ рука́ *у кого, чия і без додатка.* 1. Комусь усе легко, швидко дається, хто-небудь приносить успіх усякій справі, будь-якому починанню. *Поговір іде про вас [паночку], що дуже ви бідні. То візьміть від мене свій подарунок, може, хоч на ньому розбагатієте — для когось моя рука легка* (Стельмах).

2. Вправність, умілість, висока професійна майстерність. *Мужикові треба ліку міцного; видно, що Гаєвий орудував таким ліком, коли його хвалили за легку руку* (Март.); *Правда, рука в неї легка, від її уколів біль затихає м'яко й нечутно* (Перв.); *Горленко була знана в місті як відомий хірург. Про її легку руку ходили вже легенди, і хворі хотіли оперуватися тільки в неї* (Панч). **леге́нька ру́чка.** *— Та й легенька ж у тебе ручка! А ще й молода! Що ж то буде, як постарієшся?* (Н.-Лев.); // *до чого.* Талант до чого-небудь; уміння робити щось. *Якусь мені бог дав легку руку до майстерства: що очима ввижу, то руками зроблю* (Фр.). П о р.: **легки́й на ру́ку.**

набита рука́ *у кого.* Хтось уміє швидко, легко, майстерно зробити що-небудь, має хороші навички у чомусь. *Оте кіно у нас буває щонеділі, З району приїздить. Ну, я при цьому ділі Допомагаю їм: у мене.. На всяке майстерство набита, бач, рука* (Рильський).

надійна рука́. Людина, на яку можна покластися; вірний помічник, опора. *На залізниці в нього є надійна рука* (Сміл.).

не здригне́ться рука́ *див.* здригнеться.

не рука́ *кому.* 1. Невигідно, не варто; не влаштовує кого-небудь. [П а н:] *Що ректор тут вмішавсь, шкода, сваритися з ним нам не рука* (Кроп.).

2. Незручно, неприємно. [К о н о н:] *Через Женю нам якось ніби не рука тут зоставатись* (Кроп.); *Воно, дійсно, письменникові не рука б, здавалось, пояснять свою творчість, треба б його увільнити од цього, проте в деяких випадках це буває необхідне й потрібне* (Вас.).

П о р.: **не з руки́.**

нечи́ста рука́. Безчесна, непорядна людина, здатна красти, шахрувати. *А оті праведники вже й раді повірити, що Олька Грек ллє воду в бідоні! І одразу комісію, одразу перевірку...— Я так і казав, що не там нечисту руку шукають,— знову обізвався тато якимось провинним, вибачливим голосом* (Літ. Укр.). П о р.: **нечи́стий на ру́ку.**

пра́ва рука́ *кого, чия, у кого.* Перший помічник, довірена особа у кого-небудь. [Т а р а н е ц ь:] *Микола в мене така дитина,.. розумний, права рука моя по усьому торгу* (Кв.-Осн.); *Коли Михайло мав сімнадцять, то був уже моєю правою рукою, так як тепер* (Коб.); *Княгиню Ольгу здивувало, що ця визначна особа імперії..— права рука імператора, перший його боярин і воєвода, розмовляє з нею руською мовою так, ніби він довго жив на Русі* (Скл.); *Прокіп Савич підтягав загін, працював дні й ночі. Правою рукою його був політичний комісар загону Свирид Петрович* (Дмит.); // Група людей, установа і т. ін., що допомагає комусь. *Діє в колгоспі і бюро економічного аналізу. Це справді права рука голови* (Хлібороб Укр.). **пра́ва ручи́ця.** *Скажи, господарю, чому не виджу я Оскара.. Де ділась Альви слава; Чому край батька не сіда його ручиця права?* (Граб.).

рука́ в ру́ку. 1. з сл. й т и, б і г т и і под. Поруч, один біля одного, поряд, *Петро, налягаючи на косу, порівнявся з старим Буканом, що вирвався був уперед. Тепер вони йдуть рука в руку, подзвонюючи косами* (Чаб.). * Образно. *Та зате цікаві ті листи для характеристики самого Драгоманова, його гострого логічного розуму, що пішов рука в руку з безоглядним егоїзмом у поводженні з людьми* (Фр.); // Узявшись за руки. *Від ранку до вечора на вільнім повітрі, рука в руку, в любих, тихих розмовах робили вони — зразу ближчі, а з часом щораз дальші прогулянки* (Фр.). П о р.: **рука́ з руко́ю; рука́ в руці́.**

2. з сл. ж и́ т и, п р а ц ю в а́ т и, т в о р и́ т и і т. ін. Разом, як однодумці. *Свідомі робітники дуже добре знають, що чорна сотня з буржуазією працюють рука в руку* (Ленін); *Відповідні дер-*

жавні органи, рука в руку.з професійними спілками, повинні спрямувати свої зусилля на те, щоб більш сприятлива кон'юнктура даної галузі промисловості йшла на користь.. робітничому класові в цілому (Рад. Укр.); *Говорячи про успіхи образотворчого мистецтва в 30-ті роки, слід відзначити, що вони великою мірою досягнуті завдяки допомозі митців братніх республік, з якими наші художники працювали і творили рука в руку (Мист.).* **рука́ об ру́ку.** *У давніх людей поезія і музика довго йшли рука об руку, поезія була піснею (Фр.); Скепсис «Рівноваги» [Плужника] йде здебільшого рука об руку з трагізмом,— а це вже куди змістовніше й серйозніше.. (Не ілюстрація..).* **руч об руч,** *рідко. Недарма осінь нас охотить До дії, руху, поривань. Руч об руч з нами вітер ходить, І спробуй хоч на хвильку стань! (Бичко).*

С и н о н і м и: **лі́коть в лі́коть; плече́ в плече́.**

рука́ в руці́. Узявшись за руки, поруч. *Подруги за вікнами проходять З нареченими рука в руці (Дмит.).* П о р.: **рука́ з руко́ю; рука́ в ру́ку** (в 1 знач.).

рука́ з руко́ю. Узявшись за руки, поруч. *І в першу-таки неділю після цього вечора Галя у свіжому вінку, рука із рукою з козаком Парадою, пішла до церкви рано-ранесенько, ..і повінчалися собі любенько (Вовчок).* П о р.: **рука́ в ру́ку; рука́ в руці́.**

рука́ не піднима́ється (не здійма́ється, не підійма́ється, не підво́диться, не зво́диться *і т. ін.***) / не підні́меться (не здійме́ться, не підведе́ться, не підійме́ться, не зведе́ться** *і т. ін.***).** 1. *у кого і без додатка.* Не вистачає рішучості, сумління не дозволяє щось зробити. *От мені нараховано сім тисяч карбованців додаткової оплати. І я вам, товариші, скажу чесно. У мене рука не піднімається до цих чужих, не мною зароблених грошей (Кучер); Ви так по-лицарськи говорите про жінок-критиків, що після сього якось рука не здіймається писати щось критичного проти Вас [Маковея] (Л. Укр.); Вчитель хай не побоюється доносів, молодий батюшка на нього не писатиме, на таке рука не підніметься (Стельмах); Та ось ти на собі перевіриш: якщо сам оце посадив — уже його не переточиш, не зломиш. Рука не. підніметься, щоб ламати (Гончар); Застигає розчин, а значить погано скріплює цеглини. Правда, заплющивши очі, можна й так мурувати. Тільки у кого ж піднімається рука? (М. Ю. Тарн.).*

2. *на кого — що і без додатка.* Не вистачає рішучості побити, покарати, убити когось. *[Зінько:] ..Давно вже кортить мені віддубасить тебе, та рука не здіймається... (Кроп.); Пропала лошиця. До ранку чи й доживе. Отак гнати? Як у тебе й рука піднімалася? Оксен, знаючи звичку Григора все перебільшувати, мовчав (Тют.); Я й не скажу тобі сього, бо моя рука не здійметься*

пробити тобі серце тим мечем, що давно вже пробив серце мені (Л. Укр.); *Цей шолом, розпечений набіло, Надівали на єретика, Певно, на таке жорстоке діло Тільки в папи здійметься рука (Павл.).*

3. *до чого.* Не вистачає сил щось робити від утоми, хвороби і т. ін. *Сама не знаю, чого я тепер так втомилась... днів три навіть рука до листів не здіймалась (Л. Укр.).* П о р.: **ру́ки не підійма́ються** (у 1 знач.).

своя́ рука́ *у кого.* Хто-небудь близький, однодумець, що завжди допоможе у чомусь, підтримає, посприяє і т. ін. *Са́ва Герасимович здавна в селі має вплив і авторитет,.. всі його поважають, скрізь у нього своя рука.. (Ю. Бедзик).*

си́льна (міцна́) рука́. Хто-небудь впливовий, той, хто має владу, силу і т. ін.; покровитель.— *Полтава бореться, друзі!.. Чиясь сильна рука підтримує нас! (Гончар).*

тверда́ рука́. 1. *у кого.* Хто-небудь має вольовий, сильний характер.— *Кошовим настановити Захара Олексійовича... Він добрий і простий, але рука в нього тверда... Таким має бути кошовий (Добр.); — А хіба ж я не товчу їм крізь день, що в нас не пансіон для дівчаток, що в нас заклад спеціальний, режимний...— То що ж. карцер на них на всіх збудувати? — За кого ви мене маєте? Руку маю тверду, це правда (Гончар).*

2. Вольова, сильна людина. *А на давнім пожарищі Іскра братства тліла, Дотлівала, дожидала Рук твердих та смілих,— і дождалась (Шевч.); — Мені потрібна тверда рука,— сказала вона.Борисові, коли вони зустрілися вдруге (Загреб.); // Влада, вплив і т. ін. вольової, сильної людини (групи людей). Педрада педрадою. Треба говорити й там. Але ти директор, адміністратор. Ти повинен твердою рукою, коли бачиш неподобство, викорінювати його. І не тільки викорінювати, але й виправляти (Збан.); Треба було закріпитись на цій [окупованій фашистами] землі, щоб відчув ворог тверду руку (Коз.).*

РУКАВА́: зака́чувати рукава́ *див.* закачувати; **спусти́вши рукава́** *див.* спустивши.

як (мов, ні́би *і т. ін.***) із рукава́.** 1. *з сл.* с́і́пати, с́іпа́тися. Дуже багато, у великій кількості. *Називала її [Пазю] всіляко. Всі зневаги, які знала змалечку й яких вивчилася в місті, сипалися тепер з її [Варвари] рота, як із рукава (Март.); Обід був веселий, гомінкий. Кирило сипав як із рукава: про «бариню», ..про порошки для апетиту (Вас.).*

2. Дуже великий, густий (про дощ, сніг). *Сніг мов з рукава (Укр.. присл..).*

С и н о н і м: **як з мішка́.**

РУКАВИ́: зака́чувати рукави́ *див.* закачувати.
РУКАВИ́ЧКА: пе́рша рукави́чка. Чемпіон з боксу. *Дніпропетровець Віктор Савченко не приховував своїх намірів стати першою рукавичкою*

в світі (Роб. газ.); *Після вчорашніх боїв лишило-
ся четверо претендентів на звання першої рука-
вички* (Веч. Київ).

РУКАВИЧКИ: як (мов, ніби і т. ін.) рукави́чки,
із сл. м і н я́ т и. Часто, нерозсудливо, легковажно.
[Л и ц а р:] *А ти, зрадлива! Женихів міняєш, мов
рукавички* (Л. Укр.).

РУКАВИЧКУ: ки́дати рукави́чку див. кидати;
підня́ти ~ див. підняти.

РУКАВИЦЮ: ки́дати рукави́цю див. кидати.

**РУКАВИЦЯХ: в їжа́чих (в їжако́вих) рукави́-
цях,** із сл. д е р ж а́ т и, т р и м а́ т и і т. ін.
У великій суворості. *Коли хочеш з дівки молоди-
ці,— держи її в їжачих рукавицях* (Укр..
присл..)․; — *А хто ж першим почав розкладати
колгосп? Не ти, не такі як ти? Зло почалося од
вас.— Звідки б воно не почалося, а людей треба
тримати в їжакових рукавицях, не попускати
віжки* (Стельмах).

**РУКА́М: дава́ти во́лю рука́м; не дава́ти ~ та
нога́м відпочи́нку** див. давати.

РУКА́МИ: би́тися об по́ли ~ див. битися; **відби-
ва́тися ~ й нога́ми** див. відбиватися; **відхре́щува-
тися ~ й нога́ми** див. відхрещуватися.

**вла́сними (свої́ми) рука́ми; вла́сною (своє́ю)
руко́ю.** Особисто, сам. *Того ж [1846] божого
року, написавши тобі лист і гарненько власними
руками оддавши на почту, поїхав собі гарненько
в престольний град Москву* (Шевч.); — *Я не та-
ка, як мама, я мовчати все життя не буду...
Завжди скажу прямо, кривити душею не стану...
якби можна було весь обман ... усю підлість ... по
всьому світу позбирати, то я власними руками
визбирала б і спалила б на великому вогні*
(Гуц.); — *Не гордий [офіцер], таки сам своїми
руками узяв та й посадив мене край себе* (Кв.-
Осн.); — *Це ж треба уже зовсім розуму позбути-
ся, щоб узяти та власною рукою пустити на вітер
усе своє добро, загаро́ване довгою, тяжкою пра-
цею...* (Бузько). А н т о н і м: **чужи́ми рука́ми.**

вчепи́тися рука́ми й зуба́ми див. вчепитися.

го́лими рука́ми, з сл. в з я́ т и, в х о п и́ т и і т. ін.
1. Легко, без особливих труднощів, без будь-яко-
го напруження сил і т. ін. *Поміщицькі, дворянські
комітети навмисне робили так, під час звільнення
від кріпосного права, щоб їм можна було кабали-
ти селян по-старому,.. щоб селян, як і раніше,
голими руками можна було в полон узяти* (Ле-
нін); *Треба витратити на це будівництво всю
радянську владу, і потім.. голими руками скинути
комісарів* (Ле).
2. Без спеціального знаряддя, пристосування
тощо. *На ній [продухвині] стоїть бовдур де-
рев'яний. Пробував його хитнути — та дам!
Що ж його робити? Якби кирпичина [цеглина],
може збив би. А голими руками нічого не вдієш*
(Хотк.); *Без тягла..— як без рук. А земля далеко,
за десять верст. Що ти на ній робитимеш голими*

руками! (Головко); — *Голими руками впіймаєш
в'юна?* (Стельмах); *Як важко було двадцять літ
тому будувати завод на голому місці і майже
голими руками* (Вітч.).
3. Без достатнього озброєння, бойової техніки
тощо. *Палахкотить гнівом трудящий люд, як одне
серце: одібрати в поміщиків землю, знести, роз-
тягти до цурки їхні кубла. Та це ж бо силиці
отакій голими руками за одну ніч з усіма управи-
тися* (Головко); *В ці тяжкі ночі відступу, коли
ледве не голими руками доводилось стримувати
насідаючого противника, не раз пошкодував Лео-
нід, що нема зараз при ньому отих славних його
«сухопутних крейсерів» [бронепоїздів], що з ними
торік його колона пробивалась Правобережжям*
(Гончар); — *Революцію голими руками, пане по-
ручик,.. не зробиш* (Панч).

го́лими рука́ми не ві́зьмеш див. візьмеш; **гори́ть
під ~** див. горить.

з го́лими (з поро́жніми, з пусти́ми) рука́ми.
1. Без нічого, не маючи нічого в руках, нічого не
принісши з собою. *Семен увійшов [до стайні]
з голими руками, махнула [корова] головою й
ударила рогом до ясел* (Март.); *На вулиці Іван
часто бачив, що дехто з членів артілі повертався
додому не з порожніми руками* (Чорн.); *Сердюки
...подалися знову кудись на гору і за півгодини
вернулись захекані і не з пустими руками: принес-
ли в полах яблук, сухих кінських кізяків — зазда-
легідь подбали про паливо на вечір* (Гон-
чар); // *Нічого не маючи на гостинець для ко-
гось.— Стривайте, а як же їхати з голими рука-
ми? — раптом спитав Родивон.— Що там не гово-
ріть, а ми ж таки шефи...* (Кучер); *Після кожної
бойової операції він не повертався в табір із
порожніми руками, а неодмінно приносив Клаві
хоч такий-сякий гостинець* (Головч. і Мус.); *Ко-
лекціонер Левченко прибіг до Дмитра Івановича
прямо додому. Прийшов не з порожніми руками,
а приніс особистий подарунок — порцелянову Ве-
неру* (Шап.); *Гості, виявляється, приїхали не
з порожніми руками* (М. Ол.); — *Ви вже не гні-
вайтесь, Горпино Карпівно, не знав же я ..Та от
і з'явився з пустими руками, навіть подарунка не
встиг купити* (Ткач).
2. *із сл.* п о в е р т а́ т и с я, в е р т а́ т и с я,
п р и й т и́ і т. ін. Без результатів, ні з чим. *Вони
[німці] прочесали й обшукали весь район Кора-
бельної сторони і, нічого [підозрілого] там не
знайшовши, повернулися назад з порожніми рука-
ми* (Кучер); — *Я приїхав до тебе не з порожніми
руками,— продовжував Куклін.— Я спеціально
їздив до Москви і добився, щоб тебе зачислили до
Суворовського училища* (Багмут); *Мудракові теж
не пощастило проникнути в той партизанський
край крізь щільний вогненний рубіж, проте повер-
нувся він у загін не з порожніми руками* (Головч.
і Мус.); // *Нічого не діставши, не прибавивши. Бог*

хліба на Дону те літо не вродив — *Вернувсь Антін із голими руками* (Бор.); *Дядина й Павлусь вернулись у світлицю з порожніми руками* (Н.-Лев.); *У дорозі* [мисливець] *недоїдає й недосипляє, проходить пішки десятки кілометрів, ночує під кущем — і звичайно повертається додому з порожніми руками, але щасливий* (Мисик); *Павло Іванович Нікуляк ніколи не повертався з лісу з пустими руками* (Веч. Київ); *А їй* [Катрі] *ткнув* [панич] *у жменю дві червоних бумажки.. Спасибі й за те! Все-таки не з порожніми руками прийдеться в село вертатись* (Мирний).

3. Не маючи засобів для існування, необхідних знарядь господарювання і т. ін. *Настав той день, коли я все роздав убогим, голоті керіотській щонайгіршій, а сам пішов з порожніми руками, ..шукать учителя* (Л. Укр.); *Ще недавно такі, як Когут, називали нас ледарями.. — Звісно, з голими руками як то можна було хазяйнувати на одному морзі* (Цюпа); *А тутешня земля була щедра. Першого ж року хліба вродило стільки, що Верига міг у себе забезпечити, і ще дати насіння сусідам, які прийшли на нові землі з голими руками* (Панч); // Дуже бідний.— *Хай ми: волоцюги, пройдисвіти, часом без шматка хліба,.. без шага грошей за душею, з одними голими руками,.. А москаль... Хата, як той рай; жінка як пані;.. А й він!* (Мирний); *А молода теж собі дивилася, за кого виходити. Якщо їй дають посаг, то щоб і легінь був не з порожніми руками* (Три золоті сл.).

4. тільки з частк. **н е.** Маючи певний досвід, якісь знання і т. ін. *Почнімо з Ваших робіт. ..Ви, як видко, приступили до роботи не з голими, як-то кажуть, руками, бо трохи вчились гармонії* (Муз. праці); *— Не лякай! Ми лякані. Ми — фронтовики. І не забувай — не з порожніми руками додому вернулися* (Збан.); *Подібно до свого вчителя, Кириичинський прийшов у криміналістику не з пустими руками. Тільки його козирем була не фотографія, а промені* (Наука..).

з легки́ми рука́ми. Без ноші, без речей.— *Давай пристанемо кудись до села і звільнимо свої руки, підемо далі з легкими руками* (Ю. Янов.).

з рука́ми й (з) нога́ми, з сл. в з я т и, з а б р а́ т и, к у п и́ т и. Охоче, з великим бажанням, задоволенням. *А в Ходаках з університетською освітою він не пропаде, і просто вчителювати можна, з руками, з ногами заберуть, бо на селах не так багато педагогів з університетськими дипломами* (Бас.).

[і] рука́ми й нога́ми [й зуба́ми]. 1. Всіма силами, міцно, несхитно. *Та тепер кожен за землю руками й ногами, й зубами держиться!* (Гр.); [С т а р ш и н а:] *Кажи, що Галя, чи согласна* [згідна]?.. [С и д і р:] *І, їй богу, правду Вам кажу, не хоче, й руками, й ногами брикається* (К.-Карий). **рука́ми й зуба́ми.** *Поява добровільців*

у селищі засмутила Рудого. Дізнавшись, що серед них чимало шоферів, Рудий так і сказав у гаражі: *— Ну, шпаків прилетіло багато... Тримайтесь, сибіряки, за кермо руками й зубами* (Хор.).

2. Категорично відмовлятися, виявляти повне небажання робити що-небудь, виконувати чийсь наказ, прохання і т. ін. — *Годі вдома сидіти та хліб переводити,— пора й самому заробляти! Чіпка — руками й ногами! Та вже Оришка — давай його умовляти* (Мирний).

мо́жна бра́ти рука́ми див. брати.

обома́ рука́ми, з сл. г о л о с у в а́ т и, п і д т р и́ м у в а т и. Повністю, цілком.— *Я обома руками голосую за них. ..— Ми часто за узагальнення голосуємо обома руками, а від конкретного, буденного уміємо відмахнутись теж обома руками* (Стельмах); [К р у т ь:] *Оля пропонує вас. І правильно. Я — обома руками* (Підс.).

2. Охоче, без вагань, без роздумів.— *Чи, може, вам більше до вподоби орел, що розгорнув би крила над головою і вів би вас до перемог. Щоб.. подивились би ви на людину — і людина вийняла б своє серце і віддала б його вам обома руками* (Ю. Янов.); *Грицько ..глянув на Чумака. Ну й бідовий цей учитель! За все береться обома руками* (Речм.); *— Якби мені князь давав село, я б загарбала його обома руками* (Н.-Лев.); *Запропонуй їй* [Шпачисі] *на вибір — собор чи критий ринок? Обома руками буде за ринок. Що той собор для неї в житті* (Гончар).

обома́ рука́ми хапа́тися див. хапатися; **підпи́суватися обома́ ~** див. підписуватися; **розво́дити ~** див. розводити; **уда́рити об по́ли ~** див. ударити; **ухопи́тися ~ за го́лову** див. ухопитися.

чужи́ми рука́ми. Не самостійно, використовуючи працю, зусилля, енергію інших. *Багач ..любить робити чужими руками* (Казки Буковини..); *Усе то була ватага, вигодувана чужою працею, обута й зодягнена чужими руками..* (Мирний).

А н т о н і м: **вла́сними рука́ми.**

чужи́ми рука́ми жар загріба́ти див. загрібати.

РУКА́Х: би́ти по рука́х див. бити; **ві́жки в ~** див. віжки.

в сво́їх рука́х. У себе в розпорядженні, у власному користуванні. *Якби йому треба було взяти тільки цей об'єкт* [готель], *Чимаченко, безумовно, висадив би його в повітря. Але йому ..ще потрібно зламати десятки об'єктів, і він думав про них уже зараз... Маючи його в своїх руках, батальйон, власне, мав би своєрідний зручний трамплін для того, щоб оволодіти новим кварталом* (Гончар).

гори́ть у рука́х див. горить; **дава́ти по ~** див. давати; **держа́ти ві́жки в ~ ; держа́ти в ~ ; держа́ти руку в ~** див. держати.

з фа́ктами в рука́х. Маючи переконливі докази; цілком вірогідно, точно. *З фактами в руках дослідники довели, що Леся Українка завжди була* активним громадським діячем, ніколи не минала нагоди взяти особисту участь у практичній роботі прогресивних громадських організацій і революційних гуртків (Рад. літ-во).

кипіти в рука́х див. кипіти; **ма́ти не́руш** у ~ ; **ма́ти** у ~ див. мати.

на рука́х *чиїх, у кого.* 1. На чиємусь утриманні. *Відтак батько помер, і на моїх руках опинилася вся сім'я* (Коцюб.); [Груїчева:] *Ви труїли його* [Ореста] *щодня, щогодини, потім кинули його отруєного на моїх руках, а самі пішли собі геть..!* (Л. Укр.); // Під чиїмось доглядом, опікою.— *Давай пристанемо кудись до села.., поляки женуться й шукають, а в нас поранені на руках* (Ю. Янов.); *Так зріднилися з ним за ці кілька тижнів, що минули від того осіннього вечора, коли, зранений, обгорілий опинився на їхніх руках* (Гончар).

2. У чиємусь володінні, розпорядженні; у чийй-небудь підпорядкованості. *Усі комори, усі інбари і кладові — усе було в неї* [Меласі] *на руках і від усього ключі у неї в руках* (Кв.-Осн.); *На його руках доволі скоту було* (Барв.); *Тепер* [Максимові] *зручніше глибше п'ятерню запустити в московські достачі: не звод* [взвод] *який там, а ціла рота на руках* (Мирний). П о р.: **у рука́х** (у 2 знач.).

не трима́ти в рука́х див. тримати; **носи́ти на** ~ див. носити; **побува́ти в** ~ див. побувати.

по рука́х. Вирішено, домовлено.— *Так що по руках?* — мовив гетьман, знову простягаючи руку Півторакожухові.— *Вертаєшся з родиною і просто до мене у Чигирин.— По руках,— весело відповів Півторакожуха* (Рибак); — *Ще накину десять — та й по руках,— простягував свою долоню Динька.— Ви забуваєте, що й садок при хаті є і хлів,— ніяковіючи, говорив хлопець* (Зар.); — *Так що, Пилипе, по руках? — По руках,— сказав Пилип* (Кучер).

трима́ти не́рви в рука́х див. тримати.

у наді́йних рука́х. 1. У повній безпеці, там, де ніщо не загрожує.— *Листівки, говорите, в надійних руках? — В надійних* (Стельмах).

2. У сприятливих умовах, в оточенні, яке позитивно впливає на кого-, що-небудь.— *Міг би хлопець зовсім пропасти, збаламутитись, а зараз він у надійних руках,— запевнив Тритузний.— Тут* [у спецшколі] *до нього увага, тут за ним догляд і вдень і вночі* (Гончар). **в наді́йні ру́ки.** *Його* [хлопчика] *треба зміцнити. При нагоді віддайте його в надійні руки. Він мусить.. забути всі страхіття війни і втрату батьків* (Логв.).

у рука́х *чиїх, у кого.* 1. У залежному, підвладному становищі. *Василь колись вертів цілим повітом!.. У Василя всі були в руках — і комісар, і суддя, і сам предводитель* (Мирний); *Шкребтав старий Михайло в потилиці. Виходило ніби так, що він у сина в руках* (Хотк.);— *Що за тон,*

Оленчук?.. *Не забувай, одначе, що я можу тебе, як комаху оту... І сучасне, й майбутнє твоє в моїх руках!* (Гончар); *Марта мало не вискочила з-за столу і, приховуючи радість, подала голос..— У ваших руках моє щастя,— встала і вдавано зітхнула* (Стельмах); — *Кожен народ має ту перспективу, на яку заслуговує. Майбутнє словаків в їхніх руках...* (Головч. і Мус.). С и н о н і м: **у ла́пах.**

2. У чиємусь розпорядженні, користуванні, володінні і т. ін. *В твоїх руках все на світі. Твоя свята воля! Нехай буде так, як буде,— Така моя доля!* (Шевч.); — *То невже, коли власть у твоїх руках, ти не можеш на моє ненароджене викроїти якусь скибку землі?* (Стельмах); *Почорнілі на дощах скирти соломи ще вранці були в руках противника* (Гончар); *Наша армія не лише вибила фашистів з території, яку вони захопили минулого літа, а й визволила ряд міст і районів, що перебували в їхніх руках близько півтора року!* (Тих.). П о р.: **на рука́х** (у 2 знач.).

ходи́ти по ~ див. ходити.

РУ́КИ: бра́ти в ру́ки; бра́ти в свої́ ~ ; **бра́ти го́лову в** ~ ; **бра́ти збро́ю в** ~ ; **бра́ти но́ги в** ~ ; **бра́ти себе́ в** ~ див. брати; **брудни́ти** ~ див. бруднити.

брудні́ ру́ки *у кого.* Хто-небудь нечесний, непорядний, аморальний. *Хай роздає ролі кому хоче... Тільки хай до мене своїми брудними руками не торкається* (Стар.).

відбира́ти ру́ки й но́ги див. відбирати; **візьми́ ву́ха в** ~ див. візьми; **вкороти́ти** ~ див. вкоротити; **го́лки в** ~ **не бра́ти** див. брати; **грі́ти** ~ див. гріти; **дава́ти ключ у** ~ див. давати; **дава́тися в** ~ див. даватися; **да́ти хліб у** ~ див. дати; **держа́тися за** ~ див. держатися; **диви́тися в** ~ див. дивитися; **діста́тися в** ~ див. діставатися.

до́брі ру́ки *в кого.* Хто-небудь без особливих зусиль може дуже боляче вдарити, дуже сильний.— *То ти маєш добре його* [сторожа] *пом'яв?..— пита Лушня.— Та знатиме, що в добрих руках побував* (Мирний). С и н о н і м и: **важка́ рука́; важки́й на ру́ку.**

до́вгі ру́ки *в кого.* Хто-небудь зазіхає на чуже, може вкрасти, привласнити що-небудь і т. ін. *Пішла я ходити з хати в хату. Бо дуже довгі руки мала... Усе спотиньга й потягну що-небудь* (Барв.); — *Тобі вистачить місця в степу, Макзум, і мені досить. А генералам і торе — мало, баям — мало. Ненажерливі вони, в них руки довгі* (Десняк).

заби́ти ру́ки див. забити; **загляда́ти в** ~ див. заглядати; **звали́тися на** ~ див. звалитися; **зв'я́зувати** ~ див. зв'язувати; **згорта́ти** ~ див. згортати.

золоті́ ру́ки. 1. Майстер своєї справи; вправна, уміла, здібна людина. *І коло корови уміє* [Параска] *ходити.. І вишиває, і панчохи плете... Золоті* *руки, та й годі!* (Мирний); *Стане [Тодоська] спокійна, поважна, схопиться до хазяйства, усього направляти. І лихий не взяв її: золоті руки! Вмент оберне те, що тижнями розтікалося на всі боки* (Дн. Чайка); *Биб склав у діжку татові інструменти, загорнувши їх по одному в промащені ганчірочки, й сказав: «..Струмент добрий, у золотих руках був..»* (Тют.).

2. *у кого.* Хто-небудь уміє зробити, змайструвати все, за що не візьметься; хтось кмітливий, спритний у роботі. *У Кирила золоті руки. Він і швець, і жнець, і в дуду грець* (Коп.); *— Сафронова наймичка Софія,— пізнає Дмитро.— Іч, сама горює на чужому полі. А жне — як вогонь. Золоті руки у дівчини* (Стельмах); *Коли говорять, що у людини золоті руки, то чомусь найчастіше уявляється майстер, який з ювелірною точністю може виготовити найскладніші деталі* (Веч. Київ); *На наших підприємствах працюють чудові червонодеревники, у них золоті руки, їм під силу зробити не лише простий кухонний буфет, а будь-який вид художніх меблів* (Роб. газ.). **золота́ рука́.** *— У ремісника — золота рука,— говорили в селі про Діброву* (Козл.).

3. Уміння, вправність у всякій роботі, кмітливість у ремеслах, висока професійна майстерність. *[Самопал:] Жив тут... муляр Гордій. Золоті руки мав. Палаци і хати, церкви і мости мурував для людей... Слава про нього йшла в усі землі* (Зар.); *— Наш перший коваль ні золота, ні доларів не мав... У нього була тільки купа дітей і хвора жінка...— Зате мав золоті руки!* (Чендей); *Тямковитий хлопець [Віталик] і вчиться добре, і руки має просто золоті, для домогосподарок свого кутка він в техніці авторитет найвищий* (Гончар).

з рук у ру́ки *див.* рук; **іти́ у ~** *див.* іти; **ка́рти в ~** *див.* карти; **ко́зир у ~** *див.* козир; **лама́ти ~** *див.* ламати; **лиза́ти ~** *див.* лизати.

липкі ру́ки *у кого.* Хто-небудь схильний до злодійства, шахрайства тощо. *Імость догадувалася, що в Івана липкі руки, але мовчала.. Щоби наймит не крав, на те треба дозору господаря* (Март.). С и н о н і м: **нечистий на ру́ку.**

майстер на всі ру́ки; ма́ти ві́льні ~ ; ма́ти до́вгі ~ *див.* мати ; **накладáти на се́бе ~ ; накладáти ~** *див.* накладати.

на ру́ки *чиї, кому.* Під чийсь догляд, чиюсь опіку. *Покинув їх зять на дідові руки, просив доглянути малих* (Мик.); *Чумаченко тягне Оленькова до машини, здає Чохову на руки, а сам відкриває дверцята, бере за петлі мертвого шофера, волоче в борозну* (Тют.).

ні за що ру́ки зачепи́ти *див.* зачепити; **обагри́ти ~ кро́в'ю** *див.* обагрити; **обла́мувати ~** *див.* обламувати; **обрива́ти ~** *див.* обривати; **опусти́ти ~** *див.* опустити; **перебива́ти ~** *див.* перебивати; **переклада́ти на чужі ~** *див.* перекладати; **перепуска́ти че́рез свої ~** *див.* перепускати; **підкла-**

да́ти ~ *див.* підкладати; **попада́ти в ~** *див.* попадати; **пройти́ че́рез ~** *див.* пройти; **розв'язува́ти ~** *див.* розв'язувати.

ру́ки в брю́ки. Нічого не робити. *Ось місяць скоро як дома, а ходиш — руки в брюки. Як панич. На материній шиї сидиш* (Головко).

ру́ки геть *див.* геть.

ру́ки [жіно́чі] не ходи́ли *де.* Не прибиралось. *Ліжко наспіх покрите пишною ковдрою.., розгорнуті книжки на стільці поряд з ліжком — все це говорило про те, що жіночі руки давно тут не ходили* (Сиз.).

ру́ки загребу́щі *у кого.* Хто-небудь дуже заздрісний, жадібний, прагне до наживи. *Така вже ото ненаситна натура [людина], руки загребущі, очі завидющі* (Збан.). С и н о н і м: **о́чі завидю́щі.**

ру́ки згорну́лися *чиї і без додатка.* Хто-небудь помер. *Так вік вкоротився... Згорнулися руки, Що й камінь змогли б чарувать! Ні гуку на радість, ні галасу муки Не стала скрипиця давать* (Щог.).

ру́ки й но́ги посині́ли *у кого.* Хто-небудь дуже замерз. *І повертають до хат діти немов качани. Личка поблідли ще дужче, посиніли руки і ноги.. очі ще дужче горять* (Фр.).

ру́ки коро́ткі (ку́ці, малі́) *у кого і без додатка.* 1. Хто-небудь має обмежену владу, можливості і т. ін.— *Ви, певно, здогадуєтеся, що есесівці давно точать на нас зуби, але... руки короткі* (Головч. і Мус.); *— Ти знаєш, що значить сваритися з начальством. Або ти його зіпхнеш, або воно тебе з'їсть. Зіпхнути Маркушевського тобі не вдасться. Руки короткі* (Ю. Бедзик).

2. Уживається як застереження, перев. при бійці; нічого не вийде. *[Дени с:] Ой, Кононе, гляди, щоб я тебе не взяв за чуба. [Конон:] Короткі руки* (Кроп.); *— Уб'ю! — простогнав, оскаженілий від ревнощів та алкоголю, хлопець.— Руки короткі,— гнівно відповіла дівчина* (Дмит.); *— Що, бив би? Може, битимеш?! Малі руки ..— тріскотала вона [Параска], соваючись на місці* (Мирний).

3. У кого-небудь немає можливості (зробити що-небудь). Не вистачає сил добратися до глибини [землі]. *Чує моє серце, що в девонах є газ, а руки короткі, от і шастаю по верхах* (Цюпа); *Невже в нас такі куці руки, що не можемо розворушити осине гніздо* (Головч. і Мус.). П о р.: **ру́ки не ви́росли.**

ру́ки не ви́росли *у кого.* Хто-небудь не має права бити когось, заподіяти щось кому-небудь.— *Може битимеш?! .. руки не виросли — тріскотала вона [Параска], соваючись на місці* (Мирний). П о р.: **ру́ки коро́ткі.**

ру́ки не гуля́ють *у кого і без додатка.* Хто-небудь зайнятий чимось, щось робить, не байдикує і т. ін. *Мина Омелькович мусить, щоб руки не гуляли, прихопити дещицю, мимохіть стане тягти* *з жердки хазяйський латаний, з кучерявого барана кожух* (Гончар).

ру́ки не дохо́дять (не діста́ють *і т. ін.***) / не дійшли́ (не дотягли́сь** *і т. ін.***).** У когось немає часу, немає можливості робити що-небудь, займатися чимсь. *Невже колгосп може відкрити перукарню? Може, звичайно, та все руки не доходять* (Кучер); — *Ніхто не скаже, що вона [Лукія] в нас дурна. Ростом, правда, не вийшла, а зате бог розумом не зобидив. ..А до науки не дістають руки.* — *І Цимбал важко зітхає* (Панч); *Чому ж так, думав Крутояр, слухаючи повільну, неспішну розповідь старенької, от ми все життя змінили, такі заводи, такі палаци збудували, а тут нічого й не винайшли? Мабуть, тому, що не подумав про це ніхто, як то кажуть, руки не дійшли. А треба, щоб дійшли* (Собко); // *У кого-небудь дуже багато роботи, хтось дуже зайнятий. До сніданку порався* [Приходько] *по хазяйству: відкидав сніг, чистив у корівнику, навісив нові двері, що їх змайстрував іще з осені, а повісити все не доходили руки, а тоді заходився перекладати солому* (Дім.). * Образно. *На жаль, нічого дотепнішого під вічним сонцем людина не вигадала. Не доходять ще руки нашої науки, як висловився один старенький хлібороб* (Вол.). **діста́ли ру́ки.** *А через деякий час.., як землю обробили, значить, і врожай був, і до будівництва дістали руки* (Хор.).

ру́ки не підійма́ються (не підніма́ються, не здійма́ються, не зніма́ються). 1. *до чого і без додатка.* Кому-небудь не хочеться нічого робити (від поганого настрою, втоми і т. ін.). *Треба їй* [Олені] *поспішати, щоб вспіти, так щось руки не підійма́ються* (Кв.-Осн.); *Їй* [Марії] *і не хочеться ні до чого прийматися; руки не здіймаються ...* (Мирний); *Вечорами, коли* [Надія] *поверталася з роботи, в неї ні до чого не знімалися руки* (Чорн.). П о р.: **рука́ не підніма́ється** (у 3 знач.).

2. Уживається для вираження безвихідного становища, безпорадності і т. ін. *Бився, бився він отак, а чим далі, лиш гірше. Таке безголів'я, що й руки не піднімаються. Взяв він та й женився удруге* (Хотк.).

П о р.: **ру́ки опуска́ються.**

ру́ки не пога́нь див. **погань.**

ру́ки неси́ті. Пожадливі, зажерливі люди. *Вдові убогій поможіте.. виведіть із тісноти На волю, заступіте Од рук неситих* (Шевч.).

ру́ки не слу́хаються (не слу́хають) *у кого і без додатка.* Хто-небудь не в змозі щось зробити (від старості, кволості і т. ін.). [К о б з а р:] *А поможи мені, синашу, кобзу пересунути, а то старий уже став, руки не слухаються ...* (Гр.); *Як зачула я це, — і не знаю, що зо мною сталось. Ридати захотілося, вискочити до них усіх, кинутись.. — і ... не можу. Не слухають ні руки, ні ноги... і голосу немає...* (Хотк.).

ру́ки не туди́ стоя́ть *у кого і без додатка.* Хто-небудь невправно щось робить, не вміє робити чогось і т. ін. [Н а д і я:] *Куди ж його приткнуть? Нездатний ні до якої роботи. У нього й руки не туди стоять* (Підс.); — *Баба, вона таки — баба! Тільки й почуєш — то те, то се, то не туди руки стоять* (Ковінька). **ру́ки не стоя́ть.** *У твоєї Сільви руки ні до чого не стоять, вміють тільки ложку тримати і горобцям дулі давати* (Літ. Укр.).

ру́ки опуска́ються / опусти́лися *у кого.* **1.** Хто-небудь стає байдужим до чогось, не хоче робити чогось. *Оксані було тяжко визнати, що інший раз свекруха її права, що вона* [Оксана] *справді не вміє робити, і руки опускалися в неї* (Григ.); *Скарга робить своє діло. Один, другий такий випадок, і в критика опускаються руки* (Літ. Укр.); *Дід Утюжок так розстроївся, що в нього, як то кажуть, опустилися руки, весло не пішло в воду, а черкнуло по самому верху, бризки полетіли на другий кінець човна* (Загреб.).

2. Хто-небудь втрачає надію, стає бездіяльним. *Насоси працювали без зупинки дні й ночі, .. але в рудничних траншеях рівень анітрохи не знижувався. У декого з будівників опускалися руки, мовляв, не можна ложкою вичерпати моря..* (Інг.); — *Ой, Панасе, Панасе, як тепер будемо жити? — зовсім опустилися руки в матері* (Стельмах); *У Дороша і його друзів руки не опустилися, духом львів'яни не занепали. Повірити у власні сили, пройнятися оптимізмом .. допомогли ..друзі* (Інг.).

П о р.: **ру́ки не підійма́ються.**

ру́ки по лі́кті в крові *у кого.* Хто-небудь причетний до вбивства, до страти когось, або сам убивця. — *Кажуть, у того диктатора руки по лікті в крові, а смерть Патріса Лумумби чи не на його совісті* (Гончар).

ру́ки розв'яза́лися *кому, чиї і без додатка.* **1.** Хто-небудь одержав свободу, звільнився від неволі. — *А що, от і діждали волі, — казав він. — От і розв'язались нам руки* (Мирний).

2. Хто-небудь звільнився від чого-небудь (від роботи, обов'язків і т. ін.). *Він був якось разом і хмурий, і ясний, і тривожно бубонів: «Петре! тепер мої руки розв'язалися...»* (Мирний); *А тепер, коли самі собою розв'язались руки з телицею, я відчув .. відвагу в грудях, що навіть із мотикою не побоявся б на сонце кинутись* (Гуц.). **розв'язані ру́ки** *у кого і без додатка.* *Як не є, Параска рада була — тепер вона вільніша, руки розв'язані, на хазяйстві невістка ...* (Горд.); *На останніх перевиборах комнезаму терчани довго чухали потилиці, обираючи голову: той відмовляється — роботи, мовляв, багацько в хазяйстві... А в Лапшевича руки розв'язані: ні свата ні брата* (Панч).

ру́ки сверблять (че́шуться) / засвербі́ли (зачеса́лися). 1. Комусь дуже хочеться ударити (побити) когось; побитися з кимсь. [П е т р о:] *А мені* хочеться Соломона зацідить. Ух, сверблять руки! (К.-Карий); *Свербіли руки вдарити пихатого осавула, але треба було мовчати, хитрувати, шукати виходу* (Тулуб); — *Руки засвербіли скрутити голову тут пану Енгельгардту, а потім, давай бог ноги, а чорт колеса, усім до Кармелюка спішити треба* (Кос.); *Пішли до Варки... і так вже мені в серці, згадуючи, як образила мене та катова дочка, так вже, що аж руки чешуться...* (Вовчок).

рука́ сверби́ть / засверби́ла. [К а т е р и н а:] *Як мені хочеться дати тобі ляпаса. Ух, аж рука свербить — і як я могла з тобою дружити, з таким мішком сліз* (Корн.); [С т е п а н *(до Довгоносика):] Фу, мені аж душно стало від твоєї розмови, аж рука засвербіла* (Корн.).

2. *до чого, рідко по чому.* Комусь дуже хочеться робити що-небудь, займатися чимсь. *Вже зовсім завесніло, вже жайворонки виспівували в полі, земля протряхла, заіржавілі плуги вже лежали на возах, а селянські руки свербіли до оранки* (Збан.); *У хлібороба аж свербіли руки, тягнулись до коси. Замахнувся на весь захват, заспівала коса, і впали стебла рівним покосом* (Цюпа); *Весна! Оце б пересісти на трактора, хоч гектарів з сотню засіяти. Га? Руки сверблять по селянській роботі* (Больш.); // *Дуже хочеться чогось. Треба ще буде кінця додати, бо воно колись, як свербіли руки, писалося* (Мирний); *Але Маркові аж руки свербіли скорше доскочити до хутора підстарости Чаплинського* (Панч); // *Хто-небудь втручається у все. Через ту невгамовність і не злюбив її Масло. Якось при Мальованому розпікав її: «Поглянь! Чого вона лізе? Працювала б тихенько. ..А в неї руки чешуться, і туди лізе, і сюди. Дуже треба їй знати, скільки одна рейка обходиться цехові»* (Хижняк).

3. *до чого.* Комусь дуже хочеться привласнити, загарбати що-небудь. *Коваль здолав-таки сторуку потвору, впріг її у велетенського плуга й звелів проорати по межах своєї землі глибокий рів і насипати високий вал, аби він на всі віки став суворою пересторогою для тих, кому будуть свербіти руки до полянських просторів* (Головч. і Мус.).

ру́ки фе́ртом. Хто-небудь має самовдоволений, розв'язний, нахабний вигляд (прийнявши позу фертом; взявшись у боки). *Руки фертом, вираз строгий, Широко розкрачив ноги Та й бурчить собі Бассім* (Фр.).

скла́вши ру́ки див. складши; **скупа́ти ~ в крові́** див. скупати.

у вла́сні ру́ки *чиї, кого, із сл.* в і д д а́ т и, п е р е д а́ т и. *Особисто кому-небудь. Уклінно прохаю віддати його* [вірш] *у власні руки Марії Костянтинівні на спомин* (Мирний).

у до́брі ру́ки, *із сл.* д і с т а́ т и с я, п о т р а́ п и т и. *До надійної, дбайливої людини, до хазяїна. Вони так зраділи, одібравши книжки..*

і я ще більше запевнився, що книжки дістались у добрі руки (Коцюб.); — *Тепер руїни, а колись? Чого там тільки не було? Та й тепер ще попадись вона* [Ратієвщина] *у добрі руки — золото не місце* (Мирний).

умива́ти ру́ки див. умивати.

умі́лі ру́ки. *Люди працьовиті, вправні у роботі. Неначе з сонця скована Умілими руками — Аж іскриться та блискає. Оце так справді школа!* (Бичко); // *Ті, що розуміються на чомусь. І всетаки Словник Уманця в умілих руках міг давати свого часу певну користь; буває іноді, що в стилістичних шуканнях доводиться заглядати в нього й сьогодні* (Рильський).

у ру́ки (до рук) *кого, до кого.* 1. *До кого-небудь, кудись. Коли панські маєтки пустошилися, економії занепадали, переходили в руки купців,.. не більшало і не ширилось добро кріпацьке* (Мирний); *Передати владу в руки пролетаріату і революційних селян — це якраз і значить добитися цілковитого визволення народів Росії від національного гноблення* (Головко); *Вся колона кавалеристів.. спинилась і завмерла.. Радянський літак сам ішов у руки ворожим кавалеристам* (Хор.); *В мене було передчуття, що неодмінно потраплю до вас у руки* (Головч. і Мус.); *Шанці один за одним переходили до рук атакуючих* (Добр.).

2. *кому.* Безпосередньо кому-небудь.— *Ось що, брат Яреську... Як загрузять ешелон, бери своїх хлопців і паняй.. Правитимеш хліб до самого місця. До Петрограда. Просто в руки здаси пітерським робітникам...* (Гончар).

у свої́ ру́ки, *із сл.* з а х о п и́ т и, в з я́ т и *і т. ін. Стати власником чого-небудь. Андрій поглядав на розвалені кам'яниці і радісно хитав головою.— Та! вже воно так довго не буде!.. вони..* [німці, чехи] *як візьмуть у свої руки, то швидко пустять пару!* (Коцюб.).

хапа́ти го́лову в ру́ки *див.* хапати; **хоч ~ розірви́** *див.* розірви.

че́рез деся́ті ру́ки. *Через посередництво кого-небудь, з чиєюсь допомогою. Своїм звичаєм, він не брався до діла просто, але колесив, крутився, нюхав, провідував через десяті руки* (Фр.).

чужі́ ру́ки. 1. *Хто-небудь інший; не ти. Хто уникає всякої «панської» охоти, де все для тебе роблять чужі руки, а ти маєш тільки стріляти готовеньке і потім рахувати, скільки «взяв»,— справжній мисливець* (Рильський).

2. *Вороги, люди протилежного стану. Старший брат завладав батьківщиною, а його подав, як то кажуть, чужим рукам на пожирання* (Барв.); *Туман обдав нас подихом солоним, І стало темно, наче уночі. Тепер ти не фортеця, Альбіоне, В чужих руках від брам твоїх ключі* (Дмит.).

щоб (бода́й) ру́ки [й но́ги] повсиха́ли (повідсиха́ли) *кому, лайл.* 1. Уживається для вираження погрози, побажання зла кому-небудь і т. ін. *На другий день тільки що прокинулись, москаль і тика мені у руки мітлу.— Вимети,— каже,— рештанську.— Щоб тому руки повсихали,— кажу,— хто й местиме вашу буцегарню!* (Стор.); *А нехай мине така лиха година, коли доведеться кораблю почути, що «руки б їм повсихали і печінка б їм вилізла і діти б їм у вічі наплювали — тим ледарям, безчесним людям, циганським майстрам»* (Ю. Янов.).

2. *із сл.* м е н і. Уживається для вираження запевнення, переконання у чомусь.— *Добродію! — каже до його циган.— Коли я сюди зайшов красти, або чого другого, то от чорна земля, щоб я ще почорнів! Щоб мені й руки й ноги повсихали! Щоб я зараз сказився! Щоб світу божого не побачив, коли я знаю, де я, .. і куди оце я зайшов!* (П. Куліш); *— Писати [протокол] на самого себе? Та швидше руки мені повсихають! Кажу це з смішком* (Збан.).

РУКИ: вели́кої руки́, зневажл. Найбільшої міри якості (перев. негативної). *Ледащо великої руки було [дівча]* (Мирний).

від руки́. 1. Ручним способом. *Подивилась я: написано [афішу] гарно, хоч і від руки* (Є. Кравч.); *Над столом рахівника був прикріплений дротяний гак, на якому нанизано добру сотню розпоряджень. І майже всі вони написані .. в позаслужбовий час і від руки.* (Логв.); *Газети в той час хіба що в дні великих свят та з'їздів продавали накреслені від руки портрети керівників держави* (Збан.).

2. *кого, чиєї, із сл.* з а г и́ н у т и, п о м е́ р т и *і т. ін.* Будучи убитим кимось; з вини кого-небудь. *По суті Шевченко так само, як і Пушкін, помер від руки Миколи I* (Рильський); *То був найперший ворог, що впав від Яреськової руки* (Гончар); *Письменник Ярослав Галан загинув від бандитської руки в 1949 році.*

держа́тися руки́ *див.* держатися.

до руки́. Такий, що підходить, подобається кому-небудь, влаштовує когось і т. ін.— *Батько за тебе дати мене не хоче! — Має другого зятя до руки?.. Кого се?* (Вовчок).

дру́гої руки́. Пересічний, посередній, нічим не визначний. *Коваль другої руки вирівнював і вигладжував меча* (Загреб.).

з легко́ї руки́ чиєї. За чиїмось вдалим починанням, добрим прикладом. *З легкої руки баронеси Бларамберг Тарас Григорович дістав ще кілька замовлень на портрети..* (Тулуб); *Старі баби ойкають, головами хитають, дивлячись на Марійчину роботу, бо з її легкої руки всі наші дівчата повбиралися по міському фасону* (Мур.); *Такі свята [50-річний ювілей] з легкої руки письменників називають полуднем віку* (Літ. Укр.); *Цілком можливо, що покладаючись на свій художній смак, Тарас співав тексти з «Кобзаря» на вже*

відомі мелодії, і з його легкої руки такі пісні швидко стали популярними (Нар. тв. .. етн.).

з-під руки́, *із сл.* р о с т и́. Швидко, інтенсивно.— *Ото. Сам відчуваєш, як воно таки гарно, коли воно в тебе з-під руки росте, на очах зеленіє... Хіба ж давно ще всі тут гвалт кричали: піски йдуть, засипають посадки, вітри видувають і засікають посіви...* (Гончар).

ма́йстер пе́ршої руки́ *див.* майстер.

не з руки́. 1. Незручно, невигідно.— *Ніде правди діти, висапуємо щодня по дві норми,— наважилась чорнобрива молодиця,— не з руки нам вас обманювати* (Сиз.); *Не з руки йому було .. княгиню просити, навіщо принижувати себе* (Хижняк); *У нещасті й розумний подурніє, а нам, Хомо, дурнішати не з руки, накладно обійдеться* (Гуц.); *— Купляти залізо нам не з руки. Гроші краще витрачати на готову зброю. А ядра, кулі, списи — робити мусимо з свого заліза* (Рибак). **з руки́.** *У Вербівці Кіндрат друзів не мав. Йому з руки було б водитись, ділитись думками і враженнями з людьми начитаними, інтелігентними, але таких людей у Вербівці не було* (Іщук); *Ілько так нічого більше й не сказав. Лише наприкінці, коли директор, раптом розсміявшись, спитав, чи Ількові з руки працювати в Кам'янці, наважився заговорити* (Хор.). П о р.: **не рука́.**

2. *перев. із сл.* і т и́, ї́ х а т и *і т. ін.* Не по дорозі. *Чапля щодня проходив повз Григорів двір, хоч йому було це й не з руки* (Панч); *Позаду заторохтіла підвода, на ній непорушно сидів Семен Магазаник.— Сідайте, батюшко, підвезу! — ще здалека гукнув він.— Тобі ж не з руки.— То й що?* (Стельмах); *Після цього візиту проходили дні й тижні, а до маєтку ніхто не заїздив. Не з руки було, та й нецікаво* (Сліс.); *Смійтесь скільки хочете, а в Кам'янку мені не з руки, от і все!* (Хор.). **з руки́.** *Повіяв вітер з руки Енею, Простивсь сердесенький з землею, Як стрілочка по морю мчавсь* (Котл.); *// Під силу кому-небудь, неважкий, нескладний. Широкі плечі, та стан стрункий, Та усмішка білозуба. Такому справи усі з руки, Робота найважча люба* (Петр.); *// кого. Від кого-небудь, з боку когось.* [Г о д в і н с о н:] *Коли його безчельний, ниций вчинок не знайде осуду з руки громади, то я прийму собі се на ознаку, що час мені шукать деінде місця, де б голову трудденну прихилити..* (Л. Укр.). П о р.: **по руці́** (у 1 знач.).

не з тіє́ї руки́, *рідко.* Не так, неправильно. *Оришка з тії бумажки сама списувала [слова], та тільки, не вміючи письма,.. почала не з тієї руки, як треба* (Кв.-Осн.).

пе́ршої руки́. Який має найвищі якості, здібності; найкращий. *Ніхто не куняв і не дрімав, ніхто не перебував у стані легкої сонливості чи прострації,— всі спали надійно й міцно, бо, видно, заїхав у Яблунівку справді гіпнотизер першої руки*

(Гуц.); *Харківські трубобудівники добре знають Михайла Олександровича. Він слюсар першої руки, досвідчений майстер обробки діафрагм* (Роб. газ.); *Був він ковалем першої руки, а це значить, що йому доручали найвідповідальніші роботи* (Рад. Укр.).

проси́ти руки́ див. просити.

сере́дньої руки́. Який·нічим не вирізняється серед інших; ні хороший, ні поганий; посередній. *«Колос» трохи вередує, хоча й має два барабани. А ось СК-4 геть захекується, як ото середньої руки косар, котрому вже до обіду всередині ріже* (Літ. Укр.).

у дві руки́. Паралельно двома особами, апаратами тощо. *У звичайному обчислювальному центрі вихідні дані перфоруються на паперові стрічки чи перфокартки «у дві руки». Потім обидва примірники порівнюються з допомогою спеціальних пристроїв контрольного зчитування* (Наука..).

у чоти́ри руки́, *із сл.* г р а́ т и. Грати удвох на одному музичному інструменті (перев. роялі, піаніно). *Вони грали увертюру з «Норми» в чотири руки; грали вправно, старанно, дотримували такту* (Літ. Укр.); *В іншій квартирі нас зустріла музика. Павло Бєляєв та його дочка Ірина в чотири руки грали Бетховена* (Мист.).

РУКО́Ю: відмахну́ти руко́ю див. відмахнути; **діста́ти ~** *див.* дістати.

з простя́гнутою (з до́вгою) руко́ю, *із сл.* х о д и́ т и, с т о я́ т и. Жебракуючи, просячи милостиню.— *Мені соромно ходити по дворах з простягнутою рукою* (Ткач); *Аспазія вийшла до столу з червоними очима, .. дивилася такими благальними очима, наче вона стояла під церквою з простягнутою рукою* (Панч); *Під церквою з довгою рукою стояли старці — криві, сліпі, безносі* (Панч).

махну́ти руко́ю див. махнути.

під руко́ю; під рука́ми, *із сл.* б у́ т и, м а́ т и *і т. ін.* Близько, поблизу, напохваті, поруч. *Зручніше вмощую на бруствері гвинтівку, дістаю з підсумка кілька обойм. Треба, щоб усе було під рукою, напохваті* (Тих.); — *Я.. в сінях стояла, щоб під рукою буть* (Кучер); — *Коли трапиться наглий, нещасливий випадок, в селі є лікар зараз же на місці, під рукою,— то це велика справа* (Вільде); // При собі, з собою.— *Іти з документами? — показав очима на папку Заруба.— Доводиться,— відказав Гнат.— Мало про що він питатиме. Треба все під рукою мати..* (Кучер); *Мабуть, для годиться Володимир Олександрович Пулик — начальник відділу кадрів — тримав під рукою «фактичні матеріали». І в пам'яті він прекрасно зберігав прізвища кращих людей будови* (Знання..); *Багато рядків з «Енеїди» Шевченко знав напам'ять і цитував у повістях, коли твору Котляревського в нього не було під руками*

(Вітч.); // У своєму розпорядженні. *Тутешня річка має назву, проте з певністю встановити її не пощастило: під рукою не трапилось карти* (Ю. Янов.);— *Маючи під рукою радиста й рацію, можна творити чудеса!* (Головч. і Мус.); // У наявності. *Кімната, в якій спали подорожні, правила попові за кабінета, тому тут все було під рукою* (Сліс.); *Ось ще чим можна пояснити непопулярність алтею лікарського: мальва завжди під рукою, а алтей треба шукати* (Лікар. рослини..); *Маю під руками ось які відомості про переклади на російську мову: «На камені» — 2 рази* (Коцюб.); *Закликаючи народ усіма засобами, які є під руками, боротися з окупантами, Батюк обирає собі один із них ..* (Д. Бедзик).

2. *кого, чиєю.* У залежності від когось, у підлеглості кому-небудь. *Він [Лев] найсильніший і мав право кождого зловити, задушити, обдерти й з'їсти. Під його рукою були помешні губернатори, як-от Медведі, Вовки, а із них кождий мав таке саме право над меншими від себе* (Фр.); *Бек — Мурза, під рукою котрого стояло вісімдесят тисяч яничарів, .. взагалі не збирався говорити* (Рибак). П о р.: **під ла́пою.**

рука́ з руко́ю див. рука; **~ пода́ти** див. подати; **се́рце на́че ~ здави́ло** див. здавило.

широ́кою руко́ю, *книжн.* У великій кількості. *Широкою рукою черпають з народного джерела наші поети, користуючись елементами народного стилю* (Рильський).

ще́дрою руко́ю. Не виявляючи скупості, не шкодуючи. *Житню щедрою рукою Ти з вівсяною мукою Пересиплеш та піску Нишком втрусиш по мішку..* (Щог.); *Він всюди сіяв щедрою рукою колядку, діалог і студний кант* (Зеров); *Радянська держава щедрою рукою відпускає із свого бюджету мільярди карбованців на освіту* (Рад. Укр.); *Грається [сонце] ... Воно горить срібно-золотим сяйвом, і бризки гарячого золота кидає щедрою рукою* (Вишня).

як ~ зняло́ див. зняло.

РУ́КУ: важки́й на ру́ку див. важкий; **вести́ за ~** див. вести; **віддава́ти ~** див. віддавати; **га́рячий на ~** див. гарячий; **гра́ти на ~** див. грати; **дава́ти ~ відруба́ти** див. давати; **держа́ти ~** див. держати; **де ті́льки під ~ попада́ється** див. попадається; **жи́ти на свою́ ~** див. жити; **заноси́ти ~** див. заносити; **запуска́ти ~** див. запускати; **золоти́ти ~** див. золотити; **іде́ться в ~** див. ідеться; **ітй на ~; ітй під ~** див. іти; **ку́ку в ~** див. куку; **легки́й на ~** див. легкий; **лізти під ~** див. лізти; **ма́ти ~** див. мати² ; **наби́ти ~** див. набити.

на вла́сну ру́ку, *діал.* Самостійно, власноручно, сам. *У світлиці повно всякого грецького та східного крамного товару, яким торгував тивун на власну руку* (Оп.); *Вже два дні не записував нічого, бо не до писання було. Я вже далеко від* міста.., рішив, що треба на власну руку шукати праці (Ірчан); Як.. купець, боявся він [Ярослав] нападів варязьких дружинників, які ходили з князем на полюддя та часто на власну руку любили перетрясати комору багатого кметя (Оп.).

на всю рýку. Широким розмахом, великою амплітудою і т. ін. Смолярчук.. повертає того ціпка окоренком — розмахнувся на всю руку — хотів ударити Василя по очах (Кос.).

на рýку ковíнька див. ковінька.

на рýку (руч) чию, кому. 1. На користь кому-небудь.— Ворог перед нами дужий,— продовжував Хмельницький,— ворог підступний, йому на руку розбрат (Рибак); Заперечувати право націй на самовизначення означало б також діяти на руку буржуазії колоніальних імперіалістичних країн, в яких під впливом Жовтня разгорталась визвольна боротьба народів колоніальних і залежних країн (Рад. Укр.); —Тимохо, ти.. на чию руч говориш? (Ле); // Вигідний, зручний для кого-небудь. Пішла чутка, що до Межибожа.. має незабаром прибути хтось із царської родини. Ця новина дуже була на руку Семенові (Коцюб.).

2. **для кого, кому.** Вигідно, зручно кому-небудь. Марко зрозумів, чому Левкові так хочеться кататися з ним у човні. Але це було й йому на руку (Цюпа); — З Саіба вийде дуже розумний раджа, а це для мене і для всіх пашів не на руку (Н.-Лев.).

3. **на чию, кому, із сл. схилятися, переходити і т. ін.** На чийсь бік, на чию-небудь сторону. Громада почала схилятися на руч Грицькову (Мирний); — Лошаков той великий пан.. От, як буде він, перетягни його на мою руч (Мирний).

на швидкý (скóру) рýку (руч). Поспіхом, квап-ливо. О. Порфирій хапком вмився, причесав на швидку руку свої коси рідким металічним гребін-цем (Н.-Лев.); Уся картина [і ставок, і верби, і люди] здалека нагадувала перший неясний ескіз, накиданий маляром на швидку руку (Н.-Лев.); На бригові є сліди ремонту на швидку руку (Ю. Янов.); Рогуля на скору руку бере ножиці і рівно.. стриже великі, як стріхи, хлопській чуби (Ф. Мал.); А там поставлять закусити на скору руч чого-небудь (Сл. Гр.).

нечистий на рýку див. нечистий; **пектú ~** див. пекти; **підбивáти на свою ~; підбивáти під свою ~** див. підбивати; **підвертáтися під ~** див. підвертатися.

під весéлу рýку. У момент радісного збудження, піднесення. Разом з Марією Кошель в селі зали-шилися ще кілька знайомих селян... Побажав зостатись, правда, після деякого роздумування, швець Микола Проць, прозваний під веселу руку на товариському обіді «американцем» (Бабляк);

Сипалася [сила Юркова] в ударах під веселу руку молодими часами у корчмі (Хотк.).

під гаря́чу (сердúту, злу) рýку (руч). У момент великого збудження, роздратування. Домашні знали добре всі норови Кирила Івановича ..всі куди можна ховалися, щоб не стрітися з ним, не підбігти під гарячу руку (Мирний); Тарас [Шев-ченко] утік аж на горище, забився у найдальший він куток, бо не хотілось попасти під гарячу руку своєму панові (Косарик); На поріг вийшла висока худорлява жінка..— Ну й збиточниця! Попадеш ти мені під гарячу руку (Земляк); Розтривожився Дмитрій, збентежився. Під таку злу руку ввій-шов.. Іванко (Хижняк); Під гармидер якось забу-валось, що це — школа, й хлопці під гарячу руку чесали по-своєму, як чабани (Вас.); Гляди, як підскочиш під гарячу руч, то щоб бува не попобив тебе добре (Сл. Гр.). С и н о н і м: **під гаря́чу минýту.**

піднімáти рýку див. піднімати.

під п'я́ну рýку (руч). У стані сп'яніння. Дружи-ну він бив.. під п'яну руку і без злості (Горький, перекл. Ковганюка); Під п'яну руч гордовито волали вони [підміщани]: — Ми однодворці, май-же дворя-ани! (Крот.).

під рýку чию, заст., із сл. ставáти, пристававáти і т. ін. На чийсь бік, під чиє-не-будь керівництво.— Я поїду до його прохати, щоб він [Єремія] помирився з нами та пристав до нашого табору під вашу руку,— сказав Тишкевич (Н.-Лев.).

під свою́ рýку, з сл. приймáти, брáти. До себе, під захист, покровительство.— Прости нас, князю, що ми тебе зневажали і тебе не послухали: прийми нас під свою руку (Н.-Лев.); — А мені якраз і потрібні люди авантюрницької вдачі.— Що ж, коли такі потрібні, беріть колодяженців під свою руку. І, як кажуть, ні пуху, ні пера! (Головч. і Мус.); Дізнавшись про причину втечі Наталки, вона рішуче прийняла її під свою руку (Добр.).

піймáти синúцю в рýку див. піймати; **подавáти помíчнý ~** див. подавати; **позолотúти ~** див. по-золотити.

по лíву рýку (руч) від кого — чого і без додат-ка. З лівого боку від кого-, чого-небудь. Коло середнього стовпа прив'язали батька, по праву руку коло його Грегора, по ліву руку меншого сина (Н.-Лев.); По праву й ліву руч.. моя межа (Кочура). П о р.: **у лíву рýку** (у 2 знач.).

по прáву рýку (руч) від кого — чого і без додат-ка. З правого боку від кого-, чого-небудь. Підійшли [піп із причетом] й до мого сусіда, що по праву руку,— аж і взяти нічого (Барв.); По праву руч од поставця стояв стілець, потім стіл, застелений скатертиною (Тесл.); Кругом довгого столу усіли-ся всі..— Лошаков, по праву руч його усі предво-дителі, по ліву — земці (Мирний); Лишаючи по *праву руч піски печалі Ігоревої; вони поїхали до Кремінної* (Шевчук); *Уже кілька днів ми працюємо в похмурому низькому лабіринті, розташованому по праву руч від вхідного коридору* (Наука..). **на пра́ву руч.** *Картина була справді чудова: з бурти, мов з високої гори, видко було на праву руч місто* (Мирний). **з пра́вої руки.** *З правої руки до чоловіка тягнеться розлогий кущ ліщини* (Стельмах). П о р.: **у пра́ву ру́ку** (в 2 знач.).

пропонува́ти ру́ку *див.* пропонувати; **простяга́ти ~** *див.* простягати; **рука́ в ~** *див.* рука; **~ приложи́ти** *див.* приложити; **сла́бість на пра́ву ~** *див.* слабість; **смерть занесла́ свою́ ~** *див.* смерть.

у лі́ву ру́ку (руч). 1. *із сл. руху і спрямування.* У лівий бік. *Соломія міркувала, що, коли брати у ліву руку, плавні мусять швидко скінчитися* (Коцюб.); *Не доїздячи верстов зо дві чи зо три до Києва, взяли вони у ліву руку, да й побрались гаєм, по кривій доріжці* (П. Куліш); *«Що ти наробив! — знову докоряв голос зверху: — Глянь у ліву руч!» — Чіпка нехотя повернув очі* (Мирний); *Здрастуй, рідне село! .. В ліву руч повернули. Ось уже... Мати назустріч іде* (Тесл.). **на ліву руч.** *Брати пішли в обхід понад ровом. Івась на ліву руч, Грицько — на праву* (Мирний).

2. *від кого — чого.* З лівого боку від кого-, чого-небудь.— *Там каменюку червону покладено... для признаки... Сто ступнів од розбитого дуба в ліву руку... Чи знайдеш? — Знайду* (Пригара). П о р.: **по ліву ру́ку.**

у пра́ву ру́ку (руч). 1. *із дієсл. руху і спрямування.* У правий бік. *Дійшовши до ліска, вони повернули у праву руч* (Мирний).

2. *З правого боку, праворуч.* *У праву руку їживсь дахами та коминами фабрик задимлений город* (Коцюб.); *Над річкою високий берег; берег заріс кущами. В праву руч видко левади, верби* (Вас.). П о р.: **по пра́ву ру́ку.**

у ру́ку [йде́ться] *кому.* Що-небудь дається комусь легко, просто, без особливих зусиль.— *Ну, а як йому грамота, пане дяче? — Грамота йому — в руку. Пам'ять добра* (Вас.); *Так усе тепера [тепер] чогось Хведорові в руку йшлося: урожай був добрий, щепи приймались* (Григ.).

хапки́й на ру́ку *див.* хапкий; **швидки́й на ~** *див.* швидкий.

РУЛЯ: без руля́ і вітри́л. Без певної мети, без чітких намірів і т. ін. *До театрального Геннадій не пройшов... Після цього непризнаний і розчарований «геній» байдикував цілий рік; потім без руля і вітрил заплів до медичного* (Вол.).

РУМ'ЯНЦЕМ: зайти́ся рум'янцем *див.* зайтися.

РУНО: золоте́ руно́. Те, що має найвищу якість, цінність, становить чиє-небудь багатство. *Він «зайцем» подався ще по золоте руно до Кракова і Варшави — але ж і там не для пса, мовляв, ковбаса.* (Козл.); *Отари [овечок] — золоте руно*

степовиків — блукають по всьому примор'ю (Гончар).

РУСЛІ: в одно́му ру́слі. 1. Разом, воєдино, дружно. *Приємно працювати в колективі в одному руслі.*

2. Однаково. *У навчанні товариші йшли в одному руслі.*

РУСЛО: вхо́дити в ру́сло *див.* входити.

РУХАТИ: ру́хати (ру́шити) го́ри (ска́ли, скелі́). Робити велику справу, яка вимагає багато зусиль, здійснювати неможливе. *Мало нас, та се — дарма; Міцна віра рушить скали...* (Граб.).

РУХАТИСЯ: ру́хатися впере́д *див.* іти.

РУЦІ: рука́ в руці́ *див.* рука.

по руці́ 1. *з дієсл. руху.* У той самий бік, по дорозі.— *Хіба Тимофієві по руці з тобою йти? — обізвалася Пріська, далека Тимофієва родичка* (Мирний). П о р.: **з руки́. А н т о н і м: не з руки.**

у руці́ бо́жій, *заст.* Щось не залежить від нас, не підвладне нам, нашій волі, бажанням. *Левко криво посміхається і з розгону бере крутий вигін до хутора пана Варави.— Інакше нема куди! Пан чи пропав? — відповідає на німе запитання Григорія.— Що ж,— зітхає той,— може там і проскочимо, все в руці божій* (Стельмах).

РУЧ: підбива́ти на свою́ руч *див.* підбивати; **тягти́ ~** *див.* тягти.

РУЧАТИСЯ: руча́тися (ручи́тися) голово́ю за кого. 1. Брати на себе повну відповідальність за кого-, що-небудь, до готовності поплатитися життям.— *Відпустіть його: він чесна людина, я ручусь за нього головою.* П о р.: **відповіда́ти голово́ю.**

2. Гарантувати що-небудь, будучи впевненим, переконаним у чомусь — комусь.— *Так ви ручаєтесь головою, що в замку, крім вас, нема живої душі? — питав Ледяник.— Є ще стара бабуся ключниця...* (Ірчан); *— Я за кожного, кого ми озброїли, головою ручусь* (Мур.); *— Злодія ми знайдемо, за це я вам головою ручуся, бо він здалека не приїхав. Він ковалівський* (Кучер).

РУЧКА: ру́чка в ру́чку, з сл. і т и. Один за одним (про косарів). *Узялися косарі — Дай лиш косам волю! Наче ті богатирі, Йдуть вони по полю. Ручка в ручку, ряд у ряд. Дружно і беручко* (Бичко). П о р.: **рука́ в ру́ку.**

РУЧКАМИ: ру́чками та пу́чками. Самостійною важкою працею. *Не турбується [Володько] втратою; бо теж гроші не зароблені ручками та пучками, не кривавії, а ласкавії* (Вовчок). П о р.: **з пу́чок та з ру́чок.**

РУЧКИ: дово́дити до ру́чки *див.* доводити.

до ру́чки. Уживається для вираження крайньої межі, міри в чому-небудь.— *Доспівався ти, Іване, видно, до ручки* (Збан.); *Варять вони з нього воду, ті ледарі та шабашники, .. доводять бригадира до ручки* (Кучер); *Поки він був відсутній, тут не тільки не подумали зняти питання як непідготовлене, а добалакалися до ручки* (Загреб.);

З 1958 року Сергій Іванович працює в Ківшоватій. Попереднє керівництво довело артіль, як то кажуть, «до ручки», на рахунку не мали ні копійки... (Рад. Укр.). С и н о н і м и: по са́ме ні́куди; да́лі ні́куди.

РУЧКУ: ру́чка в ру́чку див. ручка.

РУЧОК: з пу́чок та з ру́чок див. пучок.

РУШ: а́ні руш. 1. Не можна зрушити з місця кого-, що-небудь. [Л е в:] Той клятий Водяник!.. Я, наловивши риби,.. хотів на той бік передатися — а він вчепився цупко лапою за днище, та й ані руш! (Л. Укр.). — Дорогою він [пес] витинав мені різні фортелі. Коли переходив трамвайну лінію, ліг на рейки і ані руш (Гашек, перекл. Масляка). а́ні ру́шила. Софія знала добре той дзвінок, він вразив її, аж кров кинулась їй до обличчя, але вона навіть ані рушила, щоб іти на нього (Л. Укр.).

2. Не можна примусити кого-небудь щось зробити. Різдво із хати, а старости в хату, та нічого з того не вийшло. Затялась дівка і ані руш (Коцюб.).

3. Не можна відступати.— Узимі якось... тісно в горах: усе пов'язане, поплутане стежками, від стежки ані руш (Хотк.).

4. з дієсл. Зовсім, ніскільки, нітрохи, абсолютно. [П а н П ш е с т ш е л ь с ь к и й:] Ну, Оришко, а як же там твій чоловік? Здоров? [О р и ш к а:] Ніби здоров і їсти хоче, а на ноги не зведеться ані руш (Фр.); Жабі мовчки тримала вудку і все знизувала плечима. Врешті . промовила: — Люсю, а чому ж у мене й досі ані руш не клює? (Досв.).

РУШ: кро́ком руш! 1. Уживається як команда рухатися у певному напрямі.— Всі зібрані? — Тут.— Кроком руш! (Тют.); [В'ю н:] Загін — струнко! Ліворуч! Кроком руш! (Корн.).

2. Пішов, повів кого-небудь.— Я йому гвинтівку до пуза — і кроком руш до нас в окопи (Тют.).

РУШИВ: лід ру́шив див. лід.

РУШИТИ: і ву́сом не ру́шити. Ніяк не реагувати; не звертати уваги на кого-, що-небудь. Почнеться яка бесіда, а Марина .. зажартує, то дівки сміються, а парубок і вусом не рушить (Кобр.). С и н о н і м: хоч би брово́ю моргну́в.

не ру́шити з мі́сця. 1. Перебувати у стані нерухомості: заціпеніти, заклякнути.— Іде урядник, іде староста, чоловіків душ зо три і він посередині... І білий-білий... як крейда... Боже ж мій... Так я й охолола вся... стою і з місця не рушу (Тесл.); [Г е н р і к о в а:] Мого ж [чоловіка] на тім тижні знов напала слабість.. Оце як нападе на нього таке, то потім з тиждень лежить і з місця не рушить (Л. Укр.).

2. Залишитися стояти, не рухатися. Мотря стояла коло мисника й з місця не рушила та все дивилась у піч, де тлів жар у попелі (Н.-Лев.);

Дівчина на крижині! Хто ж то?.. Наблизившись до того місця, де стояв Яресько, дівчина.. вихопивши з води жердину, пустотливо простягла на берег: — Хапай, служивий, бо втону! Яресько, бачачи її пустощі не рушив з місця (Гончар); а́ні ру́шив з місця. «Він справжній панич» — думала вона: «не з німців певне,— чорнявий, блідий, кароокий... І знов, така ввічливість... он з тих ані рушив з місця!» (Л. Укр.).

па́льцем не ру́шити див. кивнути.

ру́шити в дале́ку доро́гу. Вмерти. На той світ, друже мій, до бога. Почумакуєм спочивать. Помолимось богу. Та й рушимо тихесенько В далеку дорогу (Шевч.).

РУШИТИСЯ: не ру́шитися з мі́сця. 1. Стояти нерухомо, не поворухнутися. [Х в е д і р:] Схопіть його. [Л о г в и н (криком):] Не руштесь з місця! Дядьку Хведоре! Кому, кому, а вам не животіти! (Кроп.); Помітивши, що Остап не рушиться з місця, вона вхопила його під руку і сливе поволокла за собою (Коцюб.); Кручинський не рушився з місця (Д. Бедзик). П о р.: не ру́шити з мі́сця (у 2 знач.).

РУШНИК: ста́вити на рушни́к див. ставити.

РУШНИКАМИ: верну́тися з рушника́ми див. вернутися; сла́ти за ~ див. слати.

РУШНИКИ: бра́ти рушники́ див. брати; готува́ти ~ див. готувати.

рушники́ тчу́ться у кого. Дівчина готується заміж. Всі на мене залицялись І сватати стали; А у мене, як на теє, Й рушники вже ткались (Шевч.). С и н о н і м: готува́ти рушники́.

РУШНИКУ: ста́ти на рушнику́ див. стати.

РЮМИ: розпуска́ти рю́ми див. розпускати.

РЮМСИ: розпуска́ти рю́мси див. розпускати.

РЯБІЄ: [аж] в оча́х рябіє у кого, в чиїх і без додатка, безос. 1. Хто-небудь втрачає здатність нормально бачити щось через надмірність яскравих фарб, світла, строкатість і т. ін. А верби виблискують, аж у очах рябіє (Тесл.); Всі були в своєму найновішому і найкращому вбранні. В очах рябіло від яскравозелених, жовтогарячих і червоних гарусових та шовкових хусток (Тулуб); Від різноманітності одягу аж рябіло в очах (Смолич). в оча́х рябить. А який своєрідний птах галагаз! Він такий строкатий, що в очах рябить (Наука..). рябо́тіло в оча́х. Сонце стояло високо над селом, широкий і тихий став виблискував у його променях сріблястою, аж сліпучою хвилею, і від того рябо́тіло в Грицевих очах (Кучер); // від чого. У кого-небудь перед очима мерехтить, стрибає від частого повторення, надмірності, насиченості і т. ін. Від таких «перлів» аж в очах рябіє! (Рильський); В мене ще й досі рябіє в очах від чорних пов'язок, які ми носили цього літа після Сталінграда (Ю. Бедзик); Весілля!.. Рябіло в очах від безлічі людських облич, строкатості убрань, багатобарвності наїдків і напитків

(Загреб.). **аж в оча́х ряботи́ть.** *Дивлюсь я на обидва боки — гей як просторо! То було аж в очах ряботи́ть. Ниви, нивки та ще й нивочки. Лани та ланочки. Латки та латочки як жебрацька одежина* (Жур.). П о р.: **в оча́х мерехти́ть; аж в оча́х мі́ниться.**

2. У кого-небудь наступає стан перенапруження, перевтоми і т. ін. *Не стукаючи, вскочив* [Саїд] *у кімнату й захитався. В очах рябіло, в грудях бушувала буря* (Ле). **в оча́х почина́є рябі́ти.** *«Люлечку курив би, дівчину Ганульку до серця тулив би»,— лунає йому в ухах, а в очах починає рябіти* (Коцюб.).

РЯБКА́: оче́й у Рябка́ позича́ти див. позичати.

РЯБО́ГО: ка́зка про рябо́го бичка́ див. казка.

РЯБО́Є: обо́є рябо́є див. обоє.

РЯБО́Ї: сон рябо́ї кобі́ли див. сон.

РЯД: в ряд. Один біля одного; ланцюжком. *Над водою сидять рибалки-аматори. Їхні самолови на довгих прутах нахилилися в ряд* (Ю. Янов.); *На землю спадала вечірня мла, як варта на розстріл матросів вела. Хитався вечірній задуманий сад, коли їх над яром поставили в ряд* (Сос.). П о р.: **ряд у ряд.**

дава́ти ряд див. давати.

ряд у ряд. Один біля одного; один за одним, один повз один. *Проте не все сяяло в цій* [Золотій] *палаті.. На стінах ряд у ряд тьмяно поблискували поїдені прозеленню шоломи, кольчуги, щити, списи* (Скл.). **ряд по рядо́чку.** *Маруся насіяла всячини, і усе проквітало.., сіяла усе окремніше, ряд по рядочку, а зійшла така мішанина* (Вовчок). П о р.: **в ряд.**

ста́вити в оди́н ряд див. ставити.

РЯДА́Х: у пе́рших ряда́х див. лавах.

РЯДИ́: смика́ти ряди́ див. смикати.

у три ряди́ (руча́ї). Дуже сильно, у великій кількості, рясно литися (про піт, сльози і т. ін.). *Прибіг Меркурій засапавшись, В три ряди піт з його котив* (Котл.); *Сльози в три ручаї ллються* (Мирний).

РЯДИ́ТИ: суди́ти і ряди́ти див. судити.

РЯДКА́: від рядка́ до рядка́. Все повністю, від початку до кінця. *Чари поезії молодого Тичини були чаклунськими. Можу судити по харківських поетах, ровесниках і молодих: раз прочитавши «Сонячні кларнети» і «Плуг», вони потім по пам'яті читали всі вірші, від рядка до рядка* (Мас.). С и н о н і м и: **від до́шки до до́шки; від а до зет; від а до я.**

РЯДКІ́В: чита́ти між рядкі́в див. читати.

РЯДНО́М: мо́крим рядно́м на кого. Сердито, з серйозними претензіями нападати на когось, лаяти когось, докоряти комусь. *Іван Петрович до секретаря, а секретар — мокрим рядном на Івана Петровича* (Мирний); *Вона на мене мокрим рядном, що стільки грошей перевів* (Гр.); *Кличуть*

Петра в контору до економа. Той на нього зараз мокрим рядном (Україна..). П о р.: **накри́ти мо́крим рядно́м.**

накри́ти мо́крим рядно́м див. накрити.

РЯ́ДОМ: за ря́дом. По черзі, по порядку.— *Чекайте, говоріть за рядом, що є межи* [між] *вами?* (Март.).

РЯДУ́: в одно́му ряду́ з ким. Разом, заодно з ким-небудь.— *Приємно,— кажу,— нам сьогодні Вітати у цьому саду Сусідні держави народні, Що з нами в одному ряду* (С. Ол.). С и н о н і м: **на одні́й лі́нії.**

в ряду́. 1. з ким. Спільно, разом, поряд з ким-небудь.— *Хай мають вражі прапори Понад Черечою горою, Та переможуть дві сестри В ряду із третьою сестрою* (Рильський); — *Живу, як і всі. І моя нива в ряду з усіма* (Хор.); *В ряду культурних закладів школа по праву повинна займати почесне місце* (Рад. Укр.). **в ряда́х.** *Він справді йшов у рядах перших учнів класу* (Горький, перекл. Хуторяна).

РЯ́МЦЯ: хоч у ря́мця вправ див. вправ.

РЯСНІ́: ко́тяться рясні́ сльо́зи гра́дом див. сльози.

РЯСТ: відтопта́ти ряст див. відтоптати; **лиши́лося недо́вго топта́ти ~** див. лишилося; **топта́ти ~** див. топтати.

РЯТУВА́ТИ: рятува́ти [грі́шну] ду́шу чию.
1. За релігійними віруваннями, позбавляти когонебудь гріхів, звільняти від вічних мук у потойбічному світі. [Є п и с к о п:] *Не всі слова однакові, мій брате, Слова господні більш рятують душу, ніж людські всі діла* (Л. Укр.); // *із сл.* **с в о ю.** Позбуватися гріхів, убезпечувати себе від вічних мук у потойбічному житті. *Над тою щасливою країною простяг потужну руку справедливий і мужрий султан.. Туди серед одновірних і співплеменних, визволятись від гріхів, рятувати свою душу!..* (Коцюб.).

2. Захищати, оберігати кого-небудь від смерті, смертельної небезпеки.— *Онде вже їдуть!.. А, рятуйте мою душу... Справді, кілька машин під'їхало до хати. На порозі став Орлюк з бойовими товаришами* (Довж.); *Скупий титар, бачачи, що смерть заглянула йому в очі, благально протягнув;* — *Рятуй мою душу, Трохиме... Сто карбованців дам* (Стельмах).

рятува́ти свою́ (вла́сну) шку́ру, зневажл. Уникати смерті, небезпеки і т. ін., оберігаючи своє життя, благополуччя і т. ін.— *Та він що, з місяця впав? Інші поміщики, навпаки, тікають тепер із своїх маєтків, шкуру свою рятуючи. А він сам на рожен лізе* (Головко); — *А де ж ти поділася?* — *винувато мовив старий, бо, тікаючи з майдану, чув, як гукала йому вслід Наталка.— А то ви не чули? Свою шкуру мерщій рятувати, а мене там хай хоч і бомбою рознесе* (Гончар).

С

САДЖАТИ: саджа́ти / посади́ти (посадови́ти) за стіл *кого і без додатка.* Пригощати кого-небудь. *Багатого за стіл саджають, убогого і так випроводжають (Укр.. присл..); Вернулася [наймичка]. Катерина і Марко зостріли [зустріли] за ворітьми, ввели в хату й за стіл посадили (Шевч.); Хаврусь посадив за стіл і їх (Н.-Лев.); За стіл посадовила [тітка], вийняла із скрині розшитий калиною рушник, послала молодятам на коліна, припрошуючи покуштувати пирогів (Тют.).*

саджа́ти (сади́ти) / посади́ти (посадови́ти) на стіл *кого, іст.* Надавати комусь князівську владу (в Давній Русі). *Володимира Мономаха посадили на стіл у Києві під час народного повстання 1113 р.; // Наділяти кого-небудь владою. А запорожці.. Іванця.. на стіл саджають.— Гетьман, гетьман Іван Мартинович! — кричать на все горло (П. Куліш).*

САДИТИ: сади́ти закаблу́ками. Завзято, із запалом танцювати. *Садить Ванька закаблуками (Вишня).*

сади́ти на стіл *див.* саджати.

сади́ти (садови́ти) / посади́ти на мілину́ *кого.* Ставити кого-небудь у незручне становище.— *В тебе глобальні ідеї, обширні плани, а щоденна логіка життя садить тебе на мілину, Вілько,— Гаврюшка продовжує ґрунтовну обробку (Літ. Укр.); Незручно йому [командиру корабля] такого досвідченого боцмана на мілину перед командою садовити (Ткач).*

сади́ти (садови́ти) / посади́ти на хліб та (і) [на] во́ду *кого.* Карати кого-небудь голодом, обмежуючи найнеобхіднішим у їжі. *Поодинці він [слідчий] садовив їх [революціонерів] на хліб та на воду (Чорн.); Чи не посадили Вас до цюпи з ласки за Губчака. На хліб і воду, на покуту за редакторські гріхи? (Коцюб.).*

сади́ти чорта́ми. Лаятися, згадуючи чорта. *Садила [Маланка] чортами так обережно, так делікатно, як тільки можна було в неділю, по службі божій (Коцюб.).*

САДОВА: садо́ва голова́ *див.* голова.

САДОВИТИ: садови́ти на мілину́; ~ на хліб та во́ду *див.* садити.

САК: як сак, з сл. д у р н и й. Дуже, надзвичайно.— *Сирота [Прокіп] дурний як сак (Фр.); Ти йому бовкни, а Дзюнька й скаже.. і по селу ославить, що, мовляв, дурний, як сак (Гуц.).*

САКА: ні (ані) до са́ка, ні (ані) до бовта́. Ні до чого не здатний. *Ані до сака, ані до бовта: дурень вічний (Укр.. присл..).*

САКУ: би́тися як ри́ба в саку́ *див.* битися.

САЛА: залива́ти за шку́ру са́ла *див.* заливати; **як кіт до ~** *див.* кіт.

САЛІ: на комари́ному са́лі, *жарт.* Пісний, немащений.— *Яка тепер соломаха? Ти її в пельку, а вона назад. На комариному салі (Добр.).*

як бобе́р у са́лі *див.* бобер.

САЛО: вбива́тися в са́ло *див.* вбиватися.

дурне́ са́ло без хлі́ба, *лайл.* Нерозумна, обмежена, ні до чого не здатна людина.— *Дурне ти сало без хліба,— говорить жінка в свитині,— погань отака (Стельмах); Кинувши трубку, він за звичкою помовчав, покректав і, нічого більше не придумавши, виявся цього разу по-домашньому: — Ех ти... халепа! Дурне сало без хліба! (Коз.).*

чия́ кі́шка са́ло з'ї́ла *див.* кішка; **як кіт на ~** *див.* кіт.

як (мов, ніби і т. ін.) на са́ло, із сл. г о д у в а́ т и. Досита, досхочу. *Дивлюсь, як сказилася моя баба .. Годує їх [монахів], мов на сало, а ті тому й раді (Хотк.).*

як ци́ган на са́ло *див.* циган.

САЛОМ: заплива́ти са́лом *див.* запливати; **ма́зати п'я́ти ~** *див.* мазати; **оброста́ти ~** *див.* обростати.

як са́лом масти́ти *див.* мастити.

як са́лом по губа́х *кому.* Кому-небудь приємно, радісно.— *Що на майдані робиться? — Мітингують, пане отаман.— Тур заявив, що годі. Каже: «Іду до червоних». Я, каже,.. тепер знаю, що тільки з червоним прапором нас прийме народ. А гайдамакам як салом по губах (Панч).* П о р.: **як ме́дом по губа́х.**

САМ: гово́рить сам за се́бе. Не потребує доказів, пояснень.— *Вільному воля,— знизав плечима агент.— Я своїм товаром не набиваюсь — він сам за себе говорить (Стельмах); Те, що кращі стрічки останніх років, це екранізації творів М. Коцюбинського, В. Стефаника та інших класиків красного письменства,— факт, який говорить сам за себе (Мист.).*

несхо́жий ~ на се́бе *див.* несхожий.

переве́ршив сам себе́. Зробив що-небудь краще, ніж раніше, відзначився більше, ніж можна було чекати. *Стефан Потоцький часто влаштовував урочисті бенкети й полювання. І взагалі не було дня, щоб у його палаці не юрмилися гості, але на цей раз він перевершив сам себе (Тулуб).* П о р.: **переве́ршити себе́.**

сам дíдько *див.* дідько.

сам за се́бе. Тільки що-небудь одне. *В борщі була сама за себе бутвина [ботвиння] та квас (Н.-Лев.).*

сам на сам. 1. Один, без нікого. *Натішившись учтою,.. цар повертав у покої і в самому темному там замикався сам на сам (Дн. Чайка).*

2. Удвох, без сторонніх. *Поки ще сам на сам був [Йосип] з нею [Параскою] — все більше змовчував, мирився з своєю долею,— сам здобув — сам і зноси на здоров'я* (Мирний); *Так баглося дуже поговорити йому з нею сам на сам* (Вільде); *Крокують [три товариші] кожен сам на сам із думою своєю. Що жде їх тут? Вірніше, там, у шахті, під землею?* (Дор.). С и н о н і м: **один на один** (у 1, 2 знач.).

3. Своїми силами, без чиєї-небудь підтримки; самостійно. *Вовка він раз сам на сам відігнав від овець...* (Мирний); *Славен той — ти ж слухай, зоре! — Хто сам на сам лихо зборе...* (Черн.); // Особисто. *Зараз лист послав [Турн] к Енею, Щоб вийшов битись сам на сам* (Котл.).

сам не при собі. 1. Хто-небудь перебуває в стані сильного душевного потрясіння; дуже схвильований чимсь. *Як перше було, коли йду куди, то весело й залюбки, а тут і очей не смію підняти. Увійшла та й стою сама не при собі. Чую, що стара за мене одповіщає [відповідає]* (Вовчок). **сам як не при собі.** *Люди прибігли, говорять, вмовляють. Вона мов і не чує, і не одірвуть од дитини. Чоловік ходить сам як не при собі, свекор аж занедужав* (Вовчок). **не при собі.** *Вона на когось наштовхнулася, хтось сердито зиркнув на неї, але решта, бачачи, що жінка не при собі, відступилася з дороги* (Речм.). С и н о н і м и: **як сам не свій; як водою облитий.**

2. Не такий як завжди.— *А той бідолаха зовсім сторопів від такого доброго дива, і додому приїхав сам не при собі, і привіз капшук грошей* (Вовчок).

сам по собі. 1. Окремо.— *А як, Іване, лучче [краще] живеться; чи гуртом, чи кожен сам по собі?* (Барв.); *Цей найдрібніший пилок, відокремлено взятий від інших, Зовсім нічого не важить, бо часткою інших предметів Завжди буває— і сам по собі існувать неспроможний* (Зеров); — *Міцно мусили триматись, хай ось Шестаков скаже! Якщо один і провалювався, то ті, що йшли поруч, одразу підхоплювали і не давали втонути. А якби поодинці рушили, кожен сам по собі, то багато хто з нас накрився б* (Гончар).

2. Незалежно від чиєїсь волі; мимовільно. *Денисенко норовисто оглянувся навкруги, і на його плескатому обличчі самі по собі стиснулись заволохачені уста: гляди, й справді винесуть на дрючках* (Стельмах); // Без будь-якого втручання. *В оселі, мов сам по собі, гасне каганчик, при місячному сяйві збільшуються, неначе виростають, пучки і снопики зілля, і густішає їхній настій* (Стельмах).

3. Власне; у власному розумінні цього слова. *Кава була чорна — тільки не сама по собі, а од не дуже чистої склянки...* (Коцюб.); *Був це ліс високої ціни .. і сам по собі, деревиною, був величезним багатством — бук та граб* (Смолич).

сам собі не вірить / не повірив. Сумнівається в достовірності чого-небудь. *Наум дивиться і сам собі не вірить, чи се він, чи не він* (Кв.-Осн.); *Дьяконов сам собі не повірив: невже це про нього? В шию! В шию!* (Гончар); *Зненацька почула [мати], як у хаті хтось стиха наспівує, гуде. Аж сама собі не повірила — чи не вчулося часом їй* (Гончар).

сам собі пан (голова, хазяїн і т. ін.). Незалежна, вільна у своїх діях, вчинках людина. *Остогидло писарювання мені, оселився дома. Голодний, обірваний, та сам собі пан!..* (Тесл.); *А тут я сам собі пан: схочу — до частини якоїсь пристану, чиститиму картоплю, митиму машини або годуватиму коні, то й мене прогодують; а схочу — поживу в бабусі якоїсь немічної, носитиму їй воду, дрова рубатиму* (Григір Тют.); *Знаходилися й товариші на втечу, і Марусяк на початках був зрадів, але потім.. взяли його сумніви. З одного боку, воно ніби було добре, бо таки що два, то не один.. Але з другого боку один — сам собі голова* (Хотк.); *Сам собі хазяїн, а добра усякого, хоч скотини, хоч поля, чимало* (Кв.-Осн.). **сама собі голова.** *Ніхто тепер до мене не мішайся... Я сама собі голова* (Мирний). **сам свій пан.** *Ось тут, у тім затишнім кабінеті, обставленім хоч і не багато, та по моїй уподобі, я сам свій пан* (Фр.).

сам собою. 1. Мимоволі; підсвідомо. *Очі самі собою упали на графин і залюбувалися тими непримітними голочками, якими грала біла горілка* (Мирний).

2. Без стороннього втручання, спонукання, заохочування. *Публіцистичне зіставлення різних епізодів з життя команди есмінця «Кальдас» і нашого теплохода «Капітан Вислобоков» напросилося само собою* (Хор.); *Полюбив [Гордій] хлопця, як рідного сина, навіть дозволив себе називати татусем.. Власне, .. так воно якось само собою вийшло* (Д. Бедзик).

3. Самостійно, незалежно від кого-, чого-небудь.— *Раніше від усього був атом; він існував сам собою і був першим творцем світа [світу]* (Хотк.).

сам у рот лізе (проситься). Такий, що хочеться з'їсти; апетитний.— *Може ти в нас і пообідаєш? У мене варенички — самі в рот лізуть* (Ковінька); — *Яка сила-силенна малини,— обізвалася десь поблизу комсомолка.— Повна, соковита, сама в рот проситься* (Донч.). С и н о н і м: **так і проситься в рот.**

сам чорт; ~ чорт не брат; ~ чорт ногу зломить див. чорт.

[як (мов, ніби і т. ін.)] сам не свій. Хто-небудь втратив душевний спокій, дуже схвильований чимсь. *Ваша звістка зовсім прибила мене, ходжу сам не свій, не знайду місця собі* (Коцюб.); // Дуже зніяковілий, приголомшений чим-небудь. *Стоїть сам не свій Павло, дивиться на юрбу веселих, привітних ковалівців, що самі прийшли* на його щастя, ніхто ж їх не просив до сільради, тільки на весілля просили (Кучер); Але вам [панам] я не присягну ніколи. Все товариство стояло при сих словах, мов само не своє (Фр.); За столом, при батькові, Андрій сидить тихий та смирний, зніяковілий, ніби й сам не свій (Сиз.). С и н о н і м и: **сам не при собі** (у 1 знач.); **як водою облитий.**

САМА: тільки сама душа залишилася див. душа.

САМЕ: влучати в саме око див. влучати; **вражати в ~ серце** див. вражати; **вціляти в ~ серце** див. вціляти; **лізти у ~ пекло** див. лізти; **на ~ дно душі** див. дно; **одне і те ж ~** див. одне; **по ~ нікуди** див. нікуди; **~ в соку** див. соку; **у ~ серце** див. серце; **як ножем вколоти в ~ серце** див. вколоти.

САМИЙ: в самий раз див. раз; **під ~ ніс** див. ніс; **тикати під ~ ніс** див. тикати.

САМИМ: під самим носом див. носом.

САМИЙ: поперегризати самим собі горлянки див. поперегризати; **як перед ~ Богом** див. Богом.

САМИХ: аж до самих хмар див. хмар.

САМІ: аж по самі п'яти див. п'яти; **пекти в ~ печінки** див. пекти; **по ~ вінця** див. вінця; **по ~ вуха** див. вуха.

САМІ: самі вуха та зуби див. вуха; **~ кістки та шкіра** див. кістки; **~ ноги несуть** див. ноги.

САМІМ: в самім ділі див. ділі.

САМІСІНЬКУ: по самісіньку зав'язку див. зав'язку; **по ~ шию** див. шию.

САМО: так само див. так.

САМО: само собою. Звичайно, безсумнівно. Само собою зрозуміло, що кінець кінцем продуктивне споживання завжди лишається зв'язаним з особистим споживанням (Ленін); Князь оповістив..: — Хто хоче добровольно [добровільно] переходити в моє піданство, нехай викине на воротях віху з сіна або соломи.— Ну, само собою, усі повикидали (Хотк.).

САМОГО: від самого роду див. роду; **до ~ судного дня** див. дня; **з-під ~ носа** див. носа; **з ~ малку** див. малку; **з ~ ранку до вечора** див. ранку; **з ~ сповитка** див. сповитка.

САМОГО: забувати самого себе див. забувати; **перевершувати ~ себе** див. перевершувати; **переламувати ~ себе** див. переламувати; **переплигнути ~ себе** див. переплигнути; **перехитрити ~ себе** див. перехитрити; **ради ~ Христа** див. Христа; **розтрачувати ~ себе** див. розтрачувати.

САМОЇ: до самої домовини див. домовини; **до ~ могили** див. могили; **до ~ смерті** див. смерті; **до ~ сорочки** див. сорочки; **до ~ хмари** див. хмар.

САМОЛЮБСТВО: тішити самолюбство див. тішити.

САМОМУ: в самому соку див. соку; **на ~ дні душі** див. дні.

САМОМУ: не тямити самому себе див. тямити.

ти; **~ чортові в зуби** див. чортові; **~ чорту брат** див. брат.

САМОЮ: платити такою самою монетою див. платити.

САМУ: бити в саму душу див. бити; **влучати в ~ точку** див. влучати; **по ~ зав'язку** див. зав'язку; **по ~ шию** див. шию; **потрапити в ~ ціль** див. потрапити; **у ту ж ~ хвилину** див. хвилину.

САПОЮ: тихою сапою (рідко бритвою), з сл. діяти і т. ін. Приховано або таємно, непомітно; спідтишка.— Він, бачите, за колгосп! Бач, який! Ми знаємо, що це вони [глитаї] перебудовуються, міняють тактику. Хочуть діяти тихою сапою. Не вийде, пане лиходію Ратушняк! (Цюпа); Суспільне й моральне зло вони [Кучмієнки] чинять не з войовничих позицій, а «тихою сапою»: проникаючи до справжніх творців, обплутують останніх своєю запопадливістю якось все зробити за першим бажанням (Вітч.); Як зіницю ока стерегла Франка свою іконописної краси доньку Владиславу.. А що вже моралі вичитувала своїй красуні,— та так ніжно, люблячи, усе тихою бритвою брала (Літ. Укр.).

САРАНА: як (мов, ніби, наче і т. ін.) сарана. 1. з сл. сунути, лізти і т. ін. Великою масою, навально.— Лізете, мов сарана,— сказав пан сотник.— А ви [козаки] не стійте на дорозі. Сунуть монголи чи татари на Європу, а на їхній дорозі — ви! (Ільч.); Зі всіх боків, наче сарана, сунули [фашисти] (Рибак).

2 з сл. об'їдати. Дощенту, повністю. Ідіоти, йолопи і торбешники твої родичі, які не мають за що приїхати до нас і які об'їдають нас, мов сарана! — ледве стримує себе (Стельмах).

САРАНИ: як [тієї] сарани. Дуже багато, велика кількість. Ось і табір. Глянув [хлопчик] — війська, Як тієї сарани! (Олесь); [С е м е н:] — Дітей ми не будемо мати, та й нащо нам той клопіт, тепер і так тісно, поля обмаль, а людей — як сарани (Коцюб.).

САТАНА: одна сатана; ~ його знає; сам ~ ногу зломить див. чорт.

САТАНІ: запродати душу сатані див. запродати.

СВАТ: ні (ані) сват, ні (ані) брат. Зовсім чужа людина. Він не був їм ані сват, ані брат, лишень сидів з ними через город. Баба Дмитриха все носила йому обідати (Стеф.).

самому чорту брат і сват див. брат.

СВАТАЮТЬ: сліпці сватають див. сліпці.

СВАХА: як переїжджа сваха, з сл. гасати, бігати, їздити і т. ін. Людина, яка часто міняє місце проживання, перебування.— Не гасай по селу та по обійстях, як переїжджа сваха, не шибайся по хлівах, мов чорт по пеклу, бо голови позакручуєш нам (Гуц.).

СВАШКА: кирпата свашка, жарт. Смерть.

А там, козаче, зирк! ні відсіль, ні відтіль,— Кирпата свашка — гульк у хату (Г.-Арт.).

СВЕКОР: як свекор пелюшкй (пелюшок) прати, з *сл.* збиратися, брати *і т. ін.* З неохотою, повільно; дуже довго. *Отак він діло в руки бере, як свекор пелюшки пере* (Укр.. присл..); [Галина:] *Та говори, а то збирається, як свекор пелюшки прати* (Зар.).

СВЕРБИТЬ: і за вухом не свербить *кому, у кого.* Хтось байдужий до всього, не турбується ні про що. *Мірошник спить та спить. Вода ж біжить... Хомі й за вухом не свербить* (Гл.); *Стрункий, біло-рожевий юнак, якому й за вухом не свербіло від болісних роздумів батька, тим часом стояв з гребінцем у руці перед трюмо* (Вол.); — *Виходить, що цілісінька свиня зникла з свинарні серед білого дня, а нікому й за вухом не свербить* (Добр.).

не свербить *кому.* Байдуже, однаково.— *А отже громада каже, що буде жаліться — ще лукавіше додав писар.— Нехай! Мені те й не свербить. А ось я їм покажу!* (Гр.).

свербить на кінці (на кінчику) язика *кому, у кого.* Кому-небудь дуже хочеться розповісти щось. *По розпалених обличчях молдуван видко було, що якась цікава новина свербить їм на кінці язика* (Коцюб.). *Пор.:* **язик свербить.**

язик свербить *див.* язик.

СВЕРБЛЯТЬ: п'яти сверблять *див.* **ноги**; **руки ~** *див.* руки.

СВЕРДЛИТИ: свердлити / посвердлити очима (поглядом) *кого, що.* Пильно, пронизливо дивитися на кого-, що-небудь. *Чарнецький наморщив лоба і очима, повними ненависті, свердлив козаків* (Панч); *Вона сама того не помічаючи, стає в театральну позу і аж свердлить чоловіка очима* (Стельмах); *За Юлькою стежить швець Раздорин, і, коли повертається вона до своєї кімнати, свердлить очима її струнку постать* (Шиян); *Дивиться [Федір] на Реву, а той свердлить його поглядом* (Мушк.); *Посвердливши якусь хвилину Васька очима, я мовчки схилився над столом* (Збан.).

СВИНІ: пасти свині *див.* пасти.

як свині з череди йтимуть, з *сл.* буде, *ірон.* Уживається для вираження повного заперечення змісту речення. *Тоді це буде, як свині з череди йтимуть.*

СВИНІ: як свині наритники, з *сл.* пристало *і под., ірон.* Уживається для вираження повного заперечення змісту слова пристало; зовсім не (пристало). *Їй ця сукня пристала, як свині наритники.*

СВИНЦЕМ: як свинцем налитий *див.* налитий.

СВИНЮ: підкладати свиню *див.* підкладати.

СВИНЯ: як свиня в барлозі, з *сл.* величатися, *ірон.* Дуже, у великій мірі. *Пан бундючиться, величається, як свиня в барлозі.*

Пор.: **як свиня в дощ** (у 2 знач.) Синонім: **як порося на оричику.**

як свиня в дощ. 1. з *сл.* чепурний *і под., ірон.* Уживається для вираження повного заперечення змісту слова чепурний; зовсім не (чепурний). [Охрім *(до Гордія):*] *Чепурний, як свиня в дощ!* (Кроп.).

2. з *сл.* величатися. Дуже, у великій мірі. *Пані чваниться, величається, як свиня в дощ.* *Пор.:* **як свиня в барлозі.** Синоніми: **як порося на оричику; як чумацька воша.**

як свиня в хомуті, з *сл.* виглядати, *ірон.* Негарно, недоладно. *Весь секрет метаморфози в тому, що він [Лубенець] перший пошив собі форму .. і, одягшись у неї, прибіг похвалитися. Виглядає, як свиня в хомуті* (Коцюб.).

як свиня на коня, з *сл.* схожий, *ірон.* Уживається для вираження повного заперечення змісту речення. *Ми читали, як [маршал] писав про Петлюру: він так схожий на Гарібальді, як свиня на коня* (Стельмах). Синоніми: **як батіг на мотовило; як макогін на ночви.**

як свиня на перці, із *сл.* розумітися, знатися, *ірон.* Уживається для вираження повного заперечення змісту слів розумітися, знатися; зовсім не (розумітися, знатися).

СВИНЯМ: іди к свиням *див.* іди; **метати бісер ~** *див.* метати.

СВИНЯЧЕ: свиняче вухо *див.* вухо.

СВИНЯЧИЙ: у свинячий голос *див.* голос.

СВИСНЕ: як бабак свисне *див.* бабак; **як рак ~** *див.* рак.

СВИСТАВ: ще рак не свистав *див.* рак.

СВИСТИТЬ: [аж] свистить (гуде *і под.***) у кишені (у кишенях)** *у кого.* У кого-небудь зовсім немає грошей. *Після гусарської зими в отця Балабухи в кишенях аж свистіло* (Н.-Лев.); *Нема і дома нічого* [у Хомі]*, і у кишені гуде* (Кв.-Осн.).

вітер у кишенях свистить *див.* вітер.

СВИТА: сіра свита, *заст., зневажл.* Бідний селянин у дореволюційній Росії.— *Нам треба з цієї сірої свити готувати і культурного хазяїна і справного вояку* (Стельмах).

СВИЩЕ: вітер в голові свище *див.* вітер.

СВИЩІ: свищі в борщі *у кого.* У кого-небудь немає нічого; хто-небудь дуже бідний. *У Панаса свищі в борщі.*

СВІДОК: Бог мені свідок *див.* Бог.

СВІДОМІСТЬ: загубити свідомість *див.* загубити; **затемнювати ~** *див.* затемнювати; **паморочити ~** *див.* паморочити.

СВІЖА: свіжа копійка *див.* копійка.

СВІЖЕ: на свіже око; ~ око *див.* око.

СВІЖИМ: свіжим вітром повіяло *див.* повіяло.

СВІЖИХ: по свіжих слідах *див.* слідах.

СВІЖОСТІ: не першої свіжості. 1. Не дуже чистий, трохи заношений (про одяг). *На ньому була сорочка не першої свіжості.*

2. Вже відомий, не дуже новий (про новини, вісті і т. ін.). *Прийшли Юхим з Мухою. Але нових ніяких не принесли вістей. Ото, що Дудка Панас із Митром виїздили, та й вже... Власне, і це вже не першої свіжості — раніші вісті* (Головко).

СВІЖУ: виво́дити на сві́жу во́ду *див.* виводити; **на ~ го́лову** *див.* голову; **на ~ па́м'ять** *див.* пам'ять.

СВІЙ: бра́ти в ро́зум свій; бра́ти на ~ раху́нок *див.* брати; **держа́ти ~ здоро́вий глузд за ба́рки** *див.* держати; **закопувати ~ тала́нт** *див.* закопувати; **записа́ти на ~ раху́нок** *див.* записати; **ма́ти ~ ро́зум** *див.* мати; **мі́ряти на ~ арши́н** *див.* міряти; **на ~ лад** *див.* лад; **на ~ мані́р** *див.* манір; **на ~ пай** *див.* пай; **на ~ страх і риск** *див.* страх; **нести́ ~ хрест** *див.* нести; **перева́жувати на ~ бік** *див.* переважувати; **перевертати на ~ лад** *див.* перевертати; **пережи́ти ~ вік** *див.* пережити; **подава́ти ~ го́лос** *див.* подавати; **сам не ~** *див.* сам; **~ брат** *див.* брат.

свій у до́шку, *фам.* Близький за переконаннями, поглядами, діями і т. ін.— *Бойовий народ ваші кореспонденти... Я там у вас з одним познайомився, забув, як прізвище... Свій у дошку, дарма, що підполковник!* (Перв.); // Простий.— *Ось вам, будь ласка! — обернувся до глядачів Тимощак.— Такий собі з вигляду свій в дошку, юний друг МОПРУ, а не признається! Ні, не признається...* (Тих.).

свій хліб *див.* хліб; **точи́ти ~ піт** *див.* точити; **у ~ час; у час оста́нній ~** *див.* час.

СВІНУТИ: свінути (свірконути) очи́ма. Раптово глянути на кого-небудь, виявляючи поглядом певне почуття (радість, гнів і т. ін.). *Свінувши, мов гострими ножами, очима, він стукнув дверима та й потяг з хати* (Мирний); *Почавши співати жартома, згодом вона схитнула нетерпляче головою, повела плечима,.. гордо свінула очима й без жодного вже жарту сміливо зайшлася піснею* (Вас.); *Мар'я тільки свірконула очима і замість зерняти розкусила лушпанину. І зо зла її виплювала* (Мирний); П о р.: **блимнути очи́ма.**

СВІРКОНУТИ: свірконути очи́ма *див.* свінути.

СВІТ: [аж (на́че, нена́че і т. ін.)] світ [вгору] підня́вся кому. У кого-небудь поліпшився настрій, моральний стан і т. ін.— *Бабусечко моя, матінко! Дякую вам з душі, з серця! Аж світ мені піднявся вгору! Одродили ви мене, рідна матінко!* (Вовчок); *Івзі неначе світ піднявся! Віддихнувши трошки після сліз, пішла за жандармом до губернаторського дому* (Кв.-Осн.); *Ясна річ, світ йому вгору піднявся, коли вздрів ..постаті козацтва* (Ільч.). П о р.: **світ поши́ршав.**

[аж (рідко білий)] світ кру́титься (ве́рнеться, макі́триться, колиха́ється, іде́) / закру́тився (заверті́вся, замакі́трився, заколиха́вся, піші́в) о́бертом (перекидом, перекидьки, хо́дором і т. ін.) [в оча́х (пе́ред очи́ма)] кому, у кого і без додатка.

1. Хто-небудь відчуває головокружіння від втоми, хвороби і т. ін.; комусь погано. *Крутився світ в очах, цілий день носила [Оленка], забавляла дітей, хоч би хто шматок хліба дав* (Горд.); *Лежить наша Тетяна, вернеться їй світ* (Барв.); — *Як махоне він мене в один висок! а далі повернувся та в другий!..— так мені світ і закрутився...* (Мирний); *«Будеш зоставатися висіти рівно один місяць» — звідкілясь долинуло, і одразу завертівся світ, хутчіш і хутчіш, як суховій у степу, сліпучий блиск, сліпучий біль* (Ю. Янов.); *Небораковi відразу світ замакітрився* (Фр.); *Куля пробила ногу вище коліна, в очах почорніло, світ пішов обертом* (Ле); *Пожовкло в Мотрі в очах, заколихався світ, пішло все ходором* (Мирний).

2. Хто-небудь втрачає здатність нормально, чітко мислити, правильно сприймати дійсність від сильного хвилювання, переляку, життєвих потрясінь тощо. *Дух спирається в Галиних грудях від щастя; світ крутиться перед очима* (Мирний); [К р а с о в с ь к а:] *Та ну, годі, на милость бога! Тут своя оказія, просто аж світ в очах макітриться, а вона ще з якимись там спектаклями!* (Пчілка); *Сидів близько, говорив пошептом [пошепки], а в Марусі завертівся весь світ перед очима* (Хотк.); *Оженився — зажурився, аж світ замакітрився* (Укр. присл..); *Розстрілювали [фашисти] чи й так штовхали [людей] з кручі в прірву. Володя відчув, як світ йому.. пішов обертом* (Ле); *Синова відповідь приголомшила Лукерку Василівну. Аж білий світ пішов перекидьки перед очима у неї* (Сенч.); *У Галі світ в очах пішов ходором, і товстою дерев'яною ложкою увірвала вона з усієї сили Василя по гуластому носі* (Мирний).

білий (заст. бо́жий) світ, нар.-поет. 1. Ранок, світанок. *Ой, десь би то, дівчинонько, Ти з паперу звита, Що ти мене додержала До білого світа* (Укр. пісні); *Чіпка знявся, знову вийшов з хати та проходив по надвір'ю мало не до світа білого* (Мирний); — *Може, до хати зайдемо? — Е, ні, не буду колошкати твоїх — нехай сплять до світу божого* (Стельмах).

2. *лише знах. відм. з прийм.* **на.** Вулиця, повітря. *«Захворів» якось і комбатів старший ад'ютант, капітан Сперанський. Він засів у своєму бліндажі і весь день не виходив на білий світ* (Гончар); *Катря впала коло тії кам'яної постелі на коліна, розливається слізьми. Ледве я її вивела з тії печери на світ божий* (Вовчок).

3. Життя. *Навіть не закінчивши середньої школи, Вася нетерпляче, з буйним азартом молодості, кинувся у білий світ. Вербувався, куди тільки його вербували* (Гончар); *Товаришів моїх немає. Давно у голоду й біди у білий світ із цього гаю ми розійшлися, хто куди...* (Сос.); *Сиротство звалилось на неї громом із ясного неба. Залишилась вона сама в старій глиняній хаті, сама на білому*

світі (Гуц.); *Як хороше, як весело На білім світі жить!.. (Гл.); Защебече [соловейко] на калині — Ніхто не минає. Мов батько та мати, Розпитують, розмовляють,— Серце б'ється, любо... І світ божий, як великдень* (Шевч.).

4. Все навколишнє. *Зранку сніжок потроху почав падати.. І к обіду таке схопилось, що світу білого не видно* (Мирний).

благословля́тися на світ див. благословлятися.

бли́гом світ. Далеко. *Бані лаврських соборів видно з будь-якого місця в Києві.— От скажіть, їдемо блигом світ милуватися архітектурою, а тут поруч така краса,— до мене чи сам собі мовив якийсь чоловік* (Знання..).

бра́тися на світ див. братися; **ви́вести у ~** див. вивести; **виво́дити на ~** див. виводити; **ви́пустити у ~** див. випустити; **виряджа́ти в ~** див. виряджати; **витяга́ти на ~ бо́жий** див. витягати; **вихо́дити в ~** див. виходити; **відпра́вити на той ~** див. відправити; **відпра́витися на той ~** див. відправитися; **диви́тися на ~ ясни́ми очи́ма** див. дивитися.

до́ки світ стої́ть. Вічно, завжди. *— Ідете, чортові сини,— сказав заслужений старий ткач Опанас Чиж.— Скажіть же .., щоб не забував нашу бідну Україну. Чуєте?..— Не забудемо, тату. Житиме .. влада, доки світ стоїть, а гетьманові однаково смерть* (Довж.).

до світ со́нця. Дуже рано, перед настанням дня. *— Грай, музико! До світ сонця Все проп'ю, щоб люди знали!* (Граб.).

заво́диться на світ див. заводиться; **зав'яза́ти ~** див. зав'язати; **загна́ти на той ~** див. загнати; **займа́ється на ~** див. займається; **закрути́ти ~** див. закрутити.

замакі́тривися світ *кому.* Хто-небудь сп'янів. *[Іван (до Семена і Одарки):] А як трапиться у вас зайвий карбованець, ви й пришліть його мені, я зараз вип'ю, щоб світ мені замакітрився* (Кроп.); *[Вельцель:] Йому досить одну чарочку випити, щоб уже й світ замакітрився* (Л. Укр.). С и н о н і м и: **уда́рити в го́лову** (у 2 знач.); **вступи́ти в го́лову.**

замакі́трити світ див. замакітрити; **заступи́ти ~** див. заступити; **здобува́ти ~** див. здобувати; **з'яви́тися на ~** див. з'явитися.

[і (аж, на́че)] світ поши́ршав (роз'ясни́вся, попрости́рішав) *кому.* Хто-небудь відчув радість, полегкість через приємні події, обставини і т. ін. *Я така вбога і безталанна дівчина, покидька, чужий попихач; а він — боже! яким поглядом мене охрестив! Мов королівну. Мені наче світ поширшав* (Барв.); *— Мені аж світ роз'яснився, як я його [Михайла] побачила! — тягла вона [мати] дальше* (Коб.); *[Домаха:] Ось бач, жива зосталася й діждалася-таки, що й світ мені попросторішав, що й у моє віконечко виглянуло сонечко* (Л. Янов.).

[і] світ не ба́чив (*розм.* **не вида́в,** *діал.* **не ви́дів).** 1. Незвичайний, такий, що дивує, вражає своєю рідкісністю. *— Мовчіть! Мовчіть ради бога, Ваша величносте! Ми вам дамо таке, що світ не бачив — два червінці* (Довж.); // Особливий, який відрізняється від інших. *А що вже шефа на ваш радгосп накинули, так такого світ, мабуть, не бачив,— провадила далі тьотя Даша* (Гончар); *Хлопці шкварили на своїй території «Яблучко» з такими алюрами й кониками, яких світ ніколи не бачив* (Мик.).

2. Важко уявити; ніколи не було, не траплялося. *І тепера [тепер] здається тобі, що вже й світ не видав стільки муки, скільки ти від народу прийняв за свої велемудрі науки* (Л. Укр.); *— Та вже то світ не видів — з такого дому, з таких гараздів та в таке, прости господи, свинєче [свиняче] багно лізти — пху!* (Хотк.); *Виймав з портфеля експонати І тут же всім під носа пхав, До хрипоти кричав, тлумачив, Що ліпших цяцьок світ не бачив!* (С. Ол.).

3. з словоспол. **таки́й, яки́х (як, що).** Уживається для підкреслення вищої міри якості (перев. негативної). *Був [перекладач] такий проноза, яких світ не бачив* (Збан.); *[Килина:] Ой, горе! Хто б говорив! Уже таких відьом, таких нехлюй, як ти, світ не видав!* (Л. Укр.); *[Батько] її узяв другу жінку. Та не жінку, а відьму .., що такої й світ не видів* (Хотк.).

іти́ на той світ див. іти; **лиша́ти ~** див. лишати; **мов на ~ бо́жий народи́вся** див. народитися.

на весь світ. 1. з сл. **крича́ти.** Несамовито. *Вона кричала на весь світ.* С и н о н і м: **на чім світ стої́ть** (у 2 знач.).

2. з сл. **розно́сити, розголо́шувати, розтруби́ти і т. ін.** Усім. *То не була ненароком пущена чутка [про волю], перехоплена лакеями від своїх панів і рознесена дворнею по селах,— то була явна оголоша на всє царство, на увесь світ* (Мирний); *Коли б мені така відповіла взаємністю, то я на весь світ розтрубив би...— А він удає з себе байдужого* (Гончар).

на світ благослови́ло див. благословило; **на ~ зво́дилося** див. зводилося; **на ~ не диви́вся б** див. дивився.

на чім (на чо́му) [ті́льки] світ стої́ть. 1. з сл. **ла́яти, кля́сти, проклина́ти та ін.** Не стримуючись, не соромлячись у виразах; дуже. *Лає [Олекса] панів на чім світ стоїть. Так кляне часом, що Єлена не може того слухати* (Хотк.); *Проклинаючи на чім світ стоїть і таку їзду, і вулканізаторів, і свою лукаву долю, Мирон почав припасовувати домкрата* (Збан.); *Дрібцює Марія по зелено-тканій веретці-моріжку й кляне ту війну осоружну на чім тільки світ стоїть* (Гуц.); // з сл. **бреха́ти і т. ін.** Безсоромно. *Було заарештовано чоловік вісім хуторян, яких через тиждень.. випустили, а Джмелика тримали далі. На слідстві* він брехав на чім світ стоїть, міняв показання, плутав, викручувався (Тют.).

2. з сл. к р и ч а́ т и, в е р е щ а́ т и і т. ін. Несамовито. *В другім.. каравані Піджарьовали [піджарювали], як у бані, Що аж кричали [грішники] на чім світ* (Котл.); *Безбоязно підбігала тоді вона до Кирила Івановича і кричала на чім світ стоїть* (Мирний); *Баба верещала на чім світ стоїть. Пущена по екзекуції на свободу, кидала горшками, ножем* (Хотк.). С и н о н і м: **на весь світ** (у 1 знач.).

не близьки́й (дале́кий, таки́й) світ. Дуже далеко. *[П р о ч а н и н:] Світ не близький мені додому йти. Я з Галілеї* (Л. Укр.); *Ну, бери ж кубок,— каже гетьман,— да підкріпись на дорогу. До Чорної Гори не близький світ* (П. Куліш); *— Та й не близький світ, щоб забиватися із Кураївки до порту ради одного «здрастуй»* (Гончар); *— От що, небоже, їдь ти, мабуть, у Новосельці. Далекий світ, щоправда, але байдуже. Візьмеш моїх пару коней* (Добр.); *[Х р и с т и н а:] А звідки ти, хлопчику? [Х л о п ч и к:] Я з Головчинців. [Х р и с т и н а:] Бідне, такий світ перло проти ночі!* (Вас.). **близьки́й світ.**— *Кажу ж: до хрещеного батька [посипати].— Господь з ним, дитино моя! Хіба близький світ до його тьопатися?* (Мирний). **близе́нький світ.**— *Ох синочку ж, мій голубчику, чи близенький же світ? Аж півтораста верстов* (К.-Осн.); *[І в а н:] Що ж, далеко був? [С е м е н:] Та занесло мене аж у Бассарабію [Бессарабію]! [І в а н:] Еге, близенький світ!* (Кроп.).

не пока́зувати на світ див. показувати.

ні (чи) світ ні (чи) зоря́. Дуже рано. *На другий день ще ні світ ні зоря, як одрадяни кинулися до Марининої хати* (Мирний); *Чи світ чи зоря, вже й повставали* (Барв.).

нови́й світ. Америка, що була відкрита пізніше, на відміну від Старого світу — Європи, Азії, Африки. *В Новому світі були свої закони.* А н т о н і м: **стари́й світ.**

переверну́ти світ див. перевернути; **перейти́ ~** див. перейти; **перемі́ряти го́лими п'ята́ми ~** див. перемірятии; **переста́витися на той ~** див. переставитися; **покида́ти ~** див. покидати; **попа́сти на той ~** див. попасти; **приво́дити на ~** див. приводити; **прихили́ти ~** див. прихилити; **пролива́ти ~** див. проливати; **пуска́ти в ~** див. пускати; **розв'яза́ти ~** див. розв'язати.

світ [бі́лий (бо́жий)] закри́вся (замкну́вся) кому, для кого і без додатка. 1. Хто-небудь помер, загинув. *Замахнувся він... Та раптом все навколо застогнало. Світ закрився, Три тополі страшно руки заломили* (Гур.); *Тільки раз хвостом майнула, Наздогнала, проковтнула Бідолаху [Івана] риба-кит, І йому замкнувся світ* (Перв.).

2. Хто-небудь втратив інтерес, став байдужим до життя.— *Тепер сказала [Галочка],— усе по-*

кончила [покінчила]. *Закрився для мене білий світ* (Кв.-Осн.); *Тут їй тоді й світ замкнувся. В тітки тепер живе. Ще брат у неї є, з оточення прийшов, чоботарює* (Гончар). П о р.: **світ зів'я́в.**

світ [в оча́х (пе́ред очи́ма)] тьма́риться (темні́є, ме́ркне, му́титься) / потьма́ри́вся (потемнів, поме́рк, помути́вся). 1. кому і без додатка. Хто-небудь перебуває в стані запаморочення, втрачає чіткість сприйняття дійсності (від удару, болю і т. ін.). *Гервасій вдивляється в риси знайомі. І раптом в очах йому тьмариться світ. Він бачить засніжену кров на соломі* (Перв.); *Пішов Юрішитан. Світ в очах мутився, кров до горла підступала* (Хотк.); *Христю наче хто в груди пхнув, по голові вдарив, світ перед очима потемнів* (Мирний).

2. Хто-небудь дуже страждає, тужить; комусь надзвичайно важко. *Довго сидів Опанас біля домовини забитого сина .. Увесь його нескладний світ потьмарився й потонув у скорботі. Спинилося все на світі, навіть час* (Довж.); *Бігла полем, плакала. Потьмарився світ в очах. На сніп упала, вражена тяжкою звісткою* (Горд.); *Світ потемнів у її [Горпини] очах, .. на серці туга нерозважна, у душі сум темний* (Мирний).

світ [догори́ нога́ми] перевертається (перекида́ється) / переверну́вся (переки́нувся). Усе змінюється, стає іншим. *Дивна тітка! Тут світ догори ногами перевертається, а їй все це в «печінках» сидить...* (Досв.); *Кар-ра божа! — хрестяться тепер побожні люди. Світ перекидається догори ногами, мов те щеня з утіхи* (Козл.); *Зовсім світ перевернувся, Не так уже стало: Кривда всюди на покуті, А Правди чортмало* (Укр. поети-романтики); *З'явилася фаланга молодих здібних людей.. З'явилися свіжі голоси, залунали нові мелодії... Чудесно! Хоч світ тим часом від цього й не перевернувся, як то здається деяким гарячим головам* (Рильський).

світ зав'я́зується / зав'яза́вся кому. Хто-небудь стає нещасним (перев. у зв'язку з невдалим одруженням).— *Доню, Галочко! Коли так, іди за Миколу! — Добре, паноченьку,— разом сказала Галочка, а на серце мов кусок льоду впав, бачачи, що усе ближче, усе ближче зав'язується їй світ* (Кв.-Осн.).

світ замали́й кому. Хто-небудь любить подорожувати.— *Я, Михайло Подолян, знову в подорож збираюся.— І коли вже ти вгомонишся? — прискіпується стара.— Голова біла, а йому світ замалий.— А що ж, таки й справді замалий* (Жур.).

світ за́ очі, з сл. п і т и́, п о б р е с т и́, п о б і́ г т и і т. ін. 1. Не вибираючи шляху, куди завгодно. *Горобчик миттю як схопиться, полетів світ за очі, десь у гущавину заховавсь та там і проспав аж до самого ранку* (Л. Укр.); *Шевченко вийшов у двір і, як був, без шапки, в незастебнутому літньому пальті пройшов на вулицю і* побрів *світ за очі* (Тулуб); *Обличчя поліцая пересмикнула посмішка, вірячи й не вірячи, він ступнув назад, потім скочив у кущі й, петляючи, побіг світ за очі* (Стельмах). **світ за очима.** *Улюбив Олену усім тілом і душею, і серцем, і усім животом, і бачу сам, що коли її не достану, то або утоплюсь, або удавлюсь, або світ за очима піду* (Кв.-Осн.). С и н о н і м и: **куди óчі поведýть; кудú нóги несýть.**

2. Невідомо куди; у безвість. *В світ за очі прогнав мене батечко мій, Що тебе я кохала так палко* (Граб.); *Зігнали [фашисти] у вагони, двері на замки позачиняли і повезли. Повезли нашу Мариночку світ за очі* (Ів.); *[О р и с я:] Обридла мені та хата, де мене хочуть живою втопити! Піду світ за очі* (Фр.).

світ зів'я́в *кому.* Хто-небудь втратив інтерес до життя, став байдужим до всього.— *А я тебе все виглядала та й все чекала, коли з полонини повернеш. Не їла, не спала, співанки розгубила, світ мені зів'яв* (Коцюб.). П о р.: **світ бíлий закрúвся** (у 2 знач.).

світ не мúлий (не лю́бий) *кому.* Хто-небудь байдужий, відчуває відразу до всього. *Одного часу став мені світ не милий. Так мені тяжко, так мені було важко, наче ота скеля лягла на мої груди* (Н.-Лев.); *Не по лихій же я волі йду, не по лукавому заміру прошуся. Мені світ не милий, .. важка туга моє серце сушить, гіркими слізьми душу напуває* (Мирний); *Видно, Устим Сидорович за ним, за Степанком сумує, от йому й світ не милий* (Збан.); *І звідки батько завжди знав, чого тобі хочеться? Не питаючи, зробить саме те, без чого тобі світ не милий саме цієї миті* (Сиз.). **світ не мил.** *Тепер мені світ не мил без нього!..* (Кв.-Осн.). **життя не миле.** *Обізвався побратим до віли, промовляє,— мов ножами кряже: «Що минуло, те вже не вернеться... Вже мені тепер життя не миле, чи в темниці, чи на вільній волі»* (Л. Укр.).

світ погáнити *див.* **поганити.**

старúй світ. Європа, Азія, Африка на відміну від Нового світу — Америки, що була відкрита пізніше. *[Р і ч а р д:] Ну, слухай, друже. Чому ж се ти в Голландії «не всидів»? Зарібку [заробітку] не було? [Д ж о н а т а н:] Та ні, не те, а я зневірився в Старому світі* (Л. Укр.). А н т о н і м: **новúй світ.**

той світ. Потойбічне, загробне життя як протиставлення земному. *Чи не покинуть нам, небого, Моя сусідонько убога, Вірші нікчемні віршувать, Та заходиться риштувать Вози в далекую дорогу, На той світ, друже мій, до бога, Почимчикуєм спочивать* (Шевч.); *Якби хто глянув на нього в ту пору, то, певно, подумав би, що то упир прийшов з того світу і от-от щезне, лише заспівають треті півні* (Коцюб.); *[К о з а к (до Опанаса):] Вмираєш, полковнику... Прощай, Опанасе, зустрінемось на тому світі (Цілує). Скоро й я, мабуть, помру*

(Корн.). С и н о н і м: **íнший мир.** А н т о н і м: **цей світ.**

у бíлий світ, як у копíйку (копíєчку), з сл. с т р і л я́ т и, п о к а з а́ т и *і т. ін.* Не туди, куди слід; навмання. *Вони [снаряди] стали вибухати по уловговині і на її схилах. Командуючий сказав, підморгнувши: — У білий світ, як у копійку: нашої піхоти тут уже давно немає* (Тют.); *Десь стріляли з пістолетів [фашисти], стріляли, мабуть, офіцери, що мали хоч якусь там зброю, стріляли навмання, у білий світ, як у копієчку* (Загреб.).

у [далéкий] світ; у [далéкі (дáльні)] світú (світá). 1. Дуже далеко. *Лети ж, сойко, в далекий світ!* (Фр.); *Досягши генієм ясної височини Вітрами гнаний в Дальнії світи, Він [Шопен] серце заповів перенéсти У рідну землю рідної вітчизни* (Забашта).

2. В оточення чужих людей; у життя.— *Ото мати зрадіє, що дочка знов буде коло неї! Де ж таки! Одиначку мають, та й відпустити в світи, до чужих людей?* (Кучер); *Я зовсім розсердився: і в світа вже йти не хочу, і зоставатись дома не хочу* (Вовчок).

цей (сей) світ, *заст.* Земне життя як протиставлення потойбічному, загробному. *Ще забила вона [Горпина] собі в голову, що вже не побачить на цім світі сина* (Григ.); *Пішла вночі до ворожки, Щоб поворожити: Чи довго їй на сім світі Без милого жити?* (Шевч.); *— Сей світ, як маків цвіт; як-то на тім буде! — каже було стара, похитуючи головою* (Вовчок). А н т о н і м: **той світ.**

чуть (чим, ледь, як, *рідко* скóро) світ. Дуже рано, на світанку. *На другий день Яшко схопився рано, як і завжди — чуть світ. Мирон іще спав* (Головко); *Ну, хлопці! Сонечко заходить, розходьтесь вечеряти, а завтра чим світ з косами косити мені* (Кв.-Осн.); *А завтра ж як світ на степ іти. Та треба ж рано-раненько .. встати* (Головко); *На другий день, скоро світ зібралися звірі до походу* (Фр.).

ще й на світ не зорíло *див.* **зорíло.**

як (відкóли) світ світом. Споконвіку.— *Цехи — то для міст, для ремісників, а у нас по селах, як світ світом, цехів ніяких не бувало та й не буде* (Фр.); *— Відколи світ світом .. ніхто не чув, щоб рубали та палили виноград* (Коцюб.). **від свíту.** *Від світу не було такого і не буде!*

як (мов, ніби *і т. ін.*) світ свінýв *кому.* Хто-небудь відразу здогадався про щось. *Їй зразу як світ свінув — це ж вона і є, та золота грамота!* (Вас.).

як світ, з сл. с т а р и́ й, д а́ в н і й, д р é в н і й. Дуже, надзвичайно. *Але Хо не сьогоднішній, він старий, як світ, його не зведеш. Ох багато він бачив на віку сьому!* (Коцюб.); *[М а л ь о в ан о в:] Ну, на добраніч. [Х л а м у ш к а:] На добраніч. Старе, як світ, побажання* (Коч.); *Його обличчя заховалось у густій довгій бороді — годі*

було б угадати вік старця, та був він древній як
світ (Іваничук); — Хто ви такий? — знов спитав
Бичковський.— Ваша давня, як світ, знайома
(Н.-Лев.).

СВІТА: аж на край світа див. край; **за слізь-
мú ~ не бáчити** див. бачити; **побáчити ~** див. по-
бачити; **~ не видáти** див. видати.

СВІТАМИ: бíгати світáми див. бігати; **потек-
тú ~** див. потекти.

**СВІТАНКУ: від світáнку (світáння) до смер-
кáння (до смеркý).** З ранку до вечора; цілий день.
Від світанку до смеркання стригла вона ярок
і баранів, які лежали перед нею зі зв'язаними
ногами (Тулуб); — Коли з добрим напарником, то
копійок тридцять п'ять — сорок випиляю, це від
світання і до смерку (Стельмах); // Весь час.
Чоловік кинув роботу, і від світання до смеркання
корили та лаяли його (Коцюб.). С и н о н і м: **від
білого світу до тéмної нóчі.**

на світáнку. Дуже .рано. До Славгорода ро-
менський поїзд прибув на світанку (Головко).

СВІТАННЯ: від світáння до смеркáння див.
світанку; **займáється на ~** див. займається.

СВІТАХ: блукáти по світáх див. блукати.

по (у) [всіх (широ́ких, далéких)] світáх.
Скрізь.— Якби не та панщина, може б, і мати
ваша була б жива, і я не тинявся б у світах
(Н.-Лев.); Зібравши всю волю, вміння прикида-
тись, набуте за довгі роки блукань по світах, він
раптом випростався, .. заговоривши французькою
мовою (Довж.); Не вагалася пані: .. поїхала
з дорогою дитиною по всіх світах (Дн. Чайка);
Хоч і не був Василько по широких світах, зате
певний: ніде немає більшої краси за зелену Верхо-
вину (Чендей); Чомусь на вечорі було більше
дівчат, аніж хлопців. Чи то недавня тяжка війна
порозкидала юнаків по краю і по далеких світах,
чи то дівчата першими стали до нової роботи
(Мас.); // У незнані, невідомі місця; далеко.
Віщувало серце, що як тільки зміцніють синові
крила,— не втримати його в хаті, знову гайне по
світах (Гончар). **по всьóму світу.** [Оксана:]
Сяя повісилась на шию копитанові [капітану],
захотіла разом панею бути; таскалась з ним по
усьому світу і дитину добула! (Кв.-Осн.).

СВІТИ [1]: **на всі чотúри світú** див. вітри.

СВІТИ [2]: **хоч óком світú,** з сл. т é м н о. Дуже.
Темно, хоч оком світи, вітер бризкає холодною
порошею — осінь цього року прийшла рання
(Смолич). С и н о н і м и: **хоч óко вúколи; хоч
в óко дай; хоч в óко стрель.**

СВІТИТИ: світúти волóссям (вóлосом). 1. Хо-
дити з непокритою головою, не зав'язувати на
голові хустки і т. ін. Волоссям світить, простоволо-
са ходить, неначе дівка (Н.-Лев.).
2. Залишатися неодруженою. Краще б вона
сивим волосом світила, ніж мала втопити свою

долю, віддаючись за Гната! (Коцюб.). П о р.:
світúти косóю.

світúти в óчі. Підлещуватися до кого-небудь. Не
знав неборак, що пан тільки в очі світив, що лучче
було б, якби він гудив (Свидн.).

світúти грíшним (гóлим) тíлом. Бути погано
одягненим. Чим же невдоволені козаки! — спитав
Чепіга...— Голі ходимо, грішним тілом світимо,—
надривався чийсь голос.— Навіть сорочки на
переміну немає (Добр.); Навпроти, на повалених
велетнях-смереках сиділи нужденні дроворуби,
хто голим тілом світив, хто в сіряптині (Драг.).

світúти дíрками. Бути дуже старим, не придат-
ним для використання. Із шести крил .[млина]
осталося тільки троє, та й ті дірками світять
(Вас.); — Бачила б ти цю посудину навесні ... Не
човен, а кістяк мертвий лежав у кучугурах, дірка-
ми світив, розсохся зовсім (Гончар).

світúти (засвітúти) очúма (óком, білкáми) на
кого, до кого і без додатка. 1. Пильно дивитися на
кого-небудь. Я вже мусив розмову почати, бо мій
парубок [Яків] тільки очима світить та поза мною
посувається (Вовчок); — Які проворні,— дорікає
він і світить оком на Охріма та Гараська (Тют.);
Спочатку Маріуца тільки світила на Раду білка-
ми, а він злегка підморгував (Коцюб.); — А ти
хвостом не крути і за чужі спини не ховайся,— за-
світив на нього оком Латочка (Тют.).

2. Виявляти поглядом якесь почуття (перев.
гніву, роздратування, радості і т. ін.). Свекруха
світила очима на невістку ще й тоді, як чоловік був
дома; а як його у військо взяли, то докорам
кінця-краю не було (Мирний); Строганиха, як
і належить достойній господині, тепло світила
очима і просила гостей сідати на садовій лаві
(М'яст.); Сашко Коваль докірливо світить гаря-
чими очима (Збан.); — Принесіть березки! —
сказала генеральша поважно, тихо, мов звеліла
хустку або води подати, тільки засвітила очима
хижо (Мирний); — Облиш! — завищала вона
[Маланка] пронизуватим голосом і засвітила на
нього [Андрія] зеленими, повними злорадної вті-
хи, очима.— Не займай, скалічить (Коцюб.).

3. тільки **світúти очúма,** без додатка. Не мати
чим освітлювати приміщення. А ще [імость] лю-
тило те, що нафта вийде .сьогодні-завтра, а тоді
світи очима або бери в Хаїма такої смердюки, що
лиш коптить (Март.); — Оце ж, синку, ані сірни-
ків, ані гасу. Світять люди очима (Збан.).

світúти зубáми. Широко посміхатися. Незнаний
хлопець стояв перед нею. Не крився, не таївся,
хизувався чобітьми,.. світив зубами (Горд.).

світúти латкáми. 1. Бути надзвичайно бідним.
Батьки самі світили латками, тому не могли
допомагати синові.
2. Бути зношеним, полатаним (про одяг). Селя-
ни подивились один на одного. Їхні подерті свитки
світили латками (Ю. Янов.).

світи́ти / посвіти́ти косо́ю. Дівувати, бути неодруженою. *Дуже мене молоденькою засватано, світ білий, як ото кажуть, зав'язано, не довелось мені як слід і подівувати, косою посвітить* (Морд.). П о р.: **світи́ти воло́ссям** (у 2 знач.).

світи́ти ре́брами. Бути дуже худим, виснаженим. *Сивоусі дядьки скаржилися, що нема реманенту, мало тяглової сили лишилось — бо після фрица кілька конячин та й ті світили ребрами* (Ю. Бедзик; *У сусідів корови в теплому приміщенні, ситі, аж вилискують, а в нас на холодному вітрі ребрами світять* (Вишня).* Образно. *Хатка насунула солом'яну стріху на самі очі, а хлівець світив ребрами* (Панч). П о р.: **аж ре́бра світя́ться** (у 2 знач.). С и н о н і м и: **аж ре́бра зна́ти; кістки́ та шкі́ра; живі́т присо́х до спи́ни** (у 1 знач.).

СВІТИТИСЯ: світи́тися ді́рками. Мати багато дірок, бути дірявим. *Чи сріблом сукні їх, чи дірками світились: І дрантя, і роброн — все гробаки з'їдять!* (Г.-Арт.); *В деяких місцях толь було прорвано чи пробито, і дах світився дірками* (Хижняк).

світи́тися ре́брами. Бути напівзруйнованим, обшарпаним (про споруду). *Стіни осінні дощі обшмарували — голими ребрами хата світиться* (Мирний).

СВІТИТЬ: не сві́тить *кому, що.* У кого-небудь немає надії, підстав розраховувати на що-небудь.— *Ганна в них [бандитів] там, кажуть, більше за куклу в загоні, там отой, що в хренчі [френчі] нібито всім верховодить.— Самому не світить, так він за спідницю сховався* (Гончар); *Про начальство забудь і думати. Після того, що ти наробив у коморі, тобі не світить у начальство вилізти* (Кучер); *— Мені це діло не світить,— зітхнув Сашко.— Малі діти не пустять* (Мур.); *Зневажливо осміхнувся [Іванчик] до мене, ніби сказав: «Бідолашний! І чого ти до неї пнешся? Адже тобі тут не світить!»* (Баш).

СВІТИТЬСЯ: аж сві́титься, з сл. д у р н и й. Надзвичайно, дуже.— *І дурний же ти, Іване, ох дурний, аж світишся,— став він [староста] перед Щасним у таку позу, ніби викликав його на двобій* (Збан.).

СВІТІ: все на сві́ті *див.* все; **держа́ти на ~** *див.* держати; **держа́тися на ~** *див.* держатися; **ма́ятися на ~** *див.* маятися; **на то́му ~ пайо́к іде́** *див.* пайок; **на ~ нема́** *див.* нема.

на то́му (тім) сві́ті. Померти. *Недавнечко ж синка поховав... Такий був хлопчик розумний, втішний — поховав... Ех, це вже його шоста дитина на тім світі* (Тесл.); *— Друга зустріч — Ванька Вороного... Думав, уже давно на тому світі, так ні ж,— живе, стара гвардія!..* (Речм.).

не вида́ти в сві́ті *див.* видати; **не жиле́ць на цьо́му ~** *див.* жилець; **нема́ того́ в ~ ,чого́ б не ...** *див.* нема; **ні́защо в ~** *див.* нізащо; **ні за які́ ска́рби в ~** *див.* скарби; **ніко́ли в ~** *див.* ніколи;

обгля́нутися по ~ *див.* обглянутися; **хай госпо́дь на ~ поде́ржить** *див.* господь; **щоб я на ~ був** *див.* я.

СВІТЛА: сві́тла голова́ *див.* голова; **~ па́м'ять** *див.* пам'ять.

СВІТЛЕ: сві́тле о́ко *див.* око.

СВІТЛІ: ба́чити в рожевому сві́тлі *див.* бачити.

у сві́тлі: 1. *якому,* з сл. б а́ ч и т и, з д а в а́ т и с я, п о с т а́ т и, в и с т а в л я́ т и, р о з г л я д а́ т и і т. ін. У певному вигляді, певним чином, з певного боку. *В його голові малювалися тепер картини, яким він колись не надавав значення, вважаючи звичайними, буденними. Зараз же він бачив їх у зовсім іншому світлі, розумів інший зміст* (Тют.); *Як тільки ж полуда з очей нам упала, Все в іншому світлі здалось тоді нам: Мана розлетілась, кохання не стало, І ми розійшлися, подібно хмаркам* (Вороний); *Замислився Козаков. Може, вперше оце його власна роль на війні постала перед ним у новому світлі. Так гарно рятувати людей!* (Гончар); *Навряд чи десь по інших країнах співають так гарно й голосисто, як у нас на Україні. Пишеться це не з бажанням виставити свій рід перед світом у перебільшеному вигідному світлі, а в ім'я реалізму* (Довж.).

2. *чого.* З певних позицій або виходячи з певного погляду на кого-, що-небудь. *Проходять живі люди [в «Бориславських оповіданнях» І. Франка], ярко [яскраво] змальовані, в світлі тонкого психологічного аналізу* (Коцюб.).

СВІТЛО: ба́чити сві́тло ра́мпи *див.* бачити; **виво́дити на ~ де́нне** *див.* виводити; **ки́дати ~** *див.* кидати; **пролива́ти ~** *див.* проливати.

СВІТЛОМ: пошука́ти тако́го вдень із сві́тлом *див.* пошукати.

СВІТОМ: баламу́тити сві́том *див.* баламутити; **дури́ти ~** *див.* дурити.

нія́ким сві́том, *рідко.* Ні за яких обставин, ніколи. *Але він [Славко] на життя ві Львові не згодився б ніяким світом! Адже на те записався на правничий факультет, аби міг дома сидіти* (Март.).

ну́дити сві́том *див.* нудити.

під бі́лим сві́том. Серед усіх, у житті.— *Зараз,— уточнив батько.— Зараз тобі й під білим світом кращої немає. Але мине час і все зміниться* (Сиз.).

піти́ широ́ким сві́том *див.* піти; **проща́тися з ~** *див.* прощатися; **як світ ~** *див.* світ.

СВІТУ: ба́чити бага́то сві́ту *див.* бачити; **блука́ти по ~** *див.* блукати; **ви́йти з того́ ~** *див.* вийти; **ви́ходець з того́ ~** *див.* виходень.

від бі́лого сві́ту до те́мної но́чі. Від ранку до вечора; цілий день. *По селах від білого світу і до темної ночі знай гупали неугавно ціпи* (Мирний). С и н о н і м: **від сві́танку до смерка́ння.**

від сві́ту до сві́ту. Від ранку до ранку, цілу добу. *Чи збираються ще й досі Веселії гості погуляти* *у старої, Погуляти просто, По-давньому, по-старому, Од світу до світу?* (Шевч.).

від сотворíння світу див. сотворіння; **ганя́ти вітер по** ~ див. ганяти.

дóки (пóки) [й] світу (світа, світ) [й (та)] сóнця. 1. з дієсл. у заперечній формі. Ніколи. *Дивувались на шотландську волю І сторонні́ї, чужії люди, Всі казали: «Поки світа сонця, у ярмі шотландський люд не буде!»* (Л. Укр.); [Ярина:] *Може й забудеш мене, Степаночку? На чужій стороні знайдеш собі кращу?.. [Степан:] Не забуду тебе, моя зоре, доки світ сонця!* (Кроп.).

2. Довіку, весь час; вічно.— *Щоб я тебе з Вихорами не бачив, доки світу й сонця...* (Тют.); *Щоб ти ходив, поки світу та сонця!* (Номис); *Казала вона [Марта] мені: — Лихе минеться та й забудеться, а добре — довіку зостанеться добрим, житиме поміж людьми поки й світу сонця!* (Мирний); *— Станові поки й світ сонця будуть!* (Мирний).

збувáти з світу див. збувати; **звóдити з** ~ див. зводити; **зглáдитися з** ~ див. згладитися; **згубúти з** ~ див. згубити; **зживáти з** ~ див. зживати; **зíйтú з** ~ див. зійти; **іти́ з цьóго** ~ див. іти; **мáятися по** ~ див. маятися; **набáчитися** ~ див. набачитися; **на край** ~ див. край; **на краю** ~ див. краю; **не бáчити** ~ див. бачити; **пітú з** ~ див. іти; **пітú по** ~; **пускáти з тóрбою по** ~ ; **пускáти по** ~ див. пускати; **розвíятися по** ~ див. розвіятися; **розлáзитися по** ~ див. розлазитися; ~ **не вúдно** див. видно; **сúльні** ~ див. сильні; **тиня́тися по** ~ див. тинятися; **хоч на край** ~ див. край; **хоч тікáй на край** ~ див. тікай; **щоб** ~ **бóжого не побáчити** див. побачити; **як на кінці** ~ див. кінці.

СВІТЯТЬСЯ: óчі так і світяться див. очі; **рéбра** ~ див. ребра.

СВІЧКА: мов (як) свíчка, з сл. рíвний, струнки́й і т. ін. Дуже. *Олександра стояла, спершись на сапу, рівна, як свічка* (Коцюб.); *Незабаром прибув дипломат. Сухорлявий і рівний, як свічка* (С. Ол.). **мов свíчечка.** [2-а дíвчина:] *Наталочка. Вона ж у нас струнка, Мов свічечка* (Коч.).

ні Бóгу (Бóгові) свíча, ні чóрту (чóртові) кочергá (коцюбá, лáдан, нáдовбень, угáрка, рогачúлно і т. ін.). Нічим не примітна, посередня людина. [Олеся:] *Я білоручка: ні панянка, ні мужичка, ні богові свіча, ні чортові кочерга* (Кроп.); *З нашого Захарка ні богу свіча, ні чортові угарка* (Укр.. присл..); *І що з його [дитини] буде? Ні богові свіча, ні чортові куришка, ні заміж, ні так, нікуди* (Мирний); // *Нема ніякої користі, толку. Ми за поезію великих почуттів; ми лише проти тієї інтимної лірики, що нічого не стверджує, нічого не заперечує,.. де немає ні глибоких людських переживань, ні справжньої любові, а солоденько-сиропні віршики чи мініатю-*

ри, з яких, як кажуть, ні богу свічки, ні чорту кочерги (Мал.). С и н о н і м и: **ні се ні те; ні рúба ні м'я́со; ні пес ні барáн; ні грач ні помагáч.**

тáнути як свíчка див. танути.

як свíчка, з сл. палáти, горíти, згорíти. Рівним, високим, яскравим полум'ям. *Сторожка біля воріт горіла, як свічка, частина селян вбігла вже в будинок* (Панч).

СВІЧКИ: свічкú (сто свічóк) в очáх засвíчуються (стáють) / засвíтилися (засвíтилося, стáли), перев. у кого. У кого-небудь від сильного удару або болю з'являється зорове відчуття мерехтіння, ряботіння. *В очах Андрія засвічуються блискучі жовті й червоні свічки, він чує якийсь гострий, неможливий біль у голові* (Мик.); — *Я тебе зараз як пошану по бузі, то аж свічки в очах стануть! Чо-сь вилупила на мене бульки?* (Вільде); — *Ну й вперіщила, Фросинко, мене халявою!.. Віник я ще стерпів... А халявою як втяла, ей-бо, в очах свічки стали* (Бабляк); *Тієї ж хвилини переразливо свиснув дріт, і в Матвійових очах сто свічок засвітилось* (Ірчан).

свічкú сукáти див. сукати; **хоч** ~ **ліпú** див. ліпи.

СВІЧКОЮ: вдень із свíчкою не знайтú див. знайти; **трéба з** ~ **шукáти** див. шукати; **чорт із** ~ **не знáйде** див. чорт.

СВІЧКУ: звестúся на свíчку див. звестися.

СВІЧОК: грá не вáрта свічóк див. гра.

СВОБОДУ: дарувáти свобóду див. дарувати.

СВОГО: вúкинути з свогó сéрця див. викинути; **викрéслювати з** ~ **життя́** див. викреслювати; **відігрівáти змію́ бíля** ~ **сéрця** див. відігрівати; **встромля́ти** ~ **нóса** див. встромляти; **гляди́ти** ~ **нóса** див. глядіти; **держáти кóло** ~ **пóяса** див. держати; **держáтися** ~ **бéрега** див. держатися; **дивúтися не дáлі** ~ **нóса** див. дивитися; **додéржувати** ~ **слóва** див. додержувати; **доказáти** ~ див. доказати; **доконáти** ~ див. доконати; **докопáти** ~ див. докопати; **домагáтися** ~ див. домагатися; **доскóчити** ~ див. доскочити; **злáзити з** ~ **кóника** див. злазити; **мáйстер** ~ **дíла** див. майстер; **не бáчити дáлі** ~ **нóса** див. бачити; **не вдéржати** ~ **язикá** див. вдержати; **не дарувáти** ~ див. дарувати; **не попускáти** ~ див. попускати; **не пропускáти** ~ див. пропускати; **пригрíти змію́ бíля** ~ **сéрця** див. пригріти; ~ **чáсу** див. часу; **сідáти на** ~ **кóника** див. сідати; **тúкати** ~ **нóса в чужúй горóд** див. тикати; **тримáтися** ~ див. триматися; **у глибинí сéрця** ~ див. глибині; **уколупáти б** ~ **сéрця** див. уколупати; **хазя́їн** ~ **слóва** див. хазяїн; **як на** ~ **бáтька** див. батька; **як** ~ **нóса** див. носа; **як** ~ **óка** див. ока.

СВОЄ: брáти своє́ див. брати; **брáтися за** ~ див. братися; **виливáти** ~ **сéрце** див. виливати; **все стає́ на** ~ **мíсце** див. все; **гнýти** ~ див. гнути; **життя́ берé** ~ див. життя; **завóдити** ~ див. заводити; **затягáти** ~ див. затягати; **зв'язувá-**

ти ~ життя́ *див.* зв'язувати; знайти́ ~ мі́сце в житті́ *див.* знайти; зна́ти ~ мі́сце *див.* знати.

зно́ву (знов) за своє́ (своє́ї). 1. Неодноразово повторюючи, наполягати на чому-небудь.— *Піду я в найми! — Маланка підняла руки. Вона знову за своє!* (Коцюб.); [З є т:] *Заспівав би краще.. [А м ф і о н (презирливо махнувши рукою):] Знов своєї! [до Орфея:] Хоч заспівати все-таки не вадить, колись було то звичкою твоєю* (Л. Укр.).

2. Продовжувати робити те саме, що й раніше. *На той рік знову за своє; Пішов я з матір'ю просити* (Шевч.); *До виступу свого він ставився якнайуважніше.. Тому так рився старанно в книжках, забувши все навколо. І як розвиднілося вже зовсім та погасили лампу, тільки повернувся й підсів до вікна і знов за своє* (Головко); *Кличуть вчора до себе матушку Серафиму: «Ти, кажуть, знов за своє? ти знов проти мене бунтуєш сестер?»* (Коцюб.).

лама́ти своє́ сло́во *див.* ламати; лі́зти не в ~ *див.* лізти; ма́ти ~ лице́; ма́ти ~ о́ко *див.* мати [2]; на ~ копи́то *див.* копито; нести́ ~ ярмо́ *див.* нести; перемага́ти ~ се́рце *див.* перемагати; під ~ крило́ *див.* крило; поверну́ти на ~ *див.* повернути; показа́ти ~ *див.* показати; пра́вити ~ *див.* правити; про́бувати ~ перо́ *див.* пробувати; роби́ти ~ ді́ло *див.* робити; сказа́ти ~ *див.* сказати; ски́нути ~ о́ко *див.* скинути; хили́ти на ~ *див.* хилити; як ~ о́ко *див.* око.

СВОЄ́Ї: боя́тися своє́ї ті́ні *див.* боятися; вести́ ~ *див.* вести; викре́слювати з ~ па́м'яті *див.* викреслювати; вила́зити із ~ шкаралу́пи *див.* вилазити; заво́дити ~ *див.* заводити; затяга́ти ~ *див.* затягати; з ~ ла́ски *див.* ласки; ма́йстер ~ спра́ви *див.* майстер; не зра́джувати ~ нату́ри *див.* зраджувати; не ма́ти ~ во́лі *див.* мати [2]; пра́вити ~ *див.* правити.

СВОЄ́МУ: ба́тькові своє́му ли́сому розкажи́ *див.* розкажи; дя́кувати ~ ду́рному ро́зумові *див.* дякувати; на ~ горбі́ *див.* горбі; на ~ мі́сці *див.* місці; не при ~ ро́зумі *див.* розумі; по ~ пі́р'ю *див.* пір'ю; сиді́ти на ~ мі́сці *див.* сидіти; стоя́ти на ~ *див.* стояти; у ~ репертуа́рі *див.* репертуарі; чи при ~ ро́зумі *див.* розумі.

СВОЄ́Ю: зро́шувати своє́ю кро́в'ю зе́млю *див.* зрошувати; іти́ ~ доро́гою *див.* іти; ~ че́ргою *див.* чергою.

СВОЇ́: бра́ти в свої́ ру́ки; бра́ти на ~ пле́чі; бра́ти ~ права́; бра́ти ~ слова́ наза́д *див.* брати; виклада́ти ~ ка́рти *див.* викладати; влі́зти не в ~ са́ни *див.* влізти; вступа́ти в ~ права́ *див.* вступати; в усі́ ~ чоти́ри о́ка *див.* ока; дава́ти ~ плоди́ *див.* давати; замани́ти в ~ сі́ті *див.* заманити; заплу́тувати у ~ тене́та *див.* заплутувати; змі́ряти ~ си́ли *див.* зміряти; лупи́ти ~ о́чі *див.* лупити; на ~ ву́ха *див.* вуха; на ~ о́чі *див.* очі; наставля́ти ~ тене́та *див.* наставляти; обпа́лювати ~ кри́ла *див.* обпалювати; перепуска́ти

через ~ ру́ки *див.* перепускати; плу́тати ~ сліди́ *див.* плутати; про́бувати ~ си́ли *див.* пробувати; пусти́тися на ~ кри́ла *див.* пуститися; розпуска́ти ~ не́рви *див.* розпускати; ста́ти на ~ но́ги *див.* стати; у ~ ру́ки ру́ки; як ~ ву́ха *див.* вуха; як ~ о́чі *див.* око; як ~ п'ять па́льців *див.* п'ять.

СВОЇ́Й: держа́ти в свої́й кише́ні *див.* держати; замкну́тися в ~ шкаралу́пі *див.* замкнутися; на ~ шку́рі *див.* шкурі; не в ~ соро́чці *див.* сорочці; не в ~ тарі́лці *див.* тарілці; покопа́тися в ~ голові́; покопа́тися в ~ па́м'яті *див.* покопатися; у ~ наготі́ *див.* наготі.

СВОЇ́М: бра́ти свої́м горбо́м *див.* брати; добува́ти ~ горбо́м *див.* добувати; дохо́дити ~ ро́зумом *див.* доходити; же́ртвувати ~ життя́м *див.* жертвувати; жи́ти ~ ро́зумом *див.* жити; зро́шувати ~ по́том зе́млю *див.* зрошувати; із ~ бато́гом лі́зти *див.* лізти; не ві́рити ~ ву́хам; не ві́рити ~ оча́м *див.* вірити; не при ~ ро́зумі *див.* розумі; не ~ го́лосом *див.* голосом; поверта́ти ~ ро́зумом *див.* повертати; ~ горбо́м *див.* горбом; ~ хо́дом *див.* ходом; стоя́ти на ~ *див.* стояти; сяга́ти ~ корі́нням *див.* сягати; як за ~ о́ком *див.* оком.

СВОЇ́МИ: назива́ти ре́чі свої́ми імена́ми *див.* називати; ~ очи́ма *див.* очима; су́нутися з ~ ко́зами на торг *див.* торг; як не ~ нога́ми *див.* ногами.

СВОЇ́Х: ви́везти на свої́х плеча́х *див.* вивезти; вино́сити на ~ плеча́х *див.* виносити; випуска́ти ві́жки з ~ рук *див.* випускати; держа́ти в ~ лабе́тах *див.* держати; доклада́ти ~ рук; доклада́ти ~ слів *див.* докладати; дохо́дити ~ літ *див.* доходити; кісто́к ~ не позбира́ти *див.* позбирати; на ~ вла́сних *див.* власних; не жалі́ти ~ ніг *див.* жаліти.

не при свої́х. Божевільний. *Він був не при свої́х. Всі його жаліли.*

нести́ на свої́х плеча́х *див.* виносити; нести́ тяга́р на ~ плеча́х *див.* нести; прибира́ти до ~ рук *див.* прибирати; трима́ти в ~ тене́тах *див.* тримати; щоб ~ ді́точок не поба́чити *див.* побачити.

СВОЮ́: болі́ти за свою́ шку́ру *див.* боліти; бра́ти на ~ ду́шу *див.* брати; вести́ ~ лі́нію *див.* вести; вилива́ти ~ ду́шу *див.* виливати; вно́сити ~ ле́пту *див.* вносити; втра́пити на ~ сте́жку *див.* втрапити; вхо́дити в ~ ко́лію *див.* входити; гну́ти ~ лі́нію *див.* гнути; гра́ти ~ скри́пку *див.* грати; де діва́ти ~ си́лу *див.* дівати; диктува́ти ~ во́лю *див.* диктувати; жи́ти на ~ ру́ку *див.* жити; замкну́тися в ~ шкаралу́пу *див.* замкнутися; запропасти́ти ~ ду́шу *див.* запропастити; зверта́ти на ~ сте́жку *див.* звертати; зв'язува́ти ~ до́лю *див.* зв'язувати; ма́ти ~ сте́жку *див.* мати [2]; моро́чити ~ го́лову *див.* морочити; на ~ го́лову *див.* голову; облива́ти ~ ду́шу слізьми́ *див.* обливати; підбива́ти на ~ ру́ку; підбива́ти

під ~ ру́ку *див.* підбивати; **підставля́ти ~ го́лову
під обу́х** *див.* підставляти; **~ ду́шу повіря́ти** *див.*
повіряти; **скінчи́ти ~ пі́сню** *див.* скінчити; **су́ну-
ти ~ го́лову в ярмо́** *див.* сунути; **тремті́ти
за ~ шку́ру** *див.* тремтіти; **у ~ че́ргу** *див.* чергу;
як ~ доло́ню *див.* долоню; **як ~ ду́шу** *див.* душу.

СВОЯ: своя́ во́ля *див.* воля; **~ голова́ на плеча́х**
див. голова; **~ кі́стка** *див.* кістка; **~ рука́** *див.*
рука.

СВОЯК: своя́к з лі́вої щоки́, *ірон.* Нерідна,
чужа людина. [М а р у с я:] «*Хіба мені Микита
що? Сват він мені чи брат, чи яка рідня?..*
[І в а н:] *Та так, ніби своя́к з лівої щоки...*»
(Кроп.). П о р.: **деся́та вода́ на киселі́.**

СВЯТ: як Бог свят *див.* Бог.

СВЯТА: поби́й тебе́ хрест та свята́ си́ла *див.*
хрест; **~ наї́вність** *див.* наївність.

СВЯТА́Я: свята́я (свята́, святе́) святи́х чого
і без додатка, *книжн.* 1. Щось таємне, неприступне
для непосвячених. *Свята́я святих людського орга-
нізму — серце стало підвладним мудрим рукам
лікаря* (Наука..); *Бути каталем не кожному випа-
дало, тільки перші здоров'яки, кремезняки туди
потрапляли... Кілька років ганяєш вагонетку, і аж
після того візьмуть тебе на горно, тобто до печі, до
святої святих* (Гончар).

2. Що-небудь недоторканне. *У нього ключі від
зерносховища, де святе святих — насіннєвий
фонд* (Літ. Укр.).

3. Що-небудь найдорожче, найзаповітніше. *Іс-
торія — це святая святих народу, недоторканна
для злодійських рук* (Довж.).

СВЯТЕ: святе́ ді́ло *див.* діло.

СВЯТИЙ: Бог святи́й зна́є *див.* Бог; **го́лий, як
туре́цький ~** *див.* голий; **от хрест ~** *див.* хрест;
поби́й мене́ ~ хрест *див.* побий.

святи́й [його́] зна́є. Невідомо; ніхто не знає.
*Отаке-то на сім світі Роблять людям люде! Того
в'яжуть, того ріжуть, Той сам себе губить... А за
віщо? Святий знає* (Шевч.); *Став і насеред церк-
ви — стою. Постояв трохи — дрімається, далі все
дужче та дужче. Святий його знає, чого воно так
мені* (Тесл.); П о р.: **хто його́ зна́є.**

святи́й та бо́жий, *ірон.* Удавано-тихий та до-
брий; нещирий, лукавий.— *Стрічаю я Солов'їху;
йде вона з церкви — така свята та божа* (Н.-
Лев.); [З і н ь к а:] *..Ач, який святий та божий, без
драбинки лізе на небо* (Кроп.); — *Якось глянув
я на нього* [горбаня], *а він переморгується із
братом: морг — і знову хреститься... «Ах ти ж,—
думаю,— гад, он який ти святий та божий!»..
І став я за ним слідкувати* (Тют.).

хай мене́ святи́й хрест поб'є́ *див* хрест.

СВЯТИМ: заклина́ти усі́м святи́м *див.* закли-
нати.

СВЯТИХ: свята́я святи́х *див.* святая; **хоч ~
вино́сь** *див.* виносы.

СВЯТКУВАТИ: святкува́ти перемо́гу. Тріумфу-
вати, радіти. *Оборонець надто поспішав святкува-
ти перемогу* (Кулик).

СВЯЧЕ́НОЇ: як чорт свяче́ної води́ *див.* чорт.

СЕ: де се ви́дано *див.* видано.

ні се ні те. 1. Який нічим не виділяється,
посередній (про людину).— *Не знаєш Юрка? Він
же в нас ні се, ні те!.. Не вміє показати себе...*
(Ряб.). С и н о н і м и: **ні пес ні бара́н; ні ри́ба ні
м'я́со** (в 1 знач.) **ні грач ні помага́ч.**

2. Що-небудь непевне, невиразне, непримітне.—
*Сину! покинь читати оту книжку,— обізвалася
стара,— це не божа книжка. Ет!.. Ні се, ні те!*
(Н.-Лев.). С и н о н і м: **ні ри́ба, ні м'я́со** (в 2
знач.).

3. Непевно, невизначено. *Балаш одказував ста-
·ростам ні се, ні те* (Н.-Лев.).

переводитися ні на ~ , **ні на те** *див.* переводити-
ся; **~ ще** *див.* ото.

то се, то те. Що-небудь різне; будь-що. *Дикун
поволі втягувався в роботу: ходив коло волів,
допомагав табунщикам, робив то се, то те по
господарству* (Добр.); *Любив* [Пилип] *після ве-
чері побалакати з батюшкою та проводив його до
самого двору, розмовляючи то про се, то про те*
(Н.-Лев.).

СЕ́БЕ: бага́то про се́бе ду́мати *див.* думати; **Бог
прийня́в до ~** *див.* Бог; **бра́ти гріх на ~** ; **бра́ти
за ~** ; **бра́ти на ~** ; **бра́ти на ~ бага́то** *див.* бра-
ти; **вбира́ти в ~ з молоко́м ма́тері** *див.* всмоктува-
ти; **вбира́ти в ~ о́чі** *див.* вбирати; **вида́влювати
з ~** *див.* видавлювати; **виклика́ти вого́нь на ~**
див. викликати; **вихо́дити з ~** *див.* виходити; **від-
верта́ти від ~** *див.* відвертати; **відрива́ти
від ~** *див.* відривати; **говори́ти сам за ~** *див.* сам;
гребти́ під ~ *див.* гребти; **залиша́ти поза-
ду ~** *див.* залишати; **ко́рчити ду́рня з ~** *див.* кор-
чити; **мани́ти до ~ о́чі** *див.* манити; **мо́рщити
з ~ сироту́** *див.* морщити; **наклада́ти на ~ ру́ки;
наклада́ти ярмо́ на ~** *див.* накладати; **несхо́жий
на ~** *див.* несхожий; **ніс під ~** *див.* ніс; **пори́нути
в ~** *див.* поринути; **приверта́ти до ~** *див.* приверта-
ти; **прийма́ти на ~** *див.* приймати; **прийма́ти
на ~ уда́р** *див.* приймати; **прийти́ в ~** *див.* при-
йти; **притяга́ти до ~ се́рце** *див.* притягати.

про се́бе. 1. з сл. г о в о р и́ т и, с п і в а́ т и і т.
ін. Ледь чутно, пошепки [Р у ф і н (до раба):]
Веди [гостя] *сюди, се ти не розібрав.* (*Раб іде,
мимрячи щось тихо про себе*) (Л. Укр.); *Був*
[Ярошенко] *веселий і намугикував про себе...*
(Речм.).

2. з сл. д у́ м а т и, ч и т а́ т и. Не вимовляючи
вголос. *І знову гнітюча мовчанка. Люди* [в'язні]
*ніби зважують у темряві кожний про себе: мене
вб'ють чи когось іншого?* (Збан.); *Мусив відзна-
чити про себе Функе: новин багато буде на
Україні. Недарма шість років вів.. баталії з поль-
ською шляхтою Хмельницький* (Рибак). **сам
про се́бе.** *Більше любив* [Роман] *читати нишком,*

ніж голосно, любив читати сам про себе, щоб ніхто не перебаранчав йому (Н.-Лев.).

сам за себе *див.* сам; **строїти з ~** *див.* строїти; **тремтіти за ~** *див.* тремтіти; **як за ~ кидати** *див.* кидати.

як (мов, ніби, немов і т. ін.) не в себе, з сл. їсти, пити і т. ін. Дуже багато. *Гості пили і їли як не в себе. Особливо старався панок. Він допався до курятини, до ковбас* (Больш.); *Єдине, що вмів Санько робити з успіхом,— це їсти. Ів він немов не в себе.*

як у себе дома *див.* дома.

СЕБЕ: бити себе в груди *див.* бити; **брати ~ в руки** *див.* брати; **видавати ~**; **видавати ~ з головою** *див.* видавати; **вичерпати ~** *див.* вичерпати; **віддавати всього ~** *див.* віддавати; **віднайти ~** *див.* віднайти; **давати ~ знати** *див.* давати; **де дівати ~** *див.* дівати; **держати ~ в руках; держати ~ в шорах** *див.* держати; **забувати самого ~** *див.* забувати; **загубити ~** *див.* загубити; **зв'язувати ~** *див.* зв'язувати; **зживати ~** *див.* зживати; **знайти ~** *див.* знайти; **ловити ~** *див.* ловити; **ловити ~ на думці** *див.* ловити; **мати ~ гаразд** *див.* мати [2]; **мати ~ на бачності** *див.* матися; **мати ~ по бачності** *див.* мати [2]; **не заставляти ~ ждати** *див.* заставляти; **не тямити ~** *див.* тямити; **не чути ~** *див.* чути; **опановувати ~** *див.* опановувати; **перевершувати самого ~** *див.* перевершувати; **пережити ~** *див.* пережити; **переламувати самого ~** *див.* переламувати; **перемагати ~** *див.* перемагати; **переплигнути самого ~** *див.* переплигнути; **перехитрити самого ~** *див.* перехитрити; **підставляти ~ під кулю** *-див.* підставляти; **побороти ~** *див.* побороти; **показати ~ на ділі** *див.* показати; **почувати ~ Богом** *див.* почувати; **приткнути ~** *див.* приткнути; **пробувати ~** *див.* пробувати; **розкривати ~** *див.* розкривати; **розпускати ~** *див.* розпускати; **розтрачувати ~** *див.* розтрачувати; **ставити ~ на місце** *див.* ставити; **тішити ~ надією** *див.* тішити; **тримати ~**; **тримати ~ королем** *див.* тримати; **шукати ~** *див.* шукати.

СЕЄ: і сеє, і тес, й онес [онос], *заст., перев. ірон.* Уживається для переліку чогось; і таке інше. *Вона на словах і лібералка, і нігілістка, і сеє, і тес, й онос* (Н.-Лев.).

СЕЗАМ: сезам, одчинись, *жарт.* 1. Приємна несподіванка. *Де-не-де, по кутках, стоять ясні безлісні гори, наче копиці зеленого сіна — і вся ця краса, несподівана й пишна, сміється щастям просто в лице. Ще за хвилину нічого не було видно — і от «сезам, одчинись!»* (Коцюб.).

2. Уживається як жартівливе заклинання, коли хтось хоче, щоб трапилось чудо або розгадати якусь таємницю.— *Сезам, одчинись!— жартує дівчина, бо дуже хоче, щоб трапилось чудо.*

СЕЗОН: бархатний (оксамитовий) сезон. Осінні місяці на півдні. [Надія:] *Якщо хочете,*

можете збиратися до моря .. Саме сезон.. Бархатний сезон! (Мороз); [Сумцова:] *Найголовнішого я вам не сказала — на курорт їду! Гагри! Жовтень! Оксамитовий сезон* (Собко).

мертвий сезон. Застій, затишшя в торгівлі, промисловості і т. ін. *Мертвий сезон в країні означає нестачу товарів, застій у техніці, обмеження розвитку продуктивних сил суспільства.*

СЕЙ: на сей раз *див.* раз; **покидати ~ світ** *див.* покидати; **~ світ** *див.* світ.

СЕКРЕТ: не секрет. Відомо всім. *Не секрет, крові пролито багато, але то необхідність змушувала нас* (Гончар).

секрет поліщинеля. Таємниця, яка давно всім відома; уявна таємниця. *Ім'я цієї людини — секрет полішинеля, усі знають.*

СЕКРЕТІ: держати в секреті *див.* держати.

СЕКРЕТОМ: під [великим] секретом; по секрету. Таємно від інших; вимагаючи збереження таємниці сказаного. *Що тобі привезти, дитино моя, на ялинку? Скажи мені під секретом на вушко* (Коцюб.); *Десь тут Тимко під великим секретом показував на пташині гнізда і жовторотих заїдастих пташенят* (Тют.); *Чоловік одразу ж подався до дядька Володимира та й по секрету нараяв йому підсипати квочку лише довгоносими яйцями, бо, мовляв, з них виходять самі курочки* (Стельмах).

скринька з секретом *див.* скринька.

СЕКУНДУ: в одну секунду.

СЕМИМИЛЬНИМИ: семимильними кроками *див.* кроками.

СЕМИСОТНА: як семисотна верства *див.* верства.

СЕРДЕНЬКА: не чути серденька *див.* чути.

СЕРДЕНЬКОМ: нудити серденьком *див.* нудити.

СЕРДЕЧНІ: сердечні муки *див.* муки.

СЕРДИТО: дешево й сердито *див.* дешево.

СЕРДИТУ: під сердиту годину *див.* годину; **під ~ руку** *див.* руку.

СЕРЕД: серед білого дня *див.* дня.

СЕРЕДА: як (мов, наче, ніби і т. ін.) середа на п'ятницю, з сл. кривитися, скривитися *жарт.* Дуже. *Раз Олеся наготувала такого борщу, що Балабуха вхопив ложку в рот, скривився, як середа на п'ятницю, й більше й ложки не вмочив* (Н.-Лев.); *Він.. намагався приховати перед товаришами свою огиду до горілки.— Не кривись, як середа на п'ятницю! — гукали товариші* (М. Ю. Тарн.); *Побачивши в своєму обійсті незаможників, бундючний Жежеря скривився, мов середа на п'ятницю* (Речм.).

СЕРЕДИНА: золота середина. Найвигідніший, корисний, позбавлений крайнощів спосіб діяння, поведінки; поміркована позиція в чому-небудь.— *Не будь дуже солодкою, бо розлиже. І гіркою не будь, бо розплює. Вибирай золоту середину і* *скоро сама научишся, як чоловіка слід приборкувати* (Кучер).

СЕРЕДИНИ: тримáтися середúни див. триматися.

СЕРЕДИНІ: в середúні все обертáється див. обертається; **зависáти на ~** див. зависнути.

СЕРЙÓЗІ: на пóвному серйóзі. Дуже серйозно, відповідально. *Звик [хлопчик] на повному серйозі відповідати на запитання старших* (Стельмах); *[Оленка:].. Я одягаюсь, і ми йдемо до вашої дружини... У нас — справжнє кохання. .. Ви їй розповісте про своє велике кохання так, як ви говорили мені... [Адвокат:] .. Ви жартуєте? [Оленка (здається на повному серйозі):] Коханням не жартують* (Колом.).

СЕРЦЕ: [аж] крáється сéрце (душá) *у кого, чиє (чия), рідко кому і без додатка.* Хто-небудь дуже переживає, страждає.*— Краю мій рідний, зневажений краю! Де ж те сподіване щастя твоє? Крається серце від болю, одчаю, Як тільки долю твою нагадаю* (Вороний); *Краялось її серце, коли бачила, як танки з чорними хрестами на бортах підминали під гусениці золотоколосу пшеницю, жито* (Хлібороб Укр.); *Краялись душі хлоп'ятам від жалю* (Гончар); *Хто сил віддав немало полю і ниви жати поспішав,— у того крається до болю за кожну крихітку [хліба] душа* (Луц.); *Мені аж серце крається на саму думку, що така гарна, розумна і людяна панна хоче втопити себе в такій баюрі [одружитися з селянином]* (Фр.). П о р.: **душá рвéться** (у 1 знач.); **душá болúть.**

[аж] сéрце (душá) тремтúть (трепéче, трепéчеться) *в кого, чиє (чия) і без додатка.* Хто-небудь дуже хвилюється з приводу чого-небудь. *[Орися]: Я коня напуваю, а сама боюсь і глянуть на його, а серце так і тремтить...* (Вас.); *Мама аж здивувалася, що вона те так все добре попродала, а серце її аж тремтіло з радості* (Кобр.); *А як коли, то було звеселіємо, не знать чого. Веселенько нам [дівчатам],— аж серце трепече* (Вовчок); *Енея серце трепетало, Воно о сині віщувало* (Котл.); *Перед скелею сріблиться течія .. Як тут гарно!.. Аж тремтить душа моя!* (Крим.).

[аж] холóне / захолóло (захолóнуло, похолóнуло) сéрце (в сéрці); [аж] захолóла (захолóнула, похолóнула) душá *у кого, чиє (чия) і без додатка.* 1. Хто-небудь непокоїться, переживає. *Холоне серце, як згадаю, Що не в Україні поховають, Що не в Україні буду жить* (Шевч.); *У мене й серце похолонуло. Звікувала хоч не в розкоші, та все-таки між родом, у своїй хаті; а то оддають до чужих людей, у чужу сторону, не знаю, за що й про що* (Вовчок).

2. Кому-небудь дуже страшно, боязно. *Серце його [Кирила Івановича] холоне від страху* (Мирний); *— А Клава он приїхала, таке розказує, що душа холоне!.. — Вона стала розповідати, як бомбили їх у дорозі, як горіли станції* (Гончар);

Хвиля перекочувалась через чорне плисковате днище, серце Половчихи захолонуло, за шаландою щось волочилося по воді, видувалося на воді лахміття (Ю. Янов.); *І от знову увижається мені страшна темнота .. Тихо... Глухо... страшно, аж в серці холоне* (Мирний). П о р.: **сéрце стúгне; морóзом сипнýло.**

брáти за сéрце див. брáти.

велúке сéрце *у кого.* Хто-небудь дуже добрий, чуйний, здатний гаряче й глибоко пройматися чиїмись переживаннями, горем.*— А Зара? — спитала [Тамара] несміливо.— Зара?! — очі Божени засиніли теплими вогниками. Вона довго підбирала слова.— У неї велике серце...* (Хижняк). **велúкого сéрця.** *Йому можуть зустрітись люди великого серця, твердого сумління* (Гончар).

веселúти сéрце див. веселити; **виливáти ~** див. виливати; **відбирáти ~** див. відбирати; **відвернýти ~** див. відвернути; **віддавáти рýку і ~**; **віддавáти ~** див. віддавати; **відігрівáти ~** див. відігрівати.

відкрúте сéрце. Хто-небудь сповнений доброзичливості, прямий, відвертий у стосунках з людьми. *Він [Сеспель] вірив Пакришневі, знав, що той каже правду, бо упевнився, що у своєму житті не зустрічав сердечнішого друга, людини з таким щирим і відкритим серцем* (Збан.).

віщýє сéрце. Хто-небудь відчуває наближення чого-небудь (перев. неприємного). *Серце щось недобре віщує, страх — не страх: якесь темне почуття холодить серце...* (Мирний); *Чогось їй було сумно, чогось було журно. Наче віщувало серце якесь лихо несподіване* (Коцюб.).

виймáти сéрце див. виймати; **відкривáти ~** див. відкривати; **вкладáти ~** див. вкладати; **впивáтися в ~**; **впивáтися п'явкою в ~** див. впиватися; **вражáти в ~** див. вражати; **вхопúти за ~** див. вхопити; **вцілúти ~** див. вцілити.

гаряче сéрце. Той, хто дуже любить кого-небудь. *В той самий момент, коли одірвали Марусю від Василя, вона почула, яке то гаряче любляче серце, який він рідний* (Хотк.).

гіркá печúя ухопúла за сéрце див. печія; **гнітúти ~** див. гнітити.

горúть (палáє, пломенíє, палахтúть і т. ін.) сéрце (душá) / запалáло (запломенíло) сéрце; запалáла (запломенíла) душá *у кого, чиє (чия) і без додатка.* 1. Хто-небудь перебуває в стані сильного збудження, хвилювання і т. ін. *Горить у мене серце, коли я їх [легенди] пригадаю* (Л. Укр.); *Я відчуваю, що серце палає, пломеніє, хочеться одного: щоб повторився, щоб був вічним той сон* (Збан.); *Серце в його [Чіпки] вило, душа палала...* (Мирний); *Не згасне, в кого палахтить душа, тим я'яне, в кого розів'ється в цвіт* (У. Кравч.); *Всі наші сльози тугою палкою Спадуть на серце, серце запалає* (Л. Укр.).

2. *перев. чим.* У кого-небудь виникло якесь

сильне почуття.— *І прийшли ми до Мекки...— і запалало моє серце великим вогнем радості* (Коцюб.). **се́рце вогне́м ві́зьметься.** *Після крадіжки [коней] він аж плакав з жалю й зо злості. І досі як згадає, то так серце вогнем і візьметься* (Гр.). **се́рде́нько запала́є.—** *Твоє серденько діамант, Воно промінням грає,— Щасливий тричі буде той, Для кого запалає* (Л. Укр.).

дави́ти ка́менем на се́рце *див.* давити.

до́бре се́рце *у кого.* Лагідний характер. *Подруги в Уляні душі не чули. Любили в Уляні щиру душу, добре серце* (Мирний).

доса́да смо́кче се́рце; доса́да хапа́є за ~ *див.* досада.

живе́ се́рце. Небайдужа, здатна проникатися чужими переживаннями людина. *Розлітайтеся, мрії мої, Будякове насіння, А де стрінете серце живе, Запускайте коріння!* (Фр.).

завойо́вувати се́рце *див.* завойовувати.

заворуши́лося се́рце *у кого, чиє і без додатка.* У кого-небудь пробудилося якесь почуття, хто-небудь відчув потяг до когось.— *Душа вся стривожена. Серце одразу заворушилось. Не можу одвести очей од його грізного, трохи навіть страшного виду. Яка краса в тих чорних кучерях та смуглявих рум'янцях!..— подумала Гризельда* (Н.-Лев.).

заганя́ти голки́ в се́рце *див.* заганяти; **загляда́ти в ~** *див.* заглядати.

загра́ло се́рце *у кого, чиє.* Хто-небудь відчув радість, піднесення, задоволення і т. ін. *Ломницький .. згадав, що зараз побачиться з Марусею і його серце заграло* (Н.-Лев.); *Заграло серце у вівчарів, заблеяли [забекали] вівці, учувши пашу...* (Коцюб.).

загу́пало се́рце *у кого, чиє.* Хто-небудь почав хвилюватися. *Отож він і цього разу, побачивши мене в наросвіті, вигукнув: — Про вовка — помовка. Давай, брат, Тарасе Демидовичу, давай, брат, до Максима Івановича! У мене тривожно загупало серце... Нашого завідуючого райВНО ми хоч любили, але побоювалися* (Збан.).

закипа́є се́рце *див.* душа; **замути́ти ~** *див.* замутити; **запада́ти в ~** *див.* западати.

запали́лося се́рце *у кого, чиє і без додатка.* Кого-небудь охопило сильне почуття (кохання, ненависті і т. ін.). *Єремія не зводив очей з пишного личка гарної козачки .. Запалилось серце одразу, наче якимись чарами* (Н.-Лев.).

запа́лювати се́рце *див.* запалювати.

запекло́ся се́рце. 1. *у кого, чиє і без додатка.* Хто-небудь від тривалих переживань став нечулим, байдужим до навколишнього світу. *Плакала б, так вже й сліз нема, так вже серце запеклось, що й слізинки очі не пустять* (Кв.-Осн.); *Вбирали її, ховали, а я навіть сльози не пустив. Хожу тільки та дивлюсь. А в грудях мені важко; запеклося моє серце* (Н.-Лев.).

2. *чим.* Хто-небудь дуже перейнявся якимсь почуттям (жалю, туги і т. ін.). *І я згадав своє село. Кого я там коли покинув? І батько й мати в домовині... І жалем серце запеклось, Що нікому мене згадати!* (Шевч.); *Посварилися друзі за межу колись. І ненавистю їхні серця запеклись. Один одному смерті швидкої хотів* (Павл.).

засну́ло се́рце *у кого, чиє.* Хто-небудь утратив гостроту почуттів, перестає реагувати на що-небудь. *Ходи собі [на могилу], мій голубе, Поки не заснуло твоє серце, та виспівуй, Щоб люде не чули* (Шевч.). П о р.: **се́рце мовчи́ть; се́рце спить.** А н т о н і м: **се́рце заговори́ло.**

захо́дити в се́рце *див.* заходити.

зачерстві́ло се́рце *у кого, чиє і без додатка.* Хто-небудь став нечуйним, байдужим до інших. *Ціле життя не знають вони ні ласки, ні доброго слова; зачерствіє в них серце, і вже ніхто, навіть їх діти, не почує від них доброго, щирого слова* (Коцюб.); — *Хочу, щоб ніколи, ніколи не зачерствіло серце* (Стельмах). **зачерстві́ле се́рце.** *Зачерствілі наші серця, мов рілля через довгу посуху, за тее не чує ні клени* (Л. Укр.).

зачіпа́ти за се́рце *див.* зачіпати; **золоте́ ~** *див.* душа; **зрива́ти ~** *див.* зривати; **зру́шити ~** *див.* зрушити; **ка́менем лягти́ на ~** *див.* лягти; **ка́мінь да́вить ~** *див.* камінь.

кам'яне́ (камі́нне) се́рце. 1. Жорстока, бездушна людина. *Гей, царю тьми! Наш лютий вороже! .. Боїшся ти, що грізні смутні гуки Пройняти можуть і кам'яне серце* (Л. Укр.); // *Вдача такої людини. Никанор уже в снах і наяву бачить себе підпанком. І таки стане ним, бо камінне серце має чоловік — рідного батька за копійку продав би* (Стельмах).

2. *у кого, чиє.* Хто-небудь жорстокий, лютий. *Ширяєв скоса,.. поглянув на художника. Але чиє кам'яне серце не зворушать похвали і лестощі..?* (Ів.).

ки́дати жари́ну в се́рце *див.* кидати; **кипи́ть ~** *див.* душа; **колупа́ти ~** *див.* колупати.

кра́ється се́рце (душа́). Хто-небудь мучиться, страждає. *Холодом проймалася душа дівоча, серце краялося від болю й жалощів* (Шиян). П о р.: **кри́вавиться се́рце.** С и н о н і м и: **душа́ рве́ться** (у 1 знач.); **душа́ боли́ть.**

кра́яти се́рце *див.* краяти.

крива́виться се́рце (душа́) *у кого, чиє (чия) і без додатка.* Хто-небудь переживає тяжкі душевні муки, страждає. *І кривавиться серце, читаючи повість вашу, гуцули.. повість боротьби вашої* (Хотк.); *Її душа кривавилася, мов покалічена* (Коб.). П о р.: **кра́ється се́рце.** С и н о н і м и: **душа́ рве́ться** (у 1 знач.); **душа́ боли́ть.**

ма́ти м'яке́ се́рце; ма́ти ~ *див.* мати[2]; **му́чити ~** *див.* мучити; **наверта́ти ~** *див.* навертати; **надрива́ти ~** *див.* надривати; **наляга́ти на ~** *див.* налягати; **наставля́ти ніж на ~** *див.* наставляти.

не навертáється сéрце чиє до кого. Хто-небудь не може покохати когось; хто-небудь не подобається комусь. *Чув отаман Пушкарський, що не навертається до нього жінчине серце,— і все йому остогидло* (Хотк.).

обгортáти сéрце тýгою див. обгортати; **облúти ~ крóв'ю** див. облити; **пектú ~** див. пекти; **переверáти ~** див. перевертати; **переїдáти ~** див. переїдати; **перемагáти своé ~** див. перемагати.

перестáло бúтися сéрце кого. 1. Хто-небудь помер. *Перестало битися чуле серце Віщого Бояна* [М. Лисенка], *що за свого віку так голосно відкликалося на все добре й лихе в своєму рідному краї!* (Мирний).

2. Хто-небудь дуже розхвилювався, відчувши переляк, страх. *Мов вритий, став опришок... серце перестало битися... «Що се? ... Хто се?..»* (Хотк.). П о р.: **сéрце завмéрло.**

поклáсти рýку на сéрце див. покласти; **покорúти ~** див. покоряти; **полонúти ~** див. полонити; **порáдувати ~** див. порадувати; **порóжнє ~** див. душа; **привернýти ~** див. привернути; **прийнятú в ~** див. прийняти; **пристáло ~** див. душа; **притягáти до сéбе ~** див. притягати; **проймáти ~** див. проймати.

прокидáється / прокúнулося сéрце; прокúнулася душá у кого, чиє (чия). У кого-небудь знову виникає інтерес до життя, з'являються почуття (кохання, приязні і т. ін.). *А серце моє..! Се ж воно прокидається! Се ж воно оживає! Нащо він стривожив його?* (Барв.); *В неї прокинулось ще раз серце, прокинулось кохання до Ястшембського* (Н.-Лев.); *Ти не знесеш життя безсилого, Спаде покора, тінь чужа, І в золотій журбі про милого Твоя прокинеться душа* (Мас.). П о р.: **сéрце заговорúло.** А н т о н і м и: **заснýло сéрце; сéрце спить; сéрце мовчúть.**

проникáти в сéрце див. проникати; **пропонувáти рýку й ~** див. пропонувати; **прошúти ~** див. прошити; **рáнити ~** див. ранити; **рвáти ~** див. рвати; **розбивáти ~** див. розбивати.

розбúлося сéрце у кого, чиє і без додатка. Хто-небудь став нещасним; комусь завдано болю, страждань. *Розбилось серце, знемилів світ, Зів'яв навіки надії цвіт. Пречиста мати, прийми мене* (Шіллер, перекл. Лукаша). **розбúте сéрце.** *Так молодіж наша: зрости не успіє Та по-молодецьки на світі пожити, Дивись, а у нього волосся сивіє, Поглянь, вже у нього і серце розбите* (Коцюб.); *В розбитім серці не шукай снаги* (Граб.); **розбúлося сердéнько.** *Щастя ж коли їй судилось, Хай їй в покір не стає, Що через неї розбилось Серденько щире моє* (Манж.).

роздирáти сéрце див. роздирати.

розм'якло сéрце у кого. Хто-небудь розчулився, став добрим, лагідним. *Розм'якло, розніжилось Піхтіреве серце, вже не знає він, що б краще й зробити вірному товаришеві* (Вас.).

розм'якшувати сéрце див. розм'якшувати; **розпікáти ~** див. розпікати; **розпускáти своé ~** див. розпускати; **розривáти ~** див. розривати; **розтрáвлювати ~** див. розтравлювати.

сéрце берé / взялó на кого. Хто-небудь сердиться, гнівається на кого-небудь. *Іноді ні з того, ні з сього візьме його таке серце на Ясочку, що так взяв би та спідтишка й садонув би під «микитки»* (Вас.).

сéрце б'ється. 1. для кого. Хто-небудь живе (заради когось, відданий кому-небудь). *Хіба серце б'ється не для неї?.. І чому вона не птиця? Чому в неї не виросли крила?* (Мирний).

2. чим. Кого-небудь охоплює якесь почуття. *Гіркою образою билося серце у Галі* (Мирний).

сéрце болúть / заболíло у кого, чиє і без додатка. Хто-небудь тяжко переживає з якогось приводу, уболіває, тривожиться за кого-, що-небудь. *Дітки плачуть, а в матері серце болить* (Номис); *Серце болить, коли глянеш, як воно* [зерно] *гине все, перестоює, осипається* (Кучер); *Буває так зажуриться, що й люлечка не куриться, В очах сльозина заблищить І чуле серце заболить* (Гл.); **сердéнько болúть.** *Місяць в хмари закотився, Та й стало темненько. Чого ж Петро зажурився І болить серденько* (Г.-Арт.). П о р.: **болíти сéрцем; душá болúть.**

сéрце вáром обкипáє / обкипíло у кого, чиє і без додатка. Хто-небудь морально дуже страждає, тяжко переживає. *За твою усяку хибу, Кожен погляд, кожен рух Серце варом обкипає І стискає в грудях дух* (Дн. Чайка).

сéрце в'яне у кого, чиє, кому і без додатка. 1. Хто-небудь переживає, непокоїться. *Стій, Денисе, схаменися, та, цур тобі, відчепися;.. Коли ж тобі серце в'яне, глянь на жінку — перестане* (Пісні.. та романси..); *Хто йде, хто їде — на темницю гляне. Холодний погляд!.. Ох, як серце в'яне* (Л. Укр.); *Що ж маю вашому братові казати? — Кажіть йому, що дуже мені жалко і його, і діток, і серце моє в'яне* (Вовчок).

2. Кого-небудь охоплює якесь почуття, хтось відчуває потяг до кого-небудь. *В'яне серце моє од щасливих очей, що горять в тумані наді мною* (Сос.); *Олег не шкодував грошей, і в Наталки в'яло серце — ото щедрий* (Курт.).

сéрце гóрнеться до кого, чиє. Хто-небудь відчуває потяг до когось.— *Мені байдуже, що вони молоді й хороші, коли моє серце не до них горнеться* (Вовчок).

сéрце (душá) ниє (мліє, омліває, стискáється, німíє) / сéрце занúло (омлíло, обімлíло, стиснýлося, занімíло); душá занúла (обімлíла, занімíла) у кого, кого, рідко кому, чиє (чия) і без додатка. Хто-небудь дуже переживає, страждає. *«Господи! Де ж се вона ділася!..» Ниє-омліває материне серце* (Мирний); *Бридко йому було на душі, серце* нило... Та — нічого, казав собі, все минеться, вляжеться (Гуц.); Коли їхали через знайоме місто..., серце його боляче стискалось і німіло (Кол.); Там матуся теплі сльози З горя щиро вилива.. Тута ж хуга та морози, серце в тузі занива (Граб.); // чим. Хтось тривожиться за кого-небудь. Маруся не спала. Серце нило одностайним рівним болем... Мов приготовлялася до якогось неминучого злочину (Хотк.);— Мамочко, на ось краплі свої випий,— підійшла з чашечкою в руках Настя.— Може, тобі краще стане,— а в самої болем нила душа (Цюпа). **сéрдéнько мліє.** Моє серденько мліє, Мліє (Чуб.); Як хороше, як весело На білім світі жить!.. Чого ж у мене серденько І мліє, і болить! (Гл.). П о р.: **душá болить.**

сéрце (душá) тліє в кого і без додатка. Хто-небудь зазнає моральних страждань, тяжко переживає.— Думати? Се ти думатимеш, коли в мене серце тліє! (Вовчок); Од сліз би стало, може, легше!.. Не так би тліло бідне серце! (Укр. поетиромантики..). П о р.: **тліти сéрцем.**

сéрце заговорúло у кого, чиє. У кого-небудь пробудилося почуття кохання. Не диво, що серце її [Солохи] заговорило-залементувало. То був перший лемент, бурхливий, як буря, божевільний, як полум'я (Мирний). П о р.: **прокинулося сéрце.** А н т о н і м и: **заснýло сéрце; сéрце спить; сéрце мовчúть.**

сéрце зболіло (наболіло); душá зболіла (наболіла) у кого, чиє (чия). Хто-небудь зазнав тяжких і тривалих переживань, страждань. Яку ти можеш сказати правду? Що ти розумієш? У мене серце зболіло... Ні, я правду почував! (Горький, перекл. за ред. Варкентін); Ах, той Йон!.. У неї серце так наболіло через нього, в неї голова така намучена від думок про нього... (Коцюб.); — Панна Анельо, моя дорога ви, моя кохана.. Я змучивсь... у мене душа зболіла (Коцюб.).

сéрце з вóску у кого, чиє. У кого-небудь м'які, податливі вдача, характер.— У мене мабуть серце з воску — як побачу кого вродливого — так і заколотиться (Мирний).

сéрце з пéрцем. Хто-небудь з непокірним, норовистим, запальним характером.— Я люблю, щоб дівчина була трохи бриклива, щоб мала серце з перцем,— сказав Карпо (Н.-Лев.); [Х в е д о с ь к а:] Цить-бо!.. Він ще й розгнівається! [М о т р я:] А хіба в нього серце з перцем? (Кроп.).

сéрце їсти див. їсти.

сéрце кáменем лежúть у кого, кому. Хто-небудь тяжко переживає, страждає з приводу чогось.— Перестаньте, мамо,— сказав [Михайло].— Мені й так серце каменем лежить (Коб.).

сéрце кам'яніє / скам'яніло (скаменіло) у кого, чиє і без додатка. Хто-небудь стає байдужим,

черствим, не виявляє співчуття до інших. Скаменіли їх обличчя під лихою годиною, і тільки одно серце не запеклося, не скаменіло (Мирний). С и н о н і м: **сéрце мóхом оброcтáє.**

сéрце крóв'ю обливáється (рідко зливáється) / облилóся у кого, чиє і без додатка. Хто-небудь дуже переживає, страждає. Як же його сказати їй, та ще тепер, коли серце материне і без того обливається кров'ю, коли, може, вона тільки й.. чула голос батьків, як виряджала у ярмарок? (Мирний); — Глузуєш? Та хіба тобі зрозуміти батькове горе... А в мене серце кров'ю обливається, коли подумаю, що ми без коня (Резн.); [Парубок:] Серце моє кров'ю зливається... жаль мені тебе, та не можна, голубко, треба їхать... (Вас.); Чому ж воно [серце] кров'ю усе облилося І стогне і плаче і туже? (Олесь); [М а р у с я:] «Як згадаю свою Україну, то моє серце кров'ю обіллється... Я неначе бачу, над Россю, на горі батьківську хату у вишневому садочку» (Н.-Лев.).

сéрце мовчúть у кого, чиє. Хто-небудь залишається байдужим до когось, чогось. Сумна [Маруся], бо серце ще мовчить. Не просить, мабуть, ще кохання (Коцюб.). А н т о н і м и: **сéрце заговорúло; прокидáється сéрце.**

сéрце мóхом (остюкáми) оброcтáє (поcтáє) / оброслó (поcлó) у кого, чиє. Хто-небудь стає бездушним, байдужим до всього і всіх [Д м и т р о:] Ви Ольгу не тримайте... Погляньте навколо, придивіться... Це страшно, коли серце обростає мохом (Зар.); Гей, а хто в кохання грає, Той приносить людям зло, Той душі, мабуть, не має, І, напевне, серце в того остюками поросло (Воскр.). С и н о н і м: **сéрце кам'яніє.**

сéрце мре (завмирáє, замирáє) / завмéрло (замéрло) у кого, чиє і без додатка. Хто-небудь дуже хвилюється, відчуває раптовий переляк, страх і т. ін. Я прислухавсь. Найменший шелест або стук — і моє серце падає і завмира (Коцюб.); А над осінь прилітає птиця Із північних сивих чагарів... І сидить, аж можна наступити, І злітає— серце завмира.. О, яка ж то радість, красний світе (Рильський); Ось нестямний гвалт, регіт, плескання в руки піднялися з другої хати. У Василя серце замерло (Мирний); Одразу відкрила очі ... Хтось біг... Завмерло серце... Людина біжить — чути, що людина. Великим кроком... Ближче— ближче (Хотк.). П о р.: **переcтáло бúтися сéрце** (в 2 знач.); **сéрце пáдає.**

сéрце набігáє на кого, у кого і без додатка. Хто-небудь сердиться, гнівається на кого-небудь. Він чоловік нічого, а так на його іноді серце набіга (Сл. Гр.).

сéрце нáче рукóю здáвило див. здавило.

сéрце не кáмінь у кого, чиє. Хто-небудь зглянеться; у кого-небудь можна домогтися прихильності. Серце не камінь: таки все одно на другого огляне́ться (Номис); [Лі́кар:] *Діво́че се́рце не ка́мінь* (Л. Укр.).

сéрце не лежи́ть; ∼ **не на мíсці** див. душа.

сéрце не прийма́є *кого і без додатка.* Хто-небудь не відчуває симпатії, любові до когось; кому-небудь не подобається хтось.— *Ма́ти скребе́ го́лову: жени́сь та й жени́сь!.. дівча́т мені́ ра́є.. Та не прийма́ їх моє́ се́рце...* (Мирний); *Трапля́ється ча́сом, що і́ншого яко́сь не прийма́ се́рце, відверта́ється від ньо́го, до і́ншого так зра́зу приля́же, як до рідно́ї ма́ми* (Вовчок). П о р.: **душа́ не прийма́є** (у 2 знач.); **душа́ не лежи́ть; душа́ переверта́ється** (в 2 знач.).

сéрце обкипа́є (закипа́є, окипа́є) / обкипíло (закипíло, окипíло) кро́в'ю (сукрова́тою, смоло́ю і т. ін.*) у кого, чиє, рідко кому і без додатка.* Хто-небудь відчуває душевний неспокій, тяжко переживає. *Щодня́ моя́ ста́рша до́ня ходи́ла ку́дись на пропага́нду та на мíтинги. Я мовча́ла, хоч се́рце кро́в'ю обкипа́ло* (Дн. Чайка); *У не́ї се́рце обкипа́є кро́в'ю, коли́ поду́ма вона́, яке́ го́ре, яку́ нужду́ та недоста́чу те́рпить її́ Йо́сип* (Мирний); *Чубе́нко мовча́в, си́дячи на ко́ні, се́рце його́ закипа́ло кро́в'ю, перед очи́ма стоя́ла пеле́на, він розсу́нув її́ доло́нею, і за цим наста́ла тиша́, бо всі зрозумíли, що Чубе́нко хо́че говори́ти* (Ю. Янов.); *Вовгу́ру охо́плює ро́зпач сліпа́, І се́рце смоло́ю йому́ окипа́* (Стар.); *Але́ вíла при житті́ зіста́лась, тíльки се́рце кро́в'ю обкипíло* (Л. Укр.); *Се́рце сукрова́тою 'бкипíло [обкипíло] І в болíстях своїх зотлíло й занімíло* (П. Куліш). **сéрденько окипа́є кро́в'ю.** *Окипа́є моє́ серде́нько та гаря́чою кро́в'ю* (Чуб.).

сéрце обрива́ється (обірва́лося) *у кого, чиє.* Хто-небудь дуже хвилюється, відчуває тривогу. *Видава́лося йому́, що цíлий паропла́в і він за ним запада́ється в глибо́ке мо́ре. І се́рце його́ обрива́ється і кров сти́гне* (Ірчан); *Він не пам'я́тає, як відчини́в две́рі.. Назу́стріч холо́дне, незнайо́ме обли́ччя чужо́ї жíнки. На все життя́ запам'ята́в цю сце́ну. Се́рце обірва́лося, упа́ло в безо́дню* (Донч.). П о р.: **все обрива́ється.**

сéрце па́дає / впа́ло *у кого, чиє і без додатка.* Хто-небудь відчуває хвилювання від захоплення, переляку, тривоги і т. ін. *Я прислуха́всь. Найме́нший ше́лест або стук — і моє́ се́рце па́дає і завмира́є* (Коцюб.); *Коли́ він згада́в про фотогра́фію, се́рце в ме́не зовсíм упа́ло* (Вільде); *Павло́ поба́чив свою́ пробо́їну і се́рце його́ впа́ло* (Багмут). П о р.: **сéрце мре.**

сéрце переболíло (перегорíло, перекипíло і т. ін.*);* **душа́ переболíла (перегорíла, перекипíла** і т. ін.*) у кого, чиє (чия) і без додатка.* 1. Хто-небудь настраждався, знемігся від почуття тривоги, страху, туги і т. ін. *А скíльки сліз вили́ла за ним! А скíльки се́рце в ме́не переболíло, як пішо́в він на чужи́ну!* (Н.-Лев.); *— Ма́мо, ма́мо! Скажíть мені́ слове́чко, скажíть! Моя́ душа́ пере-*

боліла... *моє́ се́рце схне!* (Вовчок); *— Так і не вда́лося зазирну́ти в рідні́ краї́. Та, мабу́ть, і кра́ще. Раз перекипíло се́рце — і ба́ста. Наві́що вдру́ге ятри́ти?* (Тют.). С и н о н і м и: **душа́ перетлíла; перетлíти душе́ю.**

2. Хто-небудь заспоко́ївся, забу́в про коли́шні обра́зи, переживання і т. ін. *Небага́то треба, щоб ура́жене дитя́че се́рце переболíло, замо́вкло. Іва́севому помíг бичо́к, з-за ко́трого і схопи́лася неда́вня спíрка* (Мирний). П о р.: **переболíти душе́ю.**

сéрце переверта́ється див. душа.

сéрце поверта́ється / поверну́лося. 1. *кого, чиє до кого.* Хто-небудь починає прихильно ставитися, відчуває симпатію, любов до когось (перев. після якогось непорозуміння, незгоди, сварки і т. ін.).— *Їй шко́да ме́не? — се́рце матерне́ уже́ поверта́лося до до́чки* (Мирний); *Ні, не таки́м було́ коха́ння його́ [Дани́ла] до дівчи́ни. Її́ се́рце вже поверта́лося до Нечу́йвітра, коли́ Дани́ло поба́чив Гали́ну* (Стельмах). П о р.: **сéрце приверта́ється.**

2. *тíльки док., у кого.* Хто-небудь перейнявся співчуттям, жалем до когось. *Очі йому́ від знемо́ги закри́лися, зу́би зцíплені, вид страшни́й, грíзний. У ма́тері аж се́рце боля́че поверну́лося од того́ ви́ду страшно́го* (Мирний). П о р.: **душа́ переверта́ється.**

сéрце приверта́ється (пригорта́ється, хи́литься, схиля́ється, прилята́є) / приверну́лося (пригорну́лося, схили́лося, прилягло́) *кого, чиє до кого і без додатка.* Хто-небудь відчуває потяг, симпатію, любов до когось. *Привертало́сь її́ се́рце до Рома́на* (Стельмах); *Ра́дили лю́ди Дуви́дові молоду́ в Бíлій Це́ркві.. — та вже ні до ко́го бíльше не пригорта́лось Дуви́дове се́рце* (Вас.); [З а в а д а:] *Кíлько [скíльки] вже розди́влявся по селí — нема́ тако́ї ні дівчи́ни, ні вдови́, щоби́ моє́ се́рце до не́ї хили́лося* (Фр.); [М а р'я н а:] *Та воно́ яко́сь і коха́ть просто́го па́рубка не приста́ло тепе́р, до коза́ків скорíй се́рце схиля́ється* (Вас.); *Се́рце ж мо́є не пригорта́ється до те́бе, Петру́сю, очі не зглянуться* (Барв.); *— Чого́ всміха́єшся, нíби вíри не ймеш?.. Аби́ ти не варт, щоб до те́бе се́рце приля́гло?* (Вовчок); *— Трапля́ється ча́сом, що і́ншого яко́сь не прийма́ се́рце, відверта́ється від ньо́го, до і́ншого так зра́зу приля́же, як рідно́ї ма́ми* (Вовчок). **сéрденько приля́же.** *«Ох, втеря́ла я голубо́нька.. Чи приля́же ще моє́ серде́нько до йо́го? Чи приве́рнеться коли́ його́ се́рце до ме́не?» — ду́мала Соломíя* (Н.-Лев.). П о р.: **сéрце приверта́ється** (в 1 знач.).

сéрце прохоло́ло (охоло́ло) *у кого, чиє і без додатка.* У кого-небудь зменшилася сила вияву якихось почуттів (кохання, ненависті і ін.). *Я почу́ла, що моє́ се́рце вже й прохоло́ло, переста́ло ненави́діти його́...* (Барв.); *«Пе́рші, ка́жуть, любо́щі — дурни́ця... А прохоло́не се́рце, пíдуть доко́ри* *та перекори»* (Мирний). П о р.: **сéрце угамувá-лося.**

сéрце радíє *див.* душа.

сéрце рвéться (розривáється) на шматкú (кус-кú) *у кого, чиє і без додатка.* Хто-небудь дуже переживає, страждає. *З ким поділить сумні думки? О, як би я бажав заплакать; Як серце рветься на шматки!* (Граб.); *Розчісує Катерина голову Якова і приглядається, чи не заснув він; а сердешному чоловікові не до спання: серце в його на шматки розривається* (Стор.); — *Мар'янко, хіба я не знаю, хіба я не бачу, як тобі тяжко? Хіба я не мучусь сам, дивлячись, що у тебе серце розривається на куски* (Вас.).

сéрце розривáється нáдвóє *див.* душа.

сéрце розривáється (надривáється) *у кого, чиє, від чого, з чого і без додатка.* Хто-небудь переймається якимсь почуттям (кохання, жалю, одчаю і т. ін.). [К а с с а н д р а:] *Долон не винен. Винні сії очі, Не вмів їх погляд мовити «кохаю», Хоч від кохання серце розривалось* (Л. Укр.); *А коли твоя постать востаннє мигне, Розривається серце з одчаю!* (Вороний); *Все я бачив; Од усього серце надривалось,— І тоді журливе слово На папір прохалось* (Щог.). **сéрце як не розíрвéться.** — *Що це ти, сину, робиш?* — *з плачем докоряє Мотря, а серце в неї як не розірветься від горя* (Мирний).

сéрце скнíє *див.* душа.

сéрце сóхне (*рідше* **схне**) *кого, чиє.* 1. Хто-небудь дуже переживає, мучиться з приводу чогось.— *Мамо! мамо! Скажіть мені словечко, скажіть! Моя душа переболіла... Моє серце схне!* (Вовчок).

2. *за ким.* Хто-небудь томиться, знемагає від кохання. *Та минали дні і ночі, минали місяці, а той, за ким сохло її серце, не з'являвся перед батьківський двір* (Д. Бедзик).

сéрце спить *кого, чиє.* Хто-небудь залишається байдужим, не виявляє інтересу до кого-, чого-небудь. *Вона молилась більше з обов'язку; її думка .. мовчала, її серце спало* (Л. Укр.). А н т о н í м и: **сéрце заговорúло; прокидáється сéрце.**

сéрце співáє *див.* душа.

сéрце стúгне. 1. Хто-небудь заспокоюється, забуваючи про образи, перестає сердитися на когось. *Вона устала така веселенька, хоч і вчора її лаяно, та дитяче серце скоро стигне, образи швидко холонуть* (Мирний).

2. Кому-небудь дуже страшно, боязко. *Маруся похолола... Чула, як стигло серце. Незрозумілий, елементарний якийсь жах перетряс нею цілою* (Хотк.). П о р.: **холóне сéрце** (в 2 знач.).

сéрце стискáється (стúскується) / стúслося (стúснулося) *у кого, чиє, кому і без додатка.* Хто-небудь тривожиться, хвилюється, відчуває неспокій за когось. *Коли згадую про нього, стискається серце* (Коцюб.); *Чує [Роман], як стиска-*

ється в нього серце з жалю до матері (Стельмах); *Серце мені стиснулося: он вони — рідні Карпати!* (Мур.).

сéрце схóдить крóв'ю *кого, у кого, чиє.* Хто-небудь дуже сильно переживає, страждає. *Одиноке, самотнє, занедбане всіма серце [Раїси] сходило кров'ю у темній сосновій домовині* (Коцюб.).

сéрце тéнькає / тéнькнуло *в кого, у кого, кому і без додатка.* Хто-небудь починає дуже хвилюватися, тривожитися з приводу чого-небудь. *Тітка Мокрина, хоч в самої тенькає серце, може заспокоювати та вговоряти* (Вовчок); *«Господи, що ж він зробив». Приплющуючи очі, Левко зупинявся на дорозі, відчуваючи, як серце тенькало* (Стельмах); *Він навіть не пам'ятав, чи попрощалася Галка. Отямився, коли вона поминула третій поверх. Серце йому тенькнуло* (Мушк.). П о р.: **тéнькає в сéрці.**

сéрце угамувáлося *у кого, чиє.* Хто-небудь перестав хвилюватися, заспокоївся. *Душа його стала на покої, та й моє серце трохи угамувалось* (Мирний). П о р.: **сéрце прохолóло.**

сéрце чýє (учувáє) / учýло *кого, чиє.* Хто-небудь передбачає щось, підсвідомо здогадується про що-небудь. *Серце її чуло, що тут щось не так, що справедливість на батьковому боці, що Сепмар не має за собою вини* (Коцюб.); *Не вистачає сил добратися до глибини. Чує моє серце, що в девонах є газ, а руки короткі, от і шастаю по верхах* (Цюпа). **сердéнько чýє.** *Непевні очі удовині! Се ж серденько моє чуло!..* (Вовчок).

сéрце як (лéдве, мáло, трóхи *і т. ін.*) **не вúскочить [з грудéй]** *у кого, кого, чиє і без додатка.* Хто-небудь раптом відчув сильне хвилювання або переляк і т. ін. *Лежать груші — тут, там, ждуть, а в кожного з нас серце як не вискочить. Господар, нахилившись, сам бере, дає тобі, дає йому, нікого не забуде, не промине* (Гончар); [А н д р і й (до Стехи):] *Ходім, мамо, швидше додому, серце поривається і як не вискочить з грудей!..* (Кроп.); *Хтось пройшов біля плоту, торкнувся рукою воріт, і серце Христини мало не вискочило з грудей: це ж він, Роман, повернув на її вулицю* (Стельмах); [О л е н к а:] *Ой, як ви мене злякали, що я й не стямилась! Серце моє трохи не вискочить з грудей* (Н.-Лев.). **сердéнько трóхи з грудéй не вúскочить.** *Яким лопаточку в руки — і давай рити... А Ольга ніби непритомна,.. а серденько трохи з грудей не вискочить* (Тют.). **сéрце лáдне булó вúскочити з грудéй.** *Половчиха, вирядивши в море чоловіка, виглядала його шаланду,.. її серце ладне було вискочити з грудей, а з моря йшли холод та гуркіт, море зажерливо ревло, схопивши її Мусія* (Ю. Янов.).

сколихнýти сéрце *див.* сколихнути; **скрíпúвши ~** *див.* скріпивши; **скрíпúти ~** *див.* скріпити.

спопеляється / спопелúлося сéрце *у кого і без додатка.* Хто-небудь зазнає великих душевних страждань. *Сліз нема, тому що коли спопелиться все серце від муки — висихають і сльози у тому вогні* (Тулуб).

спопеля́ти се́рце *див.* спопеляти; **сса́ти ~** *див.* ссати; **стиска́ти ~** *див.* стискати; **суши́ти ~** *див.* сушити; **схили́ти ~** *див.* схилити.

та́не се́рце *у кого, чиє, рідко в кому.* Хто-небудь сповнюється приємними почуттями, піддаючись впливові когось, чогось приємного. *Олімпіада Никанорівна любила красивих людей, а Чумак виявився якраз таким парубком, перед якими в молодості тануло її серце* (Збан.).

терза́ти се́рце *див.* терзати.

те́рпне се́рце *у кого, чиє і без додатка.* Хто-небудь відчуває тривогу, душевний біль і т. ін. *Полярна ніч і волохатий сполох Над безвістю засніжених долин. Як терпне серце! Скільки літ один Німує він у нетрях захололих* (Зеров).

ти́сне се́рце *див.* тисне; **ті́шити ~** *див.* тішити; **торка́ти ~** *див.* торкати; **то́чити ~** *див.* точити; **триво́жити ~** *див.* тривожити; **тяга́р ліг на ~** *див.* тягар; **тяжки́й ка́мінь ліг на ~** *див.* камінь; **ужали́ти в ~** *див.* ужалити.

у са́ме се́рце; до са́мого се́рця, *з сл.* вража́ти, хвилюва́ти *і т. ін.* Дуже сильно, надзвичайно глибоко. *Щорс почав говорити. Неголосно, але в кожному його слові було стільки сили, ясності і стриманого гніву, стільки гордості і глибокої любові до великого історичного діла, що натовп, вражений в саме серце, застиг* (Довж.); *З одного червоноармійця сповзла шинель, і жовтий лоб, неприродно випуклий і кістлявий, вразив комбрига в саме серце* (Ю. Бедзик).

ути́шити се́рце *див.* утишити; **утіша́ти ~** *див.* утішати; **ущеми́ти ~** *див.* ущемити; **хво́ре ~** *див.* душа.

черв'я́к то́чить се́рце *див.* черв'як; **черстве́ ~**; **широ́ке ~** *див.* душа; **шпига́ти в ~** *див.* шпигати; **штовха́ти в ~** *див.* штовхати.

щемить / защемі́ло се́рце. 1. *у кого, кому, кого, чиє і без додатка.* Хто-небудь печалиться, тужить, страждає. *Дивиться мати, а він озирнеться, помахає рукою і йде собі далі за возом .. І щемить їй серце, болить, як зранене* (Тют.); *Щеміло серце, вболівав [Харитон Макарович] за долю внучки. Зітхаючи, думав, як важко їй без батька* (Хижняк); *Защеміло, заболіло материнське серце* (Мирний); *Серце Дороша защеміло, він скинув кашкета, став на коліна перед самітнім горбиком і довго стояв* (Тют.).

2. *від чого.* Хто-небудь відчуває піднесення, має добрий настрій. *Серце старого гірника співало, солодко щеміло від радісного передчуття* (Ткач).

щи́ре се́рце *див.* душа; **як ка́мінь ліг на ~** *див.* камінь; **як ніж го́стрий у ~** *див.* ніж; **як ноже́м вколо́ти в ~** *див.* вколоти; **як п'явки́ за ~ ссуть** *див.* п'явки; **я́трити ~** *див.* ятрити.

я́триться се́рце (душа́) *у кого, кому і без*

додатка. Хто-небудь глибоко переживає; кого-небудь щось бентежить, хвилює. *Іван лежав збуджений, бентежний, серце йому ятрилось* (Гончар); [Джавоїра:] *Різні клопоти є. Від одних розцвіта, а від інших ятриться душа, ніби рана* (Лев.). **я́триться в се́рці (в душі́).** *І коли ж той жар догорить, Що ятриться в серці мені?* (Фр.); *Моє серце відчуло, що в Павла щось ятриться в душі. Помітила зразу і хотіла оце сказати старому,— зітхнула Марфа Петрівна* (Коп.). С и н о н і м и: гні́тити се́рце; я́трити ра́ну в се́рці.

СЕРЦЕВІ: потура́ти се́рцеві *див.* потурати.

СЕРЦЕМ: болі́ти се́рцем *див.* боліти; **відпочива́ти ~** *див.* відпочивати; **відта́нути ~** *див.* відтанути; **відхо́дити ~** *див.* відходити.

всім се́рцем (всіє́ю душе́ю). 1. *з сл.* л ю б и́ т и, в і́ р и т и. Щиро, гаряче.— *Любиш думкою, любиш помислами своїми... ні, ти [Маруся] люби всім серцем своїм, всею [всією] душею своєю* (Мирний); *Любіть Україну всім серцем своїм і всіми своїми ділами!..* (Сос.); — *А твій милий до зими неодмінно прилетить! — Справді? — Справді! — запевняв Мірошниченко, всім серцем вірячи, що так і буде* (Стельмах). П о р.: **душе́ю і ті́лом** (у 1, 2 знач.).

2. *з сл.* співчува́ти, стоя́ти, іти́, розумі́ти *і т. ін.* Цілком, повністю, до кінця. *Він співчував їм всім серцем і сам радо пішов би в дружину, коли б не його немолоді вже літа* (Довж.); *Ми всією душею стоїмо за об'єднання інтернаціоналістів* (Ленін); *Я бачила тебе і раніше, але не так прозоро, а тепер я пішла до тебе всею [всією] душею, як сплакана дитина іде в обійми того, хто її жалує* (Л. Укр.); *Знала [Марта], всім дівочим серцем розуміла, що добре хлопцеві з нею* (Стельмах).

вчува́ти се́рцем *див.* вчувати; **гаря́чий ~** *див.* гарячий; **душе́ю і ~** *див.* душею; **завмира́ти ~** *див.* завмирати.

з важки́м (нелегки́м) се́рцем. У гнітючому стані, в тривозі, у передчутті чогось неприємного. *З важким серцем ішов Максим Беркут посеред невеличкої ватаги тухольських молодців на сповнення громадської волі* (Фр.); *Так і не діждавшись Стахи, Бронко з важким серцем повернувся додому* (Вільде); *Ось уже дівчина.. обернулась до Романа. А він махнув їй рукою і з нелегким, стривоженим серцем попрямував до села* (Стельмах). А н т о н і м: з легки́м се́рцем.

з відкри́тим се́рцем *див.* душею.

з легки́м се́рцем; з легко́ю душе́ю. Без будь-якої тривоги, без жалю, вагань, переживань. *Ви не думайте, що я на легкім хлібі виросла і так собі, з легким серцем на легкий хліб пустилася!* (Фр.); *Мусієві повезло. Він правив кіньми самого Жежері — баскими, вороними,— що.. тепер зміями рвалися з упряжки. Не з легким серцем дав її* [упряжку] *Жежеря* (Речм.); *Взагалі, не з легкою душею їду в Київ, але, врешті, може буде ліпше, ніж я думаю* (Л. Укр.); *Вдовольнивши таким чином своє почуття порядку, Гашке вже, певне, з легкою душею пострілював з парабелума по «живих мішенях»* (Коз.); // *З полегшенням. Горіли плавні.— Ні, не до нас йде, а вбік, за вітром,— з легким серцем зітхнула врешті Соломія* (Коцюб.). Антонім: **з важки́м се́рцем.**

з се́рцем, з сл. с к а з а́ т и , з р о б и́ т и і т. ін. *Сердито, з гнівом, з злістю.— А як тато не прийме мене? — То нехай собі робить з тобою, що хоче! — з серцем промовила Василиха* (Фр.); *Руки в нього тремтіли, ніяк не міг зав'язати галстук, то з серцем чортихнувся, рвонув його й почав зав'язувати заново* (Головко); *— І все-таки ваша челядь навіть не мріє про такі житла, в яких живуть вівці.— Бо ковбаса не для пса! — раптом з серцем вихоплюється у Стадницького* (Стельмах). **з се́рця.** *Шрам з серця аж ложку покинув, а господар замішавсь-замішавсь да й сам не знає, що йому робити* (П. Куліш). Антонім: **без се́рця** (у 3 знач.).

з щи́рим се́рцем. *З довірою.— Я до вас із щирим серцем, а ви до мене з хитрощами. Лучче б уже одрізали попросту, да й годі. Ну, що в вас на мислі?* (П. Куліш); *А хитрющий та підступний який! Ви думаєте, він і про Артема ото застеріг із щирим серцем? Я вже його розкусила* (Головко); // *Тепло, гаряче. Леся.. з місця не ворухнеться. Да вже Череваниха почала Петра обнімати; тільки вже тепер пригортала до себе з щирим серцем, як рідного сина* (П. Куліш).

ма́ти змію́ під се́рцем *див.* мати [2]; **млі́ти ~** *див.* мліти; **м'яки́й ~** *див.* м'який; **палки́й ~** *див.* палкий; **перeболі́ти ~** *див.* переболіти; **перетлі́ти ~** *див.* перетліти; **прикипі́ти ~** *див.* прикипіти; **прили́пнути усі́м ~** *див.* прилипнути; **прирости́ ~** *див.* прирости; **прихиля́тися ~** *див.* прихилятися; **раді́ти ~** *див.* радіти; **розквіта́ти ~** *див.* розквітати; **розумі́ти ~** *див.* розуміти; **~ зрозумі́ти** *див.* зрозуміти; **~ прийма́ти** *див.* приймати; **~ припа́сти** *див.* припасти; **~ убола́вати ~** *див.* уболівати; **~ чу́ти ~** *див.* чути; **скрипі́ти ~** *див.* скрипіти; **спопелі́ти ~** *див.* спопеліти; **тлі́ти ~** *див.* тліти; **умліва́ти ~** *див.* умлівати; **холо́дна жа́ба сиди́ть під ~** *див.* жаба; **ці́лим ~ прилягти́** *див.* прилягти; **чи́стим ~** *див.* серця.

щи́рим се́рцем; щи́рою душе́ю. *Віддаючи всі сили, самовіддано. Робить [Андрійко] і діло, щирим серцем робить, а годинку урве собі на гуляння парубоцьке* (Вовчок); *— Послужив я козацтву щирою душею, а як-то мені козацтво послужить!* (П. Куліш).

СЕРЦІ: відлягло́ на се́рці *див.* відлягло; **ворухну́тися в ~** *див.* ворухнутися; **гі́рко на ~** *див.* гірко; **заворуши́лося у ~** *див.* заворушилося; **залива́ти черв'яка́ в ~** *див.* заливати; **ка́менем лягти**

на ~ *див.* лягти; **карбува́тися на ~** *див.* карбуватися; **коти́ шкребу́ть на ~** *див.* коти; **кра́яти ноже́м по ~** *див.* краяти; **легко́ на ~** *див.* легко; **лежа́ти важки́м ка́менем на ~; лежа́ти на ~** *див.* лежати; **ма́ти Бо́га в ~; ма́ти Христа́ в ~** *див.* мати [2]; **му́ляти на ~** *див.* муляти; **му́лько на ~** *див.* мулько; **накипі́ти на ~** *див.* накипіти; **на ~ га́рно** *див.* гарно; **на ~ кипи́ть** *див.* кипить; **на ~ ми́ші шкря́бають** *див.* миші; **нема́ Бо́га у ~** *див.* нема; **не ма́ти Бо́га в ~** *див.* мати [2]; **нести́ тяга́р у ~** *див.* нести; **носи́ти в ~** *див.* носити; **покла́сти в ~** *див.* покласти; **покопирса́тися в ~** *див.* покопирсатися; **по́рожньо в ~** *див.* порожньо; **посвітлі́шало на ~** *див.* посвітлішало; **потепліша́ло на ~** *див.* потеплішало; **похоло́нуло на ~** *див.* похолонуло; **пронести́ в ~** *див.* пронести; **розгоди́нилося на ~** *див.* розгодинилося; **сиді́ти боля́чкою на ~** *див.* сидіти; **сколихну́ти в ~** *див.* сколихнути; **схова́ти в ~** *див.* сховати; **те́нькнуло в ~** *див.* тенькнуло; **чита́ти в ~** *див.* читати; **шкребе́ на ~** *див.* шкребе; **ятри́ти ра́ну у ~** *див.* ятрити.

СЕРЦЮ: дава́ти во́лю се́рцю *див.* давати.

по се́рцю; до се́рця *кому. Кому-небудь хтось або щось подобається, підходить. Еней був тяжко не по серцю Юноні,— все її гнівив, Здавсь гірчи́ший їй від перцю* (Котл.); *— Як хоч, а мені вже оце не до серця.— Молдавська [пісня]! Син запитав: — А чого? — Не до серця, та й годі!* (Тич.); *Почував себе [Дорош] збудженим і трохи схвильованим від того, що перед ним розкривається нове життя, що немає вже військової служби,.. яка ніколи не була йому до серця* (Тют.). Синоніми: **по собі; до душі.**

потура́ти се́рцю *див.* потурати; **як ноже́м по ~ полосну́ти** *див.* полоснути; **як хто різну́в по ~** *див.* хто.

СЕ́РЦЯ: без се́рця. 1. *Жорстокий, безжалісний. Ще треба буде одну ніч ночувати у того чоловіка без серця* (Фр.).

2. *Безжалісно, не шкодуючи нікого, нічого. Без серця і без жалю, Без сльози гіркої Поспішає розбіяка До здобичі свої [своєї]* (Рудан.); *Мерщій снігами, Казбеку, замети — молю — І порох мандрівний світами Розвій без серця і жалю* (Зеров).

3. *Не гніваючись або без злості, пересердившись.— Чом же ви не рознесли чорної к бісовій матері?..— уже без серця вступає Чіпка в розмову* (Мирний); *— Скажи, хлопе, .. без серця звернулася вона до Івасикового батька,— ти навіщо паскудиш мій ліс?* (Д. Бедзик). Антонім: **з се́рцем.**

бра́ти до се́рця *див.* брати; **ви́кинути з свого́ ~** *див.* викинути; **вирива́ти з ~** *див.* виривати.

від (з) [усьо́го] се́рця. 1. *Щиро, сердечно, самовіддано. Як добре, що існує Нароч, Як добре,* *що Дніпро дзвенить, Як слова милого «товариш» З усього серця не любить?* (Рильський).

2. *Нестримно. Співаючи пісню, од серця голосить* [дідусь] *і до плачу доводить* (П. Куліш); *Оксен, позираючи на молодь, що їхала із сміхом та витівками, пригадував і свої парубоцькі роки, коли він також був отакий.. веселун, і йому робилося сумно на душі.. що він уже давно забув той день, коли весело, від усього серця сміявся* (Тют.). П о р.: **від душі** (в 2 знач.).

відігрівати змію біля серця *див.* відігрівати; **відкрáяти від** ∼ *див.* відкрáяти; **відлягло́ від** ∼ *див.* серця; **відривáти від** ∼ *див.* серця.

від сéрця. Дуже сумлінно, з надзвичайною стараннстю.— *Добре підкували, від серця,— запевняв буковинець на прощання.— Хай не зітруться підкови, хай не підіб'ються ваші коні* (Гончар). П о р.: **від душі** (у 5 знач.).

від чи́стого сéрця; чи́стим сéрцем. Щиро, з добрим наміром. *Чистим серцем Поблагословила* [Ганна] *Свого Марка... заплакала Й пішла за ворота* (Шевч.).

від щи́рого сéрця. 1. з сл. в і т á т и, б а ж á т и, п о з д о р о в л я́ т и, п о ц і л у в á т и і т. ін. Палко, гаряче.— *Вітаю од щирого серця панну Гризельду! — промовив князь Домінік* (Н.-Лев.); *Од щирого серця бажаю Вам, Високоповажний Іване Семеновичу, здоров'я та веселих свят* (Коцюб.); *Як побачила ж вона його худого, блідого, з веселим поглядом блискучим, і сама не знала, що з нею сталося: кинулась до його, як дитина, обняла і пригорнулась, а Павло обняв і поцілував її від щирого серця* (П. Куліш).

2. з сл. р о з к á з у в а т и, р о з п о в і д á т и, к а з á т и і т. ін. Відверто, чистосердечно, не приховуючи нічого, чесно. *Що ж їй тут казати? Вона від щирого серця тут і каже: «Як же вас ще полюбити?»* (Кв.-Осн.); — *Я буду завжди згадувати час приємної знайомості з вами й від щирого серця кажу вам: ви — ідеальний батько* (Л. Янов.).

гадю́ка ссе кóло сéрця *див.* гадюка; **гóлос** ∼ *див.* голос; **гріти кóло** ∼ *див.* гріти; **дáма** ∼ *дам.* дама; **добирáтися до** ∼ *див.* добиратися; **до глибини́** ∼ *див.* глибини; **доїдáти до** ∼ *див.* доїдати; **дóкір** ∼ *див.* докір; **докладáти** ∼ *див.* докладати; **допікáти до** ∼ *див.* допікати; **до** ∼ *див.* серцю; **дохóдити до** ∼ *див.* доходити; **дошкуля́ти до** ∼ *див.* дошкуляти; **за велі́нням** ∼ *див.* велінням; **залоскотáло кóло** ∼ *див.* залоскотало; **за пóкликом** ∼ *див.* покликом; **здіймáти кáмінь з** ∼ *див.* здіймати; **з дна** ∼ *див.* дна.

з дóброго сéрця. По-доброму, без злого наміру.— *Я з доброго серця питаю,— чи то правда, що родичі хочуть паннунцю продати баронові?* (Фр.).

з завмирáнням ∼ *див.* завмиранням; **знахóдити дорóгу до** ∼ *див.* знаходити; **іти́ з глибини́** ∼ *див.* іти; **кáменем з** ∼ **спáсти** *див.* спасти;

крóв'ю ∼ *див.* кров'ю; **ли́цар** ∼ *див.* лицар; **лу́снути з** ∼ *див.* луснути; **му́ки** ∼ *див.* муки; **на дно** ∼ *див.* дно; **на дні** ∼ *див.* дні; **пáм'ять** ∼ *див.* пам'ять; **пекти́ до живóго** ∼; **пекти́ кóло** ∼ *див.* пекти; **підбирáти ключ до** ∼ *див.* підбирати; **поклáсти до** ∼ *див.* покласти; **прийти́ся до** ∼ *див.* прийтися; **прикипі́ти до** ∼ *див.* прикипіти; **приляг ти́ до** ∼ *див.* прилягти; **припáсти до** ∼ *див.* припасти; **прирости́ до** ∼ *див.* прирости; **проймáти до** ∼ *див.* проймати; **проклáдати дорóгу до** ∼ *див.* прокладати; **проникáти до** ∼ *див.* проникати; **пропікáти до** ∼ *див.* пропікати; **скидáти з** ∼ *див.* скидати; **топтáти стéжку до** ∼ *див.* топтати; **точи́ти кров з** ∼ *див.* точити; **у глибині́** ∼ *див.* глибині; **уколупáти б** ∼ *див.* уколупати; **усімá фі́брами** ∼ *див.* фібрами.

СЕРЦЯ́: прихиля́ти до сéбе серця́ *див.* прихиляти.

СЕСТРÁ: вáша сестрá. Ви (ти) і подібні до вас (до тебе) жінки; всі жінки. *Кіко* [скільки] *він вашої сестри, отаких-о мав — хо-хо! Так у него* [нього] *ув кожнім ув селі по любасці* (Хотк.).

нáша сестрá. Ми (я) і подібні до нас (до мене) жінки; всі жінки. [К а т р я:] *Нашій сестрі тільки й на думці, аби з хлопцями пожирувати* (Вас.).

СЕСТРÓЮ: як брат з сестрóю *див.* брат.

СИВА: си́ва борода́ *див.* борода.

СИВИНИ́: до сивини́ *див.* волосу.

з сивини́ вікі́в (столі́ть). З найдавніших часів, з минулого. [П р и д о р о ж н і й:] *Правда, Іване, в ньому* [портреті] *неначе з сивини віків проглядає сила дика і войовнича* (Корн.); — *Скільки ж казок про нас перекажуть* [майбутні покоління], *скільки пісень переспівають про нас!.. І воскреснемо ми,— сказав Щорс.— І повстанемо з сивини століть, і пройдемо перед ними могутнім строєм, повним урочистого ритму й краси* (Довж.).

СИВІ́ТИ: си́віти (сиді́ти) / поси́віти (заси́дітися) в дівкáх (дíвкою, в перéстарках і т. ін.). Довго не виходити заміж або зовсім не бути заміжньою; не перебувати в шлюбі. *В дівках сиділа — плакала, заміж вийшла — вити стала* (Укр.. присл..); *Розвеселившись, гості гуртом стали упрошувати Даньку, щоб не впирався, щоб не зоставив Мокрину вік сидіти в дівках* (Гончар); *Хоч що б там казали, а свати раз на віку приходять. І кожній матері радість, бо не хочеться ж, щоб дочка в перестарках сиділа і долю свою кляла* (Зар.); [Г о р п и н а:] *Тисячі та сотні ніколи в дівках не посивіють... Повиходять швиденько* (Н.-Лев.); — *Їй одна писля: у наймах. Думаєш — возьме* [візьме] *хто бідну? Посивіє дівкою* (Коцюб.); — *І не говоріть мені, мамо, не хочу. Краще вже й посивіти дівкою* (Козл.).

СИВКÓ: як Сивкó в пéклі *див.* Марко.

СИВОГО: до си́вого вóлосу *див.* волосу.

СИВОЇ: до си́вої бороди́ *див.* бороди.

СИГНА́Л: дава́ти сигна́л *див.* давати.

СИДИ́ТЬ: ду́мка гвіздко́м сиди́ть у голові́ *див.* думка.

оту́т (ось тут) сиди́ть *у кого*. Постійно турбувати кого-небудь, бути причиною хвилювання, переживання і т. ін. когось.— *Та таки правда, що воно [земство] в мене отут сидить! — показав [Чіпка] на серце* (Мирний).

холо́дна жа́ба сиди́ть під се́рцем *див.* жаба.

СИДІ́ТИ: сиді́ти боля́чкою на се́рці. Невідступно, постійно непокоїти, тривожити кого-небудь. *Та земля Притичина не одну вже ніч не давала йому спати,— болячкою на серці сиділа* (Мирний).

сиді́ти в дівка́х *див.* сивіти.

сиді́ти в душі́. Невідступно, постійно непокоїти, тривожити кого-небудь.— *Чи ви знаєте оте гаспидське подружжя, Якова й Катерину, що в душі воно в мене сидить?* (Стор.).

сиді́ти в за́пічку (на пе́чі́). 1. Жити безтурботно. *Ростіть, ростіть, дівчаточка! Добре сидіти в теплому запічку за старими головами* (П. Куліш).

2. Не втручатися ні в які справи, перебувати осторонь чого-небудь. *Таку сказав [Латин] річ старшинам: ..— Мовчки в запічках сидіте, Розгадуйте, що їсть і пить* (Котл.).

сиді́ти в кише́ні *у кого, чий*. Бути в повній фінансовій залежності від кого-небудь; бути чиїмсь боржником. *Він сидить у кишені своєї тітки.*

сиді́ти в крові́ *у кого, кому*. Бути притаманним кому-небудь від народження, становити невід'ємну особливість характеру, вдачі і т. ін. *Хома, який умів з кожного покепкувати, водночас викликав і загальну симпатію до себе своїм гумором та затятим колективізмом, що, здається, вже сидів йому в крові* (Гончар).

сиді́ти, [і] не рипа́тися. 1. Нікуди не виходити; перебувати де-небудь безвідлучно. *Мені добре ходить, бо я живу напроти, а хто забрався, наприклад, як Надсон, у гори або яри, то вже сидітиме увечері тихо і не рипатиметься* (Л. Укр.).

2. Не втручатися в що-небудь, бути бездіяльним. *О, вона бачить його наскрізь, всі його думки і бажання, то нехай він сидить, не рипається, в бабське діло не мішається* (Коцюб.); — *Сидіти — не рипатись і краще працювати біля свого наділу, який він не є* (Стельмах); // *Не виявляти активності у вирішення будь-якої справи. І потім — клуб. Хто вже відпустить з нього? Сиди, мабуть, товаришу Чуб, і не рипайся* (Минко).

сиді́ти ка́менем (кілко́м, пенько́м, гвіздко́м, кря́чкою і т. ін.). 1. Перебувати в нерухомому положенні. *Увесь Єрусалим, старе і мале біжить, щоб на видовисько поглянуть, се тільки ти тут каменем сидиш* (Л. Укр.); // Бути незайнятим роботою.— *Годі тобі воду в ступі товкти! — обірвав його Терентій.— Нічого сказати, так сидів би крячкою і слухав готове* (Моск.).

2. Наполегливо займатися чим-небудь, заглиблюватися у якусь роботу, заняття і т. ін. *Лікарі кажуть покинути таку працю, більше гуляти, спочивати, а я мушу каменем сидіти* (Коцюб.); *Ялинка... пиво... Преферанс ... А ти — води. Сиди пеньком. Рахуй у книзі чийсь аванс...* (Еллан). П о р.: **сіда́ти ка́менем**.

3. Перебувати де-небудь безвідлучно, нікуди не виходячи або не виїжджаючи. *Дід.. незмінно відказує: — Не хочу каменем сидіти на місці, в поле закортіло. Як там у полі, га?* (Гуц.); — *Ти хоч би пішла проходилася. А то сидиш крячкою у хаті, аж зажовкла* (Мирний).

сиді́ти на голові́ *кому, у кого, чий*. Бути під чиєю-небудь опікою, на чиємусь утриманні, матеріально обтяжуючи кого-небудь. *Але Славко не приходив, мабуть, тому,— була в неї така думка,— що тітка сидить їй на голові. .. Скоро тітка від'їхала, то Краньцовська дожидала Славка щоднини* (Март.). П о р.: **сиді́ти на ши́ї**. С и н о н і м: **висі́ти на ши́ї**.

сиді́ти на порохово́му по́гребі (на порохові́й бо́чці). Перебувати під загрозою небезпеки, катастрофи і т. ін.— *Шкури! Кругом продажні шкури. Сидять на пороховому погребі й задоволені* (Збан.).

сиді́ти на своє́му мі́сці. Відповідати знаннями, покликанням тощо тій справі, якою зайнятий. *Хто не знає справи, той сидить не на своєму місці.*

сиді́ти на сухо́му. Потрапляти в несприятливе, скрутне становище. *Про рибу — то й казати нічого. Коли немає влову в Кухтія, так і знайте, що найвезучіший рибалка сидить на сухому* (Літ. Укр.).

сиді́ти на телефо́ні *див.* висіти.

сиді́ти на чемода́нах. 1. Зібравши і склавши в дорогу речі, чекати від'їзду. *Вони готувалися до евакуації і сиділи на чемоданах.*

2. Вважати тимчасовим місце своєї роботи, проживання і т. ін. *А в нашому районі секретар чомусь присланий. Та ще й здалеку. Що не говоріть, а для нього все це чуже. Тут треба корінь пустити, а не сидіти на чемоданах і чекати, що через рік-два тебе перекинуть в інший район* (Цюпа).

сиді́ти на чужо́му во́зі. Бути позбавленим чого-небудь свого або бути залежним від когось. *Посередня піаністка, вона засяяла на мить в промінні чужої слави, і ще добре, що вчасно схаменулась і сама зійшла з непевного і згубного шляху. Бо нема гірше, каже народна мудрість, як сидіти на чужому возі* (Дмит.).

сиді́ти на ши́ї (на плеча́х) *у кого, чий (чиїх)* і без додатка. Бути під чиєюсь опікою, на чиєму-небудь утриманні, матеріально обтяжуючи когось. *Батько хотів спекатися його [Тимка] чимшвидше з дому, вирядити геть з хати, щоб він не сидів на шиї* (Тют.); *У Лютенці.. хлопці і дівчата на батьковій шиї не сидять.. Пречудесна молодь,*

трудолюбива (Ков.); — *Чи ж ти часом не збира-
єшся заміж? — пожартувала мати. Василинка,
лукаво зламавши брівку над синім оком, відказа-
ла: — А чом би й не піти? Нащо ото сидіти на шиї
в матері?* (Гуц.). П о р.: **сидіти на голові.**

**сидіти / сісти на двох стільцях (між двома́
стільця́ми, між двох стільців).** Дотримуватися
одночасно протилежних, несумісних поглядів, ду-
мок і т. ін. на що-небудь. *Хіба немає таких і зараз
серед спеціалістів нашої країни, які прагнуть
такої різносторонності і вважають, що найзручні-
ше сидіти на двох стільцях?* (Талант..); *Двовлад-
дя залишається .. Тільки у людей, що звикли
сидіти між двома стільцями, немає ніякого запалу*
(Ленін). С и н о н і м: **лиза́ти два бо́ки.**

сидіти / сісти на тро́ні (на престо́лі). Царювати,
правити, бути монархом. *Десятъ літ уже минало,
Відколи спокійно, мирно Князь сидів на своїм
троні З гусячим пером в руці* (Фр.); *В 30-х роках
XVIII ст., коли на царському престолі сиділа Анна
Іванівна, фактична влада була в руках німецької
партії* (Видатні вітч. географи..).

сидіти (рідко стояти) в печінка́х кому. Набрида-
ти, надокучати кому-небудь.— *Ти піди он краще
та подивись, що твоя доня робить на виноградни-
ку!..— Отой виродок у печінках мені сидить* (Ко-
цюб.); *Та найбільше матері сиділи в печінках
дрова. Як тільки починалася зима — мусила з
вільшаника на плечах хмиз носити* (Збан.); —
*Оці панські порядки, шляк би їх трафив, мені вже
в печінках стоять* (Ф. Мал.). С и н о н і м и: **в'їда́-
тися в печінки́** (в 1 знач.); **бра́ти за печінки́;
дошкуля́ти до живи́х печінок.**

сидіти ти́хо. Нічим себе не виявляти, намагати-
ся бути непомітним. *Якісь дивні відносини були
у властей з опришками. Наче умовилися: коли ви
будете сидіти тихо, то й ми будемо сидіти тихо*
(Хотк.). **сидіти тихе́нько.** *Прикинеш дурною голо-
вонькою, то виходить, що тепер таке врем'ячко що
сиди тихенько* (Тют.).

сидіти (учи́тися) за па́ртою. Здобувати освіту.
Хай буде мир, щоб нам щодня учитися за партою
(Нех.).

сидіти че́рез горо́д. Бути сусідами. *Він [дяк
Базьо] не був їм ані сват, ані брат, лишень сидів
з ними через город. Баба Дмитриха все носила
йому обідати і вечеряти* (Стар.).

СИДНІ: справля́ти си́дні *див.* справляти.

СИДОРОВУ: як си́дорову козу́ *див.* козу.

СИЛ: вибива́тися з сил *див.* вибиватися; **ви́-
ще ~** *див.* вище; **доклада́ти ~** *див.* докладати.

з оста́нніх сил. З найбільшим, неймовірним
напруженням. *З криком «ох, боже мій!.. ох, бо-
же!..» вона шарпнулась з останніх сил і наосліп
кинулась в очерет* (Коцюб.). С и н о н і м: **з усіх
жил.**

не жалі́ти сил *див.* жаліти; **у мі́ру ~** *див.*
міру.

СИЛА: бий мене́ нечи́ста си́ла. Уживається як
клятва, запевнення в правдивості чого-небудь.
[Іван:] *Але, далебі, бий мене нечиста сила, якби
я лише заради хліба з маслом і м'яса у будній день
ночей не досипав і голову підставляв під фашист-
ську кулю* (Галан).

бий / поби́й тебе́ (його́, її́ і т. ін.) си́ла бо́жа. 1.
Уживається для вираження здивування з приводу
чогось, захоплення ким-, чим-небудь.— *А, бий
тебе сила божа! Ще не чула, одколи живу на світі,
щоб свині цибулю їли* (Н.-Лев.); — *Бий його сила
божа! — скрикнула Олександра і жартівливо, на-
че сердячись, кинула сапою об землю* (Ко-
цюб.); — *Побий тебе сила божа! Що то він вироб-
ляє? — дивувалися робочі, дивлячись на ті затій-
ливі вимахи швейцарової булави* (Мирний). **бий
тебе́ коцюба́.** [Г о р п и н а:] *А брови як чорніють
при цих капосних стрічках, бий тебе коцюба! На
двадцять років помолодшала. Тепер я неначе
і кругом пані* (Н.-Лев.).

2. Уживається для вираження великого незадо-
волення з приводу кого-, чого-небудь.— *Тьху! Бий
вас сила божа! — крикнуло скільки разом лю-
дей.— Тілько ранок згаяли!* (Мирний); *Та й товс-
та ж гадюка! Бий її сила божа! Така слива
завтовшки, як людина!* (Н.-Лев.); *Ху-у! А бий же
тебе сила божа! отаке приверзлося,— тяжко зі-
тхнув він і витер рукавом піт на чолі.— Трохи було
не помер від страху* (Тют.). **бий тебе́ коцюба́.**
*Задуха доконувала Володимира Степановича.—
Тю, бий тебе коцюба! — не витерпів він і зупинив-
ся під крислатим каштаном, витираючи спітніле
обличчя хусточкою* (Сирот.). С и н о н і м и: **бода́й
він не знав ні дна ні по́кришки; бода́й добра́ не
було́.**

недо́бра си́ла. Те, що приносить людям нещас-
тя, горе. *Здається, вперш людська нога на мох
оцей ступила, здається, скрізь підстеріга тебе
недобра сила* (Гонч.).

несе́ нечи́ста си́ла *див.* чорт.

нечи́ста си́ла, *заст.* **1.** За релігійними уявлення-
ми — надприродна істота, ворожа людині; біс,
чорт, дияєол. *Їм здалось, що по степу водила їх
нечиста сила й завела до себе на бал у якісь нетрі*
(Н.-Лев.); *Зять називав тестя божевільним та
казав, що він запродав душу нечистій силі* (Ко-
цюб.); *А де ж сам він, їхній найголовніший?..
Цікавість розбирала кожного, і боязко було, й
терпілось таки побачити, який він є, отой невлови-
мий, як відьомське наслання, як сама нечиста
сила* (Гончар). С и н о н і м: **злий дух.**

2. Уживається як лайка для вираження незадо-
волення ким-, чим-небудь. [Є п и с к о п:] *Лопай,
нечиста сило!* [Н і м е ц ь:] *Я вже сказав: ми не
лопаєм, а годуємось* (Ільч.); *Ось Василина й
непорядок угледіла, кинулась до сіней і там загри-
мів її обурений голос: — Куди це і для чого це,*

нечиста сило, решето цупиш? (Стельмах). С и н о н і м: **вража мати** (в 2 знач.).

нечиста сила поплутала, *заст.* Трапилось з ким-небудь щось помилкове, необдумане, небажане і т. ін. *Все обминає* [Одарка Степанівна], *все в інший бік її тягне. Ще й перехреститься, щоб була нечиста сила не поплутала* (Жур.).

ніяка сила. Ніщо.— *Ніяка сила Тут мене.. не вдержить* (Фр.); *Віки стояв* [дуб] *серед поля дужий, жилавий, присадкуватий, і ніяка сила його не брала* (Збан.).

побий тебе хрест та його свята сила *див.* хрест; **~ речей** *див.* стан.

яка [нечиста] сила занесла (понесла) *кого,* грубо. Уживається для вираження незадоволення, шкодування з приводу прибуття або небажаного відправлення кого-небудь кудись. *І яка сила занесла мене в цей далекий край, в цей князівський палац, між чужі ворожі люде* [люди]? (Н.-Лев.); [К о б з а р:] *Чого ж я тобі не вірю, Лавріне?* [О с т а п ч у к:] *Хіба ж я знаю? Не віриш... А то яка б тебе нечиста сила оце в степ понесла, скажи мені, Петре?* (Жур.). С и н о н і м и: **чорт приніс; лиха година несе; лихий несе.**

СИЛАМИ: всіма силами. Будь-якими засобами, способами, докладаючи всіх зусиль. *Він не помічає Хо, що всіма силами намагається звернути на себе його увагу* (Коцюб.); *Всіма силами хотіла* [Параска] *звернути розмову в другий бік* (Хотк.); *Герус уже не каявся, а всіма силами доводив свою непричетність* (Стельмах); *Фашисти будь-що хотіли прорватися на північний схід, але наша армія всіма силами стримувала цей натиск* (Рад. Укр.).

своїми (власними) силами. Без чиєї-небудь допомоги, самостійно.— *Він, бач, дума,— усміхаючись, мовив Шестірний,— що громада сама своїми силами виб'ється в люди?* (Мирний); *Ніхто не порятує тебе, якщо ти сам не врятуєшся власними силами* (Загреб.).

СИЛАХ: скріплятися на силах *див.* скріплятися.

СИЛИ: висотувати сили *див.* висотувати.

від сили. Щонайбільше. *Менш їх* [козаків] *було зараз: од сили з півсотні* (Головко); *Цим чоботям од сили три карбованці ціна* (Гр.).

добувати останні сили *див.* добувати; **зміряти свої ~** *див.* зміряти.

з усієї (зо всієї) сили; з усією силою; з усіх сил. З максимальним напруженням, з найбільшою інтенсивністю. *Крізь туманні кола він бачив мартенівський свій цех, і обрубники з усієї сили обвивали деталі пневматичними зубилами* (Янов.); *Аж запищала* [бабуся] *від натуги, кричучи зо всієї сили* (Кв.-Осн.); *Малуша не боялась роботи, як і раніше, вона працювала з усіх сил* (Скл.); *Школу обіцяє більше не пропускати, з усіх сил клянеться* (Гончар). П о р.: **що маєш сили; з**

усього духу; з усього маху; з усієї сили. С и н о н і м: **скільки духу.**

набиратися сили *див.* набиратися; **надривати ~** *див.* надривати; **пробувати свої ~** *див.* пробувати.

проти сили. Переборюючи, примушуючи себе.— *Коли б же,— кажу їм,— не моє лихо тяжке* [хвороба], *то хіба б я не зробила. Якби можна, проти сили взяла, та бачите — мені й підвестися не дає* (Мирний).

розковувати сили *див.* розковувати.

скільки (що є) сили. З максимальним напруженням. *Ніби чийсь тихий голос зашепотів... над самісіньким вухом: тікай, що є сили, що є духу* (Н.-Лев.). П о р.: **з усієї сили; скільки духу.**

що маєш сили *див.* маєш.

СИЛІ: в (при) силі. 1. Наділений фізичною енергією, міцний, дужий.— *Високий, рівний станом, парубок був у силі* (Н.-Лев.); *Староста, високий, саме в силі чоловік, подався на двір* (Коцюб.); *Шинкар, видно, при силі був, бо тільки струхнувся, так усі й одскочили* (Мирний); *Незважаючи на контузію, чоловік ще, видно, при силі, руки дублені, міцні* (Гончар).

2. *з дієсл.* Спроможний. *Ви самі будете в силі покінчити те, що заміряєте* (Л. Укр.); *Я ще в силі Завзятіше й сильніше роздмухати його* [вогонь вояцький] (Бажан); — *Ну, бувайте здорові,— проганяла її з обійстя, бо не в силі була все те вислухати до кінця* (Гуц.); [Д р у г и й г о л о с:] *Як же так убого ви живете, Чом так занепали ви, скажіть, Щоб у дні космічної ракети Солов'я не в силі зрозуміть?* (Рильський); *Саме тоді, коли був* [Степан] *не при силі робити, баби його гризли невмируще, а п'яний тесть ще й бити сікався* (Дн. Чайка); *Я не торкнувся в цій статті багатьох питань перекладацької практики.. Все схопити я й не при силі* (Рильський).

3. Здатний впливати владою чи дією на кого-, що-небудь; впливовий. *Доки отаманувала* [Гапка], *доки була в силі, знаходила собі забуття в різних командирських клопотах, не мала стільки часу для роздумів, як зараз* (Гончар).

не по силі (по силах) *кому, чий (чиїх).* Який перевищує чиї-небудь фізичні чи духовні можливості; надмірно важкий. *Мар'я увійшла в хату з оберемком дров у руках. Видно, вони були їй не по силі, бо вона аж зігнулася* (Мирний); — *Робіть собі, люди, як знаєте, а мене до своєї спілки не беріть. Не по моїх силах вона. Клав я свої руки на чепіги, а накладати на людську душу не буду* (Стельмах). **по силі.** *Він.. знає, що шахтарський труд не кожному по силі* (Дор.). П о р.: **не під силу** (в 2 знач.).

СИЛОЮ: діяти грубою силою *див.* діяти.

з великою силою. Долаючи перешкоди, докладаючи багато зусиль, із значними труднощами. *Скотина третій день не напована* [напоєна]*: гли-*

боко водопій занесено, та й сама скотина у тяжкій неволі; з великою силою до неї можна було добратися, щоб укинути оберемок соломи... (Мирний).

зна́тися з нечи́стою си́лою див. знатися; **мі́рятися ~** див. мірятися.

нія́кою си́лою. Ніяк, зовсім. *Він, Козаков, якого на тактичних навчаннях ніякою силою не вдавалось командирам змусити повзати по-пластунському, щиро, без фальшу, тут повз так, ніби це з дитинства було його найулюбленішою справою* (Гончар).

СИЛУ: бра́ти си́лу див. брати; **вбива́тися в ~** див. вбиватися; **висиса́ти ~** див. висисати; **де д

іва́ти ~** див. дівати; **зна́ти ~** див. знати; **ма́ти ~** див. мати [2].

на вели́ку (превели́ку) си́лу. Із значними труднощами; дуже важко.— *Приятель пише, що книжку ту [«Кобзар»] він на велику силу роздобув, хоч вона вже давно у світ вийшла* (Мирний); *Прийшла до неї бабуся, така старенька,.. що на превелику силу дибле* (Кв.-Осн.); *Свирид на превелику силу витяг з води Луку* (Коцюб.); *Тільки три дні тому на превелику силу дістали «язика»* (Гончар).

над (по́над) си́лу. 1. З надзвичайно великими зусиллями. *На облупленій залізній дощечці.. над силу можна було розібрати: «Власність міщанина Петра Арсеновича Бонсяцького»* (Смолич); *Над силу стримуючи ворожий натиск, Бармаш, як, певно, і весь гарнізон, свідомо і підсвідомо жив і боровся для перемоги* (Коз.); *Над силу тамуючи в собі сльози, вона [Катя] переповідала все, звіряючи Андрію такі тайни своєї душі, про які раніше він навіть не мав гадки* (Гур.).

2. Проти своєї волі; примушуючи себе; вимушено. *Майор над силу посміхнувся* (Ле і Лев.).

3. кому і без додатка. Неможливо або занадто важко. *Дівчинка спробувала й собі бігти за всіма, але це виявилося їй над силу* (Ю. Янов.); [М і р і а м:] *Всіх [любити], окрім тебе,— се можливо. Але тебе і всіх — се понад силу* (Л. Укр.).

на по́вну си́лу, з дієсл. З великим напруженням, з найбільшою інтенсивністю. *Працюй і ти на повну силу* (Дор.); *Микола Гуртовий якийсь час бурить не на повну силу* (Ткач).

не під си́лу кому. 1. з дієсл. Хто-небудь не може здійснити, виконати щось; зовсім неможливо або дуже важко. *Заграти цілу [«Крейцерову сонату»], з початку до кінця, без перерву, їй не під силу* (Л. Укр.); *Одній — не під силу боротись людині* (Нех.); *Сто п'ятдесят [машин]? Звичайно, стільки він не зможе спустити. Це нікому не під силу, а сто можна* (Коцюба); *Те, що не під силу було зробити російським дворянським інтелігентам.., виявилось під силу вихідцю з плебейського, різночинного середовища* (Рад. літ-во). **над мі́ру си́лам.** *Мовчати й переживати самому все, що*

сталося в цей вечір і що взнав,— було над міру його силам* (Ле і Лев.).

2. Який перевищує чиї-небудь фізичні або духовні можливості; надмірно важкий, непосильний.— *Християнству ця ноша [врятування цивілізації] вже не під силу* (Стельмах). **під си́лу.** *Здоровенні, .. бронзові ковалі гатили своїми, тільки їм під силу, молотами по ковадлах* (Довж.); *Створення.. справді мистецького образу,— не легка справа, вона під силу тільки справжньому майстру* (Вітч.). П о р.: **не по си́лі.**

3. Комусь нестерпно. *І вдруге дівчина йому відмовила. І ще гірш не під силу стало козакові* (Вовчок).

ні за я́ку си́лу. Нізащо, ніяк.— *Плети! У нас із Німеччиною договір — ні за яку силу не погоджувався на війну Оксен* (Тют.).

рва́ти си́лу див. рвати.

у си́лу. 1. чого. Через що, внаслідок чого. *До розмови дівчина приставала лише в силу необхідності, більше відповідаючи на якісь запитання* (Коз.); // *Наскільки дозволяє що-небудь. Я, в силу можливостей, передав враження своє від доповіді* (Вітч.).

2. заст. Насилу, ледве. *Наштарили [швидко погнали] Зайку [Зайця] злиденні хорти. У силу він мав одкрутитись* (Манж.). П о р.: **че́рез си́лу** (в 1 знач.).

че́рез си́лу. 1. З зусиллям, з труднощами. *Сяк-так добрела [Оксана] через силу до Миколиної хати* (Кв.-Осн.); *Маруся важко зітхнула, через велику силу одхилила, а потім одчинила двері в коридор* (Н.-Лев.). П о р.: **у си́лу** (в 2 знач.).

2. Примушуючи себе. *Хліб був чорний, як земля, глевкий та несмачний. Кайдашиха через силу проковтнула шматочок* (Н.-Лев.); *Ні сну мені, ні одпочинку. Роблю через силу, нічого не знаю, не чую* (Вовчок); — *Чортзна-що верзе! — через силу осміхнувся батько* (Панч).

СИЛЬНА: си́льна рука́ див. рука; **~ стать** див. стать.

СИЛЬНІ: си́льні світу [сього, цього], книжн. Найвпливовіші, наймогутніші люди, які займають високе суспільне становище і від яких залежить доля багатьох. *Б'ють на нас і ясно, й тайно вороги непримиримі.. Відреклись нас сильні світу — і князі, і воєводи* (Фр.); *Нема нічого на світі такого, чого не було вже колись,— так тоді говорили сильні світу* (Загреб.).

СИЛЬЦЕ: спліта́ти сильце́ див. сплітати.

СИЛЬЦЯ: наставля́ти си́льця див. наставляти; **попасти в ~** див. попасти.

СИМ: то сим, то тим бо́ком див. боком.

СИМВОЛ: си́мвол ві́ри. 1. рел. Стислий виклад головних догматів християнства. *Син.. Галшки Гулевичівни в пориві релігійного екстазу повторював за ним [Алоїзієм] латинський символ віри* (Тулуб); — *Ви б мені ще символ віри прочита-*

ли.— Обурення знову стало закипати в грудях Басової...— Коли треба буде, і символ віри прочитаю, я його колись добре вчив, не забув і досі (Собко).

2. Переконання, світогляд, погляди. Народ не може не хотіти миру, бо мир є основою його політичного символу віри (Рад. Укр.).

СИН: ба́тьків (заст. **оте́цький) син.** 1. Спадкоємець заможних батьків. Не один батьків син і худобу б свою віддав і у батраки пішов би, аби б його полюбила Тетяна! (Кв.-Осн.); [Ю́да:] Та я ж отецький син, ще й одинак! (Л. Укр.).

2. Син від законного шлюбу. Галаган спитав:— А ти ж іцо, безбатченко? — Ні, сина я отецький, тільки батько померли,— відказав Андріян (Бурл.).

бі́сів син. Уживається як лайка.— Який там, кому і на кого позов написали? — Се він [становий] вам хвалився? — збентежився Пищимуха.— А хоч би й він,— відказую.— От бісів син! (Мирний); — Та йди ж, бісів сину, людям поклонися за честь (Стельмах).

блу́дний син. Той, хто повертається після довгої відсутності з каяттям, визнанням своїх провин. Правда, вона прийме його і його покуту, але одна.. вона буде знати, що се їй коштує... І він.. Яким він вернеться? Блудним сином... Та на се ж треба вже нелюдського терпіння (Хотк.); І кожного, хто повернеться на Батьківщину з наміром чесно працювати, простить вона, як мати прощає блудного сина, що визнав свою помилку, свою провину перед нею (Вишня); [Жанна:] Ну, ваш милий Петрусь уже швидко повернеться до вас, як блудний син, без копійки і, можливо, без піджака (Корн.); // Член колективу, що не підкоряється його волі, порушує його устої, залишає цей колектив, а потім повертається назад. Гучне «ура» відзначило радісний факт повернення блудного сина (Смолич); Промовець був у даному разі не лише батьком молодого, але й представником тієї задніпровської Житомирщини, яка владно кликала до себе свого блудного сина (Дмит.).

вра́жий (су́чий, дия́волів, і́родів, чо́ртів, га́дів, пе́ський і т. ін.**) син.** 1. лайл. Уживається для вираження незадоволення, обурення ким-небудь. Я кинулась до його [чоловіка], заступила йому двері, прошу, благаю я плачу: «Куди ти йдеш! Схаменися хоч на цей день, вражий сину, бо буде тобі якась напасть!» (Н.-Лев.); — За півлітра продався, сучий син! — назлобиво вилаявся Анатолій (Ю. Бедзик); — Прощайсь лишень, дияволів сину, з матір'ю та з сестрою, бо вже недовго ряст топтатимеш (П. Куліш); Лайка й крики не дали кошовому далі говорити.— Клади булаву! Клади, чортів сину, зараз же булаву! (Довж.); В таку щасливую годину Еней чимдуж спис розмахав І Турну, гадовому сину, На вічний

поминок послав (Котл.). П о р.: **сяки́й-таки́й син** (у 1 знач.).

2. Уживається для вираження доброзичливого, позитивного ставлення до когось або захоплення кимсь. [Филимон:] Проворний [Гаврюшка], вражий син! Скрізь пройде, підслухає— права рука. З нього колись буде гарний дворецький (К.-Карий); Він передивився кожну зборку, кожну зшивку. Як вилив, вражий син! Думав він і тихо усміхався (Мирний); — Ідете, чортові сини,— сказав засмучений старий ткач Опанас Чиж (Довж.). С и н о н і м: **бі́сова личи́на.**

син приро́ди див. **дитя.**

сяки́й-[не]-таки́й син. 1. лайл. Уживається для вираження незадоволення, обурення ким-небудь.— Та я не подивлюсь тобі у вічі, сякий-не-такий сину! Я на тебе знайду суд, я тобі підкажу, як підмовляти жінок на гріх (Коцюб.). П о р.: **вра́жий син** (у 1 знач.).

2. фам. Уживається для констатації якогось факту (перев. небажаного).— Ні, братіку, не піду і тебе не пущу, бо й я радісінький твого вареника хоч покуштувати. От скільки годів, як я вже вмер, а сякий-такий син, хто його і в вічі бачив (Кв.-Осн.).

СИНА: бісового (чо́ртового, вра́жого, су́чого і т. ін.**) си́на,** фам. Уживається для констатації чогось (перев. небажаного).— А сучого сина, перелякав же як! Щоб тебе качка брикнула (Стельмах).

до си́на, заст. Дуже багато.— Нема того на світі, чого не було на тому ярмарку, і якби грошей до сина, то накупив би усього (Кв.-Осн.). С и н о н і м и: **до бі́са** (у 1 знач.); **до чо́рта** (у 1 знач.); **до бі́сого ба́тька** (у 2 знач.); **до дідька** (у 3 знач.).

на яко́го (бісового, чо́ртового і т. ін.**) си́на,** лайл. Навіщо, для чого.— А на якого сина ще й допрос? (Кв.-Осн.). С и н о н і м и: **на бі́са; на гре́ця; на бі́сового ба́тька; на якого дідька; до хрі́ну.**

яко́го бі́сового си́на див. **батька.**

СИНИ: у сини́ годи́ться див. **годиться.**

СИНИЦЮ: пійма́ти сини́цю в ру́ку див. **пійма-**ти.

СИНІЙ: аж си́ній, з сл. бі́дний. Дуже, надзвичайно.— Он недавно в одного чоловіка з сусіднього села хату спалили. А він же такий бідний, аж синій (М. Ю. Тарн.).

си́ній птах див. **птах.**

СИНІМ: за си́нім мо́рем див. **морем.**

СИНОК: ма́мин сино́к. Розпещений, виніжений хлопчик або юнак. Прості хлопці всі залишаються [на цілині],— гомонів він [провідник], складаючи у стовпець простирала.— А кручені паничі, мамині синки та доньки, що цвітасто повдягалися на дорогу, швидко полиняють. Повтікають через місяць (Хор.). П о р.: **ма́мина до́нечка.**

СИНЯ: си́ня панчо́ха *див.* панчоха; **~ пти́ця** *див.* птах.

СИПАТИ: [аж] си́пати вогне́м. Дуже сердито, гнівно розмовляти. *Відійшов [Короп], не зважаючи, що Михайло аж вогнем сипав* (Март.).

си́пати до́тепами (жа́ртами). Часто вставляти в мову багато влучних, дотепних, жартівливих слів, фраз і т. ін. *Трактор «Інтер» розсунув туге коло колгоспників, що на різні лади сипали дотепами, і вийшов у поле* (Панч).

си́пати (наси́пати) зайця́м со́лі на хвіст. 1. Марно погрожувати, обіцяти заподіяти кому-небудь щось неприємне. *Що ти сиплеш зайцям солі на хвіст? Я тебе не боюся.*

2. Мріяти про щось нереальне. *Весь вільний час ви мрієте над водою про такенну-о щуку або сиплете зайцям солі на хвіст* (Козл.).

си́пати з пусто́го та в поро́жнє *див.* переливати.

си́пати / сипну́ти (сипону́ти) жа́ру за хала́ви (під хвіст) *кому, жарт.* Дуже дошкуляти кому-небудь чимсь; проучувати кого-небудь за щось. *Най тобі сиплють [опришки] жару за халяви, як не одному із твоїх.. кумпанів [компаньйонів]* (Фр.); *Есесівців рубонули чорноморські матроси в Криму, сипонули їм жару під хвіст під Севастополем, під Москвою й Сталінградом* (Сиз.).

си́пати / сипну́ти (сипону́ти) і́скрами (і́скри) [з оче́й] *на кого і без додатка.* Поглядом виявляти гнів. *Нарешті один не витримує: — То ж як, Петре, візьмемось? — Беріться,— повів плечем Дорощук.— Без тебе погано.— А мені що до того? — І Дорощук сипонув іскрами на товаришів* (М. Ю. Тарн.); *Докія сипонула іскрами з очей, ніби й справді невдоволена з того, що її перебили: — Та не заважайте ж читати!* (Цюпа).

си́пати (рідко сі́яти) гріш́ми (гроши́ма, черві́нцями, катери́нками і т. ін.). Бути необачним у витратах; надмірно, нерозсудливо витрачати кошти. *Всі ахнули. Хоч і бачили день в день, що Ежен сипле грішми, та все-таки їм стало якось моторошно, коли почули в однім слові, яка сума пішла на їх тринедільні гульки* (Фр.); *Його жінка була непоміркована, розтратлива, любила розкіш та шикарне.. життя й сипала грішима, як половою* (Н.-Лев.); *І сипала грошима Самойловичка по судах, щоб здійснити свою волю* (Крот.); *Один іде перед пана — червінцями сипле, Другий іде да до пана — Білі листи пише, Третій стоїть у порога — Слізоньками хлипле* (Укр.. пісні); *[Палажка:] Он, кажуть, так катеринками і сипле! [Химка:] Якими катеринками?* (Мирний).

си́пати слова́ми [як (мов, ніби, на́че і т. ін.) горо́хом]. Говорити, не зупиняючись, дуже швидко і багато. *Пані так і сипле словами, хусточкою очі обітре, і руками сплесне* (Вовчок); *Тверезий — він був тихіший води, нижчий трави; зате, як скинув чарку-другу, де те і завзяття візьметься: бадьориться, хвастається, словами, як горохом,*

сипле (Мирний); *Тим часом Вольчиха сипала словами, наче горохом* (Н.-Лев.). **си́пати на́че горо́хом. [Г о р л о в (взяв трубку):] Ти, браток, полегше б говорив. Сиплеш, наче горохом, біс не розбере** (Корн.); *Віта сипала словами, сміялася, обнімала, не даючи Ані й отямитися* (Ряб.).

си́пати со́лі (сіль) на ра́ну *кому і без додатка.* Викликати тяжкі спомини, нагадуючи кому-небудь про те, що хвилює; завдавати душевного болю. *От лихо. Старий заледве оклигав після втрати доньки, а ти йому сиплеш солі на рану* (Ю. Янов.); **со́лити ра́ни душі́. Але Ернест з упертістю і монотонністю ідіота пхав його [Начка] щораз дальше, немилосердно солячи рани його душі** (Фр.).

як (мов, ніби і т. ін.) горо́хом си́пати / поси́пати, з сл. г о в о р и́ т и, ч и т а́ т и, т о р о х т і́ т и і т. ін. Дуже швидко, безперервно, не зупиняючись.— *Кресало є? .. є! .. А губка є?.. є!.. Ну викрешемо... га! — торохтів він, мов горохом сипав* (Коцюб.); — *Я і двісі хрестиком розписуюсь, а вона читає, мов горохом сипле,— з любов'ю дивиться на доньку Мирон* (Стельмах); *Хаврусь був проворний, жвавий, говорив.., неначе горохом сипав* (Н.-Лев.); *Раптом зірвавшись з землі, він сів, лице його оживилось, очі заблищали, мокрі ще від сліз, і він, прудко махаючи руками, заговорив, немов горохом посипав* (Фр.). **ніби горо́хом си́пати об сті́нку. Голос у хлопця був трохи глухуватий.. Адже буває: інший читає вірша, ніби сипле горохом об стінку. А цей укладає в кожне слово пристрасть душі** (Літ. Укр.).

СИПАТИСЯ: си́патися з язика́. Вимовлятися швидко та у великій кількості (про слова, фрази і т. ін.). *Бородавкін смішив усіх, розказував українські анекдоти, котрі так і сипались з його язика* (Н.-Лев.).

СИПЛЕ: си́пле моро́зом *див.* обсипає.

сні́гом си́пле за шку́ру, *безос.* У кого-небудь з'являється неприємне відчуття холоду від страху, тривоги, хвороби і т. ін. *Так аж снігом сипле за шкуру* (Номис).

СИПЛЕТЬСЯ: аж пі́р'я си́плеться *див.* пір'я; **порохня́ ~** *див.* порохня.

СИПЛЮ́ТЬСЯ: і́скри з оче́й си́плються *див.* іскри.

СИПНУЛО: [аж] моро́зом сипну́ло (сипону́ло) [за (по́за) спи́ною (шкі́рою), по спи́ні] *в кого, безос.* Кому-небудь дуже страшно, боязно. *У Грицька морозом сипнуло від того Христининого крику, та Грицько не такий, щоб ударяти на сльози* (Мирний); *Голосно, дзвінко відгукнувсь у повітрі крик... І відразу страшно Петрові стало... Він зупинився, став прислухатись. На спину аж морозом сипнуло* (Гр.); *Коли зачинилися двері — увесь світ зачинився від його [Петра Федоровича]. Серце його мов хто у жмені здавив; поза спиною сипнуло морозом* (Мирний); *Недокус* посміхався, а в мене морозом сипнуло поза шкірою. І доживеться ж людина до такого (Збан.); Все це сказано таким тоном, що в промисловця Співанова похолов хребет і сипонуло морозом поза шкірою (Смолич). **сипну́ло моро́зцем по спи́ні.** І раптом почувся сплеск, наче скинулась велика риба, і в Журила по спині морозцем сипнуло (Гуц.). С и н о н і м и: **се́рце сти́гне; холо́не се́рце.**

СИПНУТИ: сипну́ти жа́ру за халя́ви; ~ і́скрами з оче́й *див.* сипати.

СИПОНУТИ: сипону́ти жа́ру за халя́ви *див.* сипати.

СИР: купа́тися як сир у ма́слі *див.* купатися.

як сир у ма́слі, з сл. ж и́ т и і под. Дуже добре, у достатках, розкошах. [В о з н и й:] До кого ж ласкава ся доля лукава, Такий живе, як сир в маслі, спустивши рукава (Котл.). С и н о н і м и: **як варе́ник у ма́слі; як бобе́р у са́лі.**

СИРА: покри́й сира́ земля́ *див.* покрий; ~ моги́ла узяла́ *див.* могила.

СИРІЙ: в сирі́й землі́ гни́ти *див.* гнити.

СИРОТА: каза́нська сирота́, *розм., зневажл.* Той, хто вдає з себе скривдженого, ображеного, нещасного з метою викликати до себе жалість, співчуття.— Ах ви ж, казанські сироти! Земство вас виховує, годує, зодягає, а ви все в ліс дивитесь? (Гончар).

СИРОТУ: мо́рщити із се́бе сироту́ *див.* морщити.

СИРОЮ: із сиро́ю земле́ю повінча́тися *див.* повінчатися.

СИРУ: іти́ в сиру́ зе́млю *див.* іти.

СИТИЙ: си́тий і вкри́тий. Забезпечений усім необхідним для існування — їжею, одягом, житлом. Увесь вік ходив ситий і вкритий (Сл. Гр.).

СИТІ: і вовкі́ си́ті, і ко́зи ці́лі *див.* вовки; і ко́зи ~, і сі́но ці́ле *див.* кози.

СИТО: пройти́ крізь си́то і ре́шето *див.* пройти.

як з соба́чого (теля́чого) хвоста́ си́то, *розм., зневажл.* Зовсім поганий.— Так, грубо перебив його Філіпчук.— Ви, Пе́рожек, прекрасний робіт-ник, але оратор і організатор з вас, прошу я вас, як з телячого хвоста сито (Вільде).

як (мов, ніби і т. ін.) крізь (че́рез) [густе́] си́то. 1. з сл. с і я́ т и, с і я́ т и с я і т. ін. Густо, безперервно (про дощ, мряку). Дощ не вгавав, а по-вчорашньому сіяв, як крізь сито (Мирний); Тисячі ніг місили грязюку.., а зверху, немов через густе сито, сіявся дощ (Хижняк).

2. з сл. в и́ д н о, б а́ ч и т и і т. ін. Невиразно, нечітко, неокреслено. Небо насунулось важкими хмарами, а нафтові ліхтарні на вулицях видно було, мов крізь сито (Фр.); Від вітру у Півня сльозилися очі, і він бачив козака на коні, як крізь сито (Панч).

СИХ: ні в сих ні в тих. Зніяковіло, розгублено або відчуваючи незручність. Мелашка знала, що не догодила свекрусі, і стояла ні в сих ні в тих серед хати (Н.-Лев.); Мовчить господар. Іншим разом назвав би Мину «свистуном»: тобі, мовляв, що не дай, усе просвистиш,— а зараз мовчить, поринув у задуму. І ми стоїмо знічені, почуваємось ні в сих ні в тих (Гончар); // В нерішучості.— Тітко!.. не плачте, тітко... ось хліб... Семен стояв ні в сих ні в тих, тримаючи в руках торбинку, не знаючи, що залишиться тут, чи тікати (Коцюб.); — Ви щось хотіли сказати, товаришу полковник? — нерішуче озвався Андрій, стоячи ні в сих ні в тих, оскільки йому не було наказано йти і одночас не було запрошено сісти (Ю. Бедзик). **ні в тих ні в сих.** Пріська стояла ні в тих, ні в сих (Л. Янов.); Параска стояла ні в тих ні в сих, не могла дібрати, що навколо діється (Горд.).

СИЧ: ні сич, ні сова́, *рідко.* Ніхто не дізнався. [І в а н:] Та чого ж іти? Кажи тут, що там ти зметикував? [Ц и г а н:] Ну ж бо йди, не змагайся! Ти бач, як людно, а те діло так треба змайструвати, щоб ні сич, ні сова... чуєш? (Укр. поети-романтики..).

стари́й сич, *жарт., лайл.* Про старого, з багатим життєвим досвідом, звичайно відлюдкуватого чоловіка.— Бач, який батько? — пошепки сказав Остап Андрієві.— Все старий сич знає, а прикидається (Довж.).

як (мов, ніби і т. ін.) сич, з сл. н а д у́ т и с я, н а д у́ т и й і т. ін. 1. Дуже, надзвичайно. Увесь обід він [папа] був таким, мало що їв і, як сич, надувшись, сидів (Мирний); Цар цвенькає; А диво-цариця, Мов та чапля меж птахами, Скаче, бадьориться. Довгенько вдвох похожали [походжали], Мов сичі надуті, Та щось нишком розмовляли — Здалека не чути (Шевч.); Сидів [Середа] у машині надутий, мов сич, і в думці робив «рознос» Хорошкові та Несвітайлу. (Вільний).

2. з сл. х о д и́ т и, б у́ т и і т. ін. Невеселий, похмурий. Подобалась і вона Федорові і узяла думка безжурну парубочу голову, ходить, як сич, повісивши носа (Мирний).

СІВ: бода́й ти ка́менем сів, *лайл.* Уживається як проклін для вираження незадоволення з приводу чиєїсь непосидючості.— Ой лишенько! — промовила Настя.— Хлопець пустував, ганяв по хаті, а тітка каже: не ганяй, бодай ти каменем сів (Н.-Лев.).

СІДАТИ: сіда́ти (вила́зити) / сі́сти (ви́лізти) на го́лову кому. Цілком підкоряти кого-небудь собі, своїй волі. [М и х а й л о:] Чи шкода, чи не шкода, а зайняли на своїм чужу скотину, нехай платить штрап [штраф], коли не глядить, бо тільки попусти їм, то й на голову вилізуть! (К.-Карий). П о р.: **сіда́ти ве́рхи.**

сіда́ти на дно *див.* спускатися.

сіда́ти на легки́й (на ле́гший) хліб. Переходити на нескладну роботу, одержувати легше завдання.

З нового поповнення не дав [командир роти] *мені жодного. «Ти, каже, повільно виховуєш, тобі з новими людьми важко,— сідай на легший хліб...»* (Гончар).

сіда́ти / сі́сти ве́рхи на кого. Підкорити кого-небудь своїй волі; примусити виконувати свої бажання, примхи, тощо; командувати ким-небудь. *Те, що сказав професорів син, вкинуло його в таку глибоку прострацію, що зараз кожний, кому тільки наверзеться, може сісти на нього верхи* (Шовк.). П о р.: **сіда́ти на го́лову.** С и н о н і м: **лі́зти на го́лову.**

сіда́ти / сі́сти в калю́жу. Потрапляти у дуже незручне або смішне становище; зазнавати у чомусь невдачі. *І часто той, хто піддається .. наклепницьким абсурдам, потрапляє в смішне становище, або, як кажуть у нас,— сідає в калюжу* (Літ. Укр.).

сіда́ти / сі́сти (влі́зти) не в (на) свої́ (чужі́) са́ни. Братися не за свою справу; займати невідповідне місце на роботі, в суспільстві тощо. [В а с и л ь (*сумно*):] *Ех! сіла ти, Марусе, на чужі сани, ускочила, рибонько, в ятерину,— б'єшся, тріпаєшся там — немає тобі виходу!* (Мирний); *Не в свої сани вліз* (Укр.. присл.).

сіда́ти / сі́сти за па́рту. Починати навчатися, здобувати освіту.— *Ти, говорять, Хомо, вже академію соціалізму пройшов, а ми тільки за парту сідаємо!* (Гончар); [П а в л о:] *Хочу закінчити хоч тепер гірничий інститут, а то пройде ще кілька років і буде пізно. Як ти на це дивишся?* [О л ь г а:] *Скажу щиро, не думала, що ти вирішиш сісти за парту* (Корн.).

сіда́ти / сі́сти за стіл переговóрів. Починати обговорення чого-небудь, щоб прийти до згоди. *Радянський уряд не раз пропонував урядам західних держав сісти за стіл переговорів і домовитися про те, щоб назавжди і під найсуворішим міжнародним контролем знищити всі види озброєнь — до останньої бомби й останнього снаряда* (Рад. Укр.).

сіда́ти / сі́сти ка́менем. Починати виконувати якусь роботу наполегливо, без перерви. *Постановили: не збочувати, не давати собі волі, гонити без жалю весняні спокуси, молоді принади, каменем на все літо сісти за книжки* (Вас.). П о р.: **сиді́ти ка́менем** (у 2 знач.).

сіда́ти / сі́сти на свого́ ко́ника (конька́). Починати розмову на улюблену тему або починати діяти власними випробуваними методами, прийомами.— *Я, безумовно, не нав'язую своїх думок... Я в порядку обговорення,— сів він на свого випробуваного коника* (Збан.); *На сцену раптом ступила доярка Харитя і відразу ж сіла на свого конька: хто ж то такий розумний, що відмінив додаткову оплату дояркам, та хіба ж то з розуму?* (Чаб.). П о р.: **сіда́ти свого́ ко́ника.** А н т о н і м: **зла́зити з свого́ ко́ника.**

сіда́ти / сі́сти на ши́ю (на плéчі) кому. 1. Переходити на чиєсь утримання, під чиюсь опіку, матеріально обтяжуючи когось. [Х у с а:] *Тоді згадала, що є ще тута десь твій чоловік, то час уже йому на шию сісти, проциндривши весь посаг свій?* (Л. Укр.); *Людські діти самі на себе гроші заробляють, а цей сів мені верхи на шию і злізати не думає?!* (Тют.); *Та що ж це, справді, я каліка, Щоб друзям та на шию сів?* (Воскр.).

2. Використовувати кого-небудь у своїх інтересах; вести паразитичне життя, визискуючи кого-небудь.— *А й справді, братця,— скрикнув Васюта,— не можна ж давати їм* [багатіям] *собі на шию сідати! Давайте з їми* [ними], *чортовими синами, воюватися* (Гр.); *Кедеї і джетаки ... на волю боролись! Під кулями лягали!.. А ви, баї, захопили владу і знову сіли їм на плечі!..* (Десняк).

СІ́ДЛА: вибива́ти з сідла́ див. вибивати; **ви́леті́ти з ~** див. вилетіти.

СІ́ДЛАТИ: сіда́ти / осідла́ти свого́ ко́ника. Починати розмову на улюблену тему або діяти власними випробуваними методами, прийомами і т. ін. *Рубан осідлав свого коника. Якщо він не полає «начальників» і «начальничків», то погано спатиме* (Мушк.). **сіда́ти свого́ коня́.** — *Добре, що є біля чого товктися.— Та що там доброго? Нема тепер добра ні від сонця, ні від місяця,— сідлає дядечко свого незмінного коня* (Стельмах). П о р.: **сіда́ти на свого́ ко́ника.**

СІ́ДЛО: як (мов, ніби і т. ін.) коро́ві сідло́, *ірон.* 1. з сл. **ли́чить, іде́, приста́ло і т. ін.** Уживається для вираження повного заперечення змісту слів **ли́чить, іде́, приста́ло і т. ін.**; зовсім не (личить, іде, пристало і т. ін.). [О х р і м (до Г о р д і я):] *Ай пристало* [вбрання] *тобі, як корові сідло!* (Кроп.); [Г е р в а с і й:] *Я переконався, що нам дворянство.. личить, як корові сідло* (К.-Карий).

2. Зовсім не підходить що-небудь.— *Мужик ти був, Сидор Сидоровичу, мужик і залишився. Пристойний тон тобі однаково, що корові сідло* (Коз.); — *Для літньої жінки ці маки, пробачте, як корові сідло* (Мур.).

СІДО́Ї: до сідо́ї бороди́ див. бороди; **до ~ коси́** див. коси.

СІЗІ́ФОВА: сізіфова пра́ця див. праця.

СІЙ: хоч мак (ма́ком) сій. 1. з сл. **ти́ша.** Надзвичайна, велика. *Тиша у лісі, хоч мак сій* (Мур.).

2. з сл. **ти́хо.** Дуже, у великій мірі. *У хаті стало так тихо, хоч мак сій* (Мирний); *Тихо надворі, хоч мак сій. Не шелесне листочок, не схитнеться билиночка* (Мушк.).

СІКНУ́ТИ: як батого́м сікну́ти див. сікти.

як батого́м сі́кти / сікну́ти. Сказати різко щось неприємне. *Управитель уже з докором звертається до Якубенка.— Лесю, хоч худобу пожалій.— А ви* *наших дітей, коли вони з голоду пухли, хоч раз пожаліли? — Як батагом сікнув* [словами] *Лесь* (Стельмах).

СІЛА: му́ха сі́ла на ніс *див.* муха.

СІЛО: ні сі́ло ні (ані) впа́ло (па́ло). 1. Без будь-якої причини; безпідставно; невідомо чому.— *Чи не здається їм дуже дивним те, що я, ні сіло ні впало, берусь учити діти* [дітей] *дурно* (Гр.); — *Неможливо собі уявити, щоб він перший, ні сіло ні впало, узяв та й облив грязюкою ні в чім не винну людину* (Мур.); — *Може, це на вас, ні сіло ні пало, накидається Сагайдак?* — *звернувся Гавриленко до Коржа* (Добр.). С и н о н і м и: **з до́брого ди́ва; ні з то́го ні з сьо́го.**

2. Зовсім несподівано, раптово.— *Ти чогось шукаєш, Олю? — Ні, бабуню. Іду.— Куди? Що ти, моя дитино? Отак ні сіло ні впало...* (Дор.); — *Не гнівайтесь на мене, стареньку, що я оце, ні сіло ні впало увійшла, нікого не спитавши* (Ткач); — *Враз ні сіло, ані впало 3 рвався відчинились двері* (Фр.); — *Ось, тату, ні сіло ні пало, маємо собі нового читальника, прошу любити і жалувати,— каже батькові син, і вони обоє починають сміятися* (Стельмах). С и н о н і м и: **ні з то́го ні з сьо́го; як сніг на го́лову.**

СІЛЬ: атті́чна сіль. Витончений дотеп. *Сергій Іванович, як вмів, як ніхто, для закінчення найабстрактнішої і найсерйознішої суперечки несподівано підсипати аттічної солі і цим змінювати настрій співбесідників, зробив це й тепер* (Л. Толстой, перекл. Кундзича).

води́ти хліб і сіль *див.* водити; **ділити хліб і ∼** *див.* ділити.

сіль землі́, *книжн.* Найкращі, найвидатніші представники народу; добірна частина певного товариства, суспільства. *Дев'ятий вал... Чи то ж була вода, що марне так розбилася об кручу? То ж сіль землі, то ж сила молода ішла на смерть, на згубу неминучу* (Л. Укр.); — *Гірники, питаєш? — Гірники, як тобі сказати, сіль землі...* (Рудь); // *ірон.* Найвпливовіші, найбагатші члени суспільства. *На хутори не кликали* [читати «Кобзар» Т. Г. Шевченка]. *На хуторах жила «сіль землі»... Патріархи...* (Ковінька).

сіль тобі́ в о́ці (в о́чі), *фольк.* Уживається як устарена форма застереження від зурочення. *Траплялось, що і Іван звертався до нього, але за кожним разом, стрічаючи погляд чорних пекучих очей мольфара, спльовував непомітно: «Сіль тобі в оці!»* (Коцюб.); *«Сіль тобі в очі», — тричі повторював у думках, бо хоч і був учителем, але селянські забобони не відлетіли від нього* (Стельмах).

сіль тобі́ на язи́к [печи́на в зу́би (у ві́чі)]. Уживається як прокляття і виражає побажання невдачі, лиха, всього недоброго.— *Щоб ти окаменіла, як Лотова жінка, за такі речі! — крикнув з досади Шрам ..— Сіль тобі на язик, печина*

в зуби! — оддала потиху Ковалиха, бо була трохи п'яненька (П. Куліш).

як (мов, ніби *і т. ін.***) сіль в о́ці (оча́х).** 1. *у кого, кому.* Бути неприємним, завдавати прикрощів кому-небудь; заважати комусь або дратувати когось. *Еге, десь Гафійка забарилась на музиках. Хай погуляє дитина. Тільки їй волі, поки в мами та в тата. Та й те людям, мов сіль в оці* (Коцюб.). **сіль в оча́х.** *Заплакані очі* [Іванихи] *палали нестриманим гнівом: — Ти радий здихатися моєї дитини! Він тобі· сіль в очах!* (Л. Укр.). С и н о н і м: **як більмо́ на о́ці** (в 1 знач.).

2. *з сл.* л ю б и́ т и, *ірон.* Уживається для вираження повного заперечення змісту слова л ю б и́ т и; зовсім не (любити). *Так його любить, як сіль в оці, а тернину в боці* (Укр.. присл..); *Пішов русин найматися до графа, якого люди любили, як сіль в оці* (Казки Буковини..). С и н о н і м: **як по́рох в о́ці.**

як сіль у воді́, *з сл.* п р о п а́ с т и, з н и́ к н у т и *і т. ін.* Безслідно.— *Не сунь носа, куди не треба! Роби так, щоб були всі за нами! А то пропадеш, як сіль у воді!* (Чендей).

СІЛЬЦЕ: впійма́тися в сільце́ *див.* впійматися; **спліта́ти ∼** *див.* спліта́ти.

СІМ [1]**: виганя́ти сім поті́в** *див.* виганяти; **всім по ∼** *див.* всім; **за ∼ верст киселю́ ї́сти** *див.* їсти; **за ∼ земе́ль** *див.* тридев'ять; **здира́ти ∼ шкур** *див.* здирати; **по ∼ неді́ль на ти́ждень справля́ти** *див.* справляти.

сім мішкі́в греча́ної во́вни [**і (та) всі непо́вні**], *жарт.,* *з сл.* н а г о в о р и́ т и, н а п л е с т и́ *і т. ін.* Багато зайвого, безглуздого. *Мельхиседек сердито глянув на свою жінку; вона догадалась, що вже наговорила сім мішків гречаної вовни, і прикусила язика* (Н.-Лев.); — *Та з цього й кінь би сміявся — наплели ось сім мішків гречаної вовни.. І ви в це вірите?* (Козл.); — *Станеш потім питати, де чув, а він тобі сім мішків гречаної вовни нарозказує всякого, тільки слухай* (Гончар). **сім мішкі́в греча́ної во́вни та чоти́ри копи́ гре́чки.**— *Ваша жінка приїхала сюди й наговорила сім мішків гречаної вовни та чотири копи гречки* (Н.-Лев.). **сім мішкі́в греча́ного Гаври́ла.** *Балакала-говорила сім мішків гречаного Гаврила* (Укр.. присл..). **сім міхі́в горі́хів, греча́ної во́вни.** *Наговорив сім міхів горіхів, гречаної вовни,— та всі неповні* (Укр.. присл..). П о р.: **три мішки́ греча́ної во́вни** (в 1 знач.).

сім п'я́тниць (неді́ль) на ти́ждень *у кого.* Хто-небудь дуже часто і легко міняє свої рішення, наміри, настрій *і т. ін. Того дядька Панаса всі знають, бо в нього сім п'ятниць на тиждень, і він жне там, де не сіє* (Гуц.); [М а р т а:] *У вас, тату, сім п'ятниць на тиждень: то хвалите Артема, то гудите* (Зар.).

сім фу́тів під кі́лем. Устарена форма побажання

успіху, удачі. *Дівчина побажала моряку сім футів під кілем, тобто вдалого рейсу.*

спусти́ти сім шкур *див.* спустити; **стопта́ти ~ пар підошо́в** *див.* стоптати; **хай йому́ ~ чорті́в** *див.* чорт; **хоч по ~ за цибу́лю** *див.* три.

як (мов, ні́би і т. ін.) сім баб пошепта́ло. Набагато кращий.— *Під час маневрів ставав [полковник] такий добрий, немов сім баб.. пошептало* (Гашек, перекл. Масляка).

як сім га́лок, *з сл.* чо́рний. Дуже, надзвичайно. *На моє щастя полковник їхав не сам. З ним була дочка — чорна, як сім галок. Їй було років шістнадцять* (Л. Янов.).

як чорт сім кіп горо́ху змолоти́в *див.* чорт.

СІМ ²: **при сім сло́ві** *див.* слові.

СІМЕ́ЙНЕ: сіме́йне во́гнище *див.* вогнище.

СІМ'Ї: відби́тися від сім'ї́ *див.* відбитися.

СІМОМА́: за сімома́ печа́тками *див.* печатками; **під ~ вітра́ми** *див.* вітрами; **під ~ замка́ми** *див.* замками.

СІМ'Я: кропив'я́не сім'я́, *зневажл., заст.* Чиновники, канцеляристи, які брали хабарі. *Ох же це кропив'яне сім'я — ці канцеляристи! Все їм дай і дай! Без хабарів не можуть жити!*

СІМ'ЯМ: засипа́ти кропи́в'яним сім'я́м *див.* засипати.

СІНІ: соба́ка на сіні *див.* собака; **шука́ти го́лку в ~** *див.* шукати; **як го́лку в сіні** *див.* голку.

СІПАЄ: аж [за] жи́жки сіпає *кого, у кого.* Хто-небудь має сильне бажання до чогось. *І пішли [дід з Іваном] прямо на пасіку, лісом. Мене, малого, аж за жижки сіпа побігти навзирці за ними, та раз — у лісі темно, страшно — а вдруге — мати сама у хаті* (Мирний); *Смичок несамовито забігав по струнах; струни аж клапають та цмокають, виводячи дрібушку. У Проценка аж жижки під ногами сіпало; а перед очима розвернувся рівний та чистий двір, а посеред нього — весілля* (Мирний). П о р.: **жи́жки трясу́ться.**

біс сіпає за язи́к *див.* біс.

СІПАТИ: сіпати за по́ли *див.* смикати.

СІРА: сі́ра сви́та *див.* свита.

СІРКА: оче́й у Сірка́ позича́ти *див.* позичати; **~ смикну́ти** *див.* смикнути; **тягти́ ~ за хвіст** *див.* тягти.

як у Сірка́ із зубі́в, *з сл.* не ви́рвати́ і т. ін. Зовсім, ніяк.— *Не турбуйтесь, мамо. Роздобуду щось [їсти] по дорозі — світ не без добрих людей.— Ой, сину, що воно є в тих людей? У добрих людей, у таких, щоб поділились, в самих нічого немає, а в тих, у кого є,— не вирвеш, як у Сірка із зубів* (Збан.).

СІРКО: потайни́й Сірко́ *див.* собака.

як Сірко́ в (на) база́рі, *з сл.* пропа́сти, зни́кнути і т. ін. Безслідно. *Пропали! Як Сірко в базарі!* (Котл.).

як Сірко́ на при́в'язі. 1. *з сл.* набіга́тися,

намота́тися і т. ін. Дуже, надзвичайно.— *Обов'язково буду завтра, бо сьогодні намотався за день, як Сірко на прив'язі, кості старечі щось ломить і в попереку струже* (Збан.).

2. *з сл.* нагуля́тися, погуля́ти и і т. ін., *ірон.* Уживається для вираження повного заперечення змісту слів н а г у л я́ т и с я, п о г у л я́ т и і т. ін.; зовсім не (нагулятися, погуляти).— *Ну, нагулявся? — Та де там! Нагулявся, як Сірко на прив'язі.*

як Сірко́ па́скою, *заст., з сл.* пожи́витися. Уживається для вираження повного заперечення змісту слова п о ж и в и́ т и с я; зовсім не (поживитися). *Пожививсь, як Сірко паскою* (Укр.. присл..).

СІРКОВІ: як Сіркові на перела́зі *див.* собаці.

СІРКОЮ: не ви́курити і сіркою *див.* викурити.

СІРЯКУ: як в сіряку (в сіряка́х), *жарт.* Тепло, добре. *Ні холодно було, ні душно, А саме так, як в сіряках, І весело і так не скучно, На великодних як святках* (Котл.); *Ні холодно, ні душно; як на святках у сіряках* (Номис).

СІСТИ: не дава́ти пили́ні сісти *див.* давати; **не зна́ти, на яки́й стіле́ць ~** *див.* знати.

ни́зько сісти. Втратити колишнє високе становище, колишню впливовість (про того, хто поводився зарозуміло, хизувався перед іншими). *Ти з кого так смієшся і за що? З такого смійсь, що розганявсь до неба. А низько сів, пошився сам в ніщо* (Граб.); [С т о р ч а к:] *Страшний він був учора на бюро. Ще не бачив таким.* [К а ч а н:] *Високо літав, та низько сів...* (Зар.).

ні ля́гти, ні сісти *див.* лягти; **~ ве́рхи; ~ в калю́жу; ~ за па́рту; ~ за стіл переговори́в; ~ ка́менем** *див* сідати.

сісти ма́ком. 1. Потрапити в скрутне, безвихідне становище. *Поки ми ще мали речі — вивозили їх у села і вимінювали у селян на борошно, картоплю й інші продукти, а як того добра не стало — сіли маком* (Гжицький). С и н о н і м и: **сісти на мілину́; сісти на лід.**

2. Зазнати поразки, невдачі в чому-небудь. [П р я д к а *(вбігає схвильований):*] *Вороги готували кризу паливної промисловості й чекали на інтервенцію. Ну, й сіли маком!* (Мик.); *Проценко сам дивується, як він міг так ловко сісти маком. Досі ж йому щастило в житті* (Д. Бедзик).

сісти на го́лову *див.* сідати; **~ на двох стільця́х** *див.* сидіти; **~ на дно** *див.* спускатися.

сісти на їжака́. Здійснити, подолати і т. ін. що-небудь дуже складне або неможливе. [Р о д і о н:] *Зрозуміють [інозем́ці]! Вони ж знають, що навіть турецький султан — хоч яку мав могутню базу,— не зміг сісти на їжака* (Корн.).

сісти на лід. Невдало завершити яку-небудь справу, опинитися в скрутному становищі. *Хтось мусить подумати про матеріал для дальшої статті, бо хтось інакше сяде на лід з своїми фінансами*

(Л. Укр.). С и н о н і м и: **сісти на мілину; сісти маком** (у 1 знач.).

сісти на мілину (на мілизну, на міль). Потрапити в скрутне, безвихідне або незручне становище. [К о с т я К в а ч:] *Думав на Курильські брати курс — і на тобі! Сів на мілину!* (Мокр.); [Л ю б о в:] *Це так якось вийшло, ми сіли на мілизну* (Л. Укр.); *Треба ж переустаткувати механізми, інакше токарі в наступному зовсім сядуть на міль* (Автом.). П о р.: **сісти як рак на мілині.** С и н о н і м и: **сісти на лід; сісти маком** (у 1 знач.).

сісти на свого коника *див.* сідати.

сісти на столі (на стіл), *іст.* Стати князем, здобути князівську владу. *Поки Ярослав був на Півночі, Мстислав встиг захопити частину його земель і сісти на столі в Чернігові* (Знання..); *Що це за княжий муж, усі дізнались пізніше, коли.. вбили князя Ігоря; і коли на столі в Києві сіла Ольга* (Скл.).

сісти на троні *див.* сидіти; **~ на шию; ~ не в свої сани** *див.* сідати.

сісти, як (мов, ніби і т. ін.) рак на мілині (на мілкому, на мілі). Потрапити в скрутне, безвихідне або незручне становище. *Це так якось вийшло, що він сів, як рак на мілині; — А ніяк не йметься віри, що сіли, мов рак на мілкому* (Гуц.). П о р.: **сісти на мілину.**

СІТІ: заманити в свої сіті *див.* заманити; **ловити в ~** *див.* ловити; **наставляти ~** *див.* наставляти; **спліта́ти ~** *див.* спліта́ти.

СІТКУ: спліта́ти сітку *див.* спліта́ти.

СІТЯХ: би́тися як риба в сітях *див.* битися.

СІЧКИ: нарі́зати січки *див.* нарі́зати; **не вартий торби ~** *див.* вартий.

СІЧКУ: на січку (капусту, локшину), з сл. б и т и, р у б а т и, с і к т и і т. ін. 1. Дуже, надзвичайно.— *Геть мені зараз додому, бо як візьму отсю качалку, то поб'ю тебе на капусту!* (Коцюб.).

2. Нещадно, вщент.— *Вони* [міномети] *страшні? — Січуть німців на січку. У нас їх звуть «самоварами»* (Гончар); *Пополотнів і Бжеський. Він бачив, що коли справа дійде до бою, півсотні дужих козаків порубають його з почтом на капусту* (Тулуб); *Печеніги попхалися в ворота, вони вскакували у вузький і тісний прохід по кільканадцятеро, і їх .. сікли на локшину* (Загреб.).

СІЯТИ: сіяти грішми *див.* сипати.

сіяти (наво́дити і т. ін.) / посі́яти (навести́ і т. ін.) паніку. Мимоволі чи свідомо створювати стан тривоги, розгубленості, викликати жах у оточуючих. *Це була стара й давно відома їх* [фашистів] *тактика — сіяти паніку в тилу, на всіх шляхах і стежках, що вели до фронту* (Кучер); *Появлявся* [отаман] *цілковито несподівано серед переповненого народом ринку, починав пекельну стрілянину і наводив паніку на всіх: грабував, палив* (Хотк.).

сіяти / посі́яти ро́збрат *між ким.* Призводити до чвар, ворожнечі між ким-небудь. *Хай прогримить, як кари грім, На тих, хто роззявляють пащі. Щоб світом володіти всім, Що розбрат сіють поміж націй* (Рильський).

сіяти по́страх *серед кого.* Певними діями, засобами викликати почуття страху у кого-небудь; лякати, залякувати когось. *Після розгрому двора Пйотровського і кривавої помсти за дружину та знедолених землярів Лесько ще два роки сіяв по́страх серед панів та орендарів* (Гжицький).

сіяти смерть *див.* нести.

СКАЖЕНА: скаже́на собака *див.* собака.

СКАЖЕНИЙ: скаже́ний собака *див.* собака.

як (мов, ніби і т. ін.) скаже́ний. 1. Втрачаючи самовладання або не стримуючись у гніві; несамовито, нестямно. *Бонковський, мов скажений, повернув коня назад і прискакав у Вільшаницю* (Н.-Лев.); *Хоч стріляй, хоч рубай, лізуть* [низовики], *наче скажені* (П. Куліш).

2. Дуже сильно, інтенсивно. *Ріка шуміла під кладкою, мов скажена* (Фр.); *Віз підскакує, як скажений; колеса стрибають по камінні* (Н.-Лев.); *Мотор заревів, як скажений, машина рвонула з місця повним ходом* (Перв.).

СКАЖЕНОГО: як скаже́ного собаки *див.* собаки.

СКАЖЕШ: нічо́го не ска́жеш. Уживається для вираження підтвердження справедливості, правильності чогось, згоди з чим-небудь; безперечно, справді. *Таки славну дівчину викохала Гордієнчиха, нічого не скажеш* (Стельмах); *Вдома.. після відставки сидіти* [Курінний] *не захотів, .. сам попросився в майстерню: я, каже, люблю токарювати... І таки любить, нічого не скажеш* (Гончар). П о р.: **нічого сказати** (у 2 знач.).

СКАЖИ: скажи́ (скажіть) на ми́лість [бо́жу (Бо́га)]. Уживається для вираження подиву, незадоволення, розгубленості, сумніву і т. ін.— *Слухай, Демиде, ти знаєш, що я думаю? — Знаю.— Як знаєш? — здивувався Бульба.— Ти хочеш погуляти з запорожцями.— Ну, скажи на милість. Як це ти дізнався?* (Довж.); — *Ну, що тут довго: він тайний агент.— Ото! скажіть на милість! Як же він робить свою роботу?* (Коцюб.); *Ну, чого мене, скажіть на милість, понесло знов на київський пляж?* (Вишня).

СКАЗ: сказ напада́є (нахо́дить) / напа́в (найшов) *на кого,* рідше *кого.* 1. Кого-небудь охоплює сильне почуття гніву, роздратування і т. ін.— *То молиться* [батько] *в кутку цілими вечорами, то нападає на нього такий сказ, що не тільки люди, а й боги в хаті не вдержаться...* (Тют.).

2. *рідко.* Хто-небудь перебуває в стані душевного піднесення. *На Марину найшов наче сказ:.. вона то била гопака по пішоходах* [тротуарах] *,.. то тиркала, то висвистувала, мов п'яний халамидник* (Мирний).

СКАЗАВ: оц́е (от) сказа́в! Уживається для вираження незгоди з висловленням співрозмовника.— *Навіщо те гарне убрання? Хіба хочеш бога гнівити чи що? — Чим бога гнівити? Синім жупаном? Оце сказав!* (Н.-Лев.).

[що] я сказа́в! Уживається для вираження нетерпіння, роздратування тим, що не виконують щойно віддане розпорядження. *Послабивши руки хлопцеві, Степашко і Тритузний, однак, не зовсім їх відпустили.— Відпустіть, я сказала,— повторила вона різко* (Гончар); *— Ферапонте! Що я сказав?..— Марш мені зараз до гною!* (Коцюб.).

СКАЗАНО: не во гнів будь сќазано *див.* будь.

СКАЗАТИ: гріх сказа́ти *див.* гріх.

з д́озволу сказа́ти, *ірон.* Уживається для вираження негативного ставлення співбесідника до чого-небудь згаданого в розмові.— *Не думаю, що серед депутатів, які сидять у цьому залі, багато знайдеться таких, котрі в цьому питанні поділять вашу, з дозволу сказати, точку зору* (Головко).

[і] не (ні) сказа́ти (розказа́ти) і не (ні) списа́ти (ні написа́ти), *перев. з словоспол.* т а к и́ й, щ о. Уживається для підкреслення високого ступеня ознаки або вияву чого-небудь. *І пройшла ще чутка така між нами, що буде якийсь родич молодого, якийсь козак Чайченко, та такий вже хороший, та такий вже гарний — і не сказати і не списати* (Вовчок). С и н о н і м и: **ні в ́казці сказа́ти, ні пер́ом опис́ати** (в 2 знач.); **і сказа́ти.**

і спасиб́і · не сказа́ти *кому.* Бути невдячним кому-небудь за щось.— *Не буде нам ні слова, ні пам'яті; хто нас поховає, хто нас пом'яне? Розтратять, що ми зібрали, а нам і спасибі не скажуть* (Кв.-Осн.).

й не сказа́ти [слов́ами], *перев. з словоспол.* т а к и́ й, щ о; т а к, щ о. Уживається для підкреслення високого ступеня ознаки або вияву чого-небудь. *Вже давненько панночки приїжджі переносили, що який-то вже там лікар полковий хороший: і брови йому чорні, й уста рум'яні, і станом високий,— така вже краса, що й не сказати!* (Вовчок); *Максим Бобровник любив ліси — і не сказати...* (Збан.). **сказа́ти не м́ожна (не моѓти) [слов́ами].** *На душі така пала туга, така печаль, що й сказати не можна!* (П. Куліш); *Вся біда якраз у тім, що сили не маю робити щось поза службовою працею. І так мені гірко, що й сказати не можу, бо все ж життя моє в літературі* (Коцюб.); *Нарешті вона могла сказати бабці, що ніби... ніби чує щось під серцем. Радості бабці не можна словами сказати* (Хотк.). С и н о н і м и: **ні в ́казці сказа́ти, ні пер́ом опис́ати** (в 2 знач.); **і не сказа́ти і не списа́ти.**

й (ні) сл́ова не сказа́ти *кому.* 1. Не видати якої-небудь таємниці, нічого нікому не розповісти про щось. *Вернувся сотник мій додому, Три дні, три ночі не вставав, Нікому й слова не сказав І не пожалувавсь нікому* (Шевч.). П о р.: **ні сл́ова.** С и н о н і м и: **ні п́ари з вуст; як вод́и в рот набра́ти; ні гу-ѓу** (в 1 знач.); **р́ота не розкрива́ти.**

2. Не заперечувати проти кого-, чого-небудь; не виступати всупереч кому-, чому-небудь. *Зайвої землі лежало неозорно перед тобою й за тобою... Приходь, заори, скільки хоч — ніхто тобі й слова не скаже* (Мирний). П о р.: **і сл́ова не п́иснути.**

л́егко сказа́ти. Уживається для підкреслення складності у виконанні, здійсненні і т. ін. чогось важкого, подолання чого-небудь.— *Для нас зараз найголовніше — твердо, не гарячкуючи, визначити її [невдачі] причину.— Легко сказати — визначити,—..відповів Андрій,— це ж і є найважче* (Собко); *— Легко сказать! Трохи й не збожеволіла я,— каже,— тоді. Тут ось були дітки, щебетали, бігали, а тут і нема! Перенесла! Та хіба тільки це?* (Тесл.).

ні (ан́і) в ́казці сказа́ти (розказа́ти), ні (ан́і) пер́ом описа́ти ([не] списа́ти), *перев. з словоспол.* т а к и́ й, щ о; т а к, щ о, *фольк.* 1. Надзвичайно гарний, вродливий; чудовий.— *Там є така чудесна дитяча кімната, що ні в казці розказати, ні пером описати* (Бурл.). П о р.: **ні пер́ом не списа́ти** (у 2 знач.).

2. Уживається для підкреслення високого ступеня ознаки або вияву чого-небудь, чогось надзвичайного і т. ін. *Ані в казці сказати, ні пером не списати, який там учинився шарварок, яка там знялась буча, на тій раді* (Ільч.). С и н о н і м и: **й не сказа́ти; не сказа́ти і не списа́ти.**

3. Дуже багато. *Що вже Ганна Антонівна мороки з ним [учнем] колись мали — ні в казці сказати, ні пером описати* (Ю. Янов.).

ні пер́ом не списа́ти, ні сл́овом не сказа́ти *див.* списати.

нічого сказа́ти. 1. Уживається для вираження осуду, обурення, незадоволення з приводу чого-небудь.— *Ну, нічого сказати, паноче! — каже Череваниха Шрамові.— Швиденько ви добуваєте із своїм сином замки!* (П. Куліш); *[Х р а п к о:] Так отакому вас навчають? Гарному — нічого сказати...* (Мирний).

2. Уживається для вираження підтвердження справедливості, правильності чогось, згоди з чим-небудь; безперечно, справді. *[З а п о р о ж е ц ь:] Оце то так! вчистив [кобзар], нічого сказати: і до ладу, і правда. Добре, далебі, добре!* (Шевч.); *Гарна «фата» [дівчина], нічого сказати!* (Коцюб.). П о р.: **ніч́ого не сќажеш.**

сказа́ти в д́обрий час. Уживається для запобігання зурочення кого-, чого-небудь.— *Не красувався б тут і явір цей високий. Сказати в добрий час, Такий рясний, хороший та широкий: І силу, і красу він має через нас [коріння]* (Гл.).

сказа́ти нов́е сл́ово в чому. Зробити яке-небудь відкриття або домогтися значних досягнень у певній галузі науки, техніки, культури. *Симиренко сказав нове слово в розробці ефективних агротехнічних прийомів, що значно підвищило врожайність садів* (Літ. Укр.).

сказа́ти своє́ [сло́во]. Виявити себе в якійсь справі, відіграти певну роль у чомусь. *Генетики сказали своє слово в науці.*

сказа́ти собі́. Добре обміркувавши, вирішити що-небудь. *Коли вмерла перша жінка, він сказав собі, що не ожениться, бо не знайде вже такої вірної та коханої дружини* (Коцюб.).

сказа́ти спаси́бі. Бути вдячним за що-небудь, задоволеним чимсь. *За дві-три ліричні поезії теж сказали б [упорядники альманаху «З потоку життя»] велике спасибі* (Коцюб.); — *Скажіть спасибі мені, що заступався за вас. Перед секретарем одстоювавши!* (Стельмах).

сказа́ти [хоч] сло́во. 1. Обізватися, заговорити до кого-небудь. *Неначе тіні німі, мовчазні, ходили вони один біля одного, соромились одне на одного глянути, боялися один одному слово сказати...* (Мирний).

2. Розказати яку-небудь таємницю. *Хай же наважиться [Олександра] сказати хоч слово, тоді знатиме, почому в Тростянці гребінці* (Коцюб.).

слова́ [лихо́го] не сказа́ти *про кого.* Хто-небудь користується повагою, має хорошу репутацію.— *Згадай [сину], у яких ми злиднях жили, в якій нужді гибли, та ніхто про нас не скаже слова лихого...* (Мирний).

слова́ упо́перек не сказа́ти *кому.* Зовсім не перечити кому-небудь [Василь *(до Дранка):*] *Тепер, хоч ви на мені всі кліщі побийте, я вам слова упоперек не скажу!* (Кроп.).

[та (а) й то (те) сказа́ти]. 1. Уживається для вираження підтвердження переконливості своїх думок, міркувань і т. ін., щоб запевнити кого-небудь у чомусь; справді, дійсно. *Й то сказать, який вояк із дикуна? одно ледащо!* (Л. Укр.); *А й те сказати: я вже дівка, мені вісімнадцятий пішов, а в мене ще нічогісінько немає* (Мирний).

2. Уживається як підсумок міркувань, роздумів. *Та й те сказать. Чого я турбуюсь? Ані злого, ні доброго Я вже не почую* (Шевч.).

та й го́ді сказа́ти; сказа́ти го́ді. Утримати себе від яких-небудь дій, вчинків і т. ін., що робилися попередньо. *Ждала-ждала та й годі сказала* (Номис).

[щоб (коли́)] не сказа́ти бі́льше (гі́ршого і т. ін.). Уживається для підкреслення можливості різкішого вислову про кого-небудь, від якого утримується мовець. *Так і чуло моє серце, що дурна управа знов звернеться до губернатора, хоч і має вже затвердження від нього на всяку посаду. Чудні люди, щоб не сказати більше* (Коцюб.); — *Ой, не робіть нам, пане, кривди! — Якої кривди?! Це кривда, що вас, невдячних лісокрадів, коли, даруйте, не сказати гіршого, стільки терпів!?* (Стельмах).

як сказа́ти. 1. Уживається для вираження сумніву, імовірності, можливості здійснення чого-небудь; невідомо.— *В часті [частині] поганяють, а восени й дома будете.— Це ще як сказати,— знизав плечима Дорош.— Не на таке діло закручується* (Тют.). С и н о н і м и: **ба́ба ще на́двоє ворожи́ла; ви́лами пи́сано.**

2. Уживається для вираження непевності у відповіді на які-небудь питання. [Р у ф і н:] *Невже ти не для жарту порівняв Кріспіна й Крусту з ними [Катоном і Ціцероном]?* [К а й Л е т і ц і й:] *Як сказати? Звичайно, сі дрібнішого розбору* (Л. Укр.); — *Своєю роботою, Василинко, ти... дуже задоволена?* — *Як сказати. Буває цікавіша* (Гончар).

СКАЗИ́ВСЯ: щоб (бода́й, неха́й і т. ін.**) [ти (він, воно́** і т. ін.**)] сказа́вся (скис** і т. ін.**),** лайл. Уживається для вираження незадоволення або досади, обурення ким-, чим-небудь. *А він гне спину, як і раніше, на того окаянного Когутяру, щоб ти сказався разом із своїм Бровком* (Цюпа); — *Тпру, сірий! тпру, муругий, бодай ти сказався!* — *кричав Кайдаш* (Н.-Лев.); — *А як тебе разом із ним під кінськими мордами в тюрму поженуть, то як мені на таке дивитися? Хай би воно сказилося таке життя!* (Тют.); [П р і с ь к а *(регоче):*] *А бодай ти скис! Отож таке й витіє й виплете* (Вас.); — *Щоб вас парубки цілували! — Ат! нехай вони скиснуть! не діждуть цілувати нас* (Морд.). С и н о н і м: **неха́й ли́зень зли́же.**

щоб я сказа́вся див. я.

СКАЗИ́СЯ: хоч скази́ся. Уживається для підкреслення марності чиїхось зусиль, неможливості, безсилля зробити що-небудь.— *Най там як хоче, а як я сказав слово, то вже не переміню. Хоч сказися* (Коцюб.). С и н о н і м и: **хоч го́пки скачи́; хоч плач, хоч скач** (у 1 знач.).

СКА́ЗУ: нема́ ска́зу див. нема.

СКАКА́ТИ: го́пки скака́ти. Охоче бігти, іти куди-небудь. *Онопрій усе наставляв ухо на Саливона і своє гукнув: — Пісного борщу не годна зварить, а до церкви гопки скаче!* (Кучер).

скака́ти (вска́кувати) / скочити (вско́чити) в гре́чку. Зраджувати дружині (чоловікові); мати нешлюбні зв'язки. [З і н ь к а *(сама):*] *Ач, стара, вже й зуби погнили, а їй зальоти на думці: заманулося на старість у гречку скакати* (Кроп.); *Злі язики розпускали плітки, начебто його Жанночка скаче в гречку з Михайлом Чорногором* (Дмит.); *Як би він не жив, та жив, аби в чужу гречку не вскакував* (Укр.. присл..); — *Дивіться, ще оступимось... Скочимо в гречку.— А чого б не скочити?* (Мушк.); *І за що ж мусить погибати хоч би й оцей безталанний Олекса Сенчило? А Олекса Сенчило стоїть посеред колеса [присуджений до страти]. За те, що трапилось, може, раз на віку, вскочити в гречку!* (П. Куліш); — *Чого це ти очі опускаєш, як на другий день після весілля? Може,* десь в гречку вскочила та тепер глипаєш очима? (Тют.). **скака́ння в гре́чку.** *Більшої вини й не було, здається, в запорожців над оте скакання в гречку* (П. Куліш). С и н о н і м: **наставля́ти ро́ги** (у 1 знач.).

скака́ти на за́дніх ла́пах (ла́пках) *перед ким.* Прислуговувати кому-небудь, підлещуватися до когось, втрачаючи людську гідність. *Як виставимо свої драми, .. то будуть тоді наші «генії» перед нами на задніх лапках скакати* (Л. Укр.). С и н о н і м: **ви́тися в'юно́м.**

скака́ти по верха́х. Глибоко не вникати, не торкатися суті чого-небудь (у розмові, виступах і т. ін.). *І все то не по верхах скаче* [Проценко], *а розумним словом глибоко гвоздить* (Мирний).

скака́ти так, як загра́є *хто.* Підкорятися кому-небудь, діяти за чиєюсь вказівкою.— *Тепер ви будете скакати, так, як я заграю!* (Фр.).

скака́ти у вого́нь і в во́ду *за кого.* Бути готовим на будь-який самовідданий учинок заради кого-небудь, робити будь-що для когось. *Всякий Прокопові сват, І всякий Прохорові брат, За Прокопа усякий рад І в воду, і в огонь скакать* (Бор.).

скака́ти ца́па. Рішуче протидіяти чому-небудь, протестувати проти чогось, заперечувати щось. [Р о м а н:] *Та хоч би батько цапа скакав, а я таки оженюсь на Мотрі* (К.-Карий).

скака́ти че́рез пліт *див.* стрибати.

СКАКНУ́ЛИ: іскри з оче́й скакну́ли *див.* іскри.

СКАЛАМУ́ТИТИ: скаламу́тити во́ду *див.* каламутити.

скаламу́тити [всю] ду́шу (нутро́) *кому і без додатка.* Надзвичайно сильно, глибоко схвилювати когось, внести неспокій. *Вже якось до цього й прижилось горе, не таким здавалось, як першого року, а це знову скаламутило всю душу, отрутою поповзло в кожний закуток, де є жива кров* (Стельмах); *— Та читай уже, там побачимо,— насмішкувато відповів Касій. Але видно було, що й який такий початок листа скаламутив нутро* (Мик.).

СКАЛАТА́ТИ: вік скалата́ти *див.* калатати.

СКА́ЛИТИ: ска́лити зу́би. 1. *без додатка.* Посміхатися, сміятися. *Писарці скалили жовті зуби та реготались, аж поки рудий писар не гримнув на них* (Коцюб.); *— А ви, лежні, ланці, чого зуби скалите?* — кинулась до їх Параска і почала банітувати* (Мирний). П о р.: **вискáлювати зу́би** (у 1 знач.). С и н о н і м: **вишкіря́ти зу́би** (у 1 знач.).

2. *з кого — чого, над ким — чим.* Недоброзичливо, зло висміювати кого-, що-небудь; насміхатися з кого-небудь. *Спочатку насміхалися* [люди]. *Першим озвався Грицько Тихолаз — панський чередник.— Чого, каже, зуби скалите над людською бідою!* (Речм.). С и н о н і м и: **продава́ти зу́би; торгува́ти зуба́ми.**

СКАМЕНІ́ТИ: як скамені́ти на мі́сці *див.* скам'яніти.

СКАМ'ЯНІ́В: бода́й (щоб) ти (він, вона́ *і т. ін.*) **скам'яні́в (скамені́в),** *лайл.* Уживається як прокляття і виражає побажання лиха, чогось недоброго. *Ей, бодай вороги тії скам'яніли* (Пісні та романси..).

СКАМ'ЯНІ́ТИ: [як (мов, ніби *і т. ін.*)**] скам'яні́ти (скамені́ти) [на мі́сці]. 1.** Стати нерухомим, завмерти під впливом якогось сильного враження, переживання і т. ін.; заціпеніти.— *Біжи за мішками, а він — як скам'янів — і не рухнеться. Хочу сам зрушити з місця — і не можу. Аж у піт кинуло* (Головко); *Серце Хариті закалатало в грудях з переляку; потому наче спинилось, і Харитя скаменіла на місці* (Коцюб.).

2. *з сл.* с и д і т и, с т о я́ т и *і т. ін.* Без найменшого руху, нерухомо. *Галецька сиділа на тапчані, неначе скам'яніла* (Н.-Лев.); *Орися стояла за крок від матері, мов скам'яніла, лицем до розлючених баб* (Юхвід). **як (мов, ніби** *і т. ін.*) **скам'яні́лий (скамені́лий).** *Новина так приголомшила мене, що якийсь час я, ніби скам'янілий, не міг рушити з місця* (Д. Бедзик); *І став, зажурився, Аж весь похилився Козак скам'янілий неначе* (Вороний); *Самсон стоїть, мов скам'янілий, Блідий, і мовчки вислухає Оту зневагу* (Л. Укр.).

СКАНДЗЮ́БИТИ: скандзю́бити в сук. Згорбити (про старість). *От старість... Схаменись! а ти собі байдуже! Ось, ось скандзюбить в сук* (Г.-Арт.).

СКА́ПАВ: бода́й (щоб) ти (він, вона́ *і т. ін.*) **ска́пав, як віск,** *лайл.* Уживаться, як прокляття і виражає побажання лиха, всього недоброго. [Б а б а О л е н а:] *Знову цей сатана, бодай ти скапав, як віск! Знову уста мені замурує...* (Галан).

СКА́ПУВАТИ: ска́пувати кро́в'ю *за кого, рідко.* Дуже піклуватися про кого-небудь, переживати за когось, побиватися за кимсь. *Боявся наш батько панського хліба. Не так уже за себе,— за нас, за дітей, кров'ю скапував* (Козл.).

як (мов, ніби *і т. ін.*) **ска́пувати сві́чкою.** Худнути, марніти від переживань, хвороби.— *Ти вже й сам бачиш, як я знемогла в силі й з кожним днем ніби скапую свічкою* (Козл.). **немо́в сві́чка ска́пує.** *А той, хто дружби зрікся безоглядно І задивився на багатство власне, Над своїм «скарбом» ниє безпорадно,— Немов та свічка скапує і гасне* (М. Ю. Тарн.).

СКАРА́В: а Бог би тебе́ скара́в *див.* Бог.

СКА́РБИ: ні за я́кі ска́рби [в сві́ті]. Ніколи. *В часі тої розмови Євгеній ішов, похиливши лице і вдивляючися в тротуар. На лице дівчини, що йшла обік нього, не був би глянув ні за які скарби в світі* (Фр.). С и н о н і м: **ніза́що в сві́ті.**

СКА́РЖИТИСЯ: не ска́ржитися на здоро́в'я. Бути дужим, здоровим.— *На здоров'я, молодий* *чоловіче, не скаржусь,— відсік Левко Іванович* (Гончар).

СКАТЕРТЮ: скáтертю дорóга *див.* дорога.

СКАЧ: хоч плач, хоч скач *див.* плач.

СКАЧЕ: аж піна з рóта скáче *див.* піна.

СКАЧИ: хоч гóпки скачи́. Уживається для вираження марності чиїхось зусиль, неможливості, безсилля зробити що-небудь; що не роби.— *Як будемо триматися купи, стовчемо панів і в ступі,— впевнено кидає Мар'ян.— Покрутяться вони, мов посолені в'юни, а без мужика, хоч гопки скачи, нічого не зроблять* (Стельмах). С и н о н і м и: **хоч плач, хоч скач** (у 1 знач.); **хоч сказися.**

хоч у вóду скачи́ (стриба́й). Уживається для вираження безвихідного становища. *Не можу нічого зробити, хоч у воду скачи.*

СКАЧУТЬ: іскри з очéй скáчуть *див.* іскри.

СКЕЛЬЦЯ: дивитися крізь рожéві скéльця; дивитися крізь тéмні ~ *див.* дивитися.

СКИБА: відрíзана скиба (скибка) [від хліба].
1. Людина, яка відділилася від родини, стала жити самостійно (перев. про дочку, що вийшла заміж).— *Що мені тепер мати?.. Шкода, що буде побиватися стара, та що?.. Я тепер одрізана скиба од хліба! А в село я не піду* (Мирний); [Х и в р я:] *У мене вже ні за ким більше рушникувати. Тільки оце і дитини осталось, що Любка.* Векла вже відрізана скибка від хліба (Укр. поети-романтики..); — *А що ж невістка? Поїхала на ту цілину, то там і застряла. Вже й заміж вийшла. Одрізана скибка. Своя сім'я — свої й клопоти* (Ряб.); *Андрій пройшов до матері, обняв стару. Харитина аж сплакнула, розчулена. В той же час відчула, що син уже — відрізана скиба* (Рєзн.).
2. Людина, яка втратила зв'язок із своїм середовищем, змінила звичайний спосіб життя, діяльність. *Він пішов з відділу на іншу роботу і тепер для нас — відрізана скиба.*

СКИБКА: відрíзана скибка *див.* скиба.

СКИДАТИ: скида́ти (здійма́ти) / ски́нути (здійня́ти) ша́пку (капелю́х, бриль *і т. ін.*) **перед ким,** *рідше* **перед чим** *і без додатка.* Цінувати когось, щось. *Записую школярів, а батьки їх утаюють від мене. Утаюють майбутніх професорів і вчених, перед якими колись, може, держави скидатимуть шапки!* (Стельмах); *Треба знайти для її [краси] вираження відповідні форми, і такі, що коли художник переносить її, розуміючи, відчуваючи життя, то щоб перед картиною люди шапки скидали* (Довж.); *І усміхнуться їм брати так тепло, радісно й знайомо на фоні гнівному заграві, стальні здіймаючи шоломи перед геройством тих, хто впав* (Сос.).

скида́ти (зніма́ти) / ски́нути (зня́ти) з рахівни́ці кого, що. Не рахуватися з ким-, чим-небудь; не зважати на когось, щось. *Він хворий і не може добре працювати, тому його скинули з рахівниці.* П о р.: **скида́ти з раху́нку.**

скида́ти / ски́нути з плечéй що. Позбуватися чогось.— *В тім-то й біда, Степане, що немолодий уже. А коли б так років хоч двадцять скинути з плечей — полетів би, не те, що побіг* (М. Ю. Тарн.).

скида́ти / ски́нути з плечéй (з грудéй, з душí, з сéрця) тяга́р. Звільнятися від чого-небудь гнітючого, позбуватися чогось небажаного, відчуваючи полегкість. *Певно, довго гнобила бідність його рід. Цілі століття злигоднів викарбували на ньому свої сліди. Як важко було йому скидати з плечей цей тягар* (Довж.); *За півгодини він [Стецько] повертався з жінкою додому, скинувши з плечей тяжкий тягар, хоч у душі, по правді, побоювався — а може, це вони так відпустили, а вночі прийдуть і заберуть* (Цюпа); *Єдина істота в світі спроможна погасить вогонь, що спалює його єство, скинути з грудей тягар, що не дає дихати* (Речм.); *Сів [Іван] писати повість. Треба ж було скинути з душі страшний тягар баченого* (Кол.); *Я читаю в ваших втомлених очах жаль і бажання щирого каяття... ви прагнете через святу оповідь скинути тягар з серця, що стільки часу гнітить вас* (Вільде).

скида́ти / ски́нути з себе вéтхого Ада́ма. Відмовлятися від старих традицій, звичок, поглядів. *Тільки тепер кріпосна патріархальна, благочестива і покірна Росія, що перебувала у ведмежій сплячці, скинула з себе ветхого Адама* (Ленін).

скида́ти з себе кайда́ни *див.* скинути.

скида́ти / ски́нути [з себе] ма́ску. Показувати, виявляти свою справжню сутність; переставати прикидатися ким-небудь або яким-небудь. *Обставини примусили його скинути з себе маску.* С и н о н і м: **зня́ти машкару́.**

скида́ти / ски́нути óком (очи́ма, пóглядом, зóром *і т. ін.*) **на кого — що** *і без додатка.* Дивитися на кого-, що-небудь. *Коли ж йому здавалось, що Іван або Каленик скидали оком на його руки, він кидав грати, засував руки в рукава або ховав позад себе і, сердитий, розлючений, виганяв їх з хати* (Коцюб.); *Жінки мали велику цікавість до Єльки, але.. з хапливою крадливістю скидали поглядами на цю високошию та зеленооку Лободину обраницю* (Гончар); — *Мушу зачинити вікно, бо роботи не буде.— Бекеш лукаво скинув оком на Ровдича* (Курт.); — *А скільки вас,— питає становий.— Та скільки ж? — обізвався передній, волосний писар, скинувши очима на купку товаришів-гласних* (Мирний); — *Але де вона [Маріора]? — скинув Замфір очима по винограднику* (Коцюб.); *Хтось поклав мені на плече руку, я хутенько скинув поглядом — переді мною стояв Роман Сторожук* (Гуц.); *Він з ненавистю скинув гострим зором усю світлицю* (Стельмах). **ски́нути очéнятами.** *Дівчина сміливо скинула на нього оченятами і, вихопивши з води жердину, пустотли-*

во простягла на берег:— Хапай, служивий, бо втону! (Гончар). **скида́ти / ски́нути о́чі (по́гляд).** Він скидає очі на стрункý дівочу постать і першу мить бачить тільки гострі кінчики туфельок (Ю. Бедзик); У дверях стала висока дівчина, .. вклонилася мені низько, а очей на мене не скинула (Вовчок); Уляна скинула на нього [Прокопа] сині здивовані очі і дзвінко, на цілий степ засміялася (Мик.); Христя скинула на Горпину журливий погляд і задумалася (Мирний).

скида́ти / ски́нути полу́ду з оче́й. 1. Починати сприймати що-небудь таким, яким воно є в дійсності, насправді.— А ти, брате-ляше, невже пак до суду? Між нами нелад, бідолашний?! Ой, скинь-бо з очей ти колишню полуду, Та праведно глянь, необачний (Стар.); Варка мов стрепенулася: — Ти лікуєш німців? О господи праведний!.. То ходи ж до нас у Севастополь та подивися, що вони, прокляті душі, роблять своїми бомбами. Прийди та подивися. Скинь полуду з очей (Кучер).

2. Розкривати кому-небудь справжню суть чогось; робити відомою правду про кого-, що-небудь. Він [брат] рухом одним Скидає полуду з очей, він оману В напрузі, в приємній тривозі зрива (Перв.).

скида́ти / ски́нути (списа́ти) з раху́нку (з раху́нків) кого, що. Переставати рахуватися з ким-, чим-небудь, не зважати на когось, щось. Хто-хто, а ви маєте знати правду, що в Братіславі у вищих сферах вирішено списати вас із рахунку й не роздмухувати конфлікту (Головч. і Мус.).

скида́ти / ски́нути ярмо́ (гніт, пу́та) [з себе (з ши́ї, з плі́ч)]. Визволятися від залежності, здобувати волю. Народи встають, скидають ярмо капіталу (Сос.); Чи може бути, щоб людина дала над собою так знущатися та й не скинула з себе ганьблячого ярма?! (Март.); Утомлені своїм довічним рабством, вони [раби] гадають розірвать пута і скинути ярмо з своєї шиї (Л. Укр.); Далеко десь од станцій, З зірками на чолі, Живуть в горах повстанці,— й до них зібрався Лі, Щоб відплатить за тата, за себе і за всіх, Хто ще ярмо прокляте не скинув з пліч своїх (Сос.); Скинути всякий феодальний гніт, всяке гноблення націй, всякі привілеї одній з націй або одній з мов — безумовний обов'язок пролетаріату, як демократичної сили... (Ленін). С и н о н і м и: ви́сунути ши́ю з ярма́; рва́ти кайда́ни (у 1 знач.).

СКИНЕШ: куди́ не ски́неш о́ком див. кинь; **скі́льки о́ком —** див. кинеш.

СКИ́НУТИ [1]: **і о́ком не ски́нути** чого, що. Надзвичайно багато чого-небудь; не осягнути.— Поля багато, сінокосу й оком не скинути, сінокіс над самою Россю, ще й левада така здорова (Н.-Лев.).

одни́м о́ком ски́нути. Глянути на кого-, що-небудь мимохідь, ненароком.— І дій його честі! Хоч

би собі хоч одним оком скинути! — скрикнув місяць і, наче дзига, на одному місці разів зо сто покрутився (Мирний).

ски́нути [своє́] о́ко на кого — що і без додатка. Помітити кого-, що-небудь, звернути увагу на когось, щось, приглядатися до когось, чогось. Що було там звіру та птиці усякої: зайці, лисиці, вовки, сороки, кібці, орли. Ніхто їх не чіпав, ніхто не рушав їх таємного покою. Аж поки молодий Гамза не скинув свого ока (Мирний). С и н о н і м: наки́нути о́ком (у 1 знач.).

СКИ́НУТИ [2]: **оста́нню соро́чку ски́нути і (та) відда́ти.** Поділитися з ким-небудь усім, що маєш.— Любить [жінка], щоб про неї сказали: «Он як Андріїха-баба, так от богомільна...» І як хто взнав уже оцю її примху, то знай тільки грай отакої, так вона й сорочку останню скине та віддасть (Хотк.). **оста́нню соро́чку відда́ти.— Я .. мужик, селянин,— ледве чутно пробурмотів полонений, блиднучи й німіючи...— Так, значить, панам-отаманам самостійну Україну здобуваєш? А батько твій окупантам і Петлюрі останню сорочку віддає! (Довж.).

ски́нути з не́ба (з небе́с) на зе́млю кого. Допомогти комусь звільнитися від ілюзій, тверезо сприймати реальну дійсність. Відповів [гуцул] таке, що зразу скинуло мене з .. небес на землю (Хотк.).

ски́нути з пара́фії кого, ірон., заст. Позбавити когось роботи, влади чи права на кого-, що-небудь.— Пострийвай же ти! Не будеш ти сидіть в наших шинках. Скинемо й тебе з парафії, як і' голову (Н.-Лев.).

ски́нути з плече́й; ~ з плече́й тяга́р; ~ з раху́нку; ~ ма́ску див. скидати.

ски́нути / рідше скида́ти з се́бе кайда́ни (око́ви) чого. Визволитися, звільнитися від будь-якої залежності, здобути волю. З увагою та інтересом стежать радянські люди за політичним і громадським життям країн, які скинули з себе окови рабства.

ски́нути ша́пку; ~ ярмо́ див. скидати.

як (мов, ніби і т. ін.) пуд ваги́ ски́нути [з се́бе]. Відчути велике полегшення. Побанишся, попоришся, то наче пуд ваги з себе скинеш, наче на десять років помолодшаєш (Багмут). С и н о н і м: як ски́нути го́ру з плече́й.

як (мов, ніби і т. ін.) ски́нути (зва́лити) го́ру (тяга́р) з плече́й. Відчути велике полегшення. Висповідавшись, Кабанець ніби гору скинув з плечей. Ми з ним подружили по-справжньому (Збан.); Після зборів у Гната відлягло на серці, а на душі стало легко, ніби з плечей звалив гору (Чорн.); Пан маршалок глубоко [глибоко] зітхає, немов скинув з плечей якийсь великий тягар, і звішує голову, мов підрізаний (Фр.). П о р.: ніби ка́мінь з душі́ зва́лити. С и н о н і м: як пуд ваги́ ски́нути.

СКИНУТИСЯ: скинутися очима. Переглянутися, перезирнутися один з одним (перев. непомітно на знак взаємної згоди, розуміння). *Скинулись Гиря й Годований очима. Один одного зрозуміли* (М. Куліш); — *Записую. Хто перший? Запанувала тиша. Хвилина — мовчать і друга — мовчать. Шляховий, міцно стиснувши щелепи, жде. Видно вже, як злорадно скинулися між собою очима глитаї: тут, мовляв, поживишся!* (Гончар).

СКИНЬ: куди не скинь оком див. кинь.

СКИПАЄ: скипає душа див. душа.

СКИПІЛА: душа скипіла див. душа.

СКИПІЛИСЯ: сльози скипілися див. сльози.

СКИС: бодай би він скис див. він; **щоб ~** див. сказився.

СКИСЛА: каша скисла див. каша.

СКІК: із (на) заячий (горобʼячий, горобиний) скік. Дуже мало. *На новий рік прибавилось дня на заячий скік* (Укр.. присл..); *Там того поля — на заячий скік!* (Укр.. присл..); *Зсунулася [скеля] на горобʼячий скік — посунеться, на заячий схочемо...* (Сміл.). *П о р.:* **із заячий хвіст.** *С и н о н і м и:* **як шилом патоки вхопити; як кіт наплакав; з горобину душу.** *А н т о н і м:* **як за гріш маку.**

СКІЛЬКИ: скільки видно див. видно; **~ вліз** див. вліз; **~ духу** див. духу; **~ духу вистачить** див. вистачить; **~ душа забажає** див. душа; **~ забажається** див. забажається.

скільки літ, [і] скільки зим! Уживається як привітання і вираження радості від зустрічі з тим, кого давно не бачили. — *Євмен?! Живий?! — Ні, мертвий! — Скільки ж літ, скільки зим!* (Вишня); *В цей час без стуку зайшов Решетов, безцеремонно кинув на стіл шапку і подав Орловій руку. — Здоров, Нонна. Скільки літ і скільки зим!* (Сиз.).

скільки ока. Як далеко можна побачити. *Скільки ока — Дніпро перед нами лелів І байдуже котив свої хвилі* (Стар.).

скільки оком кинеш див. кинеш; **~ осягти оком** див. осягти; **~ сягає око** див. око; **~ хочеться** див. хочеться.

СКІНЧЕНА: скінчена пісенька див. пісенька.

СКІНЧИТИ: скінчити дні (життя, шлях і т. ін.). Померти. *Як скінчу життя, Щоб не чути більше образ, — Киньте часом і про мене Пару щирих, теплих фраз!* (Граб.); *Чи до мети я певної дійду, Чи без пори скінчу той шлях тернистий* (Л. Укр.).

скінчити свою пісню. Перестати займатися якою-небудь діяльністю через старість, хворобу і т. ін. *Усім він казав, що вже скінчив свою пісню — став старим, хворобливим, не має сил працювати.*

СКІПЕТРОМ: під скіпетром кого. Під владою кого-небудь. — *Я хочу одного, — сказав посол, — щоб моя країна була під скіпетром вашої королівської величності* (Літ. газ.); *Офіційні представники російської монархії любили лицемірно базікати про «благоденство» народів, які були під скіпетром імператора* (Від давнини..).

СКІПКА: як (мов, ніби і т. ін.) скіпка, з сл. сухий, худий і т. ін. Дуже, надзвичайно. *Біля першої шкапи стоїть високий чоловік, сухий, як скіпка* (Мирний); *Перед вершниками з вʼязкою хмизу за плечима, горбиться суха, мов скіпка, постать старого селянина* (Стельмах).

СКІПКИ: на скіпки, з сл. трощити, розбивати. Зовсім, цілком, ущент. *Стрілами під небо сягала [січа], об шоломи мечами гарчала. Гартовані списи на скіпки трощила-ламала* (Мирний).

СКЛАВШИ: склавши (згорнувши, заложивши, спустивши) руки. 1. Нічого не роблячи, не працюючи; без діла. — *Підучилася коло вас, тепер на самостійну роботу пора. Нічого сидіти, склавши руки...* (Кучер); *Зрозумів він дар науки Так, що можна вже, мовляв «Ждати манни», склавши руки. З того приводу й гуляв, хімікати вихваляв!* (С. Ол.); *Пенсійку невеличку вислужив... В одставку вийшов, А все-таки, заложивши руки, не хочеться сидіти* (Мирний).

2. Не вживаючи ніяких заходів, бути осторонь чого-небудь. — *Невже вам ніколи не спадало на думку, що оці наші заходи, метушіння, все це робиться, аби тільки не сидіти склавши руки* (Л. Укр.); *Скрізь встав народ, бунтує, хоче чогось, робочі бастують, покидають заводи.. Що ж їм сидіти, згорнувши руки, чекати, щоб за них хто подбав?* (Коцюб.); — *Ви сидите собі, спустивши руки, та й граєте ідилію з селянами* (Фр.).

СКЛАД: здавати на склад див. здавати.

СКЛАДАТИ: складати на вівтар див. приносити; **~ останню шану** див. віддавати; **~ руки** див. згортати.

складати / скласти вину на кого. Несправедливо звинувачувати кого-небудь у чомусь. — *Бач, десь там двір злодії обікрали, — ніхто не міг на їх напасти слід, тож шандарі вину на мене склали* (Фр.).

складати / скласти голову (життя, кістки, кості). Гинути, вмирати. *Кричали за святую Русь, а виявились просто ландскнехтами, найманим військом, що з чужою зброєю в руках, з чужими радниками при штабах складали свої голови в боях за чуже* (Гончар); *Роки гітлерівського свавілля позначились знищенням на Львівщині семисот шістдесяти тисяч чоловік. У львівській цитаделі склали голови багато поляків, чехів, французів* (Інг.); *І скінчиться його довічна мандрівка, і складе він.. свої старі натруджені кістки*

(Коцюб.); — *За цю насмішку свої кості складеш* (Стельмах). **скла́сти голі́воньку.** [Ц а р:] *Ти вчинив по-молодецькому, Удалий боєць та купецький син, Що сказав усе ти по совісті. Сам же йди по-молодецькому На високеє місце лобнеє, Складаи свою буйную голівоньку* (Лерм., перекл. за ред. Рильського).

склада́ти / скла́сти до ніг *що.* Виявляти покору, залежність. [Д е м о н:] *Для мене ти — моя святиня, І владу всю свою віднині Складаю я до ніг твоїх* (Лерм., перекл. за ред. Рильського); *Вірно складаю до ніг тобі дань дивування й покори* (Зеров); *На коліна й бажав я упасти.. До ніг милої серденько скласти* (Граб.).

склада́ти / скла́сти ду́мку *про кого — що.* Уявляти, думати що-небудь про когось, щось. *Борис Савович, той мовчун у морському кітелі, нарешті теж втрутився в розмову.— Ми не бюрократи,— сказав суровим тоном,— не з паперів складаєм про тебе думку* (Гончар). П о р.: **ма́ти ду́мку** (у 2 знач.).

склада́ти / скла́сти збро́ю. 1. Припиняти збройні дії, переставати воювати. *Курсанти з кулеметами вже оточували ніжинців.— Іменем Реввійськради Республіки наказую скласти зброю* (Довж.); *Радянське командування, щоб уникнути непотрібного кровопролиття, поставило оточеним військам ультиматум — скласти зброю* (Рад. Укр.).

2. Відмовлятися від будь-яких дій, припиняти боротьбу, визнаючи себе переможеним, або відступати перед труднощами. *На його запитання Ліда реготала й кокетливо докоряла, що погано не довіряти своїй вірній кізоньці. Сохацький складав зброю і вірив їй. Вірив, бо хотів вірити* (Дмит.); *Сповнений енергії, рішучості й мужності, Зубін звик ніколи не складати зброї* (Загреб.).

склада́ти / скла́сти пеню́ *на кого.* Звинувачувати кого-небудь у чомусь, перекладаючи свою провину на нього.— *Схаменися, стара бабо! Що ти верзеш? Сама ходить по хатах, піддурює людей іти за собою, а на мене складає пеню* (Н.-Лев.).

СКЛАДУ́: без ла́ду і скла́ду; ні ла́ду ні ∼ *див.* ладу.

СКЛА́СТИ: [і] ціни́ не [мо́жна] скла́сти (не складе́ш) *кому, чому.* Хто-небудь (або що-небудь) надзвичайно цінний, важливий (цінне, важливе) своїми особливостями, властивостями, якостями.— *На шиї в мене було намисто з таких здорових та дорогих діамантів, що їм і ціни не скласти* (Н.-Лев.); *Заради одного лише дня в юрті Джамбула варто було проїхати ці довгі тисячі кілометрів! Ця мандрівка для мене — втіха і багатство, якому не скласти ціни!* (Мас.); *У нашій країні хліб — один з найдешевших продуктів харчування, найдешевший у світі. Але ціни йому не скласти* (Хлібороб Укр.); — *Та ж він наш Левко, а не ваш! У нього руки, що за руки — ціни їм не складеш! І розбитний же він у нас — і до плуга*

і до рала (Драч). П о р.: **ці́ни нема́.** С и н о н і м: **на вагу́ зо́лота** (в 1 знач.). А н т о н і м: **ціна́— гріш.**

скла́сти го́лову; ∼ до ніг; ∼ ду́мку; ∼ збро́ю; ∼ пеню́ *див.* складати.

скла́сти / рідко склада́ти ла́пки (кри́льця). Відмовлятися від будь-яких дій, від боротьби і т. ін.; скорятися. *Він і лапки склав* (Укр.. присл.); *А він* [Віктор] *і зовсім знавіснів. Тягне мене в темний закут. Мабуть, видалося йому, що я вже й лапки склала* (Речм.); *Зачувши голос ненависного професора, Микоша найменше був подібний до жертви, що готова скласти крильця й потрапити в пащеку до собаки* (Полт.).

СКЛЕ́ЇТИ: склеїти ки́слу мі́ну *див.* скривити.
СКЛЕПИ́ТИ: не склепи́ти очей *див.* склепляти.
СКЛЕ́ПЛЮВАТИ: не скле́плювати оче́й *див.* склепляти.

СКЛЕПЛЯ́ТИ: не склепля́ти (рідко скле́плювати) / не склепи́ти очей (о́чі). Не спати, не могти заснути. *Дрімала лише куховарка, а Докія й очей не склепляла* (Кучер); *Ніхто не бачив, як цілими ночами сидів, не склеплюючи очей, Заремба над аркушами паперу* (Сміл.); *Розтривожений, він до самого ранку не склепив очей* (Панч); *Знає напевне він, що до самого ранку не склепить очі в тривозі* (Головко). **склепи́ти о́чі.** *Не стелившись, полягали спати, але чи склепив хто очі на часинку?* (Головко); *Лише перед світанком склепила* [Марійка] *очі, але зараз же і прокинулась* (Донч.). П о р.: **не змика́ти оче́й.**

СКЛО: як скло. Бездоганний у моральному відношенні. *Було п'є* [Нечипір] *ніч, гуляє, з парубками бурлакує, а удень як скло перед хазяїном* (Кв.-Осн.); [Д а н ч е н к о:] *Звикли люде* [люди], *що раз у раз гроші громадські тягано, ну й тут думали, що так. А потім роздивилися, та й нічого... І знов я тепер стою перед громадою чистий, як скло* (Гр.).

СКЛЯНИ́Й: скляни́й бог *див.* Бог.
СКЛЯНИ́М: як під скляни́м ковпако́м *див.* ковпаком.
СКЛЯНО́ГО: лизну́ти скляно́го бо́га *див.* лизнути.
СКЛЯНО́МУ: моли́тися скляно́му бо́гові *див.* молитися.
СКЛЯ́НЦІ: бу́ря у скля́нці води́ *див.* буря.
СКНІЄ: душа́ скніє *див.* душа.

СКНІ́ТИ: скні́ти душе́ю. 1. Страждати, мучитися. *Кажуть — смерть усіх рівняє; кажуть — на тім світі усе навпаки; тут ти скнів душею, там — радітимеш серцем* (Мирний).

2. *за кого — що.* Турбуватися про кого-, що-небудь; тривожитися за когось. *Скніла* [Вірунька] *весь час душею за татка, дивлячись, як він невміло, хоча й старанно виконує ті вправи* (Гончар).

СКОВЗАТИ: ско́взати / сковзну́ти очи́ма (по-

глядом). Мимохідь дивитися на кого-, що-небудь. *Перехожі сковзять [сковзають] очима по нетоптаних травах та сонце ходить довкола, пересуваючи тіні* (Коцюб.); *Жінка сковзнула неприязним поглядом по Тамариній постаті і схиляється над паперами, грубо кинула:* — *Можна* (Хижняк).

СКОВЗНУТИ: сковзну́ти очи́ма див. сковзати.

СКОВУВАТИ: ско́вувати / скува́ти ру́ки. Позбавляти кого-небудь можливості вільно поводити себе, діяти. *За все своє життя я вперше опинився в панському маєтку. Мимохіть це сковувало руки* (Панч).

ско́вувати / скува́ти язи́к (язика́). Позбавляти кого-небудь можливості вільно висловлювати свою думку. *Хвилювання сковувало мені язик, заважало правильно відповідати.* А н т о н і м: **розв'яза́ти язи́к** (у 4 знач.).

СКОКИ: у три ско́ки. Дуже швидко, моментально, умить. *Начальник поліції Федір Курбацький у три скоки опинився перед Шредером* (Довж.).

СКОКОМ: ско́ком чи бо́ком; то ско́ком, то бо́ком. По-різному, різними способами. *Крім довгоживучої описовості [у період застою] якось скоком чи боком до нашої творчості знову почала притулятись безконфліктність чи дрібноконфліктність* (Літ. Укр.); **то бо́ком, то ско́ком.** — *Як поживаєш?* — *А так собі — то боком, то скоком* (Укр.. присл..). — *Не час одкритої борні тепер. Пролазьте то скоком, то боком поміж Фесенковими та іншими ямами, а може, щось і зробимо для письменства, для народу* (Н.-Лев.).

СКОЛИХНУТИ: сколихну́ти в душі (в се́рці) *кого, чий (чиїм) що.* Викликати у кого-небудь якесь почуття. *Дикунська розправа сколихнула в його лагідній душі всі сили благородного обурення і священного гніву* (Смолич).

сколихну́ти ду́шу (се́рце) *кого, чию (чиє).* Схвилювати, зворушити кого-небудь. *Важке було дитинство у Миколи Щорса, багато горя й муки замолоду скуштував він, події 1905 року глибоко сколихнули його душу й залишили в ній незабутній слід* (Скл.); *Хор гучних голосів і передзвін близьких і дальніх монастирів та соборів сколихнув серця майже всіх присутніх* (Довж.).

СКОЛОВ: аби́ тебе́ ді́дько сколо́в див. дідько.

СКОЛОТИТИ: сколоти́ти спо́кій див. сколочувати.

СКОЛОЧУВАТИ: сколо́чувати / сколоти́ти спо́кій. Виклика́ти тривогу, неспокій. *Невже ота нещасна пригода, що могла б скінчитися гірше, ніж скінчилася, так сколотила мій спокій?* (Коцюб.).

СКОНУ: доводити до ско́ну див. доводити.

до [са́мого] ско́ну. Назавжди, навіки. *На це почуття можна було покластися, вірячи, що воно — до скону* (Голов.); // Завжди. — *Бандерівські недобитки вирішили нас налякати, підкинули нам листівки. Дамо їм відповідь, всім колективом*

скажемо таке слово, від якого б їм до самого скону в носі крутило (М. Ю. Тарн.).

до ско́ну вікі́в, *рідко.* Назавжди, навіки. *Вірю: до скону віків не порушиться слово богинь!* (Л. Укр.).

СКОПИЛИТИ: скопи́лити гу́бу див. копилити.

СКОПОМ: усі́м (ці́лим) ско́пом. Разом, гуртом. *Усім скопом пішли [майстри] проводити свого почесного гостя* (Тулуб); *Розкуркулені поперли на нього [Йоньку] цілим скопом, засукуючи на ходу рукава* (Тют.). П о р.: **усі́м га́музом.**

СКОРИЙ: ско́рий на ру́ку див. швидкий.

СКОРІШ: скорі́ш всьо́го див. скоріше.

СКОРІШЕ: скорі́ше (скорі́ш) всьо́го. Найімовірніше.— *Спасибі вам [бабусі], що запрошуєте нас на великдень до себе, але ми, певне, не приїдемо, бо, скоріш всього, ми і на великдень тут зостанемось* (Л. Укр.).

СКОРОГО: до ско́рого поба́чення див. побачення.

СКОРЧИТИ: ско́рчити Ла́заря. Прикинутися безталанним, нещасним.— *Чого ти здихаєш [зітхаєш]?* — *гримнув на неї голова.— У чоловіка навчилася?.. Той теж, як прийшов, то такого Лазаря скорчив* (Мирний).

СКОСА: погляда́ти ско́са див. поглядати.

СКОСИЛА: смерть скоси́ла див. смерть.

СКОТИВСЯ: як ка́мінь з душі́ скоти́вся див. камінь.

СКОЧИТИ: ско́чити в гре́чку див. скакати; **∼ з язика́** див. зриватися.

СКРЕБЕ: скребе́ на се́рці див. шкребе.

СКРЕБТИ: перо́м скребти́, *ірон.* Писати. *Лягли тумани з Фінської затоки, Пером гусиним скріб чиновний люд* (Дмит.).

скребти́ (скубти, скрома́дити, струга́ти) / наску́бти (наску́бати) мо́ркву. Дорікати кому-небудь або лаяти, сварити когось. *Чує стара, на службі йому щодня моркву скребуть, уже грозяться і вигнати* (Мирний); *Дріб'язковий взагалі він, сей пан ловчий Курський. Буде стояти тобі над душею, буде скребти моркву — і тим дуже дошкуляє своїм підданим* (Хотк.); *Довго старша сестра уговорювала царя і скребла моркву, аж поки він не згодився та набрав знов військо* (Стор.); *Гримає [стара], звісно — на невістку: то се не туди, то те не так, звичайно, як свекруха, що вже знайде, за що моркву скромадити* (Кв.-Осн.); *Яцько Ходика вуса підкрутив. Он як шанувався до нього Терновий. Наскубли моркву, то й поштивий став* (Рибак); — *Не гідний такої честі,— відмовлявся Сірко в той час, як січовики, підтримувані низовиками, кричали: — Гідний! Гідний! — Не комизись, а то наскубемо моркву! — Бути тобі кошовим!* (Рибак).

скребти́ [у] го́лову. Надокучати; заважати, набридати. *Свекруха тобі голову скребтиме, а* свекор докорятиме, та нікому буде заступитися (Мирний). П о р.: **морочити голову** (у 4 знач.).

СКРЕБУТЬ: коти скребуть на серці див. коти.

СКРЕГІТ: скрегіт зубовний. Гнів, лють, розлюченість. *Не шкодуй нічого задля перемоги* [над фашизмом], *визволителю і меснику, загартований у боях, слава тобі! Ти був щедрим на жертви! І страшним громом, і скреготом зубовним висаджував у повітря ти здійснену мрію свою — заводи і фабрики* (Довж.).

СКРЕГОТАТИ: скреготати (скреготіти, скригати, скрипіти і т. ін.**) / заскреготати (заскреготіти, заскрипіти, скрипнути, скреготнути** і т. ін.**) зубами.** Виявляти гнів, роздратування, невдоволення і т. ін. *А сам аж зубами скреготав* [князь], *що міг так забутися* (Фр.); *Розпач душить Білоконя* [куркуля] *й ненависть така, аж хата стугонить і сіни. Кому погрожує Білоконь, скрегочучи зубами край вікна?* (Довж.); *Петлюрівці скреготіли зубами: яке право мали російські більшовики називати полк ім'ям знаменитого українського козака Богуна* (Григ.); *Не скрипи зубами, Не лютий, вороже, Марні твої мрії — Нас не переможеш!* (Укр. нар. пісні); *Ти скрегнув зубами і стис кулака — А це що?* (Головко); *Дорош чув, як тяжко, з хрипінням, сапають бійці, і в нього занурутовалося всередині, він скрипнув зубами і стис щелепи, що його боляче шпигонуло в скроні* (Тют.); *— Бережись цієї гадюки. Ми назвали її ротатою Бертою. Вона викидала на сніг маленьких дітей. Ух!* — *заскреготала зубами Божена* (Хижняк); *В пастуха надулись жили, і він зубами заскрипів: «Ну, стій. Розправлюсь я з тобою, проклятий пане! Буде бій!»* (Сос.).

СКРЕГОЧУТЬ: зуби скрегочуть див. зуби.

СКРЕСЛА: крига скресла див. крига.

СКРИВА: поглядати скрива див. поглядати.

СКРИВДИЛА: доля скривдила див. доля.

СКРИВИТИ: скривити душею див. кривити.

скривити (склеїти, зробити) / робити кислу міну. Виразити незадоволення. *Спитала я в неї вчора, чи не хочете піти в парк на музику,— вона скривила кислу міну і спитала: «Пощо?»* (Л. Укр.); *Обернувшись до мене, містер Хо склеїв досить кислу міну* (Смолич); *Коли представили йому Павлину, то він, признатися щиро,.. зробив кислу міну* (Вільде); *.. вся дрібнобуржуазна маса — за позику з застереженням. Капіталісти роблять кислу міну, з посмішкою кладуть резолюцію в кишеню і кажуть: «ви можете говорити, а діяти все-таки будемо ми»* (Ленін).

СКРИНЮ: гарбати в скриню див. гарбати; **готувати ~** див. готувати.

СКРИНЯ: порожня скриня в кого і без додатка. Немає посагу. *У свої сімнадцять весен Вустя була вже красунею, співала в церковному хорі. Але що солов'їний Вустин голос, коли скриня порожня* (Гончар).

СКРИНЬКА: скринька з секретом. Те, що ще не пізнане, не вивчене; те, що криє у собі щось невідоме. *Вода по перспективному вміщенню енергії незрівнянно цінніша від нафти. Проте поки що вона —«скринька з секретом», яку доведеться ще відкривати величезним напруженням думки тисяч вчених* (Наука..).

СКРИПІТИ: скрипіти зубами див. скреготати.

скрипіти серцем. Робити що-небудь дуже неохоче, всупереч власному бажанню.— *Якого йому ще ідола треба! Лавка, дім свій, дітей нема, тільки двоє їх з отою беззубою. А Пащина мати, як там не кажи, а сестрою рідною йому доводилася. І дядько змушений нарешті взяти до себе племінницю, хоч і «скрипів серцем»* (Хотк.).

СКРИПКА: перша скрипка. Основна, найважливіша роль у чому-небудь, у якійсь справі. *Звичайно, перша скрипка, як завжди, належала ксьондзові. З допомогою місцевих іванківських патріотів він зібрав якнайдетальніші відомості про те будівництво* (Головч. і Мус.).

СКРИПКУ: грати першу скрипку; грати свою ~ див. грати.

СКРИПЛЯТЬ: зуби скриплять див. зуби.

СКРИПНУТИ: скрипнути зубами див. скреготати.

СКРИПОМ: з скрипом (з рипом). З великими труднощами, нелегко. *Неспокійне життя Крутогори зі скрипом, непередбаченими зупинками, поволі, але неухильно ішло вперед* (М. Ю. Тарн.). **з скрипом рипом.** Інші дівчата входили в життя майстерні з скрипом рипом, часто з сльозами й наріканням (Сенч.).

СКРИТИСЯ: скритися плечима й очима див. закритися.

СКРІПИВШИ: скріпивши серце. Дуже неохоче, всупереч власному бажанню. *Господар з другої кімнати виносить зелену філіжанку з настояним на горілці вишняком, наливає його в густо припалі пилом чарки, потім, скріпивши серце, відхиляє заслінку від печі, придивляється, що можна вихопити з неї* (Стельмах).

СКРІПИТИ: скріпити дух див. скріпляти.

скріпити серце. Затамувати почуття гіркоти, незадоволення; стримати гнів, обурення тощо. *Здригнув* [Наум] *увесь, скріпив серце, а сльози знай глита* (Кв.-Осн.); *Антін Глущук, скріпивши серце, ходить, як неприкаяний. Душить його злість* (Чорн.).

СКРІПИТИСЯ: скріпитися духом, заст. Домогтися повного самовладання. *Серце його скиміло глибоко.. Але швидко він* [Захар] *скріпився духом* (Фр.). С и н о н і м и: **взяти себе в руки; оволодіти собою; опанувати себе.**

скріпитися на силах див. скріплятися.

СКРІПЛЯТИ: скріпляти / скріпити дух (сили) кому, чий (чиї). Робити кого-небудь морально стійким, непохитним. *Надійся лиш на себе і свій* *дух Скріпляй, зміцняй* (Стар.); [С т е п а н:] *Дома щоденне пекло,— тільки тією мрією і жив, тільки вона мені сили скріпляла...* (Стар.); [Д р у г а ж і н к а *(Молодша. Так само схиляється перед Прісціллою):] Скріпи мій дух, він немічний, сестрице!* (Л. Укр.).

СКРІПЛЯТИСЯ: скріпля́тися / скріпи́тися на си́лах (си́лою), *заст.* Ставати морально стійким, непохитним. *Ти мусиш передусім.. на силах скріплятися. Так, моя добра й щира сестрице! Не трать зараз відваги!* (Коб.).

СКРОЄНИЙ: га́рно скро́єний. Хто-небудь має пропорційну, правильну будову тіла. *Захар Давидович довго дивився вслід гарно скроєній, міцній, повній певності в своїй силі постаті Горілого* (Десняк).

СКРОМАДИТИ: скрома́дити мо́ркву див. скребти.

СКРОНЮ: пусти́ти собі́ ку́лю в скро́ню див. пустити.

СКРОПИТИ: скропи́ти кро́в'ю зе́млю див. зрошувати.

СКРОПЛЮВАТИ: скро́плювати кро́в'ю зе́млю див. зрошувати.

СКРОПЛЯТИ: скропля́ти кро́в'ю зе́млю див. зрошувати.

СКРУТИВСЯ: бода́й (щоб *і т. ін.***) [же] скрути́вся** *хто* **(скрути́ло** *кого***),** лайл. Уживається як прокляття і виражає побажання смерті, загибелі кому-небудь.— *Гей! соб, сиві, соб, бодай ви скрутилися!.. Тпру!* (Коцюб.); — *А бодай же його скрутило! Та й таку шкоду заподіяв* (Март.).

СКРУТИЛО: в супо́ню скрути́ло кого. Хто-небудь смертельно захворів. *Лежить Грицько, обдувся, як барило... От і догрався! Сюди, туди, верть-круть, А тут Грицька в супоню і скрутило!* (Г.-Арт.).

щоб мене́ скрути́ло. Уживається як клятва, запевнення в правдивості чого-небудь.— *Щоб мене скрутило, щоб у мене очі полускались, щоб мені крізь землю провалитись... як тому правда, що Хівря набрехала вам.— Так клялась Явдоха, аж Хіврі страшно стало* (Григ.).

язи́к у петлю́ скрути́ло кому. Хто-небудь втратив здатність говорити від хвилювання, злості і т. ін.— *А ти хвостом не крути. Як Оксена не було — до гурту підпрягався, а побачив — зараз тобі язик у петлю скрутило* (Тют.).

СКРУТИЛОСЯ: [і] скрути́лося і [та] змоло́лося. 1. Швидко сталося, відбулося що-небудь.— *Надто поспішно все вирішуєте, от де заковика. За одну мить і скрутилося і змололося* (Собко). 2. кому. Дісталося кому-небудь за якусь провину.— *Петре! — кажу я,— гляди лишень, щоби тобі не скрутилось та не змололося за цю кукурудзу* (Н.-Лев.); *Вона назад уже тікати хоче, Та бджоли жалять і шпигають в очі.. Аж тут Свині Скрутилось І змололось* (Іванович).

СКРУТИТИ: волу́ ро́ги скрути́ти мо́же див. може.

скрути́ти (рідко вкрути́ти) / скру́чувати в'я́зи (ка́рка, карк). 1. кому і без додатка. Сильно побити, покалічити кого-небудь. *Терпить гуцул біль, як ніхто.. Кидається у бій і валить топірцем направо-наліво, аж поки не скрутять в'язи, не вдушать* (Хотк.); — *Зараз мені таскай та поклади його* [хлопчика] *де взяв? Чуєш? Бо, щоб я трісла, коли не вицарапаю тобі очі, а йому в'язи не скручу* (Коцюб.); — *Чому він не скрутив мені в'язи в ту першу хвилину, я й досі не знаю* (Дім.); *Про людське око він трусонув Степана, дав йому запотиличника, а Данькові скрутив карка* (Стельмах); *Припалив* [Андрій] *цигарку. А доярка далі за своє: — В корівнику не курять! — Мовчи, поки карка не скрутив* (Курт.); // Уживається як погроза. [П е ч е р и ц я:] *Я підглядів, як він у руку їх цілував.* [Х р а п к о:] *Він? блазень! Та я йому рота набік поверну! А як він вкручу, бісовому синові* (Мирний). П о р.: **зверну́ти в'я́зи** (у 1 знач.).

2. Покалічитися або загинути.— *Звісно, куди в таку тьму? — підтримав котрийсь із шоферів.— Десь у кюветі в'язи скрутиш. Або налетиш на міну. Краще до ранку* (Гончар).

3. Не справитися з чим-небудь; зазнати невдачі, поразки в чому-небудь. [О м е л я н:] *Але на таких річах* [речах] *він може карк скрутити* (Фр.). П о р.: **скрути́ти собі́ в'я́зи.**

скрути́ти ду́лю че́рез кише́ню див. давати.

скрути́ти на́ ́гужа́ кого. Примусити кого-небудь бути слухняним, покірним, дисциплінованим.— *Герой Радянського Союзу майор Воронцов — замполіт цього багатирського полку.. Коли ти кепський вояка, то він тебе на гужа скрутить, а коли чесно виконуєш свою місію, то від нього тобі шана і хвала* (Гончар).

скрути́ти ро́ги само́му чо́ртові (чо́рту). Подолати, подужати будь-кого. *Нехай вона скаже лиш одне слово, і він буде щасливий, і завтра скрутить роги самому чортові, не те що німецькій варті біля складу* (Автом.); — *З усього видно: люди стоящі.. Такі самому чорту, як раз плюнути, роги скрутять* (Головк. і Мус.).

скрути́ти / скру́чувати го́лову. 1. кому. Убити, знищити кого-небудь. *Клятий Песьоголовець уже знищив дев'яносто дев'ять хлопців. Час і йому вже голову скрутити!..* (Три золоті сл.); *Руки засвербіли скрутити голову тут пану Енгельгардту, а потім усім до Кармелюка спішити треба* (Косарик); — *А тобі яке діло? — А те, що німці скручують таким, як він, голови, як баранам. А Тимко — дурень... Був би поліцаєм* (Тют.); // Уживається як погроза. [Ж а н д а р м:] *Я кождому* [кожному] *голову скручу, хто би посмів з тебе сміятися* (Фр.); *Він затряс його* [козака]*, як грушу, з* криком: — Ти кого б'єш? Ти знаєш, хто це? Учений? Я тобі голову скручу! (Довж.).

2. Загинути або покалічитися.— Роби ти, що хоти [хочеш]. Хоч голову скрути. Про мене (Г.-Арт.).

скрути́ти / скру́чувати собі в'я́зи. 1. Покалічитися або вбитися; загинути.— Не скакати ж мені з оцієї кручі в море! — сказав Ломицький.— Скакайте, то пойму віри,— сказала Марта Кирилівна.— Але ж я собі скручу в'язи! — крикнув Ломицький (Н.-Лев.); Микола розповідав про випадки, коли хтось відбивався од свого роду і неодмінно, рано чи пізно, скручував собі в'язи (М. Ю. Тарн.).

2. Не справитися з чим-небудь; зазнати невдачі, поразки в чому-небудь.— А до чого ж тут я? Директори були безгосподарні.— При такому ставленні, як у вас, тут який завгодно директор в'язи собі скрутить (Збан.); Вони, ці молоді інженери, не можуть критично поставитися до себе. Тому часто скручують собі в'язи (Шовк.).

скрути́ти у бара́нячий ріг див. зігнути.

СКРУТИТИСЯ: скрути́тися, як му́ха на окро́пі. Заметушитися, дуже розхвилювавшись від чого-небудь.— Оце, Манюню, що то значить молодий хлопець.. Як зобачила дівчина, то як муха на окропі скрутилася... І сіль розсипала, і страву мало не вилляла (Коцюб.).

СКРУТИТЬ: воло́ві ши́ю (ро́ги) скру́тить хто. Надзвичайно си́льний, дужий. Рахнівський сотник Діденко — козарлюга, волові шию скрутить, нежонатий (Качура).

СКРУТУ: до скру́ту, з сл. т р е́ б а і т. ін. Дуже, надзвичайно. З того й жив Кирило,— більше у волості та при волості, ніж дома. Туди він нечасто забігав; хіба вже до скруту чого треба, то зайде (Мирний).

СКРУЧУВАТИ: скру́чувати в'я́зи; ~ го́лову; ~ собі в'я́зи див. скрутити.

СКУБТИ: ску́бти мо́ркву див. скребти; **~ чуб** див. нам'яти.

СКУВАТИ: скува́ти ру́ки; ~ язи́к див. сковувати.

СКУПАЛИ: як (мов, ніби і т. ін.) скупа́ли в окро́пі кого. 1. Комусь раптом стало жарко від сильних переживань, страху і т. ін. І враз Гогіашвілі мовби скупали в окропі! На жалюгідних залишках слідової смуги він побачив довгасту ямку.., зовсім не схожу на слід людської ноги (Загреб.).

2. Хтось дуже запальний, гарячий, гнівний. Він дуже розлютився, .. його ніби скупали в окропі.

СКУПАНИЙ: як (мов, ніби і т. ін.) ску́паний. 1. Дуже мокрий.— Бач, всього змочив [дощ],— утираючи лице, сказав Івась. Грицько реготавсь. Він і сам був як скупаний (Мирний); Кінь засапався і весь мов скупаний. А Пилипкові забило дух. Він хапну́в свіже степове повітря (Головко).

2. з сл. ч и́ с т и й. Дуже, надзвичайно. * Образно. Ніщо сьогодні вже не загрожувало життю, і чистий, як скупаний, серпневий ранок лежав до ясних горизонтів (Гончар).

як (мов, ніби і т. ін.) ску́паний у ме́ртвій воді́. Пригнічений, сумний, невеселий. Минув уже тиждень, як спорожнів хутір П'ятигори, а люди, що залишились, все ще ходили, як скупані в мертвій воді (Панч).

як (мов, ніби і т. ін.) ску́паний у молоці́. Гарний зовні, виплеканий, випещений. Посадник Коснятин.. був завжди мовби скупаний у молоці — пещено-білий, червоногубий, а здоров'я в ньому так і двигтіло (Загреб.).

СКУПАТИ: скупа́ти ру́ки в крові́. Убити кого-небудь або бути причетним до вбивства. Здавалося йому, що якби знайшов ворога і відомстив, скупав руки у ворожій крові,— все минуло би ся (Хотк.).

СКУПАТИСЯ: скупа́тися в крові́. Вчинити багато вбивств або бути винним у вбивстві багатьох людей. [Г о л о с п о к л и к а ч а:] Відпущеник Нартал сказав, що він не хоче знати Риму, що він би хтів скупатись в римській крові, за теє суд його позбавив слова (Л. Укр.).

СКУПИЙ: скупи́й на слова́ (на сло́во, на мо́ву, у мо́ві). 1. Який не любить багато говорити; небагатослівний, небалакучий (про людину). Вона була.. сухувата й скупа на слова (Баш); Гнат Верига став зовсім сивий, скупий на слова (Панч); [З а х а р к о:] Щось ти сьогодні [сьогодні] дуже скупий на мову, кожне слово з тебе треба витягати! (Кроп.); Співають [дівчата] — і співає з ними Усе навколо, зриме і незриме, Ба навіть сивоусий бригадир, Скупий у мові і суворий в ділі, Підхоплює ті звуки легкокрилі (Рильський).

2. тільки скупи́й на слова́ (на сло́во). Стислий (про лист, звіт і т. ін.). Звіт Марії Павлівни скупий на слова (Вол.).

СКУПЧИЛИСЯ: хма́ри ску́пчилися див. хмари.

СКУПЧУЮТЬСЯ: хма́ри ску́пчуються див. хмари.

СКУШТУВАТИ: скуштува́ти ві́ника (ки́я, лози́ни, рі́зок, нага́їв і т. ін.). Бути побитим чим-небудь. Хоч і горілкою мати витерли, і чаєм з липовим цвітом напоїли, та проте довелося і віника скуштувати, і в кутку постояти (Вишня); А що різок покуштують, так усі — нехай уже будуть певні... (Головко); — Може, ти мене заведеш у такий двір, що й коляки скуштую ...— Та в такий же то й думка завести,— жартує Чіпка,— бо однак ніхто тобі боків не мне... Христі б, як жінці, годилося (Мирний).

скуштува́ти гарбузо́вої ка́ші, ірон. Дістати відмову при сватанні, залицянні.— Думаєш не знаю, скільки залицяльників біля неї [Наталки] кружляло, як мухи? А всі впіймали облизня, гарбузової каші скуштували! (Гуц.).

скуштува́ти ка́ші яко́ї. Зазнати багато горя, лиха; набідуватися. Ті, що скуштували окупаційної каші, либонь, добре розуміють, почім фунт солі, набралися лиха й рватимуться в бій, аби відомстити за все, що їм судилося пережити (Голов.).

скуштува́ти ме́ду, якого, ірон. Зазнати чого-небудь (звичайно неприємного) на власному досвіді, відчути щось самому.— По правді сказати, умирати я не вмираю.. Ну, та це пусте — спробувати можна.— Тим паче,— додав сивий дід,— що доведеться тільки раз на віку скуштувать того меду! (Стар.).

скуштува́ти о́близня див. спіймати.

скуштува́ти (покуштува́ти, пої́сти) бере́зової ка́ші. Бути побитим. [К о в а л ь:] Але ж що ти бачив, що ти знаєш, живучи отут? Ріс, як у бога за дверима, тільки й лиха було, що як ще вчився в бурсі, то, може, інколи доводилось скоштувати [скуштувати] березової каші (Кроп.); — Давно березової каші хочеш скуштувати! Я тобі не дяк у школі. Мене не обдуриш! (Косарик); Побачила вона Романового батька і сказала йому, що Роман у класі дуже пустує.. Романові дома довелось покуштувати [покуштувати] березової каші (Вас.); А через тиждень в Одраду москалі найшли, різками накидати панські наділи. Та не такі одрадяни стали, щоб послухатись: вони й березову кашу поїли, а від наділів все-таки одкинулися (Мирний). **скуштува́ти бере́зової ка́шки.** Хведько не вчивсь — і скоштував [скуштував] Березової кашки (Г.-Арт.).

скуштува́ти (покуштува́ти) хлі́ба якого, чийого. 1. Побути у такому становищі або пожити певний час так, як хто-небудь. Що ж до 15-літнього пробування Драгоманова «в чарівній Женеві», то нехай би «старий» перше, ніж говорити про тії «чари», скуштував би сам емігрантського хліба (Л. Укр.); Були між наших сусідів і такі; що в Параґваї скуштували заморського хліба та й подалися далі шукати щастя-долі (Мур.).

2. Пізнати, як дістається певний заробіток. Відтоді, як постояв він разом з дядьками простим молотобійцем біля ковадла і покуштував їхнього хліба, вже не покидало його відчуття того, що якоюсь часткою душі він мовби належить цим людям (Гончар).

скуштува́ти стусані́в (духопе́ликів) яких, від кого. Бути побитим.— Воно то — нічого гріха таїть — гульвіса. Лупив німоту і драв, та.. Поки не скуштував московських стусанів (Г.-Арт.). **скушту́вати стусана́ й духопе́лика.** Не на те примостила її [Катрю] доля там [в панському дворі], щоб на волі рости,.. а щоб скуштувати стусана й духопелика від кожного, в кого сверблять руки (Мирний).

СЛАБА́: слаба́ га́йка див. гайка; ~ **голова́** див. голова; ~ **стать** див. стать; ~ **струна́** див. струна.

СЛАБЕ́: слабе́ мі́сце див. місце.

СЛАБИ́Й: слаби́й (слабки́й) на у́тори. Невитриманий, неврівноважений. Богині в гніві.. на утори слабі. З досади часом і брехнуть, І, як перекупки, горланять (Котл.); Звичайно, не всі.. слабкі на утори такою мірою, як Григорій Очерет. Деякі з них виявляють навіть ознаки характеру і стійкості (Вітч.); Він був дуже неврівноваженою людиною, як кажуть, слабкий на утори, й тому односельці нічого відповідального йому не доручали.

слаби́й як уче́тверо мо́туз, ірон. Вживається для вираження повного заперечення змісту слова с л а б и й; зовсім не (слабий). Він такий слабий як учетверо мотуз.

СЛАБИ́НКУ: ма́ти слаби́нку див. мати².

СЛА́БІСТЬ: ма́ти сла́бість див. мати².

сла́бість на пра́ву ру́чку, ірон. Хабарництво. Гнат.. люто витріщає на фельдшера очі: Оце ти так трудящих лікуєш? Земську больницю [лікарню] відкрив? Ну, я із тобою поговорю!.. Я тебе швидко одучу від слабості на праву ручку! (Тют.). У народі зберігається чимало пісень, які висміюють зажерливість і слабість на праву ручку чиновництва та поліції.

СЛАБКА́: ки́шка слабка́ див. кишка; ~ **га́йка** див. гайка; ~ **голова́** див. голова; ~ **стать** див. стать; ~ **сторона́** див. сторона; ~ **струна́** див. струна.

СЛАБКЕ́: слабке́ мі́сце див. місце.

СЛАБКИ́Й: слабки́й на у́тори див. слабий.

СЛА́ВА: сла́ва Алла́ху, рідко, ірон. Уживається для вираження задоволення, заспокоєння, морального полегшення у зв'язку з чим-небудь. Тож і тримався з нею впевнено, навіть трішки зверхньо: слава аллаху, вчуся в інституті — це щось та значить! (Сол.); Слава аллаху, що дістали ми квитки на цю виставу і потрапили до театру. П о р.: **сла́ва Бо́гові** (в 2 знач.).

сла́ва Бо́гові (Бо́гу, Го́сподові). 1. Добре, гаразд. І слава богові, що пішов у москалі, а то й вона його [Йосипа] і так покинула... Мужик! Неотеса! (Мирний); [Г р и ц ь к о:] ... Слава богу, що діждала пари своїй дитині. Бери хліба та благословляй, стара (Мирний); [П р і с ц і л л а:] І що ж, скажи, ти міг би прихилитись до віри нашої? [Р у ф і н:] Міг би. [П р і с ц і л л а:] Слава богу! (Л. Укр.); [С т е п а н:] Отакої! Чого ти, стара, хлипаєш? Кажи: слава господові! Діждалися доччиного весілля, проси бога, щоб допоміг діждати й онуків! (Кроп.); І слава богові, закінчилася ця кривава війна. Батько і брат її, які пішли на війну у перші ж дні, повернулися додому цілими і навіть непораненими.

2. Уживається для вираження задоволення, заспокоєння, морального полегшення у зв'язку з чим-небудь.— *Але філоксери нема. Ну, і слава богові...* (Коцюб.). П о р.: **слава Аллáху.** С и н о н і м: **хвали́ти Бóга** (в 1 знач.).

3. Нівроку, як видно.— *Бо ти вже, слава богу, дівка, а в тебе і одежі доброї немає! — додала вона* [мати] *і так тихо, так ласкаво* (Мирний); *Не малий я вже, слава богу, і сам зумію постояти за себе* (Вільде). П о р.: **слáва тобі Гóсподи** (в 2 знач.).

слáва тобі Гóсподи. 1. Уживається для вираження задоволення, заспокоєння, морального полегшення у зв'язку з чим-небудь.— *Ось, слава тобі господи! Хоч одного земляка бачу! — надміру гучно пролунало по чайхані* (А.-Дав.). П о р.: **слáва Бóгові** (в 2 знач.). С и н о н і м: **хвали́ти Бóга** (в 1 знач.).

2. Нівроку, як видно. *Ти б одружився, сину!.. Уже, слава тобі господи, другі твоїх літ дітками любуються, а ти все бурлакуєш* (Мирний). П о р.: **слáва Бóгові** (в 3 знач.).

слáва увінчує (укриває, покриває) / увінчáла (укрила, покрила) *кого, що.* Хто-, що-небудь стає відомим, славнозвісним. *Заслужена слава увінчала перші успіхи нового лікаря, і до нього почали приходити пацієнти* (Дмит.); *Був час — я думав, що військова слава У бої з ворогом мене покриє* (Сам.).

честь і слáва *див.* честь.

СЛАВИ: піднімáти на щит слáви *див.* піднімати; **прима́затися до ~** *див.* примазатися.

тíльки [то] [й] слáви (слáва), з сл. що о. Уживається для вираження поганої якості, властивості і т. ін. або неякісного виконання, здійснення чого-небудь. *Звести, то я її* [«Повію»] *сяк так звів до купи, довів й до краю та тілько* [тільки] *що й слави, що довів* (Мирний); [I в а н:] *Коли б мене так дівчина любила, то була б у мене й сорочка вишивана, і стьожка шовкова, а то яка у мене стьожка? Тільки слава, що стьожка: мотузка, а не стьожка!* (Кроп.); *Шосе* (тільки й слава, що шосе) *проведено так нерозумно, що воно раз у раз лізе вгору* (Коцюб.).

СЛАВІ: у слáві. 1. Прославлений, відомий чим-небудь. *Мельникова донька прийшла додому і жила тепер у великій славі. Дуже її хвалили за те, що допомогла зруйнувати розбійницьке гніздо* (Три золоті сл.); *Одлунає гроза,.. і повернетесь ви, як герої, додому у славі, дорогі земляки, побратими і друзі мої* (Сос.).

2. Знеславлений, зганьблений.— *Хіба ж ти не знав, що так воно буде? — крізь сльози вимовляє дівчина... Тепер ти поїдеш, мене в славі покинеш,— будуть мене люди обминати. Бо хто ж візьме тую дівчину-наймичку, що парубок покинув* (Вас.).

СЛАВУ: мáти слáву *див.* мати².

на слáву. 1. Для прославлення кого-, чого-небудь. *Не мені тепер, старому, Булаву носити, Нехай носить Наливайко Козакам на Славу* (Шевч.); — *Бачиш того юнака, що, Списом підпираючись, ходить. Він щонайближчий до світла. Він паростком першим, на славу Роду твого італійського, ввійде в повітря нагірне* (Зеров).

2. Дуже хороший; чудовий. *Голос мав на славу, і читав, як горохом сипле,— кожне слово, наче витончене* (Свидн.); *Построївши Рутульців в лаву, Одборних молодців на славу... Кричить, рубає, вередує* [Турн] (Котл.); *А й дитина ж то вийшла на славу! Повновиде, чорняве, головате, розумне* (Мирний); *Прісікатися не було до чого, вечірка обіцяла бути на славу* (Дмит.).

3. Дуже добре. *Він готувався, скуповувався, щоб угостити Власова на славу* (Мирний); *А ото вискочив* [лев] *раптом з вільшини, як Пилип з конопель, попоїв на славу й знову дав дмухача у ліс* (Галан).

4. Дуже.— *Таки вмру,— пожалкуй. Ще й ногою дригну! І святих не скликай: Виляють на славу!* (Г.-Арт.); *Дівчата на славу красиві* (Кв.-Осн.).

СЛÁТИ: слáти (засилати, присилати, посилáти) / заслáти (прислáти) старостів (людéй) [за рушникáми] до кого і без додатка. Просити згоди на шлюб в обраної особи та її батьків; сватати. *Через те, що в них була тільки латка землі, ніхто довго не слав старостів* [до Марійки] (Стельмах); *Зачали парубки засилати старостів до дівчат* (Кв.-Осн.); *Шепелява Марія зістарілась, посивіла, бо Гнат не присилав старостів* (Казки Буковини..); — *Попроси, щоб сьогодні, або хоч завтра, нехай прислала* [сотник] *людей за рушниками, а у неділю і весілля* (Кв.-Осн.); *Настя йому сподобалась, і становий заслав до неї старостів* (Н.-Лев.). **слáти (посилáти) за рушникáми.**— *Іди, синку, здоров додому та лягай спати, та й жди від хорунжівни прислугу, щоб слав за рушниками* (Кв.-Осн.); *Я вже двічі посилав До дівчини за рушниками* (Шевч.).

слáти язи́к під нóги. Підлещуватися до кого-небудь. *Цей плазував на череві І догоджати звик, Начальникові килимом Під ноги слав язик* (Сим.).

СЛИВКИ: ускóчити у сливки́ *див.* ускочити.

СЛИЗ: щоб слиз *див.* зслиз.

СЛИЗЬКÉ: виво́дити на слизькé *див.* виводити; **заганя́ти на ~** *див.* заганяти; **попадáти на ~** *див.* попадати.

СЛИЗЬКИ́Й: слизьки́й карбóванець *див.* карбованець; **ставáти на ~ шлях** *див.* ставати.

СЛИЗЬКІЙ: на слизькíй дорóзі *див.* дорозі.

СЛИЗЬКОМУ: залишáти на слизькóму *див.* залишати; **крути́тися на ~** *див.* крутитися; **опини́тися на ~** *див.* опинитися; **піймáти на ~** *див.* піймати.

СЛИЗЬКУ: попада́ти на слизьку́ див. попадати; **става́ти на ~ доро́гу** див. ставати.

СЛИМА́К: як (мов, ні́би і т. ін.**) [той] слима́к,** з сл. лі́зти, повзти́ і т. ін., фам. Дуже повільно. «*Ах, мій боже! лізе, як той слимак!*» — *думала Софія, ведучи свою пані. Їй було сором* (Л. Укр.). С и н о н і м: **як черепа́ха.**

СЛИНА: [аж] сли́на [в ро́ті (з ро́та, по губа́х, на язи́к)] ко́титься (тече́, набіга́є і т. ін.**) / покоти́лася (потекла́, набі́гла** і т. ін.**) кому́, у кого́ і без додатка. 1.** Кому-небудь дуже хочеться з'їсти, випити щось або хто-небудь передчуває насолоду від чогось смачного, апетитного,— *А таки я голодний, коли хочете знати! — вибухнув Савченко..— Ех, шкода! — зітхнув Рудик.— Якби можна... підстрелити, знаєте, зайця та спекти до буря́чків у сметані.— Тьфу! Мовчіть-бо, бо слина котиться* (Коцюб.); *Як тільки він вмів оповідати про те, що варилося у їхній печі, до якої події і з якої нагоди!.. Оповідав Іван про все те так смачно, що аж слина текла по губах* (Збан.); *Дванадцятеро поросят привела [свиня].— Ай, ай, ай! — зацмокав Вовк.— Аж мені слина на язик набіга́є* (Фр.); — *Ми ще знадвору через вікно вгляділи в тебе в губах капусту, а в нас аж слина в роті потекла* (Н.-Лев.). **[аж] сли́нка ко́титься (тече́).** *Рука тяглася до чарки, котилась слинка, глядячи на шматочки жовтогарячого балика* (Мирний); *Салат, редька густо зеленіють біля тину — в Гриця аж слинка тече: це б він тут поласував* (Збан.).

2. Хто-небудь дуже хоче придбати щось, заволодіти чимсь принадним. *Цариця, цар, дочка Лавина Зглядалися проміж себе, Із рота покотилась слина, До себе всякий і гребе Які достались Їм подарки, Насилу обійшлось без сварки* (Котл.). **сли́нка коти́лася.** *Жалібніше про ясир треба писати. Щоб панові канцлеру слинка котилася від згадки про турчинок і невільників* (Ле). П о р.: **ковта́ти сли́ну.**

СЛИНУ: ковта́ти сли́ну див. ковтати; **~ пуска́є** див. пускає.

СЛИХАТИ: ані (ні) сли́хом [не] слиха́ти, ані (ні) ви́дом (у ві́чі) не вида́ти кого́. Хто-небудь зник безслідно; про кого-небудь зовсім невідомо нічого. *Зник чоловік десь безслідно, ані слихом слихати, ані видом не видати.* **не слиха́ти, ви́дом не вида́ти.** *От година по годині Стала упливати, А Якима не слихати, Видом не видати* (Рудан.). **ні ви́дом вида́ти, ні сли́хом слиха́ти.** *Його ексцеленція приступив до стола з газетами.. Ов, се що таке? Другого опозиційника, «Сінника Польського», ні видом видати, ні слихом слихати!* (Фр.). **сли́хом слиха́ти, ви́дом (у ві́чі) вида́ти!** Устале на форма вітання переважно при зустрічі того, кого давно вже не бачили. [Н а з а р:] *Га! слихом слихати, видом∙видати! Здорові були, дядьку!* (Вовчок); — *Лука Федорович! Слихом слихати,*

в вічі видати! Скільки літ, скільки зим! Та ще й з скрипкою?.. Прошу до хати (Мирний). **сли́хом слиха́ти.** [К а л е н и к:] *А, слихом слихати! Здрастуйте, Платоне Калістратовичу!* [А б л а к а т:] *Здоровенькі були! З неділею вас!* (К.-Карий). **ви́дом вида́ти, сли́хом слиха́ти.** [Н а с т у с я:] *Тату! тату! Петро! Петро! Із Києва прийшов!* [С о т н и к:] *А, видом видати, слихом слихати!* (Шевч.).

СЛИХОМ: ані́ сли́хом слиха́ти, ані́ ви́дом не вида́ти; ~ слиха́ти, ви́дом вида́ти див. слихати.

СЛІВ: без за́йвих слів (розмо́в). Не вдаючись у пояснення, не витрачаючи на них часу. [Д. Ж у а н:] *Душа свої потреби має й звички, так само, як і тіло. Я хотів би, щоб ви без зайвих слів се зрозуміли* (Л. Укр.); *Цар слова її обмислив, в думці все як слід обчислив І синів без зайвих слів Враз покликати звелів* (Перв.); *Од фундаментів до дахів добротно все. Без зайвих слів по всьому видно* (Гонч.); *Розмовляв [Корнієнко] з кимось по телефону: — Ріж кабанів, курей, усе, що маєш, а бійців нагодуй і на дорогу забезпеч. Да... Не качай гарячки. Що там у хуторі? Ти що, бабів чи мене слухаєш?.. Ну, отож. Давай без зайвих розмов...* (Тют.).

без слів (сло́ва). Мовчки, нічого не кажучи. *Оля все зрозуміла без слів і ясним своїм розуміючим поглядом провела подругу* (Коп.).

доклада́ти свої́х слів див. докладати.

з чужи́х слів. Спираючись на чиїсь, а не на свої власні дані, спостереження, думки і т. ін. *Він сказав, що про ці події сам не читав, а знає з чужих слів.*

не зв'я́зати двох слів див. зв'язати; **па́ру ~** див. пару.

СЛІВЦЕ: те́пле слівце́, ірон. Груба, дошкульна лайка. *Гауптман з неприхованою досадою обвів поглядом гостей. Гаразд, він теж скаже їм тепле слівце* (Ю. Бедзик).

СЛІД¹: бода́й слід запа́в чий, кого́. Уживається як прокляття і виражає побажання кому-небудь зникнути, пропасти. *Він [лікар] на тих сусідочок важким духом дише: бодай їх слід запав!* (Вовчок).

в поро́жній слід, з сл. прийти́, прибі́гти і т. ін. Не заставши кого-небудь на місці; запізнившись. *Чи набрехали опришкам вісники, чи купці, дізнавшись так або інак про засідку, об'їхали боком, чи самі опришки спізнилися та прийшли вже в порожній слід,— вже хто його там знає, як воно там було, але випад був цілковито даремний* (Хотк.). С и н о н і м: **у свиня́чий го́лос.**

гаря́чий слід. Ознаки, які залишилися після недавнього перебування кого-небудь десь. *Кожного разу, коли загін поспішав туди [до місця перебування банди], він заставав лише гарячий слід* (Цюпа).

затира́ти слід див. затирати.

і слід захоло́нув (захоло́в, засти́г, прости́г, загу́в, прохоло́нув, прохоло́в, проча́х і т. ін.) за ким, рідко по кому, кого, чий і без додатка. Хто-небудь втік, безслідно зник. *Вирвався [Литка] й побіг.— Схаменіться! — кинув йому вслід Харло. Але за Литкою, як кажуть, і слід захолонув* (Епік); *Настю поминай, як звали. На другий рік по Коліївщині татари як погнали її в ясир, так і слід захолов* (Добр.); *Зачали [брати] оглядатися за старою, но надарму. І слід застиг по ній* (Фр.); *Петро хотів йому [Семенові] щось на те вповісти [відповісти], але Семен чмихнув, і слід за ним застиг* (Март.); *Коли він вибіг насеред двору — панича уже і слід простиг* (Мирний); *А Андрійко йому своє: — І так сидіть нудно! Та знов югне з хати — і слід загув!* (Вовчк.); *За Муравйовим уже й слід прохолонув.— Утік, шкура! — загукали солдати.— Драпонув, як чорт від ладану!* (Лев.); *Оглянулась на двері, що так і стояли відчинені, гукнути Павла, щоб допоміг, але його вже в сінях не було. І слід його вже прохолов* (Головко); *Поки ви дістанетеся туди, їхній і слід уже прочахне. Тут треба діяти оперативно і без промашки* (Головч. і Мус.). По р.: **і слід пропа́в.** С и н о н і м и: **біс злиза́в; і сліду не лиши́лося** (в 2 знач.); **тільки й ба́чили.**

і слід пропа́в (запа́в) / **пропада́є** за ким, чий. Хто-, що-небудь безслідно зник(ло). *[Н а с т я (до козаків):] Козаки, голубчики! зруйнуйте ж ви саме погане гніздо бусурманське, щоб його і слід пропав! Оддайте мені мою Марусю* (Н.-Лев.); *Певності дожидаємо-плачемо; .. сумуємо, що її [Катрі] слід запав* (Вовчк.); *А лукавих, нечестивих і слід пропадає.— Як той попіл, над землею Вітер розмахає* (Шевч.). С и н о н і м и: **як коро́ва язико́м злиза́ла; біс злиза́в.**

лиша́ти слід; лиша́ти ~ у душі́ див. лишати; **наво́дити на ~** див. наводити; **напа́сти на ~** див. напасти; **не го́ден у ~ ступи́ти** див. годен; **топта́ти ~** див. топтати.

СЛІД ²: **як слід.** Добре. *— Нічого, нічого,— каже пан, усміхаючись своїми гнилими зубами.— Наряді́ть дочку як слід та й у горниці; а мати й на кухні послуже* (Мирний); *— Але ж єдиного свідка, жінку старого, треба як слід підготувати* (Стельмах); *Льотчик мовчки переглянувся з командиром.— Нічого страшного, мамо. Рука нормальна, Зрослася як слід. Бачите, пальці всі працюють* (Гончар). С и н о н і м и: **як тре́ба; як годиться.**

СЛІДАХ: іти по гаря́чих сліда́х див. іти.

по гаря́чих (сві́жих, живи́х) сліда́х. Одразу за подією, не гаючи часу, негайно. *По гарячих слідах Великої Вітчизняної війни Олександр Фадєєв написав роман «Молода гвардія» — полум'яну книгу* (Знання..); *Навіть дома, коли мати по гарячих слідах зашивала йому [Сергійкові] .. сорочку або штани, він проявляв нетерпіння*

й тривогу (Тют.); *А всіма шляхами по свіжих слідах урагану, як чорні його яничари, вже неслися в напрямі на Каховку численні, по-ярмарковому одягнуті наймачі* (Гончар); *Народну творчість Шевченко вважає неписаною історією народу, що виникла по живих слідах подій і передавалася з уст в уста, з покоління в покоління* (Іст. укр. літ.). **свіжими сліда́ми.** *Свіжими слідами треба йти за подіями революції, щоб залишити правдиві свідчення для історії.*

СЛІДИ: заміта́ти сліди́ див. замітати; **затира́ти ~** див. затирати; **носи́ти на собі ~** див. носити; **плу́тати ~** див. плутати; **топта́ти ~** див. топтати.

СЛІДОМ: аж пил слі́дом див. пил; **іти́ ~** див. іти.

СЛІДУ: слі́ду не лиши́лося див. лишилося; **не бу́ло і ~** див. було; **не знать і ~** див. знать; **нема́ і ~** див. нема; **припада́ти до ~** див. припадати.

СЛІЗ: доводити до сліз див. доводити; **мішо́к ~** див. мішок; **наковта́тися ~** див. наковтатися; **о́чі не висиха́ють від ~** див. очі; **пробира́ти до ~** див. пробирати.

СЛІЗЬМИ: дави́ти слізьми́ див. давити; **дави́тися ~** див. давитися; **засіва́ти зе́млю ~** див. засівати; **за ~ сві́та не ба́чити** див. бачити; **облива́ти ~** див. обливати; **облива́тися ~** див. обливатися; **обли́ти свою́ ду́шу ~** див. облити; **обмива́ти ~** див. обмивати; **о́чі тума́няться ~** див. очі; **полива́ти ~** див. поливати; **~ моли́ти** див. молити; **умива́тися ~** див. умиватися.

СЛІПА: сліпа́ ку́рка див. курка.

СЛІПИЙ: держа́тися як сліпи́й плота див. держатися.

[і] сліпи́й поба́чить (розгля́дить і т. ін.) що. Очевидно, зрозуміло, ясно.— *Се й сліпий розглядить, що се патрет [портрет], а не живий чоловік..* (Кв.-Осн.). С и н о н і м: **сліпо́му ви́дно.**

СЛІПОМУ: сліпо́му ви́дно див. видно.

СЛІПУ: загна́ти у сліпу́ ву́лицю див. загнати.

СЛІПЦІ: сліпці́ сва́тають кого. Хто-небудь хоче спати або починає дрімати. *Діда сліпці сватають, він починає дрімати.*

СЛОВА: [ані] ні сло́ва. Нічого не сказати, не промовити. *Потім зібгав мокру хусточку і загорнув її в газету.— Навіщо? — пошепки спитала Наталка.— А щоб дехто не бачив,— моргнув він і насварив пальцем.— Дивись мені, ані слова* (Жур.); *Хотілося їй [мачусі] криків болю, лайки; оправдання своїх знущань, а дівка, мов на злість,— ні слова ніколи* (Хотк.). **ні сло́ва, ні півсло́ва.** *Уже Хома раз виніс, удруге, а Павло сидить курить і ні слова, ні півслова* (Тют.). **ні слівця́, ні півслівця́.—** *Живе собі жінка тихо, нікому ні слівця, ні півслівця* (Тют.). **ані слове́чка.** *— Ну, добре. Ти знаєш, Сузя, мені не вільно про се говорити. Я тобі скажу, а ти — гляди мені —*

ша! ані словечка нікому (Коцюб.). П о р.: **й сло́ва не сказа́ти** (в 1 знач.). С и н о н і м: **ні па́ри з вуст.**

[від сло́ва] до сло́ва. 1. Все підряд, нічого не пропускаючи, від початку до кінця. *Він вислухав цікаво ту промову й затямив собі до слова, бо був дуже пам'ятливий* (Март.); *Говорилось стисло в ньому [дописі] про життя в глухій Обухівці, за паровий млин, .. про п'янство голови й про п'яний розгул. Все було надруковане, від слова до слова* (Головко); *Ніколи люди не чекали так газет, як тепер, вичитували від слова до слова. А вісті були невтішні: пре німець, палить, убиває, грабує* (Тют.). П о р.: **сло́во в сло́во.**

2. Точно, дослівно, без змін. *Ломицькому здалось, що він десь чув цю фразу, таку саму од слова до слова. Він почав пригадувати і нагадав: цю фразу говорила недавно Маруся* (Н.-Лев.).

гріх сло́ва сказа́ти *див.* гріх; **дар ~** *див.* дар.

для (за́для, ра́ди) кра́сного сло́ва. Щоб справити враження, ви́кликати певний ефект. *Не ради красного слова вона тепер приводила в приміряя братової синів* (Мирний). **для (за́для) кра́сного слівця́.** *Тим часом автор цієї розповіді був між життям і смертю. Сказано це не для красного слівця* (Загреб.); *Тільки деяких не пустим. Обіцяльника отого, Що .. клянеться без кінця Задля красного слівця!* (С. Ол.).

доде́ржувати сло́ва *див.* додержувати; **до ~ мо́вити** *див.* мовити; **до ~ прийшло́ся** *див.* прийшлося.

з пе́ршого сло́ва. Зразу, без довгих пояснень. *Люди ж усякі є в Ковалівці. Один тебе й з першого слова розуміє, і мовчки йде до роботи, іншому треба все розтовкмачити* (Кучер). П о р.: **з півсло́ва.**

і сло́ва не пи́снути *див.* писнути; **й ~ не сказа́ти** *див.* сказати; **метки́й до ~** *див.* меткий; **не ва́ртий до́брого ~** *див.* вартий; **не ви́давиш ~** *див.* видавиш; **не ви́пустити ~ з вуст** *див.* випустити; **не ви́тягнеш ~** *див.* витягнеш; **не доби́тися ~** *див.* добитися; **не лама́ти ~** *див.* ламати; **нема́ коли́ й ~ ви́мовити** *див.* вимовити; **позбавля́ти ~** *див.* позбавляти; **прийть до ~** *див.* прийти.

сло́ва не сказа́ти *див.* сказати; **~ упо́перек не сказа́ти** *див.* сказати; **хазя́їн свого ~** *див.* хазяїн.

СЛОВА́: бра́ти слова́ наза́д *див.* брати; **випуска́ти ~ на ві́тер** *див.* випускати; **зв'язувати доку́пи ~** *див.* зв'язувати.

золоті́ слова́. Уживається для підкреслення слушності, вчасності, доречності висловленого. *— Правильно. Золоті слова. Саме так.*

ки́дати слова́ на ві́тер *див.* кидати; **ковта́ти ~** *див.* ковтати; **лови́ти ~** *див.* ловити; **ма́зати ~** *див.* мазати; **марнува́ти ~** *див.* марнувати.

медо́ві слова́ (розмо́ви, ре́чі). Облесливе обіцяння. *[Полковник:] Медові твої речі, та,*

мабуть, не нашим губам ними ласуватись... (Кроп.).

пусті́ (ма́рні) слова́ (фра́зи *і т. ін*). Непотрібні, беззмістовні, не варті уваги висловлювання; беззмістовне розумування. *Пусті слова про «право бідних»... Держава дбає не про нас. Нас мали за рабів негідних... Доволі кривди і образ!* (Вороний); *Без марних слів і компліментів ніжних його [В. Маяковського] поети вчителем зовуть* (Рильський). **ма́рне сло́во.** *Коли я називаю його своїм братом, то се не жарт і не марне слово* (Л. Укр.). С и н о н і м: **пуста́ розмо́ва.**

рва́ти слова́ *див.* рвати; **розгу́блювати ~** *див.* розгублювати; **скупи́й на ~** *див.* скупий.

слова́ застряю́ть (застига́ють) / застря́ли (застря́гли, засти́гли) в го́рлі (у гру́дях) *кого, кому* і без додатка. Хто-небудь втрачає здатність говорити через сильне хвилювання, переживання тощо.— *Ось, на, візьми... Все оце візьми... Голос у нього переривався, глухо хрипів, слова застрявали в пересохлому горлі* (Ткач); *Слова застряли десь у грудях, і Густав не міг нічого сказати* (Хижняк); *Застрягли слова в горлі Кравченка, отетеріли, захолонули присутні* (Кир.); *Жмеляк спалахнув гнівом, схопився на ноги і взяв Петричка за петельки так міцно, що всі слова застигли Петричкові в горлі* (Томч.). **сло́во застря́ло (застря́гло) в го́рлі.**— *Поранено командира взводу,— додав він [політрук] по хвилі притишеним голосом.— Командира? — слово застряло в горлі Білогруда* (Ю. Бедзик); *Він схилився так само холодно, формально, але не сказав ані слова. Здавалось, всяке прощальне слово так і застрягло йому в горлі* (Коб.); *Я прагну до бесіди іншої сили, Та слово у горлі застрягло мені* (Нагн.).

тягти́ слова́ з ро́та *див.* тягти; **ціди́ти ~; ціди́ти ~ крізь зу́би** *див.* цідити.

СЛОВА́МИ: блуди́ти слова́ми *див.* блудити; **гра ~** *див.* гра; **захлина́тися ~** *див.* захлинатися; **й не сказа́ти ~** *див.* сказати; **ки́датися ~** *див.* кидатися.

кількома́ (небагатьма́) слова́ми. Дуже коротко, стисло. *Я кількома словами розповів, як добирався сюди* (Сміл.). П о р.: **у двох слова́х.**

креса́ти слова́ми *див.* кресати; **крути́ти ~** *див.* крутити; **масти́ти ~** *див.* мастити; **обкида́ти найгі́ршими ~** *див.* обкидати; **обкла́дати ~** *див.* обкладати; **обмовля́тися двома́-трьома́ ~** *див.* обмовлятися; **розкида́тися ~** *див.* розкидатися; **си́пати ~** *див.* сипати; **стріля́ти ~** *див.* стріляти.

СЛОВА́Х: на слова́х. 1. Усно. *Прибіг гінець [гонець] з письмом к Латину.. і на словах додав: — Царю Латине неправдивий! Ти слово царськеє зламав* (Котл.); *Не буду тепера писати «достойної рецензії», бо думаю, що краще вимовлю свою думку на словах, ніж на письмі!* (Л. Укр.).

2. Тільки в розмові, а не в дійсності. *Я хоча й про-*

стий роботяга, але людям служу не на словах, а на ділі (Роб. газ.); Який мудрий знайшовся! На словах, як на цимбалах, а на ділі, як на балалайці... (Мур.).

при цих словах див. словї.

у двох (у коротких) словах. Дуже стисло. В двох словах доповівши йому [командирові], що в чаплинських тилах все гаразд, Мефодій.. добув [з шапки] заяложену, складену вчетверо депешу (Гончар); Блаженко в коротких словах доповідає суть справи (Гончар). П о р.: **кількома словами.**

СЛОВІ: висіти на чесному словї див. висіти; **даруйте на ~** див. даруйте; **зимувати на кожному ~** див. зимувати; **ловити на ~** див. ловити; **на ~** див. півслові.

на чесному словї, із сл. т р и м а́ т и с я, жарт. Ледве. Ґудзик у нього на куртці тримається на чесному словї.

при (по) тім (цім, сїм) словї; при цих (тих) словах. Кажучи (щось).— А лист таки годиться прочитати,— посміхнулася дружина. По цїм словї вона розірвала конверт і вийняла звідти учетверо згорнутий аркуш паперу (Ю. Бедзик).

СЛОВО: бистрий на слово див. бистрий; **брати ~** див. брати; **вестй ~** див. вести; **в одно слово,** з сл. с к а з а́ т и, с к р и́ к н у т и. Одночасно, разом.— Запорожці зозвали раду, да й бух Іванця кошовим.— Іванця! — аж скрикнули всі в одно слово (П. Куліш).

вставити слово див. вставити; **вхопитися за ~** див. вхопитися.

гостре (загостре) слово. Висловлена ким-небудь образа або що-небудь дуже неприємне. Він любить сказати гостре слово (Гжицький). **гостре слівцé (словéчко).** Запальна Варя Кочубей насурмилась, ладна вже була кольнути Сою якимсь гострим слівцем (Ткач); Дідок повертається на другий бік, а баба не вгаває: — Що — гостре словечко коле сердечко?.. (Больш.).

гострий на слово див. гострий; **гріх ~ сказати** див. гріх; **давати ~ ; давати ~ чéсті** див. давати; **держати ~** див. держати.

живé слово. 1. Те, що вимовлене усно; усне мовлення. Люба мамочко!.. Ліля і Оксана розкажуть тобі про все живими словами, то що ж описувати? (Л. Укр.).

2. Висловлення, яке виражає правдиві, цікаві, нові думки. Живе слово Тарасове.. переможно гриміло в лавах борців за волю (Мист.); Нічого, жодного живого слова, крім пліток, які йшли від окупантів, у село не доходило (Коз.); Ім [хлопцям] здавалося, що джура перекаже гетьманові всі їх розмови, але живе гаряче слово переконало й заспокоїло (Тулуб).

замовити слово див. замовити; **здаватися на ~** див. здаватися.

кривé слово. Висловлена груба образа.

[М а р у с я:] Ні одного кривого слова я від нього не чула; за що ж би я мала на нього злобу? (Стар.).

кругле слово; круглий зворóт. Влучний вислів. Валентин Модестович.. полюбляє круглі звороти та вишукані іноземні слова (Шовк.).

ламати слово див. ламати; **легкий на ~** див. легкий; **ловити кожне ~** див. ловити; **меткий на ~** див. меткий.

міцнé слово. Груба лайка. А ми ту молотьбу починали, що збираємося кінчати? — в'їдливо спитав хтось від дверей. За гомоном Кіндрат Дорофійович не розпізнав голосу. Але заготовив міцне слово, зібравшись стьобнути ним всякого (Логв.); — Тільки, будь ласка, якнайменше міцних слів. Пам'ятай, що ти дипломат (Довж.); За коротку мить дід устиг спом'янути міцним словом усю нечисту силу (Донч.).

на слово, перев. із сл. в і́ р и т и. Без будь-яких підтверджень фактами, на основі лише чийогось запевнення, обіцяння. [Р у ф і н:] Бач, довго пояснити, як се склалось, а часу обмаль. Вір мені на слово,— я б не завдав тобі такої рани, якби мене не змусила до того повинність вища над родинні зв'язки (Л. Укр.); На виплат відпускали тим, хто мав постійну платню і мав з чого сплачувати борги, а на слово не вірили (Гжицький).

на чéсне слово. На основі тільки чийогось запевнення, обіцяння; повіривши. З рекомендаціями, як воно й годиться, В курник вмостилася Лисиця. Прийняв її на чесне слово в штати осел вухатий (Іванович).

новé слово чого, у чому. Передове, прогресивне в чому-небудь. Це відкриття було новим словом у науці.

останнє слово. 1. чиє, у кого і без додатка. Категоричне, остаточне рішення про кого-, що-небудь.— Це моє останнє слово. Я не то що за вас не хочу видавати своєї дочки, я її ні за кого не видам,— сказала Каралаєва (Н.-Лев.); З контори люди виходять на вулицю і, тулячись плечем до плеча, разом прямують у ліси. Пан так і не сказав їм останнього слова. Норовито крутнувся на місці — і в двері (Стельмах).

2. чого, у чому. Прогресивне, нове в чому-небудь (перев. в науці, техніці). Чому Алейников, який, за фільмом, працює в кабіні літака, зроблено за останнім словом техніки, чому він вилазить з нього з брудним обличчям, як кочегар з трюму,— мені це не зрозуміло (Довж.); Це був великий лікарський кабінет, обладнаний за останнім словом лікарської техніки (Смолич); Останнім словом у принциповому вирішенні конструкції польових гаммаскопічних приладів є штирьові датчики (Вісник АН); — Ввели механізм так званої безкулачної наладки. Це — новинка! І останнє слово техніки (Вітч.).

пéрше слово. 1. чиє, за ким. Початок, почин

у якійсь справі, діяльності і т. ін. [М а р і я:] *Ми в цій справі будемо не самі: МТС допоможе. І машинами, і людьми. Але перше слово повинно бути наше* (Лев.).

2. *в чому.* Найголовніше, найсуттєвіше в чому-небудь. *Допомогти батькові в цій справі було для дітей першим словом.*

поверта́ти сло́во *див.* повертати.

пога́не сло́во. Лайливе слово.— *А .. казали, що в мене батька не було... байстрюк? — кажуть..— Не думай про це, то погане слово* (Мирний); *Доки Шура перебувала на вогневій, жодне погане слово не зривалося ні в кого з уст* (Гончар).

подава́ти сло́во *див.* подавати; **розко́вува- ти** ~ *див.* розковувати; **сказа́ти нове́** ~ ; **сказа́- ти своє́** ~ ; **сказа́ти** ~ *див.* сказати; **скупи́й на** ~ *див.* скупий.

сло́во в сло́во. 1. Точно, без будь-яких змін; дослівно. *Я вивчив майже всього* [Шевченка] *напам'ять (а пам'ять у мене була така, що лекцію історії, котру вчитель цілу годину говорив, я міг опісля продиктувати товаришам майже слово в слово!)* (Фр.); *Франко.. намагався передавати пушкінські рядки з максимальною близькістю до першотвору, майже слово в слово* (Рильський).

2. Не пропускаючи нічого, від початку до кінця. *Прошу вас, повторіть, будьте ласкаві, все, що вони вам казали, тільки, дуже вас прошу, слово в слово, не змінюйте нічого і не додавайте нічого!* (Рад. Укр.). П о р.: **до сло́ва.**

сло́во за сло́вом; сло́во по сло́ву. Поступово, мало-помалу говорячи, розговорившись або роз-питуючи.— *Якось за чаркою змовилися мої старі з насмішкуватими Сердюками породичатися. Сло-во за словом, і навіть за придане домовились* (Стельмах);— *Панич! панич! — крикнула вона і з повними жменями глини кинулася через окіп до панича.. Слово по слову — розбалакалися* (Мир-ний); *Слово по слову він так захопився спогада-ми, що ладен був на цю тему говорити до самого вечора* (Добр.); **сло́во за сло́во.** *З'їхались на заїзний двір два станові, і обидва були в одставці* [відставці]. *Слово за слово і добалакались до того, як вони були становими в одному стані, один раніше, а другий послі* [після нього] (Україна..).

сло́во не розхо́диться з ді́лом *у кого, чиє.* Хто-небудь завжди виконує обіцяне або діями підтверджує сказане. *У Бізона слово ніколи не розходилося з ділом і переінакшувати планів він не любив* (Сліс.); *Хоробрий начальник донців, що на нараді перший висловився на штурм* [форте-ці], *першим же кинувся і в бій. Його слова не розходилися з ділом* (Добр.). **слова́ розхо́дяться з ді́лом.** *Де слова з ділом розходяться, там непорядки водяться* (Укр.. присл..).

сло́во писну́ти *див.* писнути.

сло́во че́сті (*заст.* **го́нору**). 1. Уживається для вираження запевнення істинності, правдивості.

сказаного, обіцяного.— *Дядю Миколо, а ви знає-те, Славко — поет. Він вірші пише. Слово честі!* (Коз.);— *Ну, читай вже далі. Слово честі,— не перебиватиму,— примирливо озвалась Параска* (Цюпа);— *Стій! Може бути...— сказав Щорс.— Слово честі — це Боженко* (Довж.);— *А дядько Михей збирається висувати тебе на голову колгос-пу.— Ти що? — Слово честі, чув на свої вуха* (Зар.). С и н о н і м: **че́сне сло́во.**

2. Словесне запевнення в правдивості чого-не-будь. *Упевняв мене* [адвокат] *словом честі, що ще нині відошле контрат* [контракт] *до суду* (Март.); *Наливайко̇ кинув курити люльку, до сотника ближче підступив: — Рукодайний слуга? То ж, певно, слово гонору давав своєму пану на вірне слугування?* (Ле).

спом'яне́ш моє́ сло́во *див.* спом'янеш; **тверди́й на** ~ *див.* твердий.

че́сне сло́во. Уживається для запевнення в істинності, правдивості сказаного.— *Я ще зма-лечку помітив, що дівчина має талант у пальцях... Ні, чесне слово, не жартую... Так, як Дорця вміла укласти букет... ніхто інший у Львові не потра-пив...* (Вільде);— *А коли так, то чого ти не прийдеш до нас на поле та не скажеш: «Хлопці, я зараз у відпустці, давайте я разом із вами в степу попрацюю, понюхаю, як земелька пах-не»...— Я думав... Я... навіть хотів. І, чесне слово, я мав такий намір* (Тют.). С и н о н і м: **сло́во че́сті** (в 1 знач.).

чо́рне сло́во. Лайливий вираз із згадуванням чорта.— *Чорти б тебе взяли! — вилаявся він чор-ним словом.*

СЛО́ВОМ: би́ти сло́вом *див.* бити; **до́-брим** ~ **прислужи́тися** *див.* прислужитися; **закида́ти** ~ *див.* закидати; **за** ~ **у кише́ню не лі́зти** *див.* лізти; **і** ~ **не переки́нутися** *див.* перекинутися; **не ла́зити за** ~ **у кише́ню** *див.* лазити; **не обмо́ви-тися** ~ *див.* обмовитися; **ні перо́м не списа́ти, ні** ~ **не сказа́ти** *див.* списати.

одни́м сло́вом; одно́ (одне́) сло́во. Уживається для узагальнення раніше сказаного; коротко ка-жучи.— *А сюди* [до пакгаузу] *— за що? — Са-мовільні реквізиції, буянство та окаянство і всяке таке інше... Одним словом, якраз за те, проти чого ти збунтувавсь* (Гончар); *Пішли. Відійшли від села так верстов зо дві — коли щось ізнизу підві-ває. Далі то більше, далі то більше. Не взявся вітер, б'є снігом під ноги — одно слово, пішла заметільниця* (Хотк.); *Велика масштабна роль завжди приємна для актора. В ній багато відтін-ків, нюансів, одне слово — є що грати* (Вітч.).

перекида́тися сло́вом *див.* перекидатися; **по-перхну́тися** ~ *див.* поперхнутися; **сло́во за** ~ *див.* слово.

СЛО́ВУ: по сло́ву *кого, чиєму, заст.* За чиїмсь наказом. *Чигають* [розбійники] *на чумацьке до-*

бро, вичікують слушного часу, коли б в одну мить, по слову ватажка, кинутись на табір (Коцюб.).

слово по слову див. слово.

СЛОН: слон на вухо наступив див. ведмідь.

СЛОНА: робити з мухи слона див. робити.

СЛУГА: божий (господній, христовий) слуга, заст. Представник духовенства. [Гаврило:] Ідіть у фортецю і не забувайте, що сказав вам смиренний божий слуга, полковник дяк Гаврило (Корн.); [Матушка гуменя:] Жду я від неї вірної господньої слуги, справної черниці (Мирний); [Єпископ:] В такому стані взять його не можу [до диякона]. Беру тебе, слуго христовий (Л. Укр.).

ваш (твій) покірний слуга. Усталена форма ввічливого закінчення листа. З пошаною зостаюсь ваш покірний слуга (Драг.).

СЛУЖАТЬ: ноги служать див. ноги.

СЛУЖБУ: відслужити службу див. відслужити; **поставити на ~** див. поставити; **~ служити** див. служити.

СЛУЖИТИ: службу служити. 1. Робити що-небудь корисне, потрібне, необхідне.— Скажи низовикам, що я, як і давніше було, шаную їх і милостю своєю жалувати завжди стану, аби вони тільки краєві нашому рідному службу служили по справедливості, стояли за віру та волю (Рибак.). 2. Мати певне значення, виконувати свою роль, своє призначення. Там, де потребується піднесений, урочистий тон, .. архаїзми можуть вірно служити свою службу (Рильський).

служити на побігеньках див. бути.

СЛУХ: [і] слух запав (загув) про кого, за кого. Не стало ніяких відомостей про когось.— Знаю тільки, що замолоду він [Гудзь] те тільки й робив, що пив та гуляв, та волочився. А як оддав батько в москалі, то про його й слух запав (Мирний); — Змандрував [Жук] кудись. На заробітки пішов — чи що; тільки як пішов — то й слух за його запав... (Мирний). **і слухи загули** за ким. Минули жнива — за Довбанюком і слухи загули (Фр.).

на слух; по слуху. 1. перев. з сл. сприймати, розпізнавати. Лише слухаючи, прислухаючись. [Батура:] Я вам вдвадцяте кажу,— на слух не сприймаю вірші (Корн.); Досвідчений і допитливий механізатор на слух розпізнає неполадки у двигуні (Хлібороб Укр.); Роман по слуху пішов до воріт і враз зупинився: притулившись до хвіртки, стояла.. дівчина і руками затискувала уста, щоб не розсміятись (Стельмах). 2. перев. з сл. співати, грати. По пам'яті, без нот. [Олена:] Ніяк не доберу, що в них [нотах] до чого. Стоять переді мною на папері, як пуголовки. Я більше на слух беру (Мокр.); В нашому роді всі дуже полюбляли музику, дід і батько по слуху грали на скрипочці, виміняній

років п'ятдесят тому в заїжджого волошина (Стельмах).

обернутися на слух див. обернутися; **пропускати повз ~** див. пропускати; **тішити ~** див. тішити.

СЛУХАТИ: слухати (вислуховувати) лекції (лекцію). Сприймати чиїсь повчання, наставлення. Набридло йому вислуховувати ці лекції — все батько повчає.

слухати джмелів (чмелів), зневажл. Гудіти, шуміти в голові (перев. від удару). Дав йому лупня добре — довго буде джмелів слухати (Номис).

слухати через верх, рідко. Не зважати на сказане. Як батько казав: не важся за його йти, то я слухала його через верх (Барв.).

СЛУХАЮТЬ: ноги не слухають див. ноги; **руки не ~** див. руки.

СЛУХАЮТЬСЯ: ноги не слухаються див. ноги; **руки не ~** див. руки.

СЛУХУ: [ані] ні слуху, [ані] ні духу про кого — що, від кого — чого і без додатка. Нічого невідомо про кого-, що-небудь. В магазині Ставропігійської книгарні... ані слуху, ані духу про неї [книжку віршів Глушкевича] (Фр.); І більше про спорт — ані слуху, ні духу!.. Та ось діяча фізкультурного руху Зовуть звітувати в зал виконкому, Щоб дать йому перцю, сякому-такому! (С. Ол.). Узяли її [Парасчиного] Федора та як погнали [на війну], то аж уже третій рік ні слуху, ні духу! (Мирний); — «А може, його [Бандуренка] й на світі нема? — заспокоює заздрість Охтирський.— Щось від нього ні слуху, ні духу (Мур.); Від сусідів-партизанів, що базуються в Брянських лісах, двоє повернулися, а з-за лінії фронту — ні слуху, ні духу (Загреб.).

ні слуху, ні вісті (прослуху, мови). Нема ніяких відомостей, відповіді від кого-небудь. Од тьоті Елі нема ще ні слуху, ні вісті (Л. Укр.); Вона зникла від нього... Гукнув [Ярослав] у безнадію пітьми. Ні слуху, ні мови (Загреб.).

по слуху див. слух.

СЛЬОЗА: аж сльоза прийме кого. Хтось зворушений чим-небудь так, що може заплакати. Є чого послухати, як стануть розказувати.. Нашого братчика, неписьменного, слухаючи, аж сльоза прийме!.. (Кв.-Осн.).

як сльоза, із сл. чистий. 1. Дуже, надзвичайно. Проміння од свічок пронизувало пляшку з обох боків, вигравало в жовтій, чистій, як сльоза, горілці, заправленій пахучими корінцями,— бодяном, каманом та гвоздичками (Н.-Лев.); З чистого, як сльоза, скла, графин заграв сизенькими смужечками світу (Мирний); Ти п'єш воду таку свіжу, прозору та чисту, що недаром про неї кажуть: як сльоза (Гончар). 2. Істинний, справжній. Левко щасливо засміявся: — Не верзу, а чисту, як сльоза, правду кажу, не комусь, а тобі приніс її (Стельмах).

СЛЬОЗАМ: дава́ти во́лю сльоза́м *див.* давати.

СЛЬОЗАМИ: віділлє́ться сльоза́ми *див.* віділлється; **дави́тися** ∼ *див.* давитися; **за** ∼ **сві́та не ба́чити** *див.* бачити; **захлина́тися** ∼ *див.* захлинатися; **ми́ти** ∼ **лице́** *див.* мити; **облива́тися** ∼ *див.* обливатися; **о́чі зайшли́** ∼ ; **о́чі** ∼ **схо́дять**; **о́чі туманяться** ∼ *див.* очі; **полива́ти** ∼ *див.* поливати; **умива́тися** ∼ *див.* умиватися.

СЛЬОЗАХ: у сльоза́х. 1. Заплаканий. *В сльозах ніхто не бачить, а як пісні співаю,— так чують* (Укр.. присл..).

2. Бідуючи, в нестатках, злиднях. *На кару Сироти осталисъ. В сльозах росли, та й виросли* (Шевч.).

СЛЬОЗИ: ада́мові сльо́зи, *жарт.* Горілчані напої. **ада́мові слі́зки.** *А я совітував би чарочку-другу адамових слізок, як казав було отець економ* (Шевч.).

видавлювати сльо́зи *див.* видавлювати; **вилива́ти** ∼ *див.* виливати; **вису́шувати** ∼ *див.* висушувати; **ви́точити** ∼ **з оче́й** *див.* виточити.

віділлю́ться (відізву́ться) сльо́зи *кому.* Хто-небудь буде покараний за заподіяне комусь зло. [М о л о д и ц я:] *Бог дасть — подавиться* [Храпко] *колись!.. Подавиться! Віділлються йому сирітські сльози* (Мирний). П о р.: **віділлє́ться сльоза́ми.**

втира́ти сльо́зи *див.* втирати; **залиша́ти на** ∼ *див.* залишати; **ки́дає в** ∼ *див.* кидає.

киплять сльо́зи в (на) оча́х *кого, чиїх.* Хто-не-будь готовий заплакати, близький до плачу. *Закричала вона, стиснувши руки в кулачки і кусаючи губи. В очах її кипіли сльози* (Тют.).

ковта́ти сльо́зи *див.* ковтати; **кото́ві на** ∼ **нема́** *див.* нема.

ко́тяться (ли́нуть) / покоти́лися дрібні́ (рясні́, пеку́чі і т. ін.) сльо́зи [гра́дом] *у кого і без додатка.* Хтось плаче гірко, невтішно. *Рясні сльо-зи градом котяться по дівочих щоках* (Гончар).

крізь сльо́зи, *перев. з сл.* п р о м о в л я́ т и, г о в о р и́ т и, в і д п о в і д а́ т и, п о с м і х-н у́ т и с я, с м і я́ т и с я і т. ін. Плачучи. — *А чом ти, суча дочко, оце й досі не виходиш на панщину? — крикнув осавула й ударив Нимидору нагайкою по спині.— В мене родилась дитина. Це ж сьогодні тільки третій день,— ледве промовила крізь сльози* (Н.-Лев.); — *Іваночку, то зовсім інше,— посміхнулась Уляна крізь сльози.— То війна, а це життя* (Довж.).

крокоди́лячі (крокоди́лові) сльо́зи. Удаване нещире співчуття хитрої, підступної людини. [В о р о н і н:] *Що знаєш?* [Я р о ш е н к о:] *Все! Як ти примчав до неї* [дружини] *із звісткою про мою вигадану загибель. Як оплакував мене крокодилячими сльозами* (Лев.); *Досі його й не чути було, і стріляв мовчки, і рубав мовчки, а тут раптом заговорив, заплакав над Ганною крокодилячими слізьми* (Гончар).

ли́ти крокоди́лячі сльо́зи; ли́ти ∼ *див.* лити.

наверта́ються / наверну́лися сльо́зи [на о́чі]. Хтось готовий заплакати. *Вона знову заломала руки, знову, як поламані, захрущали пальці: на очі навернулися сльози і от-от бризнуть...* (Мирний). П о р.: **тремтя́ть сльо́зи на оча́х.**

обте́рти сльо́зи *див.* обтерти; **пи́ти** ∼ *див.* пити; **пуска́ти** ∼ *див.* пускати; **розпуска́ти** ∼ *див.* розпускати.

сльо́зи в го́рлі застря́гли *кому.* Хто-небудь не може заплакати. *А коли впізнала* [мати сина] — *впала на груди, дивилась і надивитись не могла, плакала б, так сльози в горлі застряли* (Збан.).

сльо́зи да́влять (ду́шать) / удави́ли *кого.* Хто-небудь ледь стримується від сильного плачу, приглушує плач. *Стара не змогла довго сидіти у їх* [Йосипа і Параски] *— сльози давили її, непривітність невістки гнала з хати* (Мирний); *Враз Харитя почула, що сльози душать її* (Коцюб.); *Удавили сльози Оленку, не знає, що вже й робити. Взяла ту чорновку, перо, бомагу* [папір], *сіла за стіл, переписує* (Тесл.). П о р.: **дави́ти слізьми́.** С и н о н і м: **дави́тися пла́чем.**

сльо́зи закипіли (закрути́лися) / закипа́ють на (в) оча́х (*рідко* на ві́ях) *у кого, кому і без додатка.* Хто-небудь почав плакати.— *Що це, Супруне? — здивувалась вона, розтиснула руку і перелякано ахнула. Вона побачила на долоні не золоті сережки, а свою далеку молодість, і на її по-дівочому густих віях закипіли сльози* (Стельмах); *Таємниче грання ліса, що не раз у Відні почувалося йому* [Борисові] *крізь сон, а тепер, коли почув його неправду, попросту вхопило його за серце, так що у нього аж сльози закрутилися на очах* (Фр.); *Матері, однак, не раз закрутилися сльози в очах, коли вона дивилася на побліде лице дочки* (Кобр.); *Так говорив* [про братерство] *отаман Бульба* [Тарас] *...Старі козаки стояли нерухомо, і сльози закипали їм на старечих очах. Багато, мабуть, нагадав їм Тарас знайомого й кращого, що буває в людині, яку зробили мудрою роки горя, праці, козакування й всяких злигоднів* (Довж.).

сльоза́ закрути́лася в о́ці. *Гнат узяв сина на руки сльоза закрутилась йому в оці та гарячою краплею впала на лице дитини* (Коцюб.).

сльо́зи залива́ють / залили́ о́чі (лице́ і т. ін.). Хтось дуже плаче, ридає. *Сльози очі заливають, Що й на світ не гляну...* (Чуб.). П о р.: **облива́тися слізьми́.**

сльо́зи скипі́лися *у кого і без додатка.* Хто-небудь уже втратив здатність плакати від горя, болю і т. ін. *Вона не плакала, бо скипілися сльози* (Мирний).

сміх і сльо́зи; сміх крізь ∼ *див.* сміх.

тремтя́ть сльо́зи на оча́х *у кого.* Хто-небудь готовий заплакати. *Дівчинка не хоче плакати, та вже сльози тремтять у неї на очах.* П о р.: **наверта́ються сльо́зи.**

уда́ритися в сльо́зи *див.* ударитися.

у сльо́зи. Починати плакати. *Настя, як здума про себе, то зараз у сльози* (Кв.-Осн.).

СЛЬОЗОЮ: полива́ти сльозо́ю *див.* поливати; **проби́ти ~** *див.* пробити; **прийма́ти ~** *див.* проймати.

СЛЬОЗУ: пуска́ти сльозу́ *див.* пускати; **хова́ти ~** *див.* ховати.

СЛЬОТА: як сльота́. Невідступно, надокучливо. *Вона [біда] й за ним ходила змалку, як сльота, поки не відкрився перед ним чарівний світ книжок, повний незнаних чудес* (Кол.).

СМА́ЖЕНИМ: па́хне сма́женим *див.* пахне.

СМА́ЖИТИ: сма́жити собі́ го́лову, *рідко.* Постійно, весь час думати про що-небудь. *І спати полягали, і поснули усі, а я все смажу собі голову: де я тії очі іскристі бачив?* (Вовчок). П о р.: **лама́ти го́лову** (в 1 знач.).

СМАК: вхо́дити в смак *див.* входити.

на (під) смак *чий, кого.* 1. Відповідно до чиїхось поглядів, уподобань.— *Як вам подобаються наші періодичні видання: «Громадська думка», «Рідний край», «Шершень». На мій смак — все воно сіре, малоцікаве* (Коцюб.).

2. Відповідно чиїмсь поглядам, уподобанням. *Я мусив мовчки признати, що такі подружжя не зовсім під мій смак* (Л. Укр.). П о р.: **по смаку́.**

розібра́ти смак *див.* розібрати.

у смак. 1. З апетитом, з насолодою. *Балабуха стукнув чарку до дна і в смак з'їв пирога, неначе після дуже важкої, але добре скінченої праці* (Н.-Лев.).

2. Досхочу, вволю. *От як тая Павлютиха покине нас самих, то мати з попадею за плач мерщій, і добре, у смак, наплачуться собі* (Вовчок); — *Та, може, спершу б треба в заес, та щоб, як слід, весілля.— Ото б ми випили вже в смак!* (Дор.).

СМАКОМ: зі сма́ком. 1. З великим апетитом.— *Їсти — страх хочеться. З яким смаком трощиться їстивне! Аж за ушами лящить...* (Коцюб.).

2. Гарно, вишукано. *Їй подобалася ця затишна, зі смаком обставлена кімната* (М. Ол.).

3. Із задоволенням, з приємністю. *Давно я нічого не читав такого доладного і з таким смаком* (Мирний); *Сьогодні, після довгої перерви, він [Данило] зі смаком писав свої етнографічні замітки, вплітаючи в них пісні й прислів'я* (Стельмах).

СМАКУ: добира́ти смаку́ *див.* добирати.

до смаку́. 1. *кому і без додатка.* Подобається, імпонує кому-небудь. *Ні, ми самі вчора ввечері були в гостях. А там зібралась компанія, зовсім мені не до смаку,— сказала Марта Кирилівна* (Н.-Лев.).

2. Гарно, вишукано. *Двері відчинила Аспазія. Глянула на струнку даму, одягнуту ніби й просто, але й до смаку, і сторопіла* (Панч).

3. *кому і без додатка.* Відповідно до чиїхось уподобань. *І що то вже вмів їм до смаку заграти!*

Чи заспівати, чи присвиснути або історію сказати (П. Куліш).

по смаку́ *кому, чиєму.* Відповідний чиїмсь поглядам, уподобанням.— *Служба по мені, по моєму смаку і вдачі* (Н.-Лев.). П о р.: **на смак** (у 2 знач.).

прийти́ся до смаку́ *див.* прийтися; **припа́сти до ~** *див.* припасти.

СМА́ЛЕНИМ: па́хне сма́леним *див.* пахне.

СМА́ЛЕНОГО: не ба́чити сма́леного во́вка *див.* бачити; **плести́ ~ ду́ба** *див.* плести; **чо́рта ~** *див.* чорта.

СМАЛЕ́ЦЬ: ма́ти сма́лець в голові́ *див.* мати².

СМАЛИ́ТИ: смали́ти (присма́лювати) ли́тки́ біля кого. Залицятися до кого-небудь, заграваати з ким-небудь. *Усім було помітно, як він смалив біля дівчини литки.* П о р.: **смали́ти халя́вки.**

смали́ти халя́вки *до кого.* Залицятися до кого-небудь.— *Гарна «фата», нічого сказати! А яка рахманка, як вона йому у вічі дивилася, коли він смалив до неї халявки!..* (Коцюб.). П о р.: **смали́ти ли́тки́.** С и н о н і м и: **стели́ти містки́; підбива́ти клинці́.**

СМА́ЛЬЦЕМ: ма́зати п'я́ти сма́льцем *див.* мазати.

СМЕРДИ́ТЬ: смерди́ть земле́ю *див.* пахне.

СМЕРДІ́В: щоб і дух не смерді́в *див.* дух.

СМЕРКА́ННЯ: від світа́ння до смерка́ння *див.* світанку; **з ра́нку до ~** *див.* ранку.

СМЕ́РКНУТИ: сме́ркнути в голові́. Відчути запаморочення (від удару, хвороби).— *Ти чого мою доньку габзуєш? — скипів Окунь.— Ану гайда в свої ліси, поки тобі не смеркло в голові* (Стельмах).

СМЕ́РКУ: від світа́ння до сме́рку *див.* світанку; **з ра́нку до ~** *див.* ранку.

СМЕРТЕ́ЛЬНИЙ: смерте́льний гріх *див.* гріх.

СМЕРТЕ́ЛЬНИМ: смерте́льним бо́єм *див.* боєм.

СМЕРТЕ́ЛЬНОЮ: смерте́льною хва́ткою *див.* хваткою.

СМЕРТІ́: відчепи́ти з гачка́ сме́рті *див.* відчепити.

гі́рше [від] [лю́тої] сме́рті. 1. Нестерпний, тяжкий. *[Жірондист:] Таке життя було б од смерті гірше* (Л. Укр.).

2. Нестерпно, тяжко. *Піду, думаю, заміж!.. Станемо якось бути на світі — хоч не жити, дак бути. А так — се гірше лютої смерті* (Барв.).

до [са́мої] сме́рті (заги́ну). До кінця життя. *Чужий чоловік до часу, а свій до смерті* (Укр.. присл..); *Не плач, Катерино, не показуй людям сльози, Терпи до загину!* (Шевч.); *Буде в серці отак до загину: Де б не був я, куди б не йшов — Материнське тепло Батьківщини І твоя неспокійна любов* (Дмит.).

до сме́рті (півсме́рті). Дуже, надзвичайно. *Угорці не на жарт переполошились. Вони й раніше були вже до смерті залякані пропагандою*

(Гончар); *Артемові Степановичу мимоволі згадалися часи, коли його, корінного киянина, до смерті зацікавив міський транспорт — так звані конки* (Збан.); // Нещадно. *Побили мене ще по дорозі до півсмерті* (Коз.).

іти назустріч смерті *див.* іти; **коло ~ ходити** *див.* ходити; **лабети ~** *див.* лабети; **пожити ~** *див.* пожити.

при смерті. В дуже тяжкому, небезпечному для життя стані; близький до загибелі, кончини.— *Чи живий він, чи ні. В сорок першому я залишив його в оточенні майже при смерті* (Ю. Бедзик); *Ледве вблагала [Анна], щоб дочку взяти [на жнива] замість Оксеня. Куди йому — лежить при смерті* (Цюпа).

три чисниці до смерті *див.* чисниці; **шукати ~** *див.* шукати.

СМЕРТНА: смертна година *див.* година; **~ мить** *див.* мить.

СМЕРТНЕ: смертне ложе *див.* ложе.

СМЕРТНИЙ: простий смертний. Звичайна людина. *Виходячи в розвідку, Козаков підіймався одразу над простим смертним і вже почував себе богом* (Гончар).

смертний гріх *див.* гріх; **~ час** *див.* година; **як ~ гріх** *див.* гріх.

СМЕРТНИМ: смертним боєм *див.* боєм.

СМЕРТНІЙ: облягти на смертній постелі *див.* облягти.

СМЕРТНІМ: на смертнім ложі *див.* ложі.

СМЕРТНОМУ: лежати на смертному ложі *див.* лежати.

СМЕРТЮ: зустрічатися з смертю *див.* зустрічатися.

не своєю смертю, з сл. п о м и р а т и, г и н у т и і т. ін. Передчасно (від підступних дій, в бою, від нещасного випадку). *Нікому не хочеться помирати не своєю смертю.* А н т о н і м: **своєю смертю.**

своєю смертю, з сл. п о м и р а т и. Від хвороби, від старості.— *Бог з ними, хай забирають [землю],.. аби життя залишили, щоб хоч померти своєю смертю* (Мик.); — *Правда очі коле? — Ні, хлопче, повір мені, ти своєю смертю не помреш! Я вже бачу це! — напружується для удару Омелян* (Стельмах); — *Ій-бо, цей рештант [арештант] не помре своєю смертю* (Стельмах). А н т о н і м: **не своєю смертю.**

як за смертю, з сл. з б и р а т и с я. Дуже довго.— *Догралися,— пробурмотів Йонька і став збиратися в дорогу. Але збирався він, як за смертю: довго шукав рукавиці, батіг* (Тют.).

СМЕРТЬ: забула смерть про кого. Хтось дуже довго живе, не вмирає, хоч уже й пора.— *Забула десь і тая смерть про мене.— Зітхнувши тяжко, він [дідок] озвавсь* (Гл.).

іти на смерть *див.* іти; **крізь вогонь і ~** *див.* вогонь.

мов з косою пройшла смерть. Багато померло, загинуло. *І того вже немає, і іншого. Цього на фронті, а того німці, коли в село вступали, застрілили. Мов з косою пройшла смерть по селу* (Збан.).

нагадати козі смерть *див.* нагадати.

на (у) смерть. Так, що наступила чиясь кончина, загибель.— *Акушерку Рашкевич, кажуть, на смерть забили. Поліції нема, щезла* (Коцюб.); *Лейтенанта Чорноволенка накрило міною. На смерть...* (Коз.); — *Забив. У смерть забив. Он гляньте! — і вона вказала на золотогривого півня, що лежав коло печі* (Мирний); *Василь протанцював уже три вулички. Онде вже й хату видно... Постріл! І... нема Василя. Упав він просто з танцю на дорогу — в. смерть* (Довж.).

2. Дуже, надто. *Гордий студент обидився на смерть* (Н.-Лев.); — *Прошу не казати про цю пригоду моєму зятеві... Лихий у чоловіка язик, засміє на смерть...* (Чаб.); *Зайці перелякалися на смерть, а стара зайчиха аж зомліла з переляку* (Н.-Лев.); *Остапійчиних дітей на смерть перелякав [Чіпка]... Біжить, кажуть, як скажена собака, через город...* (Мирний); *Степка за ним у смерть побивається...— І я чула, кумо...* (Зар.).

не на життя, а на смерть *див.* життя; **нести ~** *див.* нести; **посилати на ~; по ~ посилати** *див.* посилати.

смерть заглядає (дивиться, зазирає і т. ін.) / заглянула (подивилась і т. ін.) в очі кому. Хто-небудь може померти, близький до кончини, загибелі. *Почалося тривожне підпільне життя.. Тричі за цей час ловили мене гестапівці й поліцаї. Тричі за цей час заглядала мені у вічі смерть* (Дмит.); *Скупий титар, бачачи, що смерть заглянула йому в очі, благально протягнув: — Рятуй мою душу, Трохим.. Сто карбованців дам* (Стельмах). С и н о н і м: **лишилося недовго топтати ряст.**

смерть занесла [свою] гостру косу (руку) над ким. Хто-небудь може померти, загинути. *Часом вона [Марія] зупинялась. Потім схоплювалась і бігла знову. Бігла від смерті, що вже було занесла над нею свою гостру косу* (Цюпа); *Сеспель розказував...: — Ленін, Радянська влада все роблять, щоб врятувати.. тих, над ким голодна смерть занесла гостру косу* (Збан.); *Хіба б їй [Марії] легше було, коли б смерть занесла свою руку і над його [Андрія] чолом?* (Ю. Бедзик).

смерть за смерть! Відплата, помста за вбивство вбивством. *У кривавій, грізній далині на лице Осьмухіна Володі вічності упали промені. Смерть за смерть!.. Катюги у тривозі, метушаться, прокляті, руді...* (Сос.); *Девізом нескорених було: «Кров за кров! Смерть за смерть!» І земля горіла під ногами окупантів* (Веч. Київ). С и н о н і м: **кров за кров!**

смерть кóсить (скосúла) кого. Хто-небудь номирає (помер), гине (загинув). *Не можна і й підвести обличчя до кулеметного щита. У нім є проріз для прицілу, смерть крізь нього нас косила* (Сос.).

смерть [сто́ть] [з косóю] за плечúма. Хто-небудь скоро помре, близький до кончини, загибелі. *Всього надбали. Та діточок у їх біг-ма, А смерть з косою за плечима. Хто ж їх старість привітає, За дитину стане?* (Шевч.); *Коли чоловік постарів і відчув, що смерть стоїть з косою за плечима, покликав своїх хлопців і сказав: — Я, діти мої, буду вже вмирати* (Казки..); — *Та то, мамо, ви думаєте за батька, то він вам і сниться,— сказала Любка.— Ні, дочко, моя смерть вже в мене за плечима* (Н.-Лев.); *Дожидали Катрі — Катрі не було. Смерть вже за плечима. Старий дожидав — як дожидав! І мертвів і оживав* (Вовчок). **смерть трясé / потряслá косóю.** *Спасибі, зіронько! — минає Не ясний день мій; вже смеркає, Над головою вже трясе Косою смерть* (Шевч.); *Одчайний людський зойк в тумані дзвенить і падає: смерть потрясла косою, туманом пішла, як ладан* (Ю. Янов.).

смерть узялá (забрáла, прибрáла) кого. Хто-небудь помер чи загинув. *Умерла баба.. не буде більше баби... Смерть узяла бабусю...* (Мирний); *Він свідомо пішов на страту. Не хотів животіти, псувати життя іншим і мучитися самому. Віра розуміла це. Розуміла, що смерть однаково прибрала б його незабаром, а плакала* (Перв.).

чóрна смерть, заст. Чума. *Від чуми колись гинуло багато людей. В народі нáзивають її чорною смертю.*

як смерть, з сл. **б л і д и́ й , п о б і л і т и** і т. ін. Дуже, надзвичайно. *Хима, що стояла досі німа та бліда, як смерть, почувши про п'ятизлотника, прожогом кинулась до скрині* (Коцюб.); *Іноді він, спотикаючись на бігу, озирається, тоді видно його бліде, як смерть, обличчя* (Гончар).

СМЕТАНІ: як варéник у сметáні див. вареник.

СМИК: бáбин смик. Парубок, який одружується зі старою багатою жінкою. *Один бабин смик, який заради маєтку одружився на старшій і слабій жінці, чекаючи її смерті, розставляв сіті на дівчат* (Літ. Укр.).

перепáстися на смик див. перепастися.

СМИКАЛО: смúкало / смикнýло за 'язúк (язикá). 1. кого. Невідомо, навіщо треба було говорити про що-небудь (про каяття, досаду з нагоди чийогось невдалого або недоречного висловлювання). *Смикнуло ж тебе за язик. Дядько, було, вже зовсім відписав нам свою левадку, а після цього побачиш ти її, як власні вуха* (Панч); *Ну, брат, і смикнуло ж мене за язик рекомендувати тебе на цю прокляту Ковалівку. Він невдоволено крутив головою, а я підсміювався* (Збан.). 2. кого і без додатка. Комусь дуже хочеться

щось сказати. *Матросові-Марусику все хотілося сказати за свою гармошку, так і смикало за язик, та стримувався* (Гуц.).

СМИКАТИ: смúкати (сíпати) за пóли кого і без додатка. Настирливо, невідступно просити, вимагати у кого-небудь щось. *Смішні ті наші видавці: оце смичуть за поли,— давай щось нового! — а даси, то воно й застаріється те нове, поки на світ вилізе* (Л. Укр.); [К о р е н є в:] *О, ви ще в інституті, На кафедрі, пояснювали нам Конструкції, немов читали вірші. [П а н а щ е н к о:] А ви, юначе, в ті часи мене За поли сіпали* (Дмит.).

СМИКНУВ: смикнýв чорт за язикá див. чорт.

СМИКНУЛО: смикнýло за язúк див. смикало.

СМИКНУТИ: сíрка смикнýти, фам. Випити горілки. *Одні примостилися під вокзалом чай пити; другі розтеклись по халабудках пивком прохолодитися; треті потягли у вокзал «сірка» смикнути* (Мирний).

СМІЛИВІСТЬ: мáти смілúвість див. мати ².

СМІТИ: не смíти (не могтú) дивúтися в óчі кому. Відчувати перед кимсь великий сором за яку-небудь провину. *Перед панами мала [Зоня] упокорений вид, а тітці своїй не сміла в очі дивитись* (Л. Укр.); *Його [Дороша] охопило почуття палючого сорому, і він довго не міг дивитися в очі людям* (Тют.).

СМІТНИК: викидáти на смітнúк див. викидати.

СМІТТІ: на смітті не валáється див. валяється.

СМІТТЯ: винóсити сміттá з хáти див. виносити; **носúти ~ під чужу хáту** див. носити.

як сміття. Дуже багато, безліч. — *Годинників у них, як сміття..,— зауважує Денис Блаженко* (Гончар).

СМІХ: [аж] сміх берé (розбирáє) / узя́в (розібрáв) кого і без додатка. Комусь хочеться сміятися, стає смішно. *Один Комарик молодий Розхвастався перед старими: «О,— каже,— як розтягся біс рудий [Лев]! .. Аж сміх бере, як подивлюся, Що перед ним усяка твар тремтить»* (Гл.); [Піп] *засміявся тихим старечим сміхом. Його бесідницю, видно, сміх не брав, навпаки, вона ледве здержувала досаду* (Л. Укр.); — *Ти чого вибілюєш зуби? — здивувався батько.— Бо є що вибілювати,— ще більше розбирає мене сміх* (Стельмах); *Її аж сміх узяв від чудних комашачих викрутасів, аж зігнулася вона [Галя], додивляючись до їх [них]* (Мирний).

брáти на сміх див. брати.

[і] сміх і гóре (гріх, плач, сльóзи, лúхо). Одночасно смішно і сумно; трагікомічно. *Сміх і горе було дивитись на те, що зажали Маланка з Гафійкою* (Коцюб.); — *Чого ж сама на збори не прийшла? — Куди вже там бабі ходити на збори: і сміх і гріх* (Стельмах); *Та про таке й людям сором казати. Щоб голова колгоспу та був без грошей, а його дочка, молода вчителька, без чобіт! І сміх, і сльози* (Кучер); — *От щоб тебе* з твоїми вигадками! І сміх, і лихо з дурнем (Кв.-Осн.); Назносили Марині одежі — той те дає, другий друге тиче.. — Бери мого! Моя буде краща... — А моя новіша! Толкуються одрадяни.. І сміх, і лихо! (Мирний).

ку́рям (ку́рці, лю́дям) на сміх. Щоб викликати глузування. Як клином, ця звістка роздвоїла страйкарів. Одні хоч і зараз ладні були ставати до роботи. Але друга частина цупко трималась свого: почали, мовляв, так кінчаймо, доводьмо до ладу, а не курям на сміх (Головко); — Я, коли б міг, світ за очі тікав би з нього [села].— Бо людям насолив. А я їм хочу добро зробити.— Чи не байочками, що записуєш курям на сміх? — вкусив Терентій (Стельмах); // Дуже погано.— То вже думай про мене, як хочеш... Але затія твоя справді годиться курям на сміх,— огризнувся Кіндрат (Іщук).

на сміх (по́сміх). 1. Щоб посміятися, заради жарту. « — Прощайте,— от що!.. Помандрую,— Мовляє Вовк,— покину вас усіх». «От тобі й на! Чи справді, чи на сміх? — Зозуля, сміючись, питає» (Гл.); Нам небо слало віщі знаки, далеко вили десь собаки, І хтось на сміх.. тривожив пострілами даль (Сос.). П о р.: у смішки.

2. Щоб глузувати, насміхатися над ким-, чим-небудь. Неначе ти йому не рідна дитина — На сміх тебе тут посадив (Гл.); [Г о л о с и з г о р и:] Свириде Івановичу! А йдіть до нас співати. [Г о с т р о х в о с т и й:] Куди ж пак! Так і полечу оце на гору людям на сміх! (Н.-Лев.); Бо вас [думи] лихо на світ на сміх породило, Поливали сльози... чом не затопили, Не винесли в море, не розмили в полі (Шевч.); Зразу я думав на сміх показати його іншим пастухам, аби побачили, яку то жвачку жве [жує] щодня старий Онопрій, але, коли я взяв макух у руку, проняв мене такий жаль, що я й собі... заплакав (Фр.). **на сміхо́висько (сміхо́вище).** Батькове сімейне життя звелось на якесь сміховисько (Збірник про Кроп.); Чоботи, одежа, лице — все в Запорожця було вимащене в болото, викачане. Можна було б подумати, що він нарядився так навмисне, на сміховище людське (Вас.).

сміх застря́в у го́рлі в кого, рідко кому. Хто-небудь раптово перестав сміятися через щось. Сміх чомусь застряв у Каргата в горлі. Все тіло.. напружилось (Шовк.); Проте, коли на якусь секунду все ж таки [Сташка] зволила поглянути на Бронка, сміх застряв їй у горлі (Вільде).

сміх крізь сльо́зи, книжн. Стан, при якому під удаваною веселістю криються невдачі, пережи-вання і т. ін. Могла б про «сміх крізь сльози» Згадати я при сім, Але вже сяя тема Давно обридла всім (Л. Укр.).

хоч би (хоча́ б, хоть би, коли́ б) на сміх; і [й] на сміх. Уживається для вираження вказівки на найменшу кількість чого-небудь або найменшу

міру ознаки, виявлення і т. ін. чогось. Нема й на сміх! (Укр.. присл..); Коли б тобі на сміх було де видно свічку (Г.-Арт.); Як кувала я [Зозуля] — за мною волочились, Тепер хоч би один на сміх (Гл.); // Для жарту. Нема в його листах ні одного чулого, дружнього слова, хоч би на сміх сказаного (Л. Укр.); Чи я діждусь коли, чи ні, Щоб клаптик часом переслали Паперу братнього мені? Прохав, молив... Хоча б хто на сміх написав (Гр.); // Просто так. Де я прихилюся, навіки засну. Коли нема щастя, нема талану, Нема кого й кинуть, ніхто не згадає, Не скаже хоть на сміх: «Нехай спочиває, тілько його й долі, що рано засну» (Шевч.).

як на сміх. Ніби навмисне.— Як на сміх, на хуторі не лишилося кінського хвоста. А який же я поліцай без коня? (Сиз.).

СМІ́ХОМ: дави́тися смі́хом див. давитися.

СМІ́ХУ: вмира́ти зо смі́ху див. вмирати; **лу́скати зі ~** див. лускати; **ляга́ти від ~** див. лягати; **ма́ло не ло́пнути від ~** див. лопнути; **наробити ~** див. наробити.

не до смі́ху (смі́хів) кому і без додатка. У кого-небудь складне, скрутне становище.— Весна цього року випала рання, якби все робилося так, як кажеться, то давно б сівбу закінчили... Оксен нахмурився: — Тут, товариші, не до сміху (Тют.); // Хто-небудь не має підстав веселитися чи сміятися. Одному Макарові було не до сміху. Він лаявся, докоряв усім, нахвалявся, що зроду-звіку не стане більш що-небудь розказувати (Вас.); — Ти й зараз прийшов посміятися з старого батька. А я вже вбився в літа, мені не до сміхів (Загреб.).

при́скати зо смі́ху див. прискати; **пу́кати від ~** див. пукати; **рва́ти бо́ки від ~** ; **рва́ти кишки́ від ~** див. рвати; **тро́хи не упа́сти зі ~** див. упасти.

СМІШИ́ТИ: смі́шити люде́й (горобці́в і т. ін.). Бути об'єктом глузування, насмішки для кого-небудь. Старий Кирпа підсів до Петра і при людях надоумлював: — Гляди, зятьок, роздивляйся добре на нашу доньку, щоб потім жити та й людей не смішити (Сол.).

СМІ́ШКИ: за смі́шки кому. Хто-небудь зовсім байдужий до чужих неприємностей. «Всюди своє лихо,— думалося Прісьці,— та чужим людям воно за смішки» (Мирний).

смішки стро́їти див. строїти.

у смі́шки. Заради жарту, щоб посміятися. [К у к с а:] Ви навмисне ж у смішки? [Д р а н к о:] Пошуткував з вами трішки (Кроп.). П о р.: на сміх (у 1 знач.).

СМІ́ШКІВ: нароби́ти смі́шків див. наробити.

СМІШНО́ГО: до смішно́го (смі́шності). Дуже, надзвичайно. Ольга була до того заскочена неспо-діваним поворотом справи, що до смішного розгу-билась (Вільде); Він чоловік без серця, без душі *мстивий, а до того консерватист до смішності* (Коб.).

СМІЮТЬСЯ: ку́ри сміються *див.* кури.

СМІЯТИСЯ: сміятися в душі́ над ким. Глузувати над ким-небудь, не виявляючи цього зовнішньо.— *Але я розскреготалась.., а ви.. мовчите. Певне, сміється в душі надо мною, що так безнастанно говорю!* (Март.). С и н о н і м: **сміятися під ніс.** А н т о н і м: **сміятися в очі.**

сміятися в [живі] очі *кому, над ким.* Не приховувати свого глузування над ким-небудь у його присутності. *Палка молодіж у живі очі сміється старому, кепкує з його заходів, зве його порохном* (Коцюб.); *Судові сміялися над Іваном Трохимовичем. Сміялися у вічі, сміялись за очі, малювали малюнки, як Яків Грицай ганявся по майдану* (Мирний). [М и х а й л о:].. *Так, вона* [мати] *скупа,.. старомодна, але сміятися їй у вічі грішно* (Собко). А н т о н і м и: **сміятися в душі; сміятися під ніс; сміятися з-під ву́са.**

сміятися на пу́па *див.* реготати.

сміятися (реготатися) / засміятися (зареготатися) на ку́тні [зу́би]. Плакати. *Нехай тепер наші вороги на кутні сміються* (Укр.. присл..).

сміятися [собі] під ніс (з-під ву́са). Зловтішати з приводу чого-небудь.— *Одже я неначе не дополуднував трохи,— сказав Роман,— все слухав дядькові теревені.— Та й я не дополуднував, бо все сміявся собі під ніс з тих брехень,— обізвався Денис* (Н.-Лев.); *От ідуть вони удвох, Хвеська з Петром, він собі сміється з-під вуса, а вона й носа похнюпила, розчовпала, що вклепалась* (Україна..).

СМОКТАТИ: смокта́ти ко́ло (бі́ля) се́рця (під се́рцем, за се́рце). Щось турбує, непокоїть кого-небудь, викликає відчуття чогось неприємного. *Йонька ніби погодився, але ганьби забути не міг, вона вічно смоктала його за серце* (Тют.).

смокта́ти кров *див.* пити.

смокта́ти ма́мину ци́цю, *ірон.* Бути дуже малим.— *А ти мене не вчи! — раптом скипів Оксен.— Ти ще мамину цицю смоктав, коли я ферму організовував* (Тют.). С и н о н і м и: **під стіл пішки ходити; без штанів під стіл бігати.**

смокта́ти під грудьми́. Хотітися їсти. *Міцніше смоктало під грудьми від голоду* (Тулуб).

смокта́ти під ло́жечкою *див.* ссати.

СМОКЧЕ: доса́да смо́кче се́рце *див.* досада.

СМОЛА: ли́пнути, як смола́ *див.* липнути.

як смола́, з сл. чо́рний. Дуже, надзвичайно. *З десять скирт хліба палало, а од їх піднімався густий дим, то чорний, як смола, то білий, як осінній туман* (Н.-Лев.).

як смола́ в спе́ку, з сл. чіпки́й і под. Дуже, надто. *Той чабан з орденом, чіпкий, як смола в спеку, Явтух Сторчак підняв цілий ґвалт, що його худоба стоїть у загороді, під відкритим небом* (Кучер).

як [ше́вська] смола́ [до чо́бота (до кожу́ха)], з сл. ли́пнути, пристава́ти, причепи́тися і т. ін. 1. Дуже, надто. *Він* [Мотуз] *знав, що Грицай прилипне до його, як шевська смола, і сплоха не одчепиться* (Н.-Лев.); — *Що ж він, переслідував тебе з своїми домаганнями? — Як шевська смола пристав був. Аж мусила з дому тікати через нього* (Головко); *Заміжня дочка для батька одрізаний шматок хліба, а вона чіпляється, як смола до чобота! Є чоловік,— чого ж іще?* (Григ.); [Х р а п к о:] *А почім ти знаєш, що то він* [Передерій причепився]? [Т х о р и х а:] *Ще б не знати, коли він причепився, як шевська смола до кожуха!* (Мирний).

2. Невідривно, невідступно. *Вони* [есесівці], *як шевська смола, тягнуться за нами вдень і вночі, але вперто уникають рішучих дій* (Головч. і Мус.). С и н о н і м: **як реп'ях.**

СМОЛОЮ: се́рце обкипа́є смоло́ю *див.* серце.

СМУТКОМ: душа́ огорта́ється сму́тком *див.* душа; **зайти́** ~ *див.* зайти; **обгорта́ти ду́шу** ~ *див.* обгортати.

СНАГИ: вибива́тися з снаги́ *див.* вибиватися.

до снаги́. 1. *кому.* Який відповідає фізичним, духовним і т. ін. можливостям кого-небудь; посильний. *Властивості мікросвіту заховані глибоко.. Їх розкриття складне й коштує дорого. Воно до снаги тільки всесвітньому об'єднанню вчених* (Наука..).

2. *рідко.* Цілком, повністю. [Х о м а (*до народу*):] *Підождіть мені, нехай я спродамся до снаги, то, може, там наскіпаю яких сот п'ять чи шість...* (К.-Карий).

з усіє́ї снаги́. З надзвичайним напруженням, з великою інтенсивністю. *Розірвалась граната. Зайшовсь кулемет з усієї снаги* (Барв.). С и н о н і м и: **з усіє́ї си́ли; з усіє́ю си́лою; з усіх сил.**

СНИТЬСЯ: і [в сні] не сни́ться (не присни́ться) *кому і без додатка;* **і [в сні]** 1. Хто-небудь навіть уявити собі не може чогось. *Нічого подібного мені і ві сні не снилося, як те, що довелося бачити за той рік* (Фр.); *Оце б таку радянську жінку можна просто в п'єсу! Будь певний, вийде на сцену таким кроком, що деяким героїням і не сниться* (Ю. Янов.); — *Контрасти бачив? — Та бачив. І наче ще хотів сказати: «Такі бачив контрасти, що тобі, брате, й не снилось». Але не сказав* (Гончар); *Зате вже як скоїться що-небудь, то вже таке, що й не вигадаєш, і ві сні не присниться* (Довж.). П о р.: **і в сні не ба́чити.**

2. Хто-небудь зовсім не сподівається, не розраховує на щось. *Коли так по Семені, другого дня, і не сподівалась, і не снилося мені, та й посватався він* (Вовчок).

СНИТИ: і не гада́ти і не сни́ти *див.* гадати.

СНІ: і в сні не ба́чити *див.* бачити, **і в** ~ **не**

сни́ться *див.* снитися; **спа́ти і в ~ ба́чити** *див.* спати.

як (мов, ні́би *і т. ін.*) **у сні**, з сл. х о д и́ т и, ж и́ т и *і т. ін.* 1. Не усвідомлюючи, підсвідомо. *Я по Сумській іду, в провулок ліворуч, немов у сні звертаю* (Сос.).

2. У стані, близькому до непритомності. *Знесилившись від втрати крові, він ішов наче в сні, ледве переставляючи ноги* (Перв.).

СНІГ: як (мов, ні́би *і т. ін.*) **сніг (дощ) на го́лову [з я́сного не́ба]**, з сл. з в а л ю в а т и с я, з' я в л я́ т и с я *і т. ін.* Зовсім несподівано; раптово.— *Чи не краще поставити діло так, щоб молдувани дізнавались про філоксеру перш у школі від попа, а не від нас, що злітаємо, як сніг на голову* (Коцюб.); *Татари рухаються завжди в цілковитій таємничості, падають, як сніг на голову, вриваються, мов летючий вітер* (Загреб.); *Нежданонегадано, мов сніг на начальникову голову, звалилась ревізія* (Збан.); *Радянські воїни, подолавши дванадцятикілометрову перешкоду — Дністровський лиман, неначе сніг на голову, звалились на фашистів* (Веч. Київ); *Червоні оголили шаблі і врубалися в гайдамацькі лави — як дощ на голову з ясного неба* (Смолич). С и н о н і м и: як грім з я́сного не́ба.

як сніг, з сл. с и́ в и й, п о б і л і́ т и *і т. ін.* Дуже, надзвичайно.— *А я ото посивіла отак,— додала Ольга Семенівна, перебираючи пальцями прядку сивого, як сніг, волосся* (Хотк.); *Еней, пожар такий уздрівши, Злякався, побілів, як сніг, І бігти всім туди звелівши, Чимдуж до човнів сам побіг* (Котл.).

як торішній (позаторішній) сніг, з сл. п о т р і́ б н о, п о т р і́ б е н, в п л и в а́ т и *і т. ін.*, *ірон.* Уживається для вираження повного заперечення змісту слів п о т р і́ б н о, п о т р і́ б е н *і т. ін.*; зовсім не (потрібно, потрібен *і т. ін.*).— *Дуже вже самовпевнені. Мені, дівчині, з якою пішли перший раз, без усякого сорому розповідаєте про якусь знайому... Тільки мені воно потрібне дуже... як торішній сніг* (Логв.); — *Дайте спокій. Ваш гетьман так мені потрібен, як торішній сніг!* (Панч); — *Не бійтесь, діду, ви тим бандитам потрібні, як торішній сніг* (Сліс.); *За ці «жарти» Льоня не раз діставав від конфліктної комісії [комуни] догани, позачергові наряди, сидів на гауптвахті, та все це так на нього впливало, як торішній сніг* (Мик.). **як поза́торішній сніг на літню пого́ду.**— *То що ж гадаєте? Вплинуло це на отця Нокентія? Як позаторішній сніг на літню погоду. Тільки й того, що тепер уже молебні свої правив не в хаті* (Збан.).

СНІГОМ: снігом си́пле за шку́ру *див.* сипле.

СНІГУ: до бі́лого снігу. Дуже довго, тривалий час.— *Я вам, дядьку Славко, як дам, то до білого снігу не забудете* (Зар.).

до глибо́кого снігу. До справжньої зими; до

морозів.— *Як напровесні випустиш свиноту з подвір'я, то вона без догляду аж до глибокого снігу нагулює жир* (Стельмах).

до [пе́ршого] снігу. До початку зими.— *Ви, тату, не журіться,— підбадьорюю його.— Ви ж читати он як умієте! — Та навчився ж,— ходив у школи аж до першого снігу* (Стельмах).

снігу зимо́ю не діста́неш *див.* дістанеш.

як з торі́шнього снігу, з сл. б у́ д е, *ірон.* Уживається для вираження повного заперечення змісту слова б у́ д е; зовсім не (буде).— *Добре, ясновельможна княгине, добре! Прийду та допоможу тобі, хоч і з мене, певно, буде користі, як з торішнього снігу* (Н.-Лев.).

як торі́шнього снігу, з сл. б о я́ т и с я, *ірон.* Уживається для вираження повного заперечення змісту слова б о я́ т и с я; зовсім не (боятися).— *Боюся я тебе, як торішнього снігу* (Укр.. присл..); — *Ну й язик у тебе,— тільки здивовано брови підвів Мірошниченко.— Гляди, Іванові скажу.— Боюсь я його, як торішнього снігу,— стрепенулась Марійка* (Стельмах).

СНІГУ́: як го́лка в снігу́ *див.* голка.

СНІДАВ: як (мов, ні́би *і т. ін.*) **не сні́дав.** Слабосилий, млявий. *Чого це він сьогодні такий млявий, ніби не снідав?*

СНІДА́НОК: відпра́вити чорта́м на сніда́нок *див.* відправити.

СНІП: як сніп (сноп́и), з сл. п о в а л и́ т и с я, п а́ д а т и *і т. ін.* Дуже важко, всім тілом. *Коп'є булатне.. Сульмону серце пробива; Як сніп, на землю повалився* (Котл.); *Виморений, мов після тяжкої роботи, як сніп, звалився він [Петро] на ліжко* (Мирний); — *От тобі на!.. А що ж тепер робитиме наша Онися? — спитала Прокоповичка.— Про мене, нехай плаче, нехай скаче! — сказав Прокопович і знов упав на лавку, як сніп* (Н.-Лев.).

СНОМ: [ні (і)] сном, ні (і) ду́хом, з сл. н е з н а́ т и, н е в і́ д а т и *і т. ін.* Зовсім. [Х и м а:] *Ви ж, бабуню, не допитуйтесь, де був! [Б а б а (образилась):] А то я така дурна!.. Навпаки,— спитаюсь про таке, немовби я ні сном, ні духом не знаю, що він тікав* (П. Куліш); *Вже коли Руденки виберуться, то Ліщинська мене прокляне, її ніхто не зможе впевнити, що я в переселенні її квартирантів ні сном, ні духом не винувата* (Л. Укр.); — *Гляди ж мені, сотничихо, щоб про моє кохання та женихання ні сном — ні духом не дознавсь через тебе ніхто в Лубнах* (Н.-Лев.); — *А для чого, Насте, ви й досі ховаєте зброю? — суворішає голос Мірошниченка.— Свят-свят! Яку зброю? І сном, і духом про неї не відаємо! — з ляку присідає молодиця на ослін* (Стельмах); **сном і ду́хом.** *Перевернув у коморі все догори дном, а халяви — мов у воду впали. Сердитий, як вогонь, Кирило напав на домашніх. Божилися, клялися, що сном і духом нічого не знають* (Іщук).

о́чі беру́ться сном *див.* очі.

сном пра́ведника (пра́ведників, пра́ведних і т. ін.), з сл. с п а т и. Спокійно, міцно, безтурботно.— *Коли б не розбудили, іще б якусь годину порозкошував.— Значить, сном праведника спали? І не сподівалися на отаких дорогих гостей? — в очах пристава тремтить насмішка* (Стельмах).

спочива́ти вічним сном *див.·* спочивати.

СНОПІВ: як снопі́в на во́зі. Дуже багато.— *Один раз пройшов вагон від дверей до дверей, потім ще раз — всюди напаковано людей, як снопів на возі* (М. Ю. Тарн.).

СНУ: вибива́ти зі сну *див.* вибивати; **вибива́тися зі ~** *див.* вибиватися; **не зна́ючи ~ й відпочи́нку** *див.* знаючи; **ца́рство ~** *див.* царство.

СНУВА́ТИ: снува́ти думки́ (ду́мку). Обдумувати щось, думати над чим-небудь (перев. слухаючи щось). *Таубенфельд, погойдуючись на м'якому сидінні, снував думки* (Ю. Бедзик).

снува́ти павути́ння *див.* плести.

снува́ти химе́ри. Вигадувати що-небудь; фантазувати. *Чайка не слухає перемовлянь Миколи з старшиною. Він взагалі нездатен прислухатися до будь-кого. Він далі снує свої химери* (Загреб.).

СНУВА́ТИСЯ: снува́тися в голові́ (думка́х). Виникати в уяві, думатися. [К а т р я:] *Отак і зо мною, баришне: почне щось снуватися в голові — снується та й снується, а на який кінець, то й кат його голову зна...* (Вас.); *А Степану мріялося, снувалось у думках: «Ось організуємо колгосп, заживемо, забагатіємо, гідроелектростанцію збудуємо. Райдугою вогнів засяє наше село!»* (Вільний).

СНУ́ЮТЬСЯ: думки́ сну́ються в голові́ *див.* думки.

СОБА́К: ві́шати всіх соба́к *див.* вішати; **ганя́ти ~** *див.* ганяти; **дражни́ти ~** *див.* дражнити; **хоч ~ в'яжи́** *див.* в'яжи; **хоч ~ гони́** *див.* гони; **як ~ псів.**

СОБА́КА: би́тий (би́та) соба́ка. Бувала, з досвідом людина. *Управитель пана, бита собака, послухав хлопцевої мови, подивився на нього та й промовив на Шевченкове прохання: «Не оддамо ми тебе маляру, бо нам самим таких треба»* (Вас.). С и н о н і м и: **би́тий жак; би́тий жук; стрі́ляний горобе́ць; би́та голова́; стрі́ляний птах.** А н т о н і м: **жовторо́те пташеня́.**

[і] соба́ка не га́вкнув (не зага́вкає). Ніхто зовсім не згадає або не помітить.— *Еге, поки гладкий схудне — худого на цвинтар понесуть, і собака не гавкне* (Стельмах). **і соба́ки не зага́вкають.** *Пропав — і собаки не загавкали* (Укр.. присл..).

[і] соба́ка не перескочить, перев. з словоспол. **т а к и́ й щ о.** Великий (за розмірами). *Павло з'їв паляницю хліба і такий горделей борщу, що собака не перескочить, поліз на піч відсипатися* (Тют.); [Т е т я н а:] *Та хіба ж ви не бачите?*

Щодня вариться на обід такий горщик, що собака не перескочить! А сніданок? А вечеря? (Мам.); *— На Протазя глянь,— не секрет, сам сухий, а чарку п'є, що й собака не перескочить* (Збан.).

мов соба́ка, який зірва́вся з цепу, з сл. р а д і т и. Дуже, нестримно. *Я вигукував на мітингах загальні фрази і радів, мов собака, який зірвався з цепу, щиро вірячи, що вже всі люди брати* (Довж.).

нія́кий (нія́ка, ні оди́н, ні одна́, жо́ден, жо́дний, жо́дна) соба́ка, зневажл. Ніхто.— *Троє здержав, один. утік: нияка собака до помочі не стала* (Дн. Чайка); *В обхід правим флангом! Зайняти з першим і третім батальйонами позицію біля мосту! Щоб ні одна жива собака не вислизнула на Київ!* (Довж.).

[ось] де [в чо́му (тут і т. ін.)] соба́ка зари́тий (зари́та). Саме в цьому справжня причина, суть чого-небудь.— *Чіткої системи поглядів у тебе ще нема. Ось в чому собака заритий* (Головко); *— Ти мені не мудруй, Панасовичу! Тут якась собака зарита! Нюхом чую! Розказуй, а я вже з ним* [Мусієм] *розправлюся* (Речм.).

потайни́й соба́ка (Сірко́) *рідко* **потайна́ соба́ка,** лайл. Підступна людина. [К а м о:] *Кривавий собака, потайний, ненажерний, приходить сюди, прибігає сюди і по камері нюшить...* (Лев.).

пробі́гла соба́ка помі́ж нога́ми *кому.* Комусь стало соромно. *Йому пробігла собака поміж ногами* (Укр.. присл..).

різни́цький (рі́зни́цька) соба́ка. Уживається як лайка. *Тарас склав султанові таку відповідь на його грізне послання: «Ти — шайтан турецький,... свиняча морда, різницька собака»* (Довж.).

скаже́на (скаже́ний) соба́ка. Уживається як лайка. [С а м р о с ь:] *А бодай ти не діждала, щоб я об тебе паскудив руки на перший день великодня* [З і н ь к а:] *Харцизе, скажена собако!* (Кроп.).

уся́кий (уся́ка, ко́жний, ко́жна) соба́ка, зневажл. Будь-хто, перший-ліпший.— *Мене тут усяка собака знає, адже я місцевий* (Чаб.); *— А йти Стебнями, де кожна собака в очі Юрішкові дивиться,— та пощо ж того всього?* (Хотк.).

як (мов, ні́би і т. ін.) ві́рний (ві́рна) соба́ка. Дуже віддано, запобігливо. *Колісник пихтів, одпихався, а вона, як навісна, то одскакувала від його, то, прискакуючи, горнулася, мов вірна собака* (Мирний).

як (мов, ні́би і т. ін.) поби́тий (поби́та) соба́ка (пес). Усвідомлюючи свою провину; винувато. *Виговський, як побитий пес, знітися; наче став менший на зріст, упав знесилено у фотель, опустив голову на руки* (Рибак); *«Злочинець», мов побитий пес, відповз на своє місце* [камери].— *Наїв-*

ся? — зловтішно хихикнув йому хтось [із в'язнів] услід (Збан.).

як (мов, ніби і т. ін.) соба́ка, з сл. голо́дний, злий, раді́ти, змерз і т. ін. Дуже, надзвичайно. *Обмок — як вовк, обкис — як лис, голоден — як собака (Укр.. прісл..); — Ну, то поклади мене у віз із рибою.— Ай! Риба! По всій Польщі люди голодні, як собаки. Рибу розкрадуть (Довж.);— Де ж мені, паноче, дітись? — каже жінка.— Він [чоловік] мене вб'є, як наздожене. Тут хоч дурний, та такий злий, як собака (П. Куліш).*

як (мов, ніби і т. ін.) соба́ка на ви́сівки, з сл. диви́тися, подиви́тися, витріща́тися, ви́тріщитися і т. ін., вульг. Дуже жадібно. *— Давно, бабо, порося здохло? — Язик тобі колякою,— накрила баба фартухом відро [з ковбасами].— Щезни, чого витріщився, наче собака на висівки (Мушк.).*

як (мов, ніби і т. ін.) соба́ка на по́свист, з сл. йти, бі́гти і т. ін. Охоче; з великим бажанням. *Довго й не збирався Святополк, бо вже через два літа стояв під Києвом з печенігами, які йшли до нього, мов собака на посвист (Загреб.).*

як (мов, ніби і т. ін.) соба́ка [на я́рмарку], з сл. пропада́ти, пропа́сти і под. Безслідно. *— Держись...— пригрозив він йому [сину],— а то пропадеш, як собака на ярмарку! (Панч); А я пішов у гайдамаки, Та на Сибірі опинивсь. (Бо тут Сибір була колись). І пропадаю, мов собака, .. Помолись За мене богу, мій ти сину (Шевч.).*

як (мов, ніби і т. ін.) соба́ка (пес, звір), спу́щений (спу́щена) з при́в'язі (ланцюга́, припо́ну), з сл. бі́гти, мча́тися і т. ін. Дуже швидко, нестримно. *Немов собака, спущена з припону, Наскочила на землю пітьма чорна (Фр.); Поліцаї бігли, як панські пси, спущені з прив'язі (Цюпа).*

як (мов, ніби і т. ін.) соба́ка (пес) у пили́півку, з сл. тремті́ти і т. ін. Дуже. *Обернув [дід] свій гнів на онука: —..Ану марш у хату, розхристався, наче посеред літа... Тут он у кожусі трясешся, мов пес у пилипівку (Збан.).*

як соба́ка в човні́, з сл. сиді́ти і т. ін. У незручному, непевному становищі. *Вона родом з Чумаків і до Ковалів недавно перейшла. Та чи й перейшла вже зовсім? Може, вона там сидить, як собака в човні (Кучер); «Знаю я тебе, пане, добре знаю! Се ти тепер величаєшся, а коли я до тебе приїздив ото недавно з козаками, то ти так збентежився, що був ні в сих ні в тих, як собака в човні» (Морд.).*

як соба́ка за обгри́зену кі́стку, з сл. трима́тися. Дуже міцно. *Та й держалась же Кононіха за те життя, як борона за траву!.. Смерть першого й другого чоловіка, .. проводи одного [сина] на Томську, другого в москалі, родини та смерть унука. «От і все!.. А все ж таки*

тримала́ся вона, як собака за обгризену кістку, за те життя!» (Григ.).

як соба́ка з ожере́ду, з сл. пуска́тися. Швидко, остаточно. *Після того [тюрми] пустилася я, як там кажуть: як собака з ожереду (Мирний).*

як соба́ка на при́в'язі, з сл. гуля́ти, ірон. Уживається для вираження повного заперечення змісту слова гуля́ти; зовсім не (гуляти).— *Навіщо ж він [старшина] оце розігнав вечорниці? — спиталась Соломія.— Каже, що в якомусь.. селі, парубки на вечорницях.. наробили пожежі. Згорів трохи не весь куток. От тепер гуляй, як собака на прив'язі! (Н.-Лев.).* П о р .: **як Сірко́ на при́в'язі** (в 2 знач.).

як соба́ка па́лицю (ре́дьку, цибу́лю і т. ін.), з сл. люби́ти, ірон. Уживається для вираження повного заперечення змісту слова люби́ти; зовсім не (любити). *Дід знав, що смерть його за плечима, і думав своєю смертю спасти від смерті міщан. Вишневецького він ненавидів, а польську панщину любив, як собака цибулю (Н.-Лев.).* П о р .: **як кіт таба́ку.**

[як] соба́ка (пес) на сі́ні. Той, хто сам не користується чим-небудь й іншим не дає. *[С т а р ш и н а:] Та ти [Сидір] мені не кажи, я його знаю добре,— збірщиком при ньому був,— як собака на сіні: сам не їсть і другому не дає, вредний ірод [Бурлака] (К.-Карий); Ось візьме [Ткачук], продасть усе до біса, у цьому проклятому Соболеві, та й вийде світ за очі.. Хай тоді Боровик пошукає собі дурнішого завідувача, хай дістане собі собака на сіні, щоб коло меду ходив і пальців не облизав (Збан.).*

СОБА́КАМИ: з соба́ками не пійма́ти див. пійма́ти; **підши́тий ~** див. підши́тий.

СОБА́КИ: [і] соба́ки не їдя́ть чого. Дуже, надзвичайно багато. *Оратор винувато посміхнувся: — Землі у нас хіба що під нігтями... А тут ось у пана її собаки не їдять (Панч).*

соба́ки ви́ють від чого. Що-небудь дуже неприємно діє, викликає у когось відразу, огиду. *[Р о м а н ю к:] Письменник приїхав сюди працювати, йому тиша потрібна, .. а від твоїх пісень собаки виють (Корн.).*

як (мов, ніби і т. ін.) скаже́ного (скаже́ної) соба́ки, з сл. боя́тися і т. ін. Дуже.— *О, дурненька Солошка співає! — кричали вони й мерщій тікали до хати, щоб не зустріла вона де їх, бо боялися її, як скаженої собаки (Мирний).*

як (мов, ніби і т. ін.) соба́ки обгри́зли, зневажл. Дуже короткий. *Мундир на ньому з отакенними гудзиками, тільки куций, мов собаки обгризли, і наплічники з сукна (Донч.).*

СОБА́КУ: з'ї́сти соба́ку див. з'їсти.

ні за соба́ку, з сл. пропа́сти, загину́ти. Зовсім даремно. *[Ф е д о р а:] До ладу не з'їсте — все ті карбованці та червінці складаєте. А помре-*

те, то якась [жінка] випорожнить кутки та й спасибі не скаже. Та ні за собаку і пропаде (Вас.).

собáку не вдéржиш див. вдержиш; **хоч на ~ лий** див. лий.

СОБАЦІ: собáці під хвіст див. хвіст; **хоч на хвіст ~ лий** див. лий.

як (мов, ніби і т. ін.) на собáці, з сл. з а г о ї т и с я і т. ін. Дуже швидко.— Загоїлася твоя рука? — Як на собáці... (Бабляк); Починає схлипувати [Христина].— Не треба, Христинко,— втішає він її.— На мені все загоїться, мов на собаці (Стельмах); На другий день показав [Гордій] свою рану, підняв гімнастерку, і я злякалася.— Не бійся, дівчино,— сказав,— заживе, як на собаці (Хар.); — Може, тебе до фельдшера повезти? — заплакала жінка...— До якого там фельдшера... Кажу: засохне, мов на собаці,— і він починає стягати сорочку, що аж хлюпотить і бризкає кров'ю (Стельмах).

як собáці дрýгий хвіст, з сл. п о т р í б н и й і т. ін. Уживається для вираження повного заперечення змісту слова п о т р í б н и й; зовсім не (потрібний).— Жартуй собі, молодий чоловіче, з дівчатами.., коли вже маєш таку охоту до жартів, а нам вони — як собаці другий хвіст,— вже трохи м'якше зауважив Перегуда (Іщук). С и н о н і м и: **як п'я́те кóлесо до вóза; як лúсому грéбінь; як чóрту лáпоть; як торíшні бýблики; як зáйцеві бýбон.**

як собáці п'я́та ногá див. нога.

як собáці (Сіркóві, Сіркý) на перелáзі. Дуже погано. Життя, як собаці на перелазі (Номис).

СОБАЧА: собáча душá див. душа; **~ рáдість** див. радість.

СОБАЧИЙ: собáчий нюх див. нюх; **хвіст ~** див. хвіст.

СОБАЧИМИ: собáчими очúма див. очима.

СОБАЧІ: собáчі óчі див. очі.

СОБАЧОГО: як з собáчого хвостá сúто див. сито.

СОБАЧУ: пошúтися в собáчу шкýру див. пошитися.

СОБІ: брáти собí в гóлову; брáти ~ на ум див. брати; **вбгáти ~ в гóлову** див. вбгати; **вбивáти ~ в гóлову** див. вбивати; **в гóлову ~ не брáти** див. брати; **вíрний ~** див. вірний; **гáрбати ~ в скрúню** див. гарбати; **давáти ~ звіт; давáти ~ рáди** див. давати; **душí в ~ не чýти** див. чути; **живóго мíсця не знáйдеш в ~** див. знайдеш; **жúти ~ та хліб жувáти** див. жити; **забúти ~ в гóлову** див. забити; **зáмкнений у ~** див. замкнений; **замкнýтися в ~** див. замкнутися; **записáти ~ на лóбі** див. записати; **зарубáти ~ на нóсі** див. зарубати; **здавáти ~ спрáву** див. здавати; **і в гóлову ~ не клáсти** див. класти; **ідú ~ геть; ідú ~ до чóрта; ідú ~ з Бóгом; ідú ~ к бісовому бáтькові; ідú ~ к чóрту; ідú ~ під три чортú** див. іди.

і собí. Також, теж.— Якове! О Якове! — кличу. Мовчить, неначе не чує, спить. Тоді я й собі на бік, та й справді заснув (Вовчок); Розсердився старий, гримнув дверима, пішов. А Карпо й собі надувся, мов індик (Коцюб.).

клопотáти собí гóлову див. клопотати; **крáяти ~ мóзок** див. краяти; **кусáти ~ лíкті** див. кусати; **ламáти ~ гóлову; ламáти ~ карк; ламáти ~ язúк** див. ламати; **мáти ~ на примíті; мáти ~ на умí** див. мати[2]; **мíряти по ~** див. міряти; **мíсця ~ зігрíти не мóже** див. може; **морóчити ~ гóлову** див. морочити; **набивáти ~ кишенí** див. набивати; **нагрівáти ~ мíсце** див. нагрівати; **не давáти наплювáти ~ в кáшу; не давáти ~ на нóгу наступúти; не давáти ~ по нóсі грáти** див. давати; **не дозволя́ти ~ зáйвого** див. дозволяти; **не знахóдити ~ мíсця** див. знаходити; **не мáти ~ рíвного** див. мати[2].

не по собí кому. 1. Хто-небудь погано себе почуває; нездужається, нездоровиться комусь. Була темна осіння ніч. Дощ, як крізь підситок, сіяв — густий та дрібний.. Під таку годину завжди важко дишеться, .. кожному чогось не по собі (Мирний); Не скрию, однак, що я боюся зими, але я її тут боюся, бо от, як стало тепер холодніше, то щось мені від часу до часу робиться не по собі (Л. Укр.).

2. Кому-небудь незручно, ніяково або неприємно. Давидові одразу, від самої інтонації його голосу, стало якось не по собі, і він уже відчув, що не скаже, як думав: щиро, по-товариському (Головко); — Любий мій...— тягнеться [Мар'яна] рукою до його щоки, і від цієї любові йому стає не по собі, і він одводить погляд від Мар'яни (Стельмах); Був мир. Був перший день, коли Ми відомстить за друга не могли, І через те не по собі було (Підс.).

нестú тягáр на собí див. нести; **нехáй ~ тя́миться** див. тямиться; **ні гáдки ~** див. гадки.

ні собí, ні лю́дям. Без користі. Ти [Лілія] знаєш, либонь, як неприємно буває, лягаючи спати, подумати собі: от і знов минув даремнісінько, ні собі, ні людям (Л. Укр.).

нічóго собí див. нічого; **носúти на ~ слíди** див. носити; **обпáлювати ~ крúла** див. обпалювати; **пóрпатися в ~** див. порпатися.

по собí. Відповідно до своїх смаків, уподобань, можливостей. Знайти роботу по собі. С и н о н і м и: **по сéрцю; до душí.**

рвáти на собí волóсся див. рвати; **річ у ~** див. річ; **сам не при ~; сам по ~; сам ~ не вíрить; сам ~ пан** див. сам; **сказáти ~** див. сказати; **скрутúти ~ в'я́зи** див. скрутити; **смáжити ~ гóлову** див. смажити; **смíятися ~ під ніс** див. сміятися; **~ на умí** див. умі; **такúй ~** див. такий; **так ~** див. так; **теребúти ~ зýби** див. теребити; **тримáти на ~; тримáти при ~ дýмкú** див.

тримати; **хоч би ~ вусом повести** *див.* повести.

[як (мов, ніби і т. ін.)] не при собі.
1. У поганому настрої, у стані душевного розладу. *По дорозі йшов сліпий Ілько — тихий, зажурений, чоловік не при собі, з медаллю «За відвагу» на сірому піджаці* (Драч); *Тітка Саша привіталася до лікарки, але стара не хотіла її нізащо пізнавати, бо зовсім була неначе не при собі* (Ю. Янов.).

2. У незвичному для себе стані, не такий, як завжди. *Гаряча і задихана, бігла [дівчина] через усе подвір'я, мов не при собі була* (Конвісар).

як собі хочеш *див.* хочеш.

СОБОЮ: вести за собою *див.* вести; **володіти ~** *див.* володіти; **дивитися за ~** *див.* дивитися; **жертвувати ~** *див.* жертвувати; **жити тільки ~** *див.* жити; **залишати за ~** *див.* залишати; **запанувати над ~** *див.* запанувати; **за ~ не носити** *див.* носити; **лишати за ~ ниточку; лишати за ~ слід** *див.* лишати; **мати грунт під ~; мати плечі за ~** *див.* мати [2]; **не чути землі під ~; не чути ніг під ~** *див.* чути; **носити ніч за ~** *див.* носити; **опановувати ~** *див.* опановувати; **подіяти з ~** *див.* подіяти; **покінчити з ~** *див.* покінчити; **розпоряджатися ~** *див.* розпоряджатися; **само ~** *див.* само; **сам ~** *див.* сам.

СОВА: ні сич ні сова *див.* сич.

як сова. 1. *з сл.* л і з т и. Настирливо. *Господиня, як сова, лізе в очі* (Мирний).

2. З широко розкритими очима (від здивування, гніву, жаху і т. ін.). *Він* [Чіпка] *сидів, як сова, витріщивши баньки* (Мирний).

СОВАТИ: ледве совати ногами (ноги). 1. Дуже стомлено йти. *Балабуха, ледве соваючи ногами, посунув до хати* (Н.-Лев.).

2. Бути надзвичайно слабим, кволим від утоми, хвороби, старості і т. ін. *Горіли городи, зникали цілі села. Хоч хто й живий зостався, то ледве совав ноги...* (Л. Укр.).

совати палиці в колеса *див.* вставляти.

совати (тикати, пхати і т. ін.)/сунути (ткнути і т. ін.). [свого] носа куди, у що. Самочинно втручатися в що-небудь (перев. у чужі справи). *Любив Савка скрізь виставлятися наперед, до всього свого носа совати, всім цікавитись і за всякої нагоди додавати своїх порад* (Коз.); [Г о р л о в:] *А тебе попереджаю, коли будеш совати свого носа не в своє діло, замість того, щоб як слід.. показувати героїв-бійців, богатирів наших — то буде погано* (Корн.); *З сили-силенної порад і настанов* [матері] *Валентинові запам'яталася одна, мабуть, найголовніша; не совати носа куди не слід* (Ільч.); *Життя не таке вже просте, як вам здається з театрального кону, і скрізь будівникам нового суспільства треба совати свого носа* (Досв.). **совати носа до нашого проса.** — *Потім, серденько,— зупинив дружину вчитель,— немає*

потреби Івану Семеновичу совати носа до нашого проса* (Ю. Янов.). **сунути свого носа в чужий город [в чужі горішки].** *Мені здається, що було б правильніше, коли б товариш Сагайдак замість того, щоб сунути свого носа в чужий город, краще попрацював би сам, а ми побачили б, що з того вийде* (Добр.); — *Я ж чужа в цьому селі, як-то кажуть, не прописана, може, й нагорить мені, коли суну свого носа в чужі горішки* (Кучер).

СОВАТИСЯ: соватися з кулаками (з кулаком) до кого, на кого. Робити спробу побити кого-небудь. *Кайдашиха кричала й совалась з кулаками до Палажки* (Н.-Лев.); *До неї з кулаком совався* [Бахус] (Котл.).

СОВИ: як (мов, ніби і т. ін.) сови ночували в голові у кого. Хто-небудь відчуває сильний головний біль від утоми, безсоння і т. ін. *Немов сови ночували в моїй голові, .. болить вона* [голова] *уся* (Мирний).

СОВИ: як у сови, з сл. о ч і. Дуже великі, широко відкриті. *В Химки очі, як у сови, а своїм кирпатим носом вона чує, як у небі млинці печуть* (Н.-Лев.).

СОВІСТІ: без докору совісті *див.* докору; **діяти проти власної ~** *див.* діяти; **для очистки ~** *див.* очистки; **дóкір ~** *див.* докір; **за велінням ~** *див.* велінням; **залишати на ~** *див.* залишати; **залишатися на ~** *див.* залишатися; **лежати на ~** *див.* лежати.

на совісті (сумлінні) кого, чий (чиєму), у кого. На кому-небудь, за ким-небудь (про моральну відповідальність кого-небудь за щось).— *Нічого в мене не було! — викрикнув хлопець.— Та ми ж не кажемо, що в тебе якийсь там злочин на совісті,— приспокоїв його директор* (Гончар); *Вірні чи невірні інформації — залишаємо на сумлінні автора листа* (Еллан).

нема совісті *див.* нема; **не мати ~** *див.* мати [2].

по [чистій] совісті. Чесно, щиро. *Ми по чистій совісті можемо сказати, що свої обов'язки перед львів'янами сповняємо, а взаємин не бачимо* (Драг.); — *Коли по совісті* [вибрали] — *нічого не скажу: мій синаш ніколи, Свириде, в Сірка очей не позичав, але молодий він ще до цього діла* [наділяти селян землею], *земля старіших любить, тих, які не тільки верх, а й глибину її чують* (Стельмах). П о р.: **по правді** (в 1 знач.).

СОВІСТЮ: дивитися з спокійною совістю в очі *див.* дивитися.

з чистою (спокійною) совістю; з чистим (спокійним) сумлінням. Будучи переконаним у своїй правоті; не відчуваючи гризоти, сорому і т. ін. *Піти б у школу та сказати: «Ось я вернувся й на минулому ставлю хрест! Наше гасло: «На свободу — з чистою совістю!»* (Гончар); *Посол Вельовейський прилюдно заявляє, що любить русинів. Ну, кого такі пани люблять, того я з спокійним сумлінням можу не любити*

(Фр.); // Чесно. *Жити [треба] з чистою совістю, як мама ото казала* (Гончар).

СОВІСТЬ: заговори́ла (проки́нулася) со́вість *у кого (рідко у кому) і без додатка*. Хто-небудь хоче стати чесним, справедливим; кому-небудь стає соромно. *На людей не схожі [правопорушники]: в болячках, неmiті, замурзані, в кишенях цигарки, карти. Одного вечора ціле вогнище з їхніх заяложених карт розпалили. І силоміць не відбирали: кожен сам підходь і кидай, якщо совість заговорила...* (Гончар); *І тут, подейкують люди, чи перелякався тих оглядин Плачинда, чи, може, совість заговорила в нього, але він відмахнувся від купчої* (Стельмах); *Андрій стояв, спустивши голову й почервонівши. Перший раз в життю [житті] у ньому прокинулась совість...* (Коцюб.).

лягти́ на со́вість *див.* лягти.

на со́вість. 1. Дуже добре, хо́роше. *Леонід Максимович прогнав з уст посмішку, вже серйозно [до хлопців]: — А вікно ви зробили на совість, справжнє* (Збан.); *В хаті навколо однієї миски, мов шпаки, збилась засмагла худюща й обдерта дітлашня, на совість один перед другим орудуючи ложками* (Стельмах).

2. Дуже хороший, якісний. *До Максима чомусь несуть поношене [взуття], щоб полагодив. Чи не тому, що все в нього на совість — каблучок поставить, підківку прицвяхує* (Гуц.).

не за страх, а за со́вість *див.* страх.

нечи́ста со́вість *у кого, кого*. Хто-небудь вчинив злочин або зробив непорядний, непристойний вчинок. *Страшно буває тому, в кого совість нечиста* (Укр.. присл..); *Йому зробилося моторошно і він відчув, що совість у нього нечиста. «Я міг би вискочити із вагона і допомогти їй [дівчинці] відшукати бабусю»,— подумав він* (Тют.). П о р.: **нечистий на со́вість.**

нечи́стий на со́вість *див.* нечистий; **пора́ і ~ зна́ти** *див.* пора.

со́вість му́чить *кого і без додатка*. Кому-небудь дуже соромно, хто-небудь дуже страждає за свою провину, несправедливість і т. ін. *Совість його мучила, що так товариша кинули* (Мирний); *Нехай буде ще один захід, щоб не мучила совість* (Донч.).

ходя́ча со́вість (чесно́та). Людина, основною рисою якої є чесність, порядність. *Учив він сумлінно, бо сам він був ходяча совість людська* (Вишня); *Мудрий чоловік той Гриць Прутик. Працює на диво всім зразково, віддає кожному, що належиться, словом, ходяча чеснота* (Ков.).

чи́ста со́вість *чия, у кого*. Хто-небудь не винен ні в чому перед кимсь. *Совість його щодо покійної Ольги була чиста, не збирався ні зраджувати, ні ганьбити її пам'ять* (Голов.); *— Я одного хочу, сину, щоб ти гарним хлопчиком ріс. Щоб совість у тебе чиста була...* (Гончар).

СОДОМ: содо́м (содо́ма) і гомо́рра. 1. Велике безладдя; метушня, шум.— *Вулиця їхня — содом і гоморра: трамваї, автомобілі...* (Головко).

2. Крайня аморальність, розпуста, що панують де-небудь. *Щоб не було в гуртожитку розпусти, содома і гоморри, ввели суворий порядок.*

СОКИ: вида́влювати со́ки *див.* видавлювати; **висиса́ти ~** *див.* висисати.

СОКИРУ: гостри́ти соки́ру *див.* гострити; **зна-хо́дити ~ під ла́вою** *див.* знаходити; **кла́сти під ~** *див.* класти; **підніма́ти ~** *див.* піднімати; **хоч ~ ві́шай** *див.* вішай.

СОКУ: вари́тися у вла́сному соку́ *див.* варитися. **в са́мому соку́; са́ме в соку́.** У розквіті фізичних сил. *Хлопець я був якраз в самому соку, важкуватий, щось вісімдесят з зайвиною кілограмів...* (Логв.); *— А то таку панянку десь підхопив, що не йому, старому б, залицятися.— Молоду, гожу? — скрикнув Місяць.— Саме в соку* (Мирний).

СОЛІ: відва́жити со́лі *див.* відважити; **додава́-ти ~** *див.* додавати; **наси́пати на хвіст ~** *див.* насипати.

не до со́лі *кому і без додатка*. **1.** Кому-небудь байдуже до чогось, коли є важливіша справа. *А вже мені не до солі, коли грають на басолі* (Номис); *Робота у мене йшла не шпарко, бо такі були справи, що було «не до солі»* (Л. Укр.).

2. Кому-небудь дуже важко, скрутно.— *Мені тепер, як кажуть,— не до солі... Що то робить моя Одарочка?* (Стор.).

пуд со́лі з'ї́сти *див.* з'їсти; **си́пати за́йцям ~ на хвіст; си́пати ~ на ра́ну** *див.* сипати.

СОЛОВЕЙКО: як у спа́сівку солове́йко заспі-ва́є, ірон. Уживається для вираження повного заперечення змісту речення. *[М а р и с я:] За вас я тоді вийду заміж, як у спасівку соловейко заспіває* (К.-Карий).

СОЛОВЕЙКОМ: співа́ти солове́йком *див.* співати.

СОЛОВ'ЄМ: співа́ти солов'є́м *див.* співати.

СОЛОДИТИ: солоди́ти [свою] ду́шу. Утішати себе. *Він [Чіпка] став солодити свою душу гульнею та горілкою* (Мирний).

СОЛОДКИМ: облива́ти соло́дким ме́дом *див.* обливати.

СОЛОМА: соло́ма соло́м'яна. Повторення одного й того ж іншими словами, які нічого не з'ясовують і не доповнюють. *Всім набридло слухати доповідача, який говорив одне й те саме, як кажуть у народі, солому солом'яну.*

СОЛОМИНКУ: хапа́тися за соломи́нку *див.* хапатися.

СОЛОМИНУ: хапа́тися за соломи́ну *див.* хапатися.

СОЛОМИНЦІ: трима́тися на соломи́нці *див.* триматися.

СОЛОМІ: шукáти гóлку в солóмі *див.* шукати; як гóлка в ~ *див.* голка.

СОЛОМОЮ: головá не солóмою нáбита; головá ~ нáбита *див.* голова.

СОЛОМУ: як вогóнь на сухý солóму *див.* вогонь.

СОЛОМ'ЯНА: солóм'яна вдовá *див.* вдова.

СОЛОМ'ЯНИЙ: солóм'яний вдівéць *див.* вдівець.

СОЛОМ'ЯНОГО: кáзка про солóм'яного бичкá *див.* казка.

СОЛОНИЙ: пúти солóний піт *див.* пити.

СОЛОНО: сóлоно прихóдиться *див.* приходиться.

СОЛОНОГО: сьорбнýти солóного *див.* сьорбнути; як ~ зáйця *див.* зайця.

СОН: відійтú у довічний сон *див.* відійти.

крізь (чéрез) сон. У стані, коли хто-небудь спить. Балакáв [Гретильник] *крізь сон і за кождим словом випускáв з уст сніп білої пари* (Стеф.).

мóрить на сон *див.* морить; **на ~ берéться** *див.* береться.

на сон грядýщий. Перед тим, як лягати спати, заснути.— *Ще не начиталася,— настрожила від печі мати на Вустю.— Щовечора, замість молитви, на сон грядущий: ... Піди ночви внеси!* (Гончар); *[С о ф і я:] Благословіть на сон грядущий...* (Мик.).

сон (дрімóта) хúлить (клóнить, мóрить, налягáє і т. ін.) *кого, на кого.* Хто-небудь засинає. *Мене мов сон хилить, та будять мене — хто плачем, хто риданням* (Вовчок); *Христя заплющила очі... Дивно їй: то сон аж хилив, а то зразу не знать де й дівся* (Мирний); *Говорить далі невиразно слова, по голосі чутно, що її сон клонить* (Л. Укр.); *Вона вже кілька ночей спала дуже потроху і тепер почувала, що сон так і хиляє її: от-от упаде й засне на вулиці* (Гр.); *Вже князя і сон зломив, В очі мов насипав приску, Голова тяжить, неначе Від маківки* (Фр.); *— А-а, це ви, товаришу голова? А ми держались-держались, та таки перед світом поборов нас сон* (Тют.); *Галя ледве переставляла нючі ноги, дрімота хилила її до землі* (Збан.). П о р.: **мóрить на сон; хúлить на сон.**

сон не берé / не взяв *кого і без додатка.* Кому-небудь не спиться. *«І спати хочеться, а і чогось мене сон не бере»,— подумав Ломицький* (Н.-Лев.); *Уставши вранці, пішов Петро у станю [стайню], а на стані вже панотцевого коня й немає: ще до світу махнув старий у нову дорогу: десь його й сон не взяв* (П. Куліш). **не берéться сон.** *Він змучений, втомлений, слабий, мов збитий, але сон якось його не береться* (Фр.); *І не береться сон — ходжу, картаю себе думками, розважаю згадками* (Вас.). П о р.: **сон не йдé на очі.**

сон не йдé на очі (в гóлову) *кому, до кого і без додатка.* Хто-небудь не може заснути. *Покірно лягáю. Але сон уже не йде на очі* (Збан.); *Син лежить на лаві. Сон не йде йому в голову* (Мирний). П о р.: **сон не берé.**

сон рябóї (рідко ворóної) кобúли. Нісенітниця, безглуздя, дурниця. *А спозаранку почав [Гаманюк] стукати в двері і вимагати, щоб його негайно повели до слідчого. Вартовий пожартував: — Розкажеш сон рябої кобили? — То моя справа! — з геройською сміливістю огризнувся Гаманюк* (М. Ю. Тарн.); *— А чому вона синаша свого в чабани не посилає?.. — А тому, що в нього нахил до радіотехніки. Здібності, ви це розумієте? — Сон рябої кобили все це,— каже він,.. — так і кажи, що влаштовую, а то ще хоче й чистенькою бути* (Гончар); *— Справедливий устій общини — це ваша фантазія! — вигукнув молодогромадівець.— Рябої кобили сон! — додав другий* (Бурл.); *Та це різдвяний сон вороної кобили* (Укр.. присл..); *Ото ще говорить! Рябої кобили сон розказує* (Укр.. присл..).

удáрило в сон *див.* ударило; **хúлить на ~** *див.* хилить.

СОННА: як сóнна мýха *див.* муха.

СОННЕ: сóнне цáрство *див.* царство.

СОННИХ: з сóнних очéй *див.* очей.

СОНЦЕ: зайшлó сóнце навіки *кому.* Хто-небудь помер. *24 липня славному синові українського народу Максимові Рильському зайшло сонце навіки* (Нар. тв. та етн.).

за хвіст та на сóнце *див.* хвіст; **прихилúти ~** *див.* прихилити; **рáдий ~ прихилúти** *див.* радий.

цигáнське сóнце. Місяць. *Холодне циганське сонце світило тепер уже їм десь із-за потилиці* (Гончар).

СОНЦЕМ: місце під сóнцем *див.* місце.

під сóнцем. У світі, на землі. *О племене, вас утомили війни. І навіть в сні не вийти вам із пут. Переділіться знову — супокійний Хай буде кожному під сонцем кут* (Зеров).

[рáзом] із сóнцем. Рано, удосвіта. *Думка була виїхати разом із сонцем, бо не близька дорога* (Гончар).

як цигáн сóнцем *див.* циган.

СОНЦІ: грíти зýби на сóнці *див.* гріти; **пошукáти вдень при ~** *див.* пошукати; **тáнути як віск на ~** *див.* танути.

СОНЦЯ: дóки світу сóнця *див.* світу; **до світ ~** *див.* світ.

СОНЯШНИЦІ: завáрювати сóняшниці *див.* заварювати.

СОРОКА: сорóка на хвостí (на крилí) принеслá *що і без додатка.* Кому-небудь стало відомо про щось (при небажанні повідомляти джерело інформації).— *В вас, мамо, був Ломицький? — А тобі вже сорока на хвості принесла звістку? — сказала мати* (Н.-Лев.); *— Оце сорока на хвості принесла, що ви збираєтесь переселятись* (Стельмах);

— *А хто ж вам дав мою адресу? — привітно ус-
міхаючись, запитала вона.— Сорока на хвості
принесла,— пожартував я на її запитання*
(Вітч.); — *Дядьку Себастіяне, у вас під шинелею
стеєр? — А ти звідки знаєш? — дивується чоло-
вік.— Сорока на крилі принесла* (Стельмах).

[як (мов, ніби *і т. ін.***)] соро́ка на хвості
розно́сить / рознесла́.** Швидко поширюються
якісь чутки. *По Веселій, мов сорока на хвості
розносить щоразу, яка там цього вечора юшка
заварювалась.. і які клались приправи* (Гон-
чар); // Ставати відомим всім або багатьом. *Чи
рознесла сорока на хвості, Що я уже директорша?*
(Підс.); // Оповіщати всіх або багатьох про що-
небудь.— *Тепер Борух, як сорока на хвості, рознесе
се по всіх усюдах про весілля!* (Н.-Лев.).

як соро́ка в (на го́лу) кі́стку, *з сл.* диви́-
тися, заглядáти *і т. ін.* Дуже уважно,
приглядаючись до чого-небудь. *Ходить, заглядає,
як сорока в кістку* (Укр.. присл..); *Цілий вечір він
просидів навпочіпки біля коритечка, раз по раз,
перехнябивши.. голову, зазирав у нього, як сорока
в кістку, чманів від курива* (Тют.); *Заглядає, як
сорока на голу кістку* (Номис).

**як соро́ка на тину́ (кілку́, колу́, рідше на
терни́ні).** 1. *з сл.* сиді́ти, примости́тися
і т. ін. Незручно, неприродно.— *Хитра яка! От
побачить твоя мати...— примощується [Левко] на
воротях, як сорока на кілку* (Стельмах).

2. *з сл.* жи́ти *і т. ін.* Невлаштовано, непостій-
но. *Він живе, як сорока на тернині: вітер повер-
нувся — полетіла* (Укр.. присл..).

3. *з сл.* верті́тися, крути́тися *і т. ін.*
Неспокійно. *Вертиться, як сорока на тину* (Укр..
присл..).

як соро́ка по тину́, *перев. з сл.* писáти.
Незграбно, неакуратно. *Він пише, як сорока по
тину.* Пор.: **як ку́рка лáпою.**

СОРОМ: со́ром залива́є / зали́в обли́ччя (лице́
*і т. ін.***) кому, чиє.** Дуже червоніти від сорому.
*Параскіца зашарілась вся. Сором гарячою хви-
лею залляв їй лице* (Коцюб.).

со́ром ї́сть о́чі *кому і без додатка.* Хтось мучить-
ся, страждає від докорів совісті, кому-небудь
соромно. [Г н а т:] *Одну хвилину мені жаль Софії
і сором їсть очі, а другу... другу — вся душа, всі
думки у Варки!* (К.-Карий).

со́ром кри́є о́чі *кому і без додатка.* Кому-небудь
дуже соромно. *Як дізнаються, бува? Ото дівка?
з паничем цілуватися?! Матінко!.. І Христя чує,
як її обличчя горить-палає, як її очі сором крие*
(Мирний).

стид і со́ром *див.* стид.

СОРОМУ: без со́рому (рідко без сорома́). 1. Не
засуджуючи своєї поведінки. *Німецька буржуазія
1848 року без усякого сорому зраджує селян,
своїх найприродніших союзників..* (Ленін); *За*

нею козаки ходили, Поки вдова без сорома Дочку
породила* (Шевч.).

2. Непорядний, безсовісний. *Натуру мав він
дуже бридку, Кривив душею для прибутку, Чужеє
оддавав в печать; Без сорому, без бога бувши...
Чужим пустився промишлять* (Котл.).

без со́рому ка́зка *див.* казка; **згоря́ти від ~** *див.*
згоряти; **не зна́ти, куди́ діва́ти о́чі від ~** *див.*
знати; **нема́ ні ~, ні че́сті, ні сумлі́ння; не ма́-
ти ~** *див.* мати [2]; **ні стида́ ні ~ нема́** *див.* нема.

СОРОЧКИ: до [са́мої] соро́чки, *з сл.*
змо́кнути, промо́кнути. Наскрізь. *Ста-
новий з десяцькими дурнісінько блукали в очере-
тах та не знайшли бурлак і тільки змокли до самих
сорочок* (Н.-Лев.). С и н о н і м: **до ни́тки.**

до соро́чки, *з сл.* оббира́ти, обібра́ти.
Нічого не залишаючи. *Одного обібрали до сороч-
ки, другому забрали муку з корита* (Март.).

залиши́ти без соро́чки *див.* залишити; **залиши́-
тися без ~** *див.* залишитися; **народи́тися без ~**
див. народитися.

СОРОЧКУ: зніма́ти оста́нню соро́чку *див.* зні-
мати; **~ оста́нню ски́нути і відда́ти** *див.* скинути [2].

СОРОЧЦІ: залиши́тися в одні́й соро́чці *див.*
залишитися; **народи́тися в ~** *див.* народитися.

[не] в свої́й соро́чці (льо́лі), *фам.* Психічно
хворий. [В а с и л и н а:] *Як ти сказала? Чи ти
в своїй льолі, дівко!* (Вас.).

СОРТ: пе́рший (розм. пе́рвий) сорт. 1. Най-
кращий, найвищої якості.— *Ось, Зою, матеріал
[до стіннівки] перший сорт. Ану, намалюй їх так,
щоб весь цех сміявся!* (Собко).

2. Дуже добре, якнайкраще. [Х р а п к о:] *Чо-
му не взятись? Оборудуєм це діло — первий сорт!*
(Мирний).

СОТ: посила́ти сто сот чорті́в на спи́ну *див.*
посилати; **сто ~ крат боля́чок** *див.* сто.

**СОТА́ТИ: сота́ти кишки́ (жи́ли) з кого і без
додатка.** 1. Виснажувати, знесилювати кого-не-
будь непосильною роботою або експлуатуван-
ням.— *Оце ще недавнечко ці князі були нашими
оборонцями, а теперечки вони ладні кишки з нас
сотати* (Н.-Лев.); *Кожному стрічному Андрій ти-
цяв скалічену руку.— Ось подивіться, що з мене
зробили. Дванадцять літ сотали жили* (Коцюб.).

2. Знущатися з кого-небудь, завдаючи страж-
дань комусь. *О, той [начальник] уже вмів сотати
жили із своїх підлеглих і знущався з них, як
тільки міг* (Гашек, перекл. Масляка).

П о р.: **вимо́тувати жи́ли.**

сота́ти не́рви; ~ си́ли *див.* висотувати.

СОТВОРИТИ: пере́пічку сотвори́ти з кого. Роз-
правитися з ким-небудь або побити когось.
[К л и м:] *Де цей гаспидський Остап? Я з нього
зараз перепічку сотворю! Капіталіст клятий!*
(Зар.).

СОТВОРІННЯ: від сотворі́ння світу, *з сл.* н е
бáчити, не бýти *і т. ін.* Ніколи.— *Вже ж*

такого розору, вогню та нівечення від сотворіння світу не бачено. Вірно я кажу? (Довж.).

СОУСОМ: під со́усом *яким.* В тому чи іншому вигляді, трактуванні, висвітленні і т. ін.— *Не хотіли відпустити вас як художника. Не відпускали і як солдата. Відпустили як матроса. Але під яким би соусом не було,— важливо те, що відпустили* (Тулуб).

СОХНЕ: душа́ со́хне *див.* душа; **се́рце ~** *див.* серце.

СОХНУТИ: со́хнути з нудо́ти. Дуже томитися.— *Вернусь у прийомну... І сохну з нудоти: Ходжу або гріюся, ставши під грубку* (С. Ол.).

СОХРАНИ: сохрани́ бо́же *див.* борони.

СПАВ: дур уве́сь спав *див.* дур; **як ка́мінь з души́ ~** *див.* камінь.

СПАДА́Є: ду́мка спада́є *див.* думка; **оско́ма ~** *див.* оскома; **полу́да з оче́й ~** *див.* полуда.

СПАДА́ТИ: спада́ти (запада́ти, прихо́дити, сплива́ти, поверта́тися, наверта́тися і т. ін.**) / спа́сти (запа́сти, прийти́, сплинти́, спли́сти, поверну́тися, наверну́тися** і т. ін.**) на ду́мку (в го́лову)** *кому і без додатка.* 1. Хто-небудь починає думати про кого-, що-небудь, задумуватися над чимсь. *Харкевич усе дужче й дужче хвилювався, йому спадало на думку неймовірне, від усіх тих здогадів почала боліти голова* (Голов.); *Мимоволі наверталось на думку: що буде з нами? З людьми, заводами, соборами?* (Гончар); // Хто-небудь придумує щось, додумується до чогось. *Батьківщиною тюльпана є наші Чорноморські степи! Але чи нашому русинові спливло б у голову робити гешефти на тюльпанах?* (Вільде). **спа́лося у го́лову.** — *Що, мамо, як не зазеленіє? — запитався вдруге Івась.— Що ти плещеш, навісний? Як-то не зазеленіє? Що тобі, дурню листопадний, у голову спалося* (Ю. Янов.). П о р.: **лі́зти на ду́мку.** С и н о н і м: **влізати в го́лову.** А н т о н і м: **випада́ти з ду́мки.**

2. Згадуватися, пригадуватися. *Образ брата Петра та дружна компанія його друзів льотчиків, з якими він заїздив, спливають на думку Тоні* (Гончар); *Чудовий такий був вечір весняний, що сама веснянка на думку наверталась* (Вовчок). С и н о н і м и: **спада́ти на зга́дку; влізти в го́лову.**

спада́ти на го́лову *див.* падати; **~ на ум; ~ на язи́к** *див.* спливати.

спада́ти / спа́сти в непа́м'ять. Забувати, не згадуватися. *Прикро було матері відчути, що усі її вболівання, тривоги за сина забуті ним і спали в непам'ять.*

спада́ти / спа́сти з лиця́ (на лиці́, на виду́). Ставати блідим, змученим; худнути, марніти. — *Молодая дівчинонька, Чого з лиця спала?* (Укр.. думи..); — *Мабуть, тебе, сину, там так понівечили, що кістки цілої не оставили? Дивись, як на виду спав... поблід, позеленів* (Мирний). **спа́сти з ли́ченька.** *Дарма, що з личенька спала,*

а справдешня козачка! (Вовчок); *Три дні, тиждень ти криєшся... Вже в тебе всі питають, чого ти з личенька спала* (П. Куліш); **спа́лий з лиця́.** *Десь тільки згодом Єльчині очі побачать людей, до виснаги зморених, спалих з лиця, ніби вичавлених* (Гончар).

спада́ти / спа́сти з тіла (в тілі, на тілі). Худнути або втрачати звичний вигляд. *Стара попадя над дочками тремтіла Та посаг у скрині складала для них, Ниділа й сивіла, спадаючи з тіла* (Перв.); *Трофейні важкі битюги й красиві чистокровні рисаки спадали в тілі за кілька важких переходів* (Гончар); *Його [кота] завивання ставало дедалі одчайдушним. Сусід прив'язав страдника, щоб не бігав уночі й не спадав на тілі* (Мороз); *Роман спостився, змарнів, зблід, спав з тіла. Очі стали здорові і витрішкуваті, рум'яні уста пожовкли* (Н.-Лев.).

спада́ти / спа́сти з ціни́ (у ціні́). Втрачати своє значення; ставати менш важливим.— *А пани — все пани — з ціни не спадають!* (Рудан.).

спада́ти / спа́сти на зга́дку (га́дку, па́м'ять і т. ін.**)** *кому і без додатка.* 1. Згадуватися, пригадуватися. *В зв'язку з цим спадають на згадку поетичні рядки з відомої збірки Л. Первомайського* (Рад. літ-во); *Спадали на пам'ять [Микиті] усі ліки та знадіб'я, які вживають підвереджені [з підірваним здоров'ям] люди* (Л. Янов.). П о р.: **спада́ти на ду́мку.** С и н о н і м: **влізати в го́лову.** А н т о н і м: **випада́ти з ду́мки.**

2. Хто-небудь придумує щось, додумується до чогось. *Дорога ж бита поряд, і мало якому гаспиду спаде на гадку заглянути до мене на горище* (Головч. і Мус.).

спада́ти / спа́сти (спли́сти) з ро́зуму. Божеволіти. *Ні, наші козаки ще з розуму не спали, Щоб Вовка од біди сховали!* (Гл.); *[Рябина:] Чи ти, старий, здурів, Чи з розуму сплив? Та за що дерево путаєш?* (Фр.). **з ро́зуму спа́стися.** *З ледащим спознався, з розуму спався* (Укр.. присл..).

СПАДЕ: і волоси́на не спаде́ з голови́ *див.* волосина.

СПАДІ: на спаді́. 1. *чого.* Вкінці, близько до кінця. *На спаді дня Василь зачиняє крамницю* (Літ. Укр.).

2. Закінчуватися. *Червнева ніч уже на спаді* (Сміл.).

3. У стані, близькому до занепаду. *Рабовласницьке суспільство було вже на спаді, а йому на зміну йшов феодальний лад.*

СПАЛА: ва́га з груде́й спа́ла *див.* вага; **ду́мка ~** *див.* думка; **поволо́ка ~ з оче́й** *див.* поволока; **як гора́ з плече́й ~** *див.* гора; **як полу́да з оче́й ~** *див.* полуда.

СПАЛАХУЮТЬ: при́страсті спала́хують *див.* пристрасті.

СПАЛИВ: бода́й грець спали́в у діжі́ *див.* грець.

СПАЛИЛА: щоб грім убив і блискавка спалила *див.* грім.

СПАЛИТИ: спалити [за собою] мости. Рішуче порвати з ким-, чим-небудь, зробити неможливим повернення до когось-, чогось. *Справді, чого варті її дрібні турботи й переживання! Одержить Владислав листа — то й добре! Прочитає — тим краще. Вирішила спалити за собою мости* (Дмит.); *Уявивши себе між студентів, Денис скривився. Ні, назад не було вороття. Він сам спалив мости і не шкодує* (М. Ю. Тарн.). **спалити місток за собою.** *Тварина — і та свою матір чує, а моя як пішла з хати, то й місток за собою спалила,— журилася Одарка* (Тют.). **спалити кораблі.** *Серпнева синя ніч, і залізничні свисти, І паротяг живий, і тепла кров землі... Так! Жити і любить, ненавидіти, їсти, Сміятись, прагнути спалити кораблі!* (Рильський). **спалено за собою мости.** *Щось у телефоні клацнуло, загули дроти. Розмову закінчено, мости спалено за собою* (Чаб.).

СПАСИБІ: за спасибі. Даремно, без плати, безкоштовно. *В пляшці була не горілка, а кислий оцет. Хоч оцту теж за спасибі не купиш, але Сивокіз образився* (Панч); *По-різному діставалися вони* [студенти] *до Києва. Багатьох привозили на навчання батьки і влаштовували на квартирах. Бідніші їхали «за спасибі» на попутних підводах, часто з чумацькими валками* (Наука..).

ні за спасибі. Без будь-якої вигоди; невдячно. [Ю д а:] *Яку я втіху мав? За жебраками носити торбу, попихачем їм буть ні за спасибі!* (Л. Укр.).

сказати спасибі *див.* сказати.

спасибі вашій тьоті (вашому батькові), *ірон.* Уживається для вираження незадоволення тим, з чим хто-небудь не може погодитися або чогось не може прийняти.— *Ви могли б організувати якусь акцію на Сході.— Спасибі вашій тьоті! Лізьте самі в те пекло* (Загреб.).

спасибі за (вашу, твою) ласку. Уживається для вираження вдячності за зроблене добро, виявлену увагу і т. ін.; дякую.— *Спасибі вам, бабо, за вашу ласку,— дякує Чіпка, кланяючись* (Мирний); *— Спасибі тобі, дочко, за твою ласку, як до його, так й до мене* (Мирний).

спасибі і простибі (простибіг), *заст.* Усталена форма подяки за що-небудь. [П а в л о:] *Спасибі і простибі тобі за твоє щире серце, та за твою ласку, та за твоє частування* (Кост.).

СПАСІВКУ: як муха в спасівку *див.* муха.

СПАСІВСЬКА: як спасівська муха *див.* муха.

СПАСІВЧАНА: як спасівчана муха *див.* муха.

СПАСІННЯ: нема спасіння *див.* нема.

СПАСТИ: каменем (камнем) з серця спасти. Позбутися чого-небудь неприємного, важкого. *Коли б швидше.. Звіздочка засяяла, От тоді б то болість злая Камнем з серця спала* (Г. -Арт.).

спасти в непам'ять; ~ з лиця; ~ з розуму; ~ з тіла; ~ з ціни; ~ на думку *див.* спадати.

спасти на душу *кому.* Сподобатися кому-небудь. *А той кум таки чимало спав їй* [жінці] *на душу, вхибнув-таки жменьку куминої ласки* (Україна..). С и н о н і м: **припасти до душі.**

спасти на згадку *див.* спадати.

спасти на очі *кому.* Раптово стати поміченим ким-небудь. *Він тримав зброю напоготові і йшов не по самій стежці, а обабіч, щоб першому не спасти на очі ворогові* (Сліс.).

спасти на язик *див.* спливати.

СПАСУ: нема спасу *див.* нема.

СПАТИ: лаври не дають спати *див.* лаври; **не давати ~** *див.* давати; **~ вічним сном** *див.* спочивати.

спати і в сні бачити *що.* Дуже бажати, хотіти чого-небудь, мріяти про здійснення чогось. *Антон аж труситься Пожитька з земельного комітету зіпхнути. Щоб — самому. Спить і в сні бачить себе на його місці* (Головко).

СПЕКТИ: спекти раків *див.* пекти.

спекти чорта, *лайл.* Нічого не дістати, не одержати, не добитися. *Максим дивувався... «Узяв би ти в нашій стороні! — думав він.— Мабуть би, чорта спік»* (Мирний).

СПЕКУ: як смола в спеку *див.* смола.

СПЕРЛО: сперло дух *див.* спирає.

СПЕРТИСЯ: спертися на плече *див.* спиратися.

СПЕЧЕНИЙ: щойно (тільки що, тільки-но) спечений, *ірон.* Який недавно або щойно став ким-небудь, здобув якусь професію, призначений на яку-небудь посаду і т. ін. *Глибоко зітхнувши, далі заговорив* [Ковалишин] *тим твердим тоном, яким щойно спечені начальники звертаються до підлеглих* (Шовк.).

СПИНА: спина не розгинається *у кого і без додатка.* Хто-небудь багато і без відпочинку працює. *По наших селах українських багато і таких господарів, ..котрі цілий вік свій у роботі та роботі, руки та ноги спочинку не мають, спина не розгинається ніколи* (Мирний).

чужа спина. Той, на кого можна перекласти свою роботу, обов'язок, відповідальність і т. ін.— *Бач,— докоряє батько,— як прийшло до діла, то він за чужі спини!* (Прилюк);— *Ви, я бачу, також мудрець за чужою спиною* (Тют.).

СПИНАТИСЯ: спинатися на котурни *див.* ставати; **~ на ноги** *див.* стати.

СПИНИ: живіт присох до спини *див.* живіт; **не розгинати ~** *див.* розгинати; **не розгинаючи ~** *див.* розгинаючи; **притягує до ~ живіт** *див.* притягує; **ховатися за чужі ~** *див.* ховатися.

СПИНИЛОСЯ: око спинилося *див.* око.

СПИНИТИ: спинити око на чому. Звернути чиюсь увагу на що-небудь. *У розмові про національні риси характеру мені хочеться спинити око на тих проявах цього характеру, які свідчать про внутрішнє багатство народу* (Рильський).

СПИНІ: виїжджати на чужій спині *див.*

виїжджати; **гла́дити по ~** *див.* гладити; **дрож пробіга́є по ~** *див.* дрож; **дрижаки́ пробіга́ють по ~** *див.* дрижаки; **моро́з дере́ по ~** *див.* мороз; **мура́шки бі́гають по ~** *див.* мурашки.

на свої́й спи́ні, *з сл.* з в і д а т и, с п р о́ б у в а т и і т. ін. Сам, на власному досвіді. *Та що мені Вам про це розказувати, як Ви самі добре знаєте, на своїй спині усе про це звідали* (Мирний); *Шевченко, що на своїй спині спробував сваволю дикого панства, .. до глибини серця ненавидів поміщиків і найголовнішого поміж них — царя* (Рильський). П о р.: **на свої́й шку́рі.**

піти́ моро́зом по спи́ні *див.* піти; **як кома́шки забі́гали по ~** *див.* комашки.

СПИНОЮ: дрож пробіга́є по́за спи́ною *див.* дрож; **залиша́тися за ~** *див.* залишатися.

за спи́ною *у кого, чиєю, кого і без додатка.* 1. Таємно від кого-небудь. [М а р' я н а:] *Це ж безчесно — за спинами комуністів пускати плітки, збирати підписи* (Зар.).

2. *з сл.* ж и т и, б у т и, с и д і т и і т. ін. Під чиєю-небудь опікою, чиїмсь захистом, з підтримкою або на утриманні кого-небудь. *За Юхимовою спиною щупленька Катерина почувала себе завжди в безпеці* (Д. Бедзик); *У великій родині Річинських жінки всіх поколінь жили виключно за спинами своїх чоловіків* (Вільде); — *Ви ж нічого робити не вмієте. За маминою спиною сиділи* (Хижняк). **за широ́кою спи́ною.** *Дмитрові здавалося, Гайченко не на своєму місці, що він живе собі за широкою спиною Боровика, як у бога за пазухою* (Збан.).

3. В минулому. *За спиною в неї нелегке життя з своїми втратами, болями...* (Гончар).

4. Позаду кого-небудь. *Покойові їй проходу не дають: пройде вона — очима так і проводять, за спиною регочуть* (Мирний); *За його спиною близнята починали значуще переглядатися між собою* (Стельмах); *Різав [Оленчук] .. скибку, коли за спиною раптом затупотіло — галопом пролітала кудись.. Килигеєва кіннота* (Гончар); // Безпосередньо за ким-небудь. Сидить [клієнт] за спиною молодого римлянина у вищому ряду* (Л. Укр.); *За спиною в вартового знайшли Наклеєну кимсь... партизанську листівку!* (Нех.).

за спи́ною не носи́ти *див.* носити; **моро́з по́за ~ хо́дить** *див.* мороз; **оберта́тися ~** *див.* обертатися; **обтира́ти ~ сті́ни** *див.* обтирати; **підпира́ти ~ сті́ни** *див.* підпирати; **поверну́тися ~** *див.* повернутися.

СПИНУ ¹: **без спи́ну** *див.* упину; **нема́ ~** *див.* нема.

СПИНУ ²: **встроми́ти ніж в спи́ну** *див.* встромити; **гну́ти ~** *див.* гнути; **грі́ти ~** *див.* гріти; **за ~ не лле́** *див.* лле; **лама́ти ~** *див.* ламати; **леті́ти в ~** *див.* летіти; **лети́ть в ~** *див.* летить; **ніж у ~** *див.* ніж; **пока́зувати ~** *див.* показувати; **посила́ти сто сот чортів на ~** *див.* посилати; **поче-**

са́ти ~ *див.* почесати; **розправля́ти ~** *див.* розправляти; **списа́ти ~** *див.* списати; **уда́р у ~** *див.* удар.

у спи́ну. 1. *з сл.* б а́ч и т и, п о б а́ч и т и і т. ін. Ззаду, не в обличчя. *Забіяку старий забачив тільки у спину* (Мирний).

2. *з сл.* п о г р о́ ж у в а т и, г о в о р и́ т и, д и в и́ т и с я і т. ін. Услід кому-небудь. *Він підняв руку й, погрозивши нею в спину провідникові, хриплим голосом буркнув* (Коцюб.); *Коли Степан вйокнув на коней, перехрестила [Марійка] в спину чоловіка* (Стельмах).

хова́тися за чужу́ спи́ну *див.* ховатися.

СПИНЯЄТЬСЯ: о́ко спиня́ється *див.* око.

СПИРА́Є: [аж] спира́є / спе́рло дух (ві́ддих, по́дих, гру́ди, у гру́дях і т. ін.) *кому, безос.* Кому-небудь важко дихати від надміру почуттів, сильних переживань і т. ін. *Чіпка почув, що в його якось страшно затіпалось серце, .. спирало дух, важко було дихати* (Мирний); *Тягар той ми [мені] віддих спирає, А руки ланцюг ми [мене] тримає* (Фр.); *Від хвилювання спирало віддих, туманіло в очах. Боявся [Шевченко], що знепритомніє* (Гур.); *Чернишеві спирало груди. Кожне Ференцове слово ранило його* (Гончар); *Федір схопився з місця, побіг йому назустріч.— Володимире Михайловичу!..— щось сперло дух, і вже не міг більше нічого сказати, тільки міцно обняв парторга* (Цюпа); *Калина прожогом кинулась до річки, та від хвилювання їй ураз сперло подих — аж ноги почали підкошуватися* (Рад. Укр.).

ко́лька спира́є *див.* колька.

СПИРА́ТИСЯ: спира́тися / спе́ртися на плече́ *чиє.* Знаходити в кому-небудь підтримку, допомогу. *Вона вгадала в ньому надійного мужа й господаря, на плече якого з певністю можна спертись* (Гончар).

СПИСА́ЛА: щоб тебе́ писа́чка списа́ла *див.* писачка.

СПИ́САНИЙ: як на папе́рі спи́саний (став і т. ін.). Дуже швидко. [С а м р о с ь:] *От бачиш, який я справний? Хоч і додому тепер... В мент вродився, як на папері списаний! Поганяй!..* (Кроп.).

СПИСА́ТИ: не сказа́ти і не списа́ти *див.* сказати.

[ні] перо́м не списа́ти (описа́ти) [ні сло́вом не сказа́ти], *фольк., чого, який.* 1. Хтось не може визначити надзвичайної вроди, краси кого-, чого-небудь. *А що ті зачіси на голові, то й не списати пером які: волосся і звиті й заплетена одна прядка, і знов друга прядка розплетена, і трошки пригладено й трошечки підкосичено,— аж лихо!* (Вовчок); *Ні пером не списати, ні словом не сказати тії несподіваної краси, якою до вас усміхнулася долина!* (Мирний).

2. *перев. з словоспол.* т а к и́ й щ о. Надзвичайно гарний, вродливий; чудовий. *Дочка у неї*

була дуже вродлива — ні пером не списати, ні словом не сказати. **ні перо́м списа́ть, ні змалюва́ть.** *Ти в порі розквітлій, як картина, Ні пером списать, ні змалювать* (Шер.). **не мо́жна сло́вом розказа́ти, а́ні перо́м списа́ти.** *Така була краса його [отама-на] невиписанна.., що не можна словом розказа-ти, ані пером списати* (Вовчок). П о р.: **ні в ка́зці сказа́ти, ні пером описа́ти** (в 1 знач.).

списа́ти / спи́сувати спи́ну (шку́ру, шкі́ру). Ду-же бити або шмагати, залишаючи сліди ударів. [Г о р д і й:] *Прийшов, а хазяїн як почав мене ретязем катувать... Ось як списав спину (Підніма сорочку, показує)* (Кроп.); *Взяв гарапника, від-шмагав Івана і пригрозив: — Як не будуть вилис-кувати [коні], мов люстерко, то я спишу тобі шкіру, що посинієш* (Казки..). **списа́ти шку́ру вздовж і впо́перек.—** *Але я колись таки спишу твою шкуру вздовж і впоперек! — у жовтих очах [Терентія] густішає злоба* (Стельмах).

СПИСИ: **лама́ти спи́си** *див.* **лама́ти.**

СПИСУВАТИ: **спи́сувати спи́ну** *див.* **спи-сати.**

СПИТАТИ: **спита́ти бро́ду** *див.* **пита́ти.**

СПИТИСЯ: **з кру́гу (з пуття́) спи́тися.** Остаточ-но опуститися, втратити людську гідність через пияцтво. [Х р и с т я:] *А я тобі ж забула хвали-тись: до тебе Чіпка заходив...— Ага!...— Чого ж це? — Не знаю... Каже — хліб продати.— Гм,— мугикнув Грицько.— От, дивіться, коли не здурів парубок... З кругу спився!* (Мирний); [П е р у н:] *Перепився [старий] та з розуму з'їхав. [К а з и д о р о г а:] Сам з кругу спився* (Фр.).

СПИТЬ: **се́рце спить** *див.* **се́рце.**

СПИЦЯ: **деся́та спи́ця в ко́лесі.** Той, хто віді-грає незначну роль у чомусь. *Ти мусиш за-раз же розповісти, хто він і звідки. Щоб я був спокійний за тебе, за Павла і за себе, хоч я тут, правда, десята спиця в колесі* (Добр.).

не оста́ння спи́ця в ко́лесі. Той, хто відіграє певну роль у чомусь, займає певне становище. *Став він [Шавкун] не остання спиця в колесі.. Де взялася в людей шана і повага до його! Тепер уже перед ним так само здіймали, як він колись* (Мирний); *Гуркотом машин повниться степ, один за одним механізатори рушають до місця робіт. І Ліна та Василинка теж квапляться на свої місця, бо й вони не останні спиці в цьому величез-ному трудовому колесі* (Гончар).

СПИЧКА: **є спи́чка в но́сі** *у кого.* Хто-небудь тямущий, кмітливий. *У хлопця цього є таки спич-ка в носі.*

СПИЧКИ: **загана́ти спички́ в се́рце** *див.* **за-ганя́ти.**

СПИЧКОЮ: **стирча́ти спи́чкою** *див.* **стирча́ти.**

СПИЧКУ: **ма́ти спи́чку в но́сі** *див.* **мати** ².

СПІВ: **лебеди́ний спів** *див.* **пісня.**

СПІВАЄ: **все співа́є** *див.* **все; душа́ ~** *див.* **душа.**

СПІВАТИ: **співа́ти алілу́я** *кому, ірон., зневажл.* Славити, прославляти кого-небудь. *Підхалими співали алілуя своєму начальнику.*

співа́ти (виво́дити, розлива́тися, залива́тися) солове́йком (солов'є́м), *ірон.* З надмірним запа-лом, довго і пишномовно висловлюватися, говори-ти про що-небудь. *З полегшенням перейшов він [промовець] до казацьких справ. Тут можна розливатися соловейком, не накликаючи нічийого гніву* (Тулуб); *Кошовий розливався соловейком. Перехилився через стіл, довгі вуса свої вмочив у тарілку з юшкою. Не помітив навіть того, так був захоплений своїми думками* (Рибак); *Трохи далі, на кам'яних східцях якийсь високий огряд-ний чоловік у цивільному соловейком розливався про «свободу, рівність, єдність трудової демокра-тії»* (Роб. газ.).

співа́ти (вигу́кувати) оса́нну *кому, заст.* Слави-ти, хвалити кого-небудь (перев. безпідстав-но). *Воїнам співали осанну, прославляли їх подвиги.*

співа́ти відхідну́ (ві́чную па́м'ять) *кому, чому, заст.* Вважати кого-, що-небудь приреченим на загибель, прощатися з кимсь, чимсь назавжди. * Образно.— *Топить, топить, топить...— співають йому [Остапу] відхідну комиші з правого боку.— Погибель, гибель, гибель...— підхоплює ліве кри-ло* (Коцюб.); *Неабиякі, не прості то були похоро-ни, то дворянство ховало свого предводителя, то панство співало відхідну своїм розкошам* (Мир-ний).

співа́ти в і́нший тон (іна́кше, інше). Суперечити самому собі, висловлюючи протилежні думки. *Вчора мати нарікала, що Ломицький прийшов у гості до їх в піджаку, неначе до міщан, а сьогодні співає зовсім в інший тон і трохи не лає Ломицького за той фрак* (Н.-Лев.).

співа́ти в оди́н го́лос. Говорити те саме. *Турбу-вався [Лушня] тільки про одно: коли б перше Чіпки побачитись з Петром та Якимом, та на-стрͯнчити їх, щоб уже в один голос співали* (Мирний). С и н о н і м: **в одну́ ду́дку гра́ти.**

співа́ти гімн (гі́мна) *кому, чому.* 1. Славити, прославляти кого-, що-небудь. *Я співаю гімна тобі, моє велике місто!* (Ю. Янов.).

2. *ірон.* Надмірно захвалювати кого-небудь або вихваляти щось. *Критики в один голос співали гімн автору.*

співа́ти дифіра́мби *кому, чому.* Захвалювати кого-небудь або вихваляти щось.— *Твір завжди викликає запальні суперечки,— одні не згоджую-ться з автором, інші співають йому дифірамби* (Кол.); *А коли Хома занадто вже розходився, співаючи дифірамби своїм мінометам, хтось навіть осадив його спокійним жартом* (Гончар).

співа́ти (заво́дити) ла́заря. 1. *заст.* Просити милостиню, жебракувати. *Хома з Паньком живуть було панками. На старість прожились: обидва* *з торбинками Співали лазаря — і вмерли під тинком* (Бор.); — *Подивися на себе! На кого ти тепер став схожий: не то пасічник, не то дяк, не то лірник, що співає лазаря на ярмарках* (Н.-Лев.).

2. Прикидаючись нещасним, скаржитися на життя.— *І годі вам! Ви то й є правдива Діана. Цвітете, як повна рожа, рум'янець на всю щоку! І з лиця не старі, і душею молоді! Годі вам лазаря співати! Ще й заміж підете,— говорила Христина* (Н.-Лев.); *На другий ранок він [Шавкун] став співати перед сестрою лазаря, який він нещасний* (Мирний); — *Ну, завели лазаря, тепер до вечора не замовкнуть [жінки],— мовила Соломія* (Добр.).

співа́ти з чужо́го го́лосу. Не маючи власної думки, сліпо повторювати чуже, діяти за чужими настановами.— *Свиридюк?.. Він борець за нове село. А твій батько — підкуркульник. Співає з чужого голосу... Я напишу про нього* (Жур.). **горла́ти з чужо́го го́лосу.** *Обступили гайдамаки ешелон, розглядають російських солдатів. Галас, гамір. .. Біля вагона обдертий солдат, молодий, кругловидий. До нього вчепився такий самий молодий, кругловидий солдат-гайдамака. Горлає з чужого голосу* (Довж.). **співа́ти з го́лосу** чийо́го. *Отаман Лизогуб наморщив чоло, заклав руку за борт френча.— З чийого ви голосу співаєте, пане сотник? Щось мені й Тур таке торочив* (Панч). П о р.: **співа́ти пісеньку.**

співа́ти одніє́ї й тіє́ї [ж]. Весь час повторювати те саме, ту саму думку. [З і н ь к а:] *Ти, Ісайку, одніє́ї й тіє́ї співаєш* (Гуц.).

співа́ти пісеньку (*рідше* **пісню**) чию́. Не маючи власної думки, сліпо повторювати чуже, діяти за чужими настановами. [С е к р е т а р:] *А ти знаєш, чию пісеньку співаєш? — Може, бандерівську? — гірко усміхнувся Дубов* (М. Ю. Тарн.). П о р.: **співа́ти з чужо́го го́лосу.**

співа́ти стару́ пі́сню. Продовжувати говорити що-небудь давно відоме (як правило, негативне).— *Все продовжуєте співати стару пісню. Вам уже ніхто не повірить!* **співа́ти стари́х пі́сеньок.** — *Не співайте старих пісеньок. Всі зневірилися у ваших обіцянках!*

співа́ти тіє́ї [ж]. Повторювати сказане кимсь раніше. *Одно затялося, каже, що не буде вкупі жити, а друге й собі тієї співає...* (Коцюб.).

СПІД: підверну́ти під спід *див.* підвернути.

СПІДНИЦІ: трима́ти бі́ля спідни́ці *див.* тримати.

у спідни́ці, іро́н. У жіночій подобі. *В Христининій кімнаті неначе жив якийсь нетяга-бурлака в спідниці. Усе було розкидане, усе лежало не на своєму місці* (Н.-Лев.); *Тетяна прожогом, з рухами москаля в спідниці кинулась одчиняти школу* (Коцюб.).

СПІДНИЦЮ: держа́тися за спідни́цю *див.* держатися.

СПІДНИЦЬ: ли́пнути до жіно́чих спідни́ць *див.* липнути.

СПІЗНА́ТИ: спізна́ти, почі́м ківш ли́ха *див.* узнати.

СПІЙМА́ЄШ: в сту́пі не спійма́єш *див.* влучиш.

[і] в ло́жці води́ не спійма́єш (не пійма́єш) кого́ *і без додатка.* Хто-небудь дуже хитрий, спритний. *Сестра її там така, що і в ложці води не піймаєш* (Барв.). **і в ло́жці не спійма́єш.** *Він такий хитрий, що його і в ложці не спіймати.* С и н о н і м: **в сту́пі не влу́чиш.**

СПІЙМА́ТИ: з соба́ками не спійма́ти *див.* піймати; **~ бо́га за бо́роду** *див.* вхопити; **~ во́вка за ву́хо** *див.* впіймати.

спійма́ти жар-пти́цю (золоту́ ри́бку). Стати везучим, досягти чогось значного.— *Вистоїш проти біди, не даси собі придавити, от уже й твоє зверху, а наберешся сили, випростаєшся — дивись, і спіймаєш свою жар-птицю* (Юхвід).

спійма́ти ля́паса. Бути битим долонею по обличчю або шиї. *Спіймав [Оврам] .. такого ляпаса — аж пика йому почервоніла, а потім і зелена стала, бо ручка в Параски-Роксолани була нівроку замашненька* (Ільч.).

спійма́ти на ву́дочку. Вдаючись до хитрощів, обману і т. ін., примусити кого-небудь зробити щось; перехитрити, ошукати кого-небудь. [А н д р і й:] *Зрозумійте, дівчино! Я ненавиджу смерть, але я ще більше ненавиджу таке життя, яким вони [американці] хочуть мене обдарувати. Якби я налякався їх, якби я дав себе спіймати на вудочку ваших петерсонів, вони б не сказали: «Макаров — зрадник» — вони б сказали: «Радянський моряк Макаров — зрадник»* (Галан).

спійма́ти на гаря́чому *див.* впіймати.

спійма́ти (пійма́ти, впійма́ти, вхопи́ти, схопи́ти, скушту́вати і т. ін.) / лови́ти о́близня. 1. Лишитися без того, на що розраховував, сподівався; не отримати нічого, зазнати невдачі в чомусь. *Ледар літо спав, восени облизня спіймав* (Укр.. присл..); — *Ти мені краще скажи, вірииш ти, що ця свердловина, на якій ми з тобою товчемося, дасть нафту чи газ, чи отак, спіймавши облизня, ми підемо звідси?* (Цюпа); *Коваль.. розшолопав, перед ким він єсть, уклонивсь панотцеві да й потяг у хату, піймавши облизня* (П. Куліш); *І чого оце ви причепились до Марусі? Ви думаєте, що вона багата, має засіб, має гроші? В банку лежать гроші мої, а не її. Вхопите облизня, нічого не дістанете* — *сказала Марта Кирилівна* (Н.-Лев.); *Він.. підійшов до гурту з-за людських спин, наставив вухо, щоб слухати, але його ходу почули, і він.. мусив схопити облизня* (Д. Бедзик); — *Скуштував облизня! А що не молодець Василь!* (Мирний); *Отримавши вранці облизня, Кіндрат не міг заспокоїтись протягом цілого дня* (Іщук); *Діставши облизня, фашист тікає, як не перерветься* (Ю. Янов.); *У цьому одвічно бен-*

тежному місті ловлять облизня і моторніші та спритніші за мене (Рудь). С и н о н і м и: **діста́ти о́близня** (в 1 знач.); **лиши́тися з но́сом.**

2. Відмовити при сватанні, залицянні. *Сміялась [з Мартина] і одна з найкращих дівчат на селі.. — Мотря Коваленкова, що за нею усі парубки упадали та й облизня спіймали, сміялась, а проте подавала йому рушники* (Григ.); *Невже він* [Демко] *думає, що Корній оддасть за його свою дочку? Але не дурний, уміє зазіхати на чуже добро, знає, що єдина дочка, що все їй буде. Та тільки облизня піймає!* (Гр.); *Роман заслав старостів до однієї дуже гарної дівчини, але вхопив од неї облизня, потім заслав старостів до другої і потяг гарбуза* (Н.-Лев.). С и н о н і м и: **діста́ти гарбуза́; діста́ти о́близня** (в 2 знач.); **діста́ти відкоша́** (в 1 знач.).

3. *рідко.* Бути побитим. *[Р я б и н а:] Пробував бити [жінку], та сам такого облизня спіймав, що й досі шкура терпне* (Фр.).

спійма́ти по́гляд *див.* ловити; ~ **сини́цю в ру́ку;** ~ **хвили́ну** *див.* піймати.

СПІЙМА́ТИСЯ: спійма́тися на гаря́чому *див.* впійматися; ~ **у лабе́ти** *див.* піймати́ся.

СПІК: як (мов, ніби *і т. ін.***) оста́ннє спік, з** *сл.* з і т х а́ т и. Дуже сумно, невесело, зажурено.— *Чого зітхаєш, мов останнє спекла? — знову допитується Олена.— Хіба ж, мамо, у цій лахманині можна виходити на вулицю?* (Стельмах).

СПІ́ЛЦІ: у спі́лці. 1. Разом з ким-небудь. *Михайло, сам неписьменний, держав у спілці з Іваном газету. Їм вичитувала Іваниха* (Март.).

2. В одній компанії з ким-небудь.— *Хочеш ти бути в спілці з нами, то будь по своїй волі* (Мирний).

СПІ́ЛЬНА: спі́льна мо́ва *див.* мова.

СПІ́ЛЬНОГО: зво́дити до спі́льного знаме́нника *див.* зводити.

СПІ́ЛЬНУ: знахо́дити спі́льну мо́ву *див.* знаходити.

СПІ́ТКА́ТИСЯ: спітка́тися з очи́ма *див.* зустрічатися.

СПІШИ́ТИ: спіши́ти попе́ред ба́тька в пе́кло *див.* лізти.

СПЛА́КАТИ: спла́кати о́чі *див.* виплакати

СПЛА́КУВАТИ: спла́кувати о́чі *див.* виплакати.

СПЛАТИ́ТИ: сплати́ти борг (борги́) *кому, рідко перед ким.* 1. Віддячити кому-небудь за щось хороше або за добре ставлення до себе. *Ця операція була для нього особливою: доля надала йому можливість саме зараз сповна сплатити борг людині, яка колись вирвала його з пазурів смерті* (Головч. і Мус.); *Письменники України мусять якнайшвидше і якнайповніше сплатити борг перед робітничим класом нашої республіки* (Літ. газ.).

2. Помститися кому-небудь за вчинене зло, неприємність.— *Головне, я тепер всім своїм колиш-*

 нім партайгеносе сповна сплачу борги. Ну, начувайтеся ж!* (Головч. і Мус.).

сплати́ти дань *див.* сплачувати.

СПЛА́ЧУВАТИ: спла́чувати / сплати́ти дань (дани́ну) *кому, чому.* Високо, належним чином оцінювати кого-, що-небудь. *Ну, от і добре. Музі дань сплатив я* (Рильський).

СПЛЕСТИ́: сплести́ сильце́; ~ **сіті** *див.* сплітати.

СПЛЕСТИ́СЯ: сплести́ся в оди́н ву́зол *див.* сплітатися.

СПЛИВ: був та сплив *див.* був.

СПЛИВА́Є: мов полу́да з оче́й сплива́є *див.* полуда.

СПЛИВА́ТИ: сплива́ти в па́м'яті *див.* виринати.

сплива́ти з рук. Безслідно зникати, пропадати і т. ін. для кого-небудь. *Масний подільський чорнозем.. сплива́в з їхніх рук* (Стельмах).

сплива́ти з язика́ *див.* зриватися: ~ **наве́рх** *див.* виступати; ~ **на ду́мку** *див.* спадати.

сплива́ти (спада́ти, набіга́ти) / сплинти́ (спа́сти, набі́гти) на язи́к. Вимовлятися вголос (про слово, фразу і т. ін.). *Князь розумів, що треба щось сказати. .. Але спасенна думка утікала від нього, ніяк не хотіла спливати на язик* (Міщенко); *Але суворий добродій так вже вичерпався, що на язик йому не спадала жодна соковита лайка* (Гашек, перекл. Масляка); *Повибігали надвір і челядь, і своя сім'я: всі раді, кожне щебече, що на язик набіжить* (Свидн.).

сплива́ти (спада́ти) / сплисти́ (спливти́, збрести́) на ум (ро́зум). Несподівано з'являтися, виникати у кого-небудь у думці, у думках (про наміри, бажання і т. ін.). *Справляли [брати] раз у раз бенкети, витрачались на дарунки та турніри,— не тільки те чинили, що шляхетним людям пристало, а й те витворяли, що їм на молодечий ум спливало* (Боккаччо, перекл. Лукаша); *Лавріонові спала на ум думка, чи не покусала часом матері скажена собака* (Н.-Лев.); *От ідуть дівчата: Олена, як та сорока, скрегоче, що на ум збреде, а Маруся буцімто і слуха, та усе про своє гада...* (Кв.-Осн.).

сплива́ти / сплисти́ (спливти́) в спо́гадах. Пригадуватися. *Все їй пригадалося, все спливло в спогадах.* С и н о н і м: **вирина́ти в па́м'яті.**

сплива́ти / сплисти́ (спливти́) пе́ред очи́ма (пе́ред о́чі). Зримо уявлятися кому-небудь. *Німа карта всесвіту, з якої вчиться географії Юрин старший брат, спливає раптом перед очі* (Смолич).

СПЛИВЛО́: бага́то води́ спливло́ *див.* багато.

СПЛИВТИ́: спливти́ в па́м'яті *див.* виринати; ~ **в спо́гадах** *див.* спливати; ~ **на ду́мку** *див.* спадати; ~ **на ум;** ~ **на язи́к** *див.* спливати; ~ **наве́рх** *див.* виступати; ~ **пе́ред очи́ма** *див.* спливати.

спливти́ (сплисти́, попливти́) [за] водо́ю. Минути, пройти без вороття. *Добрий десяток літ сплив-*

ло весняною водою з того часу, як Олександра Василівна прийшла на свій перший урок (Донч.); Горе вже пройшло, Спливло водою,— молодість не зникла, не пройшла! (Драй-Хмара); — Ет, дочко! Що було, то минуло і за водою попливло (Н.-Лев.); — Нашу молодість уже вітер розвіяв. Попливла за водою і не вернеться (Томч.).

СПЛИЛО: багáто водú сплилó див. багато.

СПЛИСТИ: сплистú водóю див. сплливти; ~ в **пáм'яті** див. виринати; ~ в спóгадах див. сплливати; ~ з рóзуму див. спадати; ~ на ум див. сплливати.

СПЛІТАТИ: сплітáти павутúння див. плести.

сплітáти / сплестú сильцé (сільцé) на кого. Користуючись чиєюсь необачністю, залучати кого-небудь до чогось, заманювати кудись. [Н а р т а л:] Ти знов на мене сплів сильце: ти навернув мене у християнство (Л. Укр.).

сплітáти / сплестú сіті (сítку) навколо кого і без додатка. Інтригуючи проти кого-небудь, намагатися скомпрометувати. Науковий подвиг Улугбека був не до смаку фанатично настроєним прихильникам ісламу, які сплітали сіті змов навколо великого вченого (Знання..).

СПЛІТАТИСЯ: сплітáтися / сплестúся в одúн вýзол. Утворюватися, виникати одночасно внаслідок випадкового поєднання якихось обставин. Готування до Першого травня почалося безпосередньо після всіх цих подій і йшло кількома лініями, що сплітáлися в один вузол (Мик.).

СПЛУТАТИ: сплýтати кáрти; ~ слідú див. плутати.

СПЛУТУВАТИ: сплýтувати слідú див. плутати.

СПОВИТКА: з (із) [сáмого] сповиткá. З ранніх років; з віку немовляти.— Слухай, який у тебе стаж? По-моєму, ти редактор із сповитка (Гончар). **з [сáмого] сповитóчка.**— А ви змалечку рибалите, дідусю? — З самого сповиточка, як тільки ходити навчився (Збан.).

СПОВИТКУ: в сповиткý. У віці немовляти; немовлям.— Тепер господарює в мене моя дочка-єдиниця, бо старших дочок бог прибрав до себе, ще як були в сповитку (Н.-Лев.); Дітей, маленьких немовлят, Їх тільки шкода. Чи на те вродились, Аби у сповитку пізнати голод, спрагу? (Л. Укр.). **в сповитóчку.** Я свого отця-неньки не знаю; я ще в сповиточку зосталася сиротою (Вовчок).

СПОВІДІ: як (мов, ніби і т. ін.**) на спóвіді,** з сл. п р и з н á т и с я, р о з к а з á т и и т. ін. Відверто, нічого не приховуючи. Нічого робити бідному чоловікові: взяв та й признався князеві, як на сповіді (Стор.); — Ну, ти ось що, діду, не хлипай, а, як на сповіді, розкажи, тільки, хоч одне слово збрешеш, так і знай — в запічку замурованого знайдемо! — Все розкажу... (Тют.); Питаю зустрічних, що тут сталося, а мені, ніби на сповіді,

шепочуть у відповідь: щойно в нас хлопці Калашника-партизана гостювали... (Головч. і Мус.).

СПОВНА: сповнá рóзуму. Уживається для вираження здивування, застереження, коли хтось діє необачно, необдумано.— Опам'ятайсь, Карпе! Що ти вигадав: по-панському схотів жити, кров свою одмінити? Чи ти сповна розуму (Коцюб.).

СПОГАДАХ: спливáти в спóгадах див. сплливати.

СПОДІВАНКИ: перевéршувати сподíванки див. перевершувати.

СПОДІВÁННЯ: над (пóнад) [усяке] сподівáння. Всупереч тому, на що можна було розраховувати; несподівано. Товар пішов, над сподівання, добре, замовлень приходило чимраз більше (Фр.); Зупинилася на хвилинку, ніби дожидаючи Славкового слова. Її очі над усяке сподівання закліпали, а вона їх витирала хустинкою (Март.).

перевéршувати сподівáння див. перевершувати.

СПОДІВАНЦІ: у сподíванці на що. Плекаючи надію, розраховуючи на що-небудь. Хитрив, крутив злобливий лорд в сподіванці на те, що швидко кров'ю наш народ в тяжкій війні зійде (Гонч.).

СПОДІВАТИСЯ: сподівáтися з мóря погóди див. ждати.

СПОДОМ: догорú спóдом див. догори.

СПОКІЙ: вічний (вікóвічний) спóкій. 1. Смерть. І терпелива душа старої, пориваючись до бога, не просила чуда, не думала про рай, а тільки ревно благала, щоб її діти не засівали землю слізьми, хай він пошле їм просте селянське щастя, а їй хоч і зараз вічний спокій (Стельмах).

2. За релігійними уявленнями — спокійне життя в раю після смерті.— Через два тижні жди нас.. Та часом не зрадь нас. Тепер тікай та держи язик за зубами. Подайте милостину Христа ради, за вічний спокій своїх родителів [батьків] (Н.-Лев.).

давáти спóкій див. давати; **сколóчувати** ~ див. сколочувати.

СПОКІЙНИМ: з спокíйним сумлíнням див. совістю.

СПОКІЙНОЮ: дивúтися з спокíйною сóвістю в óчі див. дивитися; **з** ~ **сóвістю** див. совістю.

СПОКОЮ: лишáти в спóкою див. лишати; **не давáти** ~ див. давати.

СПОКУСИ: дáлі від спокýси див. далі.

СПОКУТАТИ: спокýтати винý див. спокутувати.

СПОКУТУВАТИ: спокýтувати / спокýтати [свою] винý (провúну). Намагатися добрими ділами, доброю поведінкою заслужити прощення за що-небудь, зроблене проти когось.— Ні, я наперед уже вдесятеро спокутував свою вину, заким іще поповнив її! (Фр.); Є нагода спокутувати вам свою вину перед трудовим народом (Гончар); — Винен я, винен. Розумію і все, все зроблю, брате, щоб спокутувати провину... (Скл.); Він би най-

більшу муку стерпів, найбільшу кару переніс, аби спокутати свою провину (М. Ю. Тарн.).

СПОКУШАЄ: біс спокушáє див. біс.

СПОКУШАТИ: спокушáти дóлю. Робити що-небудь, пов'язане з зайвим риском, небезпекою. [Острожин:] *Орест Михайлович, не спокушайте долі: вона не любить, коли нею нехтують її фаворити* (Л. Укр.); *Хтось із чоловіків запропонував випити за майбутнього інфанта, але жінки зашипіли й замахали руками: боронь боже, не спокушаймо долю!* (Перв.).

СПОЛОХ: бúти на спóлох див. бити.

як (мов, ніби і т. ін.) на спóлох. Дуже швидко. *Кузь не входив, а влітав у хату, наче на сполох* (Тют.).

СПОЛУЧНА: сполýчна лáнка див. ланка.

СПОМИН: легкúй на спóмин див. легкий.

СПОМИНІ: легкúй на спóмині див. легкий.

СПОМИНУ: і спóмину немá див. нема.

СПОМ'ЯНЕШ: спом'янéш (спом'янú, діал. спімнéш) моé слóво. Уживається як запевнення в тому, що все буде так, як сказано.— *Спом'яни моє слово: як будеш ти доброю, ніколи нічим не зобиджу тебе,— він підійшов до неї, пригорнув до себе* (Стельмах); — *Спімнете колись моє слово, що я радив вам на добре, але тоді буде запізно* (Фр.).

СПОПЕЛИЛОСЯ: спопелúлося сéрце див. серце.

СПОПЕЛИТИ: спопелúти очúма; ~ сéрце див. спопеляти.

СПОПЕЛІТИ: спопелíти від сóрому див. згоряти.

спопелíти сéрцем. Стати душевно спустошеним, байдужим до всього через важкі страждання, випробування і т. ін. *Мати спопеліла серцем — єдиний син загинув на фронті.* **спопелíлий сéрцем.** *Жила [Лукина] невесело і незатишно, доживала віку. Байдужа до всього на світі, спопеліла серцем* (Вол.).

СПОПЕЛЯЄТЬСЯ: спопеляється сéрце див. серце.

СПОПЕЛЯТИ: спопеляти / спопелúти очúма (зóром) кого. Дуже презирливо, гнівно дивитися на кого-небудь. *Підігріваючи себе своїми ж жалісливими й гнівними словами, він спопеляв бідного Костянтина Павловича помутнілими від обурення очима* (Коз.); *Чому ти.. не спопелив зрадливця своїм зором?* (Нагн.).

спопеляти / спопелúти сéрце (серця). Завдавати кому-небудь великих душевних страждань, викликавши величезної сили почуття до себе. *І голос бог мені подав: «Устань, пророк, і виждь, і внемли, Сповняйся волею творця, І, крізь моря йдучи та землі, Глаголом спопеляй серця!»* (Пушкін, перекл. Рильського).

СПОРТИВНИЙ: спортúвний азáрт див. азарт.

СПОСОБУ: добирáти спóсобу див. добирати.

СПОТИКАННЯ: кáмінь спотикáння див. камінь.

СПОТИКАТИСЯ: аж спотикáтися, з сл. бíгти, мчáти і т. ін. Дуже швидко. *Зайду іноді в ресторан — кельнери підбігають.. А я так поведу тільки рукою: «Шампанерії пляшку, та холодної! Живо!» Мчить, аж спотикається, а я сиджу за столом* (Шиян).

СПОТИКАЧІВ: ловúти спотикачíв див. ловити.

СПОЧИВАТИ: спочивáти сéрцем див. відпочивати.

спочивáти (спáти) / спочúти (заснýти) навíки (довíку, вíчним сном). 1. Бути похованим, лежати у могилі. *Вічним сном спочивають там [на кладовищі] герої-гвардійці..* (Вишня); *Йому здалося, що Оксаночка поруч із ним, що блукають вони удвох, натомлені денною працею, та думають, хто тут спить вічним сном, у цих стародавніх могилах* (Тулуб); *Де гриміли в розграї грозами гармати, сплять під обелісками вічним сном солдати* (Луц.); *Син його не повернувся з Балканських гір: навіки спочив.. у братській могилі аж у Болгарії* (Стельмах). Пор.: **спочивáти в Бóзі.**

2. *тільки док.* Вмерти. *І знову плаче трембіта. Тепер вже на смерть... Спочив хтось навіки по тяжкій праці* (Коцюб.); *Дожив віку свого старий Задорожко, позвав господь до себе. Поблагословив він сина й жінку, наказав не журитись, хороше поховати його, та й спочив навіки* (Вовчок); *Він здригнувся, легенько зітхнув, Усміхнувсь і навіки заснув* (Граб.); *Не вертатись вже до тебе [дівчини] козаку,— Заснув у степу він, сердега, довіку...* (Укр. пісні).

спочивáти / спочúти в Бóзі, *заст., ірон.* Бути похованим, лежати у могилі. *Ось каплиця на дорозі. Давно тут спочивав в бозі якийсь-то князь, тепер святий, що месник вбив його лихий* (Драй-Хмара). Пор.: **спочивáти навíки.**

спочивáти / спочúти на лáврах *чого і без додатка.* Заспокоюватися, задовольнятися досягнутими результатами, наслідками. *Співак Сергій в один із вечорів жартом докинув друзям веселу свою думку: «Солов'ї перемагають усіх тому, що співають день і ніч і на лаврах не спочивають»* (Мас.); *В справжніх і творчих літературах не існує ідилії і ніколи й ніхто з них не спочиває на лаврах* (Вітч.); *Як шкодять театру утриманські настрої, обивательська благодушність, прагнення спочити на лаврах* (З глибин душі); *Драма художника Сагайдака виникає тому, що художник непомітно для себе, спочивши на лаврах минулих звершень, загруз у самозакоханості* (Літ. газ.). **спочивáння на лáврах.** *Сучасній людині не властиві почуття самовдоволення, самозаспокоєння, спочивання на лаврах.*

СПОЧИНОК: знайти́ ві́чний спочи́нок *див.* знайти.

СПОЧИ́ТИ: спочи́ти в Бо́зі; ~ наві́ки; ~ на ла́врах *див.* спочивати; ~ се́рцем *див.* відпочивати.

СПРА́ВА: болю́ча спра́ва *див.* питання; в тім то й ~ *див.* річ.

десята спра́ва *для кого.* 1. Не дуже важливо, зовсім неістотно.— *Те, що квартири не було півроку,— справа для нього десята* (Жур.).

2. Нескладно, дуже просто. *Розв'язувати задачі з шкільної програми — десята справа для справжнього математика.*

і́нша спра́ва *див.* річ.

мо́кра спра́ва (робо́та); мо́крий вчи́нок; мо́кре ді́ло. Злочин, пов'язаний з убивством або кровопролиттям.— *Еге,— сказав собі бургомістр,— цей хлопчик був коло мокрих справ!* (Ю. Янов.); [Петерсон:] *Ви не належите до людей, які роблять погоду..* [Бентлі:] *Ви маєте рацію, майоре. Я не майстер мокрої роботи* (Галан); *Мотя, прозваний Мокрим десь, певне, за його «мокрі» вчинки, був цікавий, проте, не тільки хулігансько-злодійською славою* (Смолич). А н т о н і м: суха́ спра́ва.

не моя́ спра́ва; ~ ви́горіла *див.* діло.

спра́ва життя́. Щось надзвичайно важливе, серйозне для кого-небудь. *Маю робити й робити Те, що належить мені.., Те, про що ми говорим: — Справа мого життя* (Дор.).

спра́ва коро́тка *у кого.* Хто-небудь приймає рішуче, категоричне і оста́точне рішення. *Ну, Хома знав, що зробити [з гуральнею]. В нього справа коротка: — Спалити* (Коцюб.).

спра́ва че́сті. Те, що визначає гідність особи, колективу і т. ін.; почесний обов'язок. *Поставив він собі за справу честі Найважчий камінь зразу перенести* (Криж.); — *Що вже сталося, те сталося. Але справа нашої честі відвернути від вас біду* (Головч. і Мус.).

суха́ спра́ва. Злочин, не пов'язаний з убивством або кровопролиттям. *Допиталися організаторів цього маскарадного загону. Це були офіцери з білим духом і найняті ватажки нальотчиків, спеціалісти мокрої і сухої справи, матроський цей загін мав зрадити при слушній нагоді* (Ю. Янов.). А н т о н і м и: мо́кра спра́ва; мо́крий вчи́нок; мо́кре ді́ло.

чо́рна спра́ва *див.* діло.

СПРАВЕДЛИ́ВЕ: віддава́ти справедли́ве *див.* віддавати.

СПРА́ВЖНЄ: пока́зувати спра́вжнє обли́ччя *див.* показувати.

СПРАВЖНІ́МИ: назива́ти ре́чі спра́вжніми імена́ми *див.* називати.

СПРА́ВИ: вермішельні спра́ви, *ірон.* Те, що не варте уваги і не має істотного значення. *Якби ми спробували в органі, який взагалі встановлює тільки принципи, виділити орган, що розв'язує дрібні практичні, вермішельні справи, то ми зіпсували б діло* (Ленін).

ма́йстер свое́ї спра́ви *див.* майстер.

СПРА́ВИТИ: спра́вити га́лас *див.* справляти.

спра́вити парню́. Виляяти, покарати кого-небудь.— *Ходи, небоже, зараз я тобі справлю парню! — сказав Іван, ухопив Микиту за обшивку й таки виніс до сіней* (Март.). П о р.: да́ти пе́рцю; го́лову нами́лити; да́ти на горі́хи; да́ти бере́зової припа́рки.

СПРАВЛЯ́ТИ: [по] сім неді́ль (вихідни́х) на ти́ждень справля́ти (ма́ти). Нічого не робити, уникати праці.— *Там, у городі [місті], розкіш їм, воля, страху немає... От воно і звикне без діла сидіти, по сім неділь на тиждень справляти!* (Мирний).

справля́ти бала́чку. Вести пусту розмову.— *Ми [жінки] цікавіші од вас і не всі любимо справляти балачку про квітки та вишивання.— Од такого різкого слова всі замовкли, неначе води в рот набрали* (Н.-Лев.).

справля́ти бре́хні *див.* точити.

справля́ти ли́пу. Обдурювати, підробляти.— *Я можу від лікарів посвідчення подати, що інвалід війни! — зухвало озвався Шпулька.— За півсотні мені яку завгодно липу на Галицькому базарі справлять* (Смолич).

справля́ти о́хи. Скаржитися на своє безсилля, уникаючи роботи.— *Нам тепер, матінко, не охи справляти, а дбати про господарство. Від цього й державі користь, і нам зиск* (Добр.).

справля́ти побрехе́ньки *див.* точити.

справля́ти посиде́ньки (*рідко* си́дні) [та похо́деньки]. Нічого не робити; бути нічим не зайнятим, уникати роботи.— *Мати всю важку роботу скидає на Мотрю, а сама тільки походеньки та посиденьки справляє* (Н.-Лев.); *Електрика за все нам одробляє. І ми, звичайно, сиднів не справляєм* (Вирган); *Аристарх пробачився, що справляти посиденьки не має часу, й устав. Старий онука не затримував. Провів до легкової, похвалив машину* (Логв). посиде́ньки справля́ти. [О к с а н а:] *Хіба сьогодні неділя чи який празник, що посиденьки справлятиму* (Кроп.). похо́деньки справля́ти. *Прибувши в Лубни, Єремія кинувся до господарства.. він не любив байдикувати та походеньки справляти, як справляли їх тодішні польські пани-дідичі* (Н.-Лев.).

справля́ти смі́шки (смі́хи, ре́готи, хи́хи і т. ін.). Безтурботно, у веселощах гаяти час. *Дука щасливий не спить: Добре йому у палатах під кришею Вина-горілочку пить. Любо йому в теплі вигріватися, смішки справляти з гістьми* (Граб). справля́ти смі́хи (хи́хи) та ре́готи. *Москалі.. лабузнились до Явдохи, а Явдоха справляла з ними сміхи та реготи...* (Мирний); *Стояла [Тоня] в колі сержантів з полігона і хихи та реготи з ними справляла* (Гончар).

справля́ти / спра́вити га́лас (го́мін). Здіймати шум, крик. *Двоє їх, а такий галас справляють, що аж голова паморочиться* (Коцюб.); *Вернувсь [Петро] на подвір'я, аж там усі веселяться. Гомін справили такий, мов справді на бенкеті* (П. Ку-ліш).

СПРА́ВНА: ци́фра спра́вна *див.* цифра.

СПРА́ВУ: ви́грати спра́ву *див.* виграти; **здава́ти собі** ~ *див.* здавати; **приши́ти** ~ *див.* пришити; **прома́зати** ~ *див.* промазати.

СПРО́БА: спро́ба (про́ба) пера́. Перші ранні твори, праці (письменника, вченого тощо). *У Ва-ші руки попалися перші мої роботи, спроба пера* (Коцюб.); *Писати Агатангел Кримський почав ще в гімназії. З-під його пера з'являються вірші, оповідання, переклади. Та це були лише проби пера* (Вітч.).

СПРОБУВАТИ: спро́бувати перо́; ~ **си́ли** *див.* пробувати.

спро́бувати (попро́бувати) / про́бувати ща́стя (уда́чі). Відважитися на щось, сподіваючись на успіх. *Будь-що-будь! Хома вирішив спробувати щастя в сусідів* (Гончар); *Розсипалися [опришки] по селах добирати легінів; знайшли душ із десять таких, що хотіли спробувати щастя* (Хотк.); — *Візьми пляшку та біжи до корчми, може, шинкар дасть набір...— Навряд!...— сказав Хома, але взяв шапку та пляшку і пішов пробува-ти щастя* (Коцюб.); *Я просто пробував удачі, а всяка ж проба може не вдатись* (Л. Укр.).

СПРОВАДЖУВАТИ: спрова́джувати на той світ *див.* відправити.

СПРОВА́ДИТИ: спрова́дити до пе́кла (на ши́беницю і т. ін.). Заподіяти кому-небудь смерть. *Ой коби я була знала, яка моя свекра [свекруха], Я би її спровадила відтепер до пекла* (Коломий-ки); *І наче зовсім це він [становий] не погрожу-вав, а просто байдуже повідомляв, щоб знали,— коли хвалився, що кожному п'ятому «шкуру спустить», що кожного десятого «на шибеницю спровадить»* (Головко). П о р.: **спрова́дити на той світ.** С и н о н і м: **відпра́вити чорта́м на сніда́нок.**

спрова́дити на той світ *див.* відправити.

СПРЯЖИТИ: спря́жити на схаб, *діал.* Жорсто-ко розправитися з ким-небудь; знищити кого-не-будь.— *Постійте, хами! Чекай ти, попе! Буде з вами не те! Я спряжу вас на схаб!* (Фр.).

СПРЯМОВУВАТИ: спрямо́вувати на ві́рну до-ро́гу; ~ **свої́ сто́пи** *див.* наставляти.

СПРЯМУВАТИ: спрямува́ти на ві́рну доро́-гу; ~ **свої́ сто́пи** *див.* наставляти.

СПУДОМ: лежа́ти під спу́дом *див.* лежати.

СПУСКАТИ: не спуска́ти з ду́мки *кого, що.* Весь час думати, не забувати про кого-, що-не-будь. *Співаючи тих пісень, вони не спускали з думки тих молодих студентів, котрі так довго*

бігали слідком за ними (Н.-Лев.). П о р.: **не іти́ з ду́мки.**

не спуска́ти з рук. Дбайливо доглядати, пестити кого-небудь (перев. дитину). *Вичуняла [Уляна] і серце. і душу віддала своїй дитині, своєму чорноголовому Івасеві. Носиться цілими днями із ним, з рук не спускає, не дає порошині упасти* (Мирний); *Мартин дуже всіх дітей жалував; коли малими були.., з рук бувало не спускає,— і матері не треба* (Григ.).

не спуска́ти / не спусти́ти [з] о́ка ([з] оче́й) *кого, чого; з кого, з чого.* 1. Постійно пильно дивитися на кого-, що-небудь. *Маруся їхала ко-нем. Була змучена і фізично, і морально. Опришок не спускав з неї ока* (Хотк.); — *Ну, і по голосу чую, що щось знайоме,— не спускаючи очей з чоловіка, каже Яків, помовчавши* (Мирний). С и н о н і м: **не зво́дити оче́й.** А н т о н і м: **спуска́-ти з о́ка.**

2. Милуватися ким-, чим-небудь, задивлятися на когось. *За що вони [люди] тепер мене В пала-тах вітають, Царівною називають, Очей не спуска-ють З мого цвіту?* (Шевч.); *Обнявши коня, як друга, відчуваючи на своїй щоці його теплу бархатисту шию, Маковей, сам того не помічаючи, весь час не спускав очей з Ясногорської* (Гончар); *Очей з неї [Галі] не спустить [офіцер], і що розказував Олексієві, забуде, замовчить; а коли Олексій що розказує, то він і не чує нічого* (Кв.-Осн.). С и н о н і м: **не зво́дити по́гляду.**

3. Постійно наглядати, стежити, спостерігати за ким-, чим-небудь. *Боячись, як би під впливом лихих чуток і розмов покоївка чогось не накоїла, Уляна Григорівна наказала Христині не спускати ока з Наталки* (Добр.); *Не спускали з ока [під-пільники] і місцевих націоналістів, які діяли в контакті з німцями, хоч прикидалися інколи їх ворогами* (Д. Бедзик); *Немає Мотрі спокою й у церкві: і там її не спускають з очей* (Мирний); *Мати не спускала з очей Онисі: вона боялась, щоб Онися знов не понакладала гостеві в віз гарбузів* (Н.-Лев.); — *З кузні треба не спускати очей, щоб наші плуги не останнії плентались у зведеннях* (Стельмах). А н т о н і м: **спуска́ти з о́ка.**

4. Приділяти постійну увагу чому-небудь. *Говорячи про національний характер, ми ні на хвилину не повинні спускати з ока соціальної приналеж-ності тих, про кого говоримо* (Рильський); *Зна-менно, що на всіх етапах свого творчого розвитку Рильський не спускав з ока питань краси і з неабиякою мужністю захищав свої погляди* (Криж.).

не спуска́ти по́гляду *див.* зводити; ~ **з рук** *див.* збувати; ~ **о́чі;** ~ **ру́ки** *див.* опустити.

спуска́ти / спусти́ти жир. Худнути.

спуска́ти / спусти́ти з о́ка (з оче́й) *кого.* Пере-ставати стежити або наглядати за ким-небудь. *Ключар удає, ніби спустив її з очей, і звертається* *до інших* (Л. Укр.); *Дівчата, покидавши заступи, скупчилися в гурток, розпитують, розважають.— А нуте, нуте, чого стали? — гукнула панська ключниця.— Оце така робота? Аби вас з очей спустить, то вже й шабаш?* (Пчілка). А н т о н і м: **не спускáти óка** (в 3 знач.).

спускáти / спустúти на гáльмах. Пом'якшувати, полегшувати дію, вплив і т. ін. чого-небудь. *Я справді глибоко вдячний йому за його чисту, беззастережну одвертість, за те, що він так легко спустив на гальмах хитку скутість першого знайомства* (Вітч.).

спускáти / спустúти тон (тóна). Говорити спокійніше, стриманіше. *Ся одсіч була така різка та енергійна, якої, як видно, добродій «старий» не сподівався, бо він якось одразу спустив тона і постарався звести розмову на жарти* (Л. Укр.).

спускáти шкýру *див.* спустити.

спускáти юшку *див.* пустити.

СПУСКАТИСЯ: спускáтися (пускáтися, опускáтися, сідáти *і т. ін.***) / спустúтися (пустúтися, опустúтися, сíсти** *і т. ін.***) на дно.** 1. Зазнавати поразки, невдачі в чому-небудь, втративши будь-яку надію на поліпшення. *А ви й не пишете мені,.. чи має мене рятувати* [Спілка], *чи ні. Хай би вже знав, чи маю пускатися на дно, чи ще можу ногами дригати* (Коцюб.); *— Буває, іноді й розкиснеш. Але на цей раз ні... Хіба ти гадаєш — руки згорну й покірливо на дно сідати буду!? Чорта з два!* (Головко); [К у р í н н и й:] *Записку віддай в руки самому Петрові Карповичу... Скажи, хай приїжджає сьогодні на збори, бо наді мною нависли хмари... Одним словом, хай рятує, бо можу піти на дно* (Зар.); *// Перестати чинити опір чому-небудь, змиритися з чимсь. Не трать, куме, сили, спускайся на дно* (Укр. присл..).

2. Морально спустошуватися, опускáтися. *Шкода їй було колишнього чоловіка. Покалічений, безпорадний, він пропаде без належного догляду. Зіп'ється з горя і піде на дно* (Тарн.).

спýщений на дно. *Вийшовши з тюрми зимою, я почув себе мов спущеним на дно* (Фр.).

спускáтися / спустúтися з очéй *чиїх.* Уникати чийого-небудь нагляду, опіки, переслідування і т. ін.

СПУСКУ: не давáти спýску *див.* давати; **немá ∼** *див.* нема.

СПУСТИВШИ: спустúвши рукáва (рукавú).
1. з сл. п р а ц ю в á т и. Без охоти, без старання.— *Я, знаєте, не люблю працювати абияк, спустивши рукава* (Збан.).

2. з сл. ж и т и. Безтурботно, нічого не роблячи. *До кого ж ласкава ся доля лукава, Такий живе, як сир в маслі, спустивши рукава* (Пісні та романси).

спустúвши рýки *див.* склавши.

СПУСТИТИ: не спустúти з óка *див.* спускати; **не ∼ пóгляду** *див.* зводити.

спустúти дух (*рідко* **дýха).** Умерти. *Іван як хватане царя Ірода, та як шпурне ним на гострий шпиль його замку, так цар Ірод і дух спустив* (Укр.. казки); *— Ой, лишенько ... умираю!* — *скрикнула Явдоха та й дух спустила* (Мирний); *Так і волікся* [Вовк] *за ним* [Левом] *усю дорогу і давно вже й духа спустив* (Фр.). С и н о н і м и: **врíзати дýба; віддáти Бóгу дýшу.**

спустúти жир; ∼ з óка *див.* спускати; **∼ з рук** *див.* збувати; **∼ на гáльмах** *див.* спускати; **∼ óчі; ∼ рýки** *див.* опустити;

спустúти / спускáти шкýру (шкíру, три шкýри, сім шкур *і т. ін.***).** Нещадно бити, шмагати або суворо покарати кого-небудь.— *Гляди ж мені, Семене, коли програєш — шкуру спущу!* (Шиян); *Сяницьких панів не чіпав лісник, не забороняв їм бавитися в горах, а з нас ладен був спустити шкіру за кожний патичок, піднятий в панському лісі* (Д. Бедзик); *Хіба мама в дитинстві в запалі ніколи не сказала вам: «Я тебе уб'ю?» — Ні.— А моя завжди обіцяла спустити з мене сім шкур* (Собко); *— У мене он брат: самопалом замалим очі не вибив! Тато із нього сім шкур спустили, а він знов за своє* (Дім.).

спустúти тон *див.* спускати; **∼ юшку** *див.* пустити.

СПУСТИТИСЯ: спустúтися з очéй; ∼ на дно *див.* спускатися.

СП'ЯНÍТИ: сп'янíти від ýспіху (від ýспіхів). Втратити здатність тверезо, самокритично оцінювати реальну дійсність під впливом досягнутого в якійсь справі. *І сталась з людиною зміна крута: Сп'янівши від успіху того, Директор заводу «Чавунна плита» Влюбився... у себе ж самого!* (С. Ол.).

СРÍБНЕ: срíбне весíлля *див.* весілля.

СРÍБНЯКИ: юдині (іýдині) срíбняки (срíбники). Винагорода за зраду. *Найбільше не дає спокою радіодиверсантам з Мюнхена те, що вони не знають, в купюрах якої країни одержуватимуть надалі свої Іудині срібники* (Рад. Укр.). С и н о н і м: **трúдцять срíбняків.**

СРÍБНЯКÍВ: трúдцять срíбнякíв *див.* тридцять.

ССÁТИ: ссáти [за] сéрце (дýшу *і т. ін.***).** Дуже непокоїти, мучити, тривожити кого-небудь. *Тяжкий неспокій ссав Крайнюкові серце* (Кучер); *Коли скорбота ссе душу, .. то з тіла втікає сон* (Стельмах); *Думки все такі непривітні ссали за серце — і вона важко зітхала* (Мирний).

ссáти кров *див.* пити.

ссáти (смоктáти) / зассáти (засмоктáти) під лóжечкою *у кого.* Хто-небудь переживає, непокоїться про щось. *Проганяючи всякі злі думки, Євген Вікторович відчув, як знов засмоктало в нього під ложечкою* (Ле).

ССÉ: гадюка ссе кóло сéрця *див.* гадюка.

ССУТЬ: як п'явки за сéрце ссуть *див.* п'явки.

СТАВ: во́лос ди́бом став *див.* волос; **язи́к ∼ ру́ба** *див.* язик; **як на папе́рі ∼** *див.* списаний.

СТАВА́ТИ: става́ти го́пки; ∼ до ла́ду *див.* стати.

става́ти на двох ла́пках. Запопадливо схилятися перед ким-небудь, служити комусь.— *Цуцик ти, цуцик,— думає.— На двох лапках стаєш. До чого це воно? Хоч і начальство ж отець Полієвкт, а він же чоловік, як і ти...* (Тесл.).

става́ти на ди́би; ∼ на доро́зі; ∼ на но́ги *див.* стати; **∼ на ре́йки** *див.* переходити; **∼ на рушнику́; ∼ під віне́ць; ∼ під пра́пор** *див.* стати.

става́ти (спина́тися) на коту́рни. Виявляти зарозумілість, занадто підносити себе, величатися. *Я ніколи не хотів ставати на котурни, ані щадити себе* (Фр.). **спина́ння на коту́рни.** *Автор все бачить і уміє бачити. Але, побачивши, він уміє і спокійно, без претензій, без спинання на котурни все це по-діловому.. розповісти* (Смолич).

става́ти (станови́тися) /ста́ти ру́ба. Рішуче протестувати, не погоджуватися з ким-, чим-небудь. *Настала осінь. Почали загадувати до школи. Наум гадав віддати Семена, але Наумиха стала руба і затялась, що не пустить* (Коцюб.).

става́ти / ста́ти в [один] ряд. Досягати певного рівня, дорівнюватися чомусь. *Як Костра.. досягає такого рівня поетичної дозрілості, що творчість цього письменника стає в ряд з кращими досягненнями нашої передової поезії* (Вітч.); *Пимоненко .. став в один ряд з видатними майстрами, творчість яких визначала характер українського мистецтва другої половини XIX — початку XX ст.* (Мист.).

става́ти / ста́ти в по́зу (в пози́цію). Удавати з себе кого-небудь, щоб справити певне враження на когось. *Вірші Василя Глотова — прості, задушевні, щирі... Читаючи їх, поет не стає в позу, не піддається спокусі холодної манірності, не віддаляється від слухачів — навпаки, вміє і голосом, і жестом заполонити їхню увагу* (Літ. Укр.); [С т е п а н Д е м и д о в и ч:] *Так вам прочитати [вірші]?* [П и с а р:] *Кажу ж вам, що горю. Ставайте в позицію та зразу й смаліть* (Сам.); *Бунчук-Балаба розгнівався й став у позу ображеного генія* (Дмит.); *Йон крутнувся по льохові, витяг з кутка мітлу з довгим держалом, став у позицію, підняв кумедно догори плечі, так що голова сховалась межи ними* (Коцюб.).

става́ти / ста́ти до сті́нки. Йти на розстріл, на страту. *Я до стінки знову стану — обличчя й груди під вогонь* (Сос.).

става́ти / ста́ти між (помі́ж) ким. 1. Заважати кому-небудь в чомусь. [С е с т р а М а р х в а:] *Через його вона і в черниці захотіла. Там третя якась залишалася, що стала між ними* (Мирний); [М и л е в с ь к и й:] *Я не раз пробував остерігати і вас, і Ореста Михайловича, але стрівав завжди таку різку одсіч..* [Л ю б о в:] *Ідіть від мене краще, не ставайте між нами* (Л. Укр.).

2. Не допускати, гальмувати що-небудь (про почуття, думки і т. ін.). *Дні минали безрадісно, в'яло і без того тепла, якого я так прагнув зазнати в родині. Щось стало між нами. Я не смів притулитися до материнських грудей, обняти сестру* (Коцюб.).

става́ти / ста́ти на колі́на. 1. Просити кого-небудь, принижуючись. [М а р і к а:] *А може, ти попросив би пана Шльому..* [В а с и л ь:] *Я перед юхманом ставати на коліна не буду* (Чендей).

2. Покорятися. * Образно. *Незважаючи на нестерпний соціальний і національний гніт, український народ не став на коліна перед поневолювачами і протягом віків вів героїчну боротьбу за своє визволення* (Рад. Укр.).

става́ти / ста́ти на прю. Вступати в боротьбу з ким-, чим-небудь. *Кров кипить... Ставай на прю! Хто відважний? Згинь же, вороже проклятий!* (Вороний); *На прю ми стали проти царства тьми. Що оскверняє море й суходоли* (Рильський). * Образно. *На прю стає холодний ранок: ще схід дрімає в сизій млі, а голубий, як льон, серпанок затлівсь над скибами ріллі* (Драй-Хмара). П о р.: **іти́ на прю.**

става́ти / ста́ти сторчака́ (ца́па). Чинити опір, протидіяти чому-небудь, заперечувати проти чогонебудь. [Н а р т а л:] *Кубло гадюче! Перед ворогами під ноги стеляться, мов поздихали, а перед братом сторчака стають і раді закусити!* (Л. Укр.).

става́ти (ступа́ти) / ста́ти (ступи́ти) на слизьки́й шлях (на слизьку́ доро́гу). Втрачати правильний напрямок у житті, поведінці, діяльності. *Притиківна, закохавши панича, ступає на слизький шлях* (Мирний); [Я р о ш е н к о:] *Ви стали на слизький шлях, товаришу Заболотний.* [В і к т о р:] *Я не знаю, чому ви надумались повчати мене* (Лев.).

става́ти у приго́ді *див.* бути.

СТАВИТИ: ста́вити догори́ нога́ми *див.* поставити.

ста́вити до ла́ду. Налагоджувати, відновлювати що-небудь. *З колгоспної кузні лине дзвін молота. То старий Івженко ставить до ладу вже п'яту лобогрійку* (Вол.).

ста́вити (кла́сти) на карб кому. Зауважувати, звинувачувати у чомусь. *Вона почувалася зараз глибоко винуватою перед сином, бо й раніш найперше самій собі ставила на карб, що хлопець напівсиротою росте, без батьківської ласки та догляду* (Гончар); *Можна б і не ставити авторові на карб ті чи інші стилістичні невправності, коли знаходиш у його першій збірці свіжі думки, яскраві образи* (Вітч.). **кла́стися на карб,** *пас.* Все, що трапилося в місті, клалося нам на карб (Ю. Янов.).

ста́вити на пе́рше мі́сце (на пе́рший план) кого, що, кому-, чому-небудь. Надавати чому-небудь особливо важливого значення, вважати щось основним. *Сам Довженко на перший план ставив письменницьку працю, вважав її своїм покликанням* (Рад. літ-во). **ста́вити на пе́ршому мі́сці.** *За командира роти Багіров піклувався далеко більше, ніж за самого себе, ставив на першому місці його, командирову честь, бо то була честь роти* (Гончар).

ста́вити на п'єдеста́л. Возвеличувати кого-, що-небудь.

ста́вити на ре́йки див. переводити; ~ **па́лиці в колеса** див. вставляти.

ста́вити / поста́вити знак рі́вності між ким — чим. Визнавати кого-, , що-небудь рівноцінним іншому; ототожнювати. *Між ученим і письменником-фантастом не можна поставити знак рівності. Якщо вчений живе сумою позитивних доведених істин, то письменник-фантаст будує свої твори на науково обгрунтованій мрії* (Вітч.); *Франко дорікає Нечую-Левицькому за те, що він ставить знак рівності між передовою російською літературою і російською державою з її чиновниками і жандармами, які придушували всяку вільну думку* (Рад. літ-во).

ста́вити / поста́вити кра́пку на чому. Закінчувати, припиняти (перев. розмову). *Гулька перехопив його погляд, збагнув, що перегнув палку, посміхнувся: ..— Давай на цьому поставимо крапку* (Тарн.).

ста́вити / поста́вити кра́пку (всі крапки́) над «і». 1. З'ясувати все до кінця. *Поговорити було про що. І то негайно, зараз, щоб поставити всі крапки над «і»* (Кучер). 2. Завершувати, закінчувати що-небудь, остаточно вирішувати щось. *Поставити крапку над «і» — то неабияке мистецтво у житті* (Рибак). **розста́вити крапки́ і зна́ки о́клику.** *Данило розповідав про агрегат, а Василь Васильович думав своє. .. Несподівано для себе скрізь швидко і точно розставив крапки і знаки оклику* (Мушк.).

ста́вити / поста́вити на ка́рту що. Ризикувати чим-небудь заради мети, успіху. *[О р е с т:] Роблю я се, ніде правди діти, не тільки з філантропії. Мені миліше тоді ставити на карту своє життя, ніж рятувати чуже* (Л. Укр.); *— І я не розчарувавсь, генерале: край вартий того, щоб ради нього ставити на карту наш капітал* (Гончар). **ста́витися на ка́рту**, пас. *Ну, ще б пак — сьогодні на карту ставилося все. Або ми вийдемо цієї ночі, або нас схоплять, перетнуть путь, і тоді вихід один — протитанковий рів або глибока яруга* (Збан.). С и н о н і м: **ста́вити на кін.**

ста́вити / поста́вити на кін. Ризикувати. *Він поставить на кін усе. Воля або смерть...* (Коз.). С и н о н і м: **ста́вити на ка́рту.**

ста́вити / поста́вити на колі́на кого. Примушу-

вати когось підкоритися.— *Як славно ж він говорить, немов на скрипці грає,— похвалив* [Плачинда] *у думці вчителя.— І таки треба ставити бісових панів на коліна, щоб мужики панами ставали* (Стельмах); *Поставивши на коліна мирних вербівчан, вони [каратели] безпечно заходили в двори, витрушували з скринь і комор хліборобські пожитки* (Іщук).

ста́вити / поста́вити на одну́ до́шку з ким — чим, до кого — чого. Прирівнювати кого-небудь до чогось. *Галицькі народовольці ставили на одну дошку чесного великоруського хлопомана Ів. Аксакова з бюрократом п. Катковим, а то й з обскурантом п. Гаворським* (Драг.).

ста́вити / поста́вити пе́ред фа́ктом кого. Повідомляти про те, що вже відбулося, сталося.— *Гай будемо садити. В Тихій долині.. Я поставлю товариша Грицюту ... перед фактом* (Речм.).

ста́вити / поста́вити пита́ння ру́ба (ребро́м). Питати про що-небудь або заявляти щось відверто, прямо, принципово, категорично, з усією рішучістю. *Викриваючи кріпосництво в усіх його проявах, Шевченко робить послідовні революційні висновки із своїх спостережень, він руба ставить питання: Чи довго ще на світі Катам панувати?* (Життя і тв. Т. Г. Шевченка); *[Б е р е ж н и й:] Я ставлю питання руба: хто має право цей авторитет відняти в мене?* (Мик.); *Горький руба поставив питання перед творчою інтелігенцією капіталістичних країн: «З ким ви, майстри культури?»* (Тич.); *[Я к і в:] І став питання ребром. [С е м е н:] Та я ж ребром. Матері вже сказав, що женитись хочу. [Н а з а р:] А Лесі?* (Зар.).

ста́вити / поста́вити під уда́р кого, що. Своїми діями доводити кого-небудь до загрозливого, критичного становища, підводити когось.

ста́вити / поста́вити себе́ на мі́сце чиє, кого. Намагатися уявити свій стан, власні відчуття, дії в тих обставинах, ситуації, що випали на долю кого-небудь іншого. *Балабушиха зачиталася і в думці все ставила себе на місце героїні роману* [роману] (Н.-Лев.).

ста́вити / поста́вити стіну́ між ким, чим. Ізолювати, відокремлювати кого-небудь від когось, чогось. *В трюмі один признається, що він не з простих, і цим зізнанням ставить між собою і товаришами стіну* (Ю. Янов.).

ста́вити / поста́вити хрест на кому, чому, рідко над ким — чим. 1. Переставати покладати надії на когось, щось, думати, згадувати про кого-, що-небудь. *І сей туди ж, докоряє! Я ж йому писала: поставте наді мною хрест! Чого ж йому ще треба?* (Л. Укр.). 2. Переставати займатися чим-небудь, робити щось. *Порфирові стало тоскно на душі. Піти б у школу та сказати: — Ось я вернувся й на минулому ставлю хрест!* (Гончар).

ста́вити (станови́ти) на рушни́к (на рушнику́) кого. Одружувати. *Без любистку, заговорів — силою тільки власного язика вона не раз і не два зводила докупи роз'єднані серденька, становила на рушнику навіть дітей кровних ворогів* (Л. Янов.).

ста́вити (станови́ти) / поста́вити (приста́вити) до сті́нки (до му́ру). Вести на розстріл, розстрілювати. *Таких словом не діймеш, таких до стінки ставити...* (Збан.); *Ми тим, хто нас гнобив віками.. Ми їх за днів минулих яд До муру ставили підряд, І залпи ночі протинали...* (Сос.); *— Уб'ють [куркулі] ...Ну, й хай. Хіба й раніш не дивився він смерті сміливо в самі очі: до стінки становили...* (Головко); *— Пам'ятаєш, відсилав я тебе із пістолетом у степ.. Чкурнув би ти з ним — мене б до стінки поставили* (Тют.).

СТАВКА: о́чна ста́вка. Одночасний допит віч-на-віч двох або кількох осіб для перевірки показань і усунення суперечностей у них. *Пізно ввечері Максима, Володю й Галю кинули [поліціаї] до критої машини й повезли на очну ставку* (Коз.).

ста́вка би́та *див.* карта.

СТАВКУ: роби́ти ста́вку *див.* робити.

СТАДО: ста́до бара́нів. Натовп, юрба, що сліпо, бездумно йде услід за ким-небудь. *— Я хотів запитати, тобто хотів би знати, хто дав право нещасному доповідачеві .. називати його [народ] стадом баранів* (Вільде).

СТАЄ: аж воло́сся стає́ вго́ру *див.* волосся; **во́лос ди́бом ~** *див.* волос; **все ~ на своє́ мі́сце** *див.* все; **не ~ ду́ху** *див.* вистачає.

терпцю́ не стає́ (нема́є), *безос.* Не має змоги терпіти, витримати щось. *Терпіла, терпіла, а далі й терпцю не стає!.. Де се видано? Що се за чоловік? До хати його й псами не заженеш* (Коцюб.); *Треба сказати правду,— слухати довго і терпляче Микола Васильович не вмів, йому не ставало терпцю чекати, поки бесідник його манівцями добереться до своєї мети* (Л. Укр.).

язи́к стає́ ру́ба *див.* язик.

СТАЙНІ: а́вгієві ста́йні (коню́шні), *книжн.* Щось дуже занедбане, повне безладдя, хаосу.

СТАЛА: голова́ ста́ла діря́ва *див.* голова; **душа́ ~ на мі́сце** *див.* душа; **кебета догори́ дри́гом ~** *див.* кебета; **па́м'ять ~ як те ре́шето** *див.* пам'ять.

СТАЛЕВИЙ: сталеви́й кінь *див.* кінь.

СТАЛИ: сві́чки в оча́х ста́ли *див.* свічки.

СТАЛО: воло́сся ди́бом ста́ло; воло́сся ~ вго́ру *див.* волосся.

душі́ не ста́ло у кого. Хтось дуже злякався.— *Чого ж,— каже [Кирило Тур],— ви поторопіли? Батько пошуткував [пошуткував], а в їх уже й душі не стало* (П. Куліш).

за чим ді́ло ста́ло *див.* діло; **лиця́ не ~** *див.* нема.

на чім би не ста́ло. За будь-яких умов, незважаючи ні на які перепони, труднощі.— *Задача наша бойова така — розшукати партизанів на чім би не стало* (Головко). С и н о н і м и: **хоч би там що було́; як би там не було́; хай там що; хай там як; хай хоч грім з не́ба.**

не ста́ло життя́; не ~ і слі́ду; терпцю не ~ *див.* нема; **що б там не ~** *див.* що.

СТАЛЬНІ: стальні́ не́рви *див.* нерви.

СТАН: стан (си́ла) рече́й. Обставини, певна ситуація, життєва необхідність, що впливають на щось, зумовлюють що-небудь. *Виходячи з фактичного стану речей, вважаю за потрібне довести до вашого відома, що моя робота вихователя, з огляду на все це, мало продуктивна, хоч інтенсивність моєї праці доведена до максимуму* (Мик.); *[О р л ю к:] Ти не підеш туди [на суд]. [У л я н а:] Прошу тебе, Іване! Я потерпіла людина. Я маю право! [О р л ю к:] Я так само потерпілий. Але я повинен мислити й діяти залежно від сили речей* (Довж.).

СТАНЕ: ді́ло не ста́не *див.* діло; **не́бу ~ жа́рко** *див.* жарко.

ненадо́вго ста́не кого, *безос.* Хтось недовго витримуватиме велике навантаження, напруження або скоро помре. *[М а р и н к а:] Ви ж не шануєте здоров'я свого: так тратити сили.. Для чого ж? Так же вас ненадовго стане!* (Стар.).

по́ки ста́не кого. Як довго буде здоровий хто-небудь, матиме сили щось виконати, витримати, поки житиме. *Ой, ми, доню, Твою долю не ганьбим, не гудим... Твої сміхи нам утіхи, Поки тебе стане: Твоє сонце у віконце І до нас загляне* (Г.-Арт.).

хай язи́к ру́ба ста́не *див.* язик.

СТАНІ: у пова́жному ста́ні, *заст.* Вагітна. *Пані моя нездужає: вона у поважному стані* (Сл. Гр.).

СТАНОВИЙ: станови́й хребе́т *див.* хребет.

СТАНОВИТИ: станови́ти до сті́нки; ~ до му́ру; ~ на рушни́к *див.* ставити.

СТАНОВИТИСЯ: станови́тися ру́ба *див.* ставати.

СТАНОВИЩА: госпо́дар стано́вища *див.* господар.

СТАНОВИЩЕ: вхо́дити в стано́вище *див.* входити.

СТАНУ: на стану́ ста́ти *див.* стати.

СТАНУТИ: ста́нути як віск *див.* танути.

СТАРА: стара́ лисиця́ *див.* лис; **~ пі́сня** *див.* пісня; **~ то́рба** *див.* торба.

СТАРЕ: мале́ і старе́ *див.* мале; **~ лу́б'я** *див.* луб'я.

СТАРИЙ: стари́й горобе́ць *див.* горобець; **~ лис** *див.* лис; **~ світ** *див.* світ; **~ сич** *див.* сич.

стари́й як [бі́лий (бо́жий)] світ. Дуже давній, споконвічний.— *Я вношу [пропоную] тост, старий, як світ, а проте вічно свіжий .. най жиє красота* (Фр.); *[Х л а м у ш к а:] На добраніч*

Старе, як світ, побажання... Та не віриться мені чогось в добрість цієї ночі... (Коч.); *Хтось чистим, хорошим, високим голосом почав стару, як світ, ..давню солдатську пісню* (Тют.).

СТАРИХ: лишáтися на старих позиціях *див.* лишатися.

СТАРІЙ: по старій пáм'яті *див.* пам'яті.

СТАРОГО: від малóго до старóго *див.* малого.

СТАРОЇ: старóї заквáски *див.* закваски.

СТАРОСТІ: на стáрості літ. У похилому віці, в кінці життя.

СТАРОСТІВ: прийнáти старостíв *див.* прийняти; **слáти** ~ *див.* слати.

СТАРУ: співáти старý пісню *див.* співати; **як чорт у** ~ **вербý** *див.* чорт.

СТАРШИЙ: стáрший, кудú пошлють. Той, хто виконує незначні доручення, побігач. *Завдання* [агітфургона]*..— передусім культурно обслуговувати віддалені кошари, ферми та відділки, проте господареві його доводиться виконувати ще й безліч дрібних доручень, бути якраз отим «старшим, куди пошлють»* (Гончар).

чий бáтько стáрший *див.* батько.

СТАТИ: кóзубом стáти. Дуже зашкарубнути, задубіти (про одяг, покривало тощо). *Поки до санок дійшов* [о. Гервасій]*, підрясник козубом став, аж до шкури прикипів* (Свидн.).

на порí стáти. Досягти, дійти зрілого, заміжнього віку. *Отож небога Уже чимала піднялась, Росла собі та виростала І на порі Марія стала...* (Шевч.); *Тепер Килина давно вже на порі стала, давно дівує* (Мирний); *Я стала дівка на порі, хоть боязка, похила й тиха, мій газда приглядівсь мені* (Фр.); *Видавши одну, незчулася Яресьчиха, як і друга стала на порі, треба було і Вусті приданого дати* (Гончар); *Їй чогось було сумно, як і завше матері, що схилилась над сином, котрий став на порі* (Ільч.). **на порí.** *От, уже у нас і донечка на порі...* (Стар.). П о р.: **на станý стáти** (в 2 знач.).

на станý стáти, *заст.* 1. Вирости, змужніти. *Став на стану — ні в лавці, ні к столу* (Укр.. присл..). **на станóчку стáти.** *А коли я вже велика на станочку стала, Тепер же я та до серця каждому* [кожному] *припала* (Коломийки). 2. Дівувати, думати про заміжжя. П о р.: **на порí стáти.** 3. Набратися сил, поліпшити здоров'я, відновити колишнє самопочуття. *Хоч у домовину клади, неначе він год нездужав; а тепер знову на стану став* (Сл. Гр.).

ногóю стáти ніде *див.* ступити; ~ **більмóм в óці** *див.* стояти.

стáти в головí *чого.* Очолити. *Упрохали мене товариші стать в голові діла* (Кроп.).

стáти в одúн ряд; ~ **в позúцію;** ~ **в пóзу** *див.* ставати.

стáти (встáти, звестúся, знятúся, піднятúся, спинáтися *і т. ін.*) / **ставáти (звóдитися, знімáтися, піднімáтися** *і т. ін.*) **на [своí (влáсні)] нóги.**
1. Підрости, зробитися дужим, самостійним. *Ще змалечку була* [дочка] *для нього і помічницею, і порадницею. Може, тому так рано стала на власні ноги* (Речм.); *Тут, у степах, ледве звівшись на ноги, я вперше торкнувся рукою чепіги плуга і.. ручки від кісся* (Є. Кравч.); *Як піднявся хлопець на ноги, то дід його узяв до себе в поміч коло отари* (Мирний); *Пригадую, що мені тоді сповнилось одинадцять, дванадцятий пішов. Таких років людина стає вже на свої ноги, починає жити власним розумом* (Мик.).

2. Видужати, поправитися після хвороби.— *Забираю тебе, сину! Віддав комісар! Сама дома лікуватиму — в рідній хаті швидше на ноги станеш...* (Гончар); *Олена вирішила, як тільки Аркадій зведеться на ноги, виїхати з ним на відпочинок у Карпати* (Вільде); — *А що пан твій Петрусь? Як має́ться? — Тут ізо мною. Насилу, бідний, на ноги знявсь* (П. Куліш).

3. Вибитися з нестатків, стати заможним; збагатитися. *Тепер і на корову спромігся, і коненята купив, і вівці мешкають на оборі. Гнат став на ноги, зробивсь хазяїном* (Коцюб.); *Щоби запомогтися бідному чоловікові з того заробітку, придбати щось для господарства або на ноги стати, з наймита зробитися господарем, як то давно бувало,— про те нині нема що й думати* (Фр.); *Таки, що не кажи, а їхня сім'я поволеньки на ноги стає. Хоч і не завжди є хліб на столі, так на молоко не бідуємо, і хата ж своя* (Стельмах); *Обжилися ми, значить, з Зіною, потроху на ноги встали. Приробили грошенят, та вже таких, що й до ощадної каси звернулися* (Логв.); *Спромігся трішки Трохим, піднявся на ноги* (Кв.-Осн.); *Обжився він, почав підніматися на ноги* (Мирний). С и н о н і м: **вбивáтися в сúлу** (в 2 знач.); **вбивáтися в колодóчки** (в 2 знач.).

4. *перен.* Досягти певного рівня розвитку, зміцнитися. [К і н д р а т:] *Найтяжче уже пройдено. Почали план давати. Стаємо на ноги* (Корн.).

стáти (встáти) / ставáти [на] дúби. Не погодитися з чим-небудь, запротестувати. *Тут стала на диби й Орися. Вона категорично відмовилася грати дівчину подружку Оксани* (Вільде). **стáти (встáти, піднятúся) [на] дúбки.** *Молодий поїхав кликати на весілля родичів та сусід... Мельхиседек був радий їхати, але.. Марта стала на дибки* (Н.-Лев.); *Навіщо ждать, щоб хтось мене Почав критикувати? Я краще встану гнівно сам Супроти себе дибки* (С. Ол.). * Образно. *Кріпак не гнув ший перед паном, робітник — перед хазяїном,.. все, зачувши волю, піднялося на дибки і прокричало своє право* (Мирний). П о р.: **стáти гóпки.**

стáти в стрíй. Приступити до виконання своїх обов'язків після якоїсь перерви.

ста́ти горо́ю *див.* стояти.

ста́ти грудьми́ *за кого, що.* Мужньо, самовіддано виступити на захист кого-, чого-небудь. *Розумів [Сеспель] — він напередодні відповідальних подій, знав — доведеться і йому стати грудьми проти ворога* (Збан.); *А сурма до бою покличе, за край свій ми станем грудьми* (Сос.); *Син коханий, господар молоденький, між тими, що грудьми стали за матір Вітчизну* (Вільде).

ста́ти до сті́нки *див.* ставати; ~ **кілко́м в го́рлі;** ~ **клубко́м в го́рлі** *див.* стояти; ~ **лу́бом** *див.* стояти.

ста́ти люди́ною. Зрости духовно, виробити кращі риси характеру і поведінки. *Усі за тебе переживають, хочуть, щоб ти людиною став, маму свою не соромив...* (Гончар).

ста́ти між *див.* ставати; ~ **му́ром** *див.* стояти.

ста́ти на близьку́ (коро́тку) но́гу *з ким.* Зійтися, порозумітися, зріднитися. *З майором Хаєцький став на близьку ногу, ще митарствуючи по Трансільванських Альпах* (Гончар); *Федеві стати на коротку ногу з Мельпоменою не пощастило. А його друг з першого знайомства відчув себе з цією музою за панібрата* (Шовк.).

ста́ти на коліна *див.* ставати.

ста́ти на ножі́ *з ким.* Загострити взаємини з ким-небудь. *Заради Надії він готовий стати на ножі з начальством* (Баш); *З попом, гонористим протоієреєм місцевого собору... став [учитель] «на ножі», примусивши його поводитись чемно* (Вас.).

ста́ти на одну́ лі́нію *з ким.* Уподібнитися кому-небудь, зрівнятися з кимсь. *[Степан:] А дітей треба поженити, Невірно робиш, Часник.. В цьому ділі ти на одну лінію став з Галушкою* (Корн.).

ста́ти на прю *див.* ставати; ~ **на ре́йки** *див.* переходити; ~ **на своє́му** *див.* стояти; ~ **на слизьки́й шлях;** ~ **на слизьку́ доро́гу** *див.* ставати.

ста́ти на шлях *чого.* Обрати певний напрям у діяльності, поведінці, визначити своє спрямування. *Ми висловлюємо солідарність з народами, які недавно стали на шлях соціального прогресу, з тими, хто у важкій боротьбі з неоколоніалізмом та внутрішньою реакцією твердо відстоює суверенітет і незалежність своїх молодих держав* (До народів світу). С и н о н і м: **вступи́ти на доро́гу.**

ста́ти [ноже́м] попере́к (впопере́к) го́рла *кому, чийого.* Дуже непокоїти, хвилювати когось, не давати спокою комусь. *Кожного з своїх перебирали та перетирали пани на зубах і всякий раз верталися вони до тієї проклятої волі, котра гострим ножем стала впоперек їх горла* (Мирний). П о р.: **ста́ти кісткою в го́рлі.**

ста́ти обли́ччям *див.* повертатися; ~ **ру́ба** *див.* ставати.

ста́ти / става́ти го́пки. Не погодитися з ким-, чим-небудь, запротестувати. *Балабуха знав, що*

його жінка стане гопки, як угледить цю всю компанію в своїй світлиці (Н.-Лев.); — *Як стане було отой Гончеко гопки, то вже не зіб'єш його нічим,— хоч плач, хоч скач, а зробить, як сказав!..* (Ю. Янов.); *Хай хоч гопки стає, а я зроблю своє!* П о р.: **ста́ти на ди́би.**

ста́ти / става́ти до ла́ду. Розпочати діяти, працювати (про підприємства, механізми і т. ін.). *За одне десятиріччя.. в країні стало до ладу близько чотирьох тисяч великих промислових підприємств* (Літ. Укр.); *У Бухарі став до ладу унікальний завод по виробництву геліоенергетичних установок* (Знання..).

ста́ти / става́ти на рушнику́, *перев. з ким.* Взяти шлюб, одружитися.— *Ми дякували, а він: «Що мені з такої дяки? Тоді мені подякуєте, як на рушнику з вашею кралею стану»* (П. Куліш); *[Химка:] Усі бачили, сам бог бачив, як ми перед ним у церкві на рушнику ставали, шлюб приймали...* (Мирний). **на рушничку́ ста́ти.** *Допоможи, боже, на рушничку стати. Тоді не розлучать ні батько, ні мати* (Укр.. пісні..); *Пошли, боже, нам з тобою на рушничку стати* (Гл.). **на рушники́ ста́ти.** *Не зглянулись, як ще місяць злетів, коли ми з Марією на рушники стали* (Мур.). С и н о н і м и: **піти́ до віне́ць; ста́ти під віне́ць.**

ста́ти / става́ти під віне́ць *з ким.* Обвінчатися, одружитися.— *Уперше ви приходили до мене радитись, Іване Семеновичу, коли небіжчиця.. тільки-но мала ото стати з вами під вінець?* (Ю. Янов.). С и н о н і м и: **ста́ти на рушнику́; піти́ до вінця́.**

ста́ти / става́ти під пра́пор *чий, кого, чого.* Виступати на чиємусь боці. *Я нікого не силую, ми всі добровольці, але коли хто вже став під наш прапор, то... виконуй свій революційний обов'язок до кінця* (Гончар).

ста́ти стіно́ю *див.* стояти; ~ **сторчака́** *див.* ставати.

ста́ти / стоя́ти кісткою в го́рлі (попере́к го́рла). 1. Заважати кому-небудь, викликати заздрість у когось. *Бідні люди любили Івана. А дукачам його язик і характер кісткою в горлі стояли* (Мур.); — *І тут поперек горла став панові людський шматок хліба,— краєчком хустки провела дівчина по очах* (Стельмах).

2. Стати на перешкоді кому-, чому-небудь. *[Бурлака:] Ти думаєш, що так собі пройде? Ні, я тобі кісткою в горлі стану, подавишся!* (К.-Карий).

3. Бути остогидним, ненависним кому-небудь.— *Твій хліб давно мені кісткою в горлі став, бо не тільки вдень, а навіть вночі, крізь сон, чую паскудства свого рідного брата* (Стельмах); — *Тарасе Овсійовичу, а що мені казати,— тоном скривдженої людини озвався Корж.— Коли вже вам Давид Онопрійович став поперек горла, то що ж я маю робити?* (Добр.); *Слухаю я ваші*

слова, все чернь та чернь. Поперек горла кісткою стала чернь... А де були б ви, шановні райці й лавники, коли б не та чернь, котру клянете і гудите? (Рибак).

ста́ти / стоя́ти (става́ти) на доро́зі (попере́к доро́ги) кому. Бути перешкодою комусь у досягненні якоїсь мети. *Чи стати мені синові на дорозі, чи ні? Шкода й сина, шкода й себе... Треба людей попитати, чи не лиха, на робоча Соломія* (Коцюб.); *[Ба ту ра:] Я випадково став їм на дорозі... Треба зійти...* (Корн.); *— То, може, ти хочеш задля своєї шкури їм [страйкарям] поперек дороги стати?* (Мур.); *Вона була активна й наполеглива, настирлива й нещадна до тих, хто ставав їй на дорозі* (Ю. Янов.).

ста́ти / стоя́ти стовпо́м. 1. Зависнути в повітрі (про пил, кіптяву, дим тощо). *Курява на дорозі стояла стовпом.*

2. тільки док. Застигнути нерухомо. *Мелашка ввійшла в свою убогу хату й стовпом стала* (Н.-Лев.); *Клим стовпом став з дива* (Н.-Лев.).

ста́ти у вазі́; ∼ у приго́ді див. бути; **∼ ця́па** див. ставати.

як на пню ста́ти. Упертися, настійно вимагати чого-небудь. *От же як стара одмагалась! А внучечка як на пню стала: лікаря та й лікаря!* (Вовчок).

СТАТЬ: під стать. 1. кому. Достойний кого-небудь, підходить комусь. *Не дворецькому Остапові, старому горбатому дідові, вона під стать, а наряди її, чи то й панянка де краща знайдеться від неї!* (Мирний).

2. чому. Відповідний чому-небудь. *Ними [кладочками через ріку Білу] можна було любуватися, як художнім твором, як храмом Растреллі, як поетичною мрією,— так вони були під стать і пейзажеві оцьому* (Хотк.).

прекра́сна стать див. половина.

си́льна стать. Чоловіки. *Не обійдені увагою [на Київській ювелірній фабриці] і представники сильної статі. Вони будуть вдячні нам за набори запонок з філігранню, широкі золоті обручки* (Веч. Київ).

слаба́ (слабка́) стать. Жінки.

СТЕЖКА: не зароста́є / не заросте́ сте́жка до кого, до чого. Не забувають, відвідують когось, приходять кудись. *Не заростають народні стежки до місць, де жив, творив, де був похований Тарас Шевченко* (Літ. газ.). П о р.: **не заросте́ тропа́.**

пряма́ сте́жка; ∼ те́рном поросла́; уторо́вана ∼ див. дорога.

СТЕЖКАМИ: іти́ второ́ваними сте́жками див. іти.

СТЕЖКАХ: ходи́ти по рі́зних стежка́х див. ходити.

СТЕЖКИ: збо́чувати з сте́жки див. збочувати.

СТЕЖКОЮ: іти́ одніє́ю сте́жкою див. іти; **пі-ти́ ∼** див. піти.

СТЕЖКУ: вступа́ти на сте́жку див. вступати; **втра́пити на свою́ ∼** див. втрапити; **гаптува́ти ∼** див. гаптувати; **дава́ти ∼** див. давати; **заступа́ти ∼** див. заступати; **зверта́ти на свою́ ∼** див. звертати; **ма́ти свою́ ∼** див. мати²; **наставля́ти на ві́рну ∼** див. наставляти; **обра́ти ∼** див. обрати; **перетина́ти ∼** див. перетинати; **проклада́ти ∼** див. прокладати; **топта́ти ∼** див. топтати.

СТЕЖЦІ: стоя́ти на пра́вильній сте́жці див. стояти.

СТЕЛИТИ: стели́ти містки́ до кого. Шукати шляхів до зближення. *Галина йому не сподобалась, бо мовчазна й на вдачу горда. Тоді почав до Світлани Підігрітої містки стелити* (Зар.). С и н о н і м и: **підбива́ти клинці́** (в 1 знач.); **сма́лити халявки́; ханьки́ м'я́ти** (в 4 знач.).

стели́ти м'я́ко. Щедро обіцяти комусь, захвалювати непомірно з корисливими намірами. *Нерчин робив те, що потрібно Куцевичу, і тому він із самого початку стелив м'яко* (Рибак); *Не миль очей йому [директорові МТС] і м'яко не стели: Доб'ється правди він* (Рильський).

СТЕЛИТИСЯ: стели́тися під но́ги перед ким. Догоджати кому-небудь, принижуючись та втрачаючи людську гідність. *Кубло гадюче! Перед ворогами під ноги стеляться, мов поздихали, а перед братом сторчака стають і раді закусати!* (Л. Укр.).

СТЕЛИТЬСЯ: доро́га сте́литься див. дорога.

СТЕЛЮ: не ма́ти коли́ на сте́лю гля́нути див. мати²; **підпира́ти плечи́ма ∼** див. підпирати.

СТЕРТИ: сте́рти з лиця́ землі́ див. змести.

сте́рти на маку́ху кого. Цілком зім'яти, розтрощити, розбити вщент.— *Чого ж ти [німець] припер нашу землю плюндрувати? Тебе ж тут, слимаче, зітруть на макуху...* (Ільч.).

сте́рти на по́рох див. розтирати; **∼ на таба́ку** див. зім'яти.

СТИГНЕ: се́рце сти́гне див. серце.

СТИД: стид і со́ром кому. Уживається для вираження загального осуду, присоромлення за погані дії, необізнаність і т. ін. *— Вам стид і сором: ви пани, ви письменні, ви читаєте у книжках, як бідному треба помагати, а ви, замість того, не розпитавши, чого я і за чим, та стали з мене сміятись!* (Кв.-Осн.).

СТИДА: ні стида́ ні со́рому нема́ див. нема.

СТИДОМ: стидо́м пови́ти го́лову див. повити.

СТИРЧАТИ: стирча́ти (стримі́ти і т. ін.) спи́чкою (більмо́м) в (на) о́ці (оча́х), перев. у кого, кому. Дратувати кого-небудь своєю присутністю, наявністю і т. ін. *Уже давно вона [комора] стирчить спичкою в оці* (Мирний); *Михайло рубав дрова у дровітні, щоб не стирчати більмом у Юлки на очах* (Томч.); *Та земля Притичина не одну вже ніч не давала йому спати, болячкою у серці сиділа, спичкою в оці стриміла* (Мирний). П о р.: **стоя́ти більмо́м в о́ці.**

СТИРЧИТЬ: ду́мка гвіздко́м стирчи́ть у голові́ *див.* думка.

СТИСКА́ЄТЬСЯ: се́рце стиска́ється *див.* серце.

СТИСКА́ТИ: стиска́ти (сти́скувати) / сти́снути се́рце (ко́ло се́рця, за се́рце). Хвилювати, непокої́ти кого-небудь. *Жаль за загубленим щастям, немов кліщами, стискувала йому серце* (Л. Янов.); *Дорога завертає. Юра іде. Якесь передчуття стискає.. йому серце* (Смолич); *Мене щось стисло за серце* (Фр.); *Настю стиснуло щось коло серця.. Вона ніби бачила, як Денис десь блукає на далеких степах* (Н.-Лев.).

СТИСКУ́ЄТЬСЯ: се́рце стиску́ється *див.* серце.

СТИСЛО́СЯ: се́рце сти́слося *див.* серце.

СТИСНУ́ЛОСЯ: се́рце сти́снулося *див.* серце.

СТИСНУ́ТИ: сти́снути се́рце *див.* стискати.

СТІЙ: як стій. 1. Тієї ж миті, тут же, негайно. *Коли б не оця досадна рана, він знявся б як стій і пішов на роботу* (Коцюб.).

2. Зненацька, несподівано. *Все йшло звичайним порядком в пасічниковій хаті, коли нараз.. учув старий Семіон, що поліція як стій має спасти на його тиху і мирну досі хату* (Фр.); *Христя не дослухала козакових слів. Вона, як стій, кинулась бігти додому* (Панч). П о р.: **як стій та бач** (у 2 знач.).

3. Упевнено, твердо. *Стояла [служниця] перед майором як стій, не пускала далі* (Загреб.).

як стій та бач (диви́сь). 1. Безпричинно, без видимих підстав.— *А чого ж він лаявся? — питає [Варку] Василенко.— Та чого ж... Як стій та бач — з дурної голови...* (Збан.).

2. Зненацька, несподівано. *Наша Затиркевич-Карпинська, в хаті якої не було, звичайно, ніякого телефону, раз у раз говорила нам: «Чого ж це ви приїхали отак як стій та дивись?.. Хоч би подзвонили були..»* (Рильський). П о р.: **як стій** (у 2 знач.).

СТІЙЛО: загна́ти на сті́йло *див.* загнати; зна́ти своє́ ∼ *див.* знати.

СТІЛ: без штані́в під стіл бі́гати *див.* бігати; ка́рти на ∼ *див.* карти; під ∼ пі́шки ходи́ти *див.* ходити; саджа́ти за ∼ *див.* саджати; сіда́ти за ∼ перегово́рів *див.* сідати.

СТІЛЕ́ЦЬ: не зна́ти, на які́й стіле́ць сі́сти *див.* знати; підставля́ти ∼ *див.* підставляти.

СТІЛЬКИ: не сті́льки того́ діла *див.* діла.

СТІЛЬЦІВ: сиді́ти між двох стільці́в *див.* сидіти.

СТІЛЬЦЯХ: сиді́ти на двох стільця́х *див.* сидіти.

СТІНА: кита́йська стіна́; кита́йський мур. Нездоланна перепона, великий бар'єр, що перешкоджає розвитку чого-небудь, зумовлює цілковиту ізольованість чого-небудь. *Любовній історії свого героя Левка Горового А. Мороз також приділяє не більше уваги, ніж інші письменники.*

Тільки любов у нього не відгороджена китайським муром від громадської діяльності героя (Вітч.).

СТІНАХ: у чотирьо́х сті́нах, з сл. с и д і т и. У самотині; ізольовано від громадського життя, нічого не роблячи, не реагуючи ні на які події.— *Що ж ти [Онисько] знаєш? Хоч би кого у сусіди пустив — все б охватніше, веселіше жилося... А то товчись сама на дві половини, сиди, як дурна, у чотирьох стінах,— слова нікому сказати* (Мирний); *Не для того я повертаюся додому, щоб сидіти в чотирьох стінах і снувати спогади, яких ще майже не мав* (Загреб.).

СТІНИ: аж сті́ни (две́рі, ві́кна) дрижа́ть (трясу́ться). Дуже гучно, занадто голосно (що-небудь діється, відбувається). *Співаємо, аж на улицю чути, аж стіни у хаті дрижать...* (Мирний). * Образно. *Б'є об землю копитами сивий — аж до обрію поле дрижить!..* (Гонч.). П о р.: **аж земля́ трясе́ться; аж ха́та трясе́ться.**

би́тися голово́ю об сті́ни *див.* битися; **підпира́ти** ∼ *див.* підпирати.

СТІНЙ: притиска́ти до стіни́ *див.* притискати; притуля́ти горба́того до ∼ *див.* притуляти; **як горба́тий до** ∼ *див.* горбатий.

СТІНКИ: ста́вити до сті́нки *див.* ставити.

СТІНКУ: лі́зти на сті́нку *див.* лізти; **хоч на** ∼ **лізь** *див.* лізь.

СТІНОЮ: відгороди́ти стіно́ю *див.* відгородити; стоя́ти ∼ *див.* стояти; **як за кам'яно́ю** ∼ *див.* горою.

СТІНУ: де́ртися на стіну́ *див.* дертися; пробива́ти ∼ *див.* пробивати; ста́вити ∼ *див.* ставити; **хоч головою об** ∼ **товчи́** *див.* товчи; **хоч лобом в** ∼ **бийся** *див.* бийся; **як горо́хом об** ∼ *див.* горохом; **як за** ∼ **засу́нутися** *див.* засунутися.

СТІП: па́дати до стіп *див.* падати.

СТО: в сто оче́й диви́тися *див.* дивитися; **в** ∼ **раз** *див.* раз.

на всі сто [проце́нтів]. 1. Цілком, повністю.— *Ви, Якиме Івановичу, тут праві на всі сто* (Збан.).

2. Який має позитивні якості, властивості. *Зовнішньо Кужель був, як кажуть, на всі сто — високий, ставний, здоровий, чорнобривий, з орлиним поглядом* (Збан.).

3. Який заслуговує цілковитого схвалення, правильний. *Я товариша Киселя добре знаю. В нього лінія на всі сто, будьте певні* (Мур.).

посила́ти сто сот чорті́в на спи́ну *див.* посилати. **сто лих.** Чимало горя, неприємностей, всілякого клопоту. *Тут ржання кінське з тупотнею, Там разний [різний] гомін з стукотнею, Скрізь клопіт, халепа, сто лих!* (Котл.).

сто (сто сот, ти́сячу і т. ін.) крот боля́чок [у печінкі і т. ін.] кому, чий, лайл. Уживається як проклін, при вияві гніву, великого обурення. *А сто крот болячок у твої печінки!* (Номис).

сто чорті́в кому і без додатка, лайл. Уживається

для вираження гніву, роздратування і т. ін.— *А почім десяток яблук? Мовчить стара.— Кажу ж, матері твоїй сто чортів! — гримнув пан, розсердившись* (Стор.); — *Сто чортів! се насильство! — бунтує моя істота* (Коцюб.).

як на сто коней висадив *див.* висадив.

СТОВБУЛА: давати стовбула *див.* давати.

СТОВПА: біля кожного стовпа, з *сл.* з у п и н я т и с я, с т а в а т и. Дуже часто, раз у раз. *Їхали потягом.. Посувалися, як волами, зупинялись біля кожного стовпа* (Гончар).

приковувати до ганебного стовпа *див.* приковувати.

СТОВПИ: геркулесові стовпи, *книжн.* Кінцева межа, край; крайність. *Гніт капіталу над працею ще збільшився, реклама, шахрайство, кар'єризм і безпринципність досягли геркулесових стовпів, безправ'я трудящих стало безнадійним* (Л. Укр.).

підпирати стовпи *див.* підпирати.

СТОВПОВА: стовпова дорога *див.* шлях.

СТОВПОВИЙ: стовповий шлях *див.* шлях.

СТОВПОМ: дим стовпом *див.* дим; **стати ~** *див.* стати.

СТОВПОТВОРІННЯ: вавілонське стовпотворіння. Повне безладдя, гармидер, нестримний галас, метушня. *Голови туманіли від невщухаючого лементу цього вавілонського стовпотворіння. З ранку до ночі горлають водоноси, вищать шарманки, іржуть коні* (Гончар).

СТОЇТЬ: доки світ стоїть *див.* світ; **клубок ~ у горлі** *див.* клубок.

на ногах не стоїть (не тримається). 1. Хто-небудь дуже знесилений, хворий, слабий. *Він такий слабий, що на ногах не стоїть.*

2. Хто-небудь зовсім п'яний. *Напився — на ногах не стоїть.*

на чім тільки світ стоїть *див.* світ; **питання ~ руба** *див.* питання; **час не ~** *див.* час.

СТОЛІ: держати на голодному столі *див.* держати; **лягти на ~** *див.* лягти; **сісти на ~** *див.* сісти.

СТОЛІТЬ: з сивини століть *див.* сивини.

СТОЛОМ: за одним столом, з *сл.* с и д і т и, п е р е б у в а т и *і т. ін.* з ким. Поруч, як рівний з рівним.— *У гласні вибиратимуть і дворяни й мужики... Учора мій Омелько в мене кізяки різав, а завтра, може, сидітиме рядом [поряд] зі мною... Я — гласний і він — гласний...* (Мирний).

СТОПИ: направляти стопи *див.* направляти.

СТОПТАТИ: стоптати багато (не одну пару, сім пар *і т. ін.***) підошов (підметок, чобіт, черевиків, лаптів** *і т. ін.***).** Довго ходити, чекати, добиваючись чого-небудь. [М а к а р:] *Ще не одну пару підметок стопче* [Артем], *поки дійде до генерала* (Корн.).

СТОРИЦЕЮ: відплачувати сторицею *див.* відплачувати.

СТОРІНКА: блискуча сторінка *чого, в чому.*

Найбільш знаменна, видатна подія (найбільш знаменний, видатний період). *Героїчний захист Сталінграда — блискуча сторінка в історії Вітчизняної війни* (Вісник АН).

остання сторінка *чого.* Фінал, закінчення.

СТОРІНКУ: відкривати сторінку *див.* відкривати.

СТОРОЖІ: вуха на сторожі *див.* вуха.

СТОРОНА: зворотна сторона медалі *див.* бік; **моє діло ~** *див.* діло.

слабка сторона *чия, кого, у кого, в чому.* Те, що найбільш вразливе, найдошкульніше (про якийсь недолік, ваду і т. ін.).— *Я за включення Цимбала до спортивної команди. У Цимбала є слабкі сторони? Нехай так, але ж у нас ще є майже півтора місяця для підготовки* (Багмут). С и н о н і м и: **слабке місце; болюча струна.**

тіньова сторона. Недоліки, негативні супровідні явища і т. ін.

СТОРОНИ: на чотири сторони *див.* боки.

СТОРОНИ: дві сторони [однієї] медалі. Невід'ємні складові частини чогось єдиного. *Багаті і шахраї, це — дві сторони однієї медалі, це — два головні розряди паразитів* (Ленін); *В економічних вимірниках виробництва кількості і якість — дві сторони однієї медалі* (Рад. Укр.).

з (зі) сторони. 1. з *сл.* б у т и, с т а т и *і т. ін.* Хто-небудь прибулий, чужий. [І в а н:] *Я не можу тут бути інженером зі сторони, якому досить здати свій проект. Мені хочеться поринути в це будівництво цілком* (Лев.).

2. з *сл.* д і з н а т и с я, с п о д і в а т и с я і т. ін. Від когось. *Тоді з мене було щастя... тепер вже ні об чім мені просити дома, нічого сподіватись з сторони...* (Вовчок).

триматися сторони *див.* триматися.

СТОРОНІ: на стороні. 1. з *сл.* ж и т и. Окремо від рідних.— *Тепер ви житимете на стороні, треба бути простішими,— зауважила повчально мати* (Гур.).

2. В іншому місці, в іншому колективі, установі і т. ін. *Господар* [Павло] *був добрий такий,.. що й на стороні його всяке знало* (Вовчок); — *А, може, зі мною в супрягу? Споловини, га? Чи таки й справді собі десь уже на стороні сівача запримітила?* (Гончар).

СТОРОННЄ: стороннє око *див.* око.

СТОРОННЬОГО: від стороннього ока *див.* ока.

СТОРОНОЮ: обходити стороною *див.* обходити.

СТОРОНУ: на сторону. 1. *перев.* з *сл.* в і д д а т и. Як молоду дружину в інший, чужий двір, село і т. ін. *Вибирай сама, хто тобі по серцю, і скажи мені: чи прийдеться тебе на сторону віддати, чи у прийми кого узяти* (Кв.-Осн.).

2. з *сл.* п р о д а в а т и, з б у в а т и і т. ін. За

межі власного господарства, виробництва; іншим споживачам, комусь. *Тепер ми вже все маємо, що нам треба, ще й на сторону лишок продаємо* (Мирний).

перетяга́ти на свою сто́рону *див.* перетягати; **трима́ти ~** *див.* тримати.

СТОРЧ: летíти сторч голово́ю *див.* летіти.

сторч голово́ю, з сл. **бíгти, летíти, влíтати** і т. ін. Дуже швидко; стрімголов. *Беру листа і вже сторч головою... влітаю в хату* (Стельмах). П о р.: **комíть голово́ю.**

СТОРЧАКА: дава́ти сторчака́ *див.* давати; **летíти ~** *див.* летіти.

СТОРЧАКИ́: дава́ти сторчаки́ *див.* давати.

СТОСИ: бра́ти в сто́си *див.* брати.

СТОТУ: здава́ти сто́ту *див.* здавати.

СТОЯНИ: відсто́ювати стояни́ *див.* відстоювати.

СТОЯТИ: ле́две стоя́ти на нога́х *див.* триматися.

стоя́ти бíля ви́токів *чого.* Бути одним із родоначальників, закладати основи чого-небудь. С и н о н í м: **стоя́ти бíля коли́ски.**

стоя́ти бíля керма́. Очолювати, керувати. *І жінка звільнена — не «слабша половина»! Біля державного стоїть вона керма* (Рильський).

стоя́ти бíля коли́ски. Бути учасником творення чого-небудь, родоначальником. *В. Сосюра стояв біля колиски народження нової української соціалістичної поезії, був одним із зачинателів її* (Мал.); *Геніальний Шевченко стояв біля колиски української літератури* (Рад. Укр.). С и н о н í м: **стоя́ти бíля ви́токів.**

стоя́ти (бу́ти) на розпу́тті. Вагатися, сумніватися. *Наступного дня криничани найнялися. Аж полегшало одразу на душі: вже не стоятимуть на розпутті* (Гончар).

стоя́ти в голові́. 1. Постійно з'являтися в пам'яті, в уяві, не зникати.— *Не неодмінно, щоб режисер приходив на фабрику щодня.. Ввесь час свідомо й несвідомо йому стоятиме в голові ідея сценарію* (Ю. Янов.). С и н о н í м и: **стоя́ти пе́ред очи́ма; стримíти в голові́; не сходи́ти з-пе́ред оче́й; не сходи́ти з ума́; лíзти у вíчі; ма́йчити у вíчі** (у 2 знач.).

2. *заст.* Очолювати, керувати. *Вже через тиждень після свого листа я мав дуже милі одповіді од секретаря видавництва і од Вересаєва, який стоїть у них* [видавців] *в голові* (Коцюб.).

стоя́ти в одно́му ряду́. Бути однаковим з ким-, чим-небудь. *В історії нашої держави яскравою сторінкою героїзму і мужності всього народу було перебазування матеріальних і людських ресурсів з прифронтових районів вглиб країни. Проведена при цьому колосальна робота за своїм розмахом і значенням для долі Батьківщини, для результату боротьби з ворогом стоїть в одному ряду*

з *найбільшими битвами другої світової війни* (Рад. Укр.).

стоя́ти в печíнка́х *див.* сидіти.

стоя́ти жу́жмом. Бути неприбраним, розкиданим, у безладді. *Побачивши, що в хаті все стоїть жужмом, що на городі неполені грядки зростають бур'яном, замотав* [Іван] *те собі на вус* (Коцюб.).

стоя́ти за спи́ною *чиєю, в кого.* Таємно опікати когось, надаючи підтримку, скеровуючи на певні дії.— *Чого ти мене страхаєш тими, хто за твоєю гендлярською спиною стоїть?* (Стельмах).

стоя́ти кíсткою в го́рлі *див.* стати; **~ кóзирем** *див.* ходити.

стоя́ти (лиша́тися, залиша́тися і т. ін.**) на [одно́му] мíсці.** Не розвиватися, не йти вперед. *Треба було і самим слідкувати за часом, іти за віком, а не стояти на одному місці* (Мирний).

стоя́ти на бо́жій доро́зі. Бути близьким до смерті. *Пане, пане! Стоїш ти саме на божій дорозі, незабаром тебе чекає заступ та лопата* (Вас.); — *Хто тебе приневолює топити і своє господарство, і людей? Тільки правду кажи, не хитруй зі мною хоч тепер, коли вже стою на божій дорозі* (Стельмах). С и н о н í м и: **лиша́ти свíт** (у 2 знач.); **на ла́дан ди́хати** (в 1 знач.); **не жиле́ць на цьо́му свíті; стоя́ти над моги́лою; стоя́ти одніє́ю ного́ю в моги́лі.**

стоя́ти на го́лову (на бага́то голíв) ви́ще *кого.* Значно перевершувати кого-небудь чимсь, бути набагато кращим від кого-небудь. *Літературі доводиться постійно дбати про.. вдосконалення зображувальних засобів, які допомагали б тонше аналізувати складне духовне життя, душу простої людини, що є прототипом багатьох відомих літературних героїв з дворянського і буржуазного середовища* (Рад. Укр.).

стоя́ти над безо́днею (край безо́дні). Перебувати в дуже тяжкому стані, під загрозою смерті. *Я знов затужив; Розпучно стою край безодні* (Граб.).

стоя́ти над моги́лою (гро́бом і т. ін.**).** Бути близьким до смерті. *Не мені цвіли запашні квітки, Мій садок проріс скрізь бугилою.. Нічий милий зір не запав втямки, Не простяг ніхто за весь вік руки... В самоті стою над могилою* (Граб.); *Я над гробом стою, брехати не хочу* (Сл. Гр.). С и н о н í м и: **на ла́дан ди́хати** (в 1 знач.); **не жиле́ць на цьо́му свíті; лиша́ти свíт** (у 2 знач.); **стоя́ти на бо́жій доро́зі; стоя́ти одніє́ю ного́ю в моги́лі.**

стоя́ти на доро́зі *див.* стояти.

стоя́ти на невíрному (непра́вильному) шляху́; стоя́ти на непра́вильній (невíрній) доро́зі (сте́жці). 1. Жити, діяти, поводитися всупереч прийнятим нормам у колективі, суспільстві і т. ін., недоброчинно, непорядно.

2. Обирати такий напрям діяльності, що не

узгоджується з істиною, законами розвитку чо-
го-небудь.

А н т о н і м и: **стоя́ти на пра́вильному шляху́**; **стоя́ти на пра́вильній доро́зі**.

стоя́ти на одному́. Відстоювати, захищати одні і ті самі цілі, погляди і т. ін.; бути послідовним у боротьбі за щось. *Оленка заздро глянула на вдову, подумала: «От які вони, ці Ковалі! Всі на одному стоять. За свій колгосп, за ціле село. Розумні, кмітливі... От коли б усі люди такі були»* (Кучер).

стоя́ти на платфо́рмі якій. Займати певну сторону, бути прибічником, захисником чогось (напряму, учення і т. ін.). **ста́ти на платфо́рму.** *Дівчина ніяк не могла примиритися з тим, що старші подруги стали на платформу, яка нічого спільного з її поглядами не має, і постоявши трохи, тихенько вийшла* (Роб. газ.); — *Хто вони, оті ваші знайомі? — Воєнком, видно, ждав цього запитання. — Та то ж усе наші українські ліві,— відповів ніби жартома. — Різних партій, різних течій були, а тепер на єдину платформу Радвлади стали* (Гончар). П о р.: **стоя́ти на пози́ції.**

стоя́ти на пози́ції чий, якій. Поділяти, підтримувати яку-небудь точку зору, певні погляди. *На франківських позиціях у своїй перекладацькій роботі стояв революційний демократ Павло Грабовський* (Вітч.). П о р.: **стоя́ти на платфо́рмі.** С и н о н і м: **стоя́ти на то́чці зо́ру.**

стоя́ти на пра́вильному (ві́рному) шляху́; стоя́ти на пра́вильній (ві́рній) доро́зі (сте́жці). 1. Жити, діяти, поводити себе добропорядно. *«Мамочка в мене старенька..»,— інформував я, думаючи за друге й не значчи, що стою на правильній стежці до серця дами* (Ю. Янов.).

2. Обирати такий напрям діяльності, що відповідає істині, діяти згідно з законами розвитку чого-небудь.

А н т о н і м: **стоя́ти на неві́рному шляху́; стоя́ти на непра́вильній доро́зі.**

стоя́ти на то́чці зо́ру якій. Поділяти певні погляди, дотримуватися якоїсь думки, відомих уявлень тощо. *Автор* [А. В. Федорів], *стоячи на тій точці зору, що проблема перекладу — лінгвістична проблема, ..ігнорує.. особливості художнього перекладу* (Рильський). С и н о н і м: **стоя́ти на пози́ції.**

стоя́ти однією (одно́ю) ного́ю в моги́лі (рідше **в труні́, в гро́бі** і т. ін.). Перебувати в стані повного виснаження, на грані смерті.— *Вона, Денисе Івановичу,.. виходжувала навіть таких, які однією ногою в могилі стояли* (Стельмах); [Б о р и с (до Завади:] *Ти вже одживв своє і однією ногою стоїш у труні, а я повний нерушених молодих сил!..* (Кроп.); *Біла, як морська піна, голова,.. сиві вуса та лопатою підстрижена довга борода на перший погляд казали, ніби цей дідок стоїть одною ногою в могилі* (Досв.); *Одною*

ногою в гробі стоїть, а ще зле творить (Укр.. присл..). С и н о н і м и: **лежа́ти на сме́ртному ло́жі** (в 1 знач.); **лиша́ти світ** (у 2 знач.); **на ла́дан ди́хати** (в 1 знач.); **не жиле́ць на цьому́ сві́ті**; **стоя́ти на бо́жій доро́зі**; **стоя́ти над моги́лою.**

стоя́ти пе́ред очи́ма (в оча́х, пе́ред душе́ю). Постійно з'являтися в уяві, не зникати (про образи, картини і т. ін.). *Та кара над Мариною, що придумала їй бариня, та нагла смерть Федорова, мов страховище яке, стояли перед їх очима* (Мирний); — *Мені все стоїть перед очима Брянський, звучить його голос* (Гончар); *Весь час він стоїть Христі перед очима, як живий: довгасте личко, блакитні оченята, і на голові волоссячко, як льон* (Панч); *Олександр Олександрович любить людей. Любов може бути сліпою; його любов — зряча. Людина, яка чимось привернула його увагу, завжди стоїть перед його очима* (Вітч.); *І вдень мені в очах стоїть той гість дивний, А душу рве й гнітить нескінчена розмова...* (Л. Укр.); *Як живії, вони стоять перед душею моєю: Андрійко веселий, кучерявий.. Василько над квітками та зіллям сидить, задумався...* (Вовчок). С и н о н і м и: **лізти у ві́чі**; **ма́ячити у ві́чі** (в 2 знач.); **не схо́дити з-пе́ред оче́й**; **не схо́дити з ума́**; **стоя́ти в голові́**; **стримі́ти в голові́.**

стоя́ти під вінце́м. Вінчатися. *Чом її грім не вбив або земля не запалася під нею, коли вона стояла під вінцем!* (Коцюб.).

стоя́ти (става́ти) /ста́ти клубко́м в го́рлі. Не давати можливості вільно дихати; душити (про біль, образу і т. ін.). *Сльози безсилого розпачу й образи палили груди, ставали в горлі клубком* (Тулуб). П о р.: **клубко́м підступа́ти до го́рла.**

стоя́ти / ста́ти більмо́м в о́ці. Заважати, дратувати. *Гола гора Мар'янові більмом стала в оці* (Чорн.). **більмо́м стоя́ти.**— *Більше не говори про них* [спекулянтів], *Павлику..— Хай їм грець.., вони ж більмом стоять на всю Ковалівку... Назад нас тягнуть ...* (Кучер). П о р.: **стирча́ти спи́чкою в о́ці.**

стоя́ти / ста́ти горо́ю за кого.— що. Невідступно, всіма силами захищати, відстоювати кого-, що-небудь.— *За народ горою стоїть* [Тарас Дніпровець] *І, видно, не простий собі чоловік* (Д. Бедзик); — *Євгене Панасовичу! — полум'яніючи, стиха озвалася вона.— Не журіться! Все буде гаразд. От побачите! Ми всі за вас горою станемо...* (Речм.). П о р.: **стоя́ти стіно́ю.**

стоя́ти / ста́ти кілко́м (коло́м) в го́рлі. 1. Не проходити, застрявати (про несмачну, важку їжу).

2. Дуже набридати, остогідіти.— *Вже мені ті його вірші кілком в горлі стоять!* (Фр.).

стоя́ти / ста́ти лу́бом. 1. Заклякати, втрачаючи рухливість (про язик). *Беруся я до люльки. Ти ба! Язик задубів, став лубом, у горлі пече* (Март.).

2. Втрачати еластичність, ставати цупким (про одяг, взуття і т. ін.). *Брови йому падають на очі двома очіпками, свита стоїть лубом,— він приїхав з холодної негоди* (Мик.).

стояти / стати на своєму (на своїм). Дотримуючись певних поглядів, думок, уперто відстоювати їх. *Вони стояли на своєму: їх ніхто не присилує жити вкупі* (Коцюб.); *Що хочете кажіть, шановні друзі, А я уперто на своїм стою* (Рильський). Синонім: **хилити на своє; триматися свого.**

стояти / стати стіною (муром) за кого, що, кого, чого і без додатка. Виступати одностайно, згуртовано на захист кого-, чого-небудь. [*Я к і в:*] *За Кубу переживаю, .. щоб народ вистояв.. Вистоять.. Тільки щоб піднялися всі, як один, стіною стали* (Зар.); *Трудящі Києва, як і всі радянські люди, стіною стали на захист рідної Вітчизни* (Веч. Київ); *Взяти сокири і муром стати біля своєї землі* (Стельмах). Пор.: **стояти горою.**

стояти стовпом *див.* стати.

стояти (триматися, держатися і т. ін.) осторонь від кого, чого. Не цікавитися нічим, не втручатися, уникати всього.— *Я не розумію, як можна стояти осторонь від активного життя, коли перед народом такі величезні прекрасні завдання!* (Багмут); *В школі Тася.. стояла осторонь громадського життя* (Дмит.). Пор.: **лишатися осторонь.**

твердо стояти на ногах. 1. Мати владну і невимушену поставу (про фігуру). *А Ганька й собі виплакувала від матері мережані білі спідниці, блузки, намисто. Вона була міцна, твердо стояла на ногах, як батько* (Томч.).

2. Упевнено діяти, мислити і т. ін. *Скільки це днів минуло, як вона зустрілась з незнайомим? Ніби давно це було, а, здається, вже так твердо стоїть вона на ногах, уже не огортають її сумніви* (Хижняк). Синонім: **мати ґрунт під ногами.**

СТОЯТЬ: руки не туди стоять *див.* руки.

СТОЯЧОГО: з-під стоячого підошву випоре *див.* випоре.

СТРАМУ: ні стида ні страму нема *див.* нема.

СТРАТИТИ: стратити голову *див.* втрачати.

стратити життя. Загинути. *Хотів він [метелик] бачити якнайближче те ясне сонце, яким йому здавалась лампа. Чи думав же він, що там життя стратить?* (Л. Укр.). Синонім: **стратити голову.**

стратити очі. Осліпнути. *Я його спитав, яким побитом стратив він очі. Він розповів, як.. вів троє коней напувати.. Коні злякалися, шарпонули й довго волокли хлопця з собою* (Хотк.).

стратити розум *див.* втрачати.

СТРАТИТИСЯ: стратитися розуму. Збожеволіти. *Боронь боже, хто з людей почув би Стефана, то подумав би, що стратився розуму* (Чорн.). Синоніми: **рішитися розуму; з глузду з'їхати; позбутися клепки.**

СТРАХ: мати страх *див.* мати².

на свій (власний) страх і риск (ризик), з дієсл. Беручи відповідальність на себе, ризикуючи власним здоров'ям, життям і т. ін. *Кожен з старих українських композиторів звершував справжній життєвий і громадянський подвиг, бо змушений був творити на свій страх і ризик* (Мист.); *В бою Козакову здебільшого доводилось діяти цілком самостійно, і.. він, не вагаючись, приймав потрібні рішення на свій страх і риск* (Гончар).

не за страх, а за совість. Дуже сумлінно, доброчесно, з повною відповідальністю. *Роблять свою справу в господарстві всі не за страх, а за совість. Вона була цим щаслива* (Дор.); *Він належав до тих рідкісних типів людей, які все роблять не по спішаючи, як працюють, як кажуть, не за страх, а за совість* (Роб. газ.).

страх як, з сл. хочеться, не терпиться і т. ін. Дуже, надзвичайно. *Страх як хочеться їсти.*

СТРАХОМ: під страхом чого. Під загрозою. *У нас [у Чернігові] .. т. зв. «усиленная охрана». Не маємо права навіть зібратися, хоч би й приватно, під страхом кари в'язницею чи штрафом до 3000 руб.* (Коцюб.); *Заборонялося і ніяк не менше, як тільки під страхом смерті, підходити до дротяної загорожі [концтабору] ближче, ніж на п'ять кроків* (Коз.).

СТРАХУ: лицар без страху і догани *див.* лицар.

СТРАШНИЙ: ніякий чорт не страшний *див.* чорт; ~ **суд** *див.* суд.

СТРАШНО: і приступитись страшно *див.* приступитись.

СТРАШНОГО: до страшного суду *див.* суду.

СТРЕЛЬ: хоч в око (в очі) стрель (стрельни). Зовсім нічого не видно, дуже темно. *На землю злізла ніч.. Хоч в око стрель тобі, так темно надворі* (Г.-Арт.); *Темний морок опустився на землю, й тут нічого не видно, хоч стрель у вічі* (Мирний); *Іван, не кажучи й слова, подався до повітки. Тхнуло сухою прілістю й було вже тут темно, хоч в око стрель* (Гуц.). Синоніми: **хоч в око дай; хоч око виколи; хоч оком світи.**

СТРЕЛЬНИ: хоч в око стрельни *див.* стрель.

СТРЕЛЬНУТИ: стрельнути очима *див.* стріляти.

СТРЕПЕНУЛА: як лихоманка стрепенула *див.* лихоманка.

СТРИБАЙ: хоч у воду стрибай *див.* скачи.

СТРИБАТИ: стрибати очима. Швидко, пропускаючи щось, переводити погляд з одного об'єкта на інший. *Далі Тетяна бачила, як він почав стрибати очима з рядка на рядок, а обличчя його блідло все дужче й дужче* (Ткач).

стрибати (скакати) через пліт з ким. Підгулювати; будучи одруженим, вступати в позашлюбні зв'язки з кимось. *Підсміюється [Січкар] в душі з Денисенка, який за землею не бачить, як жінка* з *іншими стрибає через пліт* (Стельмах). С и н о н і м: **скакати в гречку**.

СТРИБАЮТЬ: бісики стрибають в очах див. бісики; **думки ~ у голові** див. думки; **зайчики в голові ~** див. зайчики.

СТРИГНУТИ: стригнути очима див. стріляти.

СТРИГТИ: стригти [всіх] під одну гребінку. Однаково оцінювати всіх або багатьох.— *Ага, одрубники. Столипінці.— І з цікавістю приглядався до осель, що з десяток їх розкинулись ліворуч понад шляхом. ..— Не всіх, сину, стрижи під одну гребінку,— сказала мати* (Головко). **стригти всіх під один гребінець.—** *Надто вже якось ми звикли все робити по-сімейному,— врешті мовив Кандиба, зупиняючись перед столом.— Всі у нас свої, всі Івани Івановичі, і ми не так дбаємо про діло, як про те, щоб, не дай боже, комусь криво не сказати. А по-моєму, свій, чужий, сват, брат, дідько лихий — стрижи всіх під один гребінець* (Добр.). **стригти вухами.** Водити вухами назад і вперед (про коней, зайців). *Навіть коні під нашими їздцями почали тремтіти всім тілом, стригти вухами і форкати ніздрями* (Фр.); *Коні насторожено стригли вухами, чули вовків* (Тулуб); *Сич десь зовсім близько проскрипів на верхів'ї верби. Кінь вухами стриже, похропує, задкує від латаття* (Гончар). **стригти купони.** Користуватися ранніми здобутками, попередніми досягненнями. *Утвердження письменника відбувається по-різному. Одні з першого виступу здобувають літературний олімп, блискавичну славу і популярність, продовжують далі вдосконалюватися або, навпаки, заспокоюються, «стрижуть купони» з ранньої удачі* (Вітч.). **стригти очима** див. стріляти; **~ проти шерсті** див. гладити.

СТРИМАТИ: стримати слово див. держати.

СТРИМИТЬ: думка гвіздком стримить у голові див. думка.

СТРИМІТИ: стриміти [гвіздком (цвяхом)] в голові (в пам'яті, у мозку і т. ін.). Постійно з'являтися, поставати у пам'яті, свідомості (про образи, думки і т. ін.), невідступно переслідувати кого-небудь. *Довгня тепер стримів гвіздком у її голові, стояв перед очима* (Мирний); *Слово «замерз» стриміло в моєму мозку холодним цвяхом* (Хор.); *Починаю своєю звичкою перебирати в думках старі сюжети новел, невикористані теми, що здавна гвіздками стриміли в моєму пам'ятку* (Вас.). **стриміти гвіздком у голівоньці.** *Пилипко, вмовляючи матір, тільки заспокоював її. В його малій голівоньці гвіздком стриміла думка: от хоч би що, а піти посипати!* (Мирний). **стриміти цвяшком у мозку.** *..але збита шибка стриміла йому цвяшком у мозку. Хто її збив?* (Март.). С и н о н і м и: **стояти в голові** (в 1 знач.); **стояти**

перед очима; не сходити з-перед очей; не сходити з ума.

стриміти спічкою див. стирчати.

СТРІЙ: обертати на свій стрій див. обертати; **стати в ~** див. стати.

СТРІЛА: стріла Амура (Купідона); Амурова (Купідонова) стріла. Символ кохання (від зображення міфологічного бога Амура з луком і стрілами). *«І приніс же дідько оту красуню в мій палац! Я вже був забувся про неї, а вона знов роздратувала мене своїми очима. Оце ж то ті стріли Купідонові, про котрі торочать латинські поети! Бодай нечистий узяв оті Купідонові стріли! .. доведеться знов вчинити заїзд на леваду й хату цієї красуні!»* — *подумав Єремія* (Н.-Лев.); *А Кімон, що його нечутливе досі на всяку науку серце вразила врода Іфігенії Амуровою стрілою, почав розумнішати од думки до думки, дивуючи тим батька* (Боккаччо, перекл. Лукаша).

як (мов, ніби і т. ін.) стріла, з сл. к и н у т и с я, м ч а т и і т. ін. Дуже швидко, стрімко. *Соломія вгляділа Аврума і, як стріла, кинулась просто в грязюку, щоб помогти Аврумові* (Н.-Лев.). **як стрілка.** *Троянці разом прийнялися І стали веслами гребти, Як стрілки, човники неслися, Мов ззаду пхали їх чорти* (Котл.).

СТРІЛОЮ: летіти стрілою див. летіти.

СТРІЛУ: пускати стрілу див. пускати.

СТРІЛЯЙ: хоч з гармати (гармат) стріляй. Хтось нічого не чує (перев. про дуже міцний сон). *Спить, хоч з гармати стріляй* (Укр.. присл..).

СТРІЛЯНИЙ: стріляний горобець див. горобець.

СТРІЛЯТИ: стріляти (бити) з гармат по горобцях. Затрачати непомірні, великі зусилля, волю там, де вони зайві, недоцільні. *Вам, може, чудно, що я взяла такий поверховий тон, але ж говорити грунтовно на такі теми, се значило б стріляти з гармат по горобцях* (Л. Укр.); *Правдивий гуморист ніколи не прагне стріляти з гармат по горобцях. Своїм серйозним сміхом він прилучається до великих думок великої літератури...* (Літ. Укр.).

стріляти словами (відмовами). 1. Влучно, дотепно відказувати чи закидати кому-небудь. *В'ються вони кругом панянок,... ведуть веселу жартівливу розмову, стріляють то сюди, то туди своїми гострими одмовами* (Мирний).

2. Говорити поспіхом, скоромовкою.— *Пробачте, Артеме Петровичу, тисячу разів пробачте, що я так вдерся несподівано,— поспішливо стріляв словами гість* (Хижняк).

стріляти (стригти) / стрельнути (стригнути) очима (оком, рідко поглядом) на кого, в кого і без додатка. 1. Поглядати на кого-, що-небудь. *Стріляючи очима поза вікна, на якусь мить вона затрималася легковажним поглядом на чорнову-*

сому козакові (Ільч.); *Антон стрельнув настороженим оком на Катерину* (Чорн.); *Підперши кулаками боки, стригнула [Мар'я] очима по всіх: — А ви чого скалозубитесь?* (Баш).

2. *перев. недок.* Кокетливо, грайливо позирати на кого-небудь. *Арістотель-мудрець по садочку гуля,— Бач, Аглая іде і очима стріля!* (Фр.); *Вчора був на мосту на вулиці.. Орися крутилася біля Сергія Золотаренка. Так очима на нього і стриже* (Тют.); — *Ой, свекруха ж комусь попадеться,— одягаючись, сестра лукаво стрельнула оком в Данька* (Гончар). **стріля́ти очи́цями.** *Вона помітила, яким оком він на неї зиркає і, щоб пожартувати з нього, сама почала очищами стріляти і стиха зітхати* (Боккаччо, перекл. Лукаша). С и н о н і м и: **гостри́ти о́чі; пуска́ти бі́сики очи́ма; гра́ти очи́ма.**

СТРІЛЯЮТЬ: о́чі стріля́ють *див.* очі.

СТРІХА: ба́тькова (ба́тьківська) стрі́ха. Рідна домівка. *Чудовий образ принесла вона в душі тоді під батькову стріху, і той образ раз у раз оживає в її уяві, й міниться, і грає барвами* (Коцюб.); // Родина, родинна опіка. *Свій вихід з-під батьківської стріхи.. Гаудентій досі вважав чудом* (Фр.).

СТРІХОЮ: під стрі́хою чиєю, якою. В чиємусь домі, під чиєюсь опікою, наглядом. *Дмитрик уперше в житті ночує під чужою стріхою, далеко від матері* (Коцюб.).

СТРІЧКОЮ: прохо́дити черво́ною стрі́чкою *див.* проходити.

СТРОЇТИ: смі́шки (пі́дсмішки, ха́хи) строї́ти. Глузувати, насміхатися, жартувати не в пору. *Він стоїть, нічого не мовить. Осідлавши коня, смішки строїть* (Чуб.); — *У задніх рядах — не перешіптуватись. Вас запросили не смішки строїти* (Логв.); — *Підсмішки строїш,— брязнув [Данило] об підлогу кошиком* (Мушк.); *Він зневажливо посміхався собі в вуса, аж Тимофій Гречко гукнув до нього: — А ти, холуй, чого хахи строїш? Ще засмієшся на кутні!* (Смолич).

строї́ти вихиля́си та викрута́си. Упадати, загравати до кого-небудь. [В е к л а:] *Кума Стеха казали, що бачили, як Павло зустрів за селом нашу Явдоху і почав там перед нею вихиляси та викрутаси строїти...* (Кроп.).

строї́ти ду́рня *див.* валяти.

строї́ти з се́бе кого. Удавати кого-небудь, створювати якийсь образ. *Це кара божа — не сестра. Там училася в гімназії — баришню строїла з себе: прибратись і духами напахатись..* (Головко); *Їм було вигідно строїти з себе революціонерів* (Ю. Янов.). П о р.: **ко́рчити з се́бе.**

строї́ти комі́зу. Вередувати.— *Як же вниз, коли я знизу? Ти не строй мені комізу!* (Тич.).

строї́ти мі́ни. Робити гримаси.— *Іч, куди забрався, гемонський хлопець! — строїть міни*

Данько, *продовжуючи розмову в лицях* (Гончар).

стро́їти фі́глі *див.* робити.

СТРУГАТИ: струга́ти мо́ркву *див.* скребти.

СТРУЖКУ: зніма́ти стру́жку *див.* знімати.

СТРУНА: болю́ча (слаба́, слабка́) струна́ чия, кого. Найбільш вразливе місце, те, що особливо мучить, хвилює кого-небудь. [Г а н н а:] *Ну, от се ж і є болюча струна для Льолика. Він зовсім в іншому становищі* (Л. Укр.); *Треба віддати належне директорові міського музею. Він досконало знав слабі струни свого родича* (Донч.). С и н о н і м и: **слабка́ сторона́; слабке́ мі́сце.**

СТРУНИ: натяга́ти стру́ни *див.* натягати.

СТРУНІ: вда́рити по струні́ *див.* вдарити; **гра́ти на болю́чій ~** *див.* грати; **ходи́ти як по ~** *див.* ходити.

СТРУНУ: перетяга́ти струну́ *див.* перетягати.

СТРУСИТИ: струси́ти (струсну́ти, отряхну́ти) да́вній прах з кого — чого. Позбутися всього відживаючого, старого. — *Хочу струсити давній прах з цього закладу,— жартливо промовила чорнява жінка, виходячи з дверей* (Роб. газ.).

СТРУСНУТИ: струсну́ти да́вній прах *див.* струсити.

СТУДЕНЕ: за гаря́че й студе́не хапа́ти *див.* хапати.

СТУКАЄ: ду́мка сту́кає *див.* думка.

СТУКАТИ: сту́кати / сту́кнути в го́лову. З'явитися, виникнути (про думки, питання). *Віталій не почував ніяковості, він був зараз сповнений тривоги, бо знав більше, ніж Тоня, припавши до ілюмінатора, напружено дослухався до неба, а в голову стукала й стукала думка: «Ми — ціль! Ми — мішень! Нас летять бомбити! Нас бомбитимуть!»* (Гончар); *Тут, видко, гірше, ніж там, звідки приїхав. Бо там ходив він по дворі, бачився з людьми, і хоч робота була часом важка, а проте звична. І знов стукнуло в голову те саме настирливе питання, що вже забувалось: як воно буде?* (Коцюб.); // **сту́кати молотко́м в го́лову (голові́).** Ритмічно, монотонно з'являтися, спливати. *«Відвезуть, відвезуть, відвезуть»,— стукало щось молотком в її голові за кожним кроком, коли вона поспішала до Івана* (Коцюб.). **сту́кнуло в го́лову.** *Стукнуло в голову Оленці: чи не піти це до його, нагадать про обіцянку йому?* (Тесл.).

сту́кати у две́рі до кого, чиї. 1. Звертатися до кого-небудь з якимось проханням, добиватися чогось. * Образно. *Уже тепер маємо чим похвалитися. За кількома нашими винаходами і закордон стукає до нас у двері по ліцензії* (Вітч.).

2. Наближатися, нагадувати якимись ознаками про свій прихід. *Кінчався серпень. Осінь у двері стукала* (Курт.).

СТУКНУТИ: сту́кнути в го́лову *див.* стукати.

СТУКНУТИСЯ: сту́кнутися лоба́ми на (в) чому. Зіткнутися в поглядах, інтересах, діях і т. ін.— *Раз мало не стукнулись лобами на одному інтересі* (Стельмах).

СТУЛИТИ: не стулити очей *див.* змикати.

СТУЛЯТИ: не стуляти очей *див.* змикати.

СТУПА: як сту́па *див.* колода.

СТУПАЛА: нога́ людська́ не ступа́ла *див.* нога.

СТУПАТИ: ступа́ти / ступи́ти на крива́вий шлях. Чинити вбивства, різню. [К а с с а н д р а:] *Стій! Невже пора ступати нам на шлях кривавий?* (Л. Укр.).

ступа́ти на слизьки́й шлях *див.* ставати.

СТУПИТИ: [і] кро́ку не [могти́] ступи́ти (зроби́ти). 1. де. Не мати свободи дії через переслідування, терор і т. ін. *Писала [М. Ульянова] синові в Женеву І Крупській все розповіла; Що вільно тут [в Росії] не ступиш кроку, Що в перший день нового року Прийшли жандарми уночі, Забрали книги, листування* (Мас.).

2. без кого. Бути безпорадним, нерішучим і т. ін. *Незабаром став я його [отамана] правицею, бо без мене не міг він кроку ступити* (Тулуб).

[і] на порі́г не ступи́ти *до кого.* Не зайти кудись, не завітати до кого-небудь, не навідати когось. *Почервонів [дід], розсердився: — Я до тебе по-доброму, а ти так до мене? Як ти така, покладу гнів на тебе до самої смерті і на поріг до тебе не ступлю. Не ходи й ти до мене!* (Вас.). С и н о н і м: **ного́ю не ступи́ти.**

[і] ного́ю не ступи́ти *куди.* Не зайти кудись, не завітати до кого-небудь. *Додому він і ногою не ступить, щоб ловцям до рук не потрапити, не наскочити на їхню засаду!* (Гончар); — *У по-па ж три шафи книг.— Хай і двадцять три, а я, Григорію Михайловичу, до нього й ногою не ступлю* (Стельмах); // *Ніколи не бувати де-небудь, у кого-небудь.— А Матвій Боцюн і ногою не ступив на Морозенкове подвір'я* (Стельмах). С и н о н і м: **на порі́г не ступи́ти.**

на крива́вий шлях ступи́ти *див.* ступати; **не го́ден у слід ~** *див.* годен; **не дава́ти кро́ку ~** *див.* давати.

ніде ку́рці ступи́ти. Дуже тісно де-небудь. *Хати ліпились одна побіля одної, а на городі — курці ступити ніде було* (Головко). С и н о н і м и: **ніде ку́рці клю́нути** (в 1 знач.); **ного́ю ступи́ти ніде.**

ного́ю ступи́ти (ста́ти) ніде. Немає вільного місця, все заповнено чимось. *Ідеш, а на землі ніде ногою не ступити: гнізда, яйця, голенькі пташата плутаються в траві, одні вже вбираються в пух, а ті лише вилуплюються* (Гончар). **ступну́ти ніде.** *А квітник біля хати — це вже Гаїнчине діло. Стільки квіток, що й ступнути скоро ніде буде* (Гр.). С и н о н і м и: **ніде ку́рці клю́нути; ніде ку́рці ступи́ти** (в 1 знач.).

ступи́ти на слизьки́й шлях *див.* ставати.

ступи́ти на хитку́ кла́дку. Зайнятися чим-небудь ненадійним, непевним.— *Але вона посковзнулась:*

стала покриткою, та як ступила на ту хитку кладку, то й не вдержалась (Н.-Лев.).

СТУПИТЬ: нога́ не сту́пить *див.* нога.

СТУПІ: в сту́пі не влу́чиш *див.* влучиш; **товкти́ во́ду в ~** *див.* товкти; **товкти́ся, як у ~** *див.* товктися.

СТУПІНЬ: підно́сити на оди́н сту́пінь *див.* підносити.

СТУПНІ: ступні́ прикипа́ють *див.* ноги.

СТУПНУТИ: раз ступну́ти *від кого, чого, до кого, чого.* Дуже невелика відстань, зовсім швидко, легко можна перейти від когось, чогось до кого-, чого-небудь; близько, поряд. *Щусі, як усі діти природи, були в душі анархістами. Ні богів, ні царів! А від анархізму до тиранії — раз ступнути* (Загреб.); *Сивоок.. мав не одну й не дві нагоди переконатися, що до щастя й добра шлях завжди предовгий, а до лиха — раз ступнути* (Загреб.).

СТУПОЮ: носитися як ду́рень з сту́пою *див.* носитися.

СТУСАНА: діста́ти стусана́ *див.* дістати.

СТУСАНІВ: дава́ти стусанів *див.* давати.

СТЯГ: піднімати стяг *див.* піднімати.

СТЯГАТИ: стяга́ти оста́нню соро́чку *див.* знімати.

СТЯГНУТИ: стягну́ти підо́зру *див.* стягти.

СТЯГНУТИСЯ: стягну́тися на ни́тку. Дуже схуднути. *Льоня захворував на кір. Шкода Льоні, хоч хвороба і пуста, але стягнеться на нитку, бо й так воно бліде та зелене* (Л. Укр.).

СТЯГТИ: стягти́ оста́нню соро́чку *див.* знімати; **~ па́ски** *див.* підтягувати.

стягти́ (стягну́ти) підо́зру (біду́, кло́піт) на кого — що. Завдавати кому-небудь щось неприємне, небажане. *Відмова могла б стягти на нього підозру, і він погодився* (Панч); *Вона висловила, нарешті, побоювання, чи не втік Швейк часом з військової служби і чи не хоче тепер стягти і на неї біду та її занапастити* (Гашек, перекл. Масляка); *Від нього не відступає [Павлина] й на крок. Чи, може, побоюється, що він вирветься з хати, попаде тамтого [Філіпчука] і ще більшого клопоту стягне на свою голову?* (Вільде).

СТЯГТИСЯ: стягти́ся з оста́ннього *див.* тягтися.

СТЯГУВАТИ: стя́гувати па́ски *див.* підтягувати.

СТЯМКУ: поверну́ти до стя́мку *див.* повернути.

СУБІТКИ: дава́ти субітки *див.* давати.

СУД: знайти́ суд *див.* знайти.

поки суд та ді́ло. Не чекаючи, не зважаючи на те, що колись настане, з'ясується і т. ін. *Поки суд та діло, давайте по чарці* (Номис); — *Поки суд та діло, нам треба домогтися окремого клаптя землі для осідку війська* [козацького] (Добр.).

страшни́й суд. Яка-небудь нестерпна обстановка (стихійне лихо, безладдя, колотнеча, війна і т. ін.). *Прибігаю до суcіди, там усі спали.*

Стукаю, добиваюся.— Пустіть, Христом богом молю, бо у нас страшний суд піднявся! (Мирний); Страшний суд творився тоді серед голих, беззахисних таврійських степів. Зривало дахи, замітало колодязі, з корінням видимало в людей з-під ніг посіви (Гончар).

СУДДЯ: Бог тобі суддя́ див. Бог.

СУДИ: суди́ та пересу́ди. Недоброзичливе детальне обговорення чиєї-небудь поведінки, дій, вчинків і т. ін. Знову незгода настала у хаті, знову сопуче мовчання, суди та пересуди на стороні (Мирний); По селу йшли суди та пересуди, хто сміявся, хто кепкував, а були й такі, що навіть лаялись (Збан.).

СУДИВОЇ: до суди́вої годи́ни див. години.

СУДИЛА: до́ля суди́ла див. доля.

СУДИТИ: суди́ти і ряди́ти (суди́ти, ряди́ти). 1. Давати лад, управляти, скеровувати.— Запорожці тепер перші пани на Вкраїні: понаставляв я їх сотниками й полковниками, судитимуть і рядитимуть вони по запорозьких звичаях усю Вкраїну (П. Куліш).

2. Роздумувати над чимось, розв'язувати якенебудь питання, завдання і т. ін. Не вигадали поради й волосні. Судили, рядили — та окружному, а окружний — та губернаторові (Мирний).

СУДНИЙ: су́дний день див. день.

СУДНОГО: до су́дного дня див. дня.

СУДНОЇ: до су́дної годи́ни див. години; **до ~ до́шки** див. дошки.

СУДУ: до [бо́жого (страшно́го)] су́ду. Протягом усього життя, завжди. Хіба умру, то тоді той вечір забуду, а то до суду буду пам'ятати його (Мирний); Так можна і до страшного суду чекати (Стельмах). С и н о н і м: **до су́ду, до ві́ку** (в 1 знач.).

до су́ду, до ві́ку (до су́ду-ві́ку). 1. Протягом усього життя, завжди, довго.— Коли ж буде кінець цій ночі? Невже вона тягтиметься до віку, до суду? (Н.-Лев.); — Вже я його [злодія] постращаю так, що буде до суду-віку дрожать [дрижати]! (Фр.); // Ніколи.— Не буду до суду, до віку!.. батечки, голубчики!.. пустіть, пустіть!.. (Кв.-Осн.). С и н о н і м: **до су́ду.**

2. На все життя, навіки, назавжди. Ото знайшов собі радість до суду-віку! (Козл.).

СУДУ-ВІКУ: до су́ду-ві́ку див. суду.

СУЄТА: суєта́ су́ет. Те, що позбавлене будь-якого значення, вартості. Усяке багатство, усяка слава — усе воно суєта суєт: і шабля, й булава з бунчуком поляжуть колись поруч із мертвими кістками (П. Куліш). П о р.: **марнота́ марно́т.**

СУК: гну́ти в сук див. гнути; **скандзю́бити в ~** див. скандзюбити.

СУКАТИ: мотузки́ (моту́ззя, свічки́) мо́жна сука́ти з кого. Хто-небудь дуже безвільний, податливий, м'якої вдачі. Хміль його зовсім розвіявся,

а разом з хмелем і його бурхливий запал. Тепер із Бородавки мотузки можна сукати (Тулуб); Гнат Сторожук не з тих покірних і хлипких людей, з яких можна мотузся сукати (Кол.); Поцілуйко.. сам.. відчував, як перед ним міниться господар оселі. «Тепер із нього можна і свічки сукати, а то, бач, як спочатку дер носа» (Стельмах).

СУКНО: кла́сти під сукно́ див. класти.

СУКНОМ: держа́ти під сукно́м див. держати; **лежа́ти під ~** див. лежати.

СУКРОВАТОЮ: се́рце обкипа́є сукрова́тою див. серце.

СУМИ: дово́дити до суми́ див. доводити.

СУМЛІННІ: залиша́ти на сумлі́нні див. залишати; **залиша́тися на ~** див. залишатися; **лежа́ти на ~** див. лежати.

СУМЛІННЯ: без до́кору сумлі́ння див. докору; **до́кір ~** див. докір.

СУМЛІННЯМ: з чи́стим сумлі́нням див. совістю.

СУМНОЇ: сумно́ї па́м'яті див. пам'яті.

СУМОМ: обгорта́ти ду́шу су́мом див. обгортати.

СУМУ: загина́ти су́му див. загинати.

СУНЕ: й ноги́ не су́не куди. Ніколи не з'явиться хто-небудь десь. Макуха запевняв, що.. німчура й ноги не суне (Ю. Бедзик).

СУНУТИ: су́нути но́са див. встромляти.

су́нути свою́ го́лову в ярмо́. Добровільно брати на себе важкі обов'язки; покладати на себе обтяжливу справу.— Я не хочу сунути свою голову в газетярське ярмо (Кол.).

СУНУТИСЯ: су́нутися з своїми ко́зами на торг. Встрявати в щось, виявляти небажану цікавість, ініціативу.— У кожній хаті свої звичаї,— продовжував Захар Максимович.— Поважай їх, сину, не топчи. ..І не сунься з своїми козами на торг (Кучер); — Справді, Вітольде Станіславовичу, що все це означає? — І Федь Масюта зі своїми козами на торг (Головч.). С и н о н і м: **встромля́ти но́са.**

су́нутися попе́ре́д ба́тька в пе́кло див. лізти.

СУПОКОЮ: не дава́ти супоко́ю див. давати.

СУПОНЮ: в супо́ню скрути́ло див. скрутило.

СУРДИНКУ: [як (мов, ніби і т. ін.)] під сурди́нку. Стишено, глухо. Я під сурдинку кажу Севу кілька зайвих слів, що не мають зв'язку з моєю пропозицією (Ю. Янов.); Фарфор таць подзвонював ніжно й глухо, неначе під сурдинку (Смолич).

СУХА: суха́ спра́ва див. справа.

СУХАР: на суха́р, з сл. схуднути, ви́сохнути і т. ін. Дуже, надзвичайно. С и н о н і м: **на шабату́рку.**

перепа́стися на суха́р див. перепастися.

СУХЕ: виво́дити на сухе́ див. виводити; **ви́скочити на ~** див. вискочити.

СУХИЙ: ї́сти сухи́й хліб див. їсти; **~ зако́н** див. закон.

СУХИМ: вихо́дити сухи́м з води́ *див.* виходити; **трима́ти по́рох ~** *див.* тримати.

СУХОГО: плести́ сухо́го ду́ба *див.* плести.

СУХОЇ: ни́тки сухо́ї нема́ *див.* нема; **як чорт до ~ верби́** *див.* чорт.

СУХУ: на суху́. Без випивки. *Та вже [Христя] мала була сама сідати на ослоні до столу, як Грицько промовив: — Чи це б то так на суху й сідати?* (Мирний).

як вого́нь на суку́ соло́му *див.* вогонь; **як чорт у ~ гру́шу** *див.* чорт.

СУЧА́СНОСТІ: знаме́ння суча́сності *див.* знамення.

СУЧИТЬ: з піску́ мотузки́ су́чить. Дуже спритний, умілий, практичний хто-небудь. *Не раз уже й Хома терпів через плутощі шуряка, не раз і клявся: оце край, терпіти більше не буду. А нічого з цього не виходив. Він тобі з піску мотузку суче, а ти його і в ступі не влучиш* (Грим.).

СУЧІ: су́чі діти *див.* діти.

СУЧОГО: су́чого ба́тька *див.* батька.

СУЧОМУ: к су́чому ба́тькові *див.* батька.

СУШИТИ: суши́ти / ви́сушити се́рце. 1. чиє, кому і без додатка. Завдавати кому-небудь душевних страждань, мук.— *Нащо ти, Любочко, козацьке серце сушиш?..* (Г.-Арт.); *Е, геть́те, думки сумнії, не суши, журбо, серця!..* (Коцюб.); *Скільки синів і дочок занапастили вороги, скільки нездійсненних зачать висушило матернє серце!* (Довж.). **суши́ти сер́де́нько.** Тихо, любо жилося дитині. *І ніщо не сушило серденька* (Л. Укр.).

2. за ким і без додатка. Уболівати, переживати за ким-небудь. *Не склала рук Марія, виходить, знайшла собі місце в житті. І може, навіть думає про нього, і так само, як він тут за нею, сушить собі серце за ним* (Д. Бедзик); *Вона глянула в повиті сумом Оленчині очі і сказала: — Не треба так побиватися... сушити серце* (Хижняк).

суши́ти / ви́сушити [собі] го́лову (мо́зок, *діал.* **мізо́к, мізки́)** над чим, чим і без додатка. 1. Напружено думати, роздумувати над чимось, шукаючи розв'язання якихось проблем. *Учений вже довгий час сушить голову над якоюсь проблемою. Він зібрав і обробив велику кількість матеріалу, провів безліч експериментів, але розв'язання ніяк не дається йому* (Наука..); *Давно відлунали кроки непроханих гостей, не чути іржання коней на подвір'ї, вляглася метушня, а князь все ходить у покоях, сушить собі голову. Що значать ці кляті дари?* (Міщ.); *Штабні писарі сушили собі голови, як оформляти в паперах передачу капітулюючими військами нашій армії засобів пересування (така передача була передбачена в акті про капітуляцію)* (Гончар); *[Грінчук:] Десь там,— кажу,— сам [писар] у тій раднйці сидить та над нашими справами мозок собі сушить* (Фр.); // Напружено згадувати кого-, що-небудь, турбуватися про що-небудь. *Як душив мене в тій хаті Дух*

від зілля! Я все думав, Голову сушив, де чув я Пах такий? Даремно думав (Л. Укр.); *З ніг валить бабу горе! Все шука вона вузла [з грошима], Дума сушить мізки* (С. Ол.); *Найпростіше було Василеві. Він і досі був одинаком, жив десь на висілку, наймаючи собі кімнату, не сушив голови різним житейським дріб'язком* (Загреб.); — *Вам зовсім не потрібно сушити собі голови, бо про все турбуватиметься Люся* (Досв.); С и н о н і м и: **моро́чити го́лову** (в 3 знач.); **лама́ти собі́ го́лову** (в 3 знач.).

2. Невідступно з'являтися у свідомості, турбувати, хвилювати когось (про думки). *День півсонно проморгавши, город твердо засинає, а наразливая думка серед темряви і тиші у безсонні морить душу, сушить мозок непокоєм* (Дн. Чайка); *[Зінаїда Павлівна (до Арсена):] Не журіться, журба висушить мозок, а ради не дасть* (Дмит.); *Як там вона [мати] живе, бідненька, які думи сушать її стару сиву голову, якими словами оплаче мене?* (Збан.); *Жартує чоловік та сміється, нібито й хвороби в нього ніякої —.. Що вже з нього було б, коли б ото кістки не боліли, коли б чорна жура не сушила весь час голови?* (Збан.).

3. Виснажувати кого-, що-небудь, ослаблювати, притуплювати здатність до чіткого мислення, ясного розуміння і т. ін. *Як швець дубом шкури пересипа, Так нюхарі сушать собі мозок табакою* (Укр.. присл..).

суши́ти зу́би. Сміятися, посміхатися. *Парубок до дівчини сушив зуби, голосно сміявся; Біля самого двору Безбородька осяяла щаслива думка. Він аж зупинився,.. вдоволено засміявся.— Чого це ти, чоловіче, зуби сушиш? — обізвалась із городця гостровуха Марія* (Стельмах). С и н о н і м и: **продава́ти зу́би; торгува́ти зуба́ми.**

СФЕРАХ: вита́ти в небе́сних сфе́рах *див.* вита́ти.

СХАБ: спря́жити на схаб *див.* спряжити.

СХИЛИТИ: не схили́ти / не схиля́ти голови́ (чола́, ши́ї і т. ін.) перед ким-, чим-небудь, рідко кому, чому. Не здатися, не підкоритися. * Образно. *Міста і села всієї України не схилили голови перед загарбниками. Партизани і підпільники вступають у жорстоку боротьбу з ворогом* (Д. Бедзик); *Вони не схилять перед катом чол, продажних шкур немає в їхнім стані* (Сос.); *Перед султаном не склонимось ми, Ший не схилим магнатам, З рідними будемо жити людьми, З другом і братом!* (Рильський); *Разом з прогресивною світовою громадськістю радянські люди висловлюють свою братерську солідарність з передовими силами латиноамериканських народів, з патріотами Чілі, які не схиляють голову перед фашистською диктатурою* (Роб. газ.). А н т о н і м: **схиля́ти го́лову** (в 1 знач.).

не схили́ти пра́пора *див.* схиляти; ~ **го́лову** *див.* схиляти.

схили́ти се́рце *до кого.* Відповісти взаємністю, прихильно поставитися до кого-небудь, покохати. *Таки частенько здається.. Що мир, лукавий, як дівча, Цього на людях уквітча, А серце схилить до другого, Пригорне потай дорогого,— І хто всю душу віддає.— В кайдани зрадно закує* (Граб.).

СХИЛІ: на схи́лі віку (літ, днів). В кінці життя, на старості, при наближенні старості. *На схилі віку Марко Лукич постійно не працював у трупі, а більше гастролював* (Кроп.); *Уже зайшли серпневі темні ночі. На схилі літ, в ясний ранковий час, Коли роса мої зволожить очі, Я осміхнусь і пригадаю вас* (Перв.). **на схи́лку літ (днів).** *Згорьований, збідований, він* [Т. Шевченко] *на схилку літ ділився з майбутніми шанувальниками: «40 літ праці не принесло мені ані грошей, ані слави»...* (Вітч.); [Я р о с л а в:] *Так, беремо ми в юності супругу, Проте її не знаємо тоді, І лиш в тривогах, втратах і біді На схилку днів пізнаємо в ній друга* (Коч.).

на схи́лі дня. У кінці дня, перед заходом сонця. *Віддавши шану Каспію окрасі, на схилі дня, як сонце йшло на спад, з примор'ям ми.. до Дамчика вернулися назад* (Гонч.).

СХИЛЯТИ: не схиля́ти голові *див.* схилити.

не схиля́ти / не схили́ти пра́пора (збро́ї). Не здаватися, не капітулювати.— *Слава, честь більшовику, що в своєму у полку він прапора не схиляв, нас від пана визволяв!* (Тич.); *Хоробрий зброї не схиля, Вперед іде на битв дороги* (Ус.).

схиля́ти / схили́ти го́лову (чоло́, ши́ю) перед ким — чим. 1. Підкорятися кому-, чому-небудь, здаватися, поступаючись чим-небудь. [М а р т і а н:] *Ні, Валенте, не з послуху сліпого я прошу тебе скоритися братерській волі. Брат Ізоген довів так безперечно потребу жертви, що і сам я мусив схилити голову* (Л. Укр.). А н т о н і м: **не схиля́ти голові.**

2. Виявляти велику шанобу до кого-, чого-небудь, благоговіти. *Тут* [в Арджанті] *кожен приїжджий схиляє голову перед талантом великого індійського народу* (Минко).

СХОВАВСЯ: дух у п'я́ти схова́вся *див.* дух.

СХОВАЛАСЯ: душа́ в п'я́ти схова́лася *див.* душа.

СХОВАТИ: ніде пра́вди схова́ти *див.* діватися.

схова́ти до кише́ні го́нор. Тимчасово утриматися від виявлення власної гідності, гордості і т. ін., затаїти образу. *Іншим разом Мишуня образився б, але тут мусив сховати до кишені свій гонор* (Ю. Янов.).

схова́ти за гра́ти *див.* саджати; ~ **кінці в во́ду;** ~ **о́чі;** ~ **па́зури** *див.* ховати.

схова́ти у се́рці *кого, що.* Глибоко затаїти, приховати якісь почуття до кого-небудь, думки. *Чом ти мене у серці не сховаєш? Чом поглядом*

навік не затримаєш?* (Л. Укр.). **схова́ти на се́рденьку.** *Чи ти між тієї пишноти Розкішних осяяних заль* [зал] *До рідного краю й голоти Сховаєш на серденьку жаль?* (Стар.).

СХОВАТИСЯ: схова́тися в кущі́ *див.* ховатися; ~ **в шкаралу́пі** *див.* замкнутися; ~ **за чужу́ спи́ну** *див.* ховатися.

СХОДИТИ: кро́в'ю схо́дити / зійти́. Гинути, умирати. *Але як тут улежиш, коли кров'ю сходять твої товариші. Звівся я на руки, бачу: оточили наших трьох захисників десятків зо два гітлерівців* (Цюпа); // Знесилюватися. * Образно. *Хитрив, крутив злобливий лорд в сподіванці на те, що швидко кров'ю наш народ в тяжкій війні зійде* (Гонч.).

не схо́дити з-пе́ред оче́й. Постійно з'являтися в чиїйсь уяві, поставати в пам'яті.— *Думаю, а вона мені, оця Ольга, з-перед очей не сходить* (Барв.); *Не сходили з-перед очей* [Данила] *картини знущання зі старого гуцула, з його жінки* (Гжицький). С и н о н і м и: **стоя́ти в голові́** (в 1 знач.); **стоя́ти пе́ред очи́ма; стримі́ти в голові́; не схо́дити з ума́.**

не схо́дити з ума́. Постійно уявлятися, поставати в думках, пам'яті, свідомості.— *Мені він усе з ума не сходить, все перед очима,— хороший та красний, як сонце, любий, як щастя,— усміхається...* (Мирний). С и н о н і м и: **стоя́ти в голові́** (в 1 знач.); **стоя́ти пе́ред очи́ма; стримі́ти в голові́; не схо́дити з-пе́ред оче́й.**

не схо́дити з уст (вуст) *чиїх, кого і без додатка.* Бути популярним, постійно згадуватися, обговорюватися і т. ін. *Ім'я Кропивницького не сходило з уст навіть тих, хто ніколи не поважав театру* (Збірник про Кроп.); *Будапешт! Це слово тепер не сходило з уст* (Гончар).

не схо́дити (не зійти́) зі сце́ни. 1. Продовжувати виставлятися в театрі. *П'єси* [Г. Ф. Квітки-Основ'яненка] *не сходять зі сцени театрів і в наші дні* (Мист.); *Ось уже понад сорок років не сходять зі сцени театрів Радянського Союзу і багатьох театрів світу п'єси нашого видатного письменника Олександра Корнійчука* (Літ. Укр.).

2. Продовжувати діяльність на якому-небудь поприщі. А н т о н і м: **зійти́ зі сце́ни.**

схо́дити / зійти́ з шля́ху *якого.* Відмовлятися від попередніх поглядів, переконань, наміченої мети, спрямування тощо. *Віра Павлівна не хотіла сходити з того шляху, на котрий.. ступила...* (Хотк.).

схо́дити / зійти́ наніве́ць. 1. Зменшуватися у розмірах, вазі і т. ін. до повного щезання; зникати.— *Як видобули вже лівий клин — він уперся у лупак або граніт; правий, де ви, мабуть, тепер робите, сходить нанівець. Від розвилки діаметр руди вужчає* (Досв.).

2. Поступово втрачати силу, падати. *Авторитет*

отця ігумена катастрофічно з кожним днем сходив нанівець (Донч.); — Але й Рябокляч не на своєму місці,— додав Гмиря.— Справді, показний наче був. А тепер нанівець зійшов чоловік. Чужим розумом віку не проживеш! (Головко); // Ставати непотрібним, зайвим. Коли до вечора переправа не буде захоплена, то задумана операція зійде нанівець (Трубл.). С и н о н і м: **пуститися на пси.**

сходити з колії *див.* вибиватися; ~ **з очей**; ~ **з розуму** *див.* зійти; ~ **на манівці** *див.* збиватися; ~ **на пси** *див.* пуститися.

СХОДИТЬ: серце сходить кров'ю *див.* серце.

сходить / зійшло з рук. Залишається безкарним, не поміченим. Вона.. намагалася верховодити і.. коверзувати. І теж нічого — сходило з рук (Стельмах); // Минає, уладнується як-небудь. [Єфрем:] Іншим якось сходить з рук, а я спіткнувся; підвівся.. та вже ґрунту під ногами не почув (Кроп.).

як гора з плечей сходить *див.* гора.

СХОДИТЬСЯ: кишеня не сходиться *див.* кишеня.

СХОДЯТЬ: очі сльозами сходять *див.* очі.

СХОДЯТЬСЯ: дороги сходяться *див.* дороги; **кінці з кінцями не** ~ *див.* кінці.

СХОПИТИ: схопити бика за роги *див.* брати; ~ **гарбуза** *див.* діставати; ~ **за барки** *див.* братися; ~ **за горло**; ~ **за зябра** *див.* брати.

схопити запотиличника. Бути побитим за що-небудь. Коли б у домівці був тато, Максим би отак не витворяв, і не тому, що боявся схопити запотиличника, а просто: при батькові якось самі по собі смирнішали і ноги, і руки (Стельмах).

схопити за роги *див.* брати; ~ **на оберемок** *див.* взяти.

схопити (ухопити) за хвіст (за хвоста) [ідею (думку)]. Дійти до виразного розуміння, уявлення кого-, чого-небудь; збагнути можливість розв'язання чогось складного і т. ін. [С у х о в і й:] Ага-га, це ти чи не про Шкаляру́пу пита́єш? [Запорожець:] Ото якраз за самісенького [самісінького] хвоста ухопив (Кроп.).

СХОПИТИСЯ: обома руками схопитися; ~ **за соломину** *див.* хапатися.

схопитися на кулаки. Розпочати бійку. Серед двору зійшлися двоє: бородай-мотузяр і дебелий городовик. Вони схопилися на кулаки (Смолич).

СХОПИТЬ: трясця схопить *див.* трясця.

СХРЕСТИЛИСЯ: багнети схрестилися *див.* багнети; **дороги** ~ *див.* дороги.

СХРЕСТИТИ: схрестити мечі (списи). 1. Вступити в бій, боротьбу проти ворога. С и н о н і м: **підняти зброю.**

2. Рішуче виступити проти кого-небудь, захищаючи певні погляди чи інтереси. [О л ь г а А н т о н і в н а:] Я скажу, що тебе нема, що ти

хворий. [Лисенко:] Ні, не треба... Я прийму бій. Все одно з ними треба колись схрестити мечі (Мокр.); // Посперечатися. Молодь завжди любить сперечатися на різні теми, схрещувати мечі в суперечках. **схрестити списа.** — Ви.. коли-небудь вечірньої години схрестите зі мною в якомусь диспуті списа (Кол.).

П о р.: **багнети схрестилися.**

СХРЕЩУЮТЬСЯ: багнети схрещуються *див.* багнети; **дороги** ~ *див.* дороги; **очі** ~ *див.* очі.

СЦЕНИ: зійти зі сцени *див.* зійти; **не сходити зі** ~ *див.* сходити.

СЦЕНІ: триматися на сцені *див.* триматися.

СЦЕНУ: робити сцену *див.* робити.

СЦІЛЛОЮ: між (поміж) Сціллою та (і) Харібдою. Під обопільною нищівною загрозою. Замітку вдалося провести непокаліченою поміж Сціллою та Харібдою невмолимої тутешньої цензури (Граб.); «Мирний» опинився.. поміж двома величезними айсбергами. Чи пройде «Мирний» поміж Сціллою і Харібдою, чи зімкнуться вони й розчавлять його, як маленьку раковину? (Довж.).

СЮ: у сю хвилину *див.* хвилину.

СЮДИ: ні туди, ні сюди; то туди, то ~ *див.* туди.

СЯГАЄ: куди око сягає; скільки ~ **око** *див.* око.

СЯГАТИ: сягати [своїм] корінням (коренями) куди. Вести, брати свій початок з дуже давніх часів; мати давні витоки, першооснови. Історія східних слов'ян своїм корінням сягає в глибоку давнину (Іст. укр. літ.); Вірмено-українські літературні, музичні, театральні зв'язки своїм корінням сягають у далеке минуле (Рад. Укр.).

СЯДЬ: хоч сядь та й плач *див.* плач.

СЯЙНУЛА: думка сяйнула в голові *див.* думка.

СЯК: так і сяк; ні так, ні ~ ; **так чи** ~ ; **то так, то** ~ *див.* так.

СЯКИЙ: сякий, такий; [і] сякий і такий. Непорядний, не такий, як інші люди (перев. лайл.). А тут його за мішок — сіп! — «Нащо ти груші узяв? Сякий, такий сину!» (Кв.-Осн.); // Поганий. Мотря, вмиваючись сльозами, стала ганьбити сина.— Тепер, бач, і до матері?! .. А як тоді, так мати сяка й така... (Мирний); Хто це міг казати йому, що Бузана сякий і такий, тупий і недалекий! Яка низькопробна брехня! (Загреб.); // Який відзначається позитивними якостями, здібностями і т. п. Яку б вона розмову не розпочала, з ким би не побачилася, уже вона завжди зверне на Василя. І сякий, і такий, звізди з неба здіймає (Мирний).

СЯКИЙ-ТАКИЙ: сякий-такий син *див.* син.

СЯМ: і там і сям *див.* там.

СЬОГО: не від миру сього *див.* миру; **ні з того, ні з** ~ *див.* того.

СЬОГОДНІШНІМ: жити сьогоднішнім днем *див.* жити.

СЬОМА: сьо́ма вода́ на киселі́ *див.* вода.

СЬОМЕ: да́ти під сьо́ме ребро́ *див.* дати.

СЬОМИЙ: виганя́ти сьо́мий піт *див.* виганяти; ли́ти ~ піт *див.* лити.

СЬОМИХ: до сьо́мих · ві́ників *див.* ві́ників.

СЬОМОГО: до сьо́мого колі́на *див.* коліна; до сьо́мого по́ту *див.* поту.

СЬОМОЇ: без сьо́мої кле́пки у голові́ *див.* клепки.

СЬОМОМУ: на сьо́мому не́бі *див.* небі.

СЬОМУ: мир сьому́ до́му *див.* мир.

СЬОРБАВШИ: несо́лоно сьорба́вши, *з сл.* і т й, пі т й. Без результату, без досягнення успіху. *Тепер, коли небезпека була позаду, Ананію здавалося, що не так уже й страшно було. Не рискувавши, підем несолоно сьорбавши...* (Ю. Янов.). С и н о н і м: **ні з чим.**

СЬОРБНУ́ТИ: сьорбну́ти ли́ха (го́ря). Зазнати великих переживань, перенести чимало труднощів; набідуватися. *Хай уже бавиться [Світлана] тією кокардою, коли не знає, скільки лиха сьорбнув із-за неї Валерик* (Гончар); *Багато горя сьорбнули Твердохліб і Ольга* (Хижняк). **сьорбну́ти го́ренька.**— *Ох, і сьорбнув же я тоді горенька, і напився ж біди! Відкіль ті й борги взялися?* (М. Ол.); // чого. Зазнати великих випробувань у зв'язку з чимось. *Дух наступу! О, хто сьорбнув лиха відступу, тому особливо дорогий цей звитяжний наступальний дух!* (Баш). П о р.: **сьорбну́ти солоного.**

сьорбну́ти соло́ного. Зазнати великих випробувань, незгод, злиднів і т. ін.— *Мені, товаришу майор, рано довелося сьорбнути солоного* (Баш). П о р.: **сьорбну́ти ли́ха.**

Т

ТАБА́К: ді́ло таба́к *див.* діло.

не той таба́к, *розм., рідко.* Інший стан речей, що порівняно з попереднім має більший смисл, резон. [М а т р о с:] *..Якби я був у комітеті, я б зразу* [влаштував у технікум]. *А то біда, що не в комітеті, та й роба в мене... Куди ж... А вам, то вже зовсім не той табак* (Мик.). С и н о н і м: **інша річ.**

ТАБА́КА: як таба́ка в ро́зі, *перев. із сл.* те́мний, сліпи́й *і т. ін.* Зовсім, абсолютно неосвічений, некультурний. [М а к с и м:] *Що ти — батька рідного поховав... [К а р п о:] Батька!.. що мені рідний батько? — пустив на світ темного, як табака в розі, та й звікуй отак...* (Коцюб.); [П е р у н:] *Та що ви її, дурної баби, слухаєте?.. Сліпа, як табака в розі, а плете щось про податки і кавції* [грошові застави] (Фр.).

ТАБА́КИ: таба́ки поню́хати *див.* дати; ні за поню́шку ~ *див.* понюшку.

ТАБА́КУ: зім'я́ти на таба́ку *див.* зім'яти; як кіт ~ *див.* кіт.

ТАВРО́: накла́да́ти тавро́ *див.* накладати.

ТАЄМНИ́ЦІ: трима́ти в таємни́ці *див.* тримати.

ТАЇ́ТИ: нічого гріха́ таї́ти (*рідко* кри́ти). Треба признатися, сказати відверто; немає потреби приховувати щось.— *Таки нічого гріха таїти — знайшовсь із наших, хрещених людей, що уступив у їх віру та, як той Юда, узявсь держать і Липці, і другії слободи на московський лад* (Кв.-Осн.); *Нічого гріха таїти: інколи наші редактори не від того, щоб підстригти майстрів слова на знайомий і звичний їм кшталт* (Рильський); *Нічого гріха таїти, є ще й такі особи, в яких, як писав Довженко, розум з вищою освітою, а серце — з нижчою* (Літ. Укр.). С и н о н і м и: **пра́вду ка́-** жучи; ніде пра́вди діва́ти; ніде діва́тися (у 2 знач.); пра́вду мо́вити.

ТАК: а (ах), так. Уживається для вираження обурення чиїмось вчинком, поведінкою кого-небудь. [Й о г а н н а:] *Не бувши злодійкою, я могла б узяти з дому вдесятеро більше, ніж я взяла.* [Х у с а:] *А, так? То ти мені ще й очі вибиваєш своїм багатством?* (Л. Укр.).

[а (та)] хоч би й так. Уживається як відповідь, що виражає припустимість чого-небудь.— *Чого це ти така спішна? Чи не думаєш ти часом іти заміж? — сказала мати. — А хоч би й так!* (Н.-Лев.); *У неї ревниво блиснули очі: — До своєї селючки рвешся? — А хоч би й так...* (Тют.); [П р і с ц і л л а:] *Так то ж не марево, то справжнє місто.* [Р у ф і н:] *Та хоч би й так. Воно мені чуже* (Л. Укр.).

давно́ би так *див.* давно.

за так. Безплатно, даром, без винагороди.— *Артисти наїхали! — Почому квитки? — Безплатно! Це культбригада з Христополя. За так виступатиме!* (М'яст.). С и н о н і м: **так за так.**

за так гро́шей, *з сл.* купи́ти, ви́купити *і т. ін.* Недорого заплативши за що-небудь; дешево, вигідно. *Викупили за безцінь, за так грошей.* **за так-гро́ші.** *Ото зажурився полковник і почав з журби роздивлятись нову рушницю, що купив недавно у якогось пана за так-гроші!* (Кроп.).

і так. Без додаткових ознак, дій, заходів і т. ін. [Х у с а:] *Не картай. Доволі з мене й так...* (Л. Укр.); — *Гов-гов-гов! Давай перевезу! — Я, Матвію, поїду за чоловіком, ти й так намахався веслом за цілий день* (Стельмах); — *Хоча б цієї столиці не минути,— непокоївся сержант Козаков.. — Нашу дивізію,— гули хлопці,— вже й*

*так танкісти охрестили: непромокаюча, непроси-
хаюча, мимо-Бухарестська, мимо-Будапештська*
(Гончар). С и н о н і м: **і без того.** А н т о н і м: **до
того.**

і так і перетак. По-різному, різними способами.
*Знайшовся божевільний Шпак, І брата меншого
він став дурить брехнею і так і перетак* (Гл.).
С и н о н і м: **і так і сяк** (у 1 знач.).

і так і сяк. 1. По-різному, різними способами.
*Мишко відпрошується, відговорюється і так і сяк.
Цар сказав, що відпустить, але тоді, як йому
приведе від другого царя золотогривого коня*
(Казки Буковини..); «*Я розсудив не так,— верзе
другий Вітряк,— Щоб в світі живучи, ніколи не
блудити, Підлажуйсь [підладжуйсь] до людей,
вертись і так і сяк...*» (Гл.); «*Критики, бувало,
й знаменитості І про мене тискали слівце: Що,
мовляв, і так і сяк у нього, От якби поменше
зоряниць...*» (Мал.). **[і] сяк і так.** *Пан міркував
про своє положення сяк і так, та не міг надумати
нічого ліпшого понад те, що приладив візник*
(Фр.); *Щодня в подвір'я наше залітá Упертий
дятел.. Мурко вже закрадався до хвоста І сяк,
і так, неначе справжній злодій* (Рильський).
С и н о н і м и: **на всі лади** (у 1 знач.); **як тільки
можна** (у 1 знач.); **і так, і перетак.**
2. По-всякому, по-різному; і краще, і гірше.
*[Дітки] канючать хліба шмат під вікнами з торба-
ми.. та се ще й так, і сяк* (Г.-Арт.). **і сяк, і так.** *Ще
поки бабуся жила, і сяк і так жилося* (Мирний).
С и н о н і м: **з маком і з таком.**
3. *рідко.* Як забагнеться (робити що-небудь).
*Я до тебе — ти, як від мари, втікаєш, уподобав
я не з тим твою уроду, Щоб долею вертіть твоєю
сяк і так* (Г.-Арт.).

не так давно *див.* давно; **не ~ дихати** *див.*
дихати.

ні так, ні сяк. Жодним способом, ніяк. *Світила
лампочка й перегоріла. Трагедія — це розуміє
всяк. Та не годиться вже вона для діла — Ні так,
ні сяк* (Дмит.).

отак і так *див.* отак; **от ~ штука** *див.* штука;
~ би мовити *див.* мовити.

так [воно] і є (єсть). Справді, правильно.
[О л і м п і а д а І в а н і в н а (поглядає на дзи-
гар, сердито здвигає плечима):] *Сьома година!
Так і єсть!* (Л. Укр.).

так за так. Безплатно, даром, без винагороди.
*Що ж ти думала: я так за так дам тобі позичку ще
й дякувати буду?* (Стельмах). С и н о н і м: **за так.**

так і. 1. Уживається для підкреслення енергій-
ної дії. *Коли Параскіца наблизилась до дівчат,
щоб зайняти відповідне місце, ті так і шарахнули
від неї, мов од вовка* (Коцюб.).
2. Уживається при вказуванні на мимовільну
або несподівану дію. *— А-а-а! — почулося рівно-
часно сонне бурчання. Йон так і скаменів, так
і закляк з простягнутою над бородою рукою*

(Коцюб.); *Зблідле стоїть, знервоване, а оченята
бистрі, смішковиті — в них так і світиться інтелект*
(Гончар).
3. Уживається для вираження скептичного
ставлення до можливої чи допустової дії.— *Знає-
те що: та торба буде наша! — рішив він.— Еге,
так тобі дід і дасть* (Коцюб.).

так і підкидає *див.* підкидає.

так і треба *див.* треба.

так його (її, їх)! Уживається для вираження
заохочування кого-небудь до якоїсь дії (перев. лай-
ки, бійки і т. ін.). *Моргнув офіцер чеченцям.
Позіскакували вони із сідел, скрутили білі ручки
і давай нагаями шмагати [Ольгу]. .. А Яким
стоїть посеред двору, приказує: «Так її, так.
Бреше, скаже». А Ольга мовчить* (Тют.); *— Так
їх [ворогів], Олежик! Дави їх, проклятих, огнем*
(Сос.).

так куди [ж пак]. Виражає незгоду з чим-не-
будь, заперечення чогось.— *Ну, так! Придбаєш,
дочко, свекруху на весь світ...— Та то, може, вона
вам, мамо, так на перший погляд здалася,— одка-
зує Галя.— Так куди!.. Кинулась Явдоха в жаль
та сльози* (Мирний); *Шрам не раз починав гово-
рити, так куди! Голос той так і покриває слова
його* (П. Куліш); *— Змалечку не вчились, бо не
до наук було, а виросли, уже б і вчились — так
куди ж пак — ми й так уже письменні* (Збан.).

так на так, з сл. **м і н я т и** і т. ін. Здійснювати
еквівалентний обмін.— *То міняймось! — Що на
що? — Так на так. Мішок на мішок.* С и н о н і м:
баш на баш.

так от. 1. Уживається на початку речення, яким
продовжується перервана думка чи розмова.—
*..Вам, мабуть, важко це зрозуміти. А для мене
мережа була всім... Так от, як стала діяти мережа
«Дніпроенерго», то й моє село змінилося одразу*
(Гончар); *...— Так от, товаришу бригадир,— ска-
зав Щорс і, сумовито посміхаючись, підійшов до
Боженка.— Віддай назад.— Що? — Віддай Ко-
марівці і Бор.— Відступати?* (Довж.).
2. Уживається для уточнення чого-небудь; а
саме, наприклад. *В Одесі думаю ще й нове що-не-
будь почать. Так от, вишиватиму на дозвіллі*
(Л. Укр.).

так (отак) і так. Уживається як вступ до
короткого викладу суті якоїсь справи. *Пішов би..
до самої столиці, впав би навколішки і сказав би:
царю мій ясний! так і так, поля в нас обмаль,
випасу нема, без лісу бідуємо...* (Коцюб.); *Тоді до
нашого командира Недоливка, так і так, кажу,
а він мені, братці: тихше, говорить, Рогов, радіо
сповіщає, що вчора в Петрограді робітники біль-
шовиків скинули.— Брешеш!* (О. Довж.); *Став
він [цар] одбиваться, а до князя Куракіна послав
гінця — так, мовляв, і так,— приперли мене, біжи
рятувати* (Хотк.); *— Збігай до тітки Насті й ска-
жи: так і так, мовляв, чиста сорочка й спідниця*

бабині в коморі... (Григір Тют.); *А жіночка моло-*
дая Кинулась до пана, Розказала — отак і так
(Шевч.). С и н о н і м: **отаке́ й таке́.**

так са́мо. 1. Тим же чином, подібно. *Усі приятелі*
Заславського так само не полюбили гордого князя
Вишневського (Н.-Лев.); *Я крапля у річці й бли-*
щу на сонці так само, як ціла хвиля (Коцюб.); —
Заждіть хвилинку,— дівчина так само, не квап-
лячись, пішла в другі двері і зникла за ними
(Стельмах); *Ось так ходять зорі та планети*
у всесвіті, а тут зараз так само прокладають свої
орбіти володарі нічного степу — механізатори...
(Гончар); // Уживається перед обставиною, яка
розкриває значення даного виразу. *Так само без*
думки — для чого, вернувся [Аркадій Петрович]
знов на подвір'я (Коцюб.); *А звуки не ростуть, не*
ширяться, а все так само тихо, тужливо летять
в повітря і мов ножем крають душу (Хотк.).

2. Як і раніше, як і до цього. *В хаті почало*
наростати якесь напруження. Нічого, здавалося,
не змінилося: так само дзвеніли чарки, так само
лилася піна з пива, і дим все так само ходив
сизими хмарами... (Хотк.); *Панна Анеля так само*
тікає од мене (Коцюб.); *На столі так само горіла*
«кадильниця» — жировичок. В кріслі, не міняючи
пози, спав Храпов (Тют.); *Шумлять акації і*
вишні, і йде учитель мій колишній, Василь Ме-
фодьович Крючко, на працю в школу, як раніше,
й так само кашля... (Сос.).

3. Також, теж. *Була весна, море було спокійне*
і синє, небо — так само... (Коцюб.); *Сі з'їзди*
[радикальної партії] без мужиків.. похожі на
з'їзди якихось диктаторів. Так само я не знаю,
нащо ставити кандидатури такі, що вже напевне
не вийдуть добре? (Л. Укр.); — *Ваші думки, то-*
варишу Попович,— сказала Супрун, звівшися з
місця,— партійний комітет дуже добре знає. І так
само добре знаєте ви ставлення комітету до ваших
думок (Головко); *Простори завжди мають у собі*
щось сумне... безкрайність степів і, мабуть, океану
теж... Так само ж помічено, що є щось скорботне
в погляді закоханих: прекрасне чомусь буває
сумним... (Гончар).

та́к собі. 1. Ні добре, ні погано; посередньо.—
Живу я так собі, запевне, не так весело, як
з тобою [матір'ю] (Л. Укр.); *Вчилася вона так*
собі і завжди клянчила, щоб їй підказували
(Гончар).

2. Нічим не виділяється, нічого особливого не
становить; посередній, пересічний. *Був Максим*
удовець, мав дві дочки. Одна — Катрею звали —
вже дівчина доросла, а хороша та пишна, як
королівна; друга — Тетяна, так собі підліток, не-
величка (Вовчок); —*Є тут у нас. Працює в кни-*
гарні. Гетерочка так собі. Та ти знаєш, Івга
Мокроус (Головко); *А якщо ви... скажете, що*
Одеса «так собі» — він [одесит] огляне вас пре-
зирливо (Ю. Янов.).

3. Непоганий. *Городок наш — так собі городок,*
нічого (Вовчок); *Я швидше втік з монастиря та*
подався до царського дворка. Так собі дімочок;
перед ним фонтан б'є вгору, навкруги квітки
(Коцюб.).

4. Без особливої причини, наміру; випадково.
Знайте, мов, що й я пан, хоч і сиджу на козлах
з батогом, але мені личило б і було б удобніше
[зручніше] сидіти з вами рядом в фаетоні. А коли
я на козлах тепер, то це так собі випадком
випало... (Н.-Лев.); — *Буду хліб вам молотити,—*
заговорив Дикун, боячись, як би пані суддьова
не подумала, що він прибув у Новосельці так собі,
на гулянку (Добр.). С и н о н і м: **тільки так.**

так тому́ й бу́ти див. бути.

так то́чно. Уживається у функції слова-речення
як стверджувальна відповідь на запитання.— *Ви*
мене пам'ятаєте? — запитав він [генерал Глазу-
нов]...— Так точно.— І відразу впізнали? — Так
точно (Довж.).

так чи (або) іна́кше (інак). 1. У той чи інший
спосіб, але з однаковим результатом. *У кожному*
значному творі нашої прози, нашої драматургії
так чи інакше зачіпається велика й велична тема
дружби народів (Рильський); *Тепер вони [фа-*
шисти] знали, що він загине так чи інакше: або
сконає сам, змучений спрагою, розкльований пти-
цями, або впаде під кулями, відстрілюючись до
останнього, коли на нього наступатимуть (Гон-
чар); *В своїм оповіданні вона [баба] багато*
наплутала. ..Так чи інак, а щось же її допровади-
ло до такого нещасного стану (Коцюб.); *Мало*
розважила ця звістка Луценка. Так чи інак,
а все-таки він вигнанець з рідного села і не раз,
а двічі (Тесл.); *Чи набрехали опришкам вісники,*
чи купці, дізнавшись так або інак про засідку,
об'їхали боком, чи самі опришки спізнилися та
прийшли вже в порожній слід,— вже хто його там
знає, як воно там було, але випад був цілковито
даремний (Хотк.). С и н о н і м: **так чи сяк.**

2. Неодмінно, за будь-яких умов; незалежно від
обставин; все ж таки.— *У Собакаря коник доб-*
рий. Так чи інак він повинен незабаром поверну-
тись (Добр.); *Так чи інак, а чомусь запав у душу*
[Роман] міцно, назавжди (Гончар). С и н о н і м:
як би там не було́.

так чи не так. За всіх умов і обставин; все ж
таки. *Так чи не так, а з Надькою нібито в нього*
йшлося до шлюбу, та чомусь не склалося щастя
(Гончар). С и н о н і м и: **як би там не було́; так**
чи іна́кше (у 2 знач.).

так чи сяк. У той чи інший спосіб. *Мені вже*
хотілось би так чи сяк заспокоїти зарозумілу
цікавість авторову (Коцюб.). С и н о н і м: **так чи**
іна́кше (у 1 знач.).

так шку́ра і закипи́ть див. шкура.

тільки (про́сто) так. Без певної мети, причини,
не маючи серйозних намірів. *Сусід до себе кликав*

кума: «*Приходь лиш, брате, на часок: По чарці вип'ємо, сальця з'їмо шматок». А справді — так не те він дума: То кумові сказав він тільки так* (Гл.); — *Чого ти на мене так дивишся? — питав він, усміхаючись.— Хто, я? Я нічого. Я просто так...— паленіла вона обличчям, ховаючи під довгі вії тугу своїх очей* (Тют.). **так тíльки.**— *Ну, як же тобі там, Василю, живеться у своїх хазяїв? — Та нічого поки що. Старий тільки все бурчить, але то так тільки* (Хотк.). С и н о н і м: **так собí** (у 4 знач.).

то так, то сяк. 1. Тим чи іншим способом, тим чи іншим чином. *До вечора сп'яніле село гуляло біля церкви, до вечора він то так, то сяк опинявся біля дівчини, але, видно, не муляв їй очі* (Стельмах). **то сяк, то так.** *Агент примовочками, смішком.. то сяк, то так підкочується до дядьків, втирається в довір'я, але не квапиться розповідати про Америку* (Стельмах).

2. Як одним способом, так і іншим; в будь-якому випадку, за будь-яких умов. **то сяк, то так.** *Отже, то сяк, то так, а вона князька дочка* (Вовчок).

тут щось не так *див.* щось.

хоч так, хоч так. Все одно, неодмінно. *Він раптом аж перехилився на стіл і заговорив ..пошепки: — Все одно, і я скажу в очі.., що тебе ми хоч так, хоч так, а вб'ємо* (Головко).

щоб ти так жив *див.* ти; **щоб я ~ жив** *див.* я; **як би не ~** *див.* як; **як бýде, ~ бýде** *див.* буде.

ТАКА: от такá ловись *див.* ловись; **~ рáдість, ~ рáдість** *див.* радість.

ТАКЕ: бог зна що такé *див.* бог; **вигáдувати ~ , що і в борщ не кришать** *див.* вигадувати; **де ~ вíдано** *див.* видано; **отакé й ~** *див.* отаке.

ТАКИЙ: і був такúй *див.* був; **на ~ манíр** *див.* манір; **сякúй ~** *див.* сякий; **сякúй— син** *див.* син.

такúй собí. Звичайний, посередній. *Я не майстер мартена, а такий собі сталевар...* (Ю. Янов.).

як такúй, *книжн.* Узятий сам по собі, безвідносно до чогось іншого. *Грабунок, як такий, ніколи не лежав йому* [Довбушу] *на серці* (Хотк.).

ТАКИМ: такúм рóбом *див.* робом.

ТАКИХ: не з такúх *див.* тих; **~ бáчив** *див.* бачив.

ТАКІВСЬКИХ: не з такíвських *див.* тих.

ТАКОГО: з такóго ж тíста *див.* тіста; **не на ~ напáв** *див.* напав; **пошукáти ~ ; пошукáти ~ вдень з вогнéм** *див.* пошукати.

ТАКОЇ: заспівáти не такóї *див.* заспівати.

ТАКОМ: з мáком і з тáком *див.* маком.

ТАКОМУ: у такóму дýсі *див.* дусі; **у ~ рáзі** *див.* разі.

ТАКОЮ: платúти такóю сáмою монéтою *див.* платити.

ТАКТ: потраплять в такт *див.* потрапляти.

ТАЛАНТ: закóпувати свій талáнт *див.* закопувати.

ТАМ: а там хоч не розвидняйсь *див.* розвид-

няйсь; **а ~ хоч потóп** *див.* потоп; **де не посíй, ~ і врóдиться** *див.* вродиться; **де ~** *див.* де.

[і] там і сям. У різних місцях, подекуди. *Там і сям.. на сонці грілися жовті гадюки* (Крим.). С и н о н і м: **тут і там.**

куди ~ там *див.* куди; **однá ногá тут, а дрýга ~** *див.* нога; **~ вúдно бýде** *див.* видно; **~ , де кóзам рóги прáвлять** *див.* правлять; **то тут, то ~** *див.* тут; **тут і ~** *див.* тут; **хай ~ що** *див.* що; **хоч би ~ що булó** *див.* що; **хоч ~ як** *див.* як; **хто б ~ не був** *див.* хто; **чогó ~ немá** *див.* нема; **що б ~ не булó** *див.* що; **що ~ ~** *див.* що; **що ти ~ забýв** *див.* забув; **як би ~ не булó** *див.* було; **як ~ був** *див.* був.

ТАМУЄ: аж вíддих тамýє. Стає важко дихати під впливом сильних почуттів. *Слухає Тарас, серце, як камінь, б'є в грудях, аж віддих тамує, а ноги вросли в землю, не може поступитися з місця* (Ков.).

ТАНЕ: лід тáне *див.* лід; **~ сéрце** *див.* серце.

ТАНТАЛОВІ: танталові мýки *див.* муки.

ТАНУТИ: тáнути / стáнути як (мов, нíби і т. ін.) віск [на сóнці (на вогнí)]. Швидко втрачати сили, здоров'я від хвороби, горя; марніти. *Втративши майже всю кров, він* [Орлюк] *якось немовби втратив злість, засумував і, танучи, як віск на сонці, упав* (Довж.); *Скільки вона* [Настя] *сліз вилила, боже мій, світе мій! Станула, як віск* (Вовчок). С и н о н і м: **тáнути як свíчка.**

тáнути як (мов, нíби і т. ін.) свíчка. Швидко втрачати сили, здоров'я від хвороби, горя; марніти. *Мама весь час заплакана, їй жалко тата, що тане, як свічка* (Дім.). **тáнути, як свíчечка.** *Танула вона* [Настя]*, як свічечка. Нікого не пізнає, дивиться страшно і все за голову себе хапає* (Вовчок). С и н о н і м: **тáнути як віск.**

ТАНЦЮВАТИ: танцювáти від пéчі. Бачити в чому-небудь першопричину, початок чогось. *Звичайно, неприємно, що в театрі збитки. Але вважати це головним ми, даруйте, не можемо, і танцювати від цієї печі не слід* (Лев.).

танцювáти (скакáти) / затанцювáти (потанцювáти, поскакáти) під дýдку чию. Беззаперечно виконувати чиї-небудь бажання, підкорятися в усьому комусь. *А незабаром почав* [Юрко] *верховодити всіми парубками в селі; всі вони танцювали під його дудку* (П. Куліш); — *Ніхто мене не переконає танцювати під дудку Миті Снігура, поки я старший майстер* (Автом.); *Я бачив таких героїв. Я тебе провчу, ти ще потанцюєш під мою дудку* (Томч.). **скакáти під дýдочку.** *Чий хліб їси, під того й дудочку скачи!* (Укр.. присл..). **плúгати під пíсню.** [В а с и л ь:] *Домаха гнівається, що Степаниду покликав за куму. Що я, справді, за такий дурноляп, щоб усе під жінчину пісню плигати* (Кроп.). С и н о н і м: **ітú під рýку.**

ТАРАБАНИТЬ: нетéча тарабáнить *див.* нетеча.

ТАРАБАРСЬКА: тарабáрська грáмота *див.* грамота.

ТАРАНЮ: ви́схлий на тарáню *див.* висхлий.

ТАРІЛОЧЦІ: підно́сити на тарíлочці *див.* підносити.

як на тарíлочці (тарíлці). 1. *перев. з сл.* р о з к а з á т и. Дуже детально, не опускаючи дрібниць, нічого не приховуючи. [К а м і л л а:] ..Я ж бажала б усе своє серце виложити перед тобою — отак, як на тарíлці (Фр.). 2. *рідко.* В якнайкращому вигляді, в цілковитій готовності. *Зараз я години дві заводськими справами займусь, а точно о четвертій зберемо всю групу, всіх інженерів.., накреслимо план, і протягом тижня, не пізніше, все має бути, як на тарíлочці* (Собко). 3. *з сл.* б á ч и т и, в и́ д н о. Дуже добре, чітко виражено.— *Товаришу командир відділення,— сказав, весь сповнюючись почуттям особливої відповідальності, старшина Костоправ,— окоп у вас погано замаскований, з неба ви — як на тарíлочці* (Собко). П о р.: **як на блюдечку.**

ТАРÍЛЦІ: не в свої́й тарíлці, *з словоспол.* п о ч у в á т и с е б е *і под.* Незручно, невпевнено, сором'язливо і т. ін. *Немногі [нечисленні] панки-християни, що тож [теж] були в тій купі, нараз помовкли і повідсувалися набік, чуючися не в своїй тарíлці* (Фр.); *Почуваю себе не в своїй тарíлці. Шукаю очима якнайвигіднішого місця, звідки б усіх можна було спостерігати, а самому не бути на очах інших* (Кол.); *З дівчатами, коли вони ніяковіють, або почувають себе не в своїй тарíлці, чи й просто затнуться на своїй дівочій упертості — розбалакатись важко* (Смолич).

ЯК НА ТАРÍЛЦІ *див.* тарíлочці.

ТАТА: як з рíдного тáта *див.* батька.

ТВЕРДÁ: твердá рукá *див.* рука.

ТВЕРДИЙ: розкуси́ти тверди́й горíх *див.* розкусити; **~ горíшок** *див.* горішок.

тверди́й (мíцни́й) на слóво. Який не порушує, дотримується своїх слів, обіцянок. *Василь Семенович — чоловік твердий на слово* (Мирний).

ТВЕРДО: твéрдо стоя́ти на ногáх *див.* стояти; **~ тримáтися на ногáх** *див.* триматися.

ТВЕРÉЗА: тверéза головá *див.* голова.

ТВЕРÉЗИЙ: тверéзий гóлос *див.* голос.

ТВЕРÉЗИМИ: диви́тися тверéзими очи́ма *див.* дивитися.

ТВЕРÉЗО: диви́тися тверéзо *див.* дивитися.

ТВІЙ: не твíй клóпіт *див.* клопіт.

ТВОГО: не твогó рóзуму дíло *див.* діло.

тíльки [й] твогó. Єдине, що належить кому-небудь, що хто-небудь може собі дозволити, на що має право. [О р и ш к а:] ..На яку хвилинку приляжеш після обід [обіду] — ото тільки й твого!.. (Кроп.); Мати вносить сорочину, А мережка ж — як огонь! — Погуляй, моя дитино, Тільки, сину, і твого (Б. Ол.).

ТВОЄ: йти́ на твоє *див.* йти; **куди́ ~ дíло; не ~ дíло; ~ дíло; ~ дíло сторонá** *див.* діло.

твоє звéрху. Ти переміг, вийшов переможцем у чомусь. [Г о р д і й:] *Вистоїш проти біди, не даси себе придавити, от уже й твоє зверху, а наберешся сили, випростаєшся,— дивись, і спіймаєш свою жар-птицю* (Юхвід); — *Таки на своєму хочеш поставити? Щоб твоє було зверху? — І поставлю,— відповів Кирик, який тільки й чекав на таке запитання* (Гуц.).

щáстя твоє *див.* щастя.

ТВОЄЇ: з твоєї́ лáски *див.* ласки.

ТВОЄМУ: прáвда на твоєму бóці *див.* правда.

ТВОЇЙ: мáтері твої́й біс *див.* біс; **мáтері ~ дýля** *див.* дуля.

ТВОЇМИ: твої́ми моли́твами *див.* молитвами.

ТВÓРЧА: твóрча лаборатóрія *див.* лабораторія.

ТВОЯ: вóля твоя́ *див.* воля; **коли́ ~ лáска** *див.* ласка; **не ~ спрáва** *див.* діло; **прáвдá ~** *див.* правда; **що ~ лáска** *див.* ласка.

ТЕ: коли́ на те пішлó *див.* пішло; **ні се ні ~ див.* се; **однé і ~ ж** *див.* одне; **пáм'ять стáла, як ~ рéшето** *див.* пам'ять; **перевóдитися ні на се ні на ~** *див.* переводитися; **тут щось не ~** *див.* щось; **що бýде, ~ і бýде** *див.* буде; **що на дýші, ~ й на язицí** *див.* душі; **як ~ бíльмó на óці** *див.* більмо; **як ~ рéшето** *див.* решето.

як на те (тéе). 1. Якраз, до речі. *Як на те, і день видавався тихий, ясний та погожий; на небі — ні хмариночки* (Мирний); *Всі на мене залицялись І сватати стали; А у мене, як на теє, Й рушники вже ткались* (Шевч.). 2. Ніби навмисно; недоречно. *Все, здається, близило [наближало] мене до щастя — і, як на те, треба ж спізнитись одним днем, щоб горювати всю жизнь [життя]* (Котл.); *До города дорога й недалека, Не забариться б перейти. Та як на те, така стояла спека, Що й місця не знайти* (Гл.). С и н о н і м и: **як на зло; як на бíду; на безголóв'я; як на ли́хо.**

ТÉБЕ: бодáй на тéбе боля́чка *див.* болячка; **не дó ~ п'éться** *див.* п'ється; **не на ~ ши́тий** *див.* шитий; **тьху на ~** *див.* тьху; **як на ~ ши́тий** *див.* шитий.

ТЕБÉ: [а] щоб тебé! Уживається для вираження незадоволення, роздратування, злості або захоплення, подиву тощо.— *А щоб тебе! Пізнаю свого правдивого брата,— засміявся дядько* (Стельмах).

Бог би тебé скарáв *див.* Бог; **бодáй вовки́ ~ ї́ли** *див.* вовки; **бодáй ~ взялá лихá годи́на** *див.* година; **враг ~ бери́** *див.* враг; **ди́явол ~ знáє** *див.* диявол; **дíдько б ~ взяв** *див.* дідько; **хто ~ знáє** *див.* хто; **чорт ~ знáє** *див.* чорт; **чумá ~ знáє** *див.* чума; **щоб ~ Бог поби́в** *див.* Бог; **щоб ~ об зéмлю ки́дало** *див.* кидало; **щоб ~ писáчка писáла** *див.* писачка; **щоб ~ понеслó по нéтрях та по болотáх**

див. понесло; **щоб ~ правцем виправило** *див.* виправило; **я ~** *див.* я.

ТЕЄ: і сеє, і теє, і оное *див.* сеє.

ТЕКТИ: текти до рук *див.* пливти.

текти (розтікатися, упливати, іти) / потекти (розтектися, упливти, піти) крізь пальці (поміж пальцями). Швидко або марно, без усякої користі втрачатися, витрачатися. [Юда:] *Хотів би знати я, що б ти зробив, якби тобі текли крізь пальці гроші і розтікалися по всіх усюдах, лишаючи тобі сухі долоні — і так щодня!* (Л. Укр.); *Ще не минуло і году, Все хазяйство, мов у воду, Поміж пальцями пішло І усе йому село — Насміялося у вічі* (Манж.). С и н о н і м: **вислизати з рук** (у 1 знач.).

ТЕЛЕНЬКАТИ: теленькати язиком *див.* теліпати.

ТЕЛЕФОНІ: висіти на телефоні *див.* висіти.

ТЕЛЕЦЬ: золотий телець, *книжн.* Золото, гроші; влада золота, грошей. *Багато втратить той, хто стане рабом золотого тельця.*

ТЕЛІПАЄТЬСЯ: язик поза вухами теліпається *див.* язик.

ТЕЛІПАТИ: теліпати (теленькати) язиком, *зневажл.* Базікати, вести беззмістовні, пусті розмови. *Марко говорив і говорив.., а Тимко мовчав тому, що треба було робити діло, а не теліпати язиком* (Тют.); *Ти не теленькай поки що язиком, бо я його общеньками висмикну* (Чаб.).

ТЕЛЯ: боже теля. Дуже спокійна, лагідна, але безвольна, інертна людина.— *Але актив у нас який? Жменя. А решта — божі телята* (Мик.); — *Куди ж ти тікаєш? Ну? Постривай. Ех, ти, боже теля! Павко, скажи, і чого ти таке боже теля?* (Письм.).

у Бога теля з'їсти *див.* з'їсти.

як (мов, ніби і т. ін.) теля на нові ворота, *з сл.* **дивитися, вирячитися, витріщити очі і т. ін.** 1. З повним нерозумінням.— Більшість, закінчивши гімназію, ..за рік-два забудуть читати по-грецьки, а на таблицю логарифмів дивитимуться, як теля на нові ворота (Кол.).

2. Здивовано, розгублено, спантеличено.— ..Сказано, знімай оте лахміття! Чого дивишся, як теля на нові ворота (Чендей); — Чого очі витріщила, як теля на нові ворота? — замахнувся гарапником Карпо (Стельмах); Дмитро глипає то на мене, то на Маринку, як теля на нові ворота (Речм.); — Думаєш, тільки ти не впізнав? — привітався він [Крук] тепло й сердечно.— Позавчора навіть рідна сестра дивилась на мене, мов теля на нові ворота (Козл.).

ТЕЛЯТ: де Макар телят пасе; куди Макар ~ не ганяв *див.* Макар.

ТЕЛЯЧЕ: діло теляче *див.* діло.

ТЕЛЯЧОГО: як з телячого хвоста сито *див.* сито.

ТЕЛЬБУХИ: випустити тельбухи *див.* випустити.

ТЕМНА: з ранку до темна *див.* ранку.

ТЕМНА: ~ душа *див.* душа; **~ пляма** *див.* пляма.

ТЕМНЕ: темне діло *див.* діло; **~ царство** *див.* царство.

ТЕМНИЙ: темний ліс *див.* ліс.

ТЕМНИМ: обернутися темним боком *див.* обернутися.

ТЕМНИМИ: темними фарбами *див.* фарбами; **ходити з ~ очима** *див.* ходити.

ТЕМНІ: дивитися крізь темні окуляри *див.* дивитися.

ТЕМНІЄ: в очах темніє *див.* жовтіє.

ТЕМНІЙ: розвиднятися в темній голові *див.* розвиднятися.

ТЕМНОЇ: від білого світу до темної ночі *див.* світу.

ТЕНЕТА: заплутати в тенета *див.* заплутувати; **наставляти ~** *див.* наставляти; **потрапляти в ~** *див.* потрапляти.

ТЕНЕТАМИ: обплутувати тенетами *див.* обплутувати.

ТЕНЕТАХ: тримати в тенетах *див.* тримати.

ТЕНЬКАЄ: серце тенькає *див.* серце.

ТЕНЬКНУЛО: серце тенькнуло *див.* серце.

тенькнуло / рідко тенькає в серці (в грудях) у кого. Комусь стало тривожно, неспокійно з приводу чого-небудь. *Щось було на цей раз таке незвичайне в голосі його [Богдановім] і в трохи аж ніби розгубленім вигляді, що їй [Тані] тенькнуло в серці: «Востаннє!»* (Гончар); *Ніякої провини за собою не помічав, але щось тенькнуло в грудях* (Ле); — *Боюсь, Насте,— косує очима на двері [Свирид].— І чого вам боятися? — радісний здогад тенькає в грудях молодиці.— А як наскочить Ларіон? Що він подумає?* (Стельмах). П о р.: **серце тенькнуло.**

ТЕПЕР: ні тепер ні в четвер. Ніколи, ні за яких умов і обставин.—*...А Марійку ти собі, парубче, вибий із голови. Я її з тобою не звінчаю ні тепер ні в четвер* (Круш.). С и н о н і м и: **як рак свисне; як на долоні волосся виросте; як виросте гарбуз на вербі.**

[як (коли)] не тепер, то (так, а) в четвер. Неодмінно (про те, що обов'язково відбудеться, здійсниться). [Боб:] *А ти чого витрішки продаєш?.. Той твій кривий тут ще ввечері не об'являвся?* [Анна:] *Ні.* [Боб:] *Не тепер, то в четвер ребра йому поламаю. Так і скажи* (Галан); — *Хоч — як там кажуть — не тепер, а в четвер, хоч через год, тільки вже не пройде тобі даром* (Кв.-Осн.); *Семен згадує, що на мандрівку в столицю потрібні гроші, а в нього поки що самі ..довги [борги], але згодом заспокоюється: байдуже! Як не тепер, то в четвер, аби діп'яти свого* (Коцюб.); [Зінька:] *Не зволікайся краще, а* кажи прямо: Зінько, ти мені обридла! ..Думаєш, що я й досі не догадуюся? Бачу вже я добре, що коли не тепер, то в четвер! (Кроп.); — Нічого! — говорив [політрук], бризкаючи водою.— Брешуть розбійники, не тепер, так в четвер, а ми їх накриємо (Цюпа). **чи тепер, чи в четвер.** Не такий вони народ, щоби можна з ними вдатися по-добру!.. А се вони би чи тепер, чи в четвер таки зробили (Фр.); — Я не знаю, чи так тебе любить Роман, але знаю: чи тепер, чи в четвер він злиднями зав'яже твоє життя (Стельмах). С и н о н і м: **ра́но чи пізно.**

ТЕПЛА: те́пла компа́нія див. компанія.

ТЕПЛЕ: те́пле місце; ∼ місце лиши́лося див. місце; **∼ слівце́** див. слівце.

ТЕПЛЕНЬКЕ: тепле́ньке гнізде́чко див. гніздечко.

ТЕПЛИЙ: ле́две живи́й та те́плий див. живий.

ТЕПЛИМ: обійма́ти те́плим по́глядом див. обіймати.

ТЕПЛО: ні зи́мно ні те́пло кому. Не зачіпає, не зворушує щось кого-небудь; комусь байдуже до чого-небудь.— Велика невидальщина та ваша теперішня література. Читаєш її, ні тобі зимно, ні тепло (Фр.).

ТЕПЛО́: цига́нське тепло́, жарт. Низька температура повітря; холод. До неї [Прохорихи] коли взимку не прийдеш, то все в хаті циганське тепло (Н.-Лев.).

ТЕРЕБИТИ: тереби́ти [собі] зу́би над ким, рідко. Розпускати плітки про кого-небудь, глузувати з когось. [Є в ге н і й:] ..Приятелі мої любі і дорогі приятельки! Думаю, що досить уже вам теребити собі зуби надо мною (Фр.). С и н о н і м и: **перемива́ти кісточки; бра́ти на глум; бра́ти на зу́би; перебира́ти на зуба́х; бра́ти на кпи́ни; точи́ти язики́** (у 1 знач.).

ТЕРЕВЕНІ: теревені́ пра́вити див. правити.

ТЕРЕЗИ: перева́жувати терези́ див. переважувати.

ТЕРЕЗІВ: ки́дати на ча́шку терезі́в див. кидати.

ТЕРЗАТИ: терза́ти ду́шу (се́рце і т. ін.**).** Спричиняти душевні болі, переживання, завдавати моральних страждань. Вона стояла в притворі церкви в отця Христофора Протасьєва, перед сповіддю, бліда, схвильована.— Нащо ви терзаєте мою душу? Нащо гнобите?.. (Довж.); Скрипка в руках Русака ридала, терзала душу, відкривала завісу в таємничий світ (Збан.); — Не муч, не терзай мого серця... Я люблю тебе, Прохоре (Шиян). П о р.: **му́чити се́рце.**

ТЕРНАМИ: доро́га, вкри́та те́рнами див. дорога.

ТЕРНИНІ: як соро́ка на терни́ні див. сорока.

ТЕРНИСТИЙ: терни́стий шлях див. шлях.

ТЕРНОВИЙ: терно́вий віно́к див. вінок.

ТЕРНОМ: доро́га те́рном поросла́ див. дорога; **порости́ ∼** див. порости; **шлях зарі́с ∼** див. шлях.

ТЕРНУ: як го́лому в те́рну див. голому.

ТЕРНЮ: як на те́рню див. голках.

ТЕРПЕЦЬ: ло́пнув терпе́ць див. терпіння.

над терпе́ць. Нестерпно. Дівча люто або весело огризалося, саме перекривляло інших, реготало, як усі реготали, або плакало, коли допікали над терпець (Бабляк).

терпе́ць увірва́вся (урва́вся, пропа́в) / уриває́ться кому, в кого і без додатка. Зникла будь-яка можливість витримувати що-небудь, остаточно втрачено спокій, душевну рівновагу. Та й Давид. хоч він і дуже погане діло зробив, підпалив,— так же його призведено до того! Нащо ж його стільки скривджено, що вже й терпець увірвався чоловікові! (Гр.); Соловейко не втерпів, бо вже в його терпець увірвався — та лусь її [Палажку] в щелепи (Н.-Лев.); Народ терпить, а як терпець увірветься — хай тоді не просять [пани] — не помилують (Вас.); [П а в л о:] Слухайте, Макаре Івановичу, хоч і тесть ви мені, але міру знайте, бо може урватись терпець (Корн.); І я терпів не раз і гнувся, но [але] мій терпець вкінці пропав: ну, мою милу — вашу матір — до себе пан в покої взяв! (Фр.); Коли уривався терпець, переповнювалась чаша народного гніву, вибухали стихійні бунти проти жорстоких недолюдків-панів (Є. Кир.); — Ет, дурниці...— Шуманов почував, що терпець уривається, але сваритись не хотів (Голов.); Хима не галасує, не кричить, а тільки вичитує молитву. Вичитує довго, туго вплітаючи в молитву чоловікове ім'я, аж поки йому не уривається терпець (Мушк.). С и н о н і м и: **ча́ша переповнилася; ло́пнуло терпіння.**

урива́ти терпе́ць див. уривати.

ТЕРПИТЬ: діло не те́рпить див. діло.

ТЕРПІННЯ: ло́пнуло терпіння; ло́пнув терпе́ць у кого. Хто-небудь не може більше зносити чогось, перебувати в певному становищі, в несприятливих умовах. У мене лопнуло терпіння. «Опам'ятайсь, дурне створіння,— Кажу їй [музи],— з тебе виб'ю лінь я, Не дам спокою!» (Мисик). С и н о н і м и: **терпе́ць увірва́вся; ча́ша перепо́внилася.**

перепо́внювати ча́шу терпіння див. переповнювати; **∼ нема́** див. нема; **ча́ша ∼ перепо́внилася** див. чаша.

ТЕРПНЕ: те́рпне се́рце див. серце; **шку́ра ∼** див. шкура.

ТЕРПЦЮ: терпцю́ нема́ див. нема; **∼ не стає́** див. стає.

ТЕРТИ: мо́ркву те́рти кому. Глузувати, кепкувати з кого-небудь, уїдливо дошкуляти комусь. Усі ми, парубки в селі, дуріли за нею. А вона, бестія, всім моркву терла, аж поки десь не наскочила на свойого (Фр.).

те́рти ля́мку див. тягти.

те́рти мак [на голові] кому, школ. жарг. Завдавати кому-небудь болю різким натискаючим рухом великого пальця або гумкою по волоссі на голові.

Хіба Макар не давав йому щиглів без потреби, хіба не «тер мак» на голові, хіба не показував «ойойкові яйця»? (Гуц.).

ТЕРТИСЯ: тертися / потертися між людьми (серед людей). Набувати певних навичок, знань, життєвого досвіду. *Ні, видко [видно]-таки потерся між людьми цей патлатий, видно впізнав, почому ківш лиха* (Збан.); *Так батькова наука збіглася з висновками сина, який потерся серед людей і мав уже не тільки власний почерк, а й свої погляди на життя* (Цюпа).

тертися та м'ятися. Не наважуватися робити що-небудь, вагатися, зволікати. *Довго він терся та м'явся, поки зважився сказати про своє лихо* (Мирний). **тертися-м'ятися.** *Треться-мнеться [голова сільради], що збрехати начальству — не знає* (Мур.).

ТЕРТОГО: підносити тертого хріну див. підносити; **як ~ хріну понюхати** див. понюхати.

ТЕТЕРЯ: глуха тетеря, лайл. Людина, яка погано чує. *Ще буду дідом — глухою тетерею, Не чутиму дзвонове «бев» та «бев»!* (Бичко); — *Той хам, пан доктор, вдає з себе глуху тетерю: дивиться й нахабно у вічі й хоч би бровою тобі повів!* (Вільде).

як тетеря, з сл. **глухий.** Дуже, надзвичайно, зовсім. *Був один знаменитий глушман на всю Яблунівку — ну, глухий же, як тетеря, ти до нього говори — мов до гори, ти йому про Тараса — а він тобі про півтораста!* (Гуц.).

ТЕЧЕ: кров тече див. кров; **слина ~** див. слина; **у жилах ~ дворянська кров** див. кров.

ТЕЧІЄЮ: пливти за течією див. пливти.

ТЕЧІЇ: пливти проти течії див. пливти.

ТЕЧІЯ: підводна течія. Прихована, таємна причина, прихований намір. *Єлька розуміла всю підводну течію цієї розмови, і хоч почувала, як нуртує в ній якась не до кінця усвідомлена відпорна сила, але було щось і приємне, спокусливе в цих натяках, в мальованих картинах, в неприхованій увазі до неї* (Гончар); *Нова нота продзвеніла в голосі старого Комаренка, і Андрій насторожився. Тут зразу відчувалася якась підводна течія* (Собко).

ТЕШИ: [хоч] кіл (кілок, коляку, кола) на голові теши кому. Уживається для підкреслення неможливості переконати вперту або нетямущу людину. *[Старшина:] Отак же і наш мужик: кіл йому на голові тешіть, а він таки своєї гнутиме!* (Кроп.); *Як упреться [Безбородько].., хоч кіл на голові теши..* (Стельмах); *Хоч ти йому коляку на голові теши, а він усе — дай та дай! Ну, люди!..* (Гр.); *Далеко він може піти, бо у Ватрича вдача така: ..як затнеться, хоч кола на голові теши — не поступиться* (Літ. Укр.). Синонім: **хоч головою об стіну товчи.** Антонім: **хоч до рани прикладай; хоч у вухо бгай** (у I знач.).

ТИ: будь ти неладний; будь ~ проклятий див. будь.

на ти з ким, рідко. Добре розумітися на чомусь, досконало знати якусь справу. *Знання, уміння; навики, набуті в процесі навчання, допоможуть бути з трактором, комбайном, а чи ще з якимось реманентом на «ти»* (Знання..); *Лісничий Іван Іванович Савон з флорою і фауною Кончі-Заспи на «ти»* (Веч. Київ); *Поїхали хлопці в армію служити... Василь Гончар ніс вахту на Чорному морі, Іван Денисюк був на «ти» з неспокійним ефіром* (Знання..).

нехай (хай) ти тямишся, лайл. Вислів, що виражає негативне ставлення до кого-, чого-небудь, роздратування, незадоволення кимсь, чимсь. *Віддай квиток! На тобі гроші, хай ти тямишся* (К.-Карий).

он ти який див. який; **провались ти** див. провались.

ух ти! Уживається для вираження здивування, захоплення чим-небудь. *Чиж блиснув очима і грізно поправив неслухняну шаблю здоровою рукою.— Ух ти! — здивувався Черняк, не пізнаючи Чижа* (Довж.).

хоч ти вбий. Ні за якої умови, жодним чином, ніяк. *Хто ж це такий, лебеділа думка сполоханою пташкою, й не міг пригадати, хоч ти вбий* (Гуц.).

хоч ти лусни див. лусни.

[чи] ти ба! Уживається для вираження здивування, подиву, докору, обурення. *Чи ти ба! чисто неначе відьми та упирі злетились на коцюбах на Лису гору* (Н.-Лев.); *От бісові діти — ти ба!* (Головко); *Чи ба! — Та то Грицаївна! — Чулося де-де.— Чи ба, як напиндючилася!* (Мирний). Синоніми: **і треба ж!; ой леле; матінко моя.**

щоб ти зслиз! див. зслиз.

щоб ти [так] жив (живий був), ірон., жарт. Уживається для вираження легкого осуду, незадоволення, непогодженості з чимсь, здивування і т. ін.— *Ну й сказав, щоб ти живий був.*

що ти див. що.

що ти (він і т. ін.) забув тут (там і т. ін.). Кому-небудь немає потреби йти, їхати, приходити і т. ін. кудись. *А на вулиці що я забула? Іграшки та пустота* (Кв.-Осн.); *Піщани спершу не повірили. Чого вона [генеральша] сюди прийде? Що вона тут забула?* (Мирний).

що ти робитимеш? Іншого виходу з становища немає; доводиться миритися з тим, що є. *Хлопчикові так хотілося ще хоч трохи поспати, але що ти робитимеш? Школа є школа.* Синоніми: **нічого робити; що робити.**

ТИЖДЕНЬ: без року (году) тиждень (неділю, три дні). Зовсім недовго; дуже короткий час.— *А я на заводі, як каже майстер Маценко, без року тиждень* (Автом.); *Прожив Багіров із своєю веселою молодичкою без року три дні* (Гончар); *Матюха посміхнувся.— Що ж ти [Давид]? Без* году тиждень, як на селі, що ти можеш знати по цьому ділу? (Головко); *А Тугай зауважив, що кому-кому, а Канушевичеві не зовсім личить звати їх ледацюгами, бо сам тут [на будівництві] працює без году неділю та й збирається тікати на легкі хліба* (Коцюба). С и н о н і м: **без тижня день.**

сім неділь на тиждень справляти *див.* справляти; **сім п'ятниць на** ~ *див.* сім; **як** ~ **не їв** *див.* їв.

ТИЖНЯ: без тижня день *див.* день.

ТИК: тик та мик. То в один, то в інший бік; туди-сюди. *Дивується дід та під піч — тик та мик — І справді немає ціпочка. Зник* (Нех.).

ТИКАТИ: тикати носа *див.* совати.

тикати [під ніс] кислиці. Сварити кого-небудь. *Прийду було додому й сестрі принесу пучок ожини. А мати знов мені тиче кислиці: «Навіщо ти, Васильку, замазав білу сорочку ожиною?»* (Н.-Лев.); *Було заберу яєчка з гнізда та й принесу додому сестрі. Мама мені за яєчка знов тиче під ніс ті капосні кислиці* (Н.-Лев.).

тикати (тицяти) [свого] носа в чужий город. Втручатися куди не слід, в чужі справи. *Е-е, краще вже хай люди живуть як живуть, а мені зась тицяти носа в чужий город* (Гуц.).

тикати (тицяти, штрикати) / ткнути (тицьнути, штрикнути) в очі [пальцем] *кому.* Відверто, неприховано вказувати на чиїсь вади, робити комусь зауваження в гострій неделікатній формі. *Давно, давно Езоп байки писати начав, Осміював звірюк, над миром глузував, Кричав на гріх зо всеї мочі І пальцем тикав людям в очі* (Бор.); *— Ти хочеш, щоб я дурно давав гроші? — став поруч з жінкою Терентій.— Не дурно, але й не так, щоб мені у вічі тицяли тобою, мов ганчіркою* (Стельмах); *— Обридло на фронті на сочевиці, але й дома не всидиш — солдатки у вічі штрикають* (Головко); *Може, так і до завтра не помітить він [вартовий], який напис на стовпі, поки йому ніхто не ткне в очі* (Турч.). П о р.: **тикати під ніс.**

тикати / ткнути носом *кого.* 1. В гострій формі звертати чию-небудь увагу на щось; дорікати комусь за що-небудь. *Коли я мав перед собою комуністичних «вумників», які, не читавши книги «План електрифікації» і не зрозумівши її значення, базікали і писали дурниці про план взагалі, я мусив носом тикати їх в цю книгу, бо іншого плану серйозного немає і бути не може* (Ленін); *— Оце, як бачиш, Грицю. Не робота, а шарпанина нервів. Кожного носом ткни. Сам на своєму горбі всю газету тягну* (Головко). П о р.: **тикати під ніс.**

2. *у що, куди, зневажл.* Звертати увагу, дивитися на що-небудь. *Пан походжає, як чорногуз. Нагнувся, ткнув у покіс носом* (Коцюб.).

тикати / ткнути (тикнути) під [самий] ніс (носа). Уперто намагатися звернути чиюсь увагу на щось, постійно нагадувати комусь про що-небудь.

[Р о м а н ю к:] *Що ви мені все Дубковецького та Посмітного під ніс тичете? ..Я дев'ятнадцять років головою* (Корн.); *— ..Невже не можна акуратно, як німці або англійці торгують? — Чого ти мені, тільки що — зараз своїх німців під носа тичеш* (Стельмах). П о р.: **тикати носом** (у 1 знач.), **тикати в очі.**

тикати (штрикати, показувати, вказувати) пальцем (пальцями) на кого. Негативно висловлюватись про кого-небудь, відкрито осуджувати когось. *У нашому селі жив Варивон Метелиця. Тихенько вуличкою метляє, а йому слідом у спину тикають пальцем.— Штунда пішла... Нехристь!..* (Ковінька); [О л е к с і й:] *..Усі на них [дітей] пальцями штрикатимуть, усі зашиплять: «Мати їх з мужичого роду, нищі, сякі, такі, уся рідня і діти їх такі будуть»* (Кв.-Осн.); *Вони [писарчуки] моргали один на одного та показували пальцями на Олександру* (Коцюб.); *Так і здавалося, що всі вже знають, пальцями на неї тикають* (Головко); *Їй [Марині Карпівні] здавалося, що й стіни вказували пальцями на неї і кричали: а що? а що? Здобулося?* (Мирний).

ТИКВІ: дати по тикві *див.* дати.

ТИКНУТИ: тикнути під ніс *див.* тикати.

ТИКТИ: давати на тикти *див.* давати.

ТИЛУ: з тилу, *жарт.* 1. Ззаду; із зворотного боку, з-за спини. *Бабуся б'є поклони і попід руку позирає, щоб дід не потяг її з тилу батогом* (Є. Кравч.).

2. Задвірками, через чорний хід. *До зали, прослизнувши десь через кухню, розбентежена влетіла Тамара-зоотехнічка.. Не вперше їй сюди так заходити з тилу, через кухню, щоб і люди не бачили* (Гончар).

ТИМ: не тим вітром повіяло *див.* повіяло; **не** ~ **духом дихати** *див.* дихати; **разом з** ~ *див.* разом; **то сим, то** ~ **боком** *див.* боком.

ТИМКА: за царя Тимка *див.* царя.

ТИН: ні в тин ні (ані) в ворота. 1. Не спроможний, не здатний виконувати свої прямі обов'язки. *Як працівник Матвій Нудога Ні в тин, як кажуть, ні в ворота* (Воскр.); *І на якого біса отаких тримають там у наросвіті? Воно ж тобі — ні в тин ні в ворота* (Збан.). С и н о н і м и: **ні швець ні жнець; ні грач ні помагач.**

2. Який нічого не вміє робити, ні на що не здатний. [П р о к і п:] *Оце, мабуть, того ти такий і виріс* [С т р у ж к а:] *Який?* [П р о к і п:] *Ні в тин ні в ворота* (Корн.); *— А мій уже давно там* [на війні], *— сказав Духнович, батько якого був військовий лікар.. — Один оце я тільки — ні в тин ні в ворота* (Гончар). С и н о н і м и: **ні богу свічка ні чорту кочерга; ні до ладу ні до приклáду** (в 1 знач.).

3. Уживається на означення того, що зовсім втратило свою значущість, стало другорядним або

й небажаним, недоречним. *Те, чим я колись пишався, тепер ні в тин ні в ворота.*

4. *із сл.* с к а з а́ т и *і т. ін.* Недоладне, недоречне, не те, що треба. *Нап'ється [Довбня] то ще ляпне таке, що ні в тин ні в ворота!* (Мирний); *Таке верзе — ні в тин ні в ворота* (Шовк.). С и н о н і м: ви́везти, як на лопа́ті.

5. *рідко.* Ні з місця; нікуди. *— Сидимо, як до пакола прип'яті. Інших ...порозпреділяли [порозподіляли]. А ми? Так. Ні в тин ні в ворота* (Тют.). С и н о н і м и: ні туди́ ні сюди́; ні тпру ні ну.

6. Дуже погано, безладно. *З тих пір живу — ні в тин ані в ворота* (Л. Укр.); *Квятковська хотіла похвастатись вашою пісенькою — «Прудиусом»; товкла її, товкла, та все ні в тин ні в ворота* (Стар.). С и н о н і м: без то́лку (в 2 знач.).

під чужи́й тин, *з сл.* і т и́ і т. ін. Геть, куди попало. *Поки в мене руки дужі та сила служить, то я вам і потрібна. А якби,— не доведи господи! — я захворіла, або сили позбулася, то тоді під чужий тин іди* (Мирний).

тин об (у) тин, *з сл.* ж и́ т и, б у́ т и *і т. ін.* Поруч, по сусідству. *Вони були сусіди з Орлихою, тин об тин* (Вовчок); *У нашому селі, ізгадую, тин у тин жила сусідка, симпатична тітка Мокрина* (Ковінька). **тин з ти́ном.** *Рядом з панським двором,— тин з тином,— вже батюшка, отець Іван* (Мирний).

че́рез тин навпри́сядки *див.* навприсядки; **як кілóк у ~** *див.* кілок.

ТИНАМИ: тиня́тися по́під тина́ми *див.* тинятися.

ТИНИ: аж тини́ тріща́ть. Уживається для вираження інтенсивності якоїсь дії. *Я ще на припічку кашу їла та гусенята пасла, а вона [Параска] вже ганяла по вулицях та по досвітках за хлопцями, аж тини тріщали* (Н.-Лев.); *— Морози давлять — аж тини тріщать* (Тют.).

ТИНОВІ: на́шому ти́нові двоюрідний пліт *див.* пліт.

ТИНОМ: під (по́під) [чужи́м] ти́ном. Просто неба, надворі; без притулку.*— Се що з порожніми сумками Жили голодні під тинами, Собак дражнили по дворах* (Котл.); *Вона була задоволена й цим, бо мала для себе й дитини свій куток і свою десятину землі, а це вже, чуєте, не те, що під чужим тином умирати* (Стельмах); *Кинула [доля] малого На розпутті, та й байдуже, А воно, убоге.. І подибало тихенько Попід чужим тином Аж за Урал* (Шевч.). **під тинко́м.** *Хома з Паньком живуть було панками. На старість — прожились: обидва з торбинками Співали Лазаря — і вмерли під тинком* (Бор.).

як за ти́ном. В найкращих умовах, спокійно і в достатках. *Сидить, як за тином* (Укр.. присл..).

ТИ́НУ: ні дво́ру ні ти́ну *див.* двору.

ТИНУ́: як соро́ка на тину́ *див.* сорока.

ТИНЯ́ТИСЯ: тиня́тися з кутка́ в куто́к (без

діла, дарма́). Марно гаяти час, байдикувати. *Чіпка сидів на триніжку. Порох тинявся з кутка в куток. Обидва мовчали* (Мирний); *Була [Христина] сама в хаті — чи сиділа, чи напівлежала, чи тинялася з кутка в куток, бо ніяка робота не бралась її рук* (Гуц.); *Мені шаноба скрізь була, Бо я без діла не тиняюсь* (Гл.); *Щоб дарма не тинялася Оленка, без діла не була, не нудьгувала, мати її засадила за веретено* (Горд.).

тиня́тися з торба́ми. Жебракувати, просити милостиню, старцювати. *[М а й б о р о д и х а:] Якби не панотець, то я, мабуть, й досі поневірялась в прохачках та тинялась з торбами по монастирях* (Н.-Лев.). П о р.: іти́ з торба́ми.

тиня́тися попідти́нню (по́під тина́ми). Не мати власного житла, притулку; жебракувати. *Пішла тинятись попідтинню, Аж поки, поки не дійшла Аж до Голгофи* (Шевч.); *— А все, кажу, шкода дівки. Пропаде ні за цапову душу! Почне тинятися попід тинами, на ногах зогниє* (Мирний). С и н о н і м: дражни́ти соба́к (у 1 знач.).

тиня́тися по сві́ту. Постійно змінювати місце проживання, перебувати, не маючи притулку. *Самому остогидло вже бурлакувати й тинятися по світу* (Н.-Лев.); *— ..Я сам, тинячись по світу, служив там і все добре знаю. Коли б не своя хата та не громаді послуга — пішов би й тепер служити* (Мирний); *Про бажання оспівати просту людину наших днів говорить і вірш [М. Рильського] про дядюшку Тодося, що колись тинявся по світу, шукаючи долі і щастя* (Криж.). С и н о н і м и: блука́ти по сві́тах; ма́ятися по світу.

тиня́тися по шинка́х (по корчма́х, з корчми́ в корчму́), *заст.* Постійно пиячити, занедбуючи свої справи, обов'язки і т. ін. *Він з людьми не знається, все б по шинках тинявся!* (Мирний); *— І чоловік він добрий, богобоящий, не гордий; часом вряди-годи вип'є з нами по чарці, але не п'янствує, не тиняється по корчмах* (Н.-Лев.); *От так.. жила я літ двадцять І не жила, а хилялась, Із коршми [корчми] в коршму [корчму] тинялась* (Фр.).

ТИПИКИ: вказа́ти типики́ *див.* вказати; **тя́мити всі ~** *див.* тямити.

ТИПЦЮ: вхопи́ти ти́пцю *див.* вхопити.

ТИРА́Ж: вихо́дити в тира́ж *див.* виходити.

ТИРСИ: да́ти ти́рси *див.* дати.

ТИСКОМ: під ти́ском. 1. *кого, чиїм.* Внаслідок чиїх-небудь насильницьких дій, застосування сили з чийогось боку. *Під тиском сарматів частина скіфів та інших кочовиків пересунулась на захід і досягла Дунаю* (Іст. СРСР).

2. *чого.* Внаслідок впливу певних умов, обставин, доказів і т. ін. *До моря сліз, під тиском пересудів Пролитих, і моя впила краплина* (Фр.); *Під тиском умілих доказів Гуркала пішов [Кульницький] на компроміс: — Відстукаємо рі-*

шення про повернення Варчуку частини його землі (Стельмах).

3. *кого, чиїм.* Не витримуючи чиїх-небудь настійних вимог. *Бугор під тиском товариства змушений був визнати, що поводився як останній нахаба* (Гончар).

ТИСНЕ: ти́сне [за] се́рце (ко́ло се́рця, гру́ди, в груд́ях *і т. ін.*). 1. Що-небудь спричиняє відчуття фізичного або душевного болю. *Сам собі ходжу я по кімнаті, згадую товаришів, співаю або граю на скрипці, а за серце щось помаленьку тисне* (Вас.).

2. *кого і без додатка.* Хто-небудь відчуває фізичний біль, перебуває в стані душевного пригнічення.— *Мене отут тисне коло серця, неначе гадина ссе* (Н.-Лев.); *Журна думка тисла груди* (Граб.); *Вікторія не може підвести руки. Стає млосно, йде обертом голова, тисне в грудях* (Хижняк).

ТИСЯЧА: ти́сяча і одна́, *книжн.* Дуже багато, дуже велика кількість. *Ми озброєні знаннями, досвідом, терплячістю, зрештою, своєю небайдужістю до його [вихованця] долі... (Гончар). У нас на нього інструкцій тисяча і одна...* (Гончар).

ТИСЯЧУ: в ти́сячу раз *див.* раз.

ТИХ: зостава́тися ні в сих ні в тих *див.* зоставатися.

не з тих (таки́х, такі́вських). Хто-небудь має сили протистояти чому-небудь або утримуватися від чогось, не здатний на певні вчинки, дії і т. ін. *Помітивши, що хлопці присмутилися, дядько Іван знову усміхнувся: — Ну, та ми не з тих, щоб духом падати, нам це геть заборонено нашими інспекторськими правилами* (Гончар); *Куди б це подівся Андрій? Не придумаю. Забрали сонного в полон? Та не з таких Андрій* (Довж.); *— Соня не з таківських; вона серйозно цікавиться наукою й усякими ідеями* (Н.-Лев.).

при тих слова́х *див.* слові.

ТИХІШИЙ: тихі́ший (ти́хший) [від] води́ (за во́ду), ни́жчий [від] трави́ (за траву́). Дуже скромний, покірний, непомітний. *Присмирів відтоді Віктор. Став тихіший від води, нижчий від трави. То бувало, де тільки ступне, там і начудотворить, а тепер любо-мило глянути на хлопця* (Речм.); *Для Федора Іполитовича теж було новиною, що тихіший за воду Сергій сміє, та ще так нечемно, перебивати відповідального колегу* (Шовк.); *Тверезий він [паламар] був тихший води, нижчий трави; зате, як скинув чарку-другу — де те завзяття візьметься* (Мирний).

ТИХО: сиді́ти ти́хо *див.* сидіти.

ТИХОЮ: ти́хою са́пою *див.* сапою.

ТИХШЕ: ти́хше на поворо́тах *див.* легше.

ТИХШИЙ: ти́хший води́, ни́жчий трави́ *див.* тихіший.

ТИЦЯТИ: ти́цяти в зу́би. Доручати чи давати кому-небудь щось без особливого бажання, з

обов'язку.— *Його весь час в пристібних тримали, до справжнього діла не допускали. А коли й тицяли щось у зуби, то в основному дрібнички* (Головч. і Мус.).

ти́цяти в о́чі; ~ но́са в чужи́й горо́д *див.* тикати.

ТИЦЬНУТИ: ти́цьнути в о́чі *див.* тикати.

ТІ: не в ті взу́вся *див.* взувся; не в ~ воро́та заї́хати *див.* заїхати.

ТІЄЇ: заспіва́ти не тіє́ї *див.* заспівати; співа́ти ~ *див.* співати; як ~ сарани́ *див.* сарани.

ТІЄЮ: плати́ти тіє́ю са́мою моне́тою *див.* платити; ~ чи і́ншою мі́рою *див.* мірою.

ТІЙ: не на ті́й кози́ під'їжджа́ти *див.* під'їжджати; у ~ чи і́ншій мі́рі *див.* мірі; як ~ боля́чці *див.* болячці.

ТІК: як пі́вень на тік *див.* півень.

ТІКАЄ: земля́ тіка́є з-під ніг *див.* земля; душа́ в п'я́ти ~ ; душа́ ~ з ті́ла *див.* душа.

ТІКАЙ: по́ли вріж та тіка́й *див.* вріж.

хоч з ха́ти тіка́й. Немає сили витримати, витерпіти що-небудь. [Христя:] *..Батько об поли руками б'ються та бідкаються, мати плачуть, а дітвора дрібна як підніме реви та галас! І-і, лихо, хоч з хати тікай* (Кроп.); *— Така в мене нечисть завелася на горищі, спати не дає, жити заважає, змучила мене, запаморочила, хоч із хати тікай* (Тют.). С и н о н і м и: хоч тіка́й на край сві́ту; хоч святи́х вино́сь.

хоч тіка́й на край сві́ту. Немає сили перенести, витерпіти що-небудь.— *Ох! Доленько моя! А мій?! Як оце вип'є, то й не приведи господи... хоч тікай на край світу* (Коцюб.). С и н о н і м и: хоч з ха́ти тіка́й; хоч святи́х вино́сь.

ТІЛА: видира́ти ду́шу з ті́ла *див.* видирати.

до живо́го ті́ла, з сл. би́ти, поби́ти і т. ін. Дуже сильно. [Лушня:] *Що з тобою таке: чи ти здужаєш, Чіпко? — Побили сучі сини до живого тіла, як печене болить* (Мирний).

душа́ виліта́є з ті́ла *див.* душа.

моро́з пробира́ється до ті́ла *див.* мороз; спада́ти з ~ *див.* спадати.

ТІЛІ: в (при) ті́лі. 1. Не худий, в міру повний (про людину).— *А яка вона з себе? — запитав я.— Дівка, як дівка. З ногами, руками, косами. При здоров'ї і в тілі* (Є. Кравч.); *Сам він був середнього зросту, не те, щоб гладкий, але при тілі, вбирався чисто* (Мур.).

2. Вгодований, ситий (про худобу). *В гарній артілі й худоба в тілі* (Укр.. присл..).

держа́ти в чо́рному ті́лі *див.* держати; живо́го мі́сця не зна́йдеш на ~ *див.* знайдеш; ле́две душа́ де́ржиться в ~ ; ті́льки душа́ в ~ *див.* душа.

ТІЛО: вбива́тися в ті́ло *див.* вбиватися; віддава́ти ~ земли́ *див.* віддавати; погуби́ти ду́шу й ~ *див.* погубити; прикри́ти ~ *див.* прикрити; хо́лод пробира́є все ~ *див.* холод.

ТІЛОМ: душа́ проща́ється з ті́лом *див.* душа;

душéю і тíлом *див.* душею; **засвітити ~** *див.* засвітити.

з тíлом і душéю. Цілком, повністю; абсолютно.— *Мамо, рятуйте Миколу, бо він пропаде з тілом і душею* (Н.-Лев.); *Інший побут, вищі звичаї міські захоплюють її зовсім, з тілом і душею* (Мирний); [О р е с т:] *..Ти ж знаєш, що, кидаючи мене, ти губиш мене з тілом і душею, у мене нічого не зостанеться в житті без тебе* (Л. Укр.).

погубити дýшу з тíлом *див.* погубити; **прощáтися з ~ і душéю** *див.* прощатися; **світити грíшним ~** *див.* світити.

ТІЛУ: дрижакú пробігáють по тíлу *див.* дрижаки; **дрож пробігáє по тíлу** *див.* дрож; **морóз ідé по тíлу** *див.* мороз; **мурáшки бíгають по тíлу** *див.* мурашки.

ТІЛЬКИ: аж тíльки закýрить *див.* закурить; **дбáти ~ про свою шкýру** *див.* дбати.

і (та й) тíльки. І все, більше нічого. *Та й чудний же він. Як вирядиться було у нову свою халамиду.., примаже височки оливою, візьме парасоль у руки — ну прямо реготатися з нього, та й тільки* (Хотк.); *Щоб не робити знов помилки, прийшов до вас. Козак я й тільки — прийміть мене до ваших лав* (Сос.). С и н о н і м и: **не стíльки тогó діла; та тíльки всьóго.**

коли́ б тíльки й гóря *див.* горя; **комý ~ не лінь** *див.* лінь; **оди́н Бог ~ знáє** *див.* Бог; **однá ~ тінь залиши́лася** *див.* тінь; **та й ~ всьогó** *див.* всього; **~ бри́зки полетя́ть** *див.* бризки; **~ вýха дéрти** *див.* дерти; **~ грéблю гати́ти** *див.* гатити; **~ держи́сь** *див.* держись; **~ душá в тíлі; ~ душá залиши́лася** *див.* душа; **~ живи́й** *див.* живий; **~ й бáчили** *див.* бачили; **~ й дýмки** *див.* думки; **~ й жи́ти** *див.* жити; **~ й мóви** *див.* мови; **~ твогó** *див.* твого; **~ й тогó** *див.* того; **~ мóщі залиши́лися** *див.* мощі; **~ пáльцем торкнýти** *див.* торкнути; **~ пáльчики обли́жеш** *див.* оближеш; **~ слáви** *див.* слави; **~ так** *див.* так; **~ тéпле місце лиши́лося** *див.* місце; **~ хвостóм мелькнýти** *див.* мелькнути; **~ цьогó ще бракýє** *див.* бракує; **якбú ~ й ли́ха** *див.* лиха; **як ~ мóжна** *див.* можна.

ТІМ: в тíм-то й річ *див.* річ; **при ~ слóві** *див.* слові.

ТІМ'Ї: без трéтьої клéпки у тíм'ї *див.* клепки.

ТІМ'Я: би́тий у тíм'я *див.* битий; **забúти клин у ~** *див.* забити; **не в ~ би́тий** *див.* битий.

по тíм'я. Дуже багато (справ, клопоту і т. ін.). *Вона соромилася писати про особисті почуття, про те, як спочатку боялась смерті, а потім стало ніколи, справ було по тім'я* (Ю. Янов.).

ТІНІ: без тíні. Без найменшого сліду чого-небудь, без будь-якого натяку на щось. *Льотчик.. заговорив до своїх рятівниць незвичайно серйозним тоном, без тіні жарту* (Гончар).

боя́тися своєї тíні *див.* боятися.

**в тíні, з сл. б ýт и, з а л и ш á т и с я, т р и м á т и с я *і т. ін.* 1. Таким, що не привертає

до себе уваги, непримітним, непоміченим. *Подвиг Мамайчука довго залишався в тіні, бо з севастопольського бруку його, тяжко пораненого, забрали до госпіталю, і бойовий .орден.. знайшов його інвалідом без ніг у цьому вівчарському степовому радгоспі* (Гончар); *Фольклористична спадщина Федьковича не може залишатися в тіні, оскільки вона часто стає ключем до розв'язання багатьох питань.. тогочасного фольклорного і літературного життя західноукраїнських земель* (Нар. тв. та етн.).

2. На другорядному місці, без претензій на увагу до себе.— *А ми з Левченком тут ось за вами,— сказав він і пожартував до своїх:— Нам із ним не звикати бути в тіні* (Гончар); *Отаким точнісінько Іван був; усе міг, а тримався у тіні, щоб люди не подумали чого* (Стельмах).

3. Без особливої уваги, на другому плані. *Буржуазні газети.. говорять про нацiонáльне визволення на Балканах, лишаючи в тіні економíчне визволення* (Ленін).

ні (áні, й) тíні *чого.* Аніскільки, зовсім. *Стаття Бухаріна безумовно не годиться. На Северина Чорнохвоста не впало і тіні підозри* (Сос.); *Ні тіні незадоволення чи недовір'я до Вас у мене нема* (Літ. Укр.); *Тепер знову ходжу за нею. Де вона — там і я невідступно. На британця — ані тіні уваги* (Коцюб.); *Майор Сербин глянув на Варвару — обличчя її, сумне й добре, не виказувало й тіні хвилювання* (Перв.). П о р.: **хочá б тінь.**

ТІНЬ: відíйти в тінь *див.* відійти; **ки́дати тінь** *див.* кидати.

однá (тíльки) тінь залиши́лася (зостáлася і т. ін.) від (рíдко з) кого. Хто-небудь дуже змарнів, схуд, має змучений, виснажений вигляд. *Антон ледве впізнав сина, від якого залишилася одна тінь* (Чорн.); *А з Єлени вже тільки тінь зосталася.. Не було пощо жити. Чоловіка нема, дитини нема — для кого ж!* (Хотк.).

тінь пáдає (лягáє) / упáла (ляглá). 1. на кого. Кого-небудь підозрюють у чомусь.— *Зараз ніяк не можу.. Тільки завтра.. Ніяка тінь не впаде на мене* (Стельмах).

2. *тільки док., між ким.* З'явилося непорозуміння. *Так уперше між сином і матір'ю упала тінь* (Є. Кравч.).

хочá б тінь. Нітрохи, ніскільки. *Були в них [хуторян] в серці жалощі, хоча б тінь співчуття до цих слобожанських дітей?* (Гончар). П о р.: **ні тíні.**

ТІНЬОВА: тіньовá сторонá *див.* сторона.

ТІПÁЄ: ми́шка тíпає *див.* мишка.

ТІПÁТИСЯ: тíпатися, як у пропáсниці *див.* труситися.

ТІПУН: тіпýн (пи́поть, чиря́к) вам (тобí і т. ін.) на язик *кому, лайл.* Уживається для вираження недоброго побажання кому-небудь з приводу недоречних висловлювань.— *Чого сюди корінням озиваться? — Зашамотіли листя угорі..— Тіпун вам на язик! Раденькі, що дурненькі! — Корінням знов озвалися до них* (Гл.); — *Та хіба ж ви і назад вертатиметесь? — Бабусю так і кинуло: — А тіпун тобі на язик!* (Головко); [М и к и ш к а:] *А хто вгада, що до вечора трапиться? Може, до вечора твоїх панів і званія не зостанеться.* [Г о р п и н а:] *Пипоть вам на язика!* (Кроп.).

ТІСНИЙ: **загнати в тісний кут** *див.* загнати.

ТІСТА: **з іншого тіста**. Не схожий на інших, не однаковий з іншими. [Й о с и п:] *Пани б то недоторканні?.. [Д м и т р о (регоче):] А звісно, вони з іншого тіста!..* (Кроп.); — *Слухай, Мартохо, мені й справді подеколи здається, що жінки зовсім з іншого тіста, ніж чоловіки* (Гуц.). А н т о н і м: **з одного тіста**.

з м'якого тіста. Безвольний, непослідовний у своїх діях, поглядах, переконаннях. *Я вже знайома з сим паном, і правду ти кажеш, що він з м'якого тіста* (Л. Укр.).

з одного (такого ж) тіста. Однаковий з ким-, чим-небудь, подібний, схожий. [К а т е р и н а:] *Всі ви [хлопці] з одного тіста. Мабуть, помру і не побачу справжнього кохання* (Корн.); *Усі світи, мабуть, з одного тіста* (Рильський). С и н о н і м и: **одного поля ягода**; **пара чобіт на одну ногу**; **одним миром мазані**. А н т о н і м: **з іншого тіста**.

не з такого тіста. Особливий, зовсім інший. *Та що це? Куди він її штовхає? Тікати з Ковалівки? О, ці Заруби не з такого тіста* (Кучер).

не з того тіста книш *див.* книш.

ТІЧОК: **дути тічок** *див.* дути.

ТІШИТИ: **тішити око (очі, вухо, зір, слух і т. ін.)**. Справляти приємне враження своїм виглядом, звучанням і т. ін. *Якось не тішили моє око ані розлогі, ярозелені порізані блакитними озерцями та гирлами плавні, ..ані жовті.. шпилясті гори* (Коцюб.); *Цькований, він [народ] тішив очі людські високими зразками мистецтва* (Рильський); *Нова Каховка стала дійсно новим містом, яке тішить зір усіх приїжджих* (Довж.); *Тішили зір простори безкраї ниви* (Рибак); *Нічого крикливого чи дражливого, все тільки заспокоювало, навіть яскравістю тішило зір, віяло злагодою на нас* (Гончар). С и н о н і м и: **милувати око** (в 2 знач.); **ласкати око** (в 2 знач.); **радувати око**; **чарувати зір**.

тішити самолюбство. Викликати почуття задоволення собою. *В талантах хлопця Матвій бачив себе змолоду. Це.. тішило батьківське самолюбство* (Вол.).

тішити себе (тішитися) надією (думкою, мрією і т. ін.). Заспокоювати себе чим-небудь, сподіватися на щось. *І нехай інші тішать себе надією, що десь на старість стягнуться хоча б на «Запорожця», а йому це потрібно зараз, у тридцять, ба, а йому це потрібно зараз, у тридцять, ба,*

навіть неповних тридцять (Літ. Укр.); *Він [пан] тільки тішив себе тією думкою, що дасть Миколі кілька сотень різок, помститься над ним і оддасть його в москалі* (Н.-Лев.); *Пишалася я вами, дітки, тішилась надією, що мою старість зігріете* (Панч). С и н о н і м: **багатіти думкою**.

тішити серце. Радувати, приносити задоволення. *Кругом на всі боки малювались дивні картини природи. І все те не тішило серця, не розбивало туги* (Н.-Лев.); *Не може не тішити ока і серця розумне використання в будівництві метро місцевих українських матеріалів, а в майолікових настінних узорах — елементів української народної творчості* (Рильський).

ТІШИТИСЯ: **в душі тішитися**. Відчувати задоволення з чого-небудь, не виявляючи його зовні. *Вдавала [мати], що не бачить нічого й не розуміє нічого, а в душі тішилася молодим щастям* (Хотк.); *Шумейко.. в душі вже тішився з тієї перемоги* (Шиян).

тішитися надією *див.* тішити.

ТІШИТЬСЯ: **душа тішиться** *див.* душа.

ТКНИСЯ: **куди (де) не ткнися**. Скрізь, усюди, будь-де. *Куди не ткнися, всюди він [Колісник] устряне і завжди його верх і затичка* (Мирний).

ТКНУТИ: **голкою (шилом, пальцем) ніде (нікуди) ткнути**. 1. Дуже багато, у великій кількості. *Як Софія з баронесою прибули до театру, там було вже сила людей, як-то кажуть: ніде й голкою ткнути* (Л. Укр.); — *Привели нас [новобранців] у Полтаву, а там народу, як ото в покрову на ярмарку: шилом нікуди ткнути* (Тют.).

2. Дуже тісно. *Перші пропустили було його, так що він забрався було аж на рундук, зате далі — і пальцем нікуди було* (Мирний). С и н о н і м и: **пальцем не проткнути**; **ніде голки встромити**; **голці ніде впасти** (в 1 знач.).

і пальцем не ткнути *див.* торкнути; ~ **в очі** *див.* тикати; ~ **носа** *див.* совати; ~ **носом**; ~ **під ніс** *див.* тикати.

ТЛА: **до тла**. Повністю, нічого не залишаючи. *Похмурий вид мав банкомат. Холодний піт по лисині його котився. Він програвав усе до тла* (Лерм., перекл. за ред. Рильського). С и н о н і м: **до нитки** (у 2 знач.).

ТЛІТИ: **тліти серцем (душею)**. Зазнавати моральних страждань, тяжко переживати.— *Тліе він серцем, глядючи на мене* (Барв.). П о р.: **серце тліе**.

ТО: **не то ж бо й що**. Уживається для підтвердження чиєї-небудь думки, висловленої раніше.— *Та це, мабуть...— починає вагатися Христя,— це, мабуть, правда. Там таки [у брата] нам важко буде веселитися... Не то ж бо й що.— То можна до Килини. Вона ж так кликала* (Вирган).

не то що. Уживається для підсилення важливості якого-небудь повідомлення, підкреслення високої якості чогось і т. ін. *Там така добра земля, що дитину посади, то виросла б, не то що* (Укр.. присл..); — *Не в жмурки граємося, а голову колгоспу обираємо, а не то що* (Збан.).

то ж то й воно *див.* воно; **~ що** *див.* що; **хто б ~ не був** *див.* хто; **що б ~ не було** *див.* що.

ТОБІ: а бодай тобі кістка в го́рло *див.* кістка; **Бог ~ суддя́** *див.* Бог; **де вже ~**; **де там ~**; **де ~** *див.* де; **куди́ ~** *див.* куди; **моє́ ~ шанува́ння** *див.* шанування; **на ~** *див.* на; **не ~ ка́жучи** *див.* кажучи; **ось ~ й на** *див.* на; **от ~ і все** *див.* все; **от ~ й ма́єш** *див.* маєш; **от ~ й раз** *див.* раз; **от ~ хрест** *див.* хрест; **сіль ~ в о́ці** *див.* сіль; **~ на язи́к** *див.* сіль; **хай ~** *див.* йому; **хай ~ вся́чина** *див.* всячина; **хай ~ пу́сто** *див.* пусто; **хай ~ чорт** *див.* чорт; **хай ~ щасти́ть** *див.* щастить; **хіба́ ~ повила́зило** *див.* повилазило; **хоч би ~ ву́сом повести́** *див.* повести; **хоч би ~ жива́ люди́на** *див.* людина; **хоч би ~ що** *див.* що; **цур ~** *див.* цур; **чоло́м ~** *див.* чолом; **щасти́ ~ до́ле** *див.* щасти; **щоб ~ ди́хати не дало́** *див.* дало; **щоб ~ повила́зило** *див.* повилазило; **щоб ~ провали́тися** *див.* провалитися; **як ~ це подо́бається** *див.* це.

ТОБО́Ю: Бог з тобо́ю *див.* Бог; **грець з ~ди́в.* грець.

ТОВАР: людськи́й (живи́й) това́р. Раби, невільники-полонені, кріпаки, якими торгували в експлуататорському суспільстві. *Людський товар у них здавна в ходу. Вони собі, замість строковиків, негрів-арапів понавозили кораблями з Африки* (Гончар).

не варт (не ва́ртий) това́р робо́ти. Недоцільно робити що-небудь. *Не старайтеся переконати вперту людину, не варт товар роботи.* **варт това́р робо́ти.** [Л ю б о в:] *То так, я думаю, що хто його знає, чи варт товар роботи* (Л. Укр.). С и н о н і м и: **не ва́рта шкі́рка ви́чинки; гра не ва́рта сві́чок.**

показа́ти това́р лице́м *див.* показати.

ТОВКМА́ЧИТИ: товкма́чити го́лову *кому чим.* Часто повторюючи одне й те саме, примушувати кого-небудь засвоїти, запам'ятати щось. *Німеччина давно вже лишилася за нами, тепер ми їдемо Волинню. Батьківщино моя [Німеччина], яка ж ти маленька, хоч і товкмачать нам голови [фашисти] великою Німеччиною* (Кол.).

ТОВКТИ́: товкти́ во́ду в сту́пі. Займатися чим-небудь непотрібним, марно гаяти час. [Х о м а:] *Слава богу, світ мені прояснився, одлягло від серця, товчи скільки хочеш воду в ступі, буду мовчати* (К.-Карий); *Товкли воду в ступі, переливали з пустого в порожнє, намагалися дійти до істини, а істина лежала десь поза межами кімнати, в якій засідали ці люди* (Загреб.); *Але головне, щоб були хороші вчені, щоб не товкли воду в ступі... Працювати треба тяжко, каторжно, тоді, може, щось і вийде* (Наука..). **во́ду товкти́.** [Б о р и с:] *Перед дочкою так найкраще визна-*

чився, сказав їй, що вона уміє тільки воду товкти (Кроп.). **товчі́ння (товче́ння) води́ в сту́пі.** *Поки комсомольці-десятикласники не підуть на ферми, доти триватиме пустопорожнє товчіння води в ступі* (Вол.); *Таку роботу можна без образи порівняти з товченням води в ступі* (Л. Укр.). С и н о н і м: **перелива́ти з пусто́го в поро́жнє** (у 2 знач.).

ТОВКТИСЯ: товкти́ся на [одно́му] мі́сці. Не просуватися вперед у якій-небудь справі. *Правда, робив він цеє непроворно, мляво, довго, або товчеться на одному місці,— шкрябається, як курка лапою, або стоїть — потилицю чухає, поки надумається, що робить* (Григ.). П о р.: **топта́тися на мі́сці.**

товкти́ся як у сту́пі. Дуже багато, виснажливо, інтенсивно працювати, виконувати якусь метушливу роботу. *Цілісінький день як у ступі товчешся, та ще й виспатись не дають!* (Вишня).

ТОВЧИ́: хоч голово́ю (ло́бом) об стіну́ товчи́ *кого.* Хто-небудь дуже впертий, нетямущий, не піддається переконанню, впливу. *Свербивус безнадійно махнув рукою.. Хіба ж можна було розмовляти з таким чоловіком, як Коритний? Нічого не тямить. Хоч ти головою товчи об стіну, а він — своє* (М. Ю. Тарн.). С и н о н і м: **кіл на голові́ теши́.**

ТО́ГО: ви́йти з то́го сві́ту *див.* вийти; **ви́ходець з ~ сві́ту** *див.* виходець.

до то́го. Настільки, так сильно, такою великою мірою. *— Офіцери,— сказав головнокомандуючий, і холодний дрож пробіг по офіцерських спинах, до того невпізнанний був голос генерала* (Довж.).

до то́го [ж]. Уживається для підкреслення додаткових ознак, дій, заходів і т. ін.; крім усього іншого. *А трудящий, роботящий [Максим], Та й тихий до того, Та ласкавий...* (Шевч.); *От уже розумна, то розумна [Євфросина], ще й до того вчена* (Н.-Лев.); *Комбайн працював бездоганно. Ішли помалу на першій швидкості і захоплювали не на весь хедер: хліб важкий і роса до того ж* (Головко). А н т о н і м: **і без то́го.**

до то́го то́ргу і пі́шки *див.* пішки.

і без то́го. Уживається для підкреслення відсутності додаткових ознак, дій, заходів і т. ін.; і так, і так уже. *Цей покривавлений вид розп'ятого Христа був виставлений на ефектований [ефектний] показ, щоб вражати і без того вразливі та прийнятливі молоді душі студентів колегії* (Н.-Лев.). С и н о н і м и: **і так; і то.** А н т о н і м: **до то́го.**

не без то́го. Уживається для висловлення певної згоди в чомусь; можливе й таке, буває і так, трапляється. *Не без того, щоб часом не посварив [чоловік], не раз було і попоб'є; а все ж я за ним лиха не зазнала* (Л. Укр.); *Не без того, щоб коли й погуляти, погарцювати — на те молодість* (Головко); — *А увечері теж хочеш зустрітися? — Не без того* (Стельмах).

не від того. 1. *з сл.* б у́ т и. Згодний (з чим-небудь), охочий до чого-небудь.— *Ну, а тепер, Арте́ме, твоя черга. Розказуй ти про себе. Артем не від того був* (Головко); *Степанида Петрівна, яка ставилася до Бориса, як до рідного сина, ..була не від того, щоб він взагалі переселився до них жити* (Собко).

2. Не мати нічого проти; бути здатним на якісь дії. *А коли у Георге настрій хороший, він не від того, щоб і поговорити* (Чаб.); *Нічого гріха таїти: інколи наші редактори не від того, щоб підстригти майстрів слова на знайомий і звичний їм кшталт* (Рильський).

не до то́го *кому.* Хто-небудь не має можливості займатися ким-, чим-небудь, приділяти .увагу кому́сь, чому́сь і т. ін. *Добре мати діток Багатому, хвалить бога В розкошах! А вбогій Вдові а не до того, Бо залили за шкуру сала, Трохи не пропала* (Шевч.); — *Не пошкодило б Корнюші хоч показатись на хуторах. Ти таки, Павле Макаровичу, так йому й перекажи.— Переказати не штука, та який у цьому сенс! — знизав плечима Павло.— Не до того їм зараз* (Головко).

не з то́го деся́тка *див.* десятка; **не з ~ кінця́** *див.* кінця; **нема́ ~ в сві́ті, чого не...; нема́ ~ , щоб...** *див.* нема; **нема́ ~ , щоб не...; не на ~ напа́в** *див.* напав; **не сті́льки ~ ді́ла** *див.* діла; **не ~ тіста книш** *див.* книш.

ні з то́го ні з сього (цього). Без будь-якої причини, без жодного приводу або несподівано, раптово, зненацька. *Панна Анеля жвавіше ходить по хаті, розмовляє зо мною і ні з того ні з сього аж двічі цілує пана Адама в чоло* (Коцюб.); *Він [юнак], ні з того ні з сього, почав просто командувати нами, наказувати, а то покрикувати* (Коз.); *А той, п'яний, пришелепкуватий Чинбас, ні з того ні з сього накинувся на Микиту. Зопалу. Як Пилип із конопель* (Рудь). **ні з сього (цього) ні з того.** *Слуги боялись малого Готліба, як огню, бо він любив ні з сього ні з того причепитись* (Фр.); *[Анто́шка:] Сів він [солдат] оце вчора на лаві, закурив тої махорки, що від неї аж очі на лоба лізуть, і ні з цього ні з того каже: «Бідно живете»* (Гжицький). С и н о н і м и: **з до́брого ди́ва; ні сі́ло ні впа́ло.**

що до то́го; що з ~ *див.* що.

ТОГО́: тільки й того́. Уживається для вказівки на що-небудь незначне, яким хтось користується, володіє і т. ін. *Щоб перервати німоту, Чіпка запитав: — І це ви так живете? — Отак, як бач. Тільки й того, що хата своя* (Мирний).

того́ й гляди́ *див.* гляди.

ТОГУ: убира́тися в то́гу *див.* убиратися.

ТОЙ: відпра́вити на той світ *див.* відправити; **відпра́витися на ~ світ** *див.* відправитися; **загна́ти на ~ світ** *див.* загнати; **іти́ на ~ світ** *див.* іти.

не ~ таба́к *див.* табак; **оди́н і ~ же** *див.* один; **переста́витися на ~ світ** *див.* переставитися; **поверну́ти но́са в ~ бік** *див.* повернути; **~ світ** *див.* світ.

той (хто) у луг, [а] той (хто) у плуг. Безладно, вроздріб (про незлагоджені, неузгоджені дії). *Працювали хто у луг, а хто у плуг.*

факт той, що... *див.* факт; **як ~ віл** *див.* віл; **як ~ горо́х при доро́зі** *див.* горох; **як ~ Марко́ у пе́клі** *див.* Марко.

ТОЛК: бу́де толк з кого. Хто-небудь подає надії на майбутні успіхи в чомусь. *Я говорив так довго й щиро, що воєнком мені повірив, сказав, що буде з мене толк, і записав до себе в полк* (Сос.); *[Окса́на:] Як Павло? [Ма́кар:] Злиться. Виходить, ще толк буде з нього* (Корн.); — *Хоч він й не відмінник, скажу я тобі, жінко, а толк з нього буде* (Мокр.). С и н о н і м: **бу́дуть лю́ди.** А н т о н і м: **не бу́де пуття́.**

взя́ти в толк *див.* взяти; **зна́ти ~** *див.* знати.

ТОЛКОМ: з то́лком. 1. Розумно, розсудливо. *Боєприпаси, доставлені Хомою для роти, були розподілені порівну між усіма мінометними підрозділами полку. Хома не жалкував. Хай усі користуються, аби з толком* (Гончар); — *Треба було не хвалитися, а діло робити, та з толком, з толком, а не язиком* (Тют.);

2. Так, щоб можна було зрозуміти. *Докладно, з толком розповів [Білоус], що сьогодні з Білої Церкви на фаетоні приїхав якийсь пан* (Стельмах). А н т о н і м: **без то́лку** (в 2 знач.).

ТОЛКУ: без то́лку. 1. Даремно, марно, без потреби.— *Пощо, кажу, дівку держиш у себе? Аби про тебе не знати що казали? — А щоб їм язики повідсихали! — не витримав лавушник [крамар].— Та ти не лайся без толку, не лайся* (Хотк.).

2. Безглуздо, безладно, безрозсудно.— *Батько плете без толку, а вона слухає, якби що доброго* (Л. Укр.); — *Щастя ми обіруч узяли. Треба не розвіяти його.., не стати рабом землі, отим жаднюгою, що в грунт без толку зажене і своє життя, і життя дітей своїх* (Стельмах). С и н о н і м: **ні в тин ні в воро́та** (в 6 знач.). А н т о н і м: **з то́лком.**

добира́тися то́лку *див.* добиратися.

ТОЛОКА: як решети́лівська толо́ка, *жарт.* Дуже широко, розкішно. *Розсілася, як решетилівська толока* (Укр.. присл..).

ТОМУ: на то́му сві́ті пайо́к іде́ *див.* пайок; **та й бу́дь по ~** *див.* будь.

та й на то́му. Уживається для підкреслення, ствердження чого-небудь; та й усе, і більш нічого, і тільки. *Ха! Він просто дурника корчить, та й на тому! Смішно навіть говорити, що Тома може захопитись якимсь там убогим дівчам* (Сліс.).

так то́му й бу́ти *див.* бути.

ТОН: в тон, *з сл.* в і д п о в і д а́ т и, с к а з а́ т и *і т. ін.* Відповідно до настрою, змісту висловлювання *і т. ін.* співрозмовника.— *Ну, як спалося, дочко? — запитує жартома солідним баском Байда.— Спасибі, татусю,— відповідає у тон йому Орися* (Д. Бедзик); *Хлоп'я вловило іронію, відповіло в тон* (Гончар); — *До уроків готується,— шепнула Ольга Павлівна...— Вона молодець, скажу я вам,— у тон Ользі Павлівні теж тихо сказав Гнат* (Кучер).

добрий тон. Вишукані норми поведінки, що служать зразком для наслідування. *Цей сам Славко, що так боявся за «добрий тон», тепер не завагався натякнути на нешлюбне походження її чоловіка* (Март.); *Те, що в селах нашої Херсонщини сільські молодиці вважали б за повну відсутність смаку,— щоб біле убрання виглядало з-під темного, верхнього,— те саме в гірських українців є ознакою доброго тону* (Мас.); *Все було, як добрий тон велить* (Рильський).

задавати тон *див.* задавати; **настроювати на ~** *див.* настроювати; **потрапляти в ~** *див.* потрапляти; **співати в інший ~** *див.* співати.

твердий тон. Позбавлена лагідності, сердечності манера висловлювання, що виражає суворість, рішучість, владність, офіційність. *Глибоко зітхнувши, далі заговорив [Ковалишин] тим твердим тоном, яким щойно спечені начальники звертаються до підлеглих* (Шовк.).

ТОНІ: в тоні. Модний, прийнятий у певному середовищі.— *Обід такий тривав зо три години, І йшли розмови всякі за столом: Пані своїх знайомих тут судили, Пани хортів і коней... Лиш часом на політичне поле заходили, Та й то несміло якось. Загалом За панщини була політика не «в тоні»* (Фр.).

ТОНКА: жила тонка *див.* жила; **кишка ~** *див.* кишка.

ТОНКЕ: тонке вухо *див.* вухо; **прясти на ~** *див.* прясти.

ТОНКИЙ: тонкий на сльози. Який плаче з будь-якого приводу; плаксивий. [Хаїм:] *Вельможний пан тонкий на сльози* (Кроп.).

ТОНКО: тонко прясти *див.* прясти.

ТОНКОГО: тонкого ладу *див.* ладу.

ТОНКОЩІ: удаватися в тонкощі *див.* удаватися.

ТОНКУ: прясти на тонку *див.* прясти.

на тонку. Погано, як-небудь. *Матвій Чумак жив і справді у злиднях, землі обробити не мав чим і харчувався на тонку* (Мик.).

ТОНУТИ: тонути в крові. Здійснювати масове кровопролиття. *В той великий час тирани Бачать сльози мільйонів, Чують болі мільйонів І тонуть у людській крові* (Фр.).

тонути в тумані. Ставати невиразним, нечітким у пам'яті і забуватися. *Лиш іноді про дні атак ти згадуєш у ніч безсонну... Але згадки усе смутні, Й минуле тоне в тумані* (Сос.).

тонути (потопати) в розкошах. Жити в надмірному багатстві. *А вельможне панство тоне в розкошах, марнує час у хвастощах* (Кач.); *Думками вже летіла [Софія] по великих заграничних містах і потопала в прийдешніх розкошах* (Л. Укр.).

ТОНУТЬ: очі тонуть *див.* очі.

ТОНЯ: красна тоня, *заст.* Перший у сезоні улов, звичайно найкращий. *Красна тоня вдалась добра; але того літа риба ловилась дуже погано* (Н.-Лев.).

ТОПИТИ: живцем топити *кого, що.* Нівечити, занепащати життя комусь, мучити кого-небудь. [Устина:] *Через тебе, ледацюго, може, й мене люди заплюють. ..Бодай тебе саму під шум понесло, як ти мою долю живцем у воді топиш!* (Вас.).

лій топити *з кого.* Мордувати кого-небудь, знущатися з когось. *Не чваньтесь, з вас деруть ремінь, А з їх [батьків], бувало, й лій топили* (Шевч.).

топити (затоплювати) горе (лихо). Тамувати, приглушувати тяжкі почуття, думки. *Пива він не любив і топив своє горе в абстрактних розмовах про беззахисність людського кохання* (Перв.); *Що ж робив він в ті скривджені дні? Може, в чарці затоплював лихо?* (Воронько).

топити (затоплювати) / затопити (потопити) в крові. Здійснюючи масове кровопролиття, придушувати щось (масові виступи, повстання і т. ін.). *Але не судилося збутися народній мрії. Царизм уже топив у народній крові першу російську революцію* (Кучер); *Відплатіть ненажерному кату ви за лютеє горе моє! Затопіть всіх бандитів у крові* (Сос.).

топити (затоплювати) / утопити (затопити) око (очі, погляд, зір) *у чому, в що.* Зупиняти, зосереджувати свою увагу на чому-небудь, невідривно дивитися кудись, милуватися чимось. *Любо звуки пити і пісні гірського потоку, безміром життя упиватися, топити око в ніжних розміряних світлах!..* (Хотк.); *Дарма топлю очі в крайнебо блакитне, Усім воно ясне, ласкаве, привітне; ..від його ж на мене недолею віє, Як гляну в крайнебо — серденько заниє* (Пісні та романси..); *Очі свої він [Івась] перевів уже в небо і топив свій ясний погляд у його непрозорій блакиті* (Мирний); *Уста з устами ізлились, І ми над зорі понеслись, В очах втопивши очі* (Стар.); *Довго він блукав по темних алеях, затоплював зір у високому спокійному небі* (Дн. Чайка); *Джонс втопив зір у підлогу і хвилину мовчав* (Багмут); *Фархад брав часом в руки той папір І затопляв в мальоване свій зір* (Бажан).

ТОПТАТИ: мишей топтати. Без потреби тинятися, ходити туди й сюди. *Годі тобі мишей топтати!* (Сл. Гр.). С и н о н і м и: **байди бити; давати горобцям дулі.**

топтати / затоптати в болото (в грязь, в грязі, в багно). 1. Принижувати чию-небудь гідність, знеславлювати когось, ганьбити. [П а в л о:] *Ідеш мене ганьбити, топтати в болото* (Корн.); *Чи чули ви, як тільки що говорили там, як картали нас, як топтали нас в грязь?* (Н.-Лев.); *Воно [минуле] зібгало Ярину Валах на роздорожжі [роздоріжжі], затоптало в багно, але вона вже піднялася* (Кучер).

2. *що.* Компрометувати, дискредитувати що-небудь. *Революційний масовий страйк не давав ворогові ні спочину, ні строку. Він бив ворога і по кишені, він топтав у грязь перед лицем усього світу політичний престиж нібито «сильного» царського уряду* (Ленін).

С и н о н і м: **втоптати в багнюку.**

топта́ти зе́млю. Бути живим, жити. *Ходімо на тщесерце пракорінь шукати, щоб тобі довго ще топтати грішну землю, а мені стати на одвіт* (Ю. Янов.); *Ще й досі топче землю Інокентій Гамалія, на старість бороду виховав* (Тют.); *Всім нашим родичам розписую про те, що, либонь, не довго вже мені зосталося топтати цю землю* (Гуц.). С и н о н і м: **топта́ти ряст.**

топта́ти но́ги, *жарт.* Ходити. *Прийшов ні за чим, пішов ні з чим: нічого і питать — шкода ноги топтать* (Номис).

топта́ти (підто́птувати) / підтопта́ти під но́ги (рідко під нога́ми). 1. Перемагати. *А в нас над усе — честь і слава, військова справа, щоб сама себе на сміх не давала, і ворога під ноги топтала* (П. Куліш); *Руські в нічну битву безстрашно пішли і підтоптали під ноги хваленого і хвастовитого угорського полководця Філонія* (Хижняк).

2. Не рахуватися з ким-, чим-небудь, ганьблячи, зневажаючи когось, щось. *Та він мовчки усіх вас гнітить, під ноги собі топче* (Вовчок); *Вони божий закон під ноги топчуть* (Л. Укр.); *А він [Нечай] не хотів утікати, «свою славу козацьку під ноги топтати». І клав ворогів, як снопики* (Мас.); [Д о м а х а:] *..Слухай свекрухи, угоджай свекрові... Не підтопчи матері під ноги* (К.-Карий).

3. Не зважати на щось, втрачати інтерес до чогось. *Звісно, їх дівоча натура: сьогодні уподобали червону скиндячку, а завтра — зелену, а червону під ногами топче і байдуже* (Кв.-Осн.).

топта́ти / потопта́ти ряст. Жити, ходити по землі. *Йому вже не топтати ряст* (Укр.. присл..); *Весна за весною летіли стрілою, Дівчинонька ряст топтала, Загулялась, не вгадала, Як стала марніть* (Гл.); *Люди рідко заживали тоді за шістдесят літ, однаково великому князеві вже недовго б довелося топтати ряст* (Загреб.); *А від душі хочу побажати, дорогий Сашко, ще довгенько ряст топтати і не один роман — та все кращий і кращий — сотворити!* (Літ. Укр.); *Он воно що,— на той світ вельми захотілося! Не зумів чесно жити, то тепер швидше зі сцени? — саркастична посмішка затріпотіла на Артемових устах.— Тільки не такі ми багаті, щоб розкидатися подібним*

товаром. *Ти ще трохи потопчеш ряст* (Головч. і Мус.). **зеле́ну топта́ти.** *Ненькові привели доктора, щоб той йому ноги вилікував. Люди здивувалися, що Дворко-коліцун знову зелену топче* (Казки Буковини...). С и н о н і м: **топта́ти зе́млю.**

топта́ти (протоптувати) / протопта́ти сте́жку (до́ріжку) до кого і без додатка. 1. Залицятися до кого-небудь, вчащати до когось. *Нащо ти дурив моє дитя, нащо топтав до неї стежку? Нащо залицявся, коли не думав її брати?* (Стар.); [М о т р я:] *Мало ще з ума позводив, до Явдохи доріжку топчеш?* (Кроп.); [М а л а н к а:] *Ой дивись, бо та [Степка] не хилиться... Та й не один ти до неї стежку топчеш* (Зар.); *А чого ти, парубче, до наших дівчат доріжку топчеш?* (Тют.). **стежечкі́ топта́ти.** *Ой не ходи коло води, Та жовтенький кобче, Єсть у мене кращий тебе, Що стежечки топче* (Укр. нар. пісні). **попотопта́ти сте́жки** (багато разів, тривалий час).— *Та й оженився я немолодим.. Попотоптав я.. стежки, поки вговорив одну дурепу, тобто бабу свою* (Збан.). С и н о н і м: **топта́ти слід** (в 2 знач.).

2. *куди, до кого — чого.* Часто ходити куди-небудь, бувати десь. *Я приходив до них [друзів], як до свого, до рідного дому, і вони в мою хату топтали доріжку відому* (Мал.); *— Я в пекло стежку протоптала, Я там не раз, не два бувала* (Котл.). **топта́ти (прото́птувати) сте́жечку.** *Ой я свого чоловіка В дорогу послала, А од шинку та до шинку Стежечку топтала* (Шевч.); *Усі, мабуть, і забули про той млин, та ось приїхали влітку пани в село на дачі, почали протоптувати до його стежечки ясними зоряними ночами* (Вас.). С и н о н і м: **топта́ти слід** (у 1 знач.).

3. *чию.* Повторювати чию-небудь долю, наслідувати когось. *Вона вже знала, яка доля чекала на її дитину. Доведеться їй топтати материну стежку* (Коцюб.); *— Бач, якого виростив солдата! Вже й шинелю батькову надів! Видно, й стежку батькову топтати. Виростай-но, синку, поспішай* (Пригара).

4. *до чого.* Намагатися досягти чого-небудь, домогтися чогось.— *Князь, певно, пристав до нашої святої віри не з щирим серцем,— промовив патер Вінцентій.— Він став католиком, щоб протоптати стежку до двору* (Н.-Лев.).

топта́ти (протоптувати) / протопта́ти сте́жку (до́ріжку і т. ін.) до се́рця чийого. Завойовувати чию-небудь любов, довіру, симпатію. *Сестер вона не любила.., один лише тато зумів колись протоптати доріжку до її маленького серця* (Дім.). С и н о н і м: **топта́ти слід** (у 2 знач.).

топта́ти слід (слідй) до кого, куди. 1. Часто бувати в кого-небудь, десь, ходити до когось, кудись.— *Хай вони [панянки] собі пишаються та морочать, кого знають, а самі будемо слід топтати на кутки. Дівчата там як перемиті* (Вас.).

2. Залицятися до дівчини, часто буваючи в неї.

Не тобі сліди топтати — Іншого чекаю я до хати. Він от-от повернеться додому з-під завій, переборовши втому (Мал.) С и н о н і м: **топтати стежку.**

топтати чоботи (взуття, підошви). Багато ходити куди-небудь, марно добиваючись чогось. *Так і ходитимеш, чужі пороги оббиватимеш. Воно ж тобі нічого — тільки чоботи топчеш, а другим — час гаєш* (Мирний).

у порох (у прах) топтати. Зневажати, паплюжити. *В порох топчуть те, що мені святе,— А недоля й тьма все росте й росте* (Фр.).

чужі дворища топтати. Не мати власного притулку. *Це жебрак. Багато літ чужі дворища топче. На вокзалах ночує.*

ТОПТАТИСЯ: топтатися (тупцювати, тупцюватися, тупцятись) на [одному] місці. 1. Не просуватися вперед у якій-небудь справі. [П о т ь о м к і н:] *— А сама армія Священної Римської імперії?.. Вона що зробила? Мавши змобілізовану стотисячну армію, ви півроку топталися на місці* (Добр.); *Ми ж тиждень вже нівроку на місці топчемось, братва, вперед ані півкроку* (Дор.); *Тупцювали на одному місці, товкли воду в ступі, переливали з пустого в порожнє, намагалися дійти до істини, а істина лежала десь поза межами кімнати, в якій засідали ці люди* (Загреб.).

2. Не розвиватися, не вдосконалюватися. *Народне мистецтво не тупцюється на місці, а безперервно збагачується новими сюжетами, різноманітною інтерпретацією їх* (Нар. тв. та етн.); *Правда, останні півроку дехто почав говорити, що завод, мовляв, тупцяться на місці* (Шовк.). **тупцювання на місці.** *Учений не має права жити минулою справою, вважати науковий ступінь самоціллю. Тупцювання на місці — це ознака застою, занепаду ученого* (Наука..). П о р.: **товктися на місці.**

ТОРБА: повна торба. Дуже багато. *І не криється баба: тільки зачепи — вона тобі повну торбу розкаже* (Дн. Чайка); *Вже моря додому привезе чи не привезе [Федір], а розповідей назбирається повна торба* (Збан.). *— Де ти бачив сало на дві долоні? — На вашому кабані, гляди, ще й товще буде.— І тут хвальби повні торби! — нарешті посміхається тітка* (Стельмах).

стара торба, *фам., зневажл.* Людина похилого віку; літня людина. *Лихе мене наустило.. промовляти до тої старої торби* (Март.). С и н о н і м: **старе луб'я.**

торба лиха і мішок біди. Дуже багато неприємностей. *І неждано біля плоту його наздогнали селянські голоси: — Чи ж треба, хлопці, випускати пана? Їй-бо, він ще привезе торбу лиха і мішок біди* (Стельмах).

ТОРБАМИ: іти з торбами *див.* **іти; тинятися з ~** *див.* **тинятися.**

ТОРБИ: начепити торби *див.* **начепити.**

ТОРБИ: не вартий торби січки *див.* **вартий.**

ТОРБІ: вишептатися як рак у торбі *див.* вишептатися; **як рак у ~** *див.* рак.

ТОРБОЮ: носитися як з писаною торбою *див.* носитися; **пускати з ~** *див.* пускати.

ТОРГ: встигнути з козами на торг *див.* встигнути; **сунутися з козами на ~** *див.* сунутися.

ТОРГІВ: з торгів, з сл. п р о д а в а т и, п р о д а т и. З аукціону, прилюдно. *Описав [судовий пристав] усю мою рухомість, якої набралося по ціні руб. на 40, і має продавати з торгів* (Свм.). С и н о н і м: **з молотка.**

ТОРГУ: добивати торгу *див.* добивати; **до того торгу і пішки** *див.* пішки; **їхати з ~** *див.* їхати.

ТОРГУВАТИ: лихом торгувати. Наживатися на чужому горі, нещасті. *Коли хочеш знать, Де лучше [краще] лихом торгувать, Іди ти в Січ. Як бог поможе, там наїсися всіх хлібів, Я їх чимало попоїв, І досі нудно, як згадаю!* (Шевч.).

торгувати витрішками. Грайливо, весело поглядати, задивлятися на кого-небудь, кокетувати з ким-небудь. *Не мальовані вони красуні, не модниці, не вертихвістки, зубів не продають, витрішками не торгують* (Шовк.). С и н о н і м и: **ловити витрішки; купувати витрішки; продавати витрішки.**

торгувати зубами. Сміятися, глузувати з кого-небудь.— *А ти чого зубами торгуєш? Тут про діло балакають!* (Тют.). С и н о н і м и: **продавати зуби; скалити зуби; сушити зуби.**

ТОРІШНІ: як торішні бублики *див.* бублики.

ТОРІШНІЙ: як торішній сніг *див.* сніг.

ТОРІШНЬОГО: як торішнього снігу *див.* снігу.

ТОРКАТИ: і пальцем не торкати *див.* торкнути.

торкати душу (серце) кому, чию (чиє). Зворушувати кого-небудь, викликати замилування в когось. *І сама ця наша Громова, найвища з могил, неодмінно чимось торкне тобі душу, ціле літо вона мовби виглядає когось,— чи не за те й люблять її вітри?* (Гончар); *Не торкала якось мого серця дика краса південної бурі* (Коцюб.).

ТОРКАТИСЯ: і пальцем не торкатися / не торкнутися (не приторкнутися) чого, до чого. 1. Абсолютно нічого не робити для здійснення чого-небудь. *До кузні цієї бригади підтягнуто для ремонту кукурудзяну сівалку. Та до неї ніхто й пальцем не торкався* (Рад. Укр.); *І ось Захар вперед помчав, знов перед ним дорога. Щастить! І пальцем не торкнувсь, сама прийшла удача* (Дор.).

2. Не брати чого-небудь, не красти, не грабувати. *Це єдина його заслуга в петлюрівській армії, що він і пальцем не приторкнувся до людського добра* (Стельмах).

ТОРКНУТИ: і пальцем (пучкою) не торкнути (не ткнути, не зачепити) / не торкати кого. Не заподіяти кому-небудь ніякої, ні найменшої кривди, образи.— *А як вже поважатиму вас, ніколи й пальцем не торкну* (Коцюб.); *Та хоч виглядом* він як хмара, з торчкуватим вусом, з поглядом суворим, що незнайомого аж відлякне, а проте нікого з дітей Заболотний і пальцем не торкнув, здається, й не насварився ні на кого... (Гончар); Я тебе ніколи і пальцем не ткнув (Яцків); Я б нікого й пальцем не зачепила, аби мене ніхто не зачіпав (Н.-Лев.); Панів, правда, грабує [Кармелюк], а убогих людей — ніколи; і пучкою не торкне (Вас.). **пальцем торкнутися.** До нього [Дмитра] зараз ніхто не насмілювався навіть пальцем торкнутися, а не те, щоб штовхнути чи вдарити (Коз.). С и н о н і м: **навіть мухи не зачепить.** А н т о н і м: **хоч пальцем торкнути.**

хоч (тільки) пальцем торкнути. Учинити якнайменшу спробу скривдити, образити, побити і т. ін. кого-небудь. Тихін на лаві сидів і не зводив з неї [Марії] очей. ..Вринувся й клявся, що надалі, коли хоч пальцем торкне її — руку собі одрубає (Головко); Не данник гетьманський, а посол, особа недоторканна, сидить перед тобою. Тільки пальцем торкни — біди не обережся (Рибак). А н т о н і м: **і пальцем не торкнути.**

ТОРКНУТИСЯ: і пальцем не торкнутися див. торкатися.

ТОРОХТЯТЬ: аж кістки торохтять див. кістки.

ТОРУВАТИ: торувати межу. Прокладати, відкривати шлях до нового, в майбутнє. Чий вік минув за працею, як днина, Сліпим братам торуючи межу... Перед тими я стану на коліна. Героям тим подяку я зложу! (Граб.).

торувати шлях (дорогу) кому, чому, для кого. 1. Створювати сприятливі умови для кого-, чого-небудь; допомагати комусь. [Р і ч а р д:] А все ж Голландія новому хисту торує шлях широкий. Я простив би «Єгипетську гидоту» їй за теє (Л. Укр.); — Чмихавки? А де ви були, коли ці чмихавки в Трансільванії понад хмарами гримали? Коли ми з в'юками до бога дерлися крізь карколомне бескеття? Чи не ці чмихавки тоді вам шлях торували? (Гончар).

2. з сл. с о б і. Добиватися певного становища, успіху в житті, у якомусь виді діяльності. Ця старша донька, панночка незвичайної вроди і так само незвичайної спритності, показалась понад сподівання здібною торувати собі шлях у житті (Фр.).

ТО-ТО: то-то ж. Уживається для вираження згоди, почуття задоволення.— Пшениці не питай, ...ми добудемо...— Та я знаю...— То-то ж (Мирний).

то-то й є. Уживається для підкреслення правильності, важливості і т. ін. сказаного раніше.— То-то й є! поки чоловік у добрі та у щасті, так він дума, що вже йому і усе так буде, і не журиться ні об чім (Кв.-Осн.); — Так ти, Чіпко, з бур'яну взявся? — Ні...— А де ж твій батько, коли ти не з бур'яну? — Не знаю...— То-то й є... ти байстрюк! (Мирний).

ТОЧИТИ: валом точити див. валити; **теревені ~** див. правити.

точити душу (серце) чию, кому. 1. Викликати постійну тривогу, неспокій, страждання в кого-небудь. Не знаю, чи здужаєте ви порозуміти, що ця думка точить мою душу?! (Март.); Хіба не точить його серце жаль та досада, що таке зробив, проти свого роду пішов? (Мирний); «Все-таки,— точив серце сумнів,— може, Петро Гнатович тільки захоплення, все пройде, і знову у неї повернеться любов до Кирила» (Вільний); [Є п и с к о п:] І буде ввергнутий [безбожник] в геєну люту, де пломінь невгасимий, плач і скрегіт і де черв'як довіку точить серце (Л. Укр.); ...Їсть нудота без справжнього діла. А ще більше точить серце розставання (Коп.); Досада точила йому серце, що він, ..стільки проковтнув того книжкового мотлоху, а до істотного, виходить, і не пригубився (Вільде).

2. кому. Викликати переживання за когось, щось. Турбота за Орисю все ж таки точила йому серце (Стар.).

точити зуби див. гострити.

точити кров. 1. з кого. Експлуатувати, виснажувати кого-небудь тяжкою працею, знущанням і т. ін.— Кому воля, а кому неволя! — сумно одповів дід.—..Ще ми мало робили, ще з нас мало.. крові точили (Мирний); — А доки вони нами руки потиратимуть? Ми їх не чіпаємо, ми до них не лізємо, а вони? Що вони з нас кров точать? Чим ми перед ними винуваті? (Гончар). **точити кров з жил чиїх.** В нужді та утисках ми бились, А з наших жил точили кров. Над нами багачі глумились, А ми ..корилися їм знов (Вороний).

2. з чого. Обкрадати, використовувати з метою наживи. А той, щедрий та розкошний, Все храми мурує; Та отечество так любить, Так за ним бідкує, Так із його, сердешного, Кров, як воду, точить (Шевч.).

точити кров з серця чийого. Завдавати комусь душевного болю, страждань. [Р я б и н а:] Пане писарю, не точи ти послідньої [останньої] крови [крові] з мого серця! (Фр.). **кров точило з серця,** безос. Замикався тісний залізний обруч над нещасливою голівонькою, гострими ранами, замість цвітів, сипало, кров точило з серця (Хотк.).

точити ніж див. гострити.

точити (підпускати, розводити) / поточити ляси (баляси, баляндраси, бали). 1. Вести пусті розмови, марнуючи час.— Нам, старче, ніколи точити ляси,— розшнуровує варги Стьопочка й осуркувато оглядає торбешника (Стельмах); — Чуєте, як шумить буря народного повстання? Ми тут баляси точимо, а там в цей час, може, ллється кров наших братів і сестер! (Мам.); — Чого ж мовчиш, бабо? — Нема мені про що з тобою бали розводити (Стельмах). С и н о н і м и: **правити теревені; кле-**

па́ти язико́м; чеса́ти язика́; плеска́ти язико́м (у 1 знач.); точи́ти бре́хні.

2. Весело розмовляти, жартувати, розповідаючи про щось незначне, несерйозне. *Він точив ляси, оповідаючи всілякі смішні побрехеньки, жартом розважаючи всіх, хто потрапляв до його компанії* (Кучер); *Частина вільних козаків видиляла́сь на польський табір і точила баляси, від яких схоплювався то тут, то там регіт* (Панч); *Добре ж, коли парубок не розсердиться, та ще удруге стане ляси підпускати, так ще не зовсім біда* (Кв.-Осн.). С и н о н і м: трави́ти баланду́ (в 2 знач.).

3. Розмовляти, розповідати про що-небудь (перев. на дозвіллі). *Дорогою Тур точив баляндраси* (П. Куліш); *А баби точили бали, Горілочку пивши, свахи пісеньок співали, Між ними сидівши* (Укр. поети-романтики..); *Поговорили про оперу, згадали Давіда, віддали належне Лафонтену і трохи поточили ляси з приводу Ламартіна* (Рибак). **точи́ти баля́си з баляндра́сами.** *Сидять хлопці* [в чорній] *.. Лежать собі, висипляються, та точать один одному баляси з баляндрасами* (Мирний). С и н о н і м: точи́ти язики́ (в 3 знач.).

точи́ти / поточи́ти язики́ на кому і без додатка. 1. Недоброзичливо висловлюватися про когось, лихословити на чию-небудь адресу.— *Та годі вам язики точити! Хай і не дуже винахідливо, але чинять ті хлопці правильно* (Головч. і Мус.); *Михайлові шкода стало дівчину, що зараз село точить язики на ній* (Томч.); *Може, все-таки прийде Марко Бовкун до Клави? ..Зник, ніби у воду впав, Марко. Гуртожитківські плетухи поточили язики і знайшли собі інші теми* (Собко). С и н о н і м и: перемива́ти кісточки́; бра́ти на зу́би; перебира́ти на зуба́х; бра́ти на кпи́ни; бра́ти на глум.

2. Весело розмовляти, розповідати про щось незначне, несерйозне. *Ромця точив язика на дотепах* (Гончар); *Скільки не точили язиків, а харч сам собою не йшов до їхньої порожньої, напівтемної і непривітної кімнати* (Збан.). С и н о н і м: точи́ти ля́си (в 2 знач.).

3. зневажл. Розмовляти про що-небудь. *Чоловік зо три іще й досі точать язики на цю ж таки тему — про ступи, а то всі в крамниці вже* (Головко). С и н о н і м: точи́ти ля́си (в 3 знач.).

точи́ти [свій] піт на кого. Тяжко працювати на кого-небудь. [Ц е п к о:] *За вами панство цілого світу, з нами нікого. Ми самі! Робітники й селяни, що вже сотні літ точимо свій піт на вас* (Ірчан.).

точи́ти (справля́ти) бре́хні (побрехе́ньки). Вести пусті, беззмістовні розмови, марнуючи час.— *А чи не пора б нам кинути брехні точити та заходитись коло роботи? — мовив Корж* (Добр.); [Х у т о р я н и н:] *..Позалазивши в холодок, грали в «хвильки», в «гарби», в «дурня» та точили різні побрехеньки* (Тют.); — *Годі тобі брехні справлять. Вставай та в печі розтоплюй* (Н.-Лев.). С и н о н і м и: точи́ти ля́си (в 1 знач.); пра́вити тереве́ні; плеска́ти язико́м (у 1 знач.).

ТОЧИ́ТИСЯ: точи́тися, як че́рез ре́шето. Поступово зникати (про майно, багатство і т. ін.). *Посесорове добро точилося, як через решето* (Н.-Лев.).

ТО́ЧИТЬ: черв'я́к то́чить се́рце див. черв'як; **ша́шіль ~** див. шашіль.

ТО́ЧИТЬСЯ: від ві́тру то́читься. Дуже втомлений, виснажений, худий. *Увечері, коли вже сонце сідало на спочинок, а він доорав ниву, дівчина сама прокинулась, і все одно видно було, що вона й од вітру точиться* (Рудь).

ТО́ЧКА: відправна́ (вихідна́) то́чка чого і без додатка. Те, з чого що-небудь бере свій початок, служить основою, підставою чогось. *Формуючи первинний задум, художник знаходить відправну точку свого дослідження, а значить можливість шліфувати твір, ідейно і емоційно його збагачуючи* (Мист.); *Нова індуктивна естетика мусить прийняти за вихідну точку не поняття краси, а чуття естетичного уподобання* (Фр.).

і то́чка. Уживається на означення припинення, завершення якої-небудь дії; і досить, і все.— *От що, товариші. По мойому* [по-моєму], *без усяких балачок шльопнуть гада, і точка* (Головко); — *Для лікнепу треба дров привезти і точка! Кому цікаво дубіти в холоді?* (Речм.).

то́чка в то́чку. Абсолютно точно, саме так. [Ф е н ь к а:] *Товариш Завірюха?* [З а в і р ю х а:] *Він самий, точка в точку!* (Мам.).

то́чка зо́ру. Певний погляд на ті чи інші явища, певне розуміння їх.— *І коли взяти до уваги точку зору Ірини Леопольдівни, то багато сільських десятикласників залишиться поза вузами* (Тют.); *Точка зору життя, практики повинна бути першою і основною точкою зору теорії* (Рад. Укр.). **з то́чки зо́ру** чиєї, якої. *Дельфіно — надзвичайно цікавий об'єкт з точки зору біоніки, біохімії, гідромеханіки, акустики* (Знання..); *І клумба ця, і латка асфальту виникли завдяки настійливості Лукії Назарівни і мають з її точки зору значення принципове* (Гончар).

ТО́ЧКИ: до то́чки. 1. *з сл.* з н а́ т и, б а́ ч и т и, р о з у м і́ т и *і т. ін.* Досконало, до найменших дрібниць. *Абонентів список я лиш прочитав — і знав до точки, а він не міг його ніяк за місяць вивчити* (Сос.).

2. Повністю.— *Боявся, що часу не вистачить. А воно якраз. Договорилися до точки* (Головко). С и н о н і м и: до кінця́; до кра́ю.

3. *з сл.* д і й т и́, д о в е с т и́. До безвихідного становища, до розпачу. *Цей не дуже страшний. Він ще не дійшов до точки. ..Альоша слухав цей шепіт і відчував, як йому холонуть пальці* (Мик.).

зру́шити з ме́ртвої то́чки див. зрушити.

ТОЧКУ: би́ти в то́чку; влуча́ти в ~ див. влучати; **потра́пити у** ~ див. потрапити; **то́чка в** ~ див. точка; **ці́литися в** ~ див. цілитися.

ТО́ЧНО: так то́чно див. так.

ТО́ЧЦІ: на ме́ртвій то́чці. У тому самому стані; без жодних змін. *Шкода, що її арифметика стоїть на мертвій точці, але ж я на се не маю ради* (Л. Укр.); [Ната́ля:] *..Які новини? Як справа з учеnym секретарем?* [Убийба́тько:] *Поки що на мертвій точці* (Мик.).

стоя́ти на то́чці зо́ру див. стояти.

ТО́ШНО: [щоб] аж чорта́м то́шно [було́]. Уживається для вираження інтенсивності якоїсь дії; з усієї сили, нещадно.—*Є наказ збивати — бий* [порушників кордону], *щоб аж чортам тошно було* (І. Греб.).

ТО́Ю: плати́ти то́ю са́мою моне́тою див. платити.

ТПРУ: ні тпру ні ну. Без змін, у тому самому місці; нікуди. *Підтягся дядьків віз Чимало вже вгору, А там: ні — тпру, ні — ну* (Пол.); *Торг завис на дев'яноста карбованцях і далі — ні тпру ні ну* (Стельмах). С и н о н і м и: **ні туди́ ні сюди́; ні наза́д ні впере́д; ні в тин ні в воро́та** (в 5 знач.).

ТРАВА́: хоч трава́ не рости́. Абсолютно байдуже. *Дурний хазяїн каже: «На наш вік буде, а після нас хоч трава не рости»* (Укр.. присл..); *Селяни робили все, щоб урятуватись від набору, сховатися в лісі і попасти в зелені банди, а там — хоч трава не рости* (Ленін); *Шкода тільки, що він* [конюх] *лише за свій колгосп думає, а далі хоч трава не рости* (Мам.). С и н о н і м: **хоч вовк траву́ їж.**

як ви́росте трава́ на помо́сті. Уживається для повного заперечення змісту речення; ніколи.— *Кирило, може, хутко й вернеться.— Як виросте трава на помості,— шепче сама собі сестра Кирилова* (П. Куліш). С и н о н і м и: **як рак сви́сне** (в 1 знач.); **як бабáк сви́сне; як ви́росте гарбу́з на вербі́.**

як трава́. Несмачний.— *Погана у тебе й яєшня! Як трава!* (Мирний).

ТРА́ВИ: не м'я́ти, трави́ див. м'яти; **тихі́ший води́, ни́жчий** ~ див. тихіший; **ходи́ти ни́жче** ~ див. ходити.

як трави́. 1. Дуже багато чого-небудь. *Грибів у лісі як трави.*

2. з сл. **багáто.** Дуже, у великій мірі. *Багато як трави* (Укр.. присл..); *На галявині суниць багато як трави.*

ТРАВИ́ТИ: трави́ти балáнду́, фам. 1. Говорити не по суті.— *Чого ж ти баланду травиш? Кажи прямо, що злякався труднощів і втік з свого села, та й нас на це підбиваєш* (Кучер).

2. Весело розмовляти, розповідаючи про щось незначне, несерйозне. *Баланду травить саме Прошка Горбань. ..Легкий на слово, веселий, він любить, зібравши гурт цікавих, брехонути їм з свого вояцького минулого що-небудь приго-*

ломишливе, розгонисто-неймовірне (Гончар). С и н о н і м и: **точи́ти ля́си** (в 2 знач.); **пра́вити тереве́ні.**

ТРАВО́Ю: доро́га, вкри́та траво́ю див. дорога; **кістки́** ~ **поросту́ть** див. кістки; **порости́** ~ див. порости.

ТРАВУ́: тихі́ший за во́ду, ни́жчий за траву́ див. тихіший; **хоч вовк** ~ **їж** див. вовк.

ТРАГЕ́ДІЮ: роби́ти траге́дію див. робити.

ТРА́ТИТИ: тра́тити го́лову; ~ **по́рох** див. витрачати; ~ **ро́зум** див. втрачати.

ТРА́ФИВ: шляк би тра́фив див. шляк.

ТРЕ́БА: далеко ходи́ти (бі́гати) не тре́ба (не бу́демо). Що-небудь знаходиться поряд, поблизу, на нього легко вказати як на приклад чи доказ чогось. *Тепер ми* [в'язні] *знали, що фашисти тримали нас тут* [у тюрмі] *як матеріал: треба когось розстріляти — далеко бігати не треба, приходь, бери голіруч готовеньких, хоч і ледве живих і теплих* (Збан.).

і тре́ба ж! Уживається для вираження захоплення, здивування і т. ін., а також досади, роздратування, незадоволення і т. ін. ким-, чим-небудь. *Так добре грали наші футболісти і треба ж! В останні хвилини їм забили гол.* С и н о н і м и: **ти бá!; як на ли́хо.**

так (отáк) і тре́ба кому. Того й заслуговує хто-небудь. *Схопилась буря і зломила Деревце бідне з корінцем.— Бач, божевільне, так і треба,— От тобі й виросло до неба! — Озвалася Сова* (Гл.); *Як вибігли вночі хлопці на дзвін та взнали, що горить Гмиря, зразу й вернулись у хату — так йому і треба!* (Головко); *Так тобі і треба. За твій нестерпний характер, за промахи, за непродумані кроки* (Гончар); *Весь тік палав до останнього стіжка...— Отак і треба нашому панові! — гомоніли чоловіки* (Н.-Лев.).

тре́ба з сві́чкою шука́ти див. шукати.

що тре́ба, рідко. Дуже добре, найкраще. *Ото було, як опівночі, то й пливуть човни Дніпром, та й пристають під старою вербою; а пан Максим їх* [людей] *веде до світлиці та приймає, що треба* (Вовчок).

як тре́ба. Належним чином, добре. *Нічка прийде,— хвоста того заячого коротша, ні виспатися, ні одпочити як треба!..* (Мирний). С и н о н і м и: **як слід; як годи́ться.**

ТРЕМТИ́ТЬ: ко́жна жи́лка тремти́ть див. жилка; **се́рце** ~ див. серце.

ТРЕМТІ́ТИ: тремті́ти (труси́тися) за свою́ (вла́сну) шку́ру (за ду́шу, за се́бе). Дбати лише про особисті інтереси, про себе, нехтуючи інтересами інших. *Боротьба* [з фашизмом] *йде не на життя, а на смерть, і чимало вилетить, очевидно, з цього життя недоброго, дурнів і пошляків, які, тремтячи за свою шкуру, разом з тим мріяли поживитися на народному нещасті* (Довж.); *Умерла людина — поховати її тихенько, зійтись* по тому в гурточок, ..посумувати ..і розійтися тихенько по хатах, не тремтячи за власну шкуру (Коцюб.); *Не так економію бережуть, за себе трусяться* (Головко).

трусИтися за шкУру.— *А мені страшнувато,— признався Степан.. — Не подумайте, що за шкуру трушуся.. от тепер.. страшно не хочеться під бандитську кулю потрапити* (Стельмах). П о р.: **болІти за свою шкУру.**

тремтІти, як у пропАсниці *див.* труситися.

ТРЕМТЯТЬ: жИжки тремтЯть *див.* жижки; **∼ сльОзи на очАх** *див.* сльози.

ТРЕПЕЧЕ: сЕрце трепЕче *див.* серце.

ТРЕПЕЧЕТЬСЯ: сЕрце трепЕчеться *див.* серце.

ТРЕТІЙ: в трЕтій осОбі *див.* особі.

ТРЕТІМИ: з трЕтіми пІвнями *див.* півні.

ТРЕТІХ: до трЕтіх вІників *див.* віники; **до ∼ пІвнів** *див.* півнів; **з ∼ рук** *див.* рук; **після ∼ пІвнів** *див.* півнів; **чЕрез ∼ осІб** *див.* осіб.

ТРЕТЯКА: вибивАти зубАми третякА *див.* вибивати.

ТРЕТЯЧКА: вигравАти третячкА на зубАх *див.* вигравати.

ТРЕТЬОЇ: без трЕтьої клЕпки в головІ *див.* клепки; **немА ∼ клЕпки** *див.* нема.

ТРИ: алЮр три хрестИ *див.* алюр; **без рОку ∼ днІ** *див.* тиждень; **від горшкА ∼ вершкА** *див.* вершка; **в ∼ БОга** *див.* Бога; **в ∼ погИбелі** *див.* погибелі; **в ∼ пОти** *див.* поти; **в ∼ скОки** *див.* скоки; **гнУти в ∼ дугИ** *див.* гнути; **гнУтися в ∼ дугИ** *див.* гнутися; **дАти в ∼ шиЇ** *див.* дати; **за ∼ оглЯди** *див.* огляди; **идИ під ∼ чортИ** *див.* іди; **ітИ під ∼ чортИ** *див.* іти; **ні в дві ні в ∼** *див.* дві; **під ∼ вІтри** *див.* вітри; **під ∼ чортИ** *див.* чорти; **спустИти ∼ шкУри** *див.* спустити; **∼ чИсниці до смЕрті** *див.* чисниці; **у ∼ батогИ** *див.* батоги; **у ∼ вІрви** *див.* шиї; **у ∼ гОрла** *див.* горла; **у ∼ рядИ** *див.* ряди; **у ∼ шиЇ** *див.* шиї.

[хоч] по три (по сІм) за цибУлю, *перев. з сл.* п р о д а в А т и. Дуже дешево, майже даром, недорого.— *Наб'є тебе пан як слід на дорогу та й никане на шлях, мов та паршиве цуценя. Таких, як ти, скільки завгодно: по три за цибулю!* (Крим.); *Сказать по щирій правді, моїх женихів хоч по сім за цибулю продавай на богуславському ярмарку, та й то ніхто не купить* (Н.-Лев.).

як три дні не їв *див.* їв; **як ∼ крАплі водИ** *див.* краплі.

ТРИВОГУ: бИти тривОгу *див.* бити.

ТРИВОЖИТИ: тривОжити дУшу (сЕрце). Порушувати душевну рівновагу; хвилювати, бентежити. [О л е к с а:] *Іди геть, не тривож гірш мого серця!* (Вас.); *Як він [шум лісу] тривожив душу після стількох років розлуки* (Гончар).

тривОжити уЯву (фантАзію, умИ і т. ін.) чию (чиї). Викликати в кого-небудь роздуми про когось, щось, змушувати думати. *Попереду були*

незнайомі місця, невідомі пригоди і степовий шлях, який здавна солодко тривожив Матвійкову уяву (Донч.); *Білий світ ще ясніше розлився по лісі, ..фантастичний синюватий світ тривожив фантазію, будив мрії в гарячому серці* (Н.-Лев.); — *Ось уже одинадцять літ я господарюю тут, турбуючи й тривожачи уми ваших академіків* (Смолич). С и н о н і м: **хвилювАти умИ.**

ТРИВОЖИТЬСЯ: душА тривОжиться *див.* душа.

ТРИДЕВ'ЯТЕ: тридев'Яте цАрство *див.* царство.

ТРИДЕВ'ЯТЬ: за трИдев'ять (*рідко* **за сІм, за тридесять) земЕль,** *фолькл.* Дуже далеко. *Коли він* [о. Василь] *виходив із хати, ..на нього намотували стільки хусток, наче він збиравсь за тридев'ять земель* (Коцюб.); — *..Не для того ми за тим деревом їздили за тридев'ять земель, щоб тратить та марнувати його по-дурному* (Тют.); *Очі видючі — за тридев'ять земель бачить* (Ю. Янов.); *Той пломінь у собі за сім земель поніс* [батько] (Рудь); *Єсть за тридесять земель попович Ясат* (Сл. Гр.). **з тридЕв'ятої землІ.** *Ці чужинці, ці гості далекі, З тридев'ятої, мабуть, землі, Поспішають одержати чеки Чи відстрочить старі векселі* (Дмит.). А н т о н і м: **під нОсом** (у 1 знач.); **не за горАми** (в 2 знач.).

ТРИДЕСЯТЕ: тридесЯте цАрство *див.* царство.

ТРИДЕСЯТЬ: за тридЕсять земЕль *див.* тридев'ять.

ТРИДЦЯТЬ: трИдцять срібнякІв (срібникІв). Винагорода за зраду.— *Купили тебе не за тридцять срібників, а за булаву та клейноди* (Тулуб). С и н о н і м: **іУдині срібнякИ.**

ТРИМАЄТЬСЯ: душА на однІй нИтці тримАється; душА ∼ в тІлі *див.* душа; **кУпи не ∼** *див.* держиться; **лЕдве душА ∼ в тІлі** *див.* душа; **на ногАх не ∼** *див.* стоїть.

ТРИМАТИ: вИсоко тримАти гОлову *див.* нести.

вИсоко тримАти прАпор (знамЕно) чого, *книжн.* Дбати про репутацію, престиж чого-небудь, не допускати компрометування чогось.— *..Звичайно, ти, як інші, романів по госпіталях не крутив, прапор свого кохання тримав високо* (Гончар); *Стомлені, але щасливі поверталися ..додому. Тепер їх знову чекає серйозна робота: адже звання лауреата зобов'язує високо тримати прапор радянського музичного мистецтва* (Мист.).

не тримАти в рукАх чого. Не робити чого-небудь. *Він же тої доповіді не тримав у руках. За нього написали, а він прочитав з трибуни.*

тримАти бІля спіднИці. Не відпускати кого-небудь від себе (про дитину, чоловіка). *А вона думає як? Гладити* [дитину] *по голівці та тримати біля спідниці?* (Коцюб.); — *Що ж у цім поганого? Нехай би собі дружили.— Вам легко говорити, у вас хлопці. А от з дівчиною... як би чого не вийшло. Краще вже біля спідниці тримати* (Прапор ком.). С и н о н і м: **держа́ти ко́ло свого́ по́яса; держа́ти на при́в'язі** (у 3 знач.).

трима́ти / ви́тримати ма́рку. Керуватися певними нормами поведінки для збереження своєї репутації, гідності і т. ін. *Робота — це не тільки хліб, це твоя совість — завжди пам'ятай про те і тримай марку* (Роб. газ.); *Саме тому й турбуюся за вас. Щоб ви, так би мовити, до кінця витримали марку!* (Донч.). С и н о н і м: **держа́ти фасо́н** (у 2 знач.).

трима́ти ві́жки в рука́х; ~ в кі́гтях *див.* держати.

трима́ти в клі́щах *кого.* Примушувати кого-небудь дотримуватися суворої дисципліни, обмежувати чиюсь свободу дій. *Тримав він [панський управитель] цілу службу в кліщах, пильнував усього, запобігав і щадив* (Фр.). С и н о н і м: **трима́ти в тене́тах.**

трима́ти в кулаку́ *див.* держати.

трима́ти в ку́рсі *кого.* Постійно інформувати кого-небудь про хід, розвиток і т. ін. чого-небудь.— *Тримай нас у курсі,— сказав Боровому на прощання комсорг,— а коли щось, то й зови* (Грим.).

трима́ти в лабе́тах *див.* держати.

трима́ти в лі́жку *кого.* Змушувати постійно лежати, дотримуватись постільного режиму. *Ті болі в грудях ..тижнями тримали мене в ліжку* (Л. Укр.).

трима́ти в па́зурах (*рідко* **в кі́гтях**) *кого і без додатка, зневажл.* Ставити кого-небудь у цілковиту залежність, мати над кимось владу. *Так усе смішно переплуталось, що й не відомо, хто кого тримав у пазурах: чи вони мене, чи я їх?* (Бузько); *Сила, яка заволоділа його думками півтори години тому, не відпускала, владно тримала в пазурях, хилила далі й далі вперед* (Мушк.).

трима́ти в пово́дах; ~ в свої́й кише́ні *див.* держати.

трима́ти в [свої́х] тене́тах *кого.* Позбавляти кого-небудь свободи дій, робити залежним від обставин. *Жорстока реальність міцно тримає людину в своїх тенетах потреб і необхідностей* (Загреб.). С и н о н і м: **трима́ти в клі́щах.**

трима́ти в се́рці (в душі́). Пам'ятати про що-небудь, не виявляючи цього зовні (перев. про негативне). [К а р м е л ю к (*суворо*):] *Пані, гріх тримати гнів і помсту довго в серці* (Вас.); *Не тримаю я зле на тебе у душі.. не несу оперед бога... Лиш — не муч люде [людей], Юрчику, най не кленут [клянуть]* (Хотк.).

трима́ти в тіні́ *кого.* Не давати кому-небудь виявляти свої здібності, можливості. *Досить довго цього художника тримали в тіні.* А н т о н і м: **трима́ти на виду́.**

трима́ти в чо́рному ті́лі.

трима́ти [Го́спода] Бо́га за бо́роду. Бути до кінця впевненим у собі, в своїх силах.— *Друга операція,— також апендицит. Коли я приступив до неї — настрій у мене був, немовби я самого господа бога за бороду тримаю: усе мені дурниця* (Шовк.). С и н о н і м: **вхопи́ти Бо́га за бо́роду.**

трима́ти (держа́ти) в голові́ (в умі́) *що.* Постійно пам'ятати що-небудь, не забувати чогось. *Неграмотному треба все в голові тримати, часом і забудеться, а грамотний записав — папір не голова — з нього не втече* (Коцюб.); *Він, Дорохтей, усі борги тримав у голові, а Терентій розкрутив таке колесо, що ніяка пам'ять усього не втримає* (Стельмах).

трима́ти (держа́ти) в по́лі зо́ру *що, книжн.* Постійно зважати на що-небудь, не випускати з уваги чогось. *Жінки весь час тримають у полі зору той свій орієнтир, заслозеними від вітру очима окидають далеч та решітки станції, за їхнім припущенням, має бути польовий госпіталь* (Гончар); *Якщо письменник захворів й прийти до нас не може, лікарі йдуть до нього додому, встановлюють діагноз, приписують необхідні медикаменти й тримають у полі зору, аж поки він цілком не одужає* (Літ. Укр.). А н т о н і м: **випуска́ти з по́ля зо́ру** (в 3 знач.).

трима́ти (держа́ти) в таємни́ці (в секре́ті). Не розголошувати чого-небудь. *Зміст нашої розмови прошу тримати в таємниці.*

трима́ти (держа́ти) за сімома́ замка́ми. 1. *кого.* Замикати кого-небудь, ув'язнювати, ховати від людей, надійно охороняючи.— *Поки не розлучились, Варочка не твоя жінка! — кричав Павло.— Чого тримаєш за сімома замками та ще й пса прив'язав?* (Гуц.). **трима́ти під трьома́ замка́ми.** *Він [цар] їх триматиме в полоні під трьома замками* (Донч.). П о р.: **трима́ти під замко́м.**

2. *що.* Старанно берегти, не виявляти. *Свою тайну природа тримає за сімома замками* (Літ. Укр.).

3. *що.* Не виявляти чого-небудь (певних якостей, почуттів і т. ін.). *За доброю чаркою і Кузьма ставав чоловіком, кидав на хмільні столи і своє дотепне слово, і свою насмішку, яку за сімома замками тримав тверезим* (Стельмах).

трима́ти (держа́ти) за хвіст (за хвоста́) *кого, зневажл.* Не давати можливості піти, втекти кому-небудь.— *Не відпускай злодюгу, тримай його за хвіст!*

трима́ти (держа́ти) курс. 1. *куди.* Рухатися в певному напрямі, прямувати кудись. *Морем пливла навантажена шхуна і тримала курс на захід* (Ю. Янов.); *Рухливими ланцюгами видовжились вони [трактори], тримаючи курс від гноярок на поля* (Рад. Укр.). С и н о н і м и: **держа́ти путь; верста́ти путь.**

2. *на кого — що.* Спрямовувати увагу; орієнтуватися на кого-, що-небудь. *Загальнонародна держава тримає курс на її [демократії] дальше* *розгортання і вдосконалення, дедалі більше залучення народних мас до участі у розв'язанні державних і громадських справ* (Рад. Укр.). П о р.: **тримáтися кýрсу**. С и н о н і м: **держáти лíнію**.

тримáти (держáти) на видý *кого*. Підтримувати чий-небудь престиж, чиюсь репутацію. *Що йому, здавалося б, із Савки Гаркуші, з оцього гречкосія, сіряка, що дьогтем пахне, що реверансів не вміє? Одначе цінує, тримає на виду* (Гончар). А н т о н і м: **тримáти в тíні.**

тримáти (держáти) на [пéвній] вíдстані (віддалí) *кого*. Не допускати з ким-небудь близьких стосунків. [Клава] *поклала собі раз і на все життя залишатися самотньою, тримати всіх на віддалі товариських відносин, не ближче* (Собко); *До Новицької потяглося багато залицяльників, та вона суворо тримала всіх на певній віддалі* (Григор'єв). П о р.: **тримáтися на вíдстані.**

тримáти (держáти) ніс (нóса) за вíтром (по вíтру). Діяти непослідовно, безпринципно, змінюючи свої переконання і поведінку відповідно до обставин. *Показуючи Заякіна в найрізноманітніших, часом гротескових, обставинах, сатирик викриває як, хоч і бездарного, але надзвичайно спритного пройдисвіта, що тримає ніс за вітром* (Літ. Укр.); *Сатирик викриває героя як, хоч і бездарного, але надзвичайно спритного пройдисвіта, що тримає ніс за вітром.* (Літ. Укр.); *І критик, що держить по вітру свій ніс, Що в папці промову (готову!) приніс, Схопився і першим до сцени побіг* (С. Ол.).

тримáти (держáти) під замкóм (на замкý). 1. *кого.* Замикати кого-небудь, ув'язнювати, ховати від людей, надійно охороняючи.— *А де ж Порфир? Це ви його під замком тримаєте? Негайно його сюди! Віддайте мені його на поруки* (Гончар). П о р.: **тримáти за сімомá замкáми** (у 1 знач.).

2. *що.* Робити недоступним що-небудь для когось, надійно охороняти щось. *Грали «Стахановець» —«Зеніт». Скрипченко діяв точно: ворота тримав на замку* (Знання..).

3. *що.* Не давати кому-небудь можливості користуватися чимсь. [Передерíй:] *А де вона та грамота? Її безсоромно загарбав воєвода. І сім років тримає під замком Всі наші привілеї, надання І вільності всі київських міщан* (Кочерга).

тримáти (держáти) пóрох сухим. Бути завжди напоготові, постійно перебувати в стані готовності. *Як завжди, ми й тепер на сторожі, і тримаємо порох сухим* (Упеник); *Порох завжди треба держати сухим. Так говорить мудра народна приказка* (Вишня).

тримáти (держáти) при собí. 1. *кого.* Не відпускати від себе кого-небудь. *Вони були люди вже не молоді, мали в подружжі дітей, а найменший син,* *котрого хотіли держати при собі, вмер парубком* (Кобр.).

2. *що, перев. з сл.* д у м к и́, п о́ г л я д и *і т. ін.* Не висловлювати вголос, публічно. *Микита поблажливо всміхався, але свої думки тримав при собі* (Ле); [О л е н а:] *Професоре, я прошу вас тримати при собі ваші думки про культурний рівень цієї аудиторії* (Мик.).

тримáти (держáти) [свої] нéрви в рукáх (в кулацí). Не хвилюватися, не роздратовуватися. *Учитель повинен пам'ятати, що в спілкуванні з дітьми важливо тримати нерви в руках.*

тримáти (держáти) себé. 1. Поводитися певним чином. *Гріхів у тебе я не бачу. Ти не могла інакше себе тримати* (Ю. Янов.); *Критикували в ньому все: і його розгойдану ходу, і його довгі, як у бузька, ноги, .. і його манеру тримати себе* (Вільде); *Юрій тримав себе так, ніби був знайомий з Дорном вже багато років* (Собко).

2. Мати усталені звички, манери, постійно керуватися в своїй поведінці певними принципами. *Вона [Кайдашиха] любила чепуритись і держала себе дуже чисто* (Н.-Лев.); *Їй [Галі] шкода й Гриця, той хоч і осторонь держить себе, та все ж ніколи не зробив їй злого* (Мирний).

тримáти (держáти) [себé] в рáмках пристóйності. Не порушувати норм, правил поведінки. *У будь-якому товаристві вихована людина тримає себе в рамках пристойності.*

тримáти (держáти) стóрону *кого, чию*. Бути чиїм-небудь прибічником, підтримувати когось; обстоювати чиїсь інтереси. *При цій суперечці всі тримали в душі сторону Вишневички проти Тріщина, лиш Галя ні* (Март.). П о р.: **тримáтися сторо́ни́.**

тримáти зубáми; ~ **кáмінь за пáзухою**; ~ **кóло свогó пóяса**; ~ **крок**; ~ **лíнію**; ~ **на голóдному столí** *див.* **держати.**

тримáти на мýшці (на прицíлі) *кого, що*. 1. Цілитись у кого-небудь з вогнепальної зброї.— *А я вас на мушці тримав ось з-за цього куща,— похвалився молодий партизан* (Автом.); *Ось те місце, де Григорій Сидорович колись лежав з однозарядною берданкою й тримав на прицілі ворота* (Ю. Янов.).

2. Постійно мати на увазі, тримати кого-, що-небудь у полі зору, стежити за кимось, чимось. [Б о н д а р:] *На всі заставки давай, Григорію! І ти, Мар'яно, крила розправляй. Дивіться мені, бригадири-агрономи, я вас на мушці триматиму* (Зар.); *Левко Іванович постійно тримав Єгипту на прицілі* (Гончар); *Сатира тримає на прицілі найрізноманітніші хиби морального, етичного, побутового характеру* (Вітч.).

тримáти на óці *кого, що*. Спостерігати, стежити за ким-, чим-небудь. *Друковані органи Спілки письменників України постійно тримають на оці творчість одеситів* (Літ. Укр.); *Не важко було* *помітити, що його* [капітанові] *люди пильнують за нами, постійно тримають нас на оці* (Земляк).

трима́ти на плеча́х (на собі́) *що*. Відчувати відповідальність за що-небудь. *Він* [шахтар] *бився з тьмою недарма. Це він на радість Батьківщині всю землю на плечах трима* (Сос.).

трима́ти на при́в'язі *див.* держати.

трима́ти на прико́лі. Не використовувати в роботі. *У договорі відмічено, що в періоди, коли трактори в загоні вільні, нерозумно тримати їх на приколі* (Хлібороб Укр.).

трима́ти на сві́ті *див.* держати.

трима́ти на своє́му горбі́. 1. *що.* Виконувати основні обов'язки, переважно пов'язані з великими труднощами. *Декому так прикрутило, що й не витримав, пішов по губерніях зажигалки робити. Але справжнє, пролетарське ядро, звісно, зосталося, тримає все на своєму горбі* (Гончар).

2. *кого, фам.* Тяжко працюючи, забезпечувати кого-небудь засобами для життя; мати когось на своєму утриманні. *Він усю сім'ю тримає на своєму горбі.*

трима́ти на цепу́ *див.* держати.

трима́ти на язиці́ *що.* Бути готовим висловлюватися, відповідати на що-небудь (у відповідних обставинах).— *Чого ж ти, Мироне, не пождав із землею? ..Причаївся б, мов заєць за грудкою, і дивився б, як люди наділи беруть.— Землю мені власть дала. Я тут ні при чому.— Уже, на всякий випадок, і оправдання тримаєш на язиці? — хмурніє Олександр* (Стельмах).

трима́ти пе́ршість *у чому.* Бути першим, передовим у боротьбі, змаганні тощо. *Тримати першість будь у чому важко, зате почесно.* С и н о - н і м и: **гра́ти пе́ршу скри́пку; вести́ пере́д** (у 1 знач.).

трима́ти під вогне́м *кого, що.* 1. Весь час обстрілювати з вогнепальної зброї кого-, що-небудь. *Готель становив собою вигідну позицію. З неї противник мав змогу прострілювати не лише дві вулиці, до яких підійшли стрілецькі роти, а тримав під вогнем і весь квартал* (Гончар).

2. Постійно критикувати кого-, що-небудь. *Начальник чомусь весь час тримає його під вогнем.*

трима́ти під каблуко́м *кого.* Беззастережно підпорядковувати своїй волі, робити повністю залежним від себе кого-небудь (перев. чоловіка від дружини). *Мати художника* [М. Жука] *Параска Микитівна ... тримала чоловіка і сина «під каблуком»* (Вітч.). С и н о н і м: **трима́ти у вузді́.**

трима́ти під сукно́м; ~ **ру́ку;** ~ **себе́ в рука́х.**

трима́ти себе́ короле́м. Поводитися незалежно, з гідністю. *На вулицю виходив* [Васько] *завжди в новому вбранні — в сардаці з тонкого сукна, сивій шапці, чоботях-лаківцях, ..серед парубоцтва тримав себе королем, хоч був іще малим* (Хор.).

трима́ти сло́во *див.* держати.

трима́ти у вузді́ *кого.* Повністю підпорядковува-

ти кого-небудь своїй волі, не давати можливості комусь виявити власну ініціативу. *Чи не весь час Ольга тепер сама? Мовчазним стало її життя. ..А куди поділось її вміння тримати свого Федя у вузді?* (Шовк.). С и н о н і м: **трима́ти під каблуко́м.**

трима́ти хвоста́ трубо́ю; ~ **язи́к дале́ко від ро́зуму;** ~ **язи́к за зуба́ми** *див.* держати.

ТРИМА́ТИСЯ: ле́две (ледь) трима́тися (держа́тися, стоя́ти) на нога́х. З великим напруженням, через силу ходити, рухатися, робити щось (перев. від перевтоми, фізичної слабості, хвороби, сп'яніння і т. ін.). *Привели на хутір кільканадцятеро їх* [червоних], *захоплених у бою, в запечених кров'ю ранах, і, хоч вони вже ледь трималися на ногах, вишикували їх під вікнами штабу* (Гончар); *Ледь тримаючись на ногах, вкрай виснажений і кволий, цей колишній сільський учитель фізики із власної ініціативи знайшов собі діло* (Головч. і Мус.); *Всі к ночі так перепилися, Держались ледве на ногах* (Котл.); *Домінік ледве держався на ногах і коливався на ході* (Н.-Лев.); *Аж перед світом приплівся Чіпка додому, ледве на ногах стоячи* (Мирний).

ле́две трима́тися [ку́пи]. Бути ветхим, дуже старим або немічним, готовим розпастися, зруйнуватися. *Там, де ще стіни стояли* [після землетрусу], *вони ледве тримались, і крізь широкі шпари синіло небо* (Коцюб.); *Сорочка, правда, у нього з червоного ситцю, але вона вже ледве трималася купи* (Чаб.).

мі́цно (тве́рдо) трима́тися (держа́тися) на нога́х. Бути самостійним, упевненим, незалежним у своїх діях, вчинках. *Хто йде вперед, той обов'язково натикається на перешкоди, і треба на ногах триматися міцно* (Хор.).

трима́тися бе́рега; ~ **гурто́м** *див.* держати.

трима́тися (держа́тися) в тіні́. Бути скромним, не хвалитися собою, нічим не нагадувати про себе. *Отаким точнісінько Іван був: усе міг, а тримався у тіні, щоб люди не подумали чого* (Стельмах).

трима́тися (держа́тися) на (значні́й) ві́дстані (відда́лі) *від кого.* Уникати близьких стосунків, контактів з ким-небудь. *Ця людина небезпечна, тому тримайся від неї на відстані.* П о р.: **трима́ти на ві́дстані.**

трима́тися (держа́тися) на соломи́нці (на паути́нці). Перебувати в загрозливому, безнадійному становищі; бути близьким до загибелі. *Чого вони хочуть від нього? Його душі чи його землі? Скоріше землі... Ще будуть вони гризти її, мов камінь, а запивати своєю ж кров'ю... Хоча гріх зараз думати про кров, коли власне життя тримається на соломинці* (Стельмах); — *Май, Онуфрію, совість! — гримнула на нього Петрівна.— Бачиш, що у чоловіка тільки сама душа залишилася і то на одній павутинці тримається* (Стельмах). С и н о н і м: **висі́ти на волоску́** (в 1 знач.).

трима́тися (держа́тися) сторони́ чиєї. Бути на чиєму-небудь боці, підтримувати когось. *Слабкий завжди тримається сторони того, хто перемагає.* П о р.: **трима́ти сто́рону**.

трима́тися за спідни́цю; ~ зуба́ми; ~ ку́пи див. держатися.

трима́тися ку́рсу *на що.* Керуватися в своїй діяльності певними настановами. *Театр ім. Т. Г. Шевченка тримається курсу на сучасність* (Літ. Укр.). П о р.: **трима́ти курс** (у 2 знач.).

трима́тися на багне́тах (штика́х). Спиратися лише на віськову силу. *Авторитет диктатора завжди тримається на багнетах.*

трима́тися на нога́х; ~ на сві́ті див. держатися.

трима́тися на сце́ні. Мати успіх у глядачів (про драматичні твори). *Його [Бара] п'єси часом мають собі гучну, але не завжди хвилеву славу, і не тримаються довго на сцені* (Л. Укр.).

трима́тися одного́. Твердо стояти на своєму, не відступати від своїх попередніх намірів.— *Ну, то що ж, діду, робити? — тягнеться Морозенко до лави за шапкою.— Головне, щоб усі знали про панську змову і тримались одного* (Стельмах).

трима́тися свого́. Наполегливо домагатись чого-небудь, не поступаючись власними інтересами. *Одні хоч і зараз ладні були ставати до роботи. Але друга частина цупко тримonлась свого* (Головко); *— Ти, Мироне, тримайся свого, то не пропадеш* (Стельмах). С и н о н і м: **хили́ти на своє́.**

трима́тися свого́ бе́рега див. держатися.

трима́тися середи́ни. Відмовлятися від рішучих дій, вчинків; займати помірковану позицію в чому-небудь. *Розважуй, Не намагайся угору в найтонший етер підійматись, Щоб не спалити небесних чертогів, і вниз не спускайся, Щоб не згоріла земля. Тримайся середини, сину* (Зеров).

трима́тися ха́ти; ~ як сліпи́й пло́та див. держатися.

ТРИМАЮТЬ: но́ги не трима́ють див. ноги.

ТРИЧІ: будь три́чі нела́дний; будь ~ про́клятий *див.* будь; **.а́ний ~ провали́тися крізь зе́млю** *див.* ладний.

ТРІПА́ТИ: тріпа́ти ду́шу чию. Дуже хвилювати, непокоїти, нервувати кого-небудь.— *Іду вже, йду ...Ви маєте мене зрозуміти ..Та й ви б на моєму місці... Що вдієте, таке життя.— Та йдіть уже, не тріпайте мою душу,— скрикнула Килина* (Гуц.).

тріпа́ти ім'я́ чиє. Часто без особливої потреби або недоброзичливо згадувати кого-небудь.— *Це й я чув,— похопився Батуллі і зовсім «байдуже» закінчив: — Моє ім'я тріпали, ледве одкараскався* (Ле).

тріпа́ти не́рви див. псувати.

тріпа́ти язико́м, зневажл. Говорити що-небудь недоречне, нерозумне. *Ач замовкли, бояться ще мене, шкідливі, як пси, але нишком ходять, язиком тріпають. Відверто ще нічого не кажуть* (Донч.).

ТРІСКА: як (мов, ніби і т. ін.**) тріска.** 1. *з сл.* х у д и й. Дуже, вкрай. *Проте мінери — ані пари з вуст. За них усе сказав довгий, як дрюк, і худий, мов тріска, Павлюк, підступивши до Артема* (Головч. і Мус.).

2. Дуже худий (про людину). [К а р п о:] — *Жінка почала сохнути, як тріска стала. Та так і вмерла* (Мирний). С и н о н і м: **ви́схлий на тара́ню.**

ТРІСКИ: на трі́ски, перев. *з сл.* л а м а́ т и, р о з б и в а́ т и, р о з п а д а́ т и с я, т р о щ и́ т и, р о з л і т а́ т и с я і т. ін. Зовсім, повністю. *Бачив лев, що розбиті кайдани! ..Вирвав арфи в єгиптянок і на тріски поламав* (Л. Укр.); *Розбиває* [поет] *гітару на тріски і вкидає їх у грубку* (Сам.); *І де розсипались окови, Де трон розпався на тріски,— Зросли поемами будови, Лани розквітли, мов казки* (Рильський); *Трощила, мов грім, бліндажі на тріски Цариця траншейного бою — граната* (Нех.); *Скільки на тріски розлетілося барж — знали промисловці* (Рудь).

ні в дро́ва, ні в трі́ски див. дрова.

ТРІСКОМ: з трі́ском, *з сл.* п р о в а л и́ т и с я, в и́ г н а т и, р о з п а́ с т и с я і т. ін. Надзвичайно ганебно. *Незважаючи на його «удачливість» і спритність, і вміння, і вправність, я не ручатимусь, що колись він не нарветься через це на великий скандал і на звільнення з тріском* (Ленін); *Подав Петько до індустріального. Одначе виявився слабаком з математики і з тріском провалився на вступних екзаменах* (Больш.); *Розлетівся і мій гурток, як кажуть, з тріском, а його ватажок вилетів з того села назавжди* (Вас.).

ТРІСНИ: хоч [і] трі́сни (ло́пни), фам. 1. перев. *з сл.* ї с т и. Скільки хочеться, в необмеженій кількості. *Іж і пий, хоч трісни,— ніхто тобі ложкою очей не поротиме* (Укр.. присл..); *— А хто вам боронить сало їсти? — почав скаженіти Плачинда.— Їжте, хоч трісніть!* (Стельмах).

2. Що не роби, як не старайся. *Покаятися можна, але обійдіться ви без клопоту на світі! Хоч трісни, не можна* (Козл.); *Хоч лопни, а риба не ловиться* (Номис). **хоч і трі́сни, хоч і ло́пни.—** *Хоч і трісни, хоч і лопни, бий, виганяй, а Тимко любий мені — і все тут!* (Тют.).

3. За всіх умов і обставин; будь що будь; що там не сталось. *В тій* [хаті] *чоловік шкрябається в голову, наче хоче вишкрябати з неї ту подать, що так міцно засіла йому в голову. Хоч трісни, а дай!* (Коцюб.).

ТРІСНУВ: як (мов, ніби і т. ін.**) із батога́ (з бича́) трі́снув (тря́снув, ля́снув** і т. ін.**).** Дуже швидко, непомітно (про швидкий плин часу). *Тиждень минув, як із батога тріснув, у звичайній домашній роботі, яка ніколи не переводиться* (Мак.); *П'ять літ — як з батога тряснув, пролетять, та чоловіка й не пізнаєш* (Свидн.); *Шкода тільки, що та радість не тривала довго; година за* годиною утікали; три дні, господи! навіть не знати, де поділися, перейшли, мов з бича тріснув (Ков.).

як (мов) батогóм (батíжком) тріснув (ля́снув). Три роки, як батогом ляснув, пішли на школу. Пашка виросла, була б уже доброю робітницею (Хотк.); Отак літа спливли... Прожив, як батогом ляснув (Зар.); Прожили ми з тобою, стара, довгий вік, а мені, мов батіжком тріснув (Мороз).

як у батіг тря́снув.— Ой, дитинко божа, минув вік, як у батіг тряснув! (Стеф.).

ТРІСНУЛИ: га́льма тріснули див. гальма.

ТРІСНУТИ: тріснути як ми́льна бу́лька див. лопатися.

ТРІЩА́ТИ: тріща́ти по всіх швах. Бути під загрозою краху, розпаду, руйнування і т. ін. Соціал-блоківці не вірять одні одним: есери не вірять меншовикам і навпаки. ..Тріщить по всіх швах єдність навіть всередині кожної окремої з цих «найдорожчих половин» (Ленін); Зі сходу на гітлерівців падав один удар за одним, «тисячолітня імперія» тріщала по всіх швах (Собко).

ТРІЩА́ТЬ: аж кістки́ тріща́ть див. кістки; **аж тини́ ~** див. тини; **цвіркуни́ ~ у голові́** див. цвіркуни; **чуби́ ~** див. чуби.

ТРІЩИ́ТЬ: аж за ву́хами тріщи́ть див. лящить; **аж шку́ра ~** див. шкура; **голова́ ~** див. голова; **горб ~** див. горб; **пуп ~** див. пуп.

у голові́ тріщи́ть у кого і без додатка. Хто-небудь відчуває сильний головний біль. [Р о м ан ю к:] Вибачайте, прийму пирамидон [пірамідон]. Дуже в голові тріщить (Корн.). С и н о н і м: **голова́ розва́люється** (у 1 знач.).

ТРОН: зійти́ на трон див. зійти.

ТРОНІ: сидіти на тро́ні див. сидіти.

ТРОНУТИСЯ: [з] ума́ .тро́нутися, заст., рідко. Стати психічно ненормальним, душевнохворим; збожеволіти. Ось пройшла чутка, що син однієї старої жінки ..ума тронувся.., а вона сама оніміла з переляку та нудьги (Григ.); — Вона з нашого села, з ума тронулася, ходить по хатах та й по місту отак. Мене зве хресним сином... Звісно, божевільна! (Мирний).

ТРОПА: не зросте́ [наро́дная] тропа́ до кого, чого, книжн. Люди не забудуть, завжди пам'ятатимуть кого-небудь. Але душа народу не сліпа, Вона стоока; до могил героїв Повік-віків не зросте тропа (Рильський); До тебе бур'яном тропа не зросте, у головах твоїх колючий кущ шипшини вогненним багрянцем весною зацвіте (Гонч.); Поклін могилі твоїй [Шевченко], що руйнує Ненависть дика й глупота сліпа! Дарма! До неї, хоч най зілість лютує, Не зросте народная тропа (Фр.). П о р.: **не зросте стéжка.**

ТРОПАКА: вибива́ти тропака́ див. вибивати.

ТРОПІ: у тропі́, з сл. і т и́, піти́, прийти́, заст., рідко. Безпосередньо за ким-, чим-небудь; слідом, услід. Дворак верхи кудись скочив і повер

нувся незабаром, а за їм [ним] у тропі лікар прибіг (Вовчок).

ТРОХИ: тро́хи на го́лова́х не ходи́ти див. ходити; **~ не носи́ти на рука́х** див. носити; **~ не упа́сти зі смíху** див. упасти.

ТРОЮДИ́ТИ: трою́дити сéрце див. ятрити.

ТРОЯ́НСЬКИЙ: троя́нський кінь див. кінь.

ТРУБА: ді́ло труба́ див. діло.

як (мов, ніби і т. ін.) ієрихо́нська (єрихо́нська, ярихо́нська) труба́. Дуже гучний (про голос). [К о л о с:] І що ж? Ви в атаку — «за Батьківщину, ура»?.. [О р л и к:] Куди мені, там у командира голос, як труба ієрихонська (Корн.); «Хіба попові потрібні знання?» — глузував не раз Славко.— Попові потрібен голос, як єрихонська труба» (Кол.); [1-й г і с т ь:] У вас, сватоку, го! гол... лос, як труба ярихонська... (Мик.).

ТРУБИ: пройти́ Крим і Рим і мідні тру́би; пройти́ крізь вого́нь, во́ду і мідні ~ див. пройти.

ТРУБИ: хоч у кула́к труби́, фам. Уживається при висловленні відчаю, викликаного нуждою, нестатками, голодом і т. ін.; повна безвихідь.— Я все в сільраді та в роз'їздах.. Ще добре, що хоч корівчини якої немає, а то — хоч у кулак труби (Збан.). **хоч у кула́к труби́ть.** На дубі сидячи, Зозуля куковала [кувала]: «..Одколи, як тепло вже стало, А гусені нема, черви зовсім так мало. Прийшлось із голоду хоч у кулак трубить» (Греб.).

ТРУБИ́ТИ: труби́ти в кула́к, фам. 1. Терпіти нужду, нестатки, голод. Кожухи, свити погубили І з голоду в кулак трубили, Така нам лучилася пеня (Котл.); — Ой, правду дядина небога говорила, Що тільки на світі великим рибам жить! А нам, малим, в кулак трубить! (Г.-Арт.).

2. рідко. Плакати від незадоволення, образи. Ой заграй мі [мені], музиченьку, я слухати люблю, А як рано мене збудять, я в кулаки трублю (Коломийки).

ТРУБОЮ: держа́ти хвіст трубо́ю див. держати.

ТРУБУ: вилíта́ти в трубу́ див. вилітати.

ТРУДА: го́ру труда́ ви́трудити див. витрудити.

ТРУНИ: до труни́ див. домовини.

ТРУНІ: переве́рнеться у труні див. перевернеться; **стоя́ти однíєю ного́ю в ~** див. стояти.

ТРУНУ: загна́ти в труну́ див. загнати; **зводити в ~** див. зводити; **кла́сти в ~** див. класти; **лягти́ в ~** див. лягти.

ТРУП: живи́й труп, книжн. Людина, позбавлена будь-яких життєвих інтересів, прагнень, бажань і т. ін., байдужа до всього. Життя може забрати у неї [людини] найближчих, розбити кохання, украсти щастя, але людина лишається людиною. Одначе досить підсікти надії — отой неясний берег сподівань, що завжди манить і дурить,— як людина стає живим трупом (Стельмах). С и н о н і м: **ходя́чий мертвéць** (у 2 знач.).

[тíльки] че́рез мій труп! Уживається для ви

словлення категоричного протесту з боку когось проти чиїх-небудь небажаних, неприємних дій, вчинків.— *Припиніть* [руйнувати огорожу] *негайно! Ось грамота! — Яка там грамота! Навались, хлопці! Гей, взяли! — Через мій труп! — закричав Мічурін, впавши на землю біля воріт* (Довж.).

ТРУПАХ: лізти по трýпах *див.* лізти.

ТРУПОМ: клáсти трýпом *див.* класти; **лежáти ~** *див.* лежати; **лягти ~** *див.* лягти; **мáло не ~ лягáти** *див.* лягати; **~ ляж** *див.* ляж.

ТРУСИТИ: трусѝти гаманцéм, зневажл. Витрачати, віддавати гроші, не шкодуючи.— *Труси, труси гаманцем. Учора ти говорив, що за селянина душу віддаси. А ми душі не просимо. Дай нам трохи грошенят* (Тют.). С и н о н і м и: **виверта́ти кишéні** (в 1 знач.).

трусѝти кишéні *у кого і без додатка.* Грабувати. *У туркені у кишені Таляри-дукати. Не кишені трусить, Ідем ..Братів визволяти* (Шевч.).

трусѝти / перетрусѝти штаньмѝ (штанáми), зневажл. Тікати від страху, в стані великого переляку.— *Непереливки, видно, їм* [фашистам]. *Штаньми трясуть* (Збан.); — *Гарматний вогонь переносимо до лісу. Свириде, відсікай відступ контрі, поки вони без пам'яті штанами трусять* (Стельмах); *Я, знаєш, був по-справжньому перетрусив штаньми* (Збан.).

трусѝти рѝссю (рѝстю, клýсом). Бігти дрібною ходою (про коней). *Коні трусили дрібною ристю, на возах сиділо повно людей* (Смолич).

ТРУСИТИСЯ: трусѝтися за шкýру *див.* тремтіти.

трусѝтися (тíпатися, тремтíти *і т. ін.*)**, як (мов, ніби** *і т. ін.*) **у пропáсниці.** Перебувати у збудженому, нервовому, хворобливому і т. ін. стані (перев. від страху, нервового напруження). *Кайдашиха вхопилась за полудрабки і трусилась, як у пропасниці* (Н.-Лев.); *Біла борода Хо труситься від реготу, аж холодний вітер іде від неї, а наш патріот тіпається, мов у пропасниці, уявляючи буйною фантазією всі наслідки своєї обіцянки* (Коцюб.); *Настя тремтіла, мов у пропасниці, страшна таємниця відкривалась перед нею, таємниця материного і батькового життя* (Цюпа).

ТРУСИТЬ: трясця трýсить *див.* трясця.

ТРУСИТЬСЯ: аж шкýра трýситься *див.* шкура.

[і] над копíйкою трýситься, з словоспол. т а к и́ й, щ о. Дуже скупий, ненажерливий. *Та він такий, що й над копійкою труситься* (Укр.. присл..).

труснýти стариною. Зробити що-небудь так, як колись, у молоді роки. *Потанцюємо, труснемо стариною.*

труснýти (трусонýти) калѝткою (калѝточку). Не шкодуючи, витратити певну кількість грошей, розщедритись, не поскупитись грошима. *Трішки зараз труснувши калиткою, він уже й сам шкодував за відданими чумакам двома торбами золота*

(Ільч.); *Як розгадаєте ви казку, Свою калиточку трусніть. І бубликів велику в'язку Веселій бабі перешліть* (Гл.); — *Гони, Левку, на всі клапани, хай старий Коваль з Ковалихою трусонуть калиткою, бо недаром їм такого гостя дорогого веземо* (Кучер). С и н о н і м и: **вивернути кишéні** (в 1 знач.); **розв'яза́ти капшýк.**

ТРУСОМ: підшѝтий трýсом *див.* підшитий.

ТРУСОНУТИ: трусонýти калѝткою *див.* труснути.

ТРУСУ: нагнáти трýсу *див.* нагнати.

ТРУСЯТЬСЯ: жѝжки трýсяться *див.* жижки.

ТРЯСЕТЬСЯ: аж земля́ трясéться *див.* земля; **аж хáта ~** *див.* хата.

ТРЯСИ: тряси трясця *див.* трясця.

ТРЯСНУВ: як із батогá трáснув *див.* тріснув.

ТРЯСТИ: рýб'ям (дрáнтям *і т. ін.*) **трясти́.** Бути бідним, убогим, погано вдягненим. *Треба прясти, щоб руб'ям не трясти* (Номис).

трясти́ кишéнею. Хизуватися багатством, не шкодуючи грошей для кого-небудь. *Лизав* [цар] *у ліктора халяву, Щоб той йому на те, на се... Хоч півдинарія позичив; А той кишенею трясе, Виймає гроші і не лічить, Неначе старцеві дає* (Шевч.). С и н о н і м и: **трусѝти гаманцéм; виверта́ти кишéні** (в 1 знач.).

ТРЯСУТЬСЯ: аж стíни трясýться *див.* стіни; **жѝжки ~** *див.* жижки.

ТРЯСЦЮ: кѝдати в трýсцю *див.* кидати.

ТРЯСЦЯ: бий (берѝ, тряси́) / побѝй трясця́ *кого,* лайл. Уживається при висловленні недоброго побажання кому-небудь або невдоволення, досади з якогось приводу, бажання знехтувати чимось і т. ін. *Ходім, вип'ємо, бий його трясця* (Коцюб.); — *Спішив ото і плуга взяв, а колишню від плуга, бий би її трясця, забув дома* (С. Ол.); — *Чорт з нею, з економією. Подумаєш — щастя. Була б шия, а ярмо знайдеться! Мати.. і собі за ним ніби байдуже зауважила, що й справді — трясця її бери, саму економію* (Головко); *Хомо, в хаті ляжем спати. Хоми дома нема. Тряси ж тебе трясця, Хомо! Я не ляжу спати дома, А до кума до Наума Піду в клуню на солому* (Шевч.); *Він* [росіянин] *нам поміг ..Очистить землю України.. Від тих панків, побий їх трясця, Що з нас смоктали кров і піт* (С. Ол.).

вдáрила трясця́ *кого.* Хто-небудь раптово злякався, втративши контроль над собою. *Вони пішли в заплив. Все було б добре, а назад, коли Андрощук побачив водналь між ним і дівчиною, його вдарила трясця: він почав тонути* (Рудь).

тря́сця б не вхопѝла *кого,* лайл. Уживається для вираження незадоволення, досади і т. ін. з якогось приводу.— *Ніхто вас не силував бігати, висолопивши язики...— Саме ти й силував, трясця б тебе не вхопила,— розсердився Блаженко* (Гончар).

тря́сця вхóпить (схóпить) *кого,* зневажл. Станеться нещастя, щось погане з ким-небудь.— *Казала я тобі [Дарці], не лазь по сонці! Так от же буде лазити, поки знов її трясця вхопить!* (Л. Укр.); — *Баба собі така [упирка], ніяк її трясця не вхопить,— знехотя сказав батько,— знахурка* (Головко); *З похмілля нудяться, їдять за горобця, Об Семені дрижать, об Петрі — з ранку мліють; А схопить трясця —«Гвалт!.. покличте панотця — Хай сповіда!»* (Г.-Арт.).

тря́сця його́ зна́є, зневажл. Уживається для висловлення досади, здивування, байдужості і т. ін. до чого-небудь.— *Давиде, ну скажи мені: та чи ж я, трясця його знає, не молодиця?! Бриніла знов уся, всім тілом круглим, молодим. А до Давида очі аж палять* (Головко).

тря́сця його́ (її́, їхній, твоїй, ва́шій) ма́тері, лайл. Уживається для вираження незадоволення, обурення, досади і т. ін. ким-, чим-небудь.— *Бач, трясця його матері! — желіпнув Грицько. І землю їй дай, ще й податки за неї плати* (Мирний); *Хлоп біду по боку, коли докучає,— трясця її матері, нехай мене знає!* (Укр.. присл..); *Проспали, трясця вашій матері! — зразу стає неприступним обличчя управителя* (Стельмах). **тря́сця його́ ма́мі.** — *Дожилися, трясця його мамі, щоб син до батька в командировку їздив* (Кучер). **ба́тьку його́ тря́сця.** «*Е, глянь же! Батьку його трясця... Тут, мабуть, щось таке та є! Хотілось би мені дізнаться, чи то чуже, чи то своє!..*» (Укр. поети-романтики..). **тря́сця їхній ті́тці.** *А тут оці щиглики, трясця їхній тітці, сторч головою, мов дурні пуголовки, не питаючись броду, кидаються в політику* (Стельмах). С и н о н і м: **бода́й лихи́й узя́в.**

тря́сця йому́ (їй, тобі, вам, їм) в печінки́ (в печінку, в пуп, в бік і т. ін.), лайл. Уживається для висловлення недоброго побажання кому-небудь або як вияв невдоволення, гніву, досади і т. ін. з якогось приводу.— *Застряли! І тут, трясця б йому в печінки, застряли! Тепер нічого й думати, щоб вкластися в намічений графік* (Головч. і Мус.); *Вдарили червоні полки, вигнали гайдамацьку нечисть, щоб їм трясця в бік* (Прил.); *Трясця тобі в пуп! — гукнув, червоніючи, як буряк, Колісник* (Мирний); *Першою почула [Дорошенчиха] і про ці океанські [атомні] випроби.*.— *Що вони роблять, трясця їм у печінки!* (Гончар). **тря́сця тобі́!** — *Трясця тобі! — не видержала Пріська і гукнула на всю хату* (Мирний). С и н о н і м: **мара́ в печінки́.**

тря́сця но́сить / понесла́ кого. Уживається при висловленні незадоволення з приводу чиєї-небудь відсутності.— *Чого це ти такий мокрий? Де це тебе трясця носила? — Ятері трусив* (Тют.); — *А куди ж то тебе трясця носила? — гукає на свою рябу Катря Копайгора, але корова й вухом не веде* (Гончар); *Куди це його трясця понесла? Зранку чекаємо.*

тря́сця тру́сить кого. Хто-небудь перебуває у стані переляку, сильного хвилювання, тривоги і т. ін. *Хати горять, а людей трясця трусить* (Ю. Янов.).

хай [би] йому́ (їй, тобі, їм, вам) тря́сця, лайл. Уживається як недобре побажання кому-небудь або при висловленні незадоволення, досади і т. ін. з якогось приводу.— *Хай йому трясця, ще вскочимо в пащу Гітлера, а які в нього порядки, чули вже* (Панч); — *Хай йому трясця, цьому улемові! Підемо вранці до Каффи* (Тулуб); — *Та в трест викликали, хай їм трясця — зі злом сказала вона, ніби Арсен тут у чомусь завинив* (Гуц.); — *А хай вам трясця! — тріснув голос тітки Марії* (Баш.).

щоб мені́ тря́сця. Уживається для запевнення співрозмовника у вірогідності сказаного.— *Щоб мені руки і ноги покорчило, щоб мені трясця, коли, каже, не зроблю так, що ти з Оленою завтра обвінчаєшся* (Кв.-Осн.).

щоб тря́сця взяла́ кого, лайл. Уживається при висловленні недоброго побажання кому-небудь, прокльону, для вираження злості, досади тощо.— *Та що, браття? Щоб сього гетьмана трясця взяла! Ось уже вісім місяців гетьманує, а що ми заробили?* (Кост.).

ТРЬОМА́: під трьома́ замка́ми див. **замками.**

ТРЬОХ: за трьох, з сл. **працюва́ти, робити.** Дуже важко, інтенсивно, віддаючи всі сили.— *Працювати маєте не за страх, а за совість.— Господи, працюватиму за трьох* (Стельмах).

комбіна́ція з трьох па́льців див. **комбінація.**

ТУ: встати не на ту но́гу див. **встати; закру́чувати одну́ і ~ ж пласти́нку** див. **закручувати; обідра́ти, як ~ ли́пку** див. **обідрати; у ~ ж хвили́ну** див. **хвилину.**

ТУГА: ту́га на се́рці у кого. Хто-небудь мучиться, страждає.— *Пропали всі радощі, на серці вічна туга* (Л. Укр.).

ТУГЕ: туге́ ву́хо див. **вухо.**

ТУГИ́Й: туги́й на [одно́] ву́хо (на ву́ха). Глухуватий, який погано чує. *Воно [дитя], звиняйте, малим з печі впало. З тієї пори і пішло... І на око стало сліпе, і на вухо стало туге* (Ковінька); — *Ви, може, дивуватиметеся, чому я на одно вухо став тугий, а Броніслав зовсім оглухнув?* (Досв.). **туге́нький на ву́хо.** — *Оце я з до вас художника привів з міста,— сказав Сашко голосно, бо дідусь, мабуть, був тугенький на вухо* (Ю. Бедзик); *Більшість.. знають, що дядько тугенькі на вухо: все одно не почують* (Григір Тют.). **тугува́тий на ву́ха.** *У військкоматі його довго крутили на всі боки лікарі, вислуховували та вистукували, аж поки не винесли вирок: ні! Мовляв, тугуватий на вуха* (Головч. і Мус.).

ТУГО́Ю: би́тий ту́гою див. **битий; душа́ огорта́-**

ється ~ *див.* душа; **обгорта́ти ду́шу** ~ *див.* обгортати.

ТУДИ: [і] туди́ і сюди́. То в один, то в інший бік, то назад, то вперед; в різні місця, в різних напрямках. *Словами і туди й сюди, а ділом нікуди* (Укр.. присл..); *Ну, як би так мені туди? Хоч би ж тобі де-небудь щілка — Я і туди, я і сюди — Ніяк: ні зверху, ні з причілка* (Гл.); *Люди снуються туди і сюди — хто знає, куди й для чого* (Коцюб.); *Людина ходила туди й сюди, нервово потираючи руки і поглядаючи на годинник* (Вершигора). **тудо́ю й сюдо́ю.** *Стара мати кидається тудою й сюдою, шукає ліків* (Вовчок). П о р.: **то туди́, то сюди́.**

куди́ круть, туди́ й верть *див.* круть.

не туди́. 1. з сл. п о т р а́ п и т и, п о п а́ с т и і т. ін. В інше місце, не в те, що треба або можна. *В хату вступила бідненько зодягнена дівчинка, та бачачи, що не туди попала, стала мовчки біля порога* (Мирний).

2. з сл. г н у́ т и, д у́ м а т и і т. ін. Не те, що слід. [Х р а п к о:] *Думав,— син помічником буде, батькові підпомоги дасть, аж він не туди, бачу, гне,— не тії співає* (Мирний); *— Не гармоніст — шахтар мені, шахтар потрібен з тебе.— Я думав...— Думав не туди* (Дор.); *Часом усім єством своїм хлопець і почуває і розуміє, що Павло щось не так, «не туди гне», а заперечити гаразд і не знає як* (Головко).

3. Не звертати уваги на що-небудь. [Х и м к а:] *Що ж се я? Забалакалася з вами, та й не туди, що самовар зовсім погас* (Мирний); *— Батеньку! — аж руками сплеснув Чистогоров.— А я й не туди, хто це з тобою.— А ось його увага одразу ж перейшла на Надію* (Баш).

ні туди́ ні сюди́. Ні з місця, нікуди.— *І закріпимо* [верстат]. *Щоб ні туди йому, ні сюди* (Донч.); *З Ромодану ні туди ні сюди. У вагонах холоднеча — що було під руками, все попалили* (Головко). С и н о н і м и: **ні тпру ні ну; ні в тин ні в воро́та** (в 5 знач.); **ні наза́д ні вперед.**

ру́ки не туди́ стоя́ть *див.* руки.

то туди́, то сюди́. То в один, то в інший бік, то назад, то вперед; в різних напрямках. *Сидить* [Андрійко]. *Не плаче... Тільки перелякані блискучі очі бігають то туди, то сюди* (Коцюб.). П о р.: **туди́ і сюди́.**

туди́, до ли́ха *див.* лиха.

туди́ ж! Вигук на адресу людини, яка намагається щось робити, як інші, але не має для цього підстав або права. [Л ю б о в:] *І сей туди ж, докоряє! Зрадили, бачте, його надії! Хто ж просив надіятись!* (Л. Укр.); *— Тільки дівка, як жива, з коромислом і з відрами, така ажурна та вродлива, як наша вчителька.— По тому тебе й понесло в таку грязюку. Старе луб'я, а туди ж,— проказала тітка Орина, підживши губи* (Панч).

туди́ й доро́га *див.* дорога.

туди́ й наза́д. В обидва кінці.— *І все ж ваші літаки красивіші,— каже Тоня до брата, мовби втішаючи його.— Правда, що ви могли б через океан — туди й назад — без заправки?* (Гончар).

ТУЗОМ: ходи́ти тузо́м *див.* ходити.

ТУМАКА́: діста́ти тумака́ *див.* дістати.

ТУМАН: наво́дити тума́н *див.* наводити; **пуска́ти** ~ *див.* пускати.

тума́н в (на) оча́х у кого. 1. Хто-небудь погано почуває себе (перев. від утоми, хвороби, хвилювання і т. ін.). *Козаки давно грозою стогнуть, в них од злості на очах туман* (Сос.). С и н о н і м: **тума́н застила́є очі.**

2. У кого-небудь замріяний, невиразний погляд. [Д е м к о:] *Придивись мені в вічі гарненько і вгадай, про віщо я думаю? [В а р е н и к:] Туман, туман в очах, не зрозумію ваших дум!* (Кроп.); *Твої губи пахнуть матіолою, а в очах туман, такий туман* (Сос.).

тума́н застила́є / застели́в очі кому. Хто-небудь втрачає здатність нормально бачити, сприймати зором (від хвилювання, сильного болю, потьмарення свідомості і т. ін.). *Маруся почула, як крутиться у неї голова, як туман застилає очі* (Хотк.); *Ніж, ударивши тіло, розірвав його далі. Очі мої застилає туман, але я бачу її — мою рану і чую уразливий біль* (Ю. Янов.); *Спогади зникли, якийсь туман застелив очі, Софія низько похилилась і затулила очі хусточкою* (Л. Укр.). **тума́н за́стить зір.** *Твій аромат, я думав, не для мене й твоє тепло... Чого це застить зір якийсь туман?* (Сос.). С и н о н і м и: **тума́н в оча́х** (у 1 знач.); **тума́н наляга́є на очі.**

тума́н наляга́є на о́чі кому, чиї. Хто-небудь починає втрачати здатність бачити щось перед собою (від хвилювання, втоми і т. ін.). *Люба уперто нахилила голову, на її обличчі виразно малюється і ворушиться хмура неприязнь, яка одразу замикає її уста і душу. Яків помічає це і собі хмурніє, і на його очі налягає болісний туман* (Стельмах). С и н о н і м: **тума́н застила́є очі.**

тума́н розпира́є го́лову кому. Хто-небудь відчуває неясність власних думок, процесу мислення. *Два місяці п'яний туман розпирав мені голову, а на серці як нудно, так нудно* (Коцюб.). С и н о н і м и: **у голові́ тума́ніє; тума́н застила́є очі.**

тума́н у голові́ в кого. Хто-небудь не може ясно, чітко усвідомлювати що-небудь (через утому, недугу і т. ін.).— *Тільки шия вже болить, в голові туман, думати важко* (Коцюб.); *На превелику печаль, у голові критика сьогодні стояв якийсь туман, а тому вигляд у нього, незважаючи на ясний день, був хмурий* (Гроха). С и н о н і м: **у голові́ тума́ніє.**

ТУМАНИТИ: го́лову тума́нити кому. 1. Інтригувати, обманювати, морочити кого-небудь; говорити про малозрозумілі, недоступні речі.— *Чи ти не* *збожеволіла, дочко? — Поневолі збожеволієш, коли таке.— Мотре! не тумань ти голови моєї: розкажи по-людськи,— що там таке?* (Мирний); *Вона думала, що це від серця, довірилась йому, а він тепер, може, вже іншій дівці солодкі слова нашіптує, голову туманить!* (Томч.); *— Нащо це, Андрію, малому голову туманити? — Та хай знає, може, колись згодиться* (Стельмах).

2. Заморочувати. *Повітря, наповнене ароматом стиглих яблук, туманило голову* (Автом.).

ТУМАНИТЬСЯ: в голові тума́ниться *див.* туманіє; **голова́** ~ *див.* голова.

ТУМАНІ: тону́ти в тума́ні *див.* тонути.

як (мов, ні́би і т. ін.**) у тума́ні.** 1. з сл. ба́чити, пам'ята́ти, уявля́тися і т. ін. Неясно, невиразно. *Мигається мені та Орлиха, мов у тумані,— висока, у червоному очіпку, все чорні брови здвигає* (Вовчок).

2. з сл. жи́ти, бу́ти, іти́ і т. ін. Невиразно сприймаючи, погано розуміючи те, що відбувається. *Ми [учні] жили весь час, мов у тумані* (Фр.); *Думаючи лише про Карпа й про те, що їм доведеться жити під одним дахом, Прохор, мов у тумані, підійшов до невисокого паркана* (Шиян); *Серце крає нестерпний біль... Мов у чаду, в тумані я* (Сос.).

ТУМАНІЄ: у голові туманіє (тума́ниться). Втрачається ясність думки, здатність виразно сприймати навколишнє від хвилювання, сильного болю і т. ін.; затьмарюється свідомість у кого-небудь. *В ньому прокинувся голод, дикий, непогамовний, незборимий голод, від якого темніє в очах, туманіє в голові* (Загреб.); *Мені почало здаватись, що мене оплутала якась тонка павутина і починає застилати очі і заважати дихать. І голові мені туманіє* (Л. Укр.); *Від випитого, а ще більше від пережитих страхів туманилося в голові* (Ю. Бедзик). С и н о н і м: **туман в голові.**

голова́ туманіє *див.* голова; ~ **ро́зум** *див.* розум.

ТУМАНІТИ: тумо́ю туманіти, заст. Бути в дуже похмурому, пригніченому настрої.— *Пішла б краще в садок, подивилася на видноті на се місце, де ціле літо прийдеться літувати, ніж отут тумою туманієш* (Мирний).

ТУМАНОМ: о́чі тума́ном захо́дять *див.* очі.

ТУМАНУ: пуска́ти туману́ *див.* пускати.

ТУМАНЯ́ТЬСЯ: о́чі тума́няться сльозьми́ *див.* очі.

ТУМОЮ: тумо́ю туманіти *див.* туманіти.

ТУПАТИ: ту́пати нога́ми. Виявляючи свою зверхність, грубо наказувати кому-небудь, робити зауваження, повчати.— *Але що ви тямите в цьому чуді? — Так уже тяжко розібратися в ньому? — Таки тяжко. Пуповиною треба село чути, а ви приїжджаєте тупати ногами на нас* (Стельмах).

ТУПЦЮВАТИ: тупцюва́ти на місці *див.* топтатися.

ТУПЦЮВАТИСЯ: тупцюва́тися на місці *див.* топтатися.

ТУПЦЯ́ТИСЬ: ту́пцятись на місці *див.* топтатися.

ТУРА: як у ту́ра, з сл. нату́ра. Норовиста, непіддатлива.— *Отже, ви його відпускаєте? — А що ж я можу, коли вже надумав... Самі ж знаєте: натура як у тура!* (Гончар).

ТУРЕ́ЦЬКИЙ: го́лий, як туре́цький святи́й *див.* голий.

ТУТ: і все тут *див.* все.

[і] тут і там. В багатьох, у різних місцях, скрізь, усюди. *Я чула скрізь, і тут, і там, як люблять вас, як вірять вам* (Сос.). С и н о н і м: **там і сям.**

одна́ нога́ тут, а дру́га там *див.* нога; **та де́ вже** ~ *див.* де.

то тут, то там. У різних місцях; подекуди. *Язики ясних денних пожеж вихоплювалися то тут, то там над строкатим бескеттям незліченних кварталів* (Гончар). **то там, то тут.** *То там, то тут поскрипували чорні, мов з каменю вирізані, верби* (Стельмах).

тут щось не так *див.* щось.

тут як тут. 1. Хто-небудь дуже швидко, раптово з'явився десь, у потрібному місці. *Заболотний вмикає радіо, і невидимий супровідець наш тут як тут* (Гончар); *Коли дивлюсь — задовго до обходу лікарка моя тут як тут* (Мур.).

2. Дуже швидко, не гаючись. *Приплентався тут як тут і шпигун Бжезіцький* (Вільде).

що ти забу́в тут *див.* ти; **як тут бу́ти** *див.* бути.

ТУТЕШНІЙ: без но́чі не туте́шній, *ірон.* Нікому не відомий, чужий для всіх.— *Братова прийми́ла приймака, а він без ночі не тутешній, прожив три дні, та й шукай вітра в полі* (Гончар).

ТУЮ: зверта́ти на ту́ю стежку *див.* звертати.

ТЮ: тю (тю-тю́) на те́бе (на вас, на ме́не, на них). Уживається для вираження здивування, невдоволення, розчарування чиїми-небудь діями, вчинками і т. ін.— *Ходім лишень до річки, чи не піймався часом заєць у ятір або в вершу! — Тю на тебе, чоловіче! Чи ти не здурів? — каже Хвеська.— Де ж таки видано, щоб зайці у верші ловились?* (Укр.. казки..); *[Оксана:] Та чого ти репетуєш? Тю на тебе, божевільний!* (Мам.); *Тю на мене! І забув, бач, Що служба Кінчалась* (Морд.); *Марійка закашлялась.— Тю на них! Таке гірке та недобре курять* (Коцюб.); *— О-о, ще й третій племінничок знайшовся? Тю-тю на вас!* (Мирний).

ТЮРЕМНИМИ: за тюре́мними гра́тами *див.* гратами.

ТЮРМА: тюрма́ пла́че за ким, по кому. Хто-небудь заслуговує засудження, ув'язнення.— *Це він для вас — непорочність? — Тритузний мало не зареготав.— Та за таким уже тюрма плаче* (Гончар); *[Арсен:] По вас давно уже тюрма плаче* (Мороз).

ТЮРМАХ: поволочи́ти по тю́рмах *див.* поволочити.

ТЮТІ́ЛЬКА: тютілька в тютільку. Повністю, адекватно, абсолютно точно.— *А в статуті так написано? — Тютілька в тютільку!* (Багмут); — *Ну, як?..— Як плав пішло, товаришу Мухтаров. Точки на збиральному секторі тютілька в тютільку* (Ле).

ТЮТІ́ЛЬКУ: тю́тілька в тю́тільку *див.* тютілька.

ТЮ-ТЮ́: тю-тю́ на вас *див.* тю.

ТЮТЮНО́М: ді́ло тютюно́м па́хне *див.* діло; **па́хне ~** *див.* пахне.

ТЮТЮНУ́: за поню́шку тютюну́ *див.* понюшку.

ТЮ́ТЯ: тю́тя з поли́в'яним но́сом, лайл. Нетямуща, безхарактерна людина.— *Тютя ти з полив'яним носом! ..Вона ж [Марися] дума, що ти її по волі береш* (Гр.); — *А ти тільки подумай, Онопрію, що ж це за любов з панянкою, яка не тільки ніколи не вийде за тебе, але й більше не зустрінеться з тобою. Плюнь і розітри. Не будь тютьою з полив'яним носом* (Іщук). С и н о н і м: **ла́нтух з поло́вою** (в 2 знач.).

ТЯГА́Р: здійма́ти тяга́р з се́рця *див.* здіймати; **нести́ ~ на своїх плеча́х; нести́ ~ у се́рці** *див.* нести; **скида́ти з плече́й ~** *див.* скидати.

тяга́р ліг (упа́в) на се́рце (на гру́ди) *кому, чиє (чиї).* Хто-небудь зазнав душевних страждань, перебуває у стані пригнічення, тривоги, тяжкого неспокою. *[Мела́нка:] Не знаю вже... чогось такий гнітючий. Такий важкий на серце ліг тягар. Ходжу... і наче лиха все чекаю...* (Кочерга); *І з того часу, як усі відвернулись од Павлика, з того часу великий тягар упав Євгенці на груди* (Донч.). С и н о н і м: **тяжки́й ка́мінь ліг на гру́ди.**

[уве́сь] тяга́р ляга́є / ліг на пле́чі *кого, чиї, який.* Хто-небудь відчуває обтяжливість чого-небудь, якихось обов'язків. *Увесь страшний тягар соціального і національного поневолення ліг на плечі селянства і міської бідноти* (Цюпа). **уве́сь тяга́р лежи́ть на плеча́х** *чиїх, у кого.* *Увесь тягар підготовки до дворічної експедиції лежав на плечах Бутакова* (Тулуб). С и н о н і м: **ляга́ти тягаре́м на пле́чі.**

[як (мов, ніби і т. ін.)] тяга́р з плече́й упа́в (звали́вся) / (зва́люється) *чиїх, у кого.* Відпали турботи, не стало обтяжливих обов'язків у кого-небудь. *Навік минуло врем'я люте, З плечей упав тягар століть* (Рильський); *Свирид Яковлевич полегшено зітхнув і мало не посміхнувся: з його плечей звалився великий тягар* (Стельмах); *Йшла — й наче якийсь тягар звалювався їй із плечей, наче вона в цій дражливій білій на чистій кімнаті залишила якусь свою біду, принизливу й жалюгідну* (Гуц.). П о р.: **як гора́ з плече́й звали́лася.**

як скину́ти тяга́р з плече́й *див.* скинути.

ТЯГА́ТИ: тяга́ти но́ги *див.* тягти.

ТЯ́ГНЕ: жи́ли тя́гне *кому, з кого.* Хто-небудь страждає від чогось (від голоду, болю, виснаження, душевних мук і т. ін.). *Чого радієш? ..Хліба схотів? А горба не заробиш? Гляди! Кому черево наросте вище носа, а тобі жили тягтиме, пропади воно прахом* (Коцюб.); — *Іроде! гаспиде! — закричав Чіпка,— напився, що й язика не повернеш у роті, то йому й байдуже, що тут з тебе жили тягне...* (Мирний).

тя́гне за живі́т (за печінки́, за печі́нку) *кого.* Хто-небудь дуже хоче їсти, страждає від голоду. *Він [Кайдаш] не їв цілий день. Його тягло за живіт* (Н.-Лев.); *Деякі [школярі] складалися по копійці купити булку, бо за печінку тягло* (Мирний); *Живіт йому так скавучить, за печінки так тягне його, їв би, здається, й свічки* (Тесл.).

як (мов, на́че і т. ін.) за по́ли тя́гне *кого.* Кому-небудь дуже хочеться зробити щось. *Тягне було мене наче за поли надвір, на той шлях, кудою понесли її на кладовище* (Н.-Лев.); *Думки розбивали голову... Як там у городі? Що з Христею?..— Пріську наче за поли тягло піти довідатися* (Мирний).

ТЯГНИ́: хоч на нали́гачі тягни́. Хто-небудь не хоче іти куди-небудь, чинить опір чомусь. *Бувало, на сход хоч на налигачі тягни, бо, що там не кажи — все повернеться проти мужика, проти затурканого богом і царем сіромахи* (Речм.). С и н о н і м: **на моту́зці тягти́.**

ТЯГНУ́ТИ: ле́две тягну́ти но́ги; одну́ ру́ку ~; ~ во́за; ~ жи́ли *див.* тягти; **~ за ву́ха** *див.* витягати; **~ за ду́шу; ~ за язи́к; ~ ля́мку** *див.* тягти; **~ кишки́** *див.* вимотувати; **~ наза́д; ~ пусти́й но́мер; ~ ру́ку; ~ сірка́ за хвіст; ~ слова́ з ро́та** *див.* тягти; **~ час; ~ шку́ру; ~ ярмо́** *див.* тягти.

ТЯГНУ́ТИСЯ: тягну́тися з оста́ннього *див.* тягтися; **~ хвосто́м** *див.* бігати.

ТЯГТИ́: в оди́н гуж тягти́. Діяти заодно. *Свідків усіх дібрано таких, що вони в один гуж тягли* (Гр.). С и н о н і м и: **одну́ ру́ку тягти́; в одну́ ду́дку гра́ти.**

ле́две (ледь, наси́лу) тягти́ (тягну́ти, тяга́ти, волочи́ти, волокти́) но́ги [по світу]. Дуже повільно ходити, рухатися (від утоми, хвороби, старості). *Натомлені, голодні й побиті, ледве ноги тягнучи, повернулися ми до табору* (Коз.); *Ледь тягав по світу ноги [Сеспель], не підводив низько схиленої голови, не мав сили ні на хвилину розпрощатися з невеселими думами* (Збан.); *Ідуть [хлопці] день, ідуть другий.. Насилу-насилу ноги тягнуть* (Вас.); *Він довго не признавався, що він слабий, насилу волочив ноги, а все-таки ходив на роботу* (Н.-Лев.); — *Тпррру! ..Іч, почула свою землю та скоком! — сказав він, здержуючи коняку.— А, не бійсь, у місто ледве ноги волокла* (Мирний). С и н о н і м: **вали́тися від вітру.**

на моту́зці тягти́. Насильно примушувати кого-небудь іти кудись.— *Хіба тебе в те кіно на мотузці* *тягли?* (Літ. Укр.). С и н о н і м: **хоч на налигачі тягни.**

одну руку тягти (тягнути). Бути заодно. *Тепер так повелося: мужик з паном одну руку тягнуть* (Л. Укр.). С и н о н і м и: **в один гуж тягти; в одну дудку грати.**

тягти волинку, зневажл. Довго і багато говорити не по суті справи. *Серед фронтовиків знявся рух невдоволення: — Годі тягти волинку! Викладай, що ти хочеш!* (Гончар).

тягти життя. Жити в бідності, нужді, нестатках. *А то виросте [дитя], дурне й каліченне, день за днем буде тягти своє гірке життя* (Мирний); *Щоб не тягти життя нужденне, Дали батьки нам гарту пай,— Нас кличе збурене натхнення І смерть у помсті за свій край!* (Вороний).

тягти за вуха див. **витягувати;** ~ **за собою** див. **вести;** ~ **кишки** див. **вимотувати.**

тягти (смикати) за поли кого. Настирливо домагатися чого-небудь у когось. *Смішні ті наші видавці: оце смичуть за поли,— давай щось нового! — а даси, то воно й застаріється те нове, поки на світ вилізе* (Л. Укр.).

тягти (тягнути, витягати, висмикувати) слова з рота. Говорити повільно, спроквола. *Як до мене говорить [Омелько], то тягне ті слова з рота, неначе з-під землі викопує* (Н.-Лев.).

тягти (тягнути, витягати, витягувати) / витягти (витягнути) [останні (усі)] жили з кого. 1. Тяжко експлуатувати кого-небудь. *Зарилися в добрі [живоглоти], як свиня в багні, та й тягнуть з людей жили!* (Ковінька); *Ми в сонячній журбі віки на вас робили, з крові й кісток своїх складали вам двірці, з глузливим реготом тягли з нас.. жили ви, паралітики, життя мерці!* (Сос.); // Знущатися з кого-небудь, мучити когось. *Проклятий рудий пес Никифор, тіун боярський, висмоктує кров, жили витягає* (Хижняк); *— Так що ти, чоловіче, з чарки тягни, а нашого розуму і жил не витягуй!— глянув у далечінь, мовби там, за вікном, стояв пан* (Стельмах); *— Правду каже радянський товариш, що тоті [ті] підприємства з них жили витягували* (Гончар). **повитягати жили** (повністю або про багатьох). *Робітники вболівали за ці підприємства, дарма, що чимало жил повитягали з них капіталісти, чимало за своє життя вони тут сажі наковтались ради чиїхось прибутків* (Гончар). П о р.: **вимотувати жили** (в 2 знач.). С и н о н і м и: **пити кров** (у 1 знач.); **видавлювати соки** (в 1 знач.); **дерти шкуру** (в 2 знач.).

2. Забирати всі кошти. *Останні жили тягне вже з хати ця школа. Але, може, скоро закінчить [дочка] цю семінарію та й піде на свій хліб, учительський* (Козл.); *Гульбища потребували грошей, дозорці тягли жили з посполитих, а вони щодень більше повставали проти своїх душманів і тікали світ за очі* (Панч).

3. *перев. з сл. з* с е б е. Тяжко працювати; виснажуватися, знесилюватися. *Був Деркач червоним козаком, рубав золотопогонію й петлюрівську Директорію. А потім на трьох десятинах, які дала йому Радянська влада, жили з себе тягнув* (Жур.). П о р.: **вимотувати жили** (в 3 знач.). С и н о н і м и: **видавлювати соки; пити кров; висисати кров.**

тягти (тягнути) воза, якого. Виконувати певний вид роботи, працювати в певній галузі. *Фросина Федорівна тягнула сімейного воза спокійно і звично* (Мушк.). С и н о н і м: **тягти лямку** (в 2 знач.).

тягти (тягнути) [за] душу. 1. Дратувати, набридати своєю монотонністю, одноманітністю. *Десь гоститься, кричачи, ніж на бруску, десь тягне за душу попсована катеринка* (Дн. Чайка).

2. Мучити, виснажувати чим-небудь неприємним. *Так інший на словах добро творити прагне, А душу з вас, бува, Крізь ребра тягне* (Год.).

тягти (тягнути) за язик кого. Спонукати, змушувати кого-небудь сказати щось, висловитися з якогось приводу. *О. Катехит почав випитувати одного по однім, почав, як то кажуть, тягти за язик* (Фр.); *Він скинув свиту і став над помийницею мити руки. Оляна зливала йому. Мовчки. Бо не було такої у них звички — тягти за язик. Сам усе скаже, як прийде час* (Головко); *Конотоп зачудовано подивився на Татьяніна,— мовляв, хто тебе за язик тягнув* (Літ. Укр.).

тягти (тягнути) назад. Повертатися до старого, віджилого, до попереднього становища. *Консерватизм у науці неприпустимий: він тягне назад поступ і прогрес.*

тягти (тягнути) ногу. Важко переступати, підтягуючи пошкоджену ногу до здорової. *Повискуючи, з хати вискочило порося, тягнучи задню ногу* (Тют.).

тягти (тягнути) / потягти (потягнути) руку (руч) за кого, за ким, рідко чию, з ким. Підтримувати когось, поділяючи його погляди; діяти в чиїх-небудь інтересах. *Священика вибрав собі такого, що з ним руку тягне* (Фр.); *[Пархім:] Волосний писар і старшина будуть за тебе тягти руку, я це через лікаря встрою [влаштую]* (Кроп.); *[Суддя:] Трудне діло — позви,— почав до нього.— Усе треба, щоб хтось руку тяг за тобою* (Тесл.); *— І ти тягнеш їхню [куркульську] руку? - гірко запитав Матвій* (Мик.); *— Коли мій товариш майор буде мене занадто вже розпікати, то ви підтримайте,— навчав Хома приятелів.— Тягніть за мене руку* (Гончар); *Батько й собі за нею руч тягне* (Барв.); *Полупанки прихильно дякували Лошакова, що він потяг руку за свого пана дворянина* (Мирний); *— Я потягну руку за тобою. Побалакати ще з товаришами суддями можу і... присудимо тобі посунути обніжок у Василів город* (Тесл.). С и н о н і м и: **брати лінію** (в 2 знач.); **грати на руку.**

тягти́ (тягну́ти) / протягти́ (протягну́ти) час. Зволікати із здійсненням чого-небудь. *Певно, найкраще було б піти додому.. Тільки ж Первоцвіт навмисне тягне час, щоб прийти, коли вже спатимуть дружина й донька: не доведеться розмовляти* (М. Ю. Тарн.); *Богдан ждав татар і хотів протягти час як можна довше* (Н.-Лев.).

тягти́ (тягну́ти) пусти́й но́мер. Марно витрачати зусилля на справу, яка не може увінчатися успіхом.— *А ти нібито й не знаєш, що вона* [Оксана] *давно вже сохне за Карпом Василевичем...— Вигадки,— заперечила Зоя подругам.— Там нібито Сава наш...— Сава там тягне пустий номер, Зойко. ..Нічого він не доб'ється* (Гончар).

тягти́ (тягну́ти) сірка́ (кота́, ку́цого) за хвіст (за хвоста́). Не поспішати, зволікати з чим-небудь. *Проценко потягував старе смаковите винце, Рубець смакував крутий та солодкий чай, як звав Колісник пунш, а сам хазяїн тяг сірка за хвіст* (Мирний); — *Ви мені, хлопці, куцого за хвоста не тягніть. День-два — і щоб копиці стояли* (Л. Укр.).

тягти́ (тягну́ти, те́рти) ля́мку. 1. Виконувати важку, неприємну роботу. [Х а р ь к о:] *Бачу, що моєму горю Вже не помогти, Певно, до кінця прийдеться Лямку цю тягти* (Кроп.); *Неприємна й брудна робота завжди потрапляла до нього, і він покірливо тяг лямку* (Ю. Янов.); *Буває трудно, гірко нам На світі тую лямку терти, А все-таки ми боїмось умерти* (Гл.).

2. *яку.* Виконувати певний вид роботи, працювати в певній галузі. *Щодо стипендії, то він позбувся можливості одержання її назавжди, і тепер доведеться протягом чотирьох з половиною років тягти вантажницьку лямку* (Бурл.); *Начальник відділення Рудченко запропонував мені поїхати з ним на кілька днів у Полтаву. Відмовлятися не було рації: я лише починав тягти свою канцелярську лямку* (Григор'єв); *Вже третій тиждень тягнув Кобзар свою важку солдатську лямку* (Тулуб). *А Сидора Павловича роки не долали. Він усе добряче тягнув службову лямку* (І. Греб.). С и н о н і м: **тягти́ во́за.**

тягти́ (тягну́ти) шку́ру з кого. 1. Бити, катувати кого-небудь.— *Будуть давати* [продукти]. *Їй-богу, даватимуть. Я з них і шкури постягую.. Нетесаний ще раз владним зором пробіг по спинах молільників. Видивлявся — з кого першого починати шкуру тягти?* (Ковінька).

2. Визискувати, експлуатувати або обраховувати кого-небудь.— *Давайте мені рощот* [розрахунок]*! Ви не смієте злодійкою називати! Ви не спостерегли, не бачили! Тягніть уже шкуру з отієї нещасної каліки, а з мене не поживитеся, ні!* (Л. Янов.).

тягти́ (тягну́ти) ярмо́. 1. Працювати на когось. *Хиливсь, гнувся* [Степан], *тяг ярмо, Бо скинуть сили не було* (Фр.); — *Є і третій* [спосіб]: *тягни своє ярмо, поки шия не трісне. Ти його добре знаєш.— Та знаю,— і прикладав руку до шиї, наче хотів звірити, чи не тріснула вона* (Стельмах).

2. Важко, безрадісно жити. *Він знав, що небагато стрічається по-справжньому щасливих родин. Навіть і ті, які побралися по коханню, ..через якийсь рік-два.. тягнули скрипуче родинне ярмо* (Стельмах).

ТЯГТИ́СЯ: тягти́ся (тягну́тися) / стягти́ся з оста́ннього. Тяжко працюючи, з великими труднощами знаходити кошти на що-небудь. *Громада тяглася з останнього* [на судовий процес] (Фр.); *Тягнемось з останнього, тягнемось, щоб хоч якусь шкапину придбати* (Стельмах); — *Син вчився у школі, а батьки привозили йому їжу. Тягнулися з останнього, але возили* (Масляк); *З останнього стягнуся, а виллю* [статую] *з бронзи!* (Л. Укр.).

ТЯ́ГУ: дава́ти тя́гу див. давати.

ТЯЖ: увійти́ в тяж див. увійти.

ТЯЖКА́: тяжка́ годи́на див. година.

ТЯЖКИ́Й: нести́ тяжки́й хрест див. нести; **∼ хліб** див. хліб.

ТЯ́ЖКО: тя́жко на душі́ кому, в кого. Хто-небудь дуже сумний, з гнітючим настроєм, у важкому психологічному стані. *Мотрі зробилося так тяжко на душі, так гірко на серці, що вона .. так і залилася сльозами* (Мирний); *А на душі моїй так тяжко, що я не зніс і заридав* (Сос.); *Сів* [Уралов], *забився в куточку, і було йому тяжко, до потьмарення в вічу тяжко на душі, і життя здавалось пропащим* (Гончар).

ТЯЖКО́Ю: ходи́ти тяжко́ю див. ходити.

ТЯ́МИ: без тя́ми (*рідше* **без тя́мки, без тя́мку, без тя́му**) **[в голові́].** Нічого не усвідомлюючи; відчайдушно, несамовито, до самозабуття. *Іван гнав тепер вниз, без тями, наосліп, рвав зрадливі обійми ожин, ламав сухі гіллячки, котився по слизьких мхах* [мохах] *і з жахом чув, що за ним щось женеться* (Коцюб.); *І ходжу я по місту без тями* (Сос.); *Прокіп.., не розбираючи, що то він косить, ..зайшов в бур'ян і без тями косив бур'яни, аж грабки дзвеніли* (Н.-Лев.); *Співав* [Лукин] *довго, без тямки, уже всі перестали співати, а він все ще співав* (Кобр.); *Він стояв, наче чмелений, і якось без тямку дивився вниз своїми косими очима* (Мирний).

бра́ти до тя́ми див. брати; **дохо́дити до ∼** див. доходити; **поверну́ти до ∼** див. повернути; **приво́дити до ∼** див. приводити; **прихо́дити до ∼** див. приходити.

ТЯ́МИТИ: не тя́мити (не пам'ята́ти) [само́го] себе́ від чого. Бути в стані дуже сильного збудження, хвилювання; втрачати витримку під впливом особливо сильних почуттів; діяти несвідомо. *Ходить* [Денис], *перебіга з-під одного дерева під друге, руки ломить, сам себе не тямить* (Кв.-Осн.); [О р е с т:] *Тоді було таке щастя, воно* зрушило тебе, нерви не витримали, я сам теж не тямив себе тоді (Л. Укр.); Олександра дико скрикнула. Той крик ще більше розлютив Гната. Не тямлячи себе, кинувся він на Олександру (Коцюб.); Він, не тямлячи себе, вискочив з корчми.. рятувати діда Дуная (Стельмах); — Жінка є в мене. Чуєш, дівчино? Знатимеш... Стенулась од його бігти, сама себе не пам'ятаючи (Вовчок); Кидала [Галя] піч і, не пам'ятаючи сама себе від радості, вибігала аж за хвіртку стрічати його (Мирний). П**о** р.: **не тя́митися**.

тя́мити всі типики́, заст. Знати весь порядок чого-небудь, бути добре ознайомленим з якоюсь справою. Він тямить усі типики весільного обряду.

тя́мити си́лу див. знати.

ТЯМИ́ТИСЯ: [аж] не тя́митися від чого. Бути в стані дуже сильного збудження, хвилювання і т. ін.; втрачати витримку під впливом особливо сильних почуттів. Я згадувала, як справді плачуть від розлуки, що справді говорять на прощанні, як справді не тямляться від горя (Л. Укр.); Внутрішньо не тямлячись від щастя, що переповнювало її, Шура намагалася уявити собі першу зустріч з Юрієм (Гончар). П о р.: **не тя́мити себе́**.

хай (неха́й) йому́ тя́миться. Уживається для вираження незадоволення, роздратування.— Хай йому тямиться, яке гаряче,— засичав Хома, опікшися кулешем (Тют.).

ТЯ́МИШСЯ: неха́й ти тя́мишся див. ти.

ТЯ́МІ: при [по́вній] тя́мі (й па́м'яті). У нормальному, свідомому стані. Він до неї говорив, як чоловік при добрім змислі, розсудливо, при тямі й пам'яті (Вовчок); — Хомо,— бідкається листоноша,— ти при повній тямі? (Гуц.).

ТЯ́МКА: і не тя́мка кому. Навіть на думку не спадає кому-небудь щось. Аж знов чогось дзвякнула клямка. Хтось в сінях говорить з малим. Прислухалась... Їй і не тямка, що міг повернутися Клим (Перв.).

ТЯ́МКИ: без тя́мки див. тями; **вбива́тися в ~** див. вбиватися; **відби́ти ~** див. відбити.

ТЯ́МКУ: без тя́мку див. тями; **ма́ти ~** див. мати.

ТЯ́МУ: без тя́му див. тями; **відбира́ти ~** див. відбирати; **втра́тити ~** див. втратити; **загуби́ти ~** див. загубити; **ма́ти ~** див. мати; **розгуби́ти ~** див. розгубити.

ТЯП: тяп-ляп (тяп та ляп). 1. Швидко, але недбало; абияк.— Ну що, зняли [кулемет з розбитого танка]? — запитав їх Пузанов насмішкувато.— Ви думали тут так — тяп-ляп? (Гончар).

2. Робити що-небудь швидко та недбало або повільно.— Доки ви своїм обушком тяп-ляп,— я своєю врубівкою тонну та тонну (Вишня).

ТЬМА́РИТЬСЯ: тьма́риться ро́зум див. розум.

тьма́риться (заст. тьми́ться) в оча́х (в голові́) кому, в кого. Хто-небудь втрачає ясність, чіткість сприйняття (від утоми, перенапруження, хвилювання і т. ін.). В Сашка вже боліли і ноги, і руки, і спина, в очах аж тьмарилося (Смолич); В голові то зовсім тьмарилось, то раптом дещо прояснювалось (Коз.); Не ставало духу в груді, тьмилося в очах (Фр.); Послабли [хлопи], не мали в собі сили й за малу дитину; ноги угиналися.., в очах тьмилося (Ков.).

ТЬМИ: із тьми вікі́в. З глибокої давнини. Поема «Слово о полку Ігоревім» прийшла до нас із тьми віків.

ца́рство тьми див. царство.

ТЬМИ́ТЬСЯ: тьми́ться в оча́х див. тьмариться.

ТЬМІ: у тьмі вікі́в. У глибокій давнині. Це питання [виникнення мови] стосується віддаленого від нас часу, у тьмі віків захованих відносин мов і племен (Пит. походж. укр. мови).

ТЬО́ТІ: спаси́бі ва́шій тьо́ті див. спасибі.

ТЬФУ: тьфу на те́бе див. тьху.

ТЬХУ: дава́ти тьху див. давати.

за тьху, з сл. к у п и́ т и, п р и д б а́ т и і т. ін. Дешево, вигідно, за безцінь; майже даром. Пощастило ж...— за тьху купив отакого жереба (Збан.).

тьху (тьху, пху, діал. **ігі́) на те́бе (на вас, на них** і т. ін.).** Уживається для вираження незадоволення, негативного або зневажливого ставлення до кого-, чого-небудь. «Ото приверзлося! Тьху на тебе!» — відмахнулася Оксана від згадки про юного шоферчука (Грим.); — Пху на тебе, сатано! — плюнув набік Кайдаш і хрьопнув дверима так, що з полиці полетіло горня й розбилось на шматочки (Н.-Лев.); — Ігі на тебе! Ти, обміннику! Щез би у озеро та в тріски! (Коцюб.); — Ігі на тебе, пияку! — відповідала йому [Грицеві] Грициха з печі (Л. Март.).

У

УБА́ВИТЬСЯ: не уба́виться кого. Хто-небудь нічого не втратить; нічого не станеться з ким-небудь. В клубі хай співає... Від того її [Катрі] не убавиться, а на людях прославиться (Кучер).

УБ'Є: і му́ха крило́м уб'є́ див. муха; **хай мене́ Бог ~** див. Бог; **хай мене́ грім ~** див. грім.

УБИВ: щоб грім уби́в див. грім.

УБИВА́ТИ: убива́ти / уби́ти двох за́йців (два за́йці). Домагатися одночасного здійснення двох різних справ. Долгін думав, що вбиває двох зайців — доводить Куцевичу, який він йому відданий, і водночас ставить його в становище якоїсь *залежності* (Рибак); *Освітливши тепер Василівку, це глухе і відстале село, ми одним пострілом вбиваємо двох зайців: піднімаємо Василівку і створюємо грунт в інших селах для майбутньої електрифікації* (Коцюба); *Заруба цим.. убив одразу двох зайців. Найзапекліша самогонщиця кинула шинкарювати, а старий учитель здобув собі добру хазяйку* (Кучер); *Ярошенко почував себе переможцем.. Так би мовити — два зайці вбив — попові на хвіст наступив і хату-читальню для села відновив* (Речм.). **уполюва́ти (уколо́шкати) двох зайці́в.** *Все це допоможе уполювати зразу аж двох зайців* (Головч. і Мус.); *Цей кучерявий* [Богдан] *хоче двох зайців уколошкати — і мул вийняти із ставка, і родючість грунту підвищити* (Большак).

УБИЙ: уби́й мене́ хрест *див.* хрест.

уби́й (поби́й) мене́ Бог. Уживається для вираження запевнення, запевзгання у правдивості висловленого.— *Ти хоч би нашого не крав, а то щоб він ягід приніс.— Чого ти? Їй-богу, принесу! Бог мене вбий, коли не принесу!* (Мирний). П о р.: **хай мене́ Бог поб'є́.**

уби́й тебе́ хрест *див.* хрест.

хоч уби́й (уби́йте). Уживається для вираження неможливості здійснити, зрозуміти, збагнути і т. ін. що-небудь.— *Тепло, затишно, привітно... А от не засну, хоч убий. Так до півночі провалявся* (Тют.); *Як ми його проминули, хоч убий, не втямлю!* (Головч. і Мус.); *Як радість — всю до дна доп'ю, Як горе — хоч убий — не плачу* (Павл.); *Показував мені дядько лист Ок*[унев*ського*], *хоч убийте, нічого не розумію* (Л. Укр.). С и н о н і м и: **хоч умри́** (в 2 знач.); **хоч заби́йся.**

УБИРАТИСЯ: убира́тися (наряджа́тися, одяга́тися) / убра́тися (наряди́тися, одягну́тися) в то́гу. Безпідставно намагатися видавати себе за кого-небудь або створювати собі певну репутацію. *Спроби деяких письменників нарядитися в тогу древніх мудреців, які зустрічали з колиски людину багатозначним «пам'ятай про смерть», виявилися смішними* (Талант...).

убира́тися / убра́тися з дра́нки в перепера́нку. Потрапляти з однієї неприємної ситуації в іншу.— *Утечи! — зареготав Назар.— Мандрівочка — рідна тіточка...— А ти ось що лучче скажи: куди втікати? ..Із дранки та вберешся в перепера́нку...* (Вовчок).

УБИТИ: уби́ти двох за́йців *див.* убивати.

уби́ти ма́ло кого. Уживається для вираження великого обурення з приводу чиєїсь поведінки, чийогось вчинку.— [Ю д а:] *Ні, не простий* [Мес*сія*]*! Я пригадав — він докорив мені.* [П р о ч а н и н *(перекривляє з огидою):*] *«Він докорив!» — Тебе убити мало!* (Л. Укр.).

уби́ти му́ху (чмеля́). Випити вина, горілки. *Панько убив муху і проспав до ранку.*

уби́ти (пійма́ти) гри́нку в кого і без додатка. Мати вигоду, користь, виграти що-небудь. [М а р ф у ш а *(сама):*] *Довідаюсь, чи правда в тому, що вона покохала якогось простого парубка?.. Ну, якщо тому правда, то убила грінку, виміняла шило на швайку* (Кроп.); *Дидону мав він мов за жінку, Убивши добру в неї грінку, Мутив, як на селі москаль!* (Котл.).

УБИТИЙ: уби́тий (приби́тий) го́рем. Засмучений, пригнічений, сильно засмучений. *Стоїть Васюта біля стінгазети.. Глянув сюди, на рахівника, вагаючись. Далі ступив до нього, до столу. Аж шапкою піт витер з обличчя. І зразу ж убитий горем,— ну, що його робити?* (Головко); *Знову якась горем прибита людина принесла божому сину свій немудрий дар, сподіваючись полегшення чи собі, чи комусь із рідних* (Стельмах).

як (мов, ніби і т. ін.) уби́тий (заби́тий). 1. з сл. с п а т и. Міцно. *Бурлаки покотом полягали на соломі й спали як убиті* (Н.-Лев.); *Вночі спав* [Улас] *як убитий, не чуючи ні веселого сміху, ні тихого шепоту закоханих* (Тют.); *Над самими їхніми вухами прорипіли сотникові чоботи, а хоч би вусом хто повів. Сплять, немов убиті* (Літ. Укр.); *Піддубний виспався. Спав цілу ніч, як забитий* (Коцюб.); *Пастух спав також мов забитий* (Фр.). С и н о н і м и: **як ме́ртвий** (у 3 знач.); **без за́дніх ніг; як після ма́ківки.**

2. Дуже засмучений, пригнічений чим-небудь. *Старий Трохим по надвір'ю, Мов убитий, ходить* (Шевч.); *Балабуха приїхав додому неначе вбитий* (Н.-Лев.).

УБО́ГИЙ: умо́м убо́гий. Розумово обмежений, нетямущий; дурний. [П р і с ц і л л а:] *Та хіба ж усі такі, як той клієнт, умом убогий?* (Л. Укр.). С и н о н і м: **бідний на ро́зум.**

УБОЛІВАТИ: уболіва́ти душе́ю (се́рцем) *за кого — що, заст. за ким — чим.* Дуже непокоїтися, турбуватися, тривожитися. *Бідолашне жіноцтво у слободі Мандрики всякі наруги терпіло і.. душею уболівало і страждало* (Ковінька); *Уболіваючи душею за брата, думала Ольга про Твердохліба: а що і як йому якусь капость тіун зробить* (Хижняк); *Над долею бідних уболіває він* [хлібороб] *серцем, скарбам багатійським не заздрить* (Зеров).

уболіва́ти за свою шку́ру *див.* боліти.

УБРАТИСЯ: убра́тися в ду́рні *див.* пошитися; **~ в то́гу** *див.* убиратися; **~ з дра́нки в перепера́нку** *див.* убиратися.

УБРІД: півень убрі́д перехо́дить *див.* півень.

УВАГИ: бра́ти до ува́ги *див.* брати; **ва́ртий ~** *див.* вартий; **випада́ти з ~** *див.* випадати; **випуска́ти з ~** *див.* випускати; **пропуска́ти ми́мо ~** *див.* пропускати; **хвили́ну ~** *див.* хвилину.

УВАГУ: розрива́ти ~ *див.* розривати.

УВАЗІ: ма́ти на ува́зі *див.* мати.

УВЕСЬ: дур уве́сь спав *див.* дур; **переверну́-ти ~ світ** *див.* перевернути; **~ тяга́р ляга́є на плечі** *див.* тягар.

УВІЙТИ: увійти́ в тяж, *заст.* Завагітніти.— *Ну, то діва Марія, подейкують, од святого духа в тяж увійшла* (Гуц.).

увійти́ до ло́на *чого, уроч.* Бути членом якої-небудь організації, угруповання.— *Три місяці тому, заміть унії, він увійшов до лона католицької церкви* (Тулуб).

УВІНЧУВАТИ: увінчувати (вінча́ти) / увінча́ти ла́врами *кого.* Прославляти кого-небудь. *Хоча С. Крушельницька, О. Мишуга, М. Менцинський і не мали змоги на рідній землі демонструвати своє мистецтво, але й там, на чужині, вони зуміли прихилити до себе серця.. Народи увінчували лаврами, підносили на Парнас їх, видатних співаків з України* (Вітч.).

УВІНЧУЄ: сла́ва увінчу́є *див.* слава.

УВІРВА́ВСЯ: бас увірва́вся *див.* бас; **терпе́ць ~** *див.* терпець; **~ ре́тязь** *див.* ретязь.

УВІРВАЛА́: до́ля увірва́ла ни́тку *див.* доля.

УВІРВАЛАСЯ: ни́тка увірва́лася *див.* нитка; **~ ву́дка** *див.* вудка; **~ ла́вочка** *див.* лавочка.

УВІРВА́ТИ: увірва́ти терпе́ць *див.* уривати.

увірва́ти (урва́ти) ни́тку. Покласти кінець чому-небудь, припинити що-небудь (про взаємини, дружбу і т. ін.). [Л ю б о в:] *Я не побачу його.* [М и л е в с ь к и й:] *Простіть, Любов Олександрівно, я не люблю мішатись до чужих справ, але на правах приятеля скажу: мені здається, ви занадто раптово увірвали нитку* (Л. Укр.).

УГАВУ: без уга́ву. Не перестаючи, без перерви; невпинно. *Батареї без угаву молотили по них [дотах]* (Гончар); *Військові оркестри без угаву грали різні голосні марші* (Ю. Янов.); *Говорив [Добривечір] багато і без угаву* (Баш).

нема́ уга́ву *див.* нема.

УГАМУВА́ЛОСЯ: се́рце угамува́лося *див.* серце.

УГАНЯТИ: уганя́ти ко́ло робо́ти. Працювати з завзяттям, з запалом. *Він почав уганяти і кидатися коло роботи, мов коло своєї* (Фр.).

уганя́ти / угна́ти в сльо́зи. Примушувати когось плакати від чогось, кого-небудь.— *Ні, треба їх [панів-ляхів] угнати в такі сльози, щоб і приказки не підібрав до них, хіба тоді покаються* (Панч).

УГНА́ТИ: угна́ти в сльо́зи *див.* уганяти.

УГОРУ: задира́ти хвіст уго́ру *див.* задирати; **не ма́ти коли́ ~ гля́нути** *див.* мати.

УДАВАТИСЯ: удава́тися в химе́ри. Мріяти про щось нездійсненне; фантазувати. *З природи самої бувши тверезим розумом, Артем і зараз оце, думаючи про батька і сумуючи за ним, однак не вдавався ні в які химери, щоб забутися в них* (Загреб.).

удава́тися / уда́тися в подро́биці (то́нкощі). Дуже багато приділяти уваги чому-небудь, як правило, другорядному, несуттєвому. *Легіник ображався і платив тою ж самою монетою, негречно вдаючися в подробиці, чіпаючи навіть таку делікатну матерію, як питання літ* (Хотк.).

УДАВИЛИ: сльо́зи удави́ли *див.* сльози.

УДАР: відвести́ уда́р *див.* відвести; **прийма́ти ~ на се́бе** *див.* приймати; **ста́вити під ~** *див.* ставити.

уда́р у спи́ну *кому, чому.* Підступний вчинок, зрадницька поведінка когось по відношенню до кого-небудь. *Врангелівський удар у спину революції, загроза Донецькому басейнові заставили всіх по-новому оцінити кримську небезпеку* (Гончар).

УДАРИВ: грім би уда́рив *див.* грім; **мов роди́мець ~** *див.* родимець; **праве́ць ~** *див.* правець; **~ час** *див.* час; **хміль ~ у го́лову** *див.* хміль; **як пара́ліч ~** *див.* параліч.

УДАРИЛА: кров уда́рила в лице́ *див.* кров.

УДАРИЛО: мов гро́мом уда́рило *кого.* Хто-небудь дуже вражений, приголомшений чимсь.— *Я почула його [крик] аж у долині. Мене мов громом ударило* (Літ. Укр.).

уда́рило в па́мороки *кому і без додатка, безос.* *Тітка випила там чи не випила, але в памороки ударило* (Гуц.).

уда́рило в сон *кого, безос.* Хто-небудь захотів спати. *Одного разу ліг після обіду відпочити.., взяв собі газету (рискнув) і розгорнув... Як ударило ж мене в сон* (Вишня).

УДАРИТИ: [аж] уда́рити об (у) по́ли [рука́ми]. Виявити надзвичайно сильне здивування, збентеження, обурення і т. ін. з певної нагоди.— *От горечко! — вдарив Шовкун об поли руками і кинувся бігти далі* (Гончар); *Сторожук руками об поли вдарив: — А ти сам би охрестив [дитину]? — Ні, звичайно, ні* (Гуц.); *Як.. роздивились і вгадали, що то солдат мальований, так аж об поли вдарили руками* (Кв.-Осн.); *Оксентій вдарив у поли: — Як? Революція та й не дасть хліборобові землі?* (Смолич).

не уда́рити лицем (обли́ччям) у грязь (у боло́то) *перед ким і без додатка.* Показати себе в чому-небудь з кращого боку, не осоромитися. [П и с а р:] *От тільки статистика мені в печінках сидить — та нічого, не ударим в грязь лицем* (К.-Карий); *Їм хотілось поговорити раніше з своїм активом, підготувати його, щоб не вдарити лицем у грязь перед чекістами* (Мик.); *Чумак ловко сів у сідло. («Хоч тут не вдарив лицем у грязь!» — майнула думка)* (Головко); *Природний артист, дотепний співрозмовник, до того ще й бандурист і непоганий співак, він мобілізував усі свої мистецькі здібності, щоб не вдарити обличчям у грязь перед високими панами* (Добр.); [Т и б е р і й:] *Давайте ж не вдарим лицем в болото і заспіваємо яку-небудь кантату* (Кроп.).

па́лець об па́лець не уда́рити. Зовсім нічого не

зробити, перев. для досягнення чого-небудь. *На душі у Марусі тяжко, вона не знаходить собі місця.. «Ах, я ще палець об палець не ударила, щоб організувати друкарню!» шугає думка* (Бурл.); — *Та які там жарти, громадянине священнику,— враз наїжачився Ярошенко.— Люди он пухнуть та мруть з голоду, а ви і ваш бог і палець об палець не вдарили для порятунку нещасних* (Речм.).

ударити в голову див. бити.

ударити в закаблуки. Завзято затанцювати. *В червоних штанях оксамитних... Іде козак.— Ох, літа! літа! Що ви творите? — На тотеж Старий ударив в закаблуки, Аж встала курява! Отак!* (Шевч.); *Як сонні, ходять [пари], сплівши руки, а тут вихором пройтись, ударить шквально в закаблуки* (Гонч.).

ударити з копита. Зразу з місця побігти, помчати з великою швидкістю (про коней). *Коні вдарили з копита, і під ними задзвеніла і бризнула соком березнева земля* (Стельмах).

ударити (кинути) / ударяти (кидати, бити) лихом об землю. Забувати біду, горе, не журитися, не втрачати надії на краще. [В и б о р н и й:] *Викинь [Наталко] лиш дур з голови; удар лихом об землю,— мовчи та диш!* (Котл.); [Х и м к а:] *Не сумуйте, тіточко. Ударимо лихом об землю! От прийдуть наші гості, погуляємо!* (Мирний); *Панько Борозна вхопив Христю Кавунову.. і закрутив її в танці..— Ех, Христе! Вдар лихом об землю, хай йому бутон трісне!* (Кучер); — *Удар лихом об землю, покажи їм, як матроси викидають яблучко...* (Кучер); *Кинь лихом об землю! Якого ката слиниш!* (Г.-Арт.); — *Не плач, Одарко, Бий лихом об землю* (Стельмах).

ударити на сполох; ~ **тривогу** див. бити.

ударити / ударяти в голову кому і без додатка. 1. безос. Хто-небудь подумав, додумався до чогось. *«А що, як розприндиться наша киця?» — зразу ударило її [Мар'ї] в голову* (Мирний); *Нащо він приїхав сюди? В яку чорну хвилину вдарило йому в голову — провідати батька?* (Гончар).

2. Призвести до сп'яніння; сп'янити. *Випив [Чіпка] з півкварти [горілки] й не чув, щоб хоч запекла або вдарила в голову...* (Мирний); *Друга чарка йому [Олегу] вдарила в голову, і стриманий язик швидко розв'язувався* (Голов.); *Вино розбирає, вдаряє в голову, на очі навертаються сльози* (Гжицький). П о р.: **вступити в голову.**

ударити чвалом. Швидко помчати, понестися (про коней). *Гюргій зв'язав тарпанів за шиї своїм поясом і відпустив їх у поле, тарпани з місця вдарили чвалом, в несамовитості розшарпали пояс* (Загреб.).

як (мов, ніби, наче і т. ін.**) довбнею (молотком) ударити [по голові (в голову)]** кого. Дуже вразити, приголомшити кого-небудь неприємною неспо-

діванкою. *Одно невеличке слівце «Дін» як молотком ударило її [Мотрю] в голову* (Мирний). П о р.: **як обухом бити по голові.**

як обухом ударити по голові див. бити.

УДАРИТИСЯ: ударитися в горілку (до горілки). Почати пиячити. *Вони нерідко сварилися. Все частіше Марина з дочкою ночувала в батьків. От він від гіркоти, образи у горілку й ударився* (Україна..); *Думав [Мартин Прокопович] — до горілки вдаритись, та чистота душі втримала* (Коп.).

ударитися в сльози. Заплакати. *Знов дрочаться діти, поки він [Івась] не удариться в сльози* (Григ.).

ударитися (полізти) в амбіцію. Підкреслено виявляти образу, незадоволення внаслідок враженого самолюбства.— *Що?! — Кажу — поженимось... Я ж не малолітній,— вдарився Остап в амбіцію* (М. Ю. Тарн.); *Тут Карпо поліз в амбіцію, вийшов на місце голови [зборів] й давай лаятись* (Ю. Янов.).

УДАРІ: в ударі, з сл. б у т и, п е р е б у в а т и і т. ін. В стані душевного піднесення, натхнення; у піднесеному настрої. *Діденко був особливо сьогодні в ударі. Говорив небагато,— але зате кожна фраза його була наче карбована* (Головко); — *Ви, Тамаро, сьогодні просто в ударі!..* (Гончар).

УДАРОМ: одним ударом. Дуже швидко, одразу. *Націоналізацію банків досить було б саме декретувати,— і її провели б директори і службовці самі. Ніякого окремого апарату.. з боку держави тут не потрібно, цей захід можна здійснити саме одним указом, «одним ударом»* (Ленін); *Поспішаймо, поспішаймо з виходом у поле, щоб одним ударом покінчити з посівною* (Веч. Київ).

під ударом, перев. з сл. б у т и, п е р е б у в а т и. У небезпечному становищі, під загрозою чого-небудь. *У вересні сорок першого неподалік Азовська прорвалися гітлерівці. Завод під ударом* (Рудь).

УДАРЯЄ: кров ударяє в голову див. кров; **хміль** ~ **в голову** див. хміль.

УДАРЯТИ: ударяти в голову див. ударити.

УДАТИСЯ: удатися в подробиці див. удаватися.

УДЕНЬ: як удень, з сл. в и д н о, в и д к о. Дуже добре. *Надворі видко, як удень* (Н.-Лев.); *Біля заводських воріт видно, як удень* (Тют.); *Тут ні до чого була мадьярова свічка, бо й так було видно, як удень* (Гончар).

УДЕРЖАТИ: удержати в голові див. удержувати.

УДЕРЖУВАТИ: удержувати / удержати в голові. Пам'ятати. *І все мені треба удержати в голові.*

УДЕРТИ: удерти (удрати) штуку. Зробити що-небудь несподіване, незвичайне. *Дав пан приказ* [наказ] *некрут ловити.. Нікому і в голову не приходило, ..що пан тільки таку штуку вдер, аби парубків полякать і віддати* [заміж] *Фрузину* (Свидн.); *Постійте ж, думаю, я вам удеру штуку!* (Барв.); — *Ну, та й хитрий же наш батюшка! Еге! Отаку штуку удрав,— гомоніли чоловіки, розходячись* (Н.-Лев.).

УДИТИ: носом рибу удити *див.* вудити.

УДКА: урвалася удка *див.* вудка.

УДРАТИ: удрати штуку *див.* удерти.

УДРУГЕ: як удруге на світ народитися *див.* народитися.

УЖАЛЕНИЙ: як (мов, наче *і т. ін.***) ужалений.** 1. *з сл.* п і д с к а к у в а т и, з і с к а к у в а т и, в і д с к а к у в а т и. Різко, рвучко. *Ольга переступила поріг, підняла над головою свічку. Але в ту ж мить, мов ужалена, відскочила назад* (Мик.).

2. *з сл.* з а к р и ч а т и, з а в е р е щ а т и *і т. ін.* Раптово, зразу. *Марія, як ужалена, ляскотно заверещала й вискочила з хати* (Панч); *Степан Васильович прокидається і, мов ужалений, зіскакує з ліжка: хтось міцно тарабанить у двері* (Стельмах).

УЖАЛИТИ: ужалити в серце. Боляче вразити; спричинити душевний біль.— *Ти згадай, серце, які Дубці дохідні! Молодий аж іздригнувся і дивиться на неї,— ніби його щось разом здивувало, зляка-ло, у серце вжалило...* (Вовчок).

УЖЕ: та й уже. І все, й кінець. *Підпара насував брови.— Тепер він* [бунтар] *панське бере, а по-ждіть трохи — візьме і ваше.. Забере в мене, в тебе, Максиме; а тоді і в бідніших. Від них життя не буде.. Що там! Постріляти та й вже* (Ко-цюб.); — *Не відаю, як з кіньми...— Займемо, та й уже!* (Загреб.).

[та] уже ж. Звичайно.— *Та вже ж важко за нелюбого йти!* (Вовчок); — *То Василько жи-вий? — скрикнули разом Яким і Олена.— Та вже ж живий...* (Коцюб.).

уже таких бачив *див.* бачив.

УЗДУ: попускати узду *див.* попускати.

УЗЯВ: біс узяв *див.* біс; **бодай лихий ~** *див.* лихий; **мороз з-за плечей ~** *див.* мороз; **не ~ його біс** *див.* біс; **сміх ~** *див.* сміх; **хай би грець ~** *див.* грець; **чорт би ~; щоб чорт ~** *див.* чорт.

УЗЯЛА: могила узяла *див.* могила; **смерть ~** *див.* смерть.

УЗЯЛО: на кутні узяло *кого, ірон., зневажл.* Хто-небудь сміявся, кепкував з когось, чогось. *Із-за моєї невдачі когось на кутні узяло.*

УЗЯТИ: узяти в зашморг. Оточити. *З усіх боків оточили* [село], *виходить, узяли в зашморг. І, видко, неспроста така осторога — каратéлі, значить* (Головко).

узяти в молотки. Докоряти, робити зауваження кому-небудь за щось; лаяти. *Колода як узяв його* [Шугалія] *в молотки на господарстві, .. так він*

тільки сопе (Кучер). С и н о н і м и: **брати в шори** (в 2 знач.); **брати в роботу** (в 2 знач.).

узяти в нагаї *кого.* Побити, покарати кого-не-будь. *Митрофана Лизю теж узяли в нагаї. Та старий чоловік тільки до шостого удару витримав* (Ле). **узяти в нагайки.** *Кінні козаки, тісним колом охопивши арештованих, погнали їх у напрямку Лук'янівки. Один козак з іронією питав іншого: — Чого начальство церемониться! Наказали б узя-ти їх в нагайки* (Драч).

узяти за ребра *кого.* Силою примусити кого-не-будь виконати, зробити щось.— *Я думаю, що... в нього* [попа] *можна добути документи на вчите-ля... Напевне ж у нього печатки якісь є...* (Сліс.). С и н о н і м: **взяти за жабри** (в 1 знач.).

узяти під ноги. Поставити кого-небудь в прини-зливе становище; зганьбити.— *Ще ж не перевер-нувся світ, Щоб піп узяв мене* [пана] *під ноги* (Фр.).

УЗЯТИСЯ: узятися за шапку *див.* хапатися.

УКАЗ: не указ *кому, для кого.* Хто-, що-небудь користується авторитетом, має вплив на когось.— *Ти від нас відбився.. І не сором це для нас, І слова твої для твого Ще народа не указ* (Фр.); *Хлопцеві б промовчати, а він відгризнувся: — Ви мені не указ* (Гончар); // *Хто-небудь може діяти так, як хоче. Сама собі господиня! що схотіла, те й зробила —..ніхто мені не указ* (Барв.).

УКАЗУВАТИ: указувати дорогу (шлях, шляхи) *до чого.* Бути зразком для здійснення чого-небудь. *Поганий сватає— гарчому шлях указує* (Укр. присл..).

УКІС: пускати під укіс *див.* пускати.

УКЛАДАТИ: укладати / укласти в копи згруб. Дуже багато їсти, з'їдати чого-небудь. *Свіклиць-кий похапцем укладав у копи полудень, аж редька хрущала в його міцних зубах на всю хату* (Н.-Лев.); [Єфросина:] *Наша Химка як почне лупити, то за один раз укладе в копи з борщем цілий хліб* (Н.-Лев.).

УКЛАДАТИСЯ: укладатися в рамки. Не вихо-дити за межі норми. *Досі Антін здавався простим і зрозумілим. Все було в нім ясне, добре відоме, укладалося в рамки* (Коцюб.).

УКЛАСТИ: укласти в голову *кому.* 1. Пояснити, допомогти зрозуміти комусь що-небудь. *Шляхом до слободи старшина Неписаний намагався хлоп'якові Васильку укласти в голову основні штампи волосного законодавства* (Ковінька).

2. Усвідомити що-небудь.— *Якове Яковичу, ук-ладіть собі в голову: вам буде подано і піднесено. В цих ділах розпорядиться моя господиня Макле-на Лексіївна* (Ковінька).

укласти в копи *див.* укладати.

УКЛОНИТИСЯ: уклонитися до землі *див.* укло-нятися.

УКЛОНЯТИСЯ: уклонятися / уклонитися до землі *кому.* Низько схилятися, виражаючи пошану. *Шрам став поруч із Череванем; діти їм уклонились до землі* (П. Куліш).

УКОЛУПАТИ: уколупа́ти (улупи́ти) б [свого́] се́рця. Бути готовим на все, нічого не пожаліти заради когось.— *Ох, боже мій милий! Серця свого вколупав би я та дав своїм діткам* (П. Куліш); — *Я б свого серця влупила та дала йому, коли б тільки він став чоловіком* (Мирний).

УКОПАНИЙ: як (мов, ні́би *і т. ін.***) уко́паний,** з *сл.* с т о я́ т и, с т а в а́ т и. Нерухомо, непорушно, застигши на місці.— *Здрастуй! — скочивши навперейми Галі, привітався він [Власов] і, зиркнувши на її іскристі очі, став як укопаний* (Мирний); *Як повиходили з човна, старший брат тільки свиснув до свого коня, так він став перед ним, як укопаний* (Стор.); — *А ми завтра від'їжджаємо... Денис стояв як укопаний* (Тют.); *І раптом — треба ж такої халепи! — «революціонер» запахкав, заторохтів, чмихнув парою з радіатора й став, як укопаний* (Довж.); *Павлові раз у раз здавалося, що вона [шлюпка] стоїть на місці мов укопана* (Кучер); *Дівчина собі стоїть, Неначе вкопана* (Шевч.). **як повко́пувані** (про багатьох). *Діти стояли, як повкопувані; ще Антосьо не так, а цей той, то як стовп — щоб поворухнувся!* (Свидн.). **як у зе́млю уко́паний.** *Катерина не привітала його, не кинулась, як завжди, йому назустріч, стоїть, як у землю вкопана* (Стор.). С и н о н і м: **як з ка́меня ви́битий** (у 1 знач.).

УКОРОТИТИ: укороти́ти ві́ку див. укорочувати.

укороти́ти / укоро́чувати язика́ (язи́к). 1. *кому.* Примушувати кого-небудь замовкнути або менше говорити. *Сама аж киплю. Рада б і на досвітки її послати, щоб укоротити цокотухам язика* (Барв.).

2. *чий, чийого.* Помовчати, не говорити зайвого.— *Раджу панові вкоротити свій язик! — Я, здається, тут начальник? — спалахнув Заславський* (Кач.).

УКОРО́ЧУВАТИ: укоро́чувати / укороти́ти ві́ку (вік, життя́, *заст.* **живота́)** *кому, чийого.* Призводити кого-небудь до передчасної смерті.— *Поміріться з Олександрою та живіть, як люди, у згоді! Не крайте мого серця на старість, не вкорочуйте мого віку* (Коцюб.); *І не удавайсь у тугу, щоб вона тобі віку не укоротила* (Кв.-Осн.); *Придавлю, причавлю пана, мов змію підколодну! — і руками показав [Роман], як вкоротить життя Стадницькому* (Стельмах); — *Його [Анхиза] сивуха запалила і живота укоротила* (Котл.).

укоро́чувати язика́ див. укоротити.

УКРАСТИ: як укра́сти. Дуже мало. *Побачивши мішок із зерном, Григір трохи пом'якшав, хоча й не виявив особливого захоплення: Дали, як украли* (Тют.).

УКРИВА́Є: сла́ва укрива́є див. слава.

УКУСИВ: ге́дзь укуси́в див. гедзь.

УКУСИТИСЯ: укуси́тися за язи́к, *розм.* Утри-

муватися від висловлювання; раптово замовкнути. *Мені слова промовити не вільно при батьку.., усі моргають і кивають, що треба мені за язик вкуситися!* (Вовчок); — *Ей ти, Чумак, чи як тебе! Іди товариша купати будемо.— Що, вже готовий! — прибіг захеканий Чумаченко.— За язик укусись! — грізно глянула на нього Уляна* (Тют.).

УКУСИТЬ: уку́сить і ме́ду да́сть. Нещирий, фальшивий у своїх вчинках, словах.— *Та й та гарна! То єхида-лисиця, укусе й меду не дасть,— призро, гидливо якось одказала Параска* (Мирний).

УЛІЗТИ: улі́зти в у́хо *кому, ірон.* Хто-небудь почув про когось, щось.— *Та один наш зайдиголова до району поліз. Чи пива йому схотілося, чи в кіно,— та заблудив, анахтема, та й уліз отому замрайвідділом сільського господарства в ухо* (Вишня).

УЛОЖИТИ: уложи́ти у зе́млю. Позбавити життя кого-небудь; убити.— *Коли б їхня [ворогів] сила — не одного б уложили за землю у землю* (Стельмах). С и н о н і м: **уложи́ти у ко́пи.**

уложи́ти у ко́пи. Позбавити життя кого-небудь; убити. *Не раз, бувало, який чоловік або парубок, пішовши на кулачки погуляти, живий додому не вертався,— там його і у копи уложать!* (Мирний). С и н о н і м: **уложи́ти у зе́млю.**

УЛУПИТИ: улупи́ти б свого́ се́рця див. уколупати.

УМ: бра́ти в ум; бра́ти на ~ див. брати; **наво́дити на ~** див. наводити; **на ~ кла́сти** див. класти; **прийти́ на ~** див. прийти; **сплива́ти на ~** див. спливати.

ум за ро́зум захо́дить / зайшо́в у кого. Хто-небудь втрачає здатність тверезо, розумно діяти.— *В мене вже аж ум за розум заходить од високих нематеріальних любощів* (Н.-Лев.). С и н о н і м: **глузд за ро́зум заверта́є.**

УМА: виві́дувати ума́ див. вивідувати; **ви́жити з ~** див. вижити; **ви́кинути з ~** див. викинути; **добира́тися ~** див. добиратися; **дово́дити до ~** див. доводити; **звихну́тися з ~** див. звихнутися; **зво́дити з ~** див. зводити; **зійти́ з ~** див. зійти; **набира́тися ~** див. набиратися; **не йти́ з ~** див. йти; **не мо́го ~ ді́ло** див. діло; **не по́вно ~** див. повно; **не прибра́ти ~** див. прибрати; **пала́та ~** див. палата; **рішитися ~** див. рішитися; **~ не зібра́ти** *див.* зібрати; **~ не прикла́сти** *див.* прикласти; **~ тро́нутися** *див.* тронутися.

УМЕРЛОМУ: як уме́рлому кади́ло див. кадило.

УМИ: триво́жити уми́ див. тривожити; **хвилюва́ти ~** див. хвилювати.

УМИВА́ТИ: умива́ти / уми́ти руки. Ухилятися від участі в якій-небудь справі, знімати з себе відповідальність. *Отже, коли у вас,.. є хоч крапля любові до свого народу, коли ви не Пілат, що гордо умиває руки, а син народу,.. боріться проти Гітлера* (Довж.); — *Я хочу сказати вам усім,* товариші: *я вмиваю руки. Я мушу вам заявити цілком офіційно — всякі подальші експерименти над моїм винаходом провадяться тут без мого дозволу* (Собко); *Шугалія сподівався на його підтримку, а коли Перегуда умив руки, то Пилип, видно, плюнув на все й почав топить* [на суді] *і його* (Кучер).

УМИВАТИСЯ: умива́тися (*рідко* **ми́тися**) / **уми́тися слізьми́** (**сльоза́ми, сльозо́ю**). Гірко, невтішно плакати. *Згадують, мабуть, мене матуся і батенько... Мабуть, не раз умивалися слізьми, що така гірка доля випала їх дочці* (Цюпа); — *Будьте ласкаві, будьте милосердні! — благала Горпина, умиваючись слізьми* (Л. Янов.); *Я хочу миру між людьми, Щоб матері слізьми не мились* (Павл.); *Як калина при долині Вранці під росою, Так Ганнуся червоніла, Милася сльозою* (Шевч.). **уми́тися слізоньками.** *Згадай мене, ненько, Напившись, наївшись. А я тебе ізгадаю, Слізоньками вмившись!* (Укр.. думи..); *Стара.. втішає унучечку, вмовляє: — Чого плакати, моя дитино? Годі ж бо, годі! — Чому господь не дав йому панства-багатства! — викрикне та так і вмиється слізоньками* (Вовчок). **умива́тися рясни́ми (гірки́ми).** *Марина не раз і не два вмивалася рясними, як надавлять її злидні та недостачі* (Мирний); *Я гляну в ту сторону, де дитина спить... умиюся гіркими, та й знову за роботу* (Мирний) С и н о н і м и: **дава́ти во́лю сльоза́м; облива́тися слізьми́; ли́ти сльо́зи** (в 1 знач.).

УМИТИ: уми́ти но́ги. Дуже прислужитися. *Він тут мені не раб, тут я йому готов умити ноги* (Л. Укр.).

уми́ти ру́ки *див.* умивати.

УМИТИСЯ: уми́тися слізьми́ *див.* умиватися.

уми́тися юшкою. Залитися кров'ю від сильного удару.— *Як дам тобі стусана, то й юшкою вмиєшся,— сказав Мина* (Н.-Лев.); — *Жалко тебе. Хіба да-ать тобі добре, щоб пам'ятав. Як вмиєшся юшкою, не схочеш красти* (Коцюб.); *Ярош, не довго думаючи, затопив своєму приятелеві просто в пику. Той умився юшкою* (Воск.).

УМІ: ве́ртиться на умі́ *див.* вертиться; **в ~ поміша́тися** *див.* помішатися; **заруба́ти на ~** *див.* зарубати.

на умі́ *у кого і без додатка.* У думках, у помислах чиїх.— *Вона має щось на умі. Це неспроста. Що це за знак? Чи вона вередує, чи сердиться* (Н.-Лев.); [Одарка:] *У тебе щоразу сміх та глум на умі, а в нього праця — і за те я його люблю!* (Кроп.); — *Я, Семене, людина проста. У мене що на умі, те й на язиці* (Хотк.); — *Оце ж такі тепер учені пішли. Екзамени заходять, а їм хоч би що, дівування вже на умі...* (Гончар).

не при умі́ *див.* розуми; **прикида́ти в ~** *див.* прикидати.

собі́ на умі́. 1. Який вміє приховувати свої думки, настрої і т. ін., неохоче спілкується з іншими; хитрий, скритний. *Він показав себе ще в студентські роки; керувався репутацією хитрої пронози, людини собі на умі...* (Бойч.); *Другий лікар.. силкувався вдати з себе людину вельми статечну, поводитися намагався незалежно, та раз у раз хитрувато примружувався — точнісінько колгоспний дядько собі на умі* (Шовк.).

2. Думати про власні інтереси, мати свої плани, задуми. *Показує одного карася і дві щучки — отакісінькі! Він показує, а я сама собі на умі* (Ковінька).

трима́ти в умі́ *див.* тримати; **що на ~ те й на язиці** *див.* що.

УМІЛІ: умі́лі ру́ки *див.* руки.

УМЛІВАТИ: умліва́ти / умлі́ти душе́ю (се́рцем). Бути надзвичайно враженим, схвильованим чимсь.— *Сава!! — зойкнула* [мати]*, умліваючи душею.— Сава убив його! — і упала на долівку* (Коб.); *Вона* [матушка] *довго стояла під дверима, слухала і умлівала своїм добрим серцем* (Кол.).

УМЛІТИ: умлі́ти душе́ю *див.* умлівати.

УМОВУ: держа́ти умо́ву *див.* держати.

УМОМ: жи́ти за́днім умо́м; жи́ти свої́м ~; жи́ти чужи́м ~ *див.* жити.

за́днім умо́м. Пізніше, після всього.— *В їхній статті нічого, власне, про Храпчука не сказано. А це людина, яка не тільки зазналася...— Тепер ми грамотні,— пробурчав Заболотний.— Тепер ми розумні. Заднім умом* (Жур.); — *Захаре, не сахайся... Глянь, будь ласка, мені у вічі. ..Інші розшукують могили своїх чоловіків, розпитують очевидців... Ну, не зробила цього... Винна. Тепер сама караюся.—...Заднім умом всі багаті* (М. Кол.).

звихну́тися умо́м *див.* звихнутися; **знести́ ~** *див.* знести; **розкида́ти ~** *див.* розкидати; **~ поміша́тися** *див.* помішатися; **~ убо́гий** *див.* убогий.

УМРИ: хоч умри́. 1. Обов'язково, незважаючи ні на що; що б там не було. *Має* [Кульбака] *непереборне бажання тікати. В нього це ніби ідея фікс: на волю, хоч умри!* (Гончар).

2. Уживається для підкреслення неможливості здійснити, зрозуміти, збагнути і т. ін. що-небудь. *Треба було її заспокоїти, але прокляті слова! Завжди.. юрбою товпляться на кінчику язика. А тут — хоч умри!* (Жур.). С и н о н і м и: **хоч уби́й; хоч забі́йся.**

УМУ-РОЗУМУ: вчи́тися уму́-ро́зуму *див.* вчитися; **набира́тися ~** *див.* набиратися; **навча́ти ~** *див.* навчати.

УНИЗ: коти́тися уни́з *див.* котитися.

УПАВ: тяга́р з плече́й упа́в; тяга́р ~ на се́рце *див.* тягар; **тяжки́й ка́мінь ~ на гру́ди** *див.* камінь; **~ ві́хоть** *див.* віхоть.

УПАДАТИ: упада́ти / упа́сти в но́ги (до ніг)

Уклінно просити, благати, молити кого-небудь.— *Я батькові до ніг упаду.. Як не віддасть мене батько за тебе, я вмру!* (Вовчок); *Ось, бачу, пре табун стиляг. .. Один з них, бачу, он побіг і вашингтонцю впав до ніг* (С. Ол.).

УПАДУ: до упа́ду. Надзвичайно сильно, до знемоги. *Ніколи вона* [Маруся] *так швидко рум'янцем не спахне, як от Катря наша,.. не заплаче; до впаду не затанцюється* (Вовчок); *До упаду розсмішив усіх старий колгоспник.. З насолодою і дуже виразно прочитав він гумористичні оповідання* (Хлібороб Укр.).

УПАЛА: тінь упа́ла *див.* тінь.

УПАСТИ: трохи не упа́сти зі (зо) смі́ху. Дуже сміятися.— *Та се,— бий тебе сила божа! — Бородаїв син,— скрикнув один з москалів і трохи не упав зо сміху* (Мирний).

упа́сти в но́ги *див.* падати. ~ **до ніг** *див.* упадати; ~ **ду́хом** *див.* занепадати.

УПЕРЕД: крок упере́д *див.* крок.

УПЕРТІСТЬ: переламувати упе́ртість *див.* переламувати.

УПИВАТИСЯ: упива́тися кро́в'ю (*рідко* кро́ві) чиєю, *рідко* чиєї. Діставати насолоду від кривавої помсти.— *Котилися І наші козачі дурні голови... Упивались і чужої І своєї крові!..* (Шевч.).

УПИНУ: без упи́ну (*рідко* спи́ну). Весь час, не перестаючи, безперестанку. *Блідий паноточик балакав без упину* (Март.); *Десь б'ють гармати без упину, там ніч у пломені заграв* (Сос.); *Грає* [Василько] *день і грає ніч, Грає без упину* (Павличко); *Мін у німців, видать, було вдосталь, і вони без упину гамселили і довбали ними наш рубіж* (Тих.); *Серед чудових картин та виглядів у дорозі пливуть мої думи одна за одніею.. без спину, пливуть самохіть не по моїй волі* (Н.-Лев.); // Не роблячи зупинок під час руху. *То йдуть вагони без упину з вантажем бойових речей — гармат, і танків, і мечей* (Тич.); *Всю ніч без упину їхали на ті гори. Тепер уже було ясно, що дивізія йде не на Бухарест* (Гончар).

нема́ упи́ну *див.* нема.

УПІЙМАТИ: упійма́ти себе́ на ду́мці *див.* ловити.

УПІРНУТИ: упірну́ти з голово́ю. Повністю, цілком віддаватися якійсь справі, якомусь заняттю. *Як приїхав додому, зараз з головою мусив упірнути в роботу і бюрову, і власну* (Коцюб.).

УПЛИВЛО: бага́то води́ упливло́ *див.* багато.

УПЛИВТИ: упливти́ крізь па́льці *див.* текти.

УПОКОЮ: не дава́ти упоко́ю *див.* давати.

УПОПЕРЕК: слова́ упо́перек не сказа́ти *див.* сказати.

УПОР: в упо́р. 1. *з сл.* д и в и́ т и с я *і под.* Прямо, пильно, уважно. *Прикурюючи від його цигарки, він майже в упор примружено глянув на Іраклія* (Головко).

2. *з сл.* с т р і л я́ т и *і под.* Зблизька, майже впритул. *Кулемети.. в упор різонули по гітлерівцях* (Коз.).

УПРЯЖЦІ: в одні́й упря́жці з ким. Спільно, заодно з ким-небудь діяти. *Бачити свого колегу, народного вчителя, в парі з Миною Омельковичем, в одній з ним упряжці,— ні, цього я, вбийте, не збагну...* (Гончар).

іти́ в одні́й упря́жці *див.* іти.

УПУСТИТИ: упусти́ти ра́ка з ро́та. Бути ошуканим, одуреним облесливим захвалюванням. *Як кого одурять похвальбою або лестивою річчю, то люди кажуть: «Упустив рака з рота»* (Стор.).

УРА: на ура́, з сл. б р а́ т и, б р а́ т и с я. Без підготовки, з надією на випадковий успіх. [О г н е в:] *Ніякого дерзання у цьому наказі нема, воно тут і не ночувало. Тому, що немає у ньому мислі, все береться на «ура»* (Корн.).

УРАЧИВ: бода́й рак ура́чив *див.* рак.

УРВАВСЯ: бас урва́вся *див.* бас; **терпе́ць ~** *див.* терпець.

УРВАЛАСЯ: ни́тка урва́лася *див.* нитка; ~ **ву́дка** *див.* вудка; ~ **ла́вочка** *див.* лавочка.

УРВАТИ: урва́ти ни́тку *див.* увірвати; ~ **терпе́ць** *див.* уривати.

УРИВАЄТЬСЯ: терпе́ць урива́ється *див.* терпець.

УРИВАТИ: уривати / урва́ти (увірва́ти) терпе́ць кому, у кого. Доводити кого-небудь до втрати ним спокою, рівноваги.— *Ох, Оксанко, і намучилась же я з ним* [дідусем], *ох і намучилась..— Моя мама Оксана тільки посміхається, бо теж добре бачить, хто кому уриває терпець* (Збан.); *Він* [Каргат] *здатний інколи урвати у людини терпець, наговорити грубощів, але щодо роботи йому нічого не закинеш* (Шовк.).

УРОДИТИСЯ: як з землі́ уроди́тися *див.* вирости.

УРОКИ: вилива́ти уро́ки *див.* виливати.

УС: мота́ти на ус *див.* мотати.

УСІ: вида́влювати усі́ со́ки *див.* видавлювати; **висиса́ти ~ со́ки** *див.* висисати; **в ~ свої чоти́ри о́ка** *див.* ока; **дзвони́ти в ~ дзво́ни** *див.* дзвонити; **на ~ гру́ди** *див.* груди; **перебира́ти ~ кісточки́** *див.* перебирати; **тягти́ ~ жи́ли** *див.* тягти; ~ **ко́зирі у ру́ки** *див.* козир; ~ **ши́шки летя́ть;** ~ **ши́шки па́дають на го́лову** *див.* шишки; **як ~ шляхи́ погуби́в** *див.* погубив.

УСІЄЇ: від усіє́ї душі́ *див.* душі; **з ~ си́ли** *див.* сили; **з ~ снаги́** *див.* снаги.

УСІМ: заклина́ти усі́м святи́м *див.* святим; **з ~ га́музом;** ~ **га́музом** *див.* гамузом; ~ **ми́ром** *див.* миром; ~ **ско́пом** *див.* скопом.

УСІХ: в усі́х кінця́х *див.* кінцях; **з ~ бокі́в** *див.* боків; **з ~ жил** *див.* жил; **з ~ кінці́в** *див.* кінців; **з ~ ніг** *див.* ніг; **з ~ по́глядів** *див.* погляду; **з ~ усю́д** *див.* усюд; ~ **масте́й** *див.* мастей.

УСКАКУВАТИ: уска́кувати / ускочити в шко́ду. Завдавати кому-небудь якихось неприємностей, прикростей, збитків і т. ін. *Дозволяв* [колгосп] *пасти коня та корову на колгоспному вигоні, не штрафував його за гусей, котрі інколи ускакували в шкоду* (Д. Бедзик).— *В тих шкодах винен або Охрім, ..або Панько...— Ну, я не розбирав,— одмовив Гордій,— хто саме руба в мене ліс або воде* [водить] *коней та волів до мене на озиме пасти* (Гр.); [П л а т о н Г а в р и л о в и ч:] *Чисте мені горе з ним, так і никає, щоб куди в шкоду вскочить* (Вас.).

УСКОЧИТИ: ускóчити в шкóду *див.* ускакувати.

ускóчити у слúвки. Опинитися у неприємному становищі. *Ось у такі сливки ускочили наші старости! Піймали облизня* (Кв.-Осн.).

УСМІХÁЄТЬСЯ: дóля усміхáється *див.* доля; **фортýна ~** *див.* фортуна.

УСМІШКОЮ: обдарóвувати усмíшкою *див.* обдаровувати.

УСНА: ýсна газéта *див.* газета.

УСОМ: і ýсом не вестú *див.* вести; **хоч би тобí ~ повестú** *див.* повести.

УСПІХУ: сп'янíти від ýспіху *див.* сп'яніти.

УСТ: з пéрших уст, з сл. п о ч ý т и, д і з н á т и с я. Безпосередньо, від учасників чи очевидців. *Я вирішив зустрітися з ним самим, щоб почути, як кажуть, з перших уст те, що розповіли інші* (Літ. Укр.).

з уст *чиїх,* з сл. п о ч ý т и, д о в і д а т и с я, д і з н á т и с я. Від кого.— *Я хотіла почути лише з твоїх уст, що робиться з батьком* (Коб.); *Я бачив твій* [О. Пушкіна] *портрет у друга-вірменина, із уст якутових я чув твої слова, І 'є тобі вінок Радянська Україна, в братерській вольності жива* (Рильський).

не сходúти з уст *див.* сходити.

УСТА: вкладáти в устá *див.* вкладати; **запинáти ~** *див.* запинати; **затуляти ~** *див.* затуляти; **зімкнýти ~** *див.* зімкнути.

золоті устá *у кого і без додатка.* Хто-небудь вміє дотепно висловлюватися. *Полюбила наша Домаха чумаченька молодого перехожого.— Так і єсть!.. О, та й хороший же вдався! та який жартливий, говіркий! золотії вуста!* (Вовчок).

кривúти устá *див.* кривити; **розмикáти ~** *див.* розмикати.

устá не розмикáються *у кого, чиї.* Хто-небудь мовчить, не говорить нічого.— *Оце, я щиру правду говорю. Може, ні? Ану забожись! Бач, і уста твої не розмикаються!* (Вовчок).

УСТАВ: мéртвий устáв би з домовúни *див.* мертвий.

УСТЕЛЕНА: дорóга устéлена тéрнами *див.* дорога.

УСТОЯТИ: устоЯти на ногáх. Виявитися спроможним стати самостійним, незалежним.— *Я знаю, дехто думає: от тепер їй світ зав'язаний, підрізало крильця нашій Катерині. А от я доведу,*

що й сама на ногах устою, і житиму добре, і дітей до пуття доведу (Жур.).

УСТРОМИТИ: устромúти гнóта. Довести свою перевагу, відзначитись. *Олешківський батальйон Червоної гвардії хотів показати, що він уміє не лише по-простому битися з білими, а й устромити комусь гнота гвардійським плац-парадом* (Ю. Янов.).

УСТУПАТИ: уступáти / уступúти у закóн, *заст.* Одружуватися, вінчатися з ким-небудь.— *Чи до танців тут, до скоків? Аби б у закон уступити* (Кв.-Осн.).

УСТУПИТИ: уступúти у закóн *див.* уступати.

УСУЧИТИ: хýка усучúти *кому.* Кого-небудь відправити ні з чим.— *Я б тобі, Ригоровичу, хука усучила, та нехай лишень опісля; тепер ти мені прислуговуй* (Кв.-Осн.).

УСЮ: в усю. На повну силу. *До Львова прибули після полудня, коли знаменита Краківська площа, на якій відбувалися базари, вже вирувала, гармидерувала, торгувала в усю* (Бабляк).

УСЮД: з усіх усюд (усюдів). Звідусіль. *З усіх усюд неслися чутки, що й скрізь отак — не жнуть панського хліба* (Головко); *З усіх усюд наїжджає публіка на тутешню ропу, знають дорогу сюди шахтарі навіть десь із Крайньої Півночі* (Гончар); *З усіх усюд галасувало радіо* (Цюпа); *Та коли дзвони, схитнувшись разом, пішли у танець, ..з усіх усюдів сипнули люди* (Коцюб.).

УСЮДАХ: по всіх усюдах. Скрізь, де тільки можна. *Ви писали страшну масу дрібних дописів по всіх усюдах* (Л. Укр.); *Як її* [бумагу про землю] *затаїти, як по всіх усюдах уже знають про неї* (Головко); *Тепер вишиті сорочки-гуцулки носять по всіх усюдах Радянського Союзу* (Вол.); *А старий цар ще не здавався. Пустив гінців по всіх усюдах, зібрав до війська чоловіків од вісімнадцяти до п'ятдесяти років* (Загреб.).

УСЯКИЙ: усЯкий собáка *див.* собака.

УСЯКИМИ: усЯкими прáвдами й непрáвдами *див.* правдами.

УСЯКИХ: усЯких мастéй *див.* мастей.

УСЯКІМ: в усЯкім рáзі *див.* разі.

УСЯКОГО: без усЯкого ладý *див.* ладу; **з ~ пóгляду** *див.* погляду.

УСЯКОЇ: без усЯкої церемóнії *див.* церемонії.

УСЯКОМУ: в усЯкому рáзі *див.* разі.

УСЯКУ: в усЯку хвилúну *див.* хвилину.

УСЬОГО: з усьóго дýху *див.* духу; **з ~ мáху** *див.* маху.

УСЬОМУ: усьóму головá *див.* голова.

УТЕКЛО: багáто водú утеклó *див.* багато.

УТЕРТА: утéрта дорóга *див.* дорога.

УТЕРТИЙ: утéртий шлях *див.* дорога.

УТИШИТИ: утúшити сéрце *чиє.* Послабити, полегшити чийсь душевний біль; заспокоїти.— *Втихни, Катре, втихни..! — Втиши ж ти перш* *моє серце!* — одмовила [Катря], *ридаючи* (Вовчок). С и н о н і м: **утішити серце.**

УТІШАТИ: утіша́ти / утішити се́рце *кого, чиє* або *без додатка.* Заспокоювати кого-небудь або самому заспокоюватися. *Ще кращий день нам упаде на пай, Тим тяжча ніч і зліша нам розплата. Втішаю серце... Але прикрих дум не сходить попіл* (Зеров). С и н о н і м: **утішити серце.**

утішити се́рце *див.* утішати.

УТНУТИ: утну́ти до гаплькі́в *див.* утяти.

утну́ти по са́му рі́пицю, *кому.* Змусити кого-небудь бути покірнішим, дуже обмеживши у чомусь. *Гаркуша промовчав, понурившись над возом. Ой, утнуть, здається, утнуть по саму ріпіцю! Їхнє сьогодні право, що хочуть, те й роблять* (Гончар).

утну́ти ро́ги *див.* вкрутити; **~ шту́ку** *див.* вструнгути.

УТОПИТИ: утопити о́ко *див.* топити.

УТОПЛЕНИКУ: як уто́пленику (уто́пленому), *з сл.* щасти́ти, везти́. Уживається для вираження повного заперечення змісту речення. *Везе йому, як тому втопленику* (Укр.. присл..); *На п'ятий день заявився Марко..— Щастить тобі* [Тимку], *як утопленику,— засміявся він.— Орися кличе* (Тют.).

УТОПЛЕНОМУ: як уто́пленому *див.* утопленику.

УТОПТАНА: уто́птана доро́га *див.* дорога.

УТОПТАНИЙ: уто́птаний шлях *див.* дорога.

УТОРИ: слаби́й на уто́ри *див.* слабий.

УТОРОВАНА: уторо́вана доро́га *див.* дорога.

УТОРОВАНИЙ: уторо́ваний шлях *див.* дорога.

УТРАТИТИ: утра́тити мо́ву *див.* утрачати.

УТРАЧАТИ: утрача́ти / утра́тити (загуби́ти) мо́ву. На якийсь час позбуватися здатності говорити, німіти від сильного хвилювання, розгубленості і т. ін. *Сахно.. довго не могла опанувати свого хвилювання.. Вона просто втратила мову* (Смолич); *Тоді, як інженер усіх питав: — Хто на машину? — він розгубився враз, притих, утратив мову, як на гріх* (Дор.); *Фатьма лежала в куточку і бажала вмерти. Мову вона загубила, бо не було того, хто б розумів* (Ю. Янов.).

УТЯТИ: утя́ти січки *див.* нарізати.

утя́ти (утну́ти) до гаплькі́в, *ірон.* Зробити, виконати, сказати щось погано, не до ладу, недоречно. [Т е т я н а:] *Гарно, гарно* [співав], *нічого сказати.* [М и х а й л о:] *Утяв до гапликів!* (Котл.); *Ну та й утяла до гапликів. Музика —*

одне, а вона — друге... (Стар.); — *Наш дяк більше б годився для тієї ролі тореадора,— говорила Ватя.— О, сей утнув би до гапликів, нема що й казати,— говорив Леонід Семенович* (Н.-Лев.).

утя́ти шту́ку *див.* встругнути.

УХ: ух ти! *див.* ти.

УХНАЛІ: кува́ти ухналі зуба́ми *див.* кувати.

УХО: улі́зти в у́хо *див.* улізти.

УХОМ: і у́хом не вести́ *див.* вести.

УХОПИВ: грець ухопи́в *див.* грець; **лунь ~** *див.* лунь; **хапу́н ~** *див.* хапун; **щоб лунь ~** *див.* лунь; **як хап ~** *див.* хап.

УХОПИЛА: гірка́ печі́я ухопи́ла за се́рце *див.* печія.

УХОПИТИ: за гаря́че й студе́не ухопи́ти *див.* хапати; **~ за хвіст** *див.* схопити; **~ на зу́би** *див.* брати.

ухопи́ти очи́ма. Побачити, помітити. [К и л и н а:] *Як з'явилась вона* [баришня] *на святках меж дівчатами, так Конон як вхопив її очима і вже відтоді і не зводе* [зводить] *їх з неї* (Кроп.); *Він злегка повернув голову, ухопив очима плечі й коротку шию Кася* (Мик.).

УХОПИТИСЯ: обома́ рука́ми ухопи́тися; ~ за соломи́ну; ~ за ша́пку *див.* хапатися.

ухопи́тися [рука́ми] за го́лову. Дуже розхвилюватися через безвихідність становища, несподіваність, безнадійність і т. ін. *На призьбі під будиночком Брилів товариші побачили гурт ранніх гостей. Харитон зразу ж ухопився за голову* (Смолич).

УХОПИТЬ: хай чорт ухо́пить *див.* чорт.

УЧЕТВЕРО: слаби́й як учетве́ро мо́туз *див.* слабий.

УЧИТИСЯ: учи́тися за па́ртою *див.* сидіти.

УЧОРАШУ: не від учора́шу. Давно, довгий час.— *Товаришу старшина! Ви ж мене знаєте не від учорашу! — запевняє боєць* (Гончар).

УЧУВАЄ: се́рце учува́є *див.* серце.

УШІ: об'ї́сти у́ші *див.* об'їсти.

УЩЕМИТИ: ущеми́ти [за] се́рце *кого.* Глибоко вразити, схвилювати кого-небудь чимсь. [О л е с я:] *Візьму книжку читати, який-небудь факт так ущемить за серце, що годі вже й читати* (Кроп.); *І жура якась ущемить серце кожного, хто чує ці невидимі звуки. Стане, тихо зітхне...* (Хотк.).

УЯВОЮ: перекида́тися уя́вою *див.* перекидатися.

УЯВУ: триво́жити уя́ву *див.* тривожити.

Ф

ФАКТ: факт [є (лиша́ється)] фа́ктом. Незаперечна річ, цього не заперечиш, нема ніякого сумніву. *Кому-кому, а мені то се навіть непрости-* *мо: адже я, очевидно, на «ідеолога» не вдався, бо я не публіцист (тут уже нічого не поробиш, факт фактом!)* (Л. Укр.).

факт той, що... Основне; суть в тому, що... *А факт тим часом той, що я страшенно боюсь сеї постановки, і в Києві більше, ніж де* (Л. Укр.); — *Думаєш — дерлися* [на скелі] *хто як попало? Помиляєшся, брате... Для цього в нас є така штука — альпійський канат... Факт той, що як один з:рветься, то всі підтримають...* (Гончар).

ФАКТОМ: ста́вити пе́ред фа́ктом *див.* ставити.

ФАЛДИ: прися́сти фа́лди *див.* присісти.

ФАЛЬШИВА: фальши́ва но́та *див.* нота.

ФАНТАЗІЮ: триво́жити фанта́зію *див.* тривожити.

ФАРБАМИ: те́мними фа́рбами, з сл. м а л ю в а́ т и, з о б р а́ ж а т и і т. ін. Негативно, непривабливо, гіршим, ніж є насправді. *Навіщо ж автор надає їй якийсь хист зводниці?.. Та й далі він малює її темними фарбами* (Мирний); *Вона не малювала собі будучини ані рожевими, ані темними фарбами* (Хотк.). А н т о н і м: **у роже́вих фа́рбах**.

ФАРБАХ: у роже́вих фа́рбах (роже́вими фа́рбами); у роже́вому сві́тлі, з сл. м а л ю в а́ т и, з о б р а́ ж у в а т и; п о с т а в а́ т и. Кращим, ніж є насправді, ідеалізовано, привабливо. *Підбадьорений обіцянками Потьомкіна, Головатий все малював у рожевих фарбах, передбачаючи, що й сам він матиме можливість дослужитися до високого чину* (Добр.); *На думку* [Д. Писарєва], *Пушкін пройшов мимо найголовнішого лиха епохи — кріпосного права, а там, де він торкається кріпосних взаємовідносин, вони постають в занадто рожевих фарбах* (Талант...). А н т о н і м: **те́мними фа́рбами**.

ФАРБИ: зґу́щувати фа́рби *див.* згущувати; **не поскупи́тися на** ~ *див.* поскупитися.

ФАРБОЮ: зайти́ся фа́рбою *див.* зайтися; **налива́тися фа́рбою** *див.* наливатися.

ФАСОН: держа́ти фасо́н *див.* держати.

ФЕРТОМ: бра́тися фе́ртом в бо́ки *див.* братися; **руки** ~ *див.* руки.

ФІБРАМИ: усіма́ фі́брами душі́ (се́рця, істоти́, не́рвів і т. ін.). Дуже сильно, у найвищій мірі. *Була це та сама правда, яку вона передчувала, а водночас боролася проти неї всіма фібрами душі* (Вільде); *— Не люблю* [панночки] *рішуче і безповоротно і то саме через те, що я естет всіма фібрами своєї істоти'* (Л. Укр.). С и н о н і м: **кожною жи́лкою** (в 2 знач.).

ФІГЛІ: викида́ти фіглі *див.* викидати; **роби́ти** ~ *див.* робити.

ФІГОВИЙ: фі́говий листо́к *див.* листок.

ФІГУ: показа́ти фі́гу *див.* показати; ~ діста́ти *див.* дістати.

ФІЗІОНО́МІЮ: відверта́ти фізіоно́мію *див.* вернути.

ФІЛЬЧИНА: фі́льчина гра́мота *див.* грамота.

ФІМІАМ: кади́ти фіміа́м *див.* кадити.

ФІРОЮ: хоч фі́рою заїжджа́й *див.* заїжджай.

ФОКУСИ: викида́ти фо́куси *див.* викидати.

ФОНД: золоти́й фо́нд *чого.* Що-небудь найцінніше, найважливіше, найдорожче, найкраще. *Цей хор* [«Вічний революціонер»] *і тепер користується великою популярністю і є однією з найцінніших перлин золотого фонду революційних пісень* (Мист.); *Сьогодні ми дістали можливість познайомитися з багатоплановим соціальним романом Л. Ребряну «Йон», що також належить до золотого фонду румунської літератури* (Літ. Укр.); *Ці люди* [вчені Академії наук УРСР] *становлять золотий фонд наукових кадрів республіки* (Роб. газ.).

ФОНТАНОМ: би́ти фонта́ном *див.* бити.

ФОРМИ: для фо́рми. Щоб забезпечити лише формальну сторону справи, створити потрібне враження. *Од того часу Онися Степанівна тільки для форми інколи просила в батюшки дозволу брати наймитів для своєї роботи* (Н.-Лев.); *— З такою владою, яку ми маємо в особі Гната, люди не погоджуються. Сесії проводить для форми, грубіянить, ображає людей, одним словом, хазяйнує, як хоче* (Тют.). С и н о н і м: **для годи́ться; для ви́димості; для ви́ду; про лю́дське о́ко** (в 2 знач.).

ФОРМІ: по [всій] фо́рмі. Дотримуючись певних правил, вимог, настанов. [В а р е н и к:] *Що ми, діти,— чи як, щоб у хаток гратись? Ми з тобою написали всі бумаги, як слідує* [потрібно] *по формі* (Кроп.); *Потім Брянський покликав Сагайду і той підбіг, гупаючи важкими чобітьми. Він теж сьогодні був увесь чепурний, святковий, тугий і відрапортував урочисто по всій формі* (Гончар).

у по́вній фо́рмі. Мати добрий фізичний стан, належне комплектування, оснащеність і т. ін. (про армійський, міліцейський і т. ін. підрозділ, групу людей). *Полк був у повній формі* (Ю. Янов.).

у фо́рмі. У такому стані, коли можна найповніше виявити свої сили, уміння, здібності і т. ін. (про людину).— *Інна в чудесній формі. Я позавчора бачив, як вона веслувала* (Собко); *Певно, не треба доводити, якою злагодженою, чіткою має бути робота міського транспорту, щоб доставити всіх, хто користується його послугами, до робочих місць вчасно і, як то мовиться, в хорошій формі* (Рад. Укр.). **не в фо́рмі.** *Зітхнувши, він підвівся..— Не в формі наш патрон,— сказав Хома* (Рибак).

ФОРМУ: втрача́ти фо́рму *див.* втрачати; **входити в** ~ *див.* входити.

ФОРТЕЛІ: викида́ти фо́ртелі *див.* викидати; **витина́ти** ~ *див.* витинати.

ФОРТУНА: форту́на усміха́ється *див.* доля.

ФОРТУНИ: песту́н форту́ни *див.* пестун.

ФРАЗ: па́ру фра́з *див.* пару.

ФРАЗАМИ: ки́датися фра́зами *див.* кидатися.

ФРАЗИ: пусті́ фра́зи *див.* слова.

ФРОНТИ: на два фронти. У двох напрямах одночасно. *А юний шофер? Цей хай собі запам'ятає: коли гадає вітрогонити на два фронти, то тут йому і кучерявий чуб нічогісінько не допоможе* (Грим.).

ФРОНТОМ: єдиним фронтом. Дружно, разом, згуртовано. *Казав він [солдат]: крізь кров і муки, Через дріт, гармати, штики Подають один одному руки Селяни й робітники, Щоб разом —єдиним фронтом — Розбити гнобителів фронт і піднести прапор червоний На висотах і між болот* (Рильський).

широким (розгорнутим) фронтом. 1. У великій кількості. *Університет широким фронтом готує наукові кадри, допомагає колективам інших вузів країни підвищувати їх кваліфікацію* (Наука..).
2. У багатьох місцях, повсюди; у значних масштабах. *Широким фронтом ведуться меліоративні роботи на Україні* (Колг. Укр.); *Праця йде на селі «розгорнутим», як-то кажуть, «фронтом»* (Вишня).

ФУНДАМЕНТ: закладати фундамент див. закладати.

ФУНТ: почому фунт лиха див. ківш.

як один фунт. Рівно, точно. *[Сироватка:] Твій хліб уже перевезли до склепу. Зважили. Шістсот двадцять п'ять пудів, як один фунт* (Мик.).

ФУНТА: не вартий фунта клоччя див. вартий.

ФУ-ТИ: фу-ти [ну-ти]. Уживається для вираження досади, роздратування, здивування і т. ін. *Карпо Петрович ляснув у пальці. Фу-ти, ну-ти! Його низьке чоло, що забігало у зарость волосся, як мілке плесо у лози, покрили зморшки* (Коцюб.).

ФУТІВ: сім футів під кілем див. сім.

Х

ХАЗЯЇН: сам собі хазяїн див. сам.

хазяїн свого слова. Той, хто завжди здійснює те, що обіцяє. *На роботі він завжди був хазяїном свого слова.*

ХАЗЯЙСЬКЕ: діло хазяйське див. діло.

ХАЗЯЙСЬКИМ: хазяйським оком див. оком.

ХАЛЕПА: хай (нехай) їм (на нього, на вас і т. ін.) халепа. Уживається для вираження незадоволення чиїми-небудь діями, вчинками і т. ін. *Пху! нехай на вас халепа!* (Сл. Гр.).

ХАЛЕПИ: викрутитися з халепи див. викрутитися.

ХАЛЕПКИ: викрутитися з халепки див. викрутитися.

ХАЛЕПУ: влипнути в халепу див. влипнути; **вскочити в ~** див. вскочити; **заварити ~** див. заварити; **лізти в ~** див. лізти; **мати ~** див. мати²; **підводити під ~** див. підводити; **підсувати ~** див. підсувати.

ХАЛІФ: халіф (каліф) на годину (час), *ірон.* Людина, що захопила владу або наділена нею на короткий час. *І знов на муку, на поталу взяли їх [молодогвардійців] люті вороги. На час каліфи в нашій хаті.. Та слова жодного, прокляті, з їх вуст не видерли вони* (Сос.).

ХАЛЯВ: вскочити вище халяв див. вскочити.

ХАЛЯВИ: сипати жару за халяви див. сипати.

ХАЛЯВКИ: смалити халявки див. смалити.

ХАЛЯВУ: лизати халяву див. лизати; **робити з писка ~** див. робити.

ХАЛЯНДРИ: потанцюєш у мене циганської халяндри див. потанцюєш.

ХАНЬКИ: розпустити ханьки див. розпустити; **~ м'яти** див. м'яти.

ХАП: як (мов, ніби і т. ін.) хап ухопив *кого.* Хто-небудь зник раптово і безслідно. *Антін як пішов зранку десь на гору, та як хап його ухопив, і до хати не йде* (Чорн.). Синоніми: **як водою вмило; як корова язиком злизала; як вітром здуло; як крізь землю провалився; як у воду впасти** (в 1 знач.); **як лиз злизав** (у 1 знач.); **хапун ухопив.**

ХАПАЄ: досада хапає за серце див. досада; **мороз ~ за плечі** див. мороз; **одур ~** див. одур.

ХАПАТИ: [аж] за очі хапати. Дуже інтенсивно виявлятися, виділятися; вражати. *Яскраві барви боярських одягів аж за очі хапали, тим більше що відбивали різко сяйво від сліпучо-білої пелени снігу* (Оп.); *Сонце міцно припікало, а блиск його проміння аж за очі хапав і все від нього сяяло, блискотіло* (Кобр.); // Дуже, надто, у великій мірі. *У Тимофія така гарна жінка, що аж за очі хапає* (Казки Буковини..).

за гаряче й студене хапати / ухопити. Усе робити, ні від якої роботи не відмовлятися. *За студене й гаряче, як то кажуть, я Хапати мусив, голод, холод Зносити, с̄чу, всіх втіх життя Зрікатись* (Фр.); *Лукин сам був робітний і хвалив за це Маланку, що вона знала, як-то кажуть, за гаряче й студене ухопити* (Кобр.).

зірок (зорі) з неба не хапати (не хватати, не знімати, не здіймати). Хто-небудь не відзначається неабиякими здібностями, розумом тощо. *Вона беззастережно заступалася за Кописту: зірок з неба Хома Микитович не хапає, але в колгоспі немає чогось такого, щоб бити на сполох, скликати збори* (Грим.); *— Чого ти вічно ниєш? І те тобі не подобається в лабораторіях, і брудно тут, і зірок*

тобі з неба не дають хапати (Шовк.); — *Схамені-*
ться, добрі ж люди! Таких грамотіїв у нас нема!
Всіх перебрати можна. Де ви бачили? Ніхто не
хвата зір з неба. Всі ми буденні, звичайні люди
(Горд.); — *Ну що ж, Шура... Та вона ж нічого*
дівчина. Зірок з неба не знімає, це правда.., але
й не ледача (Добр.); *Галя була дівчиною з*
характером, роботящою, старанною, до педантиз-
му акуратною, але в школі зірок з неба не
здіймала (Коз.). **трохи не зорі з неба знімати.—**
А про Василя вже того — і такий і он який, трохи
не зорі з неба зніма (Мирний). **звізди з неба**
здіймати. *Яку б вона розмову не розпочала, з*
ким би не побачилася, уже вона завжди зверне на
Василя. І сякий, і такий, звізди з неба здіймає
(Мирний).

хапати бика за роги див. брати.

хапати вершки. Вивчати, пізнавати що-небудь
поверхово, не вникаючи в суть справи. *Не на*
користь книжку читать, коли вершки лише хапать
(Укр.. присл..).

хапати голову в руки. Піддаватися почуттю
сильного душевного болю, безнадійності, безвихід-
ності.— *Залиште, прошу, свої ради при собі.*
Мені їх не треба...— носився по хаті Аркадій
Петрович, хапаючи голову в руки (Коцюб.).
С и н о н і м: **братися за голову.**

хапати дрижаки див. їсти; ~ **за барки** див.
вхопити; ~ **за горло;** ~ **за живе** див. брати.

хапати за поли. Зупиняючи когось, дуже проси-
ти, благати про щось. *Проси ще батька, за поли*
хапай.

хапати за серце див. брати.

хапати з вогню. Дуже швидко, невідкладно
робити що-небудь. *Бичковський задумався.— Чо-*
го ви думаєте.. Тут треба.. з огню хапати, хоч би
й руки попекти..! — крикнула Христина. (Н.-
Лев.).

хапати на зуби див. брати; ~ **на льоту** див.
ловити; ~ **сторчака** див. давати.

ХАПАЮТЬ: дрижаки хапають див. дрижаки;
очі ~ див. очі.

ХАПАТИСЯ: аж за боки (за живіт) хапатися.
1. Дуже сильно сміятися; реготати. *Владкове*
оповідання.. від початку до кінця викликало не-
настанні вибухи сміху у всій компанії. Стефко аж
за боки хапався (Фр.). С и н о н і м и: **рачки лази-**
ти (в 2 знач.); **рвати боки** (в 1 знач.).

2. з сл. **с м і я т и с я, р е г о т а т и** і т. ін. Дуже,
у великій мірі. *Дівчина сміялася, аж за боки*
хапалася. **хапатися за боки з реготу.** *Якось зу-*
стрів він п'яного фельдфебеля Лаптєва з унтером
Злинцевим... Підібравши на дорозі вуглик, Шев-
ченко намалював їх на білій стіні найближчої
хати такими схожими, що люди, проходячи вули-
цею, хапалися за боки з реготу (Тулуб). С и н о-
н і м: **рачки лазити** (в 3 знач.).

обома руками хапатися / схопитися (ухопити-
ся) за кого-що. Докладаючи всіх зусиль, намага-
тися утримувати, не втрачати кого-, що-небудь.
Стара Векла обома руками ухопилась за свого
(Петром його звали), і сама Оксана і сюди,
й туди, і вже не дрочачись сказала: «Піду, тільки
нехай об осені» (Кв.-Осн.).

хапатися (братися) / ухопитися (узятися) за
шапку (за капелюх і т. ін.). Поспішно брати одяг,
щоб якнайшвидше піти звідки-небудь. *Я став сам*
не свій. Я те тільки й робив, що хапався за шапку,
гасив світло, біг на вулицю (Л. Янов.); *Хто*
тверезіший, собі став за шапку братись (Мир-
ний).

хапатися за голову див. братися.

хапатися за життя. Виявляти велике бажання
жити, намагатися, прагнути вижити, зберегти
своє життя. *Він уже хапався за життя не так*
очима, як пересушеними вухами, прикладаючи до
них довгі і жовті, мов свічі, пальці (Стельмах).

хапатися за меч (за шаблю і т. ін.). Виступати
із зброєю в руках, починати збройну боротьбу.—
Наріканням та молитвами нічого не вдієш, пане
воєводо. Хапайся за шаблю та обороняйся! Он де
наша сила! (Н.-Лев.).

хапатися (хвататися) / схопитися (ухопитися)
за соломину (за соломинку). Намагатися вико-
ристати будь-яку, навіть і безнадійну, можливість
вийти із скрутного становища, врятувати себе.
Коли людині загрожує смерть і нема ніякого
порятунку, вона хапається за соломину (Цю-
па); — *Писарчуком до волосної управи? Юрко, не*
вагаючись, погоджується, хапається за останню
соломинку порятунку (Малицький); *Про Гриця*
бовкнули німчикові, а той уже радий за соломинку
схопитися, аби врятуватися, Забелькотів щось
по-своєму і дозволив Грицеві обдивитися машину
(Речм.); — *Він показував.. пергамент з великою*
синьою печаткою,— вхопилася Горпина за соло-
мину..— Принеси мені той наказ. Тоді дам тобі
добру пораду.. Урвалася остання надія (Ту-
луб).

ХАПАЮТЬ: дрижаки хапають див. дрижаки.

ХАПАЮЧИСЬ: не хапаючись. Не поспішаючи;
повільно, спокійно. *Настуся вчилась дома поволі,*
не хапаючись, вчилась, як мокре горить (Н.-
Лев.); *Маріуца, не хапаючись, зав'язала хустку*
і стала перед Раду (Коцюб.).

ХАПКИЙ: хапкий на мову. Красномовний,
вправний у розмові; який вміє багато й швидко
говорити. [М а к а р:] *Та ти... Ти, звісно... хапкий*
на мову — кожне слово викрутиш і сторчака по-
становиш ...(Кроп.). С и н о н і м: **проворний на**
язик.

хапкий на руку. Схильний до крадіжок, хабар-
ництва. [О л і м п і а д а:] *Наглядай за нею, щоб*
часом чого не вкрала з комори. Щось вона мені
здається хапкою на руку (Кроп.). С и н о н і м:
нечистий на руку.

ХАПУН: хапу́н ухопи́в *кого.* Хто-небудь швидко, несподівано зник і не з'являється. [Г о л о с за садом:] *Федоро! Який там тебе хапун ухопив* [С п о к і й н і ш е] *Так немов у воду впала молодиця* (Вас.). С и н о н і м и: **як крізь зе́млю провали́вся; як у во́ду впа́сти; як коро́ва язико́м злиза́ла; як вітром зду́ло; як хап ухопи́в.**

ХАРАКТЕР: **витри́мувати хара́ктер** *див.* витримувати; **перела́мувати ~** *див.* перえламувати; **пока́зувати ~** *див.* показувати.

ХАРАКТЕРІ: **у хара́ктері,** з сл. у м о є м у, у т в о є м у, у н а́ ш о м у і т. ін. Властиве, притаманне, звичне кому-небудь. *Не обіцяю Вам, люба пані, «гримати» на Вас, бо раз, що не буде за що (так я думаю), а друге,— гримання не в моїм характері* (Л. Укр.); — *Хіба в моєму характері спізнюватись?* (Донч.).

ХАРАКТЕРОМ: **з хара́ктером.** Хто-небудь виявляє твердість, силу волі, наполегливість, витримку, принциповість, стійкість у чому-небудь. *Бабуся була з характером. Вона кинула віник... і процідила: — Як собі знаєте... Але це непорядки* (Є. Кравч.); *Тихий та лагідний був уповноважений ЦК, але, здається, з характером* (Смолич).

ХАРАМАНА: **крути́ти харама́на** *див.* крутити.

ХАРІБДОЮ: **між Сці́ллою та Харі́бдою** *див.* Сціллою.

ХАРЧ: **харч перево́дити** *див.* переводити.

ХАРЧАХ: **на харча́х** *чиїх.* На чийому-небудь забезпеченні їстівними припасами, на чийомусь утриманні.— *Од того часу я втратив заробітки, не спромігся купити другі добрі коні та й зубожів і мусив оце найнятись за двадцять карбованців на місяць на своїх харчах у одного старого тутешнього пана* (Н.-Лев.); — *Недовго їм* [банді Гальчевського] *жирувати на куркульських харчах* (Стельмах). С и н о н і м: **на хліба́х.**

ХАРЧІ: **посади́ти на казе́нні харчі** *див.* посадити.

ХАТА: **аж ха́та трясе́ться.** З великою силою, дуже сильно.— *Віват!* — *гуде окрик, аж хата трясеться* (Фр.); *Наколять* [наймички] *трісок на завтра, гупаючи коліном об долівку так, що аж хата трясеться* (Хотк.). П о р.: **аж земля́ трясе́ться; аж стіни дрижа́ть.**

по́вна ха́та *кого, чого.* Велика кількість, дуже багато кого-, чого-небудь.— *А за що ж ви п'єте? — А тобі яке діло?.. Он бач. Добра була повна хата, а тепер одна пустка зосталася!..* (Мирний); — *Що ж ви нічого не робите слабій?* — *Замфір махнув рукою.* — *Де там нічого... Ворожок та шептух була повна хата...* (Коцюб.); — *Гостей було — повна хата!* (Тют.).

ха́та скра́ю *чия.* Кого-небудь щось не стосується, не його це справа, хтось не повинен це робити, здійснювати і т. ін. *Людині завсігди страшно збагнути, узнати, що за її життя завжди хтось*

платить кров'ю: чи то рідна матір, чи замучений чужою працею батько... Для дуже багатьох це розуміння здається віддаленим від них, вони стараються не думати про це, мовби справді їхня хата скраю (Стельмах).

ХАТИ: **виносити сміття́ з ха́ти** *див.* виносити; **держа́тися ~** *див.* держатися.

до ха́ти, з сл. в е р т а́ т и с я, в е р н у́ т и с я, п о в е р т а́ т и с я, п о в е р н у́ т и с я і т. ін. До рідного краю, додому. *Знаю я: він* [мандрівник] *вернеться до хати. Він побачить приязні вогні..* (Рильський).

не вихо́дити з ха́ти *див.* виходити; **не мина́ти ~** *див.* минати; **не могти́ ~ перейти́** *див.* перейти; **~ не переле́жати** *див.* перележати; **хоч з ~ тіка́й** *див.* тікай; **хоч святи́х винось із ~** *див.* винось.

ХАТКА: **карткова́ ха́тка; картко́вий буди́ночок.** Те, що не базується, не ґрунтується на реальних фактах. *Сліпому видно, як валиться їхній* [фашистів] *картковий будиночок, а вони вдають з себе переможців* (Д. Ю. Бедзик).

як (мов, ніби і т. ін.**) картко́ва́ ха́тка; як (мов, ніби** і т. ін.**) картко́ви́й (ка́рточний) буди́ночок.** Дуже легко й швидко. [Л а р и с а:] *А-а! Мішель! Все... пропало... звалилося... як карткова хатка...* (Мик.); *Бернський інтернаціонал — штаб без армії, який розвалиться, як карточний будиночок, якщо викрити його перед масами до кінця* (Ленін); *Перед нею проходило її ситне, безтурботне життя. Спогади пекли її безсилою злістю до тих, хто це життя знищив, зруйнував, ніби карткову хатку* (Мик.).

ХАТНЯ: **ха́тня мо́рква** *див.* морква.

ХАТУ: **на всю (ці́лу) ха́ту.** 1. Дуже голосно. *Всі говорили, галасували на всю хату, не знали, де сісти, де стати* (Н.-Лев.); *Петрик розплакався на всю хату* (Стельмах); *Максим кричав на цілу хату* (Коцюб.).

2. Дуже сильно. *Лампочка без скла чаділа на всю хату* (Коцюб.); *Світла немає; червоне зарево полум'я гоготить у пузатій порепаній грубі, світить на всю хату* (Мирний).

наплюва́ти в ха́ту *див.* наплювати; **носи́ти сміття́ під ~** *див.* носити; **підвести́ під дурно́го ~** *див.* підвести.

по́вну ха́ту, з сл. н а г о в о р и́ т и, н а б а л а́ к а т и, н а г о м о н і т и, н а к р и ча́ т и і т. ін. Дуже багато. [А н д р і й:] *Незабаром он мати з дачі повернеться, то зразу наговорить повну хату* (Мороз); [К о с т ь:] *Приведе* [мати] *в школу, роздіне, нагріє, піде учителю нагомонить повну хату* (Вас.); *Тільки що сів за писання, прибіг Кравченко й накричав мені повну хату* (Коцюб.). С и н о н і м: **по́вні ву́ха.**

попори́пати у ха́ту *див.* попорипати.

ХАХИ: **ха́хи стро́їти** *див.* строїти.

ХВАЛА: **честь і хвала́** *див.* честь.

ХВАЛИТИ: жи́ти та Бо́га хвали́ти *див.* жити.
хвали́ти Бо́га (рідко **до́лю).** 1. *у знач. вставн. сл.* Уживається для вираження задоволення, заспокоєння, морального полегшення у зв'язку з чим-небудь.— *Ну, хвалить бога, що Настя знайшла собі роботу! — думала баба Зінька, поглядаючи на дочку,— а то ходе [ходить], як нежива* (Н.-Лев.); *Він поволі обводив поглядом свою сім'ю і говорив їй тільки одно: — Хвалити бога, перезимуємо. Держіться діти плуга* (Стельмах); *Живенькі-здоровенькі? — Та нічого,— кажу,— хвалити долю! Все гаразд!* (Вишня). **хвала́ Бо́гу (**бога́м**).**— *А не приходить, ні... Та й хвала богу, бо засмутилась би небіжка* (Коцюб.); [А е ц і й П а н с а:] *Питаю: де дочка? «Там», кажуть.. Хвала богам! Од серця відлягло* (Л. Укр.). С и н о н і м: **Бо́гові дя́кувати.**
2. Добре, гаразд.— *А-а-а, чумаченько...,— мертво проскрипів Гарматій.— Як ся маєш? — Хвалити бога* (Стельмах).

ХВАТА́Є: не хвата́є кле́пки у тім'ї *див.* нема.
ХВАТАТИ: зіро́к з не́ба не хвата́ти *див.* хапати; **~ за горло; ~ за живе́; ~ за се́рце** *див.* брати.
ХВАТАТИСЯ: хвата́тися за соломи́ну *див.* хапатися.
ХВАТКОЮ: ме́ртвою (смерте́льною, залі́зною) хва́ткою. 1. Дуже міцно зімкнувши руки. *Задерши.. голову вверх, якусь мить вивчав над собою новий виступ, новий зазубень, за який можна було б вхопитися і підтягтися на руках. Потім хапався за нього сильною мертвою хваткою* (Гончар); // Дуже міцно. *Гнат, розуміючи, що це кінець, впав на луку сідла і вхопився за нього руками смертельною хваткою* (Тют.); *— Здоров, здоров, сину,— привітався Гордій і залізною хваткою стиснув руку Федота* (Тют.).
2. *перен.* Надзвичайно наполегливо. *Крок за кроком, дуже повільно, але впевнено, мертвою хваткою вчепившись у роботу, іде він до виявлення помилки в зенітній ракеті* (Собко).
ХВАТКУ: на хватку́. Наспіх, поспішно. *Випив на хватку стакан чаю* (Сл. Гр.).
ХВАЦЬКА: хва́цька душа́ *див.* душа.
ХВИЛЕЧКУ: одну́ хви́лечку *див.* хвилину.
ХВИЛИН: без п'яти́ хвили́н. Майже (стати ким-небудь за професією, становищем і т. ін.).— *Ти, Марі, не знаєш, у кого ми живемо. Та він же без п'яти хвилин більшовик* (Головко).
ХВИЛИНА: вільна (за́йва) хвили́на. Не заповнений роботою, перев. короткий час. *Та пізніше, коли випала вільна хвилина, Ганна бродила березовим гайком та лугом навколо круглого озерця* (Коз.); *Пишіть до мене, якщо знайдете зайву хвилину* (Мирний).
ко́жна хвили́на дорога́ у кого, для кого. У кого-небудь напружена пора в його роботі, немає можливості вільно тратити час. *Пишу і не маю часу навіть перечитати, бо тепер у мене кожна хвилина дорога* (Коцюб.); [П р і с ц і л л а:] *З'їхались посли здалека зумисне на сьогодні. Є такі, що крадькома перебувають в Римі, хвилина кожна дорога для них* (Л. Укр.).
одна́ хвили́на (хви́ля). Дуже короткий відрізок часу. *Ліва рука від незвичайної ваги зомліла, і Харитя не могла її зігнути. Але се була лиш одна хвилина* (Коцюб.).
оста́ння хвили́на. Передсмертний час.— *Проклинаю тебе,— закричав Панас в агонії,— проклинаю моєю останньою хвилиною!* (Ю. Янов.). С и н о н і м: **сме́ртна годи́на.**
хвили́на в хвили́ну. Точно у визначений час. [С а н д р о:] *Поспішати нам треба. Хвилина в хвилину відбуватись повинні події тепер* (Лев.); *Півтори години визначив для сну — стільки й спав. Проснувся хвилина в хвилину* (І. Греб.). **хвили́нка в хвили́нку.** Сусіди прокидалися уранці *хвилинка в хвилинку і кликали нас* (Хор.).
ХВИЛИНИ: з хвили́ни на хвили́ну. У найближчий час; от-от, ось-ось. *Головнокомандувач з гостями ще був десь у дорозі. Попередили однак, що він може бути з хвилини на хвилину* (Гончар); *Солдати так зробили тому, що їм було наказано тримати людей напоготові, бо з хвилини на хвилину мав появитися комендант* (Тют.).
ко́жної хвили́ни. У будь-який момент, завжди. *Тут раз у раз вешталась кордонна сторожа і кожної хвилини могла заскочити* (Коцюб.). **ко́жну хвили́ну.** *Для тебе, моя ти єдина, Те слово сумне забринить, Бринітиме кожну хвилину, Бринітиме кожную мить* (Л. Укр.).
не ба́чити ві́льної хвили́ни *див.* бачити.
ХВИЛИНІ: по хвили́ні (по хви́лі). Через малий відрізок часу, дуже швидко. *Антін спинився, глянув на жінку і по хвилині вагання в його зірвалось: — Я бачив сон* (Коцюб.); *Відчинили хвіртку...— у вікні схитнулась фіранка. По хвилині сам господар виглянув з сіней* (Іщенко). П о р.: **за хвили́ну.**
ХВИЛИНКУ: хвили́нку ува́ги *див.* хвилину.
ХВИЛИНОЧКУ: на хвили́ночку; одну́ ~ *див.* хвилину.
ХВИЛИНОЮ: з ко́жною хвили́ною. Дуже швидко. *Дівчинка звикала до мене з кожною хвилиною* (Ю. Янов.); *З кожною хвилиною схід розростався високим вікном світання* (Гончар).
ХВИЛИНУ: в одну́ хвили́ну (хви́лю). Зараз же, дуже швидко; миттю. *В одну хвилину скочила дитина у куток; закапали від болю й страху сльози* (Коцюб.); *Потім побігла садом, збиваючи росу. Подол сорочки змок в одну хвилю і хльоскав тепер по ногах* (Хотк.). С и н о н і м и: **в одну́ мить; у миг о́ка; в оди́н миг.**
в уся́ку (у бу́дь-яку) хвили́ну. Завжди, повсякчас. *В усяку хвилину і перед ким завгодно він ладен вступитися за свого брата* (Гончар).
за [че́рез] [яку́сь] хвили́ну (хви́лю, хви́льку).

Через малий відрізок часу, дуже швидко. *Ми заїздили туди* [в гроти]. *Лягали на дно човна і за хвилину опинялись в казковому царстві* (Коцюб.); *Мерщій біжить* [сестра Мархва] *назад і через хвилину надходить з сестрою Серахвимою* (Мирний); *Окинула бистрим озирком Марися свого супутника і за хвилю знов сиділа серйозна, дивлячись у вікно* (Гончар); *Тупіт ближчає, неясно доносяться два голоси, і раптом, через якусь хвильку, він, холонучи, пізнає, що це гомонять Люба і Яків Плачинда* (Стельмах). П о р.: **по хвилині.**

ловити кожну хвилину *див.* ловити.

на [**одну (єдину, якусь)**] **хвилину (хвилиночку, хвилю, хвильку).** Ненадовго, на короткий відрізок часу. *Він головою висадив би вікно та вліз би у хату, щоб хоч на хвилину побачити Настю...* (Коцюб.); *Раптом гукнула Івга Семенівна: — Павле Макаровичу! На хвилиночку!* (Головко); *Гамір, співи, крики та п'яні прокляття невгавали й на хвилю* (Фр.); *На одну хвилину запала тиша. Всі солдати й гайдамаки прикипіли очима до двох суперників* (Довж.); *— Просим вас, не миніть моєї господи, завітайте хоч на єдину хвильку* (Гончар); *Він сів на лаві і на якусь хвильку застиг* (Кундзич). С и н о н і м: **на мить.**

ні (ані, і) на хвилину. Навіть на найкоротший відрізок часу. *Гомін не вгавав ні на хвилину* (Мирний); *Кожний напружено чекав різкого й гострого: «До зброї!». І не було ані на хвилину спокою* (Сос.).

одну хвилину (хвилиночку, хвилечку). Уживається для вираження прохання до кого-небудь спинитися і трохи зачекати. *— Я зараз, брате. Одну хвилечку* (Тют.).

піймати хвилину *див.* піймати.

у ту ж [**саму**] **хвилину (хвилю, мить).** В один час, тоді само; одразу ж, зараз же. *Ось він* [співець] *руку здійняв, в ту ж хвилину Стало тихо, неначе в могилі* (Л. Укр.); *Джмелик глянув на нього і в ту ж хвилю відвів погляд: Оксенові очі дивилися на нього запитливо, але спокійно* (Тют.); *Черниш бачив ще, що Брянський боком стрибнув кілька кроків уперед і метнув гранату, вихоплюючи в ту ж мить пістолет* (Гончар).

у цю (у сю) хвилину (хвилю). У цей момент, саме в цей час. *Прекрасний був Чиж у цю хвилину, прекрасна була кожна його риса і кожний рух* (Довж.); *Річард мовчить. В сю хвилину в хату входять Дженні і Деві і спиняються коло порога* (Л. Укр.); *Та в цю хвилю двері розчинились і ввійшли: якийсь рудобородий,.. за ним дідок кошлатий* (Тич.); *Все швидше й швидше почав перевертатися камінь.., але в сю хвилю одним скоком догнав його опришок і, поставивши ногу, затримав на місці* (Хотк.).

хвилина в хвилину *див.* хвилина; **з хвилини на** ~ *див.* хвилини.

хвилину (хвилинку) уваги. Уживається для вираження прохання вислухати кого-небудь, подивитись на когось, щось і т. ін. *Голова зборів просить хвилину уваги.*

якусь (рідше деяку) хвилину. Недовго, короткий відрізок часу. *Сідає* [Любов] *до стола, розкриває альбом, знаходить одну карточку, дивиться на неї якусь хвилину* (Л. Укр.).

ХВИЛІ: по хвилі *див.* хвилині.

ХВИЛЮ: в одну хвилю; за якусь ~; **у ту ж** ~; **у цю** ~ *див.* хвилину.

ХВИЛЮВАТИ: хвилювати (бунтувати, бентежити, розпалювати і т. ін.) кров, *перев. у кого, кого.* Розбурхувати почуття, думки, викликати неспокій, тривогу. *Плач, злість, досада разом піднімались з душі* [Мотрі], *бунтували стару кров* (Мирний); *Воля, воля і воля! Це чарівне слово.. розпалювало кров у хлопця* (Коцюб.).

хвилювати уми (почуття і т. ін.). Впливати на думки людей, збуджувати їх. *Революційні заклики Шевченка хвилювали уми й збуджували волю до боротьби тисяч людей* (Слово про Кобзаря). П о р.: **тривожити уяву.**

ХВИЛЯ: одна хвиля *див.* хвилина.

ХВИЛЬКУ: за хвильку; на ~ *див.* хвилину.

ХВІСТ: відкусити хвіст *див.* відкусити; **вожжина під** ~ **попала** *див.* вожжина; **держати** ~ **бубликом** *див.* держати; **задирати** ~ *див.* задирати.

за хвіст та на сонце (на вітер) кого. Викривати чиїсь непорядні, неправильні, негарні і т. ін. дії, вчинки так, щоб усім було відомо. *Картопля в кагатах почала горіти, а силос, то, мабуть, уже й згорів. Хто кагатував? Колода. По закутках усі гудуть, от вона і його за хвіст та на сонце* [в газету] (Кучер); *— Заробиш у колгоспі сіна — матимеш молочко, не заробиш — хай тобі бог дає...— Давно б так! — зірвалися в залі голоси.— Годі їм на чужій печі зади гріти. За хвіст та на вітер...* (Добр.). С и н о н і м и: **виводити на чисту воду** (в 1 знач.); **виводити на чисте.**

[**і**] **в хвіст і** [**в**] **гриву.** Дуже сильно, на повну силу. *Іван Петрович Котляревський давав чосу і в хвіст і в гриву не тільки богам, а й панам, підпанкам і слугам* (Літ. Укр.); *Цього нещасного Чумака мало не на всіх зборах і нарадах гріють у хвіст і в гриву. Він і відсталий елемент, він і Ковалівку назад тягне* (Кучер). **у гриву і у хвіст.** *З усіх кінців встають загони і йдуть на клич бентежних міст, щоб гайдамацькі ешелони громити в гриву і у хвіст* (Сос.).

із заячий хвіст. Дуже мало. *— Ну, я молодої* [жінки] *вже й не виню — пожила вона там зо мною із заячий хвіст!* (Збан.). П о р.: **із заячий скік.** С и н о н і м и: **як кіт наплакав; з горобину**

ду́шу; як ши́лом па́токи вхопи́ти. А н т о н і м: як за гріш ма́ку.

ми́шачий хвіст. Дуже тонка кіска або жмут рідкого волосся. *Заплетені мишачі хвостики кокетливо визирали у дівчинки з-під шапки.*

наси́пати на хвіст со́лі *див.* насипати; **наступа́ти на ~** *див.* наступати; **піджима́ти ~** *див.* піджима́ти; **пока́зувати ~** *див.* показувати; **приши́й коби́лі ~** *див.* приший; **прищеми́ти ~** *див.* прищемити; **розпуска́ти ~** *див.* розпускати; **си́пати жа́ру під ~; си́пати зайця́м со́лі на ~** *див.* сипати.

соба́ці (псо́ві, псу, коби́лі) під хвіст, *вульг.* Даремно, марно, без позитивних наслідків.— *Усе, про що ми говорили, пішло кобилі під хвіст.— Треба іншу думати думу. Надіслала ж його лиха година* (Стельмах).

схопи́ти за хвіст *див.* схопити; **трима́ти за ~; держа́ти ~ трубо́ю** *див.* держати.

у хвіст, *з сл.* с т а в а́ т и, с т а́ т и. У кінець черги, позаду всіх. *Черга була велика, але довелося стати у хвіст.* П о р.: **у хвості́** (в 1 знач.).

хвіст набік. Відвертатися від кого-, чого-небудь, бути осторонь когось, чогось.— *Щоб ви не втручалися не в свої справи,— буркнув Пугало.— Як то не в свої? — заверещала ще дужче господиня.— Звів дівчину з розуму, а тепер хвіст набік!* (Панч).

хвіст соба́чий. Той, хто нічого не важить у суспільстві. *Влада — гетьман. А гетьман, що ви собі думаєте — хвіст собачий? Гетьман — монарх* (Вишня); *Мені ще старші радили: «Молоко на губах витри»,— але я намагався пропускати те повз вуха. Що з того, що тільки шістнадцять? Адже я не хвіст собачий — я хазян* (Збан.). С и н о н і м и: **нуль без па́лички** (в 1 знач.); **не ва́ртий гроша́; не ва́ртий ви́їденого яйця́; гріш ціна́.** А н т о н і м: **ціни́ нема́.**

хвіст у зу́би. Спішно зібравшись, йти або їхати куди-небудь. *Хвіст у зуби та й подалась у місто.* С и н о н і м: **но́ги на пле́чі.**

хоч на хвіст соба́ці лий *див.* лий; **як реп'я́х у соба́чий ~** *див.* реп'ях.

ХВОРА: хво́ра душа́ *див.* душа.

ХВОРЕ: хво́ре се́рце *див.* душа.

ХВОРОБА: дитя́ча хворо́ба *чого.* Недоліки, характерні для початкового періоду розвитку чого-небудь. *На початку 30-х років Горький справедливо вказав на таку дитячу хворобу літератури, як схильність декого з письменників, як він писав, «форсити образами»* (Талант..).

не хворо́ба *чия.* Кого-небудь щось не стосується і хтось не повинен втручатися в що-небудь, турбуватися про щось.— *Якщо на предмет хлібозакупки або про м'ясо, то трудно. Не зійдуться.— Це вже не твоя хвороба, а моя. Роби, що кажуть* (Тют.).

ХВОРОБИ: щоб хворо́би наї́вся *див.* наївся.

ХВОРОБУ: на яку́ хворо́бу, *лайл.* Уживається для вираження великого незадоволення чим-небудь, що здійснюється, відбувається і т. ін.; для чого, навіщо. *На цей раз мова між дядьками йшла про те, на яку хворобу їх сюди викликали в таке рання* (Тют.).

ХВОРОЇ: вали́ти з хворо́ї голови́ на здоро́ву *див.* валити.

ХВОСТА: вкрути́ти хвоста́ *див.* вкрутити; **кото́ві ~ зав'яза́ти** *див.* зав'язати; **накру́чувати ~** *див.* накручувати; **ні голови́, ні ~** *див.* голови; **ні кола́ ні ~** *див.* кола; **тягти́ куцого за ~** *див.* тягти; **як з соба́чого ~ си́то** *див.* сито.

ХВОСТИ: вола́м хвости́ крути́ти *див.* крутити.

ХВОСТИКОМ: з хво́стиком (з хвосто́м). надлишком, з надбавкою, перев. невеликою; з перевищенням, поверх якої-небудь міри.— *Їй-богу, мало сотні карбованців.. Треба дві або й три сотні та ще й з хвостиком,— сказав Мельхиседек* (Н.-Лев.); *Шугалія посіяв півтора, Барило — гектар з хвостиком* (Кучер).

ХВОСТІ: соро́ка на хвості́ принесла́ *див.* сорока; **соро́ка на ~ рознóсить** *див.* сорока.

у хвості́ *кого, чого.* 1. *з сл.* с т а в а́ т и, с т а́ т и і т. ін. У кінці черги, позаду всіх. *Отож Віталій і вирішив узяти книжечку в клубній бібліотеці. Він прийшов туди після зміни, став у хвості досить довгої черги* (Мур.); // Позаду. *Голова колони опинилась на подвір'ї військового містечка, а незабаром і вся колона із сконфужено замовклим оркестром у хвості поволі витягнулась туди, звідкіля щойно вийшла* (Збан.). П о р.: **у хвіст.**

2. *перен., з сл.* б у́ т и, і т и́, п л е́ н т а т и с я, о п и н и́ т и с я і т. ін. Серед відсталих, серед останніх; позаду всіх. *Кучмієнко не належав до тих, хто плентається в хвості подій* (Загреб.); *Хочеш бути серед перших — учись, інакше опинишся у хвості, відстанеш від бурхливого, щодень цікавішого життя* (В ім'я вітч.); [Г а в р и л о:] *Ми видобуток даєм за себе і за вас [Галю і Марту]. Ви ж у хвості плентаєтесь* (Корн.); *Бездумно наслідуючи чужі зразки, наша українська естрада часто втрачає власне національне обличчя і йде у хвості західної поп-музики* (Літ. Укр.).

ХВОСТОМ: бі́гати хвосто́м *див.* бігати; **верті́ти ~; верті́ти язико́м як коро́ва ~** *див.* вертіти; **виля́ти ~** *див.* виляти; **з ~** *див.* хвостиком; **крути́ти ~** *див.* крутити; **ті́льки ~ мелькну́ти** *див.* мелькнути; **~ ві́йнути** *див.* війнути.

ХИБНЕ: не хибне́ *кого, що.* Хтось не обмине, не пропустить кого-, що-небудь; не можна сховатися від кого-небудь. *Та ж над тобою тож завис беркут нестримний! Він не хибне тебе, хоч як високо висить!* (Фр.).

ХИБУЄ: цьо́го ще хибу́є *див.* бракує.

ХИЛИТИ: хили́ти (клони́ти) го́лову (чоло́). 1. *перед ким і без додатка.* Виявляти покору перед ким-небудь, підкорятися комусь. *Вої його не з тих, що хилять голови: ліпше впадуть вони на полі ратнім, аніж дадуть вколодку себе забити, ганьбою невільницькою очорнити* (Міщ.); *Рутенців плем'я перед ним хилило чоло покірно І голосило на весь світ його [князя] славу безмірно* (Фр.).

2. *перед ким — чим.* Виявляти шану, повагу до кого-, чого-небудь. *Колись гордий противник усякої кривди, тепер низько клонив [суддя] перед нею голову* (Кобр.); *[Валентин:] Ареопаг, філософи премудрі чоло клонили перед ним* (Л. Укр.).

3. *тільки* **хили́ти го́лову (чоло́).** Журитися, піддаватися почуттю сильного душевного болю, безнадійності. — *Та не хили ти голови так, Тихоне. Вийшло так якось по-дурному,— і він розповідав, що голова саме поїхав був кудись, не вдалось перебалакати* (Головко). С и н о н і м: **ві́шати го́лову.**

хили́ти на своє. Настійливо, наполегливо відстоювати свою думку, переконувати в своїй правоті. *А Щука на своє хилила: — Ет, вигадки! Велике діло — миш* (Гл.). С и н о н і м: **трима́тися свого; стоя́ти на своє́му.**

ХИЛИТЬ: дрімо́та хи́лить *див.* дрімота; **сон ~** *див.* сон.

хи́лить (кло́нить) на сон (до сну́, рідко в сон) *кого і без додатка.* Кому-небудь хочеться спати. *Після невдалого ранішнього купання тут, на сонці та на вітрі, Мартинюка хилило на сон* (Дмит.); *Ми проїхали, не спиняючись, понад двісті кілометрів — і втома, ритмічне похитування на м'яких ресорах та й сама пізня пора хилили нас до сну* (Смолич); — *Щось мене,— кажу,— клонить на сон... спочину трохи* (Барв.); *Інших на сон спирт не клонить, а мене — навпаки* (Мур.); *Вечоріло. Вже покрила землю тьма, Але чом це й досі мами ще нема? Жде бабуся — не діждеться... клонить в сон* (Нех.). П о р.: **мо́рить на сон; сон хи́лить.**

ХИЛЬНУТИ: хильну́ти ча́рку *див.* перехиляти.

ХИМЕРИ: гна́ти химе́ри *див.* гнати; **снува́ти ~** *див.* снувати; **удава́тися в ~** *див.* удаватися.

ХИМИНІ: розво́дити хи́мині ку́ри *див.* розводити.

ХИМОРОДИ: химо́роди гна́ти *див.* гнати.

ХИМОРОДИТИ: хи́мороду химоро́дити, *заст.* Виявляти незадоволення, вередувати.— *Тобі здається, що він розсердився на тебе, а він, ледачий, химороду химородить* (Барв.).

ХИМОРОДУ: хи́мороду химоро́дити *див.* химородити.

ХИНДЯ: хи́ндя його зна́є, *грубо.* Невідомо, неясно, незрозуміло.— *По дворах ганяє [Панько] — все колгоспне назад стягує. Для німців усе старається...— То, може, він про людське око,*

мамо? — *А хиндя його знає* (Збан.). С и н о н і м: **хрін його зна́є.**

ХИРІ: як (мов, ніби і т. ін.) хи́рі, з сл. г о д и т и, д о г о д ж а́ т и і т. ін. Дуже сильно, занадто. *Як тій болячці, як тій хирі. Громадою годили Тому борцеві...* (Шевч.). С и н о н і м: **як боля́чці.**

ХИРЯ: ма́тері його (їх) хи́ря, *вульг.* Уживається для вираження задоволення, великого захоплення чим-небудь.— *Та й гарні ж, хиря його матері, оті котики та кролики — зовсім тобі наче живі* (Н.-Лев.); *На базарі Залізняк гукає..— Добре, сину, Матері їх хиря! Мордуй, мордуй: в раю будеш або есаулом* (Шевч.).

як [та] хи́ря. Дуже слабий, жалюгідний. *Вернувся наш запорожець Як та хиря, хиря, Обідраний, облатаний Калікою в хату* (Шевч.).

ХИСТ: не хист кому. Хто-небудь не здатний, не має здібностей до чогось. — *Тобі не хист з Енеєм биться, Не хист з Лавинією [Лавинією] любиться, Ти, бачу, здатний бить собак* (Котл.).

ХИСТУ: докла́дати хи́сту *див.* докладати.

ХИТАЄТЬСЯ: грунт хита́ється під нога́ми *див.* грунт.

ХИТАТИ: хита́ти репута́цію *див.* підмочувати.

хита́ти / хитну́ти голово́ю (голова́ми). 1. *як.* Виражати певне ставлення (схвалення, осуд, заперечення і т. ін.) до слів чи поведінки кого-небудь. *Маруся лиш хитала заперечливо головою* (Хотк.); *Петросов співчутливо хитає головою* (Донч.); *Жінки божкали, хитали головами журно й тішили стару Карпенчиху, Чумачиху* (Головко); — *Тимофій,— правдивий чоловік! — залунало навколо, і навіть Марійка Бондар, яка на мить виглянула з коридора, схвально хитнула головою* (Стельмах).

2. *на кого.* Указуючи на кого-небудь, засуджувати його поведінку, вчинки. *Люди вже стали хитати на його головою...* (Вовчок); *Дехто з знайомих хитає на мене головою,— чому нічого не подано до «Київської Старини»?* (Мирний).

3. Не схвалювати чого-небудь, виражати своє негативне ставлення до нього. *Мартоха з усіх своїх дітей найбільше любила «головату» Гапку й не терпіла, як сусіди хитали головами над дитиною та пророкували.* (Л. Укр.); *Старі шляхтичі, поглядаючи на той блискучий поїзд, тільки хитали головами* (Н.-Лев.).

4. *тільки док.* Рухом голови привітатися з ким-небудь. *На Саїдів поклін хитнула [дочка Синявіна] головою* (Ле).

5. *перев. док., на кого — що і без додатка.* Рухом голови подати якийсь знак кому-небудь або вказати на кого-, що-небудь.— *Так оце той посланець! — сказав він, хитнувши головою на Христю* (Мирний); — *Знаєш тата? Де він? — Усміхнулась.. Головою хитнула на стіну, на фотографію* (Головко).

ХИТКУ: ступи́ти на хитку́ кла́дку *див.* ступити.

ХИТНУТИ: хитну́ти голово́ю *див.* хитати.

ХИТРОЩІВ: без хи́трощів. 1. Чесний, відвертий, прямий.— *Що за охота тобі мене морочити?.. Я чоловік без хитрощів: чому ж би й тобі не говорити просто?* (П. Куліш); *Критика потрібна нам пряма, без хитрощів, без дрібної помсти, без лукавства* (Тич.).

2. Чесно, відверто, прямо. *Другий.. бовкнув без хитрощів: — Не на те втекли ми від пана Бжеського, щоб шило на швайку міняти* (Тулуб).

хи́трощів нема́ *див.* нема.

ХИХИ: хи́хи справля́ти *див.* справляти.

ХІД: дава́ти за́дній хід; дава́ти~ *див.* давати; **іти́ в** ~ *див.* іти.

на по́вний хід. Дуже інтенсивно, з максимальним навантаженням, на всю силу.— *Ну, так, я теж писав вірші на повний хід. Приємний відпочинок* (Ю. Янов.); *Прийшла весна. На повний хід ідуть роботи в рільничій бригаді* (Сільські вісті). П о р.: **по́вним хо́дом** (у 1 знач.); **на по́вному ходу́** (в 2 знач.).

по́вний хід. 1. *перев. із сл.* д а́ т и, д а в а́ т и. Дуже велику максимальну швидкість. *Машинам давши повний хід, в село — в огні, в диму — влетів танкістів батальйон* (Гонч.). П о р.: **по́вний вперед** (у 1 знач.).

2. Команда, наказ рухатися з максимальною швидкістю.— *Повний хід! — скомандував Павлик, і Євгешка відштовхнувся веслом од берега* (Донч.). П о р.: **по́вний впере́д** (у 2 знач.).

пуска́ти в хід *див.* пускати.

хід коне́м. Дія або прийом, який застосовують у крайньому випадку. [В а д и м:] *Як по прямій не можна вже ні кроку, нанось удар зигзагом, з тилу, з боку! Є хід конем!* (Лев.); *Продавець Мокій Кропильченко зробив такий хід конем: спакувавши залежані товари в ящики, він виїхав з ними вранці до лісу, а під вечір, буцімто з бази, приїхав з ними до крамниці* (Літ. Укр.).

ХЛИПАНЦЯМИ: дави́тися хли́панцями *див.* давитися.

ХЛІБ: вели́кий хліб. Високий урожай зернових. *Високий урожай, великий хліб країни... До творення цього всенародного багатства найбільш причетні правофланґові п'ятирічки* (Рад. Укр.).

відбива́ти хліб *див.* відбивати; **води́ти** ~ **і сіль** *див.* водити; **да́ти** ~ **у ру́ки** *див.* дати; **ділити** ~ **і сіль** *див.* ділити; **добува́ти** ~ *див.* добувати; **жи́ти та** ~ **жува́ти** *див.* жити.

[і] хліб і до хлі́ба. Їсти й пити.— *Все в мене поки що є: і хліб і до хліба* (Гончар); *Зріють* [пшениці] *ось уже протягом чотирьох тисячоліть, даруючи людям щедрі ужинки, щоб був хліб і до хліба* (Наука..).

їсти сухи́й хліб; їсти ~; **їсти чужи́й** ~ *див.* їсти.

ласка́вий хліб, *заст.* Милостиня. [Н е о ф і т - р а б:] *Я досі був рабом.., а ви тепера ще й жебраком мене зробить хотіли, щоб я поволі руку простягав по хліб ласкавий* (Л. Укр.). С и н о н і м: **про́ханий хліб.**

легки́й хліб (*рідко* **легкі хліба́**). 1. Засоби для існування, здобуті без важкої праці, без великих, особливих зусиль.— *Ви не думайте, що я на легкім хлібу* [хлібі] *виросла* (Фр.); *Бач — не зробив для держави добра ні на копійку, прожив життя, хитрун такий, при колгоспі на легких хлібах, а тепер йому пенсію* (Збан.). С и н о н і м: **лежаний хліб.**

2. *перев. з сл.* ш у к а́ т и, п і т и́, п е р е й т и́ *і т. ін.* Робота, що здійснюється без труднощів, без великих зусиль, або заробіток без важкої праці, без докладання великих зусиль. *Ох, боже, боже, трошки того віку, а як важко його прожити. Андрій знов не нанявся. Отак щороку. Легкого хліба шукає* (Коцюб.); *— Дбати про своє хазяйство? Хай воно завалиться, те хазяйство. Ми ж не куркулі якісь. На клаптику все одно не розбагатієш. Канцевич же більше здивувався. Чи він серйозно, чи жартує, чи на легкі хліба думає зовсім піти?* (Коцюба); *— Що ти собі думаєш, Тимофію? На легкий хліб перейти? — Мовчіть, тату, про цей легкий хліб,— невесело відповів Тимофій.— Моє начальство до першого приморозку: розділю землю по правді — і піду за чепігами* (Стельмах); *// Нескладна справа, нескладне завдання.— Попереджаю, товариші,— ми йдемо не на легкий хліб. Може, доведеться комусь загинути від кулі гітлерівця. Кому, може, доведеться в катівні кінчати молоде життя* (Ю. Янов.); *— Сідай на готове та дивись, не відпусти гайку,— повчав Сагайда Маркевича, передаючи йому взвод.. — А я не женуся за легким хлібом, піду на 1-й* [взвод]*, до молодих громадян* (Гончар). А н т о н і м: **тяжки́й хліб** .

лежаний (лежа́чий) хліб. Засоби для існування, здобуті легко, без зусиль. *Попові а котові — то лежаний хліб* (Номис); *Роботи не боюсь: треба жити, то треба й робити.. Нема ніде хліба лежаного* (Вовчок). С и н о н і м: **легки́й хліб** (у 1 знач.).

ма́ти хліб *див.* мати [2]; **неда́ром** ~ **їсти** *див.* їсти; **перепада́ти на** ~ *див.* перепада́ти; **переїда́ти** ~ *див.* переїдати; **перехо́дити на легки́й** ~ *див.* переходити; **поверта́ти** ~ *див.* повертати.

про́ханий (про́шений) хліб (шмато́к), *заст.* Милостиня.— *Гірко мені проханий хліб їсти* (Хижняк); *Проханий шматок горло дере* (Укр. присл..). С и н о н і м: **ласка́вий хліб.**

сади́ти на хліб та во́ду *див.* садовити.

свій хліб (*рідше* **свої хліба́**), *перев. з сл.* і т й, п і т й, ш у к а́ т и. Засоби для існування, здобуті власними зусиллями; власний заробіток. *Треба було й йому, скінчивши школу, злазити з батьківської шиї,— свого хліба шукати* (Мирний); *Батько з сімнадцятирічного зросту пішов на свій хліб* (Збірник про Кроп.); *Підігнуло воно* [цуценятко] *хвоста і пішло «на свої хліба». Десь щось вкраде,* десь щось на смітті випорсає або хтось недогризок підкине (Мельн.); — Може, скоро закінчить [дочка] цю семінарію та й піде на свій хліб, учительський (Козл.).

тяжки́й хліб. 1. Заробіток, здобутий важкою працею, великими зусиллями.— Тепер вірю, що буде в нас школа, хоч і тяжкий ваш [вчителя] хліб (Стельмах).

2. Робота, пов'язана з великими труднощами, зусиллями. Тяжкий хліб йому дістався. А н т о н і м: **легки́й хліб** (у 2 знач.).

хліб насу́щний (насу́шний). 1. Засоби, необхідні для прожитку, існування. Хліборобу честь і слава, перша чарка йому йде, Його праця — бо кривава Хліб насущний нам дає (Манж.); — Зваж, Артеме, що самою красою не проживеш! До краси ще й хліба насущного треба. Та й до хліба (Головко); Раніш селянина давили межі, панські володіння, вічні турботи про хліб насущний (Чаб.).

2. Щось найважливіше, найістотніше. Вугілля.. називають насущним хлібом промисловості (Роб. газ.).

хліб перево́дити див. переводити.

хліб та (і) сіль! Уживається як традиційне привітання до тих, що їдять за столом, та побажання їм приємного апетиту. Добридень,— скаже,— хліб та сіль! Здоровенькі були з весіллям, свату! (Г.-Арт.); Хліб та сіль! — привітався Шмалько.— Їмо, та свій, а ти трохи постій, може, й так ситий будеш,— відповів отаман (Добр.). **хліб-сіль!** — Хліб-сіль! — мовив [старшина], глянувши, що снідають.— Просимо,— озвалась крізь сльози Іваниха (Л. Укр.).

ХЛІБА: відрива́ти шмато́к хліба від ро́та див. відривати; **відрі́зана ски́ба від ~** див. скиба; **діли́тися оста́ннім шматко́м ~** див. ділитися; **дурне́ са́ло без ~** див. сало; **з'ї́сти ~** див. з'їсти; **ма́ти шмато́к ~** див. мати²; **недосипа́ти ноче́й та недо-ї́дати ~** див. недосипати; **перебива́тися з ~ на во́ду** див. перебиватися; **скуштува́ти ~** див. скуштувати; **~ не дава́й** див. давай; **шмато́к ~ ; шмато́к ~ стає́ попере́к го́рла** див. шматок; **як три дні ~ не їв** див. їв.

ХЛІБАХ: на хліба́х [на хлі́бі] чиїх (чийому), з сл. ж и т и, с и д і т и, р о з ж и р і т и і т. ін. За чийсь рахунок, на чийомусь утриманні. Санаторці жили на хлібах Якима Івановича Потопальського мов у бога за дверима (Збан.); — Йди з мого достатку, .. як ті розумники, що скаламутили тобі мізки і які тебе в Сибір на поселення запроторять. Тоді вже можеш плювати на мене, а тепер, поки на моєму хлібі сидиш,— зась! (Стельмах); — Наш чернечий устав кращий од монастирського. У нас, скоро чоловіка спантеличить мирська суєта, то в кучу або до кози не саджають, а зараз — іди собі к нечистій матері! Вибрикайсь на волі, коли дуже розжирів на товариському хлібі (П. Куліш). С и н о н і м: **на харча́х.**

ХЛІБОМ: жи́ти єди́ним хлі́бом; жи́ти не ~ єди́ним див. жити; **~ не году́й** див. годуй.

ХЛІБ-СІЛЬ: води́ти хліб-сіль див. водити. **хліб-сіль забува́ється.** Хто-небудь виявляє невдячність.— Стара, бач, хліб-сіль забувається.— Хіба я у вас дурно той хліб їла? (Мирний). **хліб-сіль забува́ти** див. забувати.

ХЛОСТУ: дава́ти хло́сту див. давати.

ХЛЮЩ: як (мов, ніби і т. ін.) хлющ (хлющі́, хлюща́). 1. Дуже мокрий, намоклий. І дрова мов хлющ, не горять в паровозі (Перв.); — Чоботи он приволік, як хлющі. Завтра висохнуть, як взуватимешся? (Тют.); Бурхнуло з неба, мов із бочки.. Троянці стали всі, як хлюща (Котл.). // з сл. м о к р и й, з м о к н у т и і т. ін. Зовсім, повністю. наскрізь. Біля берега річки почувся плескіт. Всі насторожились. З річки вилазить мокрий як хлющ Кайманчик (Левч.); Дощ ось-ось лине з неба, а вони ж далеченько, десь біля річки, змокнуть як хлющі (Збан.); Мокра як хлюща сорочка облипла його могутнє тіло (Коцюб.). **на хлющ.** [Зборовський:] Перетомилися всі і перемокли на хлющ, так тепер треба спочивати та сушитись (Кроп.). С и н о н і м и: **до ни́тки** (в 1 знач.); **хоч ви́крути.**

2. з сл. п'я́ н и й. Дуже, у великій мірі, надзвичайно. Насінник приходив на службу п'яний, як хлющ (Збан.). С и н о н і м: **як чіп** (у 1 знач.).

ХЛЮЩА: як хлю́ща див. хлющ.

ХЛЯПАТИ: хля́пати ву́хами див. ляпати.

ХЛЬОРУ: дава́ти хльо́ру див. давати.

ХЛЬОСТУ: дава́ти хльо́сту див. давати.

ХМАР: [аж] до [са́мих] хмар (до [само́ї] хма́ри); під [са́мі (самі́сінькі)] хма́ри. Дуже високо. [П о е т:] Бачили ви, як велике багаття кида вогонь аж до хмар? (Л. Укр.); Аеростатів загороди готові знятися до хмар (Сос.); А пожар удвоє Розгорівся, розпалався До самої хмари (Шевч.); На крайній найвищій горі.. стирчить ще одна тераса, немов величезний престол піднімається під самісінькі хмари (Н.-Лев.); Прощайте ж, соснові ліси, Рости вам під хмари (Дор.).

заса́дити з хмар на зе́млю див. засадити.

ХМАРА: хма́ра повила́ кого. Хто-небудь став дуже похмурим, невеселим, засмученим. Не великомовна була та Чайчиха, не привітна: якась хмара повила її навіки (Вовчок).

хма́ра хма́рою. 1. Дуже багато, надзвичайно велика кількість. Коли сказати, що підвід двадцять їх тут було, то, єй же то богу моєму! більш: хмара хмарою (Кв.-Осн.). С и н о н і м: **як ма́ку.**

2. Хто-небудь дуже сумний, похмурий, невеселий. Гляну на Чайчиху — хмара хмарою! (Вовчок). С и н о н і м и: **як хма́ра; як у во́ду опу́щений; як у воді́ намо́чений.**

як (мов, ніби і т. ін.) [чо́рна (грозова́)] хма́ра (ту́ча). Дуже сумний, похмурий, невеселий, невдоволений. А Чайчиха.. мов хмара чорна (Вовчок); *Усі нервувалися. Абрум ходив мов хмара* (Хотк.); *Місяць ходив Йонька як хмара грозова* (Тют.); — *Учора в них із князем Святославом була мова. Преосвященний із неї вийшов, мов чорна туча* (Шевчук). С и н о н і м и: **хмара хмарою** (в 2 знач.); **як у воду опущений**; **як у воді намочений**.

ХМАРАМИ: облягати хмарами *див.* облягати.

ХМАРАХ: витати в хмарах *див.* витати.

ХМАРИ: заноситися за хмари *див.* заноситися.

[чорні (важкі, грозові)] хмари збираються (згущуються, скупчуються, нависають) / зібралися (згустилися, скупчилися, нависли) над ким — чим, *рідко* **навколо кого — чого.** Кому-, чому-небудь загрожує неприємність, горе, біда і т. ін. *Над головою Василини збиралися чорні хмари* (Н.-Лев.); *Вони [внуки Мономаха] данину злій орді Платили й гризлись між собою, А чорні хмари над тобою [Львовом] уже збиралися тоді* (Павл.); *Чорні хмари другої світової війни скупчувалися над земною кулею* (Наука...); *Василеві було дуже важко. Йому здавалось, що навколо нього згущувались важкі хмари і свинцем лягали на плечі, на груди* (Панч); — *Скажи, хай приїжджає сьогодні на збори, бо наді мною нависли хмари* (Зар.); *Батько прикипів поглядом до телеекрана. Над улюбленою командою нависли грозові хмари* (Літ. Укр.).

ХМАРОЮ: аж пил хмарою *див.* пил; **як ~ оповитий** *див.* оповитий.

ХМАРУ: наганяти чорну хмару *див.* наганяти.

ХМЕЛЯ: за царя Хмеля *див.* царя.

ХМИЗУ: докидати хмизу в жар *див.* докидати; **підкладати ~** *див.* підкладати.

ХМІЛЬ: вивітрити хміль з голови *див.* вивітрити.

хміль б'є (ударяє) / ударив у голову *кому* і без *додатка.* Хто-небудь починає п'яніти. *Випили по чарці, по другій, по третій. Хміль ударив в голову* (Мирний); *Щоб зігрітися, взяв [майор] склянку гарячого чаю, долив його ромом і одразу перехилив його у горло. Життєдайне тепло розплилося по тілу. Хміль знову вдарив в голову* (Тулуб). С и н о н і м: **хміль розбирає**.

хміль бродить у голові *чий, кого.* Хто-небудь п'яний, сп'янів. *З аркадянами веселився [Евандр], Над варенухою трудився, І хміль в їх головах бродив* (Котл.).

хміль з голови вийшов (вискочив, вивітрився, вилетів і т. ін.) / рідше виходить (вискакує, вивітрюється, вилітає і т. ін.) у кого, *рідко* **кому, чиєї.** Хто-небудь швидко, раптово протверезився, став тверезим. — *Ох! Тікаймо швидше. Це місце не чисте,— говорив голова, в которого разом з іскрами вискочив і хміль з голови* (Н.-Лев.); *Петру був настільки обурений невдячністю дочки, що навіть хміль вивітрився з його голови* (Чаб.); — *Ти хто такий?! — Хміль вилетів з голо-*

ви старости, і він з острахом поглянув на Лавріна. — Хто ти такий? (Стельмах); — *Он як! — хміль одразу почав виходити з голови управителя* (Стельмах); *За обідом чарка ходила кругом столів, од одного краю до другого, й поки вона доходила на старе місце, хміль вилітав з голови гостей* (Н.-Лев.).

хміль не бере *кого.* Хто-небудь не п'яніє. *Князь Святослав із синами своїми сидить за столом, чує ці крики, але хміль щось не бере його* (Скл.).

хміль розбирає / розібрав *кого.* Хто-небудь починає п'яніти. *Він дивився та сміявся, як хміль розбирав її* (Мирний). С и н о н і м: **хміль б'є у голову.**

ХМІЛЬКОМ: під хмільком. У стані незначного сп'яніння. *І хоч трішечки я був, товаришу, під хмільком, а відразу помітив, що своїм приходом викликав я поміж них розгубленість* (Логв.). С и н о н і м и: **під градусом**; **під джмелем**; **під мухою.**

ХНЮПИТИ: хнюпити носа *див.* вішати.

ХОВАЄТЬСЯ: дух у п'яти ховається *див.* дух; **душа в п'яти ~** *див.* душа.

ХОВАЙ: ховай Боже! 1. Уживається для вираження побажання не принести горя, не наврочити кому-небудь своїми словами. *А дочка Оксана! Ховай боже! як панночка! Що-то за хороше!* (Шевч.).

2. Уживається для вираження небажаності, застереження від чого-небудь. *Ховай боже, не міг сказати, щоб я намовляв його на сей або на той бік* (Фр.). П о р.: **борони Боже**; **крий Боже** (в 1 знач.).

ХОВАЛОСЯ: не ховалося ніщо від ока *чийого, кого.* Хто-небудь усе помічав, усе бачив. *Він здебільшого мовчав, але від його швидкого, уважного ока не ховалося ніщо* (Смолич).

ХОВАТИ: правди нічого (ніде) ховати / сховати. Уживається для підтвердження того, що все сказане є істиною і не викликає заперечення. *Та й правди нічого ховать, Ніде нема Марусі рівні* (Греб.); *Ніде правди сховати, мені не зовсім це подобалось* (Н.-Лев.). С и н о н і м и: **правду кажучи**; **ніде правди дівати**; **нічого гріха таїти**; **ніде діватися** (в 2 знач.).

ховати голову в пісок. Уникати небезпеки, тікати від неї.— *Ти, Леоніде,— страус. Од небезпеки ховаєш голову в пісок* (Головко); [М а к а р о в:] *Я не ховаю голову в пісок і дивлюся небезпеці просто в вічі* (Лев.). С и н о н і м: **ховатися в кущі.**

ховати / поховати (сховати, заховати) кінці [в воду]. Не залишати ніяких ознак, слідів з-за якогось вчинку (*перев.* негативного).— *Мені попереду усього треба людей розумних, .. кованих на всі чотири ноги, розумієш?.. Щоб уміли робити моїм іменем.. і ховати кінці в воду..* (Фр.); *Шубан якось боком од нього .. Дениса Дмитровича це непокоїть. Невже донюхується, собацюга? Все-*

таки важко *ховати йому кінці в воду* (Прилюк); — Бачите, я цілком одверто говорю з вами. Зрештою, коли б навіть тепер подох один-два,— можна було би *поховати кінці в воду*. Але ж бо їх вісімнадцять, і всі загрожують масовим самогубством (Хотк.). С и н о н і м: **замітати сліди**.

ховáти сльозý. Стримувати плач. *Хтось... сміється оком карим, Сльозу ховаючи* (Рильський).

ховáти / схов́ати óчі (**пóгляд**). Відвертатися, не дивитися на кого-небудь, кудись від незадоволення, ніяковості, сорому тощо. *І які це зустрічі? Він очі ховає, а вона побачить його — зуби ціпить, ні слова. Горда* (Грим.); [Н и к а н д е р:] *То ти хочеш, щоб і я з громади випав, а батькові блудним сином став, щоб поза кутками огинався, од брата очі ховав?.. Ні, вже годі!* (М. Куліш; — Так я, люди, кажу? — непевно обернувся до лісовиків, але ті ховали від нього погляди* (Стельмах); — *Я на тебе моргаю, а ти сховав свої очі, неначе загорнув їх у ту книжку* (Н.-Лев.).

ховáти / схов́ати пáзури. Прикривати певним чином недоброзичливість, ворожнечу та злі наміри до кого-небудь. *Дорн сховав пазури, м'якою лапкою намагаючись обдурити Крайнева* (Собко).

ХОВÁТИСЯ: ховáтися від лю́дського óка (**від лю́дських оч́ей**). 1. Бути невидимим. *Коли київські гори курилися туманом, а Дніпро, запнувшись своєю димчатою запоною, ховався від людських очей,— по зеленій оболоні метушилися в тумані щось за тіні* (Мирний).

2. Намагатися, щоб ніхто не побачив, не помітив. *Довго сидів* [Тетеря] *при місяці... Усе щось думав і шепотів сам до себе, а потім, ховаючись від людського ока, ішов спати* (Тют.).

ховáтися / схов́атися в кущí (**по кущáх, по куткáх**). Уникати відповідальності, безпосередньої участі в чому-небудь. *Може, навіть і сумно їм* [мешканцям інших планет] *стане, що вони, як незаконні, мусять триматися осторонь, ховатися по кущах, не маючи права наближатись до людського товариства* (Гончар); [Л и ц а р:] *Та доки вже ховатись по кутках? І доки ти мене гнітити будеш?* (Л. Укр.); *Виходить так: народ вирішив створити в своєму місті індустрію, всі працюють на повну силу.., а інженер Горецький, вельмишановний спеціаліст-будівельник, вирішив сховатися в кущі* (М. Ю. Тарн.). С и н о н і м: **ховáти гóлову в пісóк**.

ховáтися в шкаралýпі *див.* **замкнутися**.

ховáтися / схов́атися за чужý спи́ну (**за чужí спи́ни**). Намагатися не робити що-небудь, ухилятися від якого-небудь обов'язку, від відповідальності за щось, перекладаючи все це на інших. — *А ти хвостом не крути і за чужі спини не ховайся, засвітив на нього оком Латочка* (Тют.); — *Ти занадто романтик. Звичайно, я не раджу тобі бути поганим воїном або ховатися за чужі спини. Я знаю, що ти на це не здатний, і, може, саме за це* найбільше *тебе люблю* (Гончар). **ховáтися за спи́ною чиєю.** — *Чому ж ти його* [пана] *хоч на повозку не. підсадив? — жартує хтось ізсередини.— Тому, що за твоєю спиною не ховався! — одказав з обидою крайній* (Мирний). **ховáтися / схов́атися за спи́ну** (**за спи́ни**) *кого, чию* (*чиї*)*.* *Лаяв себе часто Судислав за боягузтво, а коли треба було до діла, наче ненароком ховався за спини інших* (Хижняк); — *Батура допустив аварію,— сказав Анісімов.— Зірвав нам добовий графік. Але найгірше те, що він хотів сховатися за спину товариша* (Жур.).

ХОДИ: хóди і ви́ходи *див.* **входи**.

ХОДИ́: ходи́ здорóв; ходíть здорóві *хто.* Уживається як відповідь при прощанні і привітанні. *Ходи здоров, брате.*

ХОДИЛИ: рýки не ходи́ли *див.* **руки**.

ХОДИ́ТИ: без штанíв під стіл ходи́ти *див.* **бігати.**

далéко [**й**] **ходи́ти** *до кого.* Уживається для висловлення переваги кого-небудь над кимсь у чому-небудь. [Я в д о х а:] *А очі у нього,— я таки придивилась,— прямо проклятущі! Куди Терешкові до нього, далеко й ходить!* (Кроп.).

далéко ходи́ти не трéба *див.* **треба**.

за отáмана ходи́ти. Скеровувати дії інших, розпоряджатися, верховодити, отаманувати. *Настала косовиця. За отамана ходить* [Чіпка] (Мирний).

кóло смéрті ходи́ти. Бути під загрозою загибелі. *Кажуть, під землею* [в шахтах] *правди більше, аніж на землі, бо люди там коло смерті ходять* (Стельмах).

на голов́ах (**на голов́і**) **ходи́ти**. 1. Дуже бешкетувати, чинити безладдя. *Батько знову хапав за руку* [Владика] *й казав докірливо: — Ти на голові ходиш! Ану марш до дідуня* (Гуц.). П о р.: **трóхи на голов́ах не ходи́ти**. С и н о н і м: **ходи́ти догори́ ногáми**.

2. *у кого, чиїх і без додатка.* Надто нахабно діяти по відношенню до кого-небудь, знущатися з когось, розраховуючи на безкарність. *Над самими дахами з виттям проноситься літак. На череві чорні хрести. Такий, як 1941. Але тоді він ходив на головах, як пан. Тепер ніби тікає чимдуж від погоні* (Гончар).

назирцí (**по п'ятáх**) **ходи́ти** *за ким.* Невідступно бути біля кого-небудь, стежити за кимсь. *Левко кілька разів припрошував, щоб дівчина сіла на санчата, але вона віднікувалась, бо не хотілося, щоб назирці за нею ходили всі Щербини* (Стельмах). С и н о н і м: **бігати хвостóм** (у 1 знач.).

під стіл пішки ходи́ти (**бíгати**). Бути дуже малим, малою дитиною. [Г о р л о в:] *Базіка! Що він знає про війну громадянську? Під стіл пішки ходив, коли ми чотирнадцять держав били* (Корн.); — *Ну, то як, Михайле? Будеш чабаном? Хлоп'я задкує від Горпищенка,..— Я льотчиком* буду... Як Петро ваш...— Ага! — хихикає Корній.— Під стіл пішки ходить, а вже й воно розібралося, де вершки, а де відвійки (Гончар); Вони ростуть на очах. Володя Шевченко, здається, учора під стіл пішки бігав, а тепер уже рулює на комбайні (Хлібороб Укр.). С и н о н і м и: **без штанів під стіл бігати; смоктати мамину цицю.**

по людях ходити. Просити милостиню; жебракувати, жебрати. На старості їй довелося ходити по людях. С и н о н і м и: **іти з торбами; іти на жебри; ходити по миру.**

по світу (по світі, по землі) ходити. Бути живим, існувати.— Щоб ви не діждали по світу ходити, людей грабувати (Барв.); [С а м о п а л:] В мене... іменини... П'ятдесят сім років по землі ходжу, Антоне (Зар.).

трохи на головах (на голові) не ходити. Дуже бешкетувати, чинити безладдя. Музика ріже..; п'яні чоловіки трохи на головах не ходять та вибивають гопака коло молодиць (Мирний); [Хвенька:] То вона тут видає з себе тихоню, а там... Трохи на голові не ходила (Мирний). П о р.: **на головах ходити.** С и н о н і м: **ходити догори ногами.**

у неславі ходити. Мати погану репутацію. Дивуюся, чого у неславі вони ходять?

у ярмі ходити. Тяжко працювати, зазнаючи утисків, гноблення від когось.— Годі, годі, браття, у ярмі ходити! Годі, годі, браття, під неволею сидіти! (Вовчок); [Неріса:] Я справді не вдалася до того, щоб весь день у ярмі ходити так, як твоя сестра (Л. Укр.).

ходити важкою (тяжкою), заст. Бути вагітною.— Ти ходила важкою? — Ходила,— кажу.— Де ж ти дитину діла? (Мирний); — Тяжкою я ходжу, Свириде Яковлевичу (Стельмах). П о р.: **ходити на вазі.** С и н о н і м: **бути у вазі.** А н т о н і м: **ходити впорожні.**

ходити (виступати і т. ін.) півнем (півником). Триматися зверхньо, гордовито, хоробро. Зовні Микола Васильович весь помолодів, ходив півнем у «піджачку наопашки» (Рудь); Серед другокласників ходив півником та козирився Володько Гречаний — білявий, кирпатий хлопчина (Зар.). С и н о н і м и: **ходити козирем; ходити павичем; ходити королем.**

ходити впорожні, діал. Не бути вагітною. Думала: сей дуб мохнатий старенький покриє мій сором од людей луччe зеленого явора. Ні, як глянув, так і грянув: — Ти не моя дитина хрещена! Моя дитина упорожні ходила б... (Барв.). А н т о н і м и: **ходити важкою; ходити на вазі; бути у вазі.**

ходити второваними стежками див. іти.

ходити в шорах. Коритись кому-небудь, бути залежним від когось. [Ізоген:] Тепера з молодими трудно. Мов коні-неуки, рвуть поводи і не хотять ніяк ходити в шорах (Л. Укр.).

ходити голим (босим). Не мати одягу чи взуття. На мельника вода робить, а мельничка гола ходить (Укр.. присл..); — Не дам! Не дам!.. Діти голі ходять,— висока, худа молодиця в небіленій сорочці й спідниці цупкими пальцями вчепилася в грубий сувій, який тримав перед себе розлючений бандит (Стельмах).

ходити догори ногами. Дуже бешкетувати, чинити безладдя. Хлопці на перервах ходять догори ногами (Зар.). С и н о н і м и: **на головах ходити** (в 1 знач.); **трохи на головах не ходити.**

ходити за плугом. Орати, обробляти землю. [Чоловік:] За плугом ходить, косить, молотить — оце моя робота (Вас.); Як би він хотів мати зараз тиху Миронову судьбу. Непомірно жити біля такого ставочка, ходити за плугом, ростити дітей і забути усе-усе на світі (Стельмах).

ходити / заходити ходором (ходуном). 1. Сильно трястися, двигтіти, хитатися. Стіни в школі ходили ходором, а парти в сусідній хаті у дикому сполоху знімались з місця (Коцюб.); Під ногами двигтіла земля, ходила ходуном, неначе він перебував на палубі якогось корабля (Цюпа); Стіл заходив ходором; чарки й пляшки заторохтіли (Мирний).

2. Дуже швидко рухатися під час роботи, дії. Недалеко од хати під грушею Мотря терла коноплі. Її руки ходили ходором (Н.-Лев.); У хлів вривається Орися: хустка на плечах, очі горять, граблі так і ходять ходором в руках (Тют.).

3. Посилено рухатися, смикатися; то підніматися, то опускатися (про м'язи, частини тіла і т. ін.). На білому лобі блищали краплі холодного поту, високі груди ходором ходили,— так ходять вони, коли чоловікові нестає чим дихати (Мирний); Боки йому [турові] ходили ходором, руда шерсть змокріла на хлющ (Загреб.); Ковтав [Степан] пересохлим горлом слину, від чого адамове яблуко під бородою так і ходило ходуном (Кучер); — А де лишень ти знайдеш такії розмаїті пісні, що тільки зачуєш, так серце тобі ходором і заходить (Укр. поети-романтики..); Нижня щелепа неприродно заходила ходором і почала одвисати (Кучер).

4. Відбуватися, здійснюватися дуже швидко, енергійно, бурхливо. Над шляхом, у затишному дворі Гординської усе ходило ходором. За кілька днів радянські вояки встигли полагодити паркан, біля конюшні повісити двері (Чорн.); Всередині школи все ходило ходором: тупотнява, лайка, постріли. Коли Світлана.. опинилася в переповненій повстанцями учительській, там котрийсь із бійців уже тримав над головою запалений жмуток паперу (Гончар).

ходити з темними очима. Бути неосвіченим, неписьменним, неграмотним.— А хіба уже як мені, то й вік ходити з темними очима? Та як на мене, то хоч би і всі учились,— тільки за що, діти? (Вас.).

ходи́ти з торба́ми див. іти.

ходи́ти короле́м (ту́зом). Триматися незалежно, зарозуміло, гордовито; козиритися.— *Інший би на вашому місці: королем ходив по радгоспу, а він...* (Літ. Укр.); — *Сидять куркулі в комнезамі? Пролізли в щілину якусь? — Пролізли! І ходять тузами! Та звідки,— ходок озирнувсь,— Ви взнали, товаришу Ленін?* (Бичко). С и н о н і м и: **ходи́ти ко́зирем; ходи́ти павиче́м; ходи́ти півнем.**

ходи́ти лихи́м ро́бом. Діяти несправедливо, чинити погане, недобре. *Не треба вчити дітей ходити лихим робом.* А н т о н і м: **ходи́ти чи́стим ро́бом.**

ходи́ти манівця́ми. Робити щось неправильно, без жодної мети, не так, як треба.— *Зараз ви* [десятикласнік] *стоїте на порозі життя, добре тому, хто відразу піде по вірній стежці і не ходитиме манівцями* (Цюпа); — *Скажу про себе. Було, сама я ходила манівцями, бу́ла що й у хорі їхньому співала під їхній петлюрівський камертон. Сором палить тепер, як згадаю* (Гончар). П о р.: **блука́ти манівця́ми.**

ходи́ти на вазі́, *рідко.* Бути вагітною.— *Стецькова жінка ходила на вазі* (Мирний). П о р.: **ходи́ти важко́ю.** С и н о н і м и: **бу́ти у вазі́.** А н т о н і м: **ходи́ти впорожні́.**

ходи́ти навкру́г (довко́ла, круго́м та навко́ло). Не добиратися, не доходити до суті справи.— *Чого навкруг ходити, кажи простіш* (Дор.); — *Ти зразу так би й сказав. А то крутить усе, ходить довкола, а середини не показує* (Донч.); *С. Маслов сам виказав себе, згадавши головне й істотне: захоплення поміщицьких земель. Ось у чому суть. Ось у чому головне. Ось біля якого питання ходить С. Маслов кругом та навколо* (Ленін); — *І давайте не ухилятися вбік, а то все ходимо кругом та навколо. Часу у нас не так багато* (Головко).

ходи́ти навшпи́ньки (на па́льцях, ни́жче трави́) перед ким. Побоюючись кого-небудь, лестити, догоджати йому, запобігати перед ним. *Він завжди щулиться.. перед власною жінкою, хоча на словах ого-го як він команду́є своєю старою і як вона навшпиньки ходить перед ним* (Стельмах); *Перед Граб'янкою всі на пальцях ходили, а Зоньку годували штурханцями по кутках* (Л. Укр.); — *Якби тебе чоловік бив або знущався з тебе.., а то ж він перед тобою нижче трави ходить!* (Л. Янов.).

ходи́ти на же́бри див. іти; ~ **на за́дніх ла́пках** див. скакати; ~ **на поводі**; ~ **одніє́ю сте́жкою** див. іти.

ходи́ти павиче́м (го́голем). Триматися поважно, гордовито, зарозуміло, зверхньо. *Дочка була зальотна птиця..; Червона, свіжа, як кислиця, І все ходила павичом [павичем]* (Котл.); *Бунчук ходив гоголем. Його вибирали і рекомендували, куди

тільки можна було обирати та рекомендувати* (Зар.); [Г о р л о в:] *Та ну його. Це ж народ знаєш який. Командуючий зробить, вони зразу до його слави й примазуються. Ходять гоголем і ордени одержують* (Корн.); *Ходить Недужко гоголем. З погордою дивиться на односельців* (Літ. Укр.). С и н о н і м и: **ходи́ти півнем; ходи́ти ко́зирем; ходи́ти короле́м.**

ходи́ти під бо́гом, *заст.* Не знати, що трапиться з ким-небудь у житті, що є неминучим для нього в майбутньому. *Кобза.. з матір'ю увійшов у хату і, помолившись перед іконами, стиха промовив: — Не журіться, матінко, ми всі ходимо під богом* (Стор.); *Надто прикро не мати довго звісток від рідних та дорогих людей з того краю, де всі.. під богом ходять* (Л. Укр.).

ходи́ти під ву́сом, *рідко.* Бути повнолітнім хлопцем. *Було це років сорок тому, а може, й цілих сорок п'ять. Я, як кажуть, ходив уже під вусом і служив у сільського куркуля Тимохи Ломаки* (Є. Кравч.).

ходи́ти / піти́ по ми́ру. Просити милостиню, жебракувати. *Ходить* [Іван] *з Одаркою по миру, назбира шматків хліба доволі.. і їсть із дочками своїми, а після знов іде збирати* (Григ.); *Ми й покинули свою слободу і пішли по миру світ за очима* (Морд.). С и н о н і м и: **іти́ з торба́ми; іти́ на же́бри; по лю́дях ходи́ти.**

ходи́ти / піти́ по рі́зних (по і́нших) стежка́х (рі́зними стежка́ми). Мати неоднакові інтереси, уподобання і т. ін. *Життя обох — батька і сина — склалося так, що вони весь час ходили по різних стежках, які майже ніколи не схрещувалися* (Тют.). А н т о н і м: **іти́ одніє́ю сте́жкою.**

ходи́ти / піти́ по рука́х. Від одного потрапляти до іншого, бути в користуванні то одного, то другого. *Восени 1894 року Володимир Ілліч читав у нашому гуртку свою роботу «Друзі народу». Потім «Друзі народу» без зазначення автора були надруковані на гектографі і ходили по руках* (Веч. Київ); *Книжка пішла по руках* (Н.-Лев.); *Чарка пішла по руках, і люди урочисто пили за революцію* (Стельмах); *Кулемет уже пішов по руках. Житченко.. уважно розглядає його.. Передаючи кулемет Яреськові, додає: — Бережи!* (Гончар).

ходи́ти по бри́тві (по ле́зу ножа́, по ни́точці і т. ін.). Дуже тонко, вміло, вправно здійснювати складну, небезпечну справу.— *Ні, ти, Гнате, в це діло не мішайся. Давай призначимо когось із хутірських дядьків старшим по переселенню, хай він і розпоряджається. А ти завалиш усе діло. Тут по бритві ходити треба, а ти — шарах з усіх чотирьох. Так не тільки ногу, а й голову розпанахати можна* (Тют.); *Хлопці діяли відважно й хоробро, сміливо ходили по ниточці над смертю і лише нещасний випадок кинув їх до рук ворогів* (Ю. Янов.). **ході́ння по ле́зу (по ві́стрю) ножа́.** *Барак весь час був у насторозі. Безперервне* *ходіння по лезу ножа* — таким було зараз їхнє життя (Гончар); *Хоча Денис і надійний хлопець, а в нього можуть прокинутися родинні інстинкти. Це дуже небезпечна гра, ходіння по вістрю ножа* (М. Ю. Тарн.).

ходи́ти по ни́шпорках *див.* піти; **~ по п'ята́х** *див.* гнатися.

ходи́ти (стоя́ти, виступа́ти) ко́зирем. Триматися з погордою, зарозуміло, незалежно; козиритися.— *Да, Петре, от так справи. Мабуть, козирем ходив Пилип? Чи, може, він ще й не знає про цю замітку? — Ігора Оберемок сповістив* (Автом.); *— А то ж як? — кажуть, стоячи козирем, міщани* (Сл. Гр.); *Іван попереду з гармонією у руках, виступа козирем* (Мирний). С и н о н і м и: **ходи́ти короле́м; ходи́ти пі́внем; ходи́ти павиче́м.**

ходи́ти у передовика́х (у передови́х). Давати високі показники в роботі, випереджати інших у всіх справах.— *Кому тепер, як не тобі, в передовиках ходити?* (Стельмах); *— Чула, як дівчата до війни своїм льоном на всю країну прославились?.. А тітка Одарка — її тільки слухай, вона сама до війни в передовиках ходила* (Коз.).

ходи́ти у середняка́х. Не давати високих показників у роботі, займати звичайне місце. *Павло в Новій Греблі ходив у середняках. З ним більше зжилися, звиклися. Бо знали гірших* (Мушк.).

ходи́ти хвосто́м *див.* бігати.

ходи́ти чи́стим (пра́вим) ро́бом. Діяти, робити, поводитися як належить, як прийнято, по-справедливому. *Я хоч і не майстерна людина, дак учу своїх діток ходити чистим робом. Як хліба спекти, подоїти корівку... нема своєї, дак на хазяйчиній учись* (Барв.). А н т о н і м: **ходи́ти лихи́м ро́бом.**

ходи́ти як (мов, ні́би і т. ін.) по стру́нці (по струні́, по шнуру́, по шнурку́ і т. ін.). Бути дисциплінованим, слухняним, безвідмовно коритись кому-небудь, виконуючи все чітко і без заперечень. *Часто він вибухав таким гнівом, що всі домашні ходили як по струнці, чекаючи, доки перейде буря* (Тют.); *— Ге-е! — у мене так! — знову опускаючись на місце, сказав Яків,— у мене держись! Сказано по струні ходи — і ходи* (Мирний); *[І в а н:] Гори передо мною, по шнуру ходи! Ото по мені* (Мирний).

ХОДИТЬ: вітер у кише́нях хо́дить *див.* вітер; **голова́ ~ о́бертом** *див.* голова.

ХОДІ: на ході́ *див.* ходу.

ХОДІННЯ: ході́ння по му́ках. Тяжкі випробування в чиєму-небудь житті. *Йому [солдатові] були цілком зрозумілі не тільки свій брат Швандя з «Любові Ярової» або Нагульнов з «Піднятої цілини», але й наскладніші форми душевної боротьби, ходіння по муках: на його очах розкривалися людські драми* (Шамота); *Боженко поклав на стіл товсту папку своїх документів.— Свідчен-*

ня твоїх ходінь по муках? — На п'ятьох би вистачило (Дор.).

ХОДОМ: по́вним хо́дом. 1. Дуже інтенсивно, з максимальним навантаженням, на всю потужність. *Переправа йшла повним ходом, на міст ломилися машини й вози з пораненими бійцями* (Сиз.); *Зараз справа налагодилась, вантажі йдуть повним ходом* (Гончар); *Повним ходом розгорнулося будівництво «Мар'їнського моря»,— так назвали хлібороби нову водойму, яка споруджується в сухій балці річки Осика* (Хлібороб Укр.). П о р.: **на по́вний хід; на по́вному ходу́** (в 2 знач.).

2. На дуже великій швидкості. *Поїзд уже йшов повним ходом* (Ле); *[В а с я:] Одягайся ж скоріше, бо не встигнеш. [І в а н:] Я зараз. Повним ходом* (Мик.). П о р.: **на по́вному ходу́** (в 1 знач.).

сво́їм хо́дом. 1. Пішки або з участю живої сили. *Мені нічогісінько не потрібно, я піду своїм ходом, а якщо стомлюся в дорозі, то, може, якийсь кінний підвезе трохи* (Кочура); *Почувши, що десь на Тихому океані є гуляща земля, і пригадавши деякі мандри за молодих літ, запріг він, не довго думавши, свого мишастого коня й мовчки рушив на Схід «своїм ходом» у супроводі жінки Харитини й собаки Султана* (Довж.).

2. За допомогою дії свого механізму, мотора (про машину). *Чутка пішла, що з станції, десь аж за тридцять кілометрів звідси, прийде своїм ходом трактор і що тоді не треба вже на полі ні коней, ні меж* (Довж.).

холости́м хо́дом. Без потрібних, необхідних результатів, без бажаних наслідків; безрезультатно. *На ярмарок з'їздила холостим ходом.* П о р.: **на холосто́му ходу́.**

ХОДОРОМ: голова́ хо́дить хо́дором *див.* голова; **піти́ ~** *див.* піти; **ходи́ти ~** *див.* ходити.

ХО́ДУ: дава́ти хо́ду *див.* давати.

з хо́ду. 1. Рухаючись, без зупинки. *А Роман Петрович просто з ходу, не зупиняючись, закрився перцівкою і.. вискочив у протилежні пероонові двері* (Коз.).

2. Зразу, тут же, не задумуючись, і не обмірковуючи. *Катерина з ходу почала кричати про дітей, про землянку, про ліс* (Перв.); *— Ви давно встигли заїстися з ним? — Як побачились, так і заїлись,— з ходу, можна сказати* (Стельмах); // Без попередньої підготовки. *З ходу ведуть [фашисти] вогонь, стріляють, не цілячись* (Гончар); *— Нам, партизанам, дуже хотілося б знати, чи ви будете форсувати Дніпро з ходу, чи.. ви зазимуєте?* (Ю. Бедзик). С и н о н і м: **з льо́ту.**

і хо́ду. Швидко почати тікати, йти звідки-небудь. *Треба було негайно всім змиватися з танка, вибрали момент — і ходу* (Ю. Янов.); *[С е р г і й:] Дядю, милий. Це нечесно, пляшку*

з стола і ходу. *Прошу, прошу, чарочку* (Корн.).
С и н о н і м: **і ли́ги.**

не дава́ти хо́ду *див.* давати; **піддава́ти ~** *див.* піддавати.

ХОДУ́: лови́ти на ходу́ *див.* ловити.

на по́вному (на по́внім) ходу́. 1. На дуже великій швидкості. *На повному ходу нас обганяє невеличкий, меткий всюдихід «газик» з червоним хрестом* (Дарда); *На ротному одежа затліла́сь, а він: «За мною, товариші!» і на повнім ходу з вогню та під насип, а ми всією командою за ним* (Гончар). П о р.: **по́вним хо́дом** (у 1 знач.).

2. З великою інтенсивністю, на всю силу. *Вона вже працювала на повному ходу, не маючи змоги ні на мить лишатися бездіяльною* (Собко). П о р.: **по́вним хо́дом** (у 1 знач.); **на по́вний хід.**

3. Добре налагоджене, організоване що-небудь. *Там, дома, довелося залишити все господарство на повнім ходу, скотину, хату, садок, сусідів — словом, усе* (Хотк.).

на ходу́ (заст. **на ході́).** 1. Не відриваючись від якоїсь справи, якогось діла, одночасно з ними; попутно. *На ходу збирає [Кошова] капустяне коріння (торік тут був колгоспний огород), наказує запалити купи торішнього на межі бур'яну* (Вишня); *Невтомно снував [Воронцов] від підрозділу до підрозділу, виступаючи, де треба, з промовою, а в іншому місці обмежуючись веселою реплікою, кинутою на ходу* (Гончар); // Під час руху. *Її захоплено на вулиці, де вона, випнувши перед себе кужіль, на ходу виводила вовняну нитку та щось бубоніла до себе* (Коцюб.).— *Спасибі, мамо!..— сказав Максим і гроші на ходу заховав у кишеню* (Мирний); *Офіцери пробігали вперед, на ходу поправляючи пілотки* (Гончар). С и н о н і м: **на лету́** (в 2 знач.).

2. Зразу, дуже швидко і без особливих зусиль. [К а т р и ч:] *Магазинчик у нас акуратний, продавці-розбитні, до людей уважні, обслуговують їх прямо-таки на ходу* (Мороз). С и н о н і м: **на лету́** (в 1 знач.).

3. Завжди в дії або готовий до дії. *Бригада слюсарів.. стежить за тим, щоб електротокарне господарство завжди було «на ходу»* (Веч. Київ); *Хай вантажна стріла труду Буде вірна, як руки робочі, І машини нехай на ходу Будуть в бур'яні й темні ночі* (Забашта).

на холосто́му ходу́. Без потрібних, необхідних результатів, без бажаних наслідків; безрезультатно.— *На холостому ходу працюємо! — Тобто як? — А так, Митричу, поту багато, а толку мало* (Панч). П о р.: **холости́м хо́дом.**

рва́ти підме́тки на ходу́ *див.* рвати.

у ходу́ у кого. Що-небудь широко використовується, часто застосовується і т. ін. *В ходу у нас вислів: трудова активність. І зараз значення такої активності не знижується, навпаки, вона повинна зростати* (Роб. газ.); *Людський товар у них [в*

Америці] *здавна в ходу. Вони собі, замість строковиків, негрів-арапів понавозили кораблями з Африки* (Гончар).

ХОДУНО́М: ходи́ти ходуно́м *див.* ходити.

ХОДЯТЬ: аж ре́бра хо́дять *див.* ребра; **дрижаки́ ~ по спи́ні** *див.* дрижаки; **но́ги ~** *див.* ноги.

ХОДЯ́ЧА: ходя́ча газе́та *див.* газета; **~ енциклопе́дія** *див.* енциклопедія; **~ со́вість** *див.* совість.

ХОДЯ́ЧИЙ: ходя́чий дові́дник *див.* довідник; **~ мертве́ць** *див.* мертвець.

ХОЛЕ́РА: холе́ра з ним, лайл. Уживається для вираження вимушеної згоди з чим-небудь, втрати інтересу до кого-, чого-небудь.— *Золота ж стільки маю,— мимрив розчулено,— а толку ніякого...— То холера із ним, з тим золотом,— убік бубоніла Надія.— Воно ні здоров'я не дасть, ні віку не доточить* (Гуц.). С и н о н і м и: **грець з ним; хрін з ним.**

що за холе́ра?, лайл. Уживається для вираження незадоволення, здивування і т. ін. з приводу чого-небудь. *Вийшла туди, коли глип — аж ніби видніти почало. Що, думаю собі, за холера така? Ще й треті півні не співали, а вже розвидняється* (М. Ю. Тарн.). С и н о н і м и: **що за біс?; що за чортови́ння?**

ХОЛЕ́РИ: щоб холе́ри наї́вся *див.* наївся.

ХОЛКУ́: ми́лити хо́лку *див.* милити.

ХО́ЛОД: [і] хо́лод і (та) го́лод. Важкі життєві умови з повною матеріальною незабезпеченістю.— *А маленьким же.. чого тільки не було йому: і холод, й голод — усе було волам чужим хвости крутить* (Тесл.). **го́лод і [та] хо́лод.** *Отак жив Чіпка, ріс, виростав у голоді та в холоді, у злиднях та нестачах* (Мирний); [Й о г а н н а:] *Своїм достатком я йому служила і всій його громаді помагала, щоб міг він мати скрізь собі притулок, щоб голоду й холоду не знав* (Л. Укр.).

ки́дати в хо́лод; ки́дати то в жар, то в ~ *див.* кидати.

хо́лод пробира́є (прийма́є) / пробра́в (пройня́в) [до кісто́к (від голови́ аж до ніг, все ті́ло і т. ін.)] кого і без додатка. Кому-небудь дуже холодно або когось охоплює сильний озноб від переляку, несподіванки і т. ін. *Холод пробирав до кісток: при цілковитому безсніжжі мороз досягав кільканадцять градусів* (Гончар); *Вогню не розпалювали [донбасівці]. Холод пройма до кісток, земля замерзла* (Ю. Янов.); *Холод її пройняв від голови аж до ніг, і вона сама не знає— кому і чого уклонилася* (Мирний); *Ранній холод пройняв аж до костей [кісток], і ми [розвідники] тулилися один до одного, ніби хотіли зогрітись* (Ірчан). С и н о н і м и: **моро́з дере́ по шку́рі** (в 1 знач.); **моро́з іде́ по́за шкі́рою** (в 1 знач.).

хо́лод пробира́ється до ті́ла *див.* мороз.

ХОЛОДКО́М: з холодко́м. Лінуючись, без особливого інтересу, без напруження сил. *На сторін-*

ках газет він ділиться своїм досвідом з молодими овочівниками і гостро критикує тих, хто працює з холодком (Рад. Укр.).

ХОЛОДНА: холодна жаба сидить під серцем *див.* жаба.

ХОЛОДНЕ: дути на холодне *див.* дути; і на ~ дмухає *див.* дмухає.

ХОЛОДНИЙ: холодний піт проймає *див.* піт; як ~ душ на голову *див.* душ.

ХОЛОДНИМ: обливатися холодним потом *див.* обливатися; ~ вітром повіяло *див.* повіяло.

ХОЛОДНО: ні холодно ні жарко *кому.* Кому-небудь все байдуже, хтось не звертає уваги на щось, не виявляє зацікавлення до чого-небудь і т. ін. [С е р е д а:] *Я стою за Івана — проти Яроша.* [Ж у р а в е л ь:] *Але Івану від цього ні холодно ні жарко* (Мик.); *— Ти ж знаєш мій характер! — А мені від нього ні холодно ні жарко* (Рєзников). С и н о н і м и: **ні гаряче ні зимно; ні знобить ні гріє.**

ХОЛОДНОЮ: з холодною душею *див.* душею; **линути ~ водою** *див.* линути; **як ~ водою обдати** *див.* обдати.

ХОЛОДНУ: не братися за холодну воду *див.* братися; ні за ~ воду *див.* воду.

ХОЛОДОМ: обдавати холодом *див.* обдавати; ~ дихати *див.* дихати; ~ повіяло *див.* повіяло.

ХОЛОДУ: наганяти холоду *див.* наганяти.

ХОЛОНЕ: кров холоне у жилах *див.* кров; **серце ~** *див.* серце.

ХОЛОСТИМ: холостим ходом *див.* ходом.

ХОЛОСТОМУ: на холостому ходу *див.* ходу.

ХОМА: Хома невірний (невірячий). Людина, що сумнівається, не вірить у що-небудь. *Я став з якогось часу невірним Хомою, що поки не вкладу руку в рани — не можу бути цілком певним* (Коцюб.); *—«А в те, що Василь Олександрович написав понад двадцять педагогічних книг, ти віриш?» Той тільки знітив плечима: «Ну, так це всякий знає». «То чого ж ти, Хомо невірний, не напишеш хоч одної»* (Цюпа); *Вони сходились згодом на винограднику, і сором'язливо посміювалися.. І вони їли виноградні грона... Коли ж це все було, спитає хтось із Хом невірячих* (Рудь).

як Хома на войні *див.* Марко.

ХОМУТ: попасти в хомут *див.* попасти.

хомут на шиї (на шию). Кабала, залежність.— *Хіба ж це жених для моєї Насті! Троє хлопців тепер у сім'ї на сім десятин (ті чотири десятини ще хомут на шиї, поки виплатять за них в банк!)* (Головко); *Куди поткнешся за позичкою? До того ж Гмирі чи Пожитька? А це вже хомут на шию* (Головко).

ХОМУТІ: як свиня в хомуті *див.* свиня.

ХОРОБИ: з хороби, *діал.* Дуже, у великій мірі.— *Правда ж, із хороби розумний Хома Прищепа? — Із хороби розумний* (Гуц.).

щоб хороби наївся *див.* наївся.

ХОРОБРОГО: не хороброго десятка *див.* десятка.

ХОТІВ: плювати я хотів *див.* я.

ХОТІТИ: не хотіти знати *кого, що.* Не звертати увагу на кого-, що-небудь, не рахуватися з кимсь, чимсь, не визнавати когось, щось. *Хазяїн коло його спершу миром та ласкою, показує й розказує — як і що, й коли робити... Так же Чіпка нічого й знати не хоче!* (Мирний); *Очі блакитні їй любі, і ніяких інших вона знати не хоче* (Гончар).

ХОЧЕ: чого душа хоче *див.* душа.

ХОЧЕТЬСЯ: скільки хочеться (хочеш, хоч). У достатній, у великій мірі, в необхідній кількості; вдосталь:— *Дивуєтесь, може, чому мені така фантазія прийшла в голову? Ну, дивуйтеся собі скільки хочеться* (Хотк.); *Та не було, видно, ще й в Антанти, ні в самого чорта таких снарядів, які могли б видовбати хлопців із схованої рідної землі, з портових підвалів та погребів! Бий, сади собі, скільки хочеш, коли снарядів не жалко!* (Гончар); *Пий, душе, скільки хоч, призволяйся усмак! А любив він гарненько поїсти...* (Граб.). С и н о н і м: **скільки душа забажає.**

що хочеться *див.* що.

ХОЧЕШ: коли (якщо) хочеш (хоч), *у знач. вставн. сл.* Уживається, щоб зосередити на чому-небудь увагу співбесідника, щоб змусити його сприймати висловлене саме так.— *Так, справді, просто й, коли хочеш — доцільно* (Ле); *Ваш голос мені аж ніби знайомий. А я Лук'янів син — Данило, коли хочете* (Панч); *[Петро:] Коли хоч, Галю, то не без правди і в річах Луки Семеновича* (Мирний).

скільки хочеш *див.* хочеться.

хочеш не хочеш. Залежно від обставин, а не від чийогось бажання. *Трапилося так, що під самим Фастовом обломилася карета і, хочеш не хочеш, довелося заїхати до схизмата* (Панч).

хто хочеш *див.* хто; **що ~** *див.* що.

як собі хочеш. Однаково, все одно, незважаючи ні на що.— *От, тату, дали мені жінку, тепер візьміть її собі, бо я з нею не житиму..— Чому ж це так?..— Як собі хочете, а ми вкупі не будемо...* (Коцюб.); *Тритузний, мабуть, теж мав за спиною неабиякий досвід цієї складної ходьби, бо почувався аж надто впевнено, наперед похвалявся: — Головний приз буде мій, це вже як собі хоче* (Гончар).

ХРАП: мати храп *див.* мати ².

ХРАПОК: на храпок, *перев. із сл.* б р а т и, *діал.* Нахабно, силоміць. *Усе на храпок бере* (Укр. присл..).

ХРЕБЕТ: гнути хребет *див.* гнути; **ламати ~** *див.* ламати

становий хребет. Що-небудь найголовніше, життєво важливе. *Любов і шана до батьків,* *повага до праці — становий хребет у вихованні молодої людини.*

ХРЕБТА: живіт присóх до хребтá *див.* живіт; **ламáти** ~ *див.* ламати; **не мáти чим** ~ **прикрúти** *див.* мати [2].

ХРЕСТ: бий тебé хрест *див.* година; **донестú важкúй** ~ ; **нестú свій** ~ *див.* нести.

от (ось) тобí (вам) хрест [святúй], *заст.* Запевнення в чому-небудь як клятва, заприсягання у правдивості своїх слів, дій і т. ін. *Усе обіщається [Хома]: «Не збрешу; от тобі хрест...» — та й перехрестився* (Кв.-Осн.); — *Руська земля велика, а в нашого брата доля одна і шлях один, тому, вірю, стрінемось. От тобі хрест* (Рибак). **от хрест святúй.** — *Ти боїшся страшного суду? — Та... ні! Іване Володимировичу, от хрест святий, не боюсь* (Довж.). С и н о н і м и: **побúй менé хрест; хай менé хрест побʼé; грім би менé вдáрив; хай менé грім побʼé.**

побúй (убúй) менé [святúй] хрест, *заст.* Уживається як запевнення в чому-небудь, як клятва, заприсягання в правдивості своїх слів, дій і т. ін. — *Я підхожу... Ах, брат,— отакенна гадючище!.. — Ну? Ій-богу? — От побий мене хрест святий!* (Мирний); — *Яків, це вже ти розмолов усім? — Хрест мене вбий — не я! Я сьогодні і не бачив її,— залупав зляканого очима Яків* (Вас.); — *Пропала б, хрест мене побий, пропала б!* (Довж.); — *Я ж тобі казав: нема зараз [грошей], а поштою, побий мене хрест, вишлю* (Стельмах). П о р.: **хай менé хрест побʼé.** С и н о н і м и: **грім би менé вдáрив; хай менé грім побʼé; от тобí хрест.**

побúй (убúй) тебé (його, її, їх) хрест [та його святá сúла], *лайл.* Уживається для вираження великого незадоволення чим-небудь. *Карпо зареготався.— Бач, як гигоче... Хрест тебе побий та його свята сила, іродове племʼя! — почав клясти чоловік* (Мирний). С и н о н і м и: **грім би тебé побúв; бий тебé лихá годúна; хай тебé бог побʼé.**

стáвити хрест *див.* стáвити.

хай (нехáй) менé [святúй] хрест побʼé, *заст.* Уживається як запевнення в чому-небудь, як клятва, заприсягання в правдивості своїх слів, дій і т. ін. — *От хай мене хрест побʼє, коли неправда!* (Мирний); — *Хто? Я? — крикнув погонич і скочив з козел.— Та нехай мене святий хрест побʼє, коли я що вкрав* (Н.-Лев.). П о р.: **побúй менé хрест.** С и н о н і м и: **грім би менé вдáрив; хай менé грім побʼé; от тобí хрест.**

ХРЕСТА: давáти хрестá *див.* давати; **як з** ~ **знáтий** *див.* знятий; ~ **немá** *див.* нема.

ХРЕСТИ: альóр три хрестú *див.* альóр.

ХРЕЩЕННЯ: бойовé хрещéння. Перше серйозне випробування в якій-небудь справі. *Ніна вільно зітхнула: молодці, дівчатка, витримали бойове хрещення* (В імʼя Вітч.); — *Нічого, в кожній справі найголовніше — бойове хрещення. Ви вже його пройшли* (Дмит.).

ХРИПОТИ: до хрипотú, з сл. к р и ч á т и, с п і в á т и і т. ін. Дуже сильно, дуже голосно. *Кожну мить можна було чекати, що сюди налетить каральний загін, і тому він до хрипоти кричав, щоб люди йшли геть від залізниці і добиралися до лісу* (Петльов.).

ХРИСТА: мáти Христá в душí *див.* мати [2].

Христá рáди; рáди [самóго] Христá (Христá-спáса), *заст.* 1. Уживається як звертання при просінні милостині.— *Далеко, небого? — В саму Москву, Христа ради, Дайте на дорогу!* (Шевч.); *Я старець божий, ясновельможний князю! прошу милостині, христа ради* (Н.-Лев.); // *з сл.* п р о с т я г á т и р ý к и (р ý к у). За подаянням, за милостинею. *Людей, людей неприязних благаєш, І Христа ради простягаєш Коло зачинених дверей Старії руки* (Шевч.); *Раз якось, простягаючи Христа ради од хати до хати руку, помітила Явдоха в одному дворі на вірьовці розвішані два здоровенних платки* (Мирний).

2. З милості, з ласки. *Покинула [вдова] знову хату. Синову господу; Пішла в найми.. «Стара, кажуть, стала, Нездужає...» — і огризок В вікно подавали Христа ради... Не дай, боже, такого дожити* (Шевч.); — *Прикажіть ради самого Христа-спаса, щоб усі гнобителі — бодай вони шибениці не минули! — не знущалися з баби Горпинихи? Що я їм такого зробила?* (Мирний).

3. Уживається при наполегливому проханні здійснювати, робити і т. ін. що-небудь.— *Ти не знаєш, де Сидір живе? — Не знаю!.. — одказав Лушня.— Тимофію! та скажи, Христа ради... — Що я тобі скажу?* (Мирний); *І мовив мученик: «Ченці, ради Христа, Давайте ще вогню! Вогонь моя відрада»* (Л. Укр.); *Річенко підняв голову з крісла і протягнув до неї руки,— скажіть, ради самого Христа: були ви щасливі коли-небудь? Дало вам щастя се ваше мізерне життя?* (Хотк). П о р.: **на Бóга; рáди Бóга.**

як у Христá за пáзухою *див.* Бога.

ХРИСТА-СПАСА: рáди Христá-спáса *див.* Христа.

ХРИСТОВА: Христóва невíста *див.* невіста.

ХРИСТОВИЙ: Христóвий слугá *див.* слуга.

ХРИСТОМ: Христóм-Бóгом благáти *див.* благати.

ХРІН: мáтері твоéй хрін, *лайл.* Уживається для вираження незадоволення чим-небудь.— *Тут би добратися до джерела, так ні, матері твоїй хрін.* С и н о н і м: **мáтері його ковíнька** (в 1 знач.).

старúй хрін. Уживається для вираження негативного ставлення до немолодого чоловіка, незадоволення його діями, вчинками і т. ін. [П о л к о в н и к:] *Сотник Розмазня — старий хрін і ненавидний мені гірш дідька!..* (Кроп.); — *Посторонись! — відштовхнув поранений угорця.— Плутаєшся тут, старий хрін* (Гончар); *Ста-*

рий хрін, усе б йому гульки та гульки, усе б із молодицями хихоньки-хихульки (Гуц.).

хай (неха́й) йому́ (їм, їй *і т. ін.***) хрін.** Уживається для вираження великого незадоволення чим-небудь.— *Ну,— каже,— це й дудка! Ху! Хай йому хрін! Ніяк ніг не вдержиш* (Тич.); — *А бодай тебе гатила лихая година! Якщо й на тому світі доведеться так їздити, то нехай йому хрін!* (Дн. Чайка). С и н о н і м: **хай йому́ біс** (у 2 знач.).

хрін з ним (з тобо́ю, з не́ю *і т. ін.***).** Уживається для вираження уступки, вимушеної згоди з чим-небудь, втрати інтересу до кого-, чого-небудь; нехай буде так, як є.— *Ну й що ж, нехай собі в них оця атомна [бомба],— чує Охтирський молодий голос. Із сусіднього купе.— І хрін з нею.. Значить і в нас така є...* (Мур.). С и н о н і м и: **грець з ним; холе́ра з ним.**

хрін його́ [ба́тька] зна́є (зна), грубо. Невідомо — чому, незрозуміло, з якої причини, ніхто не знає. *Сусіда Іван справді добрячий чоловік,— отак, хрін його зна, за що й посварилися...* (Коцюб.); — *У бога начебто і не віримо вже. Чи як ви, братця?..— А хрін його зна! То віруєш, то не віруєш* (Головко); // Невідомо хто. *Забіг отой же в галіфе, Бубон чи Балалайка, хрін його знає* (Збан.). С и н о н і м: **хи́ндя його́ зна́є.**

хрін не взяв *кого.* Уживається для вираження захоплення чим-небудь. *От так Еней жив у Дидони,.. Бо — хрін його не взяв — моторний, Ласкавий, гарний і проворний, І гострий, як на бритві сталь* (Котл.).

яки́й (рідко кий) хрін. 1. Хто, хто такий. *Сиділи там [у пеклі] скучні піїти, Писарчуки поганих вірш, Великії терпіли муки.. От так і наш брат попадеться, Що пише, не остережеться, Який же втерпить його хрін!* (Котл.); — *А ти бачиш, кий воно хрін ворушиться на горбі?..— Не інакше, як людина* (Донч.). С и н о н і м: **що за холе́ра?**

2. Що, що таке. *Показились десь діти, чи який хрін. Одно затялося, каже, що не буде вкупі жити, а друге й собі тієї співає...* (Коцюб.).

ХРІНА: до хрі́на. Дуже багато, безліч. *Звідтіль навпростець Махає [Рябко] до овець, До клуні, до стіжків, до стайні, до обори; То знов назад чимдуж, щоб часом москалі (А їх тоді було до хріна на селі), Щоб москалі, мовляв, не вбрались до комори* (Г.-Арт.). С и н о н і м и: **до чо́рта; до бі́са.**

ХРІНОВА: хрі́нова ма́ти *див.* мати [1].

ХРІНОВІ: хрі́нові ді́ти *див.* діти.

ХРІНУ: до хрі́ну. Для чого, навіщо. *Почувши се, птахи і подумали: «Правду мовить ворона. До хріну нам такий цар здався!»* (Фр.). С и н о н і м и: **на бі́са; на бі́сового ба́тька; на яко́го ді́дька.**

мов (на́че *і т. ін.***) тертого хрі́ну понюхати** *див.* понюхати; **підно́сити те́ртого ∼** *див.* підносити.

ХРОБАКА: заливати хробака́ *див.* заливати.

ХРОПАКА: дава́ти хропака́ *див.* давати; **да́ти вічного ∼** *див.* дати.

ХТО: ма́ло хто *див.* мало.

не хто і́нший, як... Саме ця особа. *Чутка про те, що побито іскрівців і що командир «Іскри» не хто інший, як колишній голова троянівської артілі Оксен, облетіла район одним подихом* (Тют.). С и н о н і м и: **хто, як не; та вже не хто.**

та вже не [ж] не хто. Саме той, про якого йде мова.— *Сам каже. Сам. Бачили? бачили? Червонопикий та сердитий який.— Хто сам? — Та вже не хто.— Колісник* (Мирний); [П а р а н ь к а:] *Чуєте, тату, он Пантелей Іванович щось хоче вам сказати. [П і в е н ь:] Гусак? [П а р а н ь к а:] Та вже ж не хто* (Мик.). С и н о н і м и: **хто, як не...; не хто і́нший, як...**

хоч [би] хто. Всякий, будь-хто, кожний. *Почув би ти, що Шпак розумний каже,— Завидно стане хоч кому* (Гл.); *Грицько бачив: Чіпка хоч кого підхилить під себе, й боявся... боявся за Христю!..* (Мирний); — *Нічого не скажеш,— крутив головою Мусій,— біда хоч кого навчить на скрипку грати...* (Перв.). С и н о н і м и: **хто завго́дно; хто хо́чеш.**

хто б поду́мав (міг поду́мати). Уживається для вираження подиву, обурення і т. ін. з приводу чого-небудь несподіваного, непередбаченого і т. ін.— *Де ж ти його [танкіста] бачив, татку? — Вгадай... І хто б подумав! В сараї у Тесленчихи...* (Гончар); — *За ката певно Яким...— кинула наче про себе Сусанна.— Яким.— Хто б міг подумати! Виняньчив нашого хлопця... Доря так його любить* (Коцюб.). С и н о н і м и: **ніко́ли б не поду́мав; поду́мати ті́льки.**

хто б там (то) не був. Кожний, будь-хто, всякий з цього ряду. *Врангелівські корпуси з'єднуються в районі станції Апостолово і розвивають звідти удар на захід, в глибину Правобережної України назустріч західним союзникам — Пілсудському, Петлюрі чи кому б там не було* (Гончар).

хто в що. По-різному, по-своєму, відповідно до власного бажання й до власних можливостей. *Оглушені, мовчки дивилися ми з-під важких повік сонними очима на те, як під пошматованим дахом корівника вже перед вечором розташовувався цілий натовп якихось одягнутих хто в що, свіжих, гамірливих людей* (Коз.).

хто [ж] ба́чив (вида́в), з інфін. Уживається для вираження обурення чимось, засудження чиїхось дій, вчинків, чиєїсь поведінки і т. ін. *Хто ж видав, насадити таку силу сих лелій, та ще й білих?* (Л. Укр.); *Хто видав так говорить матері!* — сказала Кайдашиха навчаючим голосом (Н.-Лев.).

хто завго́дно (попа́ло). Перший-ліпший, будь-хто, всякий. *Нехай би хто завгодно приїхав і подивився — таку красу не можна не похвалити* (Ю. Янов.); [Ф а о н:] *Мені, сказати правду, навіть прикро, коли я чую, як по всіх усюдах* *співає хто попало ті слова* (Л. Укр.). С и н о н і м и: **хоч хто; хто хо́чеш.**

хто [ж його́ (тебе́, їх *і т. ін.***)] зна́є (зна).** Невідомо, неясно, ніхто не знає. *Хто знає, може, наш метелик так і вік свій короткий звікував би у темряві самотній,— та інша доля судилася йому* (Л. Укр.); *— Замок добрячий, гвинтовий, так що не повинно добратися. А там хто ж його знає. Треба пильнувати* (Тют.); *— А що ви дасте? — Та хто тебе знає, що ти хочеш? — І я не знаю, кажу.— Я ще ніде не служила за гроші і не знаю* (Мирний); *Іде та йде [Іван-царенко], дійшов до моря, глянув — море, кінця йому не видко; і де той острів, хто його зна!* (Укр. казки). **хто зна його.** *Хто зна його, де він брав ті прізвища! Неначе зумисне позаписував їх у своєму дурному поминальникові* (Н.-Лев.). П о р.: **бог зна́є; святий його зна́є.**

хто його розбере́ *див.* Господь.

Хто кого. До цілковитої перемоги однієї з супротивних сторін.— *Сиджу я ото ніч, сиджу й другу, і третю сиджу, і четверту, і п'яту — нема іродового сина. Кріпкий, канальський!.. Ну це вже таке діло — хто кого* (Хотк.).

хто куди́ [ба́чив (попа́в)]. У різні місця, у різні боки; урізнобіч. *Як схарапуджена отара, кинулись вони врозтіч... хто куди! Дехто в другі села, інші в ліси та болота* (Мирний); *На паровозі бійка. На страшному льоті посипались солдати з вагонів, хто куди. Летить поїзд* (Довж.); *Хлопці поховалися в кущі й відстрілювалися деякий час, але коли свист отамана дозволив утечу, всі порскнули — хто куди бачив* (Хотк.); *Тут.. усі рушили із-за стола, та, хто куди попав, мерщій надвір дивитися, як будуть танцювати* (Кв.-Осн.).

хто у луг, а ~ у плуг *див.* той.

хто хо́чеш (хоч). Кожна, будь-яка, перша-ліпша людина.— *У нас у Січі приїжджай хто хоч, устроми ратище в землю, а сам сідай, їж і пий хоч трісни,— ніхто тобі ложкою очей не поротиме* (П. Куліш). С и н о н і м и: **хто завгодно; хоч хто.**

хто, як не... Саме той, про якого йде мова. *Хто, як не Багіров, викрав у Трансільванії в німців кухню з недовареною кашею і прогуркотів з нею серед ночі через усю нейтральну смугу?* (Гончар). С и н о н і м и: **та вже не хто; не хто і́нший, як...**

як (мов ні́би *і т. ін.***) хто ки́нув гаря́чого при́ску на кого.** Хто-небудь раптово відчув сильне хвилювання, збентеження і т. ін. *На Мар'ю наче хто кинув гарячого приску* (Мирний). П о р.: **як при́ском обси́пати.**

як (мов, ні́би *і т. ін.***) хто [ноже́м (серпо́м)] різну́в (різону́в, уда́рив** *і т. ін.***) [по се́рцю] кого.** Кому-небудь стало боляче, дуже прикро.— *Не жилець він..— мов хто серпом різнув по серцю Уляну, так тії Грицькові слова* (Мирний); *Софію наче хто різонув по серцю. Нещасна дитина, як їй хочеться, мабуть, мати годинника* (Дім.); *Юлдаш раптом відчув, що ці слова шпигнули його в самісіньке серце, наче вдарив хто гострим ножем* (Донч.).

як (мов, ні́би *і т. ін.***) хто підміни́в кого.** Хто-небудь зовсім змінився, став іншим.— *Розумієте, Тарасе Демидовичу, моїх учнів ніби хто підмінив. Ваш патефон подіяв магічно* (Збан.); *Після того, коли повернулася з суду над Княжевичем та побувала на заводі у наших шефів, жінку наче хто підмінив* (Кучер). П о р.: **як підміни́ли.**

ХУДОЖНИКА: досто́йний пе́нзля худо́жника *див.* достойний.

ХУКА: да́ти хука́ *див.* дати; **~ усу́чити** *див.* усучити.

ХУСТКУ: зав'яза́ти ху́стку *див.* зав'язати.

ХУТРІ: на ри́б'ячому ху́трі. Який погано гріє (про верхній одяг).— *Хоч обстібайтеся, товаришу,— сказав щиро Цигуля Григорові,— бо надворі бере. А в вас, бачу, пальтечко на риб'ячому хутрі* (Головко); *Степан Васильович кидає припорошену щуку прямо в кишеню благенького, на риб'ячім хутрі пальтечка* (Стельмах). С и н о н і м и: **підби́тий вітром** (у 1 знач.); **ри́б'ячим пу́хом підби́тий.**

Ц

ЦАБЕ: вели́ке цабе́, *перев. ірон.* Поважна особа, яка займає високу посаду або має велику вагу, великий вплив у суспільстві, в якомусь колективі.— *Ти думаєш, як ти отаман, то й велике цабе? Били ми й не таких панів, як ти!* (Н.-Лев.); *— Не тобі вчити! Яка грамотійка! Коли вже десять класів пройшла, то вже думає— цабе велике!* (Вол.); *— Поговори ще, то нічого не дамо.— Нема, Іване, такого права, і ти на зборах, звиняй, ще не велике цабе,— понуро відрізав полісовщик.— Що, я невгодного чогось хочу?* (Стельмах); //

в чому. Відома, знаюча в певній галузі особа. *Він, кажуть, якесь велике цабе в геології. Землю наскрізь бачить* (Рудь). С и н о н і м и: **зна́тна пти́ця; вели́ка ця́ця** (в 1 знач.); **птах висо́кого польо́ту.** А н т о н і м и: **невели́ке цабе́; невели́ка ця́ця; птах низько́го польо́ту.**

держа́ти цабе́ *див.* держати.

невели́ке цабе́, *ірон.* Особа, що не займає високої посади, не має значної ваги і ніякого впливу в суспільстві, в якомусь колективі. С и н о н і м и: **невели́ка пти́ця, птах ни́зького польо́ту, невели́ка**

ця́ця. А н т о н і м и: **вели́ке цабе́; зна́тна пти́ця; вели́ка ця́ця** (в 1 знач.); **птах висо́кого польо́ту.**

ЦАП: як цап (вовк) у (на) зо́рях, з сл. р о з б и р а́ т и с я, р о з у м і́ т и, к у м е́ к а т и і т. ін., ірон. Уживається для вираження повного заперечення змісту слів р о з б и р а́ т и с я, р о з у м і́ т и, к у м е́ к а т и і т. ін.; зовсім не (розбиратися, розуміти, кумекати.) — Е-е, Йванку, ти кумекаєш у тютюнах, як цап у зорях (Літ. Укр.); Розуміється як вовк на зорях (Укр.. присл..).

ЦАПА: скака́ти ца́па див. скакати; **става́-ти ~** див. ставати.

як (мов, ні́би і т. ін.) з ца́па (з козла́) молока́ (во́вни) з кого — чого, від кого — чого, ірон. Немає зовсім. Як подивлюсь на хист теперішніх людців, На витребеньки їх... Та що з ними мороки.. Яка пожива з їх?.. Як з цапа молока! (Г.-Арт.); — З тієї горбатої — роботи, як з цапа молока,— сказала сваха,— вона тільки хліб дурно збавля́тиме (Н.-Лев.); Скільки грошей тратиться на цю поліцію..,— а користі від них обох, як з козла молока (Д. Бедзик); Із нього науки, як з цапа вовни (Фр.). С и н о н і м: **як у карася́ во́вни.**

ЦАПОВУ: ні за ца́пову ду́шу див. душу.

ЦАР: цар і Бог. Хто-небудь має необмежені права: все вирішує, за все відповідає, всім управляє і користується довір'ям та повагою. Це ж на їх власних очах Матюха — грім та блискавка на Обухівці.., це ж він сьогодні на людях оторопілий стояв перед Давидом, а вдарити не посмів. І тоді — пригадувалось. Ні, значить, і він то лише для них був «цар» і «бог» (Головко); Володар тієї місцевості — самець, котрий виборов свої права у боях з конкурентами. Він — цар і бог для трьох, чотирьох, а часом і шести самок, що проживають у його володіннях, а також для 20—30 малюків «повзункового» віку (Наука..).

ЦАРКА: без царка́ в голові́ див. царя; **нема́ ~ в голові́** див. нема.

ЦАРСТВІЄ: ца́рствіє небе́сне див. царство.

ЦАРСТВО: вічне ца́рство, заст. 1. За релігійними уявленнями — місце, де блаженствують праведники після смерті; рай. П о р.: **царство небе́сне** (в 1 знач.).

2. кому. Уживається для вираження побажання померлому, коли його згадують, загробного життя в раю. Хоть од Дидони плив [Еней] поспішно, Та плакав гірко, неутішно. Почувши ж, що в огні спеклася, Сказав: — Нехай їх вічне царство (Котл.). П о р.: **царство небе́сне** (в 2 знач.). С и н о н і м: **нехай ца́рствує.**

казко́ве ца́рство; ца́рство казо́к. Місце з чудовими, дивовижними природними умовами або з незвичайним рослинним та тваринним світом. Ми їздили туди [в гроти]. Лягали на дно човна і за хвилину опинялися в казковому царстві (Коцюб.).

ме́ртве ца́рство, нар.-поет. Місце, де відсутні люди та інші живі істоти, де панує абсолютна тиша. Була темна осіння ніч... Скрізь тихо, темно, сумно, наче в мертвому царстві (Мирний).

проспа́ти ца́рство небе́сне див. проспати.

со́нне ца́рство; ца́рство сну. 1. Стан спокою, безмовності, коли всі сплять, поринули в сон. Він все ще надіявся, що всі скоро заснуть і запанує те сонне царство, яке дасть йому можливість вийти з хати на побачення (Тют.); Царством сну здаються зали (Мур.).

2. Люди, охоплені сном. Коло його розвернулося сонне царство (Мирний).

те́мне ца́рство. Некультурне, відстале, реакційне суспільне середовище. Темнеє царство скоріше руйнуйте, Світле, нове на руїнах збудуйте! (Пісні та романси..); Землю вистилали глухі бур'яни та жаб'ячі печериці, а в людських душах — звивали кубла темного царства сили: лиха заздрість, глуха віра та безнадійність довічна (Мирний). С и н о н і м: **царство пітьми́.**

тридев'я́те (тридеся́те) ца́рство (рідше **королі́вство, володáрство**), нар.-поет. Дуже далека країна, земля. В тридев'ятім славнім царстві, де колись був цар Горох, а тепер на господарстві мудрий пан, вельможний Ох (Л. Укр.); У тридев'ятому царстві, у тридесятому королівстві! (так починав Івась свої казки, бо чув він і читав, що більшість казок так починається (Григ.); Десь-то, в тридев'ятім царстві, в тридесятім володарстві, Жив-був славний цар Дадон (Пушкін, перекл. Рильського).

ца́рство пітьми́ (тьми, мли). Некультурне, відстале, реакційне суспільне середовище. У Жовтня бурі живодайній Своє ми щастя здобули, І далі сяють нам безкрайні, І не воскресне царство мли (Рильський). С и н о н і м: **те́мне ца́рство.**

ца́рство (ца́рствіє) небе́сне (Бо́же), заст. 1. За релігійними уявленнями — місце, де блаженствують праведники після смерті; рай.— Не журися, Насте, об худобі.. Стережись, щоб вона тобі не перепинила дорогу до царства небесного (Кв.-Осн.); [Гаврило:] Глядіть, рубайте панів аж до пупа і за це неодмінно матимете царство небесне (Корн.); Вона замолоду, бувши замужем за дияконом і натерпівшись і холоду й голоду, овдовіла й перейшла до брата жити, то мов у царство боже попала (Мирний). П о р.: **вічне ца́рство** (в 1 знач.).

2. кому, перев. ц а р с т в о н е б е́ с н е. Уживається для вираження побажання померлому, коли його згадують, загробного життя в раю. [Демко:] Як покійні батьки померли, царство їм небесне, вічний покій, мені тоді було годів з десяток не більше (Кроп.); Три дні помучився.. та й віддав богу душу, царство йому небесне (Хотк.). П о р.: **вічне ца́рство** (в 2 знач.). С и н о н і м: **нехай ца́рствує.**

3. *ірон.* Страта, смерть. *Він допоміг нам хутенько знайти в Корчуватому справжню гідру фашизму із списками наших людей, складених для царства небесного* (Ю. Янов.).

ЦАРСТВУЄ: нехай (хай) ца́рствує, *заст.* Уживається для вираження побажання померлому, коли про нього згадують, загробного життя в раю. *Жила колись у нашому селі вдова Орлиха. Я.. чула се од покійної матері — нехай ца́рствує!* (Вовчок); *Петро Петрович? Немає. Цей по кабінетах не сидить. Отакий ще був, хай ца́рствує, товариш Артем* (Панч). С и н о н і м и: **ца́рство небесне** (в 2 знач.); **вічне ца́рство** (в 2 знач.).

ЦАРЯ́: без царя́ (без царка́) в голові́. Розумово обмежений, недалекий, безрозсудний.— *Мартоха не з тих, що без царка в голові* (Гуц.); // Нерозумно, безрозсудно. *Пощо на чолі поміщено книжку Ніцше.. — сю блискучу, а фальшиву балаканину, сю справді анархістичну філософію, роблену «без царя в голові»,— сього абсолютно не розуміємо* (Фр.). П о р.: **не ма́ти царя́ в голові́.** С и н о н і м и: **без голови́; ло́бом неширо́кий.** А н т о н і м и: **ма́ти царя́ в голові́; з голово́ю; ма́ти го́лову на плеча́х; голова́ ва́рить.**

за царя́ Горо́ха (Панька́, Тимка́, Митро́хи, Хме́ля). Дуже давно, у дуже давні часи. *Хтось, колись, очевидно, ще за царя Гороха, вирішив, що підручник неодмінно має бути нудним* (Літ. Укр.); *Се килим — самольот чудесний, За Хмеля виткався царя, літа під облака небесні, До місяця і де зоря* (Котл.). **за царя́ Горо́ха (Митро́хи), як (коли́) люде́й було́ тро́хи.**— *Йому* [панові], *мабуть, здавалося, що він і тепер панує на Вкраїні, як було колись за царя Гороха, як людей було трохи* (Н.-Лев.); *За царя Митрохи, коли людей було трохи* (укр. присл..). **за царя́ Панька́ (Тимка́), як була́ земля́ тонка́.** *За царя Панька, як була земля тонка* (Укр.. присл..); *За царя Тимка, як була земля тонка,— пальцем проткни — та й води напийсь* (Укр.. присл..). **за царя́ Хме́ля, як була́ люде́й жме́ня, за царя́ Горо́шка, коли́ люде́й було́ тро́шки.**— *Певно, ми впізнаєм, га? Хіба не пам'ятаєш, як ми зустрічалися за царя Горошка, коли людей було трошки?* (Збан.).

не ма́ти царя́ в голові́ *див.* мати ²; **нема́ ~ в голові́** *див.* нема.

ЦВИНТАРНЕ: цви́нтарне ло́же *див.* ложе.

ЦВІКАТИ: цві́кати (цві́ркати, цвірінькати) / цві́кнути (цві́ркнути, цвірінькну́ти) в о́чі чим, що і без додатка. Дорікати кому-небудь чимсь. *Він кинувся до Карпа.— Що ви мені цвікаєте в вічі, наче змовились, Хіба я не ваш батько?* (Н.-Лев.); *— Заберіть собі те, що віддали. Наче не знаєте, що ваш грунт злидні відрізали. Хватить мені цвікати в очі своїм добром* (Стельмах); *Докію вони щодня заставляли йти на роботу в колгосп, щоб не цвіркали Чумакам у вічі, що не ходять у поле* (Кучер); *— Гадаєш, мені це мило,*

як кожний з знайомих приходить і цвірінькає мені в вічі, що ось то вона була тією, котра з-поміж цілого гурту знайомих і чужих вибавила мене одна від смерті (Коб.).

ЦВІКНУТИ: цві́кнути в о́чі *див.* цвікати.

ЦВІРІНЬКАТИ: цьірінькати в о́чі *див.* цвікати.

ЦВІРІНЬКАЮТЬ: горобці́ цвірінькають у голові́ *див.* горобці.

ЦВІРІНЬКНУТИ: цвірінькнути в о́чі *див.* цвікати.

ЦВІРКАТИ: цві́ркати в о́чі *див.* цвікати.

ЦВІРКНУТИ: цві́ркнути в о́чі *див.* цвікати.

ЦВІРКУНИ: цвіркуни́ тріща́ть у голові́ у кого, кому. Хто-небудь легковажний або кого-небудь переповнюють оптимістичні, радісні мрії. *Забалакається* [Хівря] *з парубком — забудеться за діло.. Тож якраз був час, коли почали Хіврі в голові цвіркуни тріщати, а в думці: пісні, поцілунки, квіти, зорі та як би попід тинком із чорнобривим постояти* (Григ.).

ЦВІТ: як ма́ків цвіт. 1. Гарний, вродливий. *Галя сиділа як маків цвіт. І всі навзаперідки поглядали на неї з цікавістю та прихильністю* (Смолич).

2. Прекрасний. *Сей світ, як маків цвіт; як-то на тім буде! — каже було стара, похитуючи головою* (Вовчок).

3. Дуже. *Жарт був звичайний, гуцульський, але від нього чомусь зашарілася Маруся, як маків цвіт* (Хотк.).

ЦВІТЕ: ще мак цвіте́ в голові́ *див.* мак.

ЦВІТІ: у цвіті *див.* цвіту.

у цвіті літ. У пору розквіту фізичних і духовних сил; у молоді роки. *Годі, матусю! — О жах! Умерти в цих джунглях у цвіті літ? О-о! — мліла вона від страху* (Тют.).

ЦВІТУ: прибитий на цвіту́ *див.* прибитий.

у цвіту́ (у цвіті). У розквіті фізичних і духовних сил. *Годі, матусю! Шляхом потернованим Сміливо йшов він, бо краще загинути, В цвіті померти за правду скатованим, Аніж на тебе хоч плямою кинути* (Граб.); *Це вже не Ксенія Петрівна, а дівчина в цвіті закружляла в юному танці* (Стельмах).

ЦВЯХОМ: стриміти цвя́хом в голові́ *див.* стриміти.

ЦЕ: де це ви́дано *див.* видано; **з якої ~ ра́дості** *див.* радості. **~ да!** *див.* да.

як тобі́ (вам) це подоба́ється. Уживається для вираження обурення, незадоволення, здивування і т. ін.— *Ні, ти тільки послухай, що він каже! Він каже, що до Полтави ще сто кілометрів. Як тобі це подобається?* (Тют.).

ЦЕБРА: як з цебра́ *див.* відра.

ЦЕЙ: на цей раз *див.* раз; **поверну́ти но́са в ~ бік** *див.* повернути; **покида́ти ~ світ** *див.* покидати; **по ~ день** *див.* день; **~ світ** *див.* світ.

ЦЕНТР: центр ваги́. Основне, головне у чому-небудь. *Головний затвердив загальний план робіт на цей сезон. Вісімдесят тисяч кубометрів на лівій протоці і п'ятдесят тисяч на правій. Центр ваги припадає на лівий берег* (Коцюба).

ЦЕП: цеп на шйю *див.* ярмо.

ЦЕПУ́: держа́ти на цепу́ *див.* держати.

ЦЕ́ПУ: як з це́пу зірва́вся *див.* зірвався.

ЦЕРЕМО́НІЇ: без [уся́кої] церемо́нії; без [уся́ких] церемо́ній. Не дотримуючись етикету, прийнятих правил поведінки, поводження з іншими людьми. *Вона без церемонії випроваджує гостей, не даючи Севові навіть договорити фрази* (Ю. Янов.); *Не довго думаючи, хлопці підхопили Мурашка під руки і без усяких церемоній потягли із сонця в кущі, в холодок* (Гончар).

кита́йські церемо́нії, *ірон.* Надмірний вияв ввічливості, зайві умовності у стосунках між людьми.

що за церемо́нії. Не варто дуже дотримуватися прийнятого етикету, прийнятих правил поведінки з іншими людьми.— *Що за церемонії, Валентине Модестовичу! Я зробив не більше того, що веліло мені моє сумління інженера* (Шовк.).

ЦЕРКО́ВНА: як церко́вна ми́ша *див.* миша.

ЦИБУ́ЛЮ: по три за цибу́лю *див.* три; як соба́ка ~ *див.* собака.

ЦИБУ́ЛЬКОЮ: нагодува́ти цибу́лькою *див.* нагодувати.

ЦИ́ГАН: носи́тися, як ци́ган з пи́саною то́рбою *див.* носитися.

як (мов, ні́би *і т. ін.***) ци́ган на са́ло (до са́ла),** з *сл.* ла́сий, охо́чий *і т. ін.* Дуже сильно. — *Чи ти бачив таких панів, щоб їм гроші булц не милі?.. Вони, сії пани, на гроші такі ласі, як циган на сало, братіку! Їм до віку, до суду буде мало!* (Вовчок).

як (мов, ні́би *і т. ін.***) ци́ган со́нцем,** з *сл.* крути́ти, верті́ти *і т. ін.* У великій мірі, дуже сильно.— *На шахту йду! — гукав Карпо дружині.— Годі мною крутити, як циган сонцем!* (Ю. Янов.); *Наталка, що була за няню в колгоспних яслах, видалась красунею, перебирала хлопцями, крутила, мов циган сонцем* (Гуц.); *Та хто оце вас так маринує?..— Не знаю,— відповів я заступнику,— хто там крутить мною, немов циган сонцем* (Логв.). **як ци́ган ре́шетом.**— *Течія тут крутить, як циган решетом, повнуватого діда Коваль* (Голов.).

ЦИГА́НСЬКЕ: цига́нське со́нце *див.* сонце; ~ тепло́ *див.* тепло.

ЦИГА́НСЬКИЙ: цига́нський піт пройма́є *див.* піт.

ЦИГА́НСЬКОЇ: потанцю́єш цига́нської халя́ндри *див.* потанцюєш.

ЦИ́ФРА: ци́фра кругле́нька (кру́гла). Досить велика, значна кількість, сума.— *Проблема складна,— мовив він задумливо. Лишається понад дев'яносто тисяч кубометрів. Цифра круг-*

ленька, це п'ятнадцять — двадцять тисяч на місяць (Коцюба).

ци́фра спра́вна. Фіктивні позитивні показники в .яких-небудь документах, паперах і т. ін. *Незавидні керівники на місцях тільки й дбали про те, щоб у них завжди цифра була справна перед вищим начальством* (Кучер); *Колгосп тоді вважався середнім, цифри були справні, але що ховалося за тими цифрами, гаразд знав лише Грек* (Мушк.).

ЦИХ: при цих слова́х *див.* слові.

ЦИ́ЦІ: жа́ба ци́ці дасть *див.* жаба.

ЦИ́ЦЮ: смокта́ти ма́мину ци́цю *див.* смоктати.

ЦИ́ЦЬКИ: жа́ба ци́цьки дасть *див.* жаба.

ЦІДИ́ТИ: ціди́ти (проціди́ти) крізь зу́би. Говорити невиразно, ледве розтуляючи рот. *Особливо Підпара ненавидів бідних. Зсував густі брови і з презирством цідив крізь зуби: «Голота! що воно має..»* (Коцюб.).— *А нам тепер жалування прибавили,— процідила крізь зуби [вчителька]* (Тесл.); *Молодий стурбований голос щось тихо промовив до кулеметника. Той крізь зуби злостиво і спокійно процідив: — Зараз, товаришу командир..* (Стельмах). **ціди́ти слова́ крізь зу́би.** *А Сафатові повиділося, що Стрибог, мабуть, хоче хмуритися; тим-то низенько склонився й несміло цідив слова крізь зуби* (Март.). С и н о н і м: **ціди́ти слова́.**

ціди́ти слова́ (сло́во за сло́вом, сло́во по сло́ву). Говорити повільно, некваплино, ледве розтуляючи рот.— *А ти це чого голос підняв, начебто правда на твоєму боці? Совість заговорила? — цідив слова Мірошниченко* (Стельмах); *Обидві вони цідили слово за словом з таким тоном, неначе на ввесь світ промовляли якісь закони доброго розуму і високої вподоби* (Н.-Лев.); — *Працюю в котловані гідростанції. Та я тут недавно. Приїхав трохи підробити,— цідив, як крапельки, слово по слову, ніби йому було важко говорити* (Коцюба). С и н о н і м: **ціди́ти крізь зу́би.**

ЦІ́ЄЮ: іти́ ці́єю ж сте́жкою *див.* іти.

ЦІКА́ВИЙ: ціка́вий на язи́к. Який уміє гарно, майстерно висловлювати думки; красномовний.— *Кого ж би то попросити в свати? — спитав Балабуха.— Бери, сину, дядька.. та прихопи ще на пристяжку й тітку. Тітка цікава на язик, та й дядько добрий торохтій: щось таки та виторохтять* (Н.-Лев.).

ЦІКА́ВИМИ: обма́цувати ціка́вими очи́ма *див.* обмацувати.

ЦІ́ЛА: голова́ ціла *див.* голова; ~ ві́чність *див.* вічність; чупри́на ~ *див.* чуприна.

ЦІ́ЛЕ: і ко́зи си́ті, і сі́но ці́ле *див.* кози; на ~ го́рло *див.* горло.

ЦІ́ЛИМ: цілим ско́пом *див.* скопом.

ЦІЛИНУ́: підніма́ти цілину́ *див.* піднімати.

ЦІ́ЛИТИСЯ: ці́литися / прици́литися в то́чку. Говорити або робити саме те, що потрібне, своєчасне, відповідає конкретній ситуації.— *А ви, колего, бачу, не один пуд солі з'їли на посадках — прищілились саме в точку* (І. Греб.).

ЦІЛІ [1]: **бити ми́мо ці́лі** див. бити.

ЦІЛІ [2]: **зу́би ці́лі** див. зуби; **і во́вки си́ті, і ко́зи ~** див. вовки; **на ~ гру́ди** див. груди.

ЦІЛОМУ: в ціло́му (в ці́лості) 1. У всій сукупності; загалом, повністю. *Дружба народів.. характерна для нашого письменницького Союзу в цілому, характерна і для окремих національних письменницьких спілок* (Рильський); *Ще слухаючи її* [поему «Мойсей»] *в Вашому читанні, я був захоплений нею, а тепер, в цілості, вона зробила на мене ще більше враження* (Коцюб.).
2. Не торкаючись окремих деталей, взагалі: *Стосунки між ними в цілому залишались добросусідськими* (Гончар).

ЦІЛОСТІ: в ці́лості див. цілому.

ЦІЛУ: на ці́лу ха́ту див. хату.

ЦІЛУЙ: хоч малю́й, хоч цілу́й див. малюй.

ЦІЛЬ: влуча́ти в ціль див. влучати; **потра́пити у ~** див. потрапити.

ЦІМ: при цім сло́ві див. слові.

ЦІНА: гріш (копі́йка) ціна́ [в база́рний день] кому, чому. Хто-небудь або що-небудь чимсь не задовольняє певних вимог; нічого не вартий, нікуди не годиться.— *Коли ж він потягне бригаду назад, тоді мені як груповому парторгу і колективу, яким я керую, гріш ціна в базарний день* (Чорн.); — *Оце ти такий ударник? Оце таким способом норму перевиконуєш? Очі замилюєш! Гріш ціна твоїм рекордам!* (Гончар); *Платочок який-небудь, що йому копійка ціна у базарний день, а вони ж із неї згребуть рублів три, а то й усі п'ять* (Хотк.). **ціна́ копі́йка.**— *Сідайте, батьку, підвезу..— Сам дійду. А ти куди їдеш? — Глянути, як сіють.— Погано сіють. Тобі ціна копійка. А без хазяїна й двір плаче.— Ви мудріші — підкажіть* (Тют.). П о р.: **ціна́ — гріш.** С и н о н і м и: **не ва́ртий гроша́; не ва́ртий ви́їденого яйця́; нуль без па́лички** (в 1 знач.); **хвіст соба́чий.** А н т о н і м: **ці́ни нема́.**
ціна́ — [ла́маний (мідний)] гріш (п'ята́к, нуль) кому, чому. Хто-небудь або що-небудь чимсь не відповідає потребам, не задовольняє певних вимог; нічого не вартий, нікуди не годиться. [Е л ь з а:] *А що, коли Грета Норман все-таки піде грати в новий театр?* [Ш р е д е р:] *Коли це трапиться, то вам всім ціна — ламаний гріш!* (Собко); *Ціна людям без Батьківщини, без громадянської турботи про її розквіт, зміцнення її могутності — мідний гріш* (Рад. Укр.); *Твоєму богатирю.. красна ціна — п'ятак* (Ковінька). П о р.: **гріш ціна́.** С и н о н і м и: **не ва́ртий гроша́; не ва́ртий ви́їденого яйця́; нуль без па́лички** (в 1 знач.); **хвіст соба́чий.** А н т о н і м: **ці́ни нема́.**

ЦІНИ: і ці́ни не скла́сти див. скласти; **спада́ти**

з **~** див. спадати; **не ма́ти ~** див. мати[2]; **~ нема́** див. нема.

ЦІНІ: у (на) ці́ні. Який дуже дорого, високо ціниться.— *Земля тепер в ціні — по п'ятдесят карбованців десятину не купиш* (Мирний); *Того року трави і пшениці стояли, мов Дунай, косарі були в ціні, і чоловік за одно літо заробив на коня* (Стельмах); *Мій хлібе рідний! Був ти на ціні В важкі літа, у бідні трудодні, В скупім пайку, у фронтовій траншеї* (Мал.).

ЦІННОСТІ: переоці́нювати всі ці́нності див. переоцінювати.

ЦІНОЮ: будь-яко́ю ціно́ю. Незважаючи ні на що, яким завгодно способом, за всіляких умов, обставин. *Більшовицький плацдарм на лівому березі, в сімдесяти верстах від Перекопу!.. Це було жахливо, це могло порушити всі його* [Врангеля] *плани. Доки плацдарм не буде знищено — армія його буде зв'язана, скута.. Знищити! Знищити негайно, будь-якою ціною!* (Гончар). П о р.: **за вся́ку ці́ну.** С и н о н і м: **пра́вдами й непра́вдами; що б там не було́.**
дорого́ю ціно́ю. Докладаючи великих зусиль, нічого не шкодуючи, все віддаючи, багато втрачаючи і т. ін. [Х и м к а:] *Дорогою ціною той спокій дістався мені: честі позбулася, лихої слави набулася* (Мирний); *Радянський народ.. дуже дорогою ціною окупив перемогу над фашизмом* (Галан).

ЦІНУ: за вся́ку ці́ну. Незважаючи ні на що, яким завгодно способом, за всіляких умов, обставин.— *Передай комісару, щоб тримався,— скупо вимовив Білогруд.— За всяку ціну щоб тримався. Я йому людей підкину* (Ю. Бедзик); — *Треба за всяку ціну знайти Максима Бобровника, треба брати зброю в руки* (Ю. Збан.); *Думка про снайперство міцно засіла хлопцеві в голову. Він вирішив за всяку ціну дійти свого* (Донч.). П о р.: **будь-яко́ю ціно́ю.** С и н о н і м: **пра́вдами й непра́вдами; що б там не було́.**
загина́ти ціну́ див. загинати; **зала́мувати ~** див. заламувати; **зна́ти ~** див. знати; **лама́ти ~** див. ламати; **набива́ти ~** див. набивати.

ЦІПКА: дава́ти ціпка́ див. давати; **держа́тися, як сліпи́й ~** див. держатися.

ЦІПОМ: ці́пом не нажене́ш див. наженеш.

ЦОБ: держа́ти цоб див. держати.

ЦОКАТИ: цо́кати зуба́ми див. цокотіти.

ЦОКОТАТИ: цокота́ти зуба́ми див. цокотіти.

ЦОКОТІТИ: цокоті́ти (цокота́ти, цо́кати, ля́кати і т. ін.) зуба́ми. Тремтіти від холоду, страху і т. ін.— *Ну, вже ж для гостей напалять! — відказав пан Турковський.— А завтра будемо зубами цокоті́ти — вкинула прикро Надя* (Л. Укр.); *Наш Лука з жінкою на дубі. Жона зі страху аж зубами цокотить* (Три золоті сл.); *Вскочив* [Пилипко] *у хату, як пуп синій, зубами цокоче* (Мирний); *На зимового Миколая завжди було холодно, ми цока-*

ли зубами і закаблуками (Минко); Тимко, мокрий, посинілий, ляскаючи зубами, виліз на берег (Тют.); Їй нараз зробилося якось зимно-зимно, так що почала голосно сікти зубами (Фр.). П о р.: **дзвони́ти зуба́ми** (в 1 знач.).

ЦУГИ: не до цу́ги, заст. Не так, як слід.

ЦУГУНДЕР: бра́ти на цугу́ндер див. брати.

ЦУКРОМ: цу́кром не году́й див. годуй.

ЦУР: хай (неха́й) йому́ (їй, їм) цур. Уживається для вираження незадоволення ким-, чим-небудь, несхвалення чогось з побажанням позбутися когось, чогось, не мати з ним справи.— Ох... як ти мене злякав, хай йому цур!..— переводячи дух,.. обізвалася вона до Грицька (Мирний); Ся благодать [тепло] почалося тільки з вчорашнього дня, а то було таке, що нехай йому цур, бодай не верталось (Л. Укр.). П о р.: **цур тобі́, пек тобі́.** С и н о н і м и: **хай йому́ грець; хай йому́ чорт; хай йому́ абищо; хай йому́ вся́чина.**

цур тобі́ (йому́, їй, їм, вам) [[та (і)] пек тобі́ (йому́, їм, їй, вам)]. Уживається для вираження незадоволення ким-, чим-небудь, несхвалення чогось з побажанням позбутися когось, чогось, не мати з ним справи. Цур тобі, пек тобі, як запишався, що в новую свитку прибрався! (Укр.. присл..); — Коли ви, бабо, бачили, як я сало крав? — питається він гугняво.— Задавись ти з своїм салом! Одійди від мене, цур тобі, пек тобі! Не бачила я ні сала твого, ні тебе, поганого... (Л. Янов.); — Не пробували хіба на своєму віку викрадати панів? Га? От спробуйте! Скільки в цьому поезії, романтизму, тайни! — сказала Христина.— Цур йому, пек йому, тому романтизмові! Краще було б обминути його,— сказав Ломищкий (Н.-Лев.); Розповідав дома про свої мандри — був на Донеччині з хлопцями, робив трохи в шахті. «Цур їй, хіба то робота? — каторга» (Головко); Та цур їм [панам]! Шкода на них часу й паперу (Коцюб.); — Цур вам! — підхопився Петру.— Що це ви таке верзете, чоловіче? Отямтеся! (Чаб.). **цур тобі́ (йому́, їм, вам), пек.** Коли мишей боїшся, На воротях повісся. Ізгинь, пропади, А до мене не ходи!.. Цур тобі, пек!.. (Укр.. пісні); Ніна тріпнула головою. Цур їм, пек з такими думками. Казна-що лізе в голову (Д. Бедзик). **цур та (і) пек.** Коли ж побачила завтра Хведька, та ще з чужого села, то вже Стецькові цур і пек (Кв.-Осн.); — Денис? Щось у старого звихнулося ще тоді.., цур та пек згадувати (Козл.). П о р.: **хай йому́ цур.** С и н о н і м и: **хай йому́ грець; хай йому́ чорт; хай йому́ абищо; хай йому́ вся́чина.**

ЦУРИ: до цу́ри див. цурки.

ні цу́ри, ні пили́нки. Абсолютно, зовсім нічого. П о р.: **ні цу́рочки.**

у цу́ри. На невеликі окремі частини. [К о н о н:] А я свою гармонію чисто рішив, як брязнув нею об

землю, так в цури і розлетілась (Кроп.). П о р.: **на цурки́.**

ЦУРКА: цу́рка наві́ки кому, чому. Кінець кому-, чому-небудь. Тихо, з осторогою промовляють [селяни] один до одного: — Ну що? Га?..— Та хто ж його знає... Кажуть, що тепер панам цурка навіки.. (Мик.).

ЦУ́РКИ: до цу́рки (рідко до цу́ри). 1. На дрібні, невеликі частини. Я перескочив через межу і ринувся просто на них [фашистів], вскочив у саму їхню гущу. Одного метнув через себе багнетом. На другому розбив до цурки приклад (Ю. Янов.).

2. Повністю все, нічого не залишивши. Через рік папку, в якій було підшито справу Явдохи Гонти, секретар віддав в архів, а ще через рік голодні миші з'їли папку до цурки (Донч.); [Д р у г и й с е л я н и н:] Так, значить, білих розбили? (Свашенко:] До цурки (Мик.); [О к с а н а:] Добивати треба сучих синів [куркулів] до цури (М. Куліш). **до цу́рочки.** Я, бачся, каганець усе ховав під свитку. Та якось теє... зирк — горить! І, батечку! як обхопило — Усе до цурочки згоріло (Гл.); [Х а р и т о н:] Мабуть, у того, що вививав, геть ховрах хліб вибив (Кирило:] До цурочки, до щенту!.. (Кроп.).

ЦУРКИ́: на цурки́. На невеликі окремі частини. В колінах захрумтіло, і здалося, що його стан такий крихкий і ломиться на цурки (Ле); Той [Никанор] сидів біля столу у світі, як прибув, нероздягнений, і здавалося, що його чорна постать от-от роздушить на цурки білий чистий стіл (Мик.). П о р.: **у цу́ри.**

ні цу́рочки. Абсолютно, зовсім нічого. Вони ж пильнують, щоб у саду не було ні смітинки, ні цурочки (Скл.). П о р.: **ні цу́ри, ні пили́нки.**

ЦУРОЧЦІ: по цу́рочці. По маленькому шматочку, окремими частинами; потроху.— Дбали люди, дбали, а тепер що вийшло? Самі ж і розтягають по цурочці. Гай-гай. А як наші німчика віджену ть та назад вернуться, де зерно, де пляшки, де гарбочки, де ремонент? Що ми скажемо? Який одвіт дамо? (Тют.).

ЦУРПАЛКИ: на цурпа́лки (на цуру́палки). На дрібні шматки. Буря дуби на цурпалки трощить, а травичку тільки нагинає (Стельмах); Привітався не привітався Петро, одразу ж за сокиру. Цюкне — ясен на цурпалки розлітається (Рудь); — Уже те ружжо [рушницю] до скількох раз бив на цурупалки — а він його шворками перемотузує — і далі своєї,— скаржився Гордій (Тют.). **на цурпа́лочки.** Кайдаш кинув з усієї сили об землю кочергою, вихопив з їх рук мотовило і потрощив його на цурпалочки (Н.-Лев.).

ЦУРУПАЛКИ: на цуру́палки див. цурпалки.

ЦУЦЕНЯТ: хоч цуценя́т бий див. бий.

ЦУЦИК: як цу́цик, з сл. б і г а т и, х о д и т и і т. ін. Невідступно. [Д о м ц я:] Ледачий спокою *не дає, бігає за мною слідком як цуцик* (К.-Карий).

ЦУЦИКА: цу́цика крути́ти див. крутити.

як цу́цика, з сл. г а н я́ т и. Дуже, сильно, у великій мірі. *Від рання й до ночі на ріллі так ухоркаєшся, що не тільки за книжку, а й за ложку не візьмешся. А є трохи вільного часу — мати ганяє як цуцика. Дров нарубай, води принеси, в корови повичищай* (Тют.).

ЦЮ: у цю хвили́ну див. хвилину.

ЦЯТИ: до ця́ти; ні ~ див. цяточки.

ЦЯТОЧКИ: до [оста́нньої] ця́точки (ця́ти). Цілком, повністю; без винятку. *Їй [матері] здавалося несправедливим, коли малюк, який належить їй до останньої цяточки на тілі, раптом тягнеться до поморщеної дідової шиї і обіймає, цілує* (Ю. Янов.); — *Але ясний граф відхилив мої розпорядки, й його мосць,— підкреслив ущипливо Лянцкоронський,— зауважив мені, що відповідає за все гетьман коронний, а польний тільки має пильно справляти його накази, ото ж я їх до цяти й справив...* (Стар.).

ні (ані) ця́точки (ця́ти). 1. Абсолютно нікого, нічого. [Г е л е н:] *Касандро, се ж безумство! Річ видима: ахейський табір [табір] спорожнів; на морі ані човна, ні цяточки немає* (Л. Укр.); *Село ніби спало.. Ніде на вулиці ні цяточки* (Головко). **ні цятиночки.** *Комин був білий, на йому не видно ні цятиночки!* (Н.-Лев.).

2. Абсолютно ніякого, ніскільки. *Я мовив: Сумний твій стан! Та з твоїми панами Я співчуття не маю ні цяти* (Фр.).

ЦЯЦЯ: вели́ка ця́ця, перев. ірон. 1. Особа, що займає високу посаду або має велику вагу, великий вплив у суспільстві, в якомусь колективі; впливова поважна особа. *— Він дума, як голова, то й велика цяця?!* (Мирний); — *Ану, коли ти вчений, скажи мені, де тут на цьому кутку закопа-*

ні гроші? А ба! От і не скажеш, бо не знаєш. А я так знаю, хоч я й неписьменний. Велика пак цяця — письменний чоловік! Куди ж пак! (Н.-Лев.). С и н о н і м и: вели́ке цабе́; птах висо́кого польо́ту; зна́тна пти́ця. А н т о н і м и: невели́ка ця́ця; невели́ке цабе́; птах низько́го польо́ту.

2. Дуже важливий, потрібний предмет. *Мати знову мені тиче кислиці: — «Навіщо ти, Васильку, замазав білу сорочку ожиною?» Велика пак цяця — біла сорочка. Спробували б мама, як гарно лазить в лозах на ожину рвати* (Н.-Лев.).

га́рна ця́ця, ірон. Особа, претензії якої не відповідають її справжнім достоїнствам і яка не має підстав для шани.— *Той ваш Швейк, як встановлено слідством, узагалі гарна цяця* (Гашек, перекл. Масляка).

невели́ка ця́ця. Особа, що не займає високої посади, не має ніякої ваги і ніякого впливу в суспільстві, в якомусь колективі. *І мали [візниці] думку прокотити заїжджого барина на славу, та староста охолоджував: не дуже лиш гнатимеш коней: невелика цяця їде* (Мирний). С и н о н і м и: невели́ке цабе́; невели́ка пти́ця; птах низько́го польо́ту. А н т о н і м и: вели́ка ця́ця (в 1 знач.); вели́ке цабе́, птах висо́кого польо́ту.

ЦЯЦЬКА: як (мов, ніби і т. ін.) ця́цька. Гарно прибраний, чепурний; гарно оформлений, оздоблений і т. ін. *І теє, й теє замишляв [я].., Щоб на зиму кожух і кобеняк пошити, Штани пістряві, пояс, шапку ще чумацьку, Себе на празник виставити, щоб як цяцьку* (Укр. поети-романтики..); *На зеленому горбу, під старими дубами стоїть маленький палац.., наче цяцька* (Н.-Лев.).

ЦЬОГО: до цього́ то́ргу і пі́шки див. пішки; **ні з то́го, ні з ~** див. того. **іти́ з ~ сві́ту** див. іти.

ЦЬОГО: цього́ ще браку́є див. бракує.

ЦЬОМУ: в цьому́ ду́сі див. дусі; **на ~ кра́пка** див. крапка; **не жиле́ць на ~ сві́ті** див. жилець.

Ч

ЧАВУНОМ: як чавуно́м нали́тий див. налитий.

ЧАДУ: як (мов, ніби і т. ін.) у чаду́. Неврівноважений у своїх діях та вчинках, позбавлений можливості ясно мислити, розуміти та сприймати дійсність. *Час минав непомітно — в піснях і жартах. Андрій був як у чаду* (Гур.); *Настя прибігла додому ніби в якомусь чаду* (Н.-Лев.); *Невідомо чому, але останні дні Артем жив, ніби в чаду, крижаніючи серцем у передчутті близького лиха* (Головч. і Мус.).

ЧАЙ: на чай, з сл. д а в а́ т и, о д е р ж у в а т и і т. ін. Гроші як винагорода за дрібні послуги (офіціантові, швейцарові, гардеробнику і т. ін.). *Давав [Анатоль] на чай швейцарові, коли прихо-*

дила завуальована висока дама (Кач.); *Сидячи на козлах фаетона, я правив своєю конячкою, під'їжджав до нічних ресторанів, виглядав пізнього клієнта, одержував на чай, повертався в конюшню* (З глибин душі).

ЧАРА: ча́ра перепо́внилася див. чаша.

ЧАРАМИ: як (мов, ніби і т. ін.) ча́рами. Дуже швидко, несподівано, як буває в казках. *Одно слово генія, кинуте в мелодію,— і ніби чарами розгорнулась передо мною картина* (Н.-Лев.); *З'явився наш вельможний господар з військовою і королівською грамотою, і немов чарами виросли замки, споруди, містечка* (Тулуб).

ЧАРІВНА: як чарівна́ па́личка див. паличка.

ЧАРІВНИК: маг і чарівни́к див. маг.

ЧАРІВНИЧА: як чарівни́ча па́личка див. паличка.

ЧАРКА: не пішла́ ча́рка до ро́та кому. Хто-небудь не захотів пити спиртне. І Данило-гетьман Підморгнув... І на очі поліг тії хвилі туман. Не пішла навіть чарка до рота (Граб.).

ча́рка перепо́внилася див. чаша.

ЧАРКИ: без ча́рки. Не випивши спиртного. Петро любив грати.. Але без чарки грав він рідко: життя здавалося убогим (Рильський).

припада́ти до ча́рки див. припадати.

ЧАРКОЮ: за ча́ркою. П'ючи спиртне. Гнат почав учащати до корчми. В корчмі за чаркою він забував своє лихо (Коцюб.).

не розмина́тися з ча́ркою див. розминатися.

під ча́ркою. У стані незначного сп'яніння; напідпитку. Він був вже трохи під чаркою (Н.-Лев.); Поліцаї були напідпитку, не те що п'яні, як квач, а так, під чаркою (Горд.).

ЧАРКУ: загляда́ти в ча́рку див. заглядати; **перепо́внювати ~ терпі́ння** див. переповнювати; **перехиля́ти ~** див. перехиляти; **підніма́ти ~** див. піднімати.

ча́рку за ча́ркою, з сл. п и т и і под. Дуже багато, у великій кількості. Семен пив чарку за чаркою, Корній не відставав (Л. Укр.); Сидить [Савка] над смаженим поросям, перекидає, не п'яніючи, чарку за чаркою (Гончар).

ЧАРОДІЙ: маг і чароді́й див. маг.

ЧАРОДІЙНА: як чароді́йна па́личка див. паличка.

ЧАРУВАТИ: чарува́ти зір (о́чі, по́гляд) кому, чий. Приваблювати красою, барвами тощо. [Г о р л о в:] Що ніч! День, по-моєму, кращий. Та то ж куди не споглянеш, скрізь чарує і закохує тобі очі розкішна природа (Кроп.); Ти замилований. Чарують погляд твій Струнка Аляб'єва і ніжна Гончарова (Зеров). С и н о н і м и: **ра́дувати о́ко; ті́шити о́ко; милува́ти о́ко** (в 2 знач.); **ласка́ти о́ко** (в 2 знач.).

ЧАРЦІ: вклоня́тися ча́рці див. вклонятися; **зато́плювати ро́зум у ~** див. затоплювати.

по ча́рці. 1. Пити спиртне.— Теперéньки можна й по чарці,— сказав пан Зануда (Н.-Лев.); А по чарці?! треба конче!.. Ану, на та збігай, хлопче (Олесь).

2. з сл. п и т и, в и п и т и, д а́ т и, п і д н е с т и́ і т. ін. Спиртні напої.— Ну, давай лиш нам, нене, по чарці, то, може, повеселішаємо (П. Куліш); — Вип'ємо, діду, по чарці, чи що (Ю. Янов.).

ЧАС: відтяга́ти час див. відтягати.

в час о́ний. Колись у давнину. Як в оний час, так і тепер на муки Віддав би ти апостолів своїх... (Стар.).

наста́в (прийшо́в, уда́рив) час чий. 1. Пора умирати кому-небудь. [П р і с ц і л л а:] Ні, тату, настав уже мій час... Я здавна вже мов гість на

сьому світі. Душа моя вгорі... (Л. Укр.); Вдарив час, я душею повстала сама проти себе, І тепер вже немає мені вороття (Л. Укр.). П о р.: **приспі́в час.**

2. Хто-небудь буде мати успіх.— Павле,— сказав старий кінь,— настав і твій час, Посягни у моє ліве вухо: там для тебе срібний одяг є (Три золоті сл.); — Нічого, прийде і мій час. Ще зоря моя із неба не зірвалася (Тют.).

не час, з дієсл. Ще не слід, не сприятливий момент. Не час було Мирославі братися до лука,— звір був надто близько (Фр.); Не час іще дзвеніти скрипкою, Як сурем грім не втих (Рильський).

пока́же час (життя́). З'ясується, підтвердиться і т. ін. у майбутньому.— Ну, та як воно буде — покаже час. А готуватися до нападу на казарму треба (Головко); — Не можу, правда, наперед сказати, що ви нездатні на се, але не повірю, поки життя ваше не покаже вашої правди... (Коцюб.).

приспі́в час на кого, кому, чий. Пора умирати кому-небудь. Уже й на мене час приспів: Роздасться похоронний спів... Засиплють яму, і кінець?.. Другий десь найдеться співець (Пісні та романси...); Він такечки гукнув до Ферідуна: — Не бий! бо не приспів йому ще час (Крим.). П о р.: **наста́в час** (у 1 знач.).

сказа́ти в до́брий час див. сказати; **сме́ртний ~** див. година; **тягти́ ~** див. тягти.

у до́брий час. Форма побажання успіху, удачі, позитивних наслідків у чому-небудь (перев., коли щось розпочинається). [Л ю б о в:] Та здорова [товаришка] до якого часу. [Л і к а р:] Ну, то й дай їй боже в добрий час! (Л. Укр.); — Бажаю вам успіху і найкоротшого часу до першого польоту ракети,— сказав Секретар ЦК..— Спасибі,— міцно стискаючи простягнуту руку, промовив Коваль.— Ну, в добрий час! (Собко). С и н о н і м: **з Бо́гом** (у 1 знач.).

у свій час. 1. Колись у минулому. Те, що ми в свій час починали, бачите, пішло без сліду (Ю. Янов.). П о р.: **свого́ ча́су** (у 1 знач.).

2. Коли необхідно буде в майбутньому. Чистий дохід з видання визначаємо на премії за видатніші твори красного українського письменства по конкурсу, який буде об'явлено в свій час (Коцюб.). П о р.: **свого́ ча́су** (у 2 знач.).

у час. Тоді, коли треба; вчасно. Дуже Вам дякую за прислане: прийшло саме в час (Коцюб.).

у час оста́нній [свій]. Перед смертю. Будь вірним словy.., Хай веселять тебе любов і праця, Хай дружби непогасної крило Гірке від тебе відганяє зло, І хай у час останній свій про сина Спокійно я подумаю: людина! (Рильський).

час від ча́су; від (із) ча́су до ча́су. Через певні інтервали, іноді, інколи. Сидить [Мирон] і вдивляється у плюскітливу воду, в мигаючу під напором хвилі траву, в ковбликів, що час від часу вилазять зі своїх печер (Фр.); Микола час од часу мугикав, підсідав до піаніно, брав акорди (Досв.); Чоловік.. копає ту нивку великою мотикою і часто викидає каміння з землі, від часу до часу спиняючись та втираючи піт з обличчя (Л. Укр.); Од часу до часу вона кликала Остапа. Одповіді не було (Коцюб.); Відчиняла [Галя] із часу до часу віконце — вдивлялася (Вовчок). С и н о н і м: раз у раз (у 1 знач.).

час не жде [не стоїть]. Треба негайно щось робити, виконувати, здійснювати.— Час не жде, Дмитре Івановичу. Дайте мені, якщо знайдеться, такого-сякого інструменту: напильничка, тисочків. Мені б одну штуковину полагодити... (Сиз.); До царя тут Змій озвався: — Якщо вгадувать ти взявся, Вгадуй, царю, час не жде, Бачиш — сонечко вже де! (Перв.).

час пробив. Настав момент, що є сигналом до чого-небудь. Вірили [військовополонені] вже, що час нашого повороту до активної збройної боротьби з ворогом таки проб'є і що він уже не за горами (Коз.); Людина вперше вийшла в. космос — пробив час космічної ери.

ЧАСИ: на вічні часи. Назавжди. В пориві високості духу скочив на брилу п'єдесталу на вічні часи солдат з бронебійною рушницею у руках. Лебедіє біля його ніг неспокій та сива хвиля. І печалить день чаїне квиління (Рад. Укр.).

ЧАСІ: на часі. 1. Необхідний у даний момент; вчасний. Я відчував, що позбавляюсь сил. Вага одежі й Жабі тягли мене наспід, під лід. І допомога Михайлова якраз була на часі (Досв.); — Не знаю, що й сказати..— мовила Тетяна, поглядаючи на матір. — Трохи ніби твоє освідчення несподіване... і не на часі (Добр.).

2. Важливий для даного часу; який відповідає найважливішим потребам сучасності. Уже давно на часі синтетичне дослідження про Григорія Тютюнника — письменника пластичного, сильного письма, творця глибоких національно виразних характерів (Рад. літ-во).

по [якомусь] часі. Трохи згодом. По часі, зобачивши, що Павло «смирний», дали йому волю ходити куди схоче, по селі (Вовчок).

ЧАСНИКУ: втерти часнику див. втерти.

ЧАСОМ: з часом. У майбутньому, пізніше, колись. З часом, на очах Франка, відбувається важкий соціальний процес. Процес росту капіталізму (Коцюб.); Вона фельдшерує в радгоспі, а з часом буде в сім'ї ще й своя лікарка: оця сама Ліна. Вирішено в мединститут документи здавати (Гончар).

іншим часом. Згодом, пізніше, колись. Все бачила і чула... докладно описувати не буду, а то дуже довго вийде, нехай іншим часом напишу (Л. Укр.); [Галя:] Проказуй [пісню] далі. Слухай-

те, дівчата. [Маруся:] Хай іншим часом. Далі не зложила... (Сам.).

ЧАСТО: часто й (та) густо. Майже постійно, майже весь час. Часто й густо вона думала: чи вже людям не можна жити правдою? (Мирний); Те серденько так хотіло любити, так хотіло! Але ж любити було нікого!.. Недоброго й часто й густо п'яного батька вона не любила, матері не було (Гр.).

ЧАСТУВАТИ: частувати потиличниками див. годувати.

частувати / почастувати березовою кашею кого. Бити кого-небудь.— Ну, приходь, хлопці, завтра без сніданку,— зареготався коренастий семінарист.— Будуть частувати березовою кашею з дубовим салом.— Не лякай ляканих! — вигукнув русявочубий, одягаючи шинель (Сирот.); Ось зачекай-но, розповім твоєму батькові! Він тебе ще й березовою кашею почастує, два тижні пролежиш на череві (Тулуб). П о р.: дати березової каші. С и н о н і м и: почесати березовим віником; дати хльосту; всипати перцю (в 1 знач.); витерти ворсу; намилити шию (в 3 знач.).

ЧАСУ: Бог зна з якого часу див. Бог.

до часу. До певної пори, до якогось моменту; тимчасово, поки що. Чужий чоловік до часу, а свій до смерті (Укр.. присл..); До часу, голубе, нам глечик носить воду; І на його пошле зла доля ту невзгоду, Що глек побачимо в череп'яних шматках! (Г.-Арт.); [Неофіт-раб:] Може ж, і по смерті у тім небеснім вашім царстві божім довіку буде так, як тут до часу (Л. Укр.).

дух часу див. дух; знамення ~ див. знамення; і вгору глянути немає ~ див. глянути;

свого часу. 1. Колись у минулому. Поміж підводами ходив той артилерійський технік, який свого часу підвозив Ясногорську (Гончар). П о р.: у свій час (у 1 знач.).

2. Коли необхідно буде в майбутньому. Про умови конкурсу буде оголошено свого часу. П о р.: у свій час (у 2 знач.).

у розтині часу див. розтині.

ЧАША: гірка чаша. Велике горе, страждання. [Ганна Андріївна (дочці):] Не минула і тя гірка чаша... Тепер ти полонянка; взяли тебе у ясир (Мокр.).

. чаша (чара, чарка і т. ін.) [терпіння] переповнилася / переповнювалася. Не стало більше сил, можливості терпіти, зносити що-небудь. Коли уривався терпець, переповнювалась чаша, .. вибухали стихійні бунти проти жорстоких недолюдків катів (Життя і тв. Т. Г. Шевченка). С и н о н і м и: терпець увірвався; лопнуло терпіння.

[як] повна чаша. Всього є вдосталь, у великій кількості. Гріх бога гнівити, живемо — не тужимо. І люди нас знають — не цураються... Слава богу! Хазяйствечко — повна чаша! (Мирний). повна

ча́шечка. *Моя хаточка — повна чашечка, Моя жіночка — мов та пташечка* (Рудан.).

ЧАШКУ: ки́дати на ча́шку терезі́в *див.* кидати.

ЧАШУ: ви́пити ча́шу ли́ха *див.* випити; **кла́сти на ~ ваги́** *див.* класти; **переважувати ~ терезі́в** *див.* переважувати; **перелива́ти ~ че́рез край** *див.* переливати; **перепо́внювати ~ терпі́ння** *див.* переповнювати.

ЧАЯННЯ: па́че ча́яння *див.* паче.

ЧВАЛОМ: уда́рити чва́лом *див.* ударити.

ЧВАР: я́блуку чвар *див.* яблуко.

ЧВЕРТКУ: роздави́ти чве́ртку *див.* роздавити.

ЧЕКАЄ: ді́ло не чека́є *див.* діло.

ЧЕКАТИ: чека́ти з мо́ря пого́ди *див.* ждати.

ЧЕКУ: як на чеку́. У настороженому стані, у тривожному чеканні чого-небудь (перев. неприємного). *Як вже одцуралася я його сватання, то треба було жити, як на чеку: боялася його сама одна стрінути. Як він очима на мене світив* (Вовчок).

ЧЕМЕРИЦІ: як чемери́ці об'ї́вся *див.* об'ївся; **як ~ поню́хати** *див.* понюхати.

ЧЕМОДАНАХ: сиді́ти на чемода́нах *див.* сидіти.

ЧЕРВИ: че́рви б пої́ли (з'ї́ли) *кого, лайл.* Уживається для вираження великого незадоволення тим, хто просить їсти. *По хатах крик та плач стоїть, дітвора репетує: «Їсти хочеться», а матері гукають: «черви б вас поїли, кляті!» і годують дітвору духопеликами* (Мирний).

ЧЕРВІНЦЯМИ: си́пати черві́нцями *див.* сипати.

ЧЕРВОНИЙ: черво́ний пі́вень *див.* півень.

ЧЕРВОНІ: аж черво́ні вогни́ в оча́х *див.* вогні.

ЧЕРВОНОГО: пуска́ти черво́ного пі́вня *див.* пускати.

ЧЕРВОНОЮ: прохо́дити черво́ною ни́ткою *див.* проходити.

ЧЕРВ'ЯК: черв'я́к то́чить се́рце *кому.* Кого-небудь щось постійно хвилює, турбує, мучить, завдає душевного болю. *[Неофі́т-раб:] Маю гієну ту щодня і щогодини, навколо себе чую плач і скрегіт, щодня мені черв'як той точить серце. То ж мене привів сюди до вас шукати правди, волі і спокою* (Л. Укр.).

ЧЕРВ'ЯКА: залива́ти черв'яка́ *див.* заливати; **замори́ти ~** *див.* заморити.

ЧЕРГОЮ: по́за [вся́кою] че́ргою. Без установленого терміну, невідкладно.— *В лабораторії є наказ виявляти мої негативи й друкувати зараз же поза всякою чергою?* (Ю. Янов.).

своє́ю че́ргою. Так само, також. *Гість своєю чергою випив за здоров'я хазяїна, потім хазяйки, а далі за здоров'я Ваті* (Н.-Лев.). П о р.: **у свою́ че́ргу.**

ЧЕРГУ: відбува́ти че́ргу *див.* відбувати.

у пе́ршу че́ргу. Насамперед, передусім, спочатку. *Якщо спробувати визначити основні ідеї збі-*

рок (Л. Дмитерка) «Крилатий кінь» і «Причетність», то цілком очевидно, слід у першу чергу говорити про ідеї миру — миру на землі (Літ. Укр.); *При виборі творів для перекладу Франко орієнтувався в першу чергу на їх політичну й громадську спрямованість* (Вітч.). С и н о н і м и: **пе́ршим ді́лом; у пе́ршу го́лову.**

у свою́ че́ргу. Так само, також.— *І нікому — ніякого спуску. Все, що підлеглим належить,— дайте. Бо я в свою чергу вимагатиму з вас немилосердно по всіх пунктах. Вам зрозуміло?* (Гончар). П о р.: **своє́ю че́ргою.**

ЧЕРЕВИКИ: лиза́ти черевики́ *див.* лизати.

ЧЕРЕВИКІВ: стопта́ти бага́то черевики́в *див.* стоптати.

ЧЕРЕВО: набива́ти че́рево *див.* набивати; **наї́дати ~** *див.* наїдати.

ЧЕРЕДИ: як сви́ні з череди́ йти́муть *див.* свині.

ЧЕРЕП: думки́ розрива́ють че́реп *див.* думки.

ЧЕРЕПАХА: як (мов, ні́би *і т. ін.***) черепа́ха.** Дуже повільно, незграбно.— *Ходить [Ватя] неначе та черепаха* (Н.-Лев.). С и н о н і м: **як слима́к.**

ЧЕРЕПАХОЮ: як Бог з черепа́хою *див.* Бог.

ЧЕРЕПКУ: не роди́ло в черепку́ *див.* родило.

ЧЕРЗІ: на че́рзі, *перев. з сл.* **сто́яти, бу́ти.** Перший у певній черговості.— *Некрутський набір, Сидоре,— одказав голова,— твій Іван на черзі* (Стор.); *Олексієві пішов двадцятий, стояв він на черзі у некрути* (П. Куліш).

на че́рзі дня, *з сл.* **стоя́ти, бу́ти.** Як першочергове завдання. *Є важливі ділянки літератури, складні й часткові проблеми, питання різного характеру, зв'язані з творчою діяльністю окремих письменників і цілим літературним процесом, які стоять на черзі дня, чекають на своїх дослідників* (Рад. літ-во). **на че́ргу дня,** *з сл.* **ста́виться.** *На чергу дня сучасних вимог ставити питання визначення призначення металу або сплаву відповідно до їх властивостей, які залежать від складу та будови цих металів і сплавів* (Роб. газ.).

ЧЕРСТВА: черства́ душа́ *див.* душа.

ЧЕРСТВИЙ: черстви́й шмато́к *див.* шматок.

ЧЕСАТИ: чеса́ти / почеса́ти язика́. Вести безпредметні, несерйозні, пусті, неправдиві розмови.— *Нарешті справжнє діло підвертається! А то гасаємо, як навіжені, по селах та язики чешемо...* (Головч. і Мус.); — *Як не має хтось роботи, той чеше язика, мов на нього лизак напав* (Стельмах); *І знову говорить і говорить — любить же Петрович язика почесати* (Крот.); *Її веселі, язикаті сусіди вважають за потрібне піклуватися про неї? Вже, мабуть, добре почесали язики і в кімнатах гуртожитку, і на фабриці* (Собко). С и н о н і м и: **точи́ти ляси** (в 1 знач.); **клепа́ти язико́м; теревені́ пра́вити** (в 2 знач.); **плеска́ти язико́м** (у 1 знач.).

ЧЕСНЕ: на чéсне слóво; ~ слóво *див.* слово.

ЧЕСНÓМУ: вúсіти на чéсному слóві *див.* висіти; на ~ слóві *див.* слові.

ЧЕСНÓТА: ходя́ча чеснóта *див.* совість.

ЧÉСТІ: багáто чéсті *див.* багато; давáти слóво ~ *див.* давати; не знáти ~ *див.* знати; слóво ~ *див.* слово; спрáва ~ *див.* справа.

ЧÉСТЮ: з чéстю, *перев.* з сл. вúконати, вúтримати, здíйснúти і т. ін. Як годиться, як слід, з усвідомленням своєї вагомості, свого значення. — *Точка, хлопці! — механік зітхає. Йому зір, як по бурі залив.— Ми до фінішу вчасно прийшли. З честю виконали, товариство, завдання, що на себе взяли* (Сос.); *Починається сівба, великий екзамен. Витримайте його з честю* (Зар.).

ЧÉСТЬ: вúпала [висóка (велúка)] честь *кому, чому.* Кому-небудь довірили щось відповідальне, почесне, дуже важливе. *Шеф викликав нас* [футболістів] *до контори й.. товкмачив, яка нам, мовляв, випала честь і як ми повинні пишатися* (Ю. Янов.); *В 1936 році театру випала честь представляти мистецтво Радянської України на Першій декаді українського мистецтва в Москві* (Мист.). **висóка честь вúпала на дóлю** *кого.* *Висока честь зробити записи пісні про Кармалюка випала на долю М. Костомарова. Здійснення цього запису всього через дев'ять років після вбивства панами та їх посібниками народного месника є дуже знаменним фактом* (Нар. тв. та етн.).

віддавáти честь *див.* віддавати; **мáти ~** *див.* мати [2]; **мáю ~** *див.* маю.

на (в) честь *чию, кого, чого.* Для вираження поваги, пошани кому-, чому-небудь, для підтвердження визнання когось, чогось і т. ін. *У вересні 1934 року вся країна святкувала вісімдесятиріччя життя і шістдесятиріччя творчості Мічуріна... Робітники й колгоспники влаштували в місті на його честь урочисту демонстрацію* (Довж.); *Вечірка на честь приїзду гостя почалася* (Ю. Янов.); *— На честь більшовика-гвардійця — салют!* (Гончар); *— Хрестили його у нашій церкві, назвали в дідову честь теж Петром* (Стельмах.)

порá і честь знáти *див.* пора; **робúти ~** *див.* робити.

честь і хвалá (шáна, слáва) *кому, чому, ритор.* Уживається як заклик віддати належне гідності й досягненням кого-, чого-небудь. *Честь і хвала невмирущому талантові і довічна йому слава!* (Мирний); *Честь і шана всім трудящим В кузні, шахті чи з серпом; Хай для нас життя їх кращим Буде прикладом — зразком!* (Граб.).

честь мундúра. Гідність особи як представника певної організації. *Не повезло йому.. або прокрався, чи ще що трапилося, ну, під суд не віддають, бо честь мундира бережуть,— треба йти з полку* (Хотк.); *— Тут не училище, і я не курсант,—*

ogризнувся Берник.— *Він за честь мундира турбується, а я за людей* (Мур.).

честь чéстю. Як і повинно бути, як і належить.— *Одного разу я за ніч відвідав 28 трактирів. Але все було честь честю. Я ніде не випив більше як по три кухлі пива* (Гашек, перекл. Масляка); *— Я їй адресу написав. Усе честь честю...* (Є. Кравч.).

ЧÉТВЕР: не тепéр, то в четвéр; ні тепéр ні в ~ *див.* тепер.

ЧÉТВЕРО: в чéтверо очéй *див.* ока.

ЧЕЧÍТКУ: вибивáти зубáми чечíтку *див.* вибивати.

ЧИ: чи ти ба *див.* ти.

ЧИЇСЬ: переклáдати на чиїсь плéчі *див.* перекладати.

ЧИЙ: чий бáтько стáрший *див.* батько.

ЧИМ: за чим дíло стáло *див.* діло; з ~ його їдя́ть *див.* їдять; з ~ чорт не жартýє *див.* чорт; і кíшки нема ~ годувáти *див.* годувати; не мáти ~ хребтá прикрúти *див.* мати [2]; немá ~ крúти *див.* крити.

ні з чим, з сл. ітú, íхати, вертáтися, вихóдити, залишáтися і т. ін. Не одержавши нічого, не добившись ніяких наслідків, без результату. *Поїхав Дмитренко ні з чим* (Мирний); [Люб о в:] *Що ж з того, що дрібниця, а все-таки виграла, а ви ні з чим вертаєтесь* (Л. Укр.); *До хати зайшло двоє у потертих шинелях з таким виглядом, ніби таки настигли злодія.. Коли вони ні з чим вийшли з хати, переполошений батько запитливо вставився на сина* (Панч); *Про запеклі бої вздовж південних відрогів Брянського лісового масиву Артем із Ляшенком уже знали від Приходька, який нещодавно повернувся ні з чим із своїх пекельних мандрів* (Головч. і Мус.). С и н о н і м: **несóлоно сьорбáвши.**

ні з чим не розмине́ться *див.* розминеться; ~ бог дав; ~ бог послáв *див.* бог; ~ дúхає *див.* дихає.

чим [же] не. Уживається в риторичних запитаннях для підтвердження наявності всіх необхідних якостей у кого-небудь. *— Чим же він не козак,— кажу я старим.— Да подивіться, люди добрі, чи він же не козак? Нехай хоч сама Марта скаже!* (Вовчок).

чим пáхне *див.* пахне; ~ світ *див.* світ; ~ чортú не грáються *див.* чорти.

ЧИМÁЛО: робúти чимáло шýму *див.* робити; ~ водú сплилó *див.* багато.

ЧИН: чин чúном (по чúну). Так, як слід, як годиться, як повинно бути. *І Хома запевняв майора, що канат лежить у нього чин чином у передку* (Гончар); *Онисія Климівна та Вечуро.. живуть подружжям. І що це дійсно саме так, є свідоцтво... Все чин чином. Усе, як годиться, і комар носа не підточить* (Рудь); *Та ось у гурті прибулих, серед яких він крокував поважно, чин по чину, його увагу прикував один міцний хлопчи-*

на (Дор.). С и н о н і м: **комáр нóса не підтóчить; гóлки не підтóчиш.**

ЧИНЬБИ: дáти чиньбú *див.* дати.

ЧИРЯК: чиря́к на язи́к *див.* тіпун.

ЧИСЛÁ: без числá. Дуже багато, сильно, незмірно. *В ній бачив гибель неминучу, І мучивсь страшно, без числа* (Котл.); *Добра у нього всякого без числа було, грошей, як сміття* (Мур.). С и н о н і м: **немá лíку.**

ЧИСЛÓ: всúпати по пéрше числó *див.* всипати.

по пéрше числó, *з сл.* в л е т í т и *і т. ін.* Дуже сильно, з найбільшою суворістю. *У получку Тимоша приходив під доброю чаркою, знаючи, що влетить йому від маленької Валі по перше число* (Зар.).

чóртове числó; чóртова дю́жина. Тринадцять. [С е м е н:] *А що ви тепер пишете?* [П е т р о:] *Малюнки літньої природи. Це була низка невеликих поезій. Дванадцять п'єсок уже написав, а от на чортовому числі спіткнувся* (Сам.).

ЧИСЛÓМ: зáднім числóм. Пізніше, через деякий час після чого-небудь; із запізненням. *Потім* [Дарка] *наліпила поштову марку, яка коштувала втроє більше, ніж оплата звичайної листівки. Та це був день народження (хоч і заднім числом!), а з такої нагоди негарно жаліти коштів* (Вільде); *І хто б там цю не говорив про нас заднім числом, а ми пишаємося, що вистояли, не розбіглися по кущах* (Головч. і Мус.).

ЧИСНИЦІ: три чúсниці до смéрті (до вíку) *кому, чому.* 1. Хто-небудь дуже старий або безнадійно хворий і скоро помре. [Г а п к а:] *Вам вже не до моргання — три чисниці до смерті* (Кроп.); *Тепер він* [митрополит] *особливо був схожий на конаючого. Три чисниці до віку, а за своє тримається міцно,— подумав Ярослав* (Загреб.); // *Мало часу жити. Хотіли* [бандити] *вбити й матір, але хтось сказав, що їй і так залишилося три чисниці до смерті, то хай краще голосить над сином, щоб усі комітетчики чули* (Стельмах). **три чúсниці життя́.** *Лягти живою краще в гроб або померти під порогом, ніж полюбити без пуття такого лисого, старого, кому три чисниці життя* (Швець). С и н о н і м и: **лишúлося недóвго топтáти ряст; мох порíс** (у 1 знач.); **смерть заглядáє в óчі.**

2. Що-небудь дуже старе, зруйноване. *Хатчина була справді поганенька. Маленька, з трьома віконцями сліпими, зморщилась вона якось, іскорчилась — три чисниці їй до смерті* (Гр.); *— Але я не розумію, про яку школу ви кажете?.. Школі князя Острозького — три чисниці до смерті, а інші школи такі, що про них не варто й говорити* (Тулуб).

ЧИСТА: чúста сóвість *див.* совість.

ЧИСТЕ: вивóдити на чúсте *див.* виводити.

ЧИСТИЛИЩЕ: пройтú крізь чистúлище *див.* пройти.

ЧИСТИМ: ходúти чúстим рóбом *див.* ходити.

ЧИСТІЙ: по чúстій, *перев. з сл.* з в і л ь н ú т и, с п и с á т и *і т. ін.* Остаточно, назавжди. *Під час одного шаленого нальоту фашистів сержанта Коляду тяжко поранило, і після госпіталю його списали «по чистій»* (Зар.); [П р о к і п:] *Звідки ж ти, Василю?* [Г о р л е н к о:] *З Берліна.* [С т е п а н:] *По чистій?* [Г о р л е н к о:] *По чистій* (Корн.); — *Він — льотчик? — Був колись. Після аварії списали з армії по чистій. Півлиця йому обпалило* (Ю. Бедзик).

по чúстій сóвісті *див.* совісті.

ЧИСТО: все чúсто *див.* все; **геть чúсто** *див.* геть.

ЧИСТОГО: від чúстого сéрця *див.* серця; **як грім сéред ~ нéба** *див.* грім.

ЧИСТОЇ: чúстої водú *див.* води; **~ прóби** *див.* проби.

ЧИСТОМУ: у чúстому вúгляді *див.* вигляді.

ЧИСТОТУ: на чистотý. Прямолінійно, щиро, відверто. *Скажемо на чистоту, хоч різко: між інших, проби української прози в останні часи заїда поверховість* (Драг.); — *Якщо віриш мені, можеш говорити на чистоту,— сказав Роман, поклавши руку другові на плече* (Минко); *Він за всяку ціну вирішив поговорити на чистоту з Костецьким* (Перв.).

ЧИСТОЮ: із чúстою сóвістю *див.* совістю.

ЧИСТУ: брáти за чúсту монéту *див.* брати; **вивóдити на ~ вóду** *див.* виводити; **випливáти на ~ вóду** *див.* випливати; **давáти ~ годúну** *див.* давати; **за ~ монéту** *див.* монету.

ЧИТАТИ: читáти в душí (в сéрці) *чий, чиєму, кого.* Розуміти, розгадувати чийсь душевний стан. *Ой, якби-то баронеса могла читати Софії в серці — вона б жахнулася* (Л. Укр.).

читáти (вичúтувати) / прочитáти (вúчитати) молúтву, *кому і без додатка.* Дорікати кому-небудь, лаяти когось. [Х р а п к о:] *А то все що на шармака воно* [добро] *доводиться [дістається], нетруджена копійка до рук доходить!* [Г а л я:] *Та буде вже, папо, цю молитву читати* (Мирний); — *Та піди ж та прочитай молитву Солов'їсі? Хіба ж ти не бачиш, що вона мене їсть, як іржа залізо...* (Н.-Лев.); — *І як ото ти смієш балакати з моїми ворогами, коли я цього не хочу! Потривай же! Я ж тобі дома вичитаю молитву!* (Н.-Лев.).

читáти (вичúтувати) / прочитáти (вúчитати) нотáції (нотáцію, морáль). Дорікаючи, давати кому-небудь настанови, поради, повчати когось.— *А бодай вас був вовк поїв у лісі. І притеребились прокляті відьми! Ще оце почнуть читати мені нотації,— думав Ястшембський, говорячи тіткам компліменти* (Н.-Лев.); *Покликавши прикажчика. Густав Августович взяв його за лікоть і, відвівши в бік від Софії, став читати йому нотацію* (Гончар); *Ображена вихователька негайно поскаржилася директорові. Директор розгнівався і, коли*

Петро повернувся з купання, прочитав йому сувору
нотацію (Багмут). С и н о н і м: **читати лéкції.**

читати / прочитáти лéкції (лéкцію). Дорікаючи,
давати кому-небудь настанови, поради, повчати
кого-небудь.— *Ви мені, батьку, лекцій не читайте*
(Довж.). С и н о н і м: **читати нотáції.**

**читати / прочитáти між (поміж) рядкáми
(рядкíв).** Здогадуватися про прихований зміст
написаного, сказаного і т. ін. *Поміж рядками
ненароком Духовним він читає оком Рядки незримі*
(Пушкін, перекл. Рильського).

читати / прочитáти прóповідь *кому.* Повчати
кого-небудь.— *Ти що ж, на всю ніч найнялась
мені проповіді читати* (Тют.); — *Більше ніякої
моральної проповіді я йому не читав. Мій Іван
і вирівнявся!* (Вітч.).

як (мов, ніби і т. ін.) з кни́жки читáти, з сл.
р о з к á з у в а т и , р о з п о в і д á т и і т. ін. Дуже
чітко, без запинки.— *А казок яких він уміє
розказувати.. Чи страшної, чи смішної,— як з
книжки читає* (Мирний). С и н о н і м и: **як по
пи́саному** (в 1 знач.); **як по псалтирю́ читáти.**

як (мов, ніби і т. ін.) по псалтирю́ читáти. Дуже
чітко, без запинки. *Усе мені одказує [Катря], як
наче по псалтирю читає* (Вовчок). С и н о н і м и:
як по пи́саному (в 1 знач.); **як з кни́жки читáти.**

ЧИЯ: чия́ візьмé. Хто переможе. *А з другого,
поки пробрались трохи поміж людом, чує Петро
таку розмову: — Як ти думаєш? Чия візьме? —
А чия ж, як не Івана Мартиновича!* (П. Куліш); — *Побачимо, чия візьме,— заскреготав зубами Микола і рвонув машину з місця* (Сол.).

чия́ кíшка сáло з'їла див. кішка.

ЧІМ: в чíм річ див. річ; **на ~ би не стáло** див.
стало; **як ні в ~ не булó** див. було.

ЧІП: як чіп. 1. з сл. д у р н и́ й , п ' я́ н и й. Дуже
сильно, у великій мірі.— *Хоч і кажуть, що ти
відьма, і бояться люди тебе, а я прямо скажу —
дурна, дурна як чіп, та й годі!* (Мирний); *Офіціант із поліцменом вели під руки Полякова [емігранта]. Колишній саратовець був п'яний як чіп*
(Кор.). **як чопóк.** П'яний як чопок (Номис).

2. з сл. п и́ т и , н а п и в á т и с я. Дуже багато.
*Бригадир одмовив тихо На запитання моє: — Лиходій... то наше лихо! Тільки «звіти» подає, Та як
чіп горілку п'є!* (С. Ол.); *Пив Сидір так, як чіп*
(Бор.).

ЧІПЛЯТИСЯ: чіпля́тися на ши́ю див. вішатися.

ЧМАНІЄ: головá чманíє див. голова.

ЧМЕЛІВ: слýхати чмелíв див. слухати.

ЧМЕЛЯ: убити чмеля́ див. убити.

ЧÓБІТ: підгортáти під чóбіт див. підгортати.

як [драний (діря́вий)] чóбіт, з сл. д у р н и́ й.
Дуже, у великій мірі.— *Ото я дурний як чобіт,—
воркотів сам до себе Іван, сидячи знов з люлькою
в зубах на лавочці* (Фр.); — *Дурний ти, Вікторе,
як драний чобіт,— відповів на те Твердохліб і,
сплюнувши, пішов геть* (Цюпа); [Т е р е ш к о:]

Ой, Грибок, дурний ти як діря́вий чобіт.. Час уже
своєю головою думати (Зар.).

ЧОБІТ: пáра чобíт на однý нóгу див. пара;
стоптáти багáто ~ див. стоптати.

ЧОБІТЬМИ: кресáти чобітьмú див. кресати;
лíзти з ~ в дýшу див. лізти.

ЧОБОТИ: би́ти чóботи див. бити.

два чóботи — пáра (на однý нóгу). Схожі між
собою якимись (перев. негативними) рисами, поглядами, становищем у суспільстві і т. ін.; варті
один одного.— *Теж партійний [Антон], либонь.—
А до якої партії? — З тієї якраз партії, що
й учителів Павло.— Есер. Два чоботи — пара*
(Головко); — *Чому у тебе розладилося з Насткою? Якось я розмовляв з нею. З її слів — винен
ти. Але поспішне одруження ставить усе на своє
місце. Вона легковажна. Виходить, ви — два чоботи — пара* (Автом.); *Фред зник за дверима.
В квартирі відразу посвітлішало і попросторішало. Згадався [Миколі] Конопельський. От звести
б їх з Фредом, от би компанія була, два чоботи на
одну ногу* (Збан.). С и н о н і м и: **пáра чобíт на
однý нóгу; одни́м ми́ром мáзані; одногó пóля
я́года; пáра п'я́ток; один вíд óдного недалéко
відбíг.** А н т о н і м: **не з нáшої парáфії.**

лиза́ти чóботи див. лизати; **потягнýти ~** див.
потягнути; **топтáти ~** див. топтати.

ЧОБОТОМ: під чóботом *чиím, кого,* з сл. б ý т и ,
ж и́ т и і т. ін. У цілковитій залежності від кого-небудь, під чиєюсь владою, чиїм-небудь гнітом.
— *У нас спільний ворог — самодержавство. Отже, й спільна мета: здобути волю всім народам,
що стогнуть під його чоботом,— сказав Крулікевич* (Тулуб).

ЧОВНІ: як собáка в човнí див. собака.

ЧÓГО: до чóго... Уживається для вираження
високого ступеня вияву якої-небудь ознаки; дуже.
Мірошниченко піднімає над головою чахлий вогник сліпака, пильно оглядається: до чого полісовщик Мирон Підіпригора схожий на свого двоюрідного брата Василя (Стельмах).

ні до чóго, *кому.* Не потрібен. — *Забирайте,
забирайте, дядьку,— Вутанька, посміхнувшись,
підкинула йому ногою і другий лантух.— Вам на
хазяйстві згодяться, а мені вони ні до чого* (Гончар); *Рудий удавав, що йому ці балачки ні до
чого, він навіть поліз у кабіну, але прислухався до
кожної репліки* (Хор.).

прийшлó що до чóго див. прийшло; **прихóдиться
до ~** див. приходиться; **що й до ~; що куди́
й до ~** див. що.

ЧОГО: мáло чого не бувáє див. мало; **немá тогó
в свíті, ~ не...; немá ~** див. нема; **немá ~ бóга
гнíвити** див. гріх; **немá ~ в рот поклáсти** див.
нема.

чого дóброго. Може статися, може бути, можливо (перев. при припущенні небажаного наслідку).— *Шкода тільки, що не жениться [Чіпка],* ..

Чого доброго, розволочиться, розледачіє (Мирний); *Ще недавно такою тихенькою, як весняна травичка, була.. А це від нього ж, Давида, навчилася усякими насмішками розкидатися, чого доброго стане пащекувати, а йому не така потрібна дівчина* (Стельмах).

чого ліва ногá забажáє *див.* нога; **~ тільки немá** *див.* нема.

ще (ісцé) чого! Уживається при запереченні неприйнятних думок, дій, вчинків і т. ін. [К а с а н д р а:] *Не руште! Я під захистом святим!* [А я к с:] *Іще чого!* (Л. Укр.).

ЧОГО-ЧОГО: чогó-чого, а...; чомý-чому, а... Уживається для виділення, підкреслення чого-небудь.— *Цілих вісім день оце прожив я у матері і чого-чого, а про оте прокляття наслухався доволі* (Ле).

ЧОЛА: не схилúти чолá *див.* схилити; **обтéрти піт з ~** *див.* обтерти; **у пóті ~** *див.* поті.

ЧОЛІ: на чолі. 1. з ким. Керований, очолюваний ким-небудь. *Їй здавалось, що проти неї назустріч вийде вся біївська громада з головою на чолі* (Н.-Лев.); *Ніколи не забудемо ми, що в рядах пугачовських повстанців були й повстанці башкири на чолі з воїном та поетом Салаватом Юлаєвим* (Рильський); *— Хочемо України української, червоної, своєї! Схвальний гомін прокотився по майдану.— Червону дайош! Червону! — дружно неслося звідти, де стояли асканійці на чолі з Яреськом* (Гончар).

2. кого, чого. Керуючи ким-, чим-небудь, очолюючи когось, щось. *Іван Оленчук прибув до броду на чолі цілої валки, підняв усіх жителів свого кутка — від старого до малого — рятувати броди* (Гончар); *На чолі полку мчить Тарас. Його вигляд страшний. Бурхає полум'я* (Довж.).

на чолí напúсано *див.* написано; **постáвити на ~** *див.* поставити.

ЧОЛО: клонúти чолó *див.* хилити; **мідянé ~** *див.* лоб; **піднімáти ~** *див.* піднімати; **схиляти ~** *див.* схиляти; **хилúти ~** *див.* хилити.

ЧОЛОВІК: бóжий чоловíк, *заст.* Паломник, прочанин; юродивий. *Божий чоловік положив Петрусеві на голову руку да й каже: — Добрий козак; по батькові пішов* (П. Куліш); *— Данила Бульбаша не знали? У божого чоловіка прикинувся — почав ходити і влітку і взимку босий* (Панч).

ЧОЛОВІКА: не вважáти за чоловíка *див.* вважати.

ЧОЛОМ: бúти чолóм *див.* бити; **вдáрити ~** *див.* вдарити; **приймáти ~** *див.* приймати.

чолóм тобí (вам), *заст.* Форма шанобливого вітання при зустрічі.— *Чолом вам, панове громадо! Чолом і тобі, пане полковнику! Ну.. як же ти вернувсь до табору, не маючи коня?* (П. Куліш).

ЧОМУ: ні при чóму (чíм). Не винний у чому-небудь, не причетний, не мати стосунку до чогось.

— Цих хлопців я не знаю,— ледве вимовив Марко.— І ніхто мене не вчив, сам украв, бо їсти хотів, а вони тут ні при чому (Мик.); *— Колись брала* [рибу], *а тепер не хочу,— відрізала Килина.— Ну, як тебе вкусило щось, то я тут ні при чім,— пробурчав Тодей Батюта й повернувся, щоб іти* (Гуц.).

показáти на чóму горíхи ростýть *див.* показати; **у ~ був** *див.* був; **у ~ мáти народúла** *див.* мати[1].

ЧОМУ-ЧОМУ: чомý-чому, а... *див.* чого-чого.

ЧОРНА: чóрна годúна *див.* година; **~ дóля** *див.* доля; **~ кíшка пробíгла** *див.* кішка; **~ плЯма** *див.* пляма; **~ смерть** *див.* смерть; **~ спрáва** *див.* діло; **щоб прийшлá ~ годúна** *див.* година; **як ~ хмáра** *див.* хмара.

ЧОРНЕ: видавáти бíле за чóрне *див.* видавати; **~ діло** *див.* діло; **~ зóлото** *див.* золото; **~ слóво** *див.* слово.

ЧОРНИЙ: про чóрний день *див.* день; **~ віл на нóгу наступúв** *див.* віл; **~ вóрон** *див.* ворон; **~ кіт пробíг** *див.* кішка; **як ~ віл; як ~ віл на нóгу наступúв** *див.* віл.

ЧОРНИЛЬНА: чорнúльна душá *див.* душа.

ЧОРНИМ: чóрним по бíлому, з сл. н а п ú с а н о, з а п ú с а н о і т. ін. Цілком ясно, виразно, чітко, зрозуміло. *У Переяславських пактах чорним по білому написано аби злодіїв та втікачів з земель московських в кошах козацьких, куренях та полках не переховували* (Рибак); *Там* [у «Положенні»] *чорним по білому написано, що незалежно від полюбовної згоди поміщик може в усякий час вимагати від селян обміну необхідної йому землі, коли на ній виявляється джерело мінеральної води чи корисні копалини, в тому числі і торф* (Стельмах).

ЧОРНІ: чóрні дні *див.* дні; **~ хмáри збирáються** *див.* хмари.

ЧОРНО: [аж] у рóті чóрно *у кого, кому.* **1.** Хто-небудь дуже сердитий, лютий.— *Та тебе всі знають у Закриниччі за скажену, у тебе в роті чорно* (Гуц.).

2. з сл. т а к ú й. Дуже, у великій мірі. *Панночка на стільчику розкинулась, плаче; а стара над нею головою стоїть і так то люто вже мене лає, така вже люта,— аж у роті чорно* (Вовчок).

чóрно пéред очúма *у кого, кому.* Хто-небудь дуже знесилений, утомлений (від переживання, хвороби, важкої праці і т. ін.).— *Бог би тебе скарав, Саво! Мені з журби чорно перед очима, а ти ще приходиш і їси моє серце!* (Коб.).

ЧОРНОЇ: чóрної пáм'яті *див.* пам'яті.

ЧОРНОМУ: держáти в чóрному тíлі *див.* держати.

ЧОРНУ: наганяти чóрну хмáру *див.* наганяти; **про ~ годúну** *див.* день.

ЧОРТ: давáй бóже нóги а чорт колéса *див.* давай.

з чим чорт не жартýє (не грáється). Усе може

бути. *Анкету він уже заповнив. Тепер ще біографія, характеристика й — з чим чорт не жартує? — може, й вигорить справа з переводом на роботу до міністерства* (Мур.).

[і] сам чорт, з сл. *не пізнає, не зрозуміє* і т. ін., грубо. Ніхто. *Сам чорт не пізна, яка з дівчини вийде молодиця* (Номис); *Ведмідь реве, і корова реве, а хто кого дере — і сам чорт не розбере* (Укр.. присл.).

[і] чорт до́вбнею не доб'є кого, ірон. Хто-небудь має міцне здоров'я, живучий. *— Такого діда й чорт довбнею не доб'є, — і Данилко сам дивувався — отаким він прадіда ніколи не бачив, скільки сили ще було в його кощавому тілі* (Ю. Янов.). П о р.: **до́вбнею не доб'є́ш.**

[і] чорт із свічкою не зна́йде (не знайшо́в) кого, що, ірон. Кого-, що-небудь не можна розшукати, навіть докладаючи великих зусиль. *— Я мрію працювати на селі. — Не бреши! Багато з вас таких, що повивчались, а на селі працюють? Порозбігалися, що й чорт із свічкою не знайде* (Тют.); *— Корабель, — продовжував Богдан, — на якому я очуняв, належав старому малайцеві з острова Тао — десь на північ від Яви. Цього острова і чорт із свічкою не знайшов серед безлічі тих островів* (Ю. Янов.).

і чорт лизне́ (зли́же) кого, лайл. Хто-небудь зникне зовсім, безслідно. *За кучму сю твою велику Як дам ляща тобі в пику, То тут тебе лизне і чорт!* (Котл.); *[С т е п а н (до Гордія):] Анахтемо, замовчи, бо тут тебе й чорт злиже!* (Кроп.). **немо́в чорт злиза́в уся́кий слід.** *Починаю розвідувати, хто тоді був у шинку, що то за якісь були, що мене били, — ага, немов чорт злизав усякий слід* (Фр.).

нада́в (же) чорт, грубо. Уживається для вираження незадоволення, досади у зв'язку з тим, що хто-небудь щось зробив або робить. *[М и х а й л о:] Жінко! Знайди угля або крейди. [Т е т я н а:] От чорт надав забаву [стріляти]! Вікна повибиваєте* (Котл.).

нія́кий чорт не жде кого, грубо. У кого-небудь немає нікого з рідних, близьких. *— Мене ніякий чорт не жде! — А дома? На обличчі Сагайди появляється зісна гримаса, а губи починають дрібно тремтіти. — Мій дім, брате,.. вітер розвіяв!* (Гончар).

нія́кий чорт не страшни́й кому, грубо. Хто-небудь нікого не боїться. *Та він що — прищуцькуватий? — з подивом думав Броварник. — А чи й справді люблляться з Наталкою так, що ніякий чорт їм не страшний* (Гуц.).

носитися як чорт з пи́саною то́рбою див. носитися.

оди́н чорт (біс, ді́дько); одна́ сатана́, грубо. Те ж саме; все одно, однаково. *Вовтузився [Іван Пісня] й далі; видно, в нього ніяк не в'язалась петля. — Іване, що ти робиш? Пісня, не перерива-*

ючи роботи, заговорив гнівно, уривчасто: — Один чорт! Досить! Несила моя... Хай вони прокляті будуть!* (Збан.); *Один біс, що пан, що багатий мужик* (Коцюб.); *— Колего, можу вас запевнити, все це дарма.. Звертайтеся до них по-янгольськи чи по-бісовськи — один дідько. Це — банда* (Гашек, перекл. Масляка).

[сам (і)] чорт не брат (за бра́та) кому. Хто-небудь сміливий, відважний, нічого не боїться, все може перебороти. *— Та що! навіть самі поляки вже будуть за нами, — то тепер нам уже й «сам чорт не брат»* (Л. Укр.); *— Щоб жити, треба вміти вибирати.. Бачиш: Петро вибрав собі наречену і тепер сам чорт йому не брат!* (Загреб.); *Кулеметники порозвалювались на тачанках, і здавалося, що їм і чорт не брат* (Ю. Янов.); *Кашкет на правому вусі, на лівому — копиця закучерявленого чуба, на широких грудях — вишита сорочка, сам чорт йому за брата* (Грим.).

сам чорт (біс, сатана́) но́гу (но́ги) зло́мить (вло́мить, злама́є, полама́є). 1. *у чому, де.* Важко зрозуміти, усвідомити, з'ясувати що-небудь або розібратися в чомусь. *— Стійте, стійте, дайте перше.. шовкову спідницю, бо я не знайду, тут сам чорт ногу зломить, шукаючи... (Л. Укр.); — Як живемо? — Так собі, — відповів слідчий Берніс, — переплутали мені всі матеріали, а тепер сам чорт у цьому ногу зломить* (Гашек, перекл. Масляка); *— У ваших канцелярських викрутасах сам чорт зламає ногу. — Інакше, пане, не можна* (Тулуб); *Гадав [Левко], що нема в світі вреднішого зілля, аніж баби. З ними сам біс ногу вломить* (Стельмах); *Потап може лише покрикувати на Таволг, підганяти, придумувати усяку мудрацію, у якій сам сатана ноги поламає!* (Рудь).

2. Дуже складний, заплутаний, невідомий. *— Аби тільки в ліс перескочити. А там він такі стежки знає, такими шляхами поведе, що сам чорт ногу зломить* (Коз); // Дуже складно, заплутано. **сам чортя́ка но́гу зло́мить.** *[Передерій:] Адже як почне [Стрижаченко] крутити,.. то й праве діло так закрутить, що сам чортяка ногу зломе, а в його правди не дошукається* (Мирний).

смикну́в (потягну́в) чорт за язика́ (за язи́к) кого. Хто-небудь необдумано, невчасно сказав щось. *І смикнув мене чорт за язика з тими шуриками-муриками!* (Гуц.).

хай (неха́й, бода́й) чорт (нечи́стий, лихи́й) бере́ / візьме́ (ухо́пить) кого, що, лайл. Уживається для вираження незадоволення ким-небудь, зневаги, зла до когось — чогось, побажання позбутися його. *Виб'ють ковбки останнього пструга в Черемоші, сплавлять з Балтагула останній ковбок, а там — хай вас чорт бере, гуцули. Аби лиш податок давали та в кожнім селі мали жандармерію* (Хотк.); *Хай візьме чорт мою дурну істоту! Цей лермонтовський голубий туман Мені залити хоче всю роботу І геть зірвати виробничий план*

(Рильський); — *Я вже був забувся про неї, а вона знов роздратувала мене своїми очима. Оце ж то ті стріли купідонові, про котрі торочать латинські поети! Бодай нечистий узяв оті купідонові стріли!* (Н.-Лев.); *Кете лиш кресало Та тютюну, щоб, знаєте, Дома не журились. А то лихо розказувать, Щоб бридке приснилось! Нехай його лихий візьме!* (Шевч.). **бодай чорти́ вхопи́ли.** *Він лютився.. і директорові чимало прокльонів діставалось; — А бодай того директора чорти вхопили* (Март.). **бода́й чортя́ки вхопи́ли.** [О л і м п і а д а (чоловіку):] *Бодай вже тебе чортяки вхопили!..* (Кроп.). П о р.: **чорт би побра́в; щоб чорт побра́в.** С и н о н і м: **бода́й грець спали́в у діжі.**

хай (неха́й) йому́ (їй, тобі́, їм і т. ін.) чорт (сім чортів, га́спид), лайл. Уживається для вираження сильного незадоволення ким-, чим-небудь, перев. із втратою інтересу до нього.— *Ну, як агітатор? — допитується Євдоким Юренко у задуманого Величка.— Хай йому чорт! — з серцем відповідає той* (Стельмах); *— Хай їм [бикам].. чорт,— каже.— Щоб не клопотаться — продав.— Отак, кажу,— нахазяйнував, синочок!..* (Тесл.); *— О, нехай йому чорт! Як забився! — Крикнув він до Івася* (Мирний); *Дочко! чого ти проклинаєш? Що він тобі винен? — Та хай йому сім чортів і. все лихе; чи я ж проклинаю? І чого ви вчепились?* (Свидн.); *Не люби, Христе, нікого і ніколи. Хай йому гаспид* (Мирний); *Хто ж тепер у неї там заправляє? — Та хай їй [Мар'яні] гаспид! — не вимовчав Дзюба* (Мирний). С и н о н і м и: **хай йому́ грець; хай йому́ цур; грець побива́й.**

чий чорт ста́рший див. батько.

чорт би побра́в (узя́в, забра́в) кого, що, лайл. Уживається для вираження незадоволення ким-, чим-небудь, зневаги, зла до когось — чогось, побажання позбутися його.— *Куди не глянь — скрізь верби, чорт би їх побрав, осика, вільха. Вся наша величезна північ споконвіку цвіту не бачить* (Довж.); *— От, чорт би її забрав —..віднесла когутика, а тепер сліпкуй та журися, як не заспати! — висварився Василь* (Чендей). **чорти́ б взяли́ (забра́ли).** — *І от ще й продасть Новакович землю [людям]... може бестія продати, бо й йому грошей треба!.. Чорти б його взяли... цю скотиняку Новаковича!..* (Гр.); *— Чорти б вас [гусарів] забрали до себе у пекло. Що мені робити голіруч?! — виливався пошепки Корж.— Ані шаблі, ані мушкета* (Тулуб); **чортя́ка б взяла́.** *Прозора сутінь полягла На гай, на поле і на хати. (Але, чортяка б їх взяла! Як тяжко римів добирати!)* (Сам.); **чорт би побра́в твою́ ма́тір.** *Тарас склав султанові таку відповідь на його грізне послання: Не годен ти синів християнських мати. Війська твого не боїмося... Землею і водою битимемось з тобою, проклятий сину, чорт би побрав твою матір* (Довж.); **чорти́ б мордува́ли ва́шу ма́му.** — *Ми ж не знали, що їм так пофортунить,— засмі-*

явся бандит.— Чорти б мордували вашу маму. А я, гадаєте, знав? (Стельмах). П о р.: **щоб чорт побра́в; хай чорт бере́.** С и н о н і м и: **чорт бери́** (в 1 знач.); **ди́явол йому́ в печінки; враг його́ бери́; хай би грець забра́в; бода́й грець спали́в у діжі.**

чорт (біс) зна́є (зна) що, грубо. Не те, що треба; не таке, як треба; те, що викликає осуд, подив і т. ін. [П а н і:] *Годі базікать чорт знає що! Іди виспись...* (Вас.); *У нас погода погана, то весна, то зима, то зима, то чорт зна що* (Коцюб.); *— Чорт зна що робиться! — занепокоївся тамбовський губернатор, одержавши раптом спішне повідомлення* (Довж.); *Випустіть їх [каченят], куме!.. На якого біса вам таке чорт зна що!* (Рильський). **біси́ зна що.** *Верзе біси зна що Та й думає: Ми то! * (Шевч.).

чорт (біс) [його́ (вас і т. ін.)] бери́ (забира́й) / візьми́ (побери́, забери́ і т. ін.). 1. лайл. Уживається для вираження незадоволення ким-, чим-небудь, обурення, досади з приводу чогось. [К р а с о в с ь к а:] *Разів зо два заходив, а то ввечері як прийшов на чай, ти ж як просиділа ввесь вечір маною, що й словом до його не озвалась, то, звісно, він вже годі кватирі наймать.* [С а ш а:] *Ну й чорт його бери!* (Пчілка); *— Я ще... не вмер. Коліть, чорти вас забирай!* (Мушк.); — *Все разом було... І чабанував... і бринзу робив... Взимку всю худобу сам порав... Дванадцять років відбатрачив. Дванадцять з дванадцяти! І круглий рік? Чорт візьми, це ж каторга!* (Гончар); *— Цей безпритульний Томмі — Дуже настирний Томмі: Голову всім морочить, Чорт його побери!* (Бажан); *Кудись раптом поділася властива Харкевичу ввічливість, і він крикнув: — Чорт забери, що ж я тут маю ночувати?* (Голов.); *Берд (кидається до Мічуріна і виривавши в нього один чемодан, перекладачеві) — Чорт вас забери! Беріть чемодани! Я вас прожену нарешті. Дайте чемодани!* (Довж.) **біс би його́ брав.** *Не один з них подумав собі: «Біс би його брав твою [панову] густовність»* (Фр.). **чортя́ка вас забира́й.** *То з якою метою приземлились? Кого шукали, чортяка вас забирай? Кого, кого, питаю* (Хор.). С и н о н і м и: **ди́явол йому́ в печінки; враг його́ бери́; хай би грець забра́в; бода́й грець спали́в у діжі.**

2. Уживається для вираження задоволення, захоплення ким-, чим-небудь. [Б у г р о в:] *Я живий! Чорт забирай, як я здорово біг!* (Мик.); *Виходячи з-під акацій, Данько на ходу розмашисто тернувся обличчям по обважнілій білим квіттям гілці.— Чорт візьми, здорово пахне, еге ж? — і засміявсь* (Гончар); *— Сев, а хороше море, чорт його забери? — Коли б тільки його не змальовували синьою фарбою і красивими епітетами* (Ю. Янов.).

чорт (га́спид, сатана́) [його́ (тебе́, їх і т. ін.)] зна́є (зна), грубо. 1. Невідомо, незрозуміло.— *Ой,* козаче,— каже,— козаче! Та хіба ж на світі єсть хоч одна проста дорога? Думаєш іти просто, а зайдеш чорт знає куди! (П. Куліш); [С т а с ь:] А цього діда затримайте поки тута — чорт його знає, що воно за старець! Тепер багато всякої наволочі тягається по світу (Вас.); Сказавши, чорт зна де пропала [Дидона], Еней не знав що і робить (Котл.); — Та нащо ж ви їх [сорочки] йому [хазяїнові] віддали? — Чорт його зна, як воно сталося. Здуру... (Тулуб); А тут.. посилають: іди!.. Отака путь.. — Чого се так припало? — Пита Пріська.— Гаспид їх знає! (Мирний). **чорт його ду́шу зна́є (зна)**.— Де ж сторож? — Чорт його душу зна,-- одказував Йосипенко.— Хіба мені ще й сторожа сторожить? (Мирний). П о р.: **дия́вол зна́є; ді́дько зна́є; біс зна́є.**

2. Уживається для вираження негативного ставлення до кого-, чого-небудь, сумніву, досади з приводу чогось.— Що це він задумав? — питав він у сердитого зі сну Тимка.— А чорт його знає! Хіба в нього допитаєшся? (Тют.); Затремтіли в оратора руки. Забігали очі. Одвисла щелепа. Чорт його знає, вилетіли всі думки з голови, і всі слова (Довж.).

чорт (ді́дько) ли́сий, грубо. Ніхто, ніщо.— Показились десь діти, чи який хрін... Межи ними й дідько лисий не розбере (Коцюб.); Вчитель вичитав Кадощиі за біганину по огірках та грядках, на яких лисий чорт виросте, коли кожний тобі здурілий пес буде там товктися (Ю. Янов.).

чорт (ді́дько, нечи́стий, нечи́ста [си́ла], лихи́й і т. ін.) несе́ / приніс (поні́с); нечи́ста [си́ла] принесла́ (понесла́) кого, грубо. Уживається для вираження незадоволення з приводу прибуття когось небажаного куди-небудь або чийого-небудь небажаного відправляння кудись.— Кого ж то це чорт несе? — подумав він (Мирний); Стукіт у двері. Всі обертаються. [Ш а л і м о в:] Ще когось чорт несе (Коч.); [Х а ї м:] Вже либонь дідько несе нашого пана (Кроп.); — Та хто іде? — Максим! Який Максим?.. Ой горе... Дідько знов несе... (Стельмах); Яєць.. нанесла [качка]. За дітей помовка. Аж нечистая несе Голодного вовка (Рудан.); [М и л е в с ь к и й:] Чого ви такий понурий? [О р е с т:] Та досадно, ся розмова.. Чорт приніс язикатого Острожина,— ідіот! (Л. Укр.); — Німців чорт приніс — і ті нас не минули. Двоє курей були — постріляли (Збан.); — Я не бачу тут нічого незвичайного, крім пороху і вибоїн. Чорт мене поніс у цю діру (Довж.); — І приніс нечистий оцю циганку! Вона забере в мене всі корови, гуси й індики,— подумала Терлецька (Н.-Лев.); Нечистий поніс мене восени в гості до куми на перець (Н.-Лев.); — Добре, Свириде, їдь і швидше зводь кінці з кінцями. Бо як нечиста принесе до вас Кульницького — тоді лиха не обберешся. Старим брехуном зробить тебе

(Стельмах); — І звідкіль принесла його нечиста сила! — казали другі.— Тільки де два-три чоловіки зійдуться, то вже й його чортяка хоч-не-хоч внесе туди! Не дав начитатися уволю (Вас.). **чорти́ несу́ть / принесли́.** Як молитву читати, так його чорти надвір несуть (Літ. Укр.); — Сафрон Варчук! — здивовано промовив Тимофій.— Тьху! Куди його чорти несуть проти ночі? Чи не на відрізану землю подивитися? — аж підвівся Мірошниченко (Стельмах); — Не бійся, ми заберемо свій товар удосвіта,— пояснила Соломія,— а може й сьогодні вночі. Не лежати ж йому отут у хаті! Ще когось чорти принесуть (Кучер). **чорти́ притаска́ли.**— Так от кого чорти притаскали до нього. Так от хто щосили тарабанить у двері (Стельмах). **чорт (ді́дько) наніс (позно́сив, понано́сив)** (про всіх або багатьох). [Х р а п к о:] А чорт їх [дітей] наніс сюди (Мирний).— Я тобі казала: не гукай! — корила його Мар'я..— А я знав, що їх там чорт позносив... (Мирний); — І понаносив дідько на нашу голову всяку... шваль (Гашек, перекл. Масляка). **чортя́ка понесла́.** [С е р б и н:] Понесла мене чортяка так зарані — і набрів замість Мар'яни старого диявола (Вас.). С и н о н і м и: **лиха́ годи́на несе́; лихи́й несе́; яка́ си́ла занесла́.**

чорт із ним; ~ його́ ма́тиме див. **біс.**

чорт не взяв кого, грубо. З ким-небудь нічого поганого не сталося, у кого-небудь все йде нормально. [М а р'я:] Сказано, багаті ви з паном. [К а р п о:] Та вже так, що нашого Павлущенка чорт не взяв — придбав собі трохи! (Пчілка); — У мене есесівці [полонені], не бачиш? — Конвоїр німецької групи загрозливо змахнув автоматом.— Та не сердьтеся. Годі-бо вам. Чорт їх не візьме (Довж.). **чорти́ не взяли́.** — А як ваш Плачинда поживає? — Чорти його не взяли,— нахмурився Мар'ян (Стельмах).

чорт не розбере́ див. **біс.**

чорт (нечи́стий, бене́ря) но́сить кого, грубо. Уживається для вираження незадоволення з приводу того, що хтось невчасно або багато ходить, вештається в різних місцях.— Що тебе, Іване, нечистий носить по селу серед ночі? — буркотіла Марія, відчиняючи двері Жменякові (Томч.); — Ідіть ви під три чорти, не дражніть мене! Вертесь, нечистий вас носить! І тут мені немає від вас спокою! (Довж.); — Маковея десь бенеря носить, і на обід не з'являвся... (Гончар); — Чого це тебе так рано тут бенеря носить, Самійле? (Коп.). **чорти́ но́сять.** Де тільки й носили чорти Федька всі оці роки! Всю громадянську не злазив з коня (Дім.); — Голобородька немає? — Нема.— Де його чорти носять?! — Війна, товаришу полковник,— скрушно похитав головою старий (Голов.); **чортя́ка но́сить.**— І де чортяка їх носить до півночі! Ходять уночі з чортами разом, та ще їм двері одчиняй! — верещала по один бік Мотря (Н.-

Лев.); **бенéря занеслá.**— *А ви що за люди? І чого вас сюди бенеря занесла?* (Головко). П о р.: **ледáщо нóсить.**

чорт рáдий (рад) *кому, чому.* Хто-небудь неприємний, небажаний комусь; що-небудь неприємне, небажане комусь. *У народі мовиться: Гість жаданий — перший день, бажаний — другий день, терпимий — на третій, зайвий — на четвертий, а вже десь на п'ятий чи шостий — стає нестерпним, вже чорт йому рад* (Збан.).

чорт сíпає за язик *див.* **біс.**

чорт (чорти́) [його́] бáтька знáе (зна), *лайл.* 1. Уживається для вираження незадоволення ким-, чим-небудь, обурення з приводу чогось. [М а р у с я:] *Ти вже почнеш чорт батька зна що вигадувать та притулять горбатого до стіни!* (Кроп.); *Зрозуміло було одне: заарештували, щоб не дати йому виступити на засіданні.. Ні, це вже чорти батька зна що!* (Головко); [К и р и л о:] *То тепер я став і старий, і нікчемний, а колись — огонь був!.. А тепер — от чорти батька зна що — коритце довбаю — та й то втомився* (Мирний). **чорт його́ мáму знáе** *кого.— Чорт його маму знає тую свекруху. Вона варить борщ у такому покотелі, як відро, та всенький і поїдять і ще їм мало, а я зварю в малесенькому, то більше половини зостанеться* (Україна..). 2. Уживається для вираження здивування або захоплення з приводу кого-, чого-небудь. [С и д і р:] *Чорт його батька знає, як він виламав це вікно!* (К.-Карий); *Тут парубки як утяли! Роззявили роти — гукають...— Чорт батька знає, як співають! — Став він хазяїну казать,— Аж вуха, далебі, болять!* (Гл.).

чорт (чорти́) його́ (її́, вáшій) мáтері, *лайл.* Уживається для вираження крайнього незадоволення або обурення ким-, чим-небудь.— *Та вона ж лепетлива і сама ж рознесе по сусідах недобру славу про мене.— А чорт її матері! Нехай лепече язиком* (Н.-Лев.); *— По сто двадцять ягнят не дала б на сотню вівцематок, чорти вашій матері? — дівчина аж ногою притупнула..— Потомственна ж я чабанка!* (Гончар). **мáтері його́ чорт.** *Я хочу знати, матері його чорт, це ж кому ми дорогу перейшли* (Головч. і Мус.).

чорт штовхáе *див.* **біс.**

щоб чорт (враг) побрáв (узя́в, забрáв) *кого, лайл.* Уживається для вираження незадоволення ким-небудь, зневаги до когось, побажання зла та позбутися його. *Коло коней стояв якийсь незнайомий чоловік.— Щоб вас чорт побрав! щоб ви вилопались! — лаяв він [братчиків]* (Мирний); *— Та цитьте, чортові сороки! — Юпитер грізно закричав: — Обом вам обіб'ю я щоки, Щоб вас, бублейниць, враг побрав* (Котл.). **щоб чорти́ взяли́ (забрáли)** [К о л о с:] *Щоб його [Горлова] чорти взяли, старий бик* (Корн.); *— Наш злий геній... щоб його чорти забрали* (Чаб.). П о р.:

чорт би побрáв. С и н о н і м и: **хай чорт берé; бодáй лихи́й узя́в; нехáй ли́зень зли́же.**

що за чорт *див.* **біс.**

яки́й чорт (гáспид). Уживається для вираження незадоволення чиїми-небудь діями, вчинками і т. ін. *Ну, не бісового ж тобі сина й син, диявольський прикажчик... Який йому гаспид гадав отсе казать!..* (Стор.); *Який гаспид одвоював наше добро, опріч нас самих? кричали міщани* (П. Куліш).

як (мов, ніби *і т. ін.***) чорт від лáдану,** *з сл.* **тíкáти** *і под., грубо.* Дуже активно, інтенсивно. *Клим бенкет носом знав. А діло? як чорт від ладану тікає* (Бор.); [Г а н н а:] *Куди ж це Гната занесло — і досі нема? А та, певно, побігла одшукувать його! Шукай, шукай — знайдеш, якраз! Він від тебе тіка, як чорт від ладану* (К.-Карий); *За Муравйовим уже й слід прохолонув.— Утік, шкура! — загукали солдати.— Драпонув, як чорт від ладану* (Лев.).

як (мов, ніби *і т. ін.***) чорт (дíдько) за грíшну дýшу,** *перев. з сл.* **вхопи́тися, трима́тися** *і т. ін., грубо.* Дуже сильно. *Наліг я на вила, мов циган на ковадло, руки мої вхопилися за держак, як чорт за грішну душу...* (Гуц.); *— Думаєте, дарма Гітлер за цю Австрію тримається, як дідько за грішну душу?* (Гончар).

як (мов, ніби *і т. ін.***) чорт (дíдько) лáдану (свячéної води́),** *з сл.* **боя́тися, саха́тися** *і т. ін., грубо.* Дуже, сильно.— *Та він же, як чорт ладану, мабуть, боїться партизанів! — раптом здогадався Кирило* (Головч. і Мус.); *Українське панство, спольщене або русифіковане в переважній більшості, втратило будь-які зв'язки з народом, його мовою, культурою, сахалось народу, як чорт ладану* (Рад. літ-во); *Бійся попа, як дідько ладану* (Укр.. присл..); *Прийде раз на рік [Параска] до церкви.. та й заглядає.. через поріг — як той дідько боїться ладану* (Н.-Лев.).

як (мов, ніби *і т. ін.***) чорт до сухої верби́,** *з сл.* **причепи́тися, прили́пнути** *і т. ін., грубо.* Дуже, сильно.— *Клятий Ботушкан причепився до мене, як чорт до сухої верби, і хоче, аби я йому ще один рік задурно робив* (Казки Буковини..).

як (мов, ніби *і т. ін.***) чорт злизáв** *кого, що, грубо.* Хто-небудь зник або що-небудь зникло безслідно. *Хлопець швидко зник, його як чорт злизав.* **мов чортя́ка злизáв.** [М а р'я н:] *Не бачили ви, панночко, де та навіжена чорнильниця? Пані треба до Богуша записку писати, а тут мов чортяка злизав тую чорнильницю!* (Пчілка). С и н о н і м и: **як корóва язиком злизáла; як лиз зли́зав; як хап ухопи́в; як водóю вми́ло; як вíтром здýло; як крізь зéмлю провали́тися.**

як (мов, ніби *і т. ін.***) чорт ли́ко (ли́ка) дерé,** *з сл.* **крича́ти,** *з кого.* Дуже сильно. *Кричить, мов з його чорт лико дере* (Укр.. присл..); *Циган-*

чата танцюють халяндри та кричать не своїм голосом, мов з них чорт лика дере (Кв.-Осн.). **мов чорти́ ли́ко живце́м видира́ють.** Дядько ступить до неї, а вона вчепилася тонкими рученятами в ріжок скрині і заголосила.— Дурне дівчисько, кричить, мов з неї чорти лико живцем видирають (Стельмах).

[як (мов, ні́би і т. ін.**)] чорт сім кіп горо́ху змолоти́в**, жарт., на кому, у кого, перев. з сл. на виду́, на обли́ччі і т. ін. Хто-небудь має віспини або шрами від них. На ньому ніби чорт сім кіп гороху змолотив; У його на виду чорт сім кіп гороху змолотив (Укр.. присл..); Хотина, як вигляне в вікно, то на вікно три дні собаки брешуть, а на виду у неї неначе чорт сім кіп гороху змолотив (Н.-Лев.).

як (мов, ні́би і т. ін.**) чорт у суху́ гру́шу (у стару́ ве́рбу)**, з сл. закоха́тися і под., грубо, ірон. Дуже сильно. До Світлани теж недовго ходив. А оце прикипів до Степки. Маланка бачить, що закохався Дмитро, як чорт у суху грушу (Зар.).

як чорт, грубо. Дуже, в значній мірі. І злий був [отаман], як чорт (Хотк.).

ЧО́РТА: де в чо́рта! див. біса.

до чо́рта (до бі́са) в зу́би. 1. грубо. У найнебезпечніше або найвіддаленіше місце; у найскрутніше становище, у найскладніші обставини. [Го́лос з 1-го хо́ру:] Повтікали старогородські шевці, мабуть, до чорта в зуби (Н.-Лев.); [Ні́на:] Знаю, Пашо, знаю, що кожен з нас, як стій, в атаку піде, у розвідку, на смерть, до чорта в зуби. І не злякається нічого в світі (Дмит.). **до всіх бісів у зу́би.** Зачеплений міцною рукою жінки, побіг [Сивоок] кудись до всіх бісів у зуби (Загреб.); **чо́рту в зу́би.**— З такою дівкою за сідлом помчався б я хоч і к чорту в зуби, не то до чорногорців (П. Куліш). Пор.: **чо́ртові в зу́би.** Сино́німи: **до бі́са на ро́ги; хоч у пе́кло.**

2. перев. з сл. іти́, ї́хати и т. ін., лайл. Уживається для вираження незадоволення ким-небудь, побажання позбутися його. [Кі́ндрат:] Не лайтеся. [Бобре́нчиха:] Іди до чорта в зуби, бо як лайну, то й ноги задереш (Сам.); [Тара́с:] Ну, й чорт з тобою і з твоєю тіткою, Ідь з нею, хоч і до чорта в зуби (Мик.).

до чо́рта (до га́спида), грубо. 1. Дуже багато. Стану я вчитись, стану робити? Як би не так! Хай хто хоче робе [робить]. Я знаю, у батька до чорта грошей — на мій вік стане (Мирний); На те не гляди, .. Що борщ варе [варить] мов для хорта, Так зате до чорта! (Манж.); — Та й солов'ї у Ратіє́вщині як свищуть. І скільки то їх? — обізвавсь Івась.— А вже до гаспида! — додав Грицько (Н.-Лев.). Пор.: **до бі́са** (у 1 знач.). Сино́німи: **до бісового ба́тька** (в 2 знач.); **до дідька** (в 3 знач.); **до ли́ха** (в 1 знач.).

2. Значною мірою, дуже сильно. Він вистрункнувся перед командиром усією своєю височенною

поста́ттю, аж головою дістав стелю землянки. До чорта зріст йому вигнало (Коп.).

з чо́рта див. біса; **іди́ до ~** див. иди; **іти́ до ~** див. іти; **на ~** див. біса; **посила́ти до ~** див. посилати.

у чо́рта в зуба́х, грубо. У віддаленому або якому-небудь невідомому, небезпечному місці. Юшка була холодна, бараболя тверда.— Задубіла,— промовив він крізь зуби, відсуваючи миску. Олександра скочила, мов опечена, й блиснула на Гната очима.— Задубіла! Бодай вже ти задубів, як маєш сидіти десь у чорта в зубах!.. Що се за чоловік? До хати його й псами не заженеш (Коцюб.).

у чо́рта (у га́спида, у бі́са), грубо, ірон. Уживається як підсилення при вираженні сумніву або незгоди з висловленим, незадоволення чим-небудь.— Тепер ми рівні,— загули багачі.— Революція всіх порівняла.— Які ми у чорта рівні,— кричав він їм у відповідь.— Ти столипінець, а я пролетарій! В тебе земля, а в мене що? (Гончар); — Де а гаспида подівся наш музика? (Мирний); — Коли ти в гаспида цю книжку дочитаєш? (Н.-Лев.)? — І де в біса застряла? — охриплим голосом заспаний привітав її брат (Мирний); [Чіп:] Еге, кажи! Який же після цього Ти в біса війт? (Коч.); Цар скипів, почав кричати: — Я його не хочу знати! І який він в біса князь? (Перв.).

хоч чо́рта дай див. дай.

чо́рта з два, вульг. Уживається для вираження заперечення, незгоди і т. ін.; не буде так, не вийде так; ні за яких обставин.— От теперечки нехай попошукає нас Ломицький! Чорта з два знайде! — думала Марта Кирилівна (Н.-Лев.); Давидові чомусь так весело. Трохи й тривожно, але то — пусте. Ну, що вони йому зроблять? На людях не займуть, а підслідити ввечері — теж чорта з два! (Головко); — Ну, я вже якби втік, то чорта з два їм у руки дався б,— каже Порфир, усміхаючись (Гончар). Сино́німи: **чо́рта ли́сого; дідька ли́сого** (в 1 знач.).

чо́рта ли́сого (пу́хлого, сма́леного), вульг. Уживається для вираження категоричного заперечення чого-небудь; не буде так, не вийде так. [Па́вло:] Хіба не можна хапнуть? [Го́рпина:] Чорта лисого хапнеш, коли все позапирано (Кроп.); — Ну, хлопці,— звернувся Палилюлька до своїх охоронців.— Тягніть сюди і печене, і варене. Ще погуляємо сьогодні вволю, бо в більшовиків чорта лисого погуляєш (Стельмах); Коваль,— той не дуже любив говорити. Бувало слухає-слухає отак у гурті про різні небилиці, а далі й плюне з лайкою: — Невтриноси! На блюді їм земельку подадуть! Чорта пухлого — як самим своїми кліщами не взяти! (Головко). Сино́німи: дідька ли́сого (в 1 знач.); **чо́рта з два.**

яко́го чо́рта (га́спида), грубо. Уживається для

вираження незадоволення чим-небудь; чого, чому, навіщо.— *Якого це чорта ви напали на мене з курми! Я не господар!* (Н.-Лев.); — *Пан, ти німак? А якого ти чорта до нас прийшов? Німець перестав жувати і уважно вставився на Джмелика п'яними очима, намагаючись зрозуміти, що йому кажуть* (Тют.); — *Дак якого ж гаспида ти од мене хочеш? — Оддай, брате, мені її [Лесю] без бою* (П. Куліш); *Ну, якого ми гаспида оцими глухими вулицями швендяємо?* (Мирний). П о р.: **якого біса.** С и н о н і м и : **якої чортової матері; якої мари; якого лиха.**

ЧОРТА́: **ні чорта́ (ні бі́са),** *грубо.* Нічого, зовсім нічого. *Сяють очі [діда] глибоко з-під лоба. Тільки пух лишивсь на голові... Лає син, що ні чорта не робить, Допіка невістка: ще живі?* (Сим.); — *Погане ти, дружище, розповідаєш! — Та тут як викласти тобі усе життя наше, ні чорта воно не варте, братухо!* (Головко); — *Ти знаєш, Борисе,— чувся молодий незадоволений бас,— нічого не можу зробити... Де він [кулемет] тут закріплений, що його тримає— ні біса не бачу...* (Гончар).

ЧОРТА́М: **аж чорта́м то́шно** *див.* тошно; **відпра́вити ~ на сніда́нок** *див.* відправити; **посила́ти к ~** *див.* посилати.

ЧОРТА́МИ: **зна́тися з чорта́ми** *див.* знатися; **сади́ти ~** *див.* садити.

ЧОРТИ́: **іди́ під три чорти́** *див.* іди.

куди́ чорти́ не посила́ли *кого, грубо.* Кому-небудь довелося побувати в багатьох місцях. *І де ми не були з тобою, Давиде?! Куди нас чорти не посилали!* (Томч.).

під три чорти́ *перев. із сл.* і т и, т і к а т и *і т. ін., лайл.* Геть, куди завгодно. [С а в к а:] *Ти [Олена] вже розумніша за батька? Ти вже велика? Ну, то й іди під три чорти з моєї хати* (Вас.); *Він доводив нам, що його вдача вимагає якоїсь дії, а не сидіння в тюрмі, і що він ладен хоч зараз тікати геть під три чорти* (Досв.).

чим чорти́ не гра́ються. Усе може бути. *Одним словом, так чи так, але Маркова кар'єра на тому кінчалася. А там — чим чорти не граються,— гляди, що й його, Савченка, висунуть на губернію...* (Збан.).

чорти́ не вхопи́ли *кого, грубо.* 1. Хто-небудь живий, не вмер, нічого не трапилося з ким-небудь.— *Живий! — торсонув плече побратима чоботар.— Ще мене чорти не вхопили,— грубо озвався Шмалько* (Добр.). **чорти́ вхопи́ли.** *Видряпався я на башту, дивлюсь, біля жовніра лежить ратище і здоровенна сокира; от я, недовго думавши, ухопив її... як затоплю його по виску, раз, удруге, так тут його й чорти вхопили* (Стор.).

2. У кого-небудь усе йде нормально (з негативним ставленням того, хто говорить). *Сафрон із сім'єю переїхав жити на зиму до свого свата*

Созоненка. *Весною кілька разів скликав толоку, відбудувався і знову зажив на старому місці.— Чорти не вхопили його, має чим потрясти в калитці! — говорили люди* (Стельмах).

ще [й] чорти́ навкула́чки не б'ю́ться. Дуже рано. *Було, в пости, іще чорти не б'ються навкулачки: А вже Охрім, На глум усім, п'яненький лізе рачки!* (Г. Арт.); *Встане [Комар] в ту пору, коли ще чорти навкулачки не б'ються* (Ковінька); — *От і гаразд. Тільки збуджу тебе рано-рано, коли ще й чорти навкулачки не б'ються* (Стельмах). **ще чорти́ навкула́чки б'ю́ться.** *А вдосвіта, ще чорти навкулачки б'ються, а Самійло вже тут* (Коп.).

ЧОРТИ́КІВ: **до [зеле́них] чо́ртиків.** 1. Дуже, надзвичайно, у значній мірі. *Віддавши дівчатам свою куртку, він до чортиків замерз, просто б сказати — задубів під отим брезентом* (Д. Бедзик); *За день стомлювалися до чортиків і поспішали в намет* (Літ. Укр.).

2. *з сл.* н а п и в а́ т и с я *і под.* До повного сп'яніння. *Він таки піде аж до Миколиної квартири, а вже звідти повернеться. Тоді нап'ється до чортиків* (М. Ю. Тарн.); *Полковник Лісобродський, стоячи на батареї, незрозуміло протер запухлі після нічної пиятики очі. Чи не до чортиків уже допився?* (Гончар); *Схопив [Геннадій] дзеркало, з острахом втупився в своє відображення. «Насмоктався до зелених чортиків». Сполошений біг думок витискував холодні краплі на його лобі* (Вол.).

ЧО́РТІВ: **кий чо́ртів ба́тько** *див.* батько; **у ~ го́лос** *див.* голос; **~ пенько́к** *див.* пеньок; **~ син** *див.* син.

ЧОРТІ́В: **дава́ти чорті́в** *див.* давати; **посила́ти сто сот ~ на спи́ну** *див.* посилати; **сто ~** *див.* сто; **хай йому́ сім ~** *див.* чорт.

ЧОРТІ́ВНЯ: **що за чорті́вня** *див.* чортовиння.

ЧО́РТОВА: **чо́ртова душа́** *див.* душа.

ЧОРТОВЕ́: **чо́ртове число́** *див.* число.

ЧОРТОВИ́ННЯ: **що за чортови́ння (чортівня́)!** *грубо.* Уживається для вираження незадоволення, обурення або здивування з приводу кого-, чого-небудь.— *Що за чортовиння! — сердився Андрій* (Бойч.); — *Коли? Чого ж я там був? — Таж хворі.— Хворий? Що за чортовиння! Не доберу, про що ви говорите* (Смолич); *Іван возився з мотоциклом. Сердито сказав до Співака: — Співак, що за чортівня?! — А що таке? — підійшов Співак.— Кому це потрібно? Хто це зняв? — показав на мотор* (Головко). С и н о н і м: **що за біс.**

ЧОРТО́ВІ: **відда́ти чо́ртові ду́шу** *див.* віддати; **лі́зти ~ на ро́ги** *див.* лізти; **полі́зти ~ в зу́би** *див.* полізти.

[само́му] чо́ртові в зу́би, *грубо.* У найнебезпечніше або найвіддаленіше місце; у найскрутніше становище, у найскладніші обставини. *Так йому* було весело і приємно стояти в компанії з батьком і коником в теплі гетьманського палацу з чарочкою, що він готовий був за одну таку мить кинутись не тільки в.. огонь, а самому чортові в зуби (Довж.). П о р.: **до чо́рта в зу́би** (в 1 знач.).

скрути́ти ро́ги само́му чо́ртові див. скрутити; **~ не брат** див. брат; **як ~ в зу́би ки́нути** див. кинути.

ЧОРТОВІЙ: іди́ к чо́ртовій ма́тері див. иди; **ні к ~ ма́тері** див. матері.

ЧОРТОВОГО: до чо́ртового ба́тька; на ~ ба́тька див. батька; **на ~ си́на** див. сина; **у ~ ба́тька; ~ ба́тька** див. батька.

ЧОРТОВОЇ: яко́ї чо́ртової ма́тері? див. матері.

ЧОРТОВОМУ: к чо́ртовому ба́тькові див. батькові.

ЧОРТОВУ: ма́ти чо́ртову ду́мку див. мати².

ЧОРТОМ: диви́тися чо́ртом див. дивитися; **за яки́м ~** див. бісом; **~ ди́хати** див. дихати.

ЧОРТУ: запро́да́ти ду́шу чо́рту див. запродати; **іди́ к ~** див. иди; **іти́ к ~** див. іти; **ні бо́гу сві́чка ні ~ кочерга́** див. свічка; **ні к ~** див. бісу.

[ну (ану́, геть)] к чо́рту (к нечи́стому), лайл. Уживається для вираження протесту проти кого-, чого-небудь, заперечення чогось, зневаги до когось — чогось, незадоволення кимсь, чимсь, бажання позбутися його. [Т е р е н ь:] Ні, я скажу. По-чесному, по-шахтарському, скажу, а не сподобається — скажеш: к чорту! (Мик.); — Тихше,— Льоню,— зауважила йому Іллєвська.— В сусідів офіцер [німецький] стоїть...— Ану їх к чорту! Набридли (Гончар); — Тоді, пам'ятаю, саме цвіли акації,— сказав Бичковський, гризучи перо. Ну його і к нечистому, ті акації! Пишіть діло! Просто й коротко (Н.-Лев.); Де зустрінуться [козаки], чи в шинку, чи на дорозі, все й зіткнуться. «Чия сторона?» «Васютина».—«Геть же к нечистому, боярський підніжку!» —«Ти геть к нечистому, переяславський крамарю!..» Отак зіткнуться, да й до шабель (П. Куліш); — Не хочемо [кошовим] Бородатого! — кричав Тихий з товариством у бік прихильників Бородатого. К нечистому Бородатого! — крикнув Устим Гуска (Довж.). **геть к чортам** — Нехай! Мені те й не свербить. А ось я їм покажу! Я ім школу розвалю і вчителя викину геть к чортам! — кричав, уже зовсім розсердившись, громадський репрезентант (Гр.). С и н о н і м: **до дия́вола.**

попада́тися чо́рту в зу́би див. попасти; **посила́ти к ~** див. посилати; **само́му ~ брат** див. брат; **як ~ ла́поть** див. лапоть.

ЧОСУ: дава́ти чо́су див. давати.

ЧОТИРИ: в чоти́ри о́ка див. ока; **іди́ на ~ вітри́** див. иди; **ко́ваний на всі ~ ноги́** див. кований.

на всі чоти́ри. 1. Куди тільки хто забажає, у всіх напрямках, куди хоч. [С т е п а н и д а (до Окса-

ни):] Ще ми по-божому обіходились, а он які інші пани, то бувало додержуть бурлаків, доки скінчаться жнива, а після жнив пов'яжуть їх та доженуть до межі, вліплять їм по стільки нагаїв та й пустять на всі чотири (Кроп.); — Хто хоче — хай іде зі мною [до червоних], а хто не хоче — хай віється на всі чотири. Не бороню! (Стельмах).

2. Навколо, кругом. Уже він начинав боятись, На всі чотири озиравсь; Трусивсь, та нікуди діватись, Далеко тяжко в ліс забравсь (Котл.).

на чоти́ри бо́ки див. боки; **на ~ вітри́** див. вітри; **на ~ о́ка** див. ока; **підко́вувати на всі ~** див. підковувати; **підко́вуватися на всі ~** див. підковуватися; **у два́дцять ~ годи́ни** див. години; **як дві́чі по два ~** див. двічі.

ЧОТИРЬОХ: на чотирьо́х, з сл. і т и, повзт и і т. ін. Рачки.— А от коли ми декого злякаємо — не на коні він поскаче, а на чотирьох своїх поповзе (Стельмах); Назад повертався [Остапко] на чотирьох (Бурл.).

у чотирьо́х сті́нах див. стінах.

ЧУБ: чуб підніма́ється вго́ру див. волосся.

ЧУБА: голи́ти чу́ба див. голити; **грі́ти ~** див. гріти; **де́рти за ~** див. дерти; **забри́ти ~** див. забрити; **намили́ти ~** див. намилити; **нам'я́ти ~** див. нам'яти; **рва́ти на собі́ ~** див. рвати; **чу́хати ~** див. чухати.

ЧУБАМИ: мі́рятися чуба́ми див. мірятися.

ЧУБИ: [аж] чуби́ трі́ща́ть у кого і без додатка. 1. Кого-небудь б'ють, карають, лають. Незабаром заговорили між собою про завтрашній з'їзд, про якісь бої, що нібито мають розгорітись на ньому.— Буде, буде декому жарко,— гудів хтось із кутка ложі.— Тріщатимуть чуби! (Гончар). **чуб трі́щи́ть** [Г і с т ь 1 (беручи чарку):] Ну, то хай росте здоровий, Кароокий, чорнобровий, А такий міцний, як дуб, Щоб тріщав у батька чуб (Олесь).

2. Хто-небудь зазнає знущань, неприємностей і т. ін. як наслідок чиїхось дій. Пани б'ються, а в мужиків чуби тріщать (Укр.. присл..); Ляшенко, коли вони вже після дощу поверталися до МТС, бурчав: — Всі вони так — вигадують що-небудь, вимудрують, а потім у нас чуби тріщать (Збан.).

3. тільки аж чуби́ трі́ща́ть. З бійками, з лайками; з великим запалом, завзяттям. Війна скінчилась у травні, а Жменяки все ще билися, на землі ділились, аж чуби тріщали (Томч.).

бра́тися за чуби́ див. братися; **покида́ти ~** див. покидати.

ЧУБОМ: ма́ти олі́ю під чу́бом див. мати².

ЧУБРОВКИ: дава́ти чубро́вки див. давати.

ЧУГУЇ́ВСЬКА: верства́ чугуї́вська див. верства.

ЧУДАСІЯ: що за чудасі́я! Уживається для вираження здивування з приводу чого-небудь. — Що за чудасія! — здивувався старшина: сірни-

ки гасилися один за одним, навіть не розгорівшись (Вас.).

ЧУДЕСА: чудеса́ (ди́во) в ре́шеті. Уживається для вираження захоплення чимсь або здивування з приводу чого-небудь.— *Чудеса в решеті! Аж незручно якось, сплутав... Думав, що артистка, а насправді..— Що насправді, тату? — поцікавився ніби між іншим син.— Інженерка по водних справах* (Минко).

ЧУДО: чу́до з чуде́с. Щось незвичайне, величне, гідне подиву.— *Константинополь! Царев город! Царгород! Чудо з чудес!* (Скл.).

ЧУДОДІЙ: маг і чудодій *див.* маг.

ЧУДОМ: яки́м чу́дом. Уживається для вираження захоплення і здивування; як, яким чином. — *Оце але! — дивувавсь Іван,— наче мені сон сниться, що вас бачу... Розкажіть хоч, яким чудом ви тут опинилися?* (Коцюб.); — *Здрастуй, моя люба! Підходить до дружини..— Здрастуй! Яким вітром, яким чудом ти тут?* (Довж.).

яки́мсь чу́дом. Невідомо, незрозуміло як; дивним чином. *Тільки на одній покрівлі росла якимсь чудом тонка шовковиця* (Коцюб.); *Сотню разів могла Маруся злетіти з коня і лиш незрозумілим чудом якимось утримувалася в сідлі* (Хотк.); *Орлюк вибрався з вогневого котла якимсь чудом* (Довж.).

ЧУЄ: се́рце чу́є *див.* серце.

як не чу́є. Не реагує, не звертає ніякої уваги на що-небудь. *Андрій мляво увімкнув швидкість, і вона виприснула.— Бачиш, вибиває. Всю дорогу держу її,— визвірився Андрій.— Скільки вам не кажи, що пора ставити на ремонт, ви як не чуєте* (Хор.).

ЧУЖА: чужа́ кі́стка *див.* кістка; **~ спина́** *див.* спина; **~ чужина́** *див.* чужина.

ЧУЖИЙ: ї́сти чужи́й хліб *див.* їсти; **лізти в ~ горо́х** *див.* лізти; **під ~ тин** *див.* тин; **ти́кати но́са в ~ горо́д** *див.* тикати.

ЧУЖИМ: жи́ти чужи́м ро́зумом *див.* жити; **під ~ ти́ном** *див.* тином.

ЧУЖИМИ: чужи́ми рука́ми *див.* руками; **~ рука́ми жар загріба́ти** *див.* загрібати.

ЧУЖИНА: чужа́ чужина́. 1. Місце, далеке від рідної землі. *Хоч і боліло серце старого, та його дитина..., може і зложить свою голову на чужій чужині, та що вдієш?* (Мирний); — *Бувай здорова, Орисю! не поминай лихом. А на свят-вечір, за кутею, згадай таки бурлаку бездомного, що десь самотній на чужій чужині* (Головко).

2. Нерідні люди, що живуть далеко від рідної землі. *Чужа чужина не пожаліє* (Сл. Гр.); [Я в д о х а:] *Хто ж нас завтра провідає? Ні роду тут немає, ні родиноньки... Чужа чужина!* (К.-Карий).

ЧУЖИХ: з чужи́х слів *див.* слів.

ЧУЖІ: ла́зити в чужі́ кише́ні *див.* лазити; **між ~ лю́ди** *див.* люди; **переклада́ти на ~ пле́чі**

див. перекладати; **сіда́ти на ~ са́ни** *див.* сідати; **~ двори́ща топта́ти** *див.* топтати; **~ ру́ки** *див.* руки.

як (мов, ні́би *і т. ін.***) чужі́,** з сл. н о́ г и, р у́ к и. Не підвладний кому-небудь, який утратив чутливість, здатність нормально рухатися, перев. від перевтоми. *Треба було ще піти до річки, але ноги були як чужі.*

ЧУЖІЙ: виїжджа́ти на чужі́й спині́ *див.* виїжджати.

ЧУЖОГО: від чужо́го о́ка *див.* ока; **з ~ плеча́** *див.* плеча; **з ~ язика́** *див.* язика; **пита́тися ~ ро́зуму** *див.* питатися; **співа́ти з ~ го́лосу** *див.* співати; **~ ві́ку зажива́ти** *див.* заживати.

ЧУЖОМУ: на чужо́му горбі́ *див.* горбі; **сиді́ти на ~ во́зі** *див.* сидіти.

ЧУЖУ́: носи́ти сміття́ під чужу́ ха́ту *див.* носити; **хова́тися за ~ спи́ну** *див.* ховатися.

ЧУМА: чума́ б забра́ла кого. 1. лайл. Уживається для вираження незадоволення ким-, чим-небудь.— *Чума б тебе забрала за таку роботу.* **чума́ забери́.**— *Давайте другого [пораненого]! Він теж може вмерти, ми залишимось без свідків! Чума вас забери!* (Ю. Янов.).

2. Уживається для вираження захоплення ким-, чим-небудь.— *Я перемагаю страх, бо я хоробра людина. І сержант в мене попереду хоробрий... Орлюк, чума б його забрала* (Довж.).

чума́ [його́ (її́, тебе́ *і т. ін.***)] зна́є (зна), грубо.** Незрозуміло, невідомо.— *А куди ж ваше сіно поділося? — А чума його знає, куди воно потратилося!* (Тют.).

ЧУМИ: як (мов, ні́би *і т. ін.***) від чуми́,** з сл. у т і к а́ т и, ш а р а́ х а т и с я, с а х а́ т и с я і т. ін. З почуттям остраху. *Від рейтара як від чуми люди шарахались геть* (Ільч.); *Втікають од мене неначе од чуми* (Н.-Лев.).

як (мов, ні́би *і т. ін.***) чуми́,** з сл. б о я́ т и с я і под. Дуже сильно, надзвичайно. *Він міг зовсім одібрати в його [сина] хазяйство і знову почати самому хазяйнувати, дак тоді повстала б у сім'ї сварка та незлагода, а дід Дорош цього не любив і як чуми страхався* (Гр.); [М и к и т а:] *Чого ж ви дивитесь на мене? Плюйте ж на бродягу... Жахайтесь його, як чуми!* (Кроп.).

ЧУПРИНА: [аж] чупри́на мо́кра. Енергійно, з великим запалом, завзяттям. *Аж помолодшала вона, як перебралася у свою хату, на нове хазяйство... Чіпка прийнявся за його, аж чуприна мокра* (Мирний).

чупри́на ці́ла в кого. Хто-небудь залишається неушкодженим.— *Карпе, не дратуй мене, коли хочеш, щоб і в тебе була ціла чуприна* (Н.-Лев.).

ЧУПРИНИ: як у голомо́зого чупри́ни *див.* голомозого.

ЧУПРИНУ: води́ти за чупри́ну *див.* водити; **голи́ти ~** *див.* голити; **грі́ти ~** *див.* гріти; **нами́ли-**

ти ~ *див.* намилити; **нам'яти** ~ *див.* нам'яти; **чу́-**
хати ~ *див.* чухати.

ЧУ́ТИ: душі́ [в собі́] не чу́ти. 1. *в кому, за ким.*
Дуже любити, жаліти кого-небудь, бути ним дуже
захопленим. *Товариші душі в ньому не чули. Коли*
лучалося йому яке лихо, вони завжди гуртом його
виручали (Мирний); *Дай, боже, аби той наймо-*
лодший і всі вчились так, як той найстарший,
Андрусь, що мама за ним душі в собі не чує
(Мак.); *Батько в доньці душі не чує. Вона вся*
надія його, сподівання (Рудь).

2. *в кому і без додатка.* Дуже сильно. *Душі не*
чув Олексій, так любив свою дочечку і об усім за
неї вбивався (Кв.-Осн.); [К а ч и н с ь к а:] *Ясно-*
вельможний пане! Мій покійний муж, царство
йому небесне, любив мене, і я його кохала, душі
в собі не чула і плакала три дні, як він помер...
(К.-Карий); — *Павло любить Катрю, душі в ній*
не чує (Кучер). П о́ р.: **без душі́** (в 1 знач.).

і ду́ху не чу́ти *див.* нема; **не** ~ *див.* чутно.

не чу́ти (не відчува́ти) ніг (під собо́ю). 1.
з дієсл. руху. Дуже швидко. *Назад вертатись не*
охочі, всі бігли, аж не чули ніг (Котл.); *Данило*
пішов не чуючи ніг, в очах зосталася довга біла
Шведова шабля і двір, повний квітів (Ю. Янов.).
С и н о н і м: **не чу́ти землі́** (в 2 знач.).

2. Відчувати сильну втому (перев. у ногах) від
надмірного бігання, ходіння і т. ін. *Так намориться*
ся Терень, що не чує під собою ніг (Шиян.); —
Вже ось ніг не чую, так бігав по всіх артілях
і майстернях (Кучер); *Штукаренко йшов, але ніг*
під собою не відчував (Голов.). **не чу́ти підошов.**
Швиденько поспішала [Сивилла], *Еней не чув аж*
підошов, Хватаючися за ягію (Котл.).

3. Бути енергійним, рухливим, швидким, легким
від приємних почуттів. *А Палажка, там хвастуха*
така, не чує вже ніг під собою (Тесл.); *Сховали*
зошит біля серця, Запорожець рушив на свою
квартиру, ніг під собою не чуючи від радості
(Бурлака). С и н о н і м: **не чу́ти землі́** (в 1 знач.).

не чу́ти (*рідко* **не почува́ти, не відчува́ти**) **землі́**
[під собо́ю (під нога́ми)]. 1. Під впливом радісно-
го збудження або хвилювання бути дуже енергій-
ним, рухливим, легким, швидким і т. ін. *Ходить мій*
братик на танець, ходжу і я, та гуляємо, як ті
соколи межи соколами, землі під собою не чуємо
(Федьк.); *Чужі.. питали в ковалівців, яка то пара*
йде, така вродлива та закохана, що й землі під
собою не чує і людей перед собою не бачить
(Кучер); *Михасеву статтю прочитав редактор*
і сказав — молодець! Від похвали він не чув під
ногами землі! (Чорн.); *Він так щиро говорив,*
розпитував про все. І молодиця — землі під собою
від радості не почувала (Рєзн.). С и н о н і м: **не**
чу́ти ніг (у 3 знач.).

2. *з дієсл. руху.* Дуже швидко, енергійно. *Вона*
біжить, не чуючи під ногами землі, нічого не
помічаючи навколо себе (Речм.); *Ілько ступав за*

батьком, не відчуваючи під собою землі* (Панч).
С и н о н і м: **не чу́ти ніг** (у 1 знач.).

не чу́ти себе́. Бути схвильованим, стурбова-
ним.— *Так, Галочко, так,— сказав Семен Івано-*
вич, не чуючи себе з радості (Кв.-Осн.); *Ілонка*
стояла, не чуючи себе, приголомшена незвичай-
ним виглядом сержанта (Гончар).

не чу́ти се́рденька *від кого, рідко.* Дуже кохати
кого-небудь. *Я від него* [нього], *молодого, Сер-*
денька не чую, Та зійтися з ним не можу Через
неньку злую (Рудан.).

[ні (і)] рук, [ні (і)] ніг не чу́ти (не почува́ти, не
відчува́ти). 1. Дуже втомитися, перенапружити-
ся.— *Не замела* [хати], *бо гуляю од самої півночі.*
Ось уже рук і ніг не чую, так натанцювалась,—
промовила Мотря (Н.-Лев.); *Іноді так намориш-*
ся,— рук, ніг не чуєш, спини не розігнеш... (Мир-
ний); *Петрусь співав їй, розповідав цікаві казки,*
підманював, що ліс близько, а сам теж не чув ні
рук, ні ніг (Ю. Янов.); *Ще й сонце не сіло, коли ми*
свою смугу перейшли. Впали на стерню, рук і ніг
не чуємо... Куди ж там: такий шмат утяли!
(Мур.); [1-й р о б і т н и к:] *Ой, натомився ж*
я сьогодні! [2-й р о б і т н и к:] *Я теж ні рук, ні*
ніг не почуваю (Мам.). **ні рук, ні голово́й не чу́ти.**
Енея заболіли ноги, Не чув ні рук, ні голови
(Котл.). С и н о н і м: **рук не чу́ти.**

2. *з словоспол.* т а к и й (т а к) що о. Уживаєть-
ся для підкреслення сильної втоми; дуже, надзви-
чайно. *З шляху ми повернули надвечір, чомусь*
значно раніш, ніж завжди. Були такі стомлені, що
вже не відчували ні рук, ні ніг (Коз.). **ні ру́чок, ні**
пу́чок не чу́ти. *Бувало, так за день навихається*
біля всякої роботи, що ні ручок, ні пучок не чує
(Стельмах).

но́сом (ню́хом) чу́ти / почу́ти. Підсвідомо, інтуї-
тивно передбачати що-небудь, здогадуватися про
щось.— *Я носом чую її підступи та підкопування*
під нас,— говорила писарша (Н.-Лев.); — *Я з*
такими паньк атися не збираюся. Контру носом
чую і спуску не даю... (Речм.); *Абдулаєв, Митяй*
і Тимко повзуть далі. Абдулаєв нюхом чує, що
в хаті хтось є (Тют.); *Старий мисливець почув*
нюхом, що тут допіру пролізла гадюка (Коп.).
П о р.: **нутро́м чу́ти.**

нутро́м (се́рцем) чу́ти (відчува́ти) / відчу́ти.
Підсвідомо, інтуїтивно передбачати що-небудь,
здогадуватися про щось.— *Душком від тебе анти-*
радянським припахає.— А ти хіба з тих, що
принюхуються? — Ні, я з тих, що нутром чують
(Тют.); *На душі важко, на серці сумно — аж мов*
нудно... Так буває тоді, як серцем чуєш якесь лихо
(Мирний). П о р.: **но́сом чу́ти.**

рук не чу́ти. Дуже втомитися, перенапружитися
від надмірної праці, перев. руками. *Рук не чула,*
несучи дитину, ноги дуже боліли від ходьби (Кв.-
Осн.); — *А поки довезе усе куповане, то й рук не*
чує за тими клунками й корзинами (Кучер);

Помахаєш лопатою — до кінця зміни рук не чуєш, ноги підгинаються, а дізнаєшся, що плавка виконана на замовлення, та ще й достроково випущена,— куди й втома подінеться (Літ. Укр.). С и н о н і м: **рук, ніг не чу́ти.**

чу́ти (відчува́ти) кри́ла за плечи́ма. Бути сповненим натхнення, душевного піднесення, сили і т. ін. *Орлині крила чуєм за плечима, Самі ж кайданами прикуті до землі* (Л. Укр.).

чу́ти [всіє́ю] душе́ю. Відчувати. *Чула всею [всією] душею, що могла би жити лиш у щастю — а щастя не було доокола* (Хотк.); *[Л и ц а р:] Шкода! Або не сокіл я, або спалила мені неволя крила, тільки чую, душею чую — їм не відрости* (Л. Укр.).

чу́ти жаль див. **мати**[2].

що чу́ти (чу́тно)? Які новини у кого-небудь. *Що у Вас чути? Ми сливе нічого не відаємо про закордонні справи, бо можемо знати хіба з листів* (Коцюб.); *Піщани слідом за ними [становим і посередником] послали в Красногорку Василя Деркача нишком довідатись: що дома пан? що чутно?* (Мирний).

ЧУТКА: і чу́тка пропа́ла за кого. Хто-небудь зовсім, безслідно зник, загубився. *[К о б з а р:] Одного [сина] хвороба звалила, другого татарва в полон узяла,— так за його і чутка пропала...* (Мирний).

чу́тка йде (ши́риться, розно́ситься і т. ін.**) / пішла́, (пройшла́ поши́рилася, рознесла́ся** і т. ін.**).** Що-небудь стає відомим комусь. *Десь на шляху, біля діброви, У хаті чепурній шинкарочка жила; Про біле личко, чорні брови Далеко чутка йшла* (Гл.); *— Йосипа все не було. Тільки чутка про його щодня росла-ширилась, то приносила одно, то приносила друге* (Мирний); *Пішла по світах чутка, що у пустелі сидить над могилою святою убогий дервіш і плаче з горя, а та могила й святий новітній роблять великі чуда* (Коцюб.); *Між козаками пройшла чутка, пани отруїли короля за те, що він був прихильний до козаків* (Н.-Лев.); *— Гетьман, гетьман прибув! — пішло скрізь по таборові; і, скоро рознеслась така чутка, зараз деякі бурли [бурлаки] схаменулись, подумали про свою голову* (П. Куліш).

ЧУТКИ: нема́ і чу́тки див. **нема.**

ні чу́тки, ні ві́стки (ні зві́стки) від кого, про кого. Ніяких вістей від кого-небудь, нічого невідомо про когось — щось. *Денис читав далі.., як мати вговорювала Наталку вийти заміж за багатого писаря і забути про Петра, її давнього жениха, котрий пішов десь далеко на заробітки, і про нього вже давно не було ні чутки, ні вістки, котрого, може, вже й на світі не було* (Н.-Лев.); *Вже більше року ні звістки, ні чутки не було від Данька* (Гончар).

ні чу́тки. *Минуло різдво, відсвяткували й водохреща, а з столиці ні чутки* (Коцюб.).

ЧУТКУ: пуска́ти чу́тку див. **пускати.**

ЧУТНО: чу́тно (чуть), як (коли) [і] му́ха лети́ть (літа́є, проліта́є) / пролети́ть. 1. Стає дуже тихо. *Народ, що досі переговорювався, зразу замер-затих, чутно було, як муха літала* (Мирний)́. **му́ха пролети́ть — чу́тно.** *Григорій Павлович говорить. А всі слухають... Муха пролетить — чутно* (Ю. Янов.).

2. з сл. т а к що. Уживається для підкреслення надзвичайної тиші; у великій мірі, дуже. *У хаті стало так тихо, що чуть, коли і муха пролетить* (Мирний).

що чу́тно? див. **чути.**

ЧУТТЯ: чуття́ єди́ної роди́ни, книжн. Нерозривна єдність, дружба радянських людей, народів, націй. *Виявилось те велике чуття єдиної родини, що об'єднує радянські народи і в грізну годину випробувань і в дні мирного творення* (Літ. Укр.).

чуття́ (почуття́) лі́ктя. Взаємна підтримка, вірність у дружбі, товаришуванні т. ін. *Готовність допомогти товаришеві, чуття ліктя — риси, завжди властиві радянській людині* (Рад. Укр.); *Колективізм, чуття ліктя, воля, без чого неможлива жодна спортивна перемога,— ці супутники спорту стали і нашими супутниками в житті* (Роб. газ.); *Почуття ліктя серед наших людей знайшло яскравий прояв у прагненні підтягати відстаючих до рівня передових* (Рад. Укр.).

ЧУТЬ[1]**: чуть, коли і му́ха пролети́ть** див. **чутно.**

ЧУТЬ[2]**: чуть світ** див. **світ.**

ЧУХАТИ: чу́хати / почу́хати поти́лицю (рідше **го́лову, чу́ба, чупри́ну, лоб** і т. ін.**).** 1. Жалкувати, відчувати незадоволення, гіркоту, що зроблено щось не так, як потрібно. *Оренда пішла вгору, земля подорожчала.. Не раз і не два доводилось глибоко чухати потилиці тим, хто відкинувся наділів* (Мирний); *— А може вона тільки граєшся зі мною, в сіті заманює, щоб сильніше потім ударити? І ти, Сидоре, будеш потім чухати свою потилицю, та буде пізно* (Шиян); *— Отак мене випроваджуєш, хазяїне? Ну, що ж. Я піду... піду... Але ти ще почухаєш свою потилицю!* (Шиян); // Замислюватися над чим-небудь, не знаючи, що робити, як вийти із скрутного становища. *Підростаємо ми. Оддали нас у. школу... щоб розумні були. Тому свитину, тому чобітку. Чухає голову батько, не знає, де взять* (Тесл.); *Замислився козак, і йому досталось покрутить вуса і почухать потилицю* (Стор.). **чу́хатися в поти́лицю.** *[2-и й ч о л о в і к:] А як прийшлось відробляти, так я тепер тільки чухаюсь у потилицю та мовчу-мовчу, бо сам винен!..* (Кроп.); *Данило чекав. Його план затемнювався, він чухався в потилицю і несміливо заглядав у город [пана]* (Стеф.).

2. Нічого не робити, бути нерішучим у чому-небудь. *— Про міст треба було всім нам думати раніше. А то чухали потилиці* (Цюпа).

ЧХАЄТЬСЯ: доро́га чха́ється див. **дорога.**

Ш

ШАБАТУРКУ: на шабату́рку, з *сл.* схуднути, висохнути *і т. ін.* Дуже, надзвичайно. *Цю роботу ти зробиш швидко, бо в тебе добре шарики працюють.* С и н о н і м: **на суха́р.**

ШАБЛЮ: хапа́тися за ша́блю *див.* хапатися.

ШАГ: на щерба́тий шаг *див.* гріш.

ШАГА: і (ні, ані) [ла́маного (щерба́того, залі́зного і т. ін.)] шага́, з *сл.* н е м а́ т и, н е д а́ т и, н е в з я́ т и *і т. ін.* Абсолютно, зовсім нічого. [Ю д а:] *Та що ж би розпочав я — голий-босий? Завести торг? Я ж ні шага не мав* (Л. Укр.); *Вона подавала йому звістку, що видає Марусю заміж за Ломицького і що Ломицький.. не схотів брати за Марусею приданого ані шага!* (Н.-Лев.); [Т е т я н а:] *Щаслива ти.* [Н а с т я:] *Щаслива? Візьми, коли хочеш, собі моє щастя, я й ламаного шага не візьму за нього* (Кроп.); *— Як же вмер [багатий крамар] і три його сини стали ділитися худобою, то в тій скрині й залізного шага не знайшли* (Стор.).

не ва́ртий шага́ *див.* вартий.

ШАГРЕНЕВА: шагре́нева шкіра *див.* шкіра.

ШАЛЕНИЙ: як (мов, ніби і т. ін.) шале́ний. Дуже швидко, з великою енергією, з великим завзяттям. *На обрії.. замаячили постаті. Вони бігли як шалені* (Ю. Янов.); *Він працював як шалений, кілька разів викручував від поту сорочку* (Чорн.).

ШАНА: честь і ша́на *див.* честь.

ШАНУ: віддава́ти оста́нню ша́ну *див.* віддавати; **ма́ти ~** *див.* мати.

ШАНС: дава́ти шанс *див.* давати.

ШАНУВАННЯ: моє́ [вам (тобі́ і т. ін.)] шану-ва́ння (вшанува́ння). Усталена форма вітання та прощання з вираженням доброго ставлення до кого-небудь. [Д р е й с і г е р:] *Моє шанування, пане начальнику! Дуже я радий, що ви прийшли* (Л. Укр.); *— Микола Федорович? Привіт! — Моє шанування! — впізнав і той Петра* (Головко); *— Моє вам шанування, Ганно...* (Гончар); [П с и х і а т р:] *Головне, не треба читати на ніч. Тоді, сподіваюсь, і безсоння мине. Ну, моє вшанування ще раз* (Л. Укр.).

ШАНЬКУ: да́ти ша́ньку *див.* дати.

ШАПКА: і ша́пка не горі́тиме *на кому.* Хто-небудь не відчуває сорому за свою вину. *Хіба мало таких, що люблять умочити руку в гречану муку, що з-перед очей візьмуть — і шапка на такому не горітиме!* (Гуц.).

ШАПКАМИ: закида́ти шапка́ми *див.* закидати.

ШАПКИ: хоч з ша́пки вбийся *див.* вбийся.

ШАПКОБРАННЯ: на шапкобра́ння, з *сл.* прийти́, приї́хати, поспі́ти *і т. ін.* На-прикінці чого-небудь; запізно. [П а р а с к а:] *Та ми ж пішки поспієм на шапкобрання. Так буде, як у ту неділю: люде з церкви, а ми в церкву* (К.-Карий). С и н о н і м и: **на розбір шапок; на потру́шені гру́ші.**

ШАПКОЮ: накри́ти ша́пкою *див.* накрити; **як ~ доки́нути** *див.* докинути.

ШАПКУ: лама́ти ша́пку *див.* ламати.

не (ані) під ша́пку *кому.* Кому-небудь щось не важке, не обтяжливе, не складне. *Сокира в мене в руках сама собі тільки стриб! стриб! стриб! Як на теперішню техніку, так чиста тобі «катюша». З нею я так напрактикувався, що ніяка війна мені ані під шапку* (Вишня); *— Що то молоді та здорові. Їм усяка робота не під шапку... Хіба скажете, що вони ось зараз із поля вернулися? Ніколи в світі!..* (Кучер).

пуска́ти ша́пку по кру́гу *див.* пускати; **скида́ти ~** *див.* скидати; **хапа́тися за ~** *див.* хапатися.

ШАПОК: на розбі́р шапо́к *див.* розбір.

ШАПЦІ: дава́ти по ша́пці *див.* давати; **діста́ти по ~** *див.* дістати.

по ша́пці *кого.* Проганяти геть, усувати кого-небудь. *Він розповідає, що там (у Харкові) з буржуями не церемоняться... отак чисто як оце в нас: об'явило заводоуправління про закриття, а робітники на це їм «зась» та по шапці їх, а заводи в свої руки* (Головко).

ШАРИКИ: ша́рики працю́ють *у кого.* Хто-небудь розумний, здібний, винахідливий.— *Між іншим, він хоче після війни якусь дисертацію писати...— Аби лиш кебети вистачило,— зауважив Теличко..— Вистачить. В нього шарики працюють, дай бог..* (Гончар). С и н о н і м: **е лій у голові.**

ШАРИТИ: ша́рити очи́ма *див.* нишпорити.

ШАРНІРАХ: як (мов, ніби і т. ін.) на шарні́рах (на шарні́рі). 1. з *дієсл.* Легко, вільно. *Голобородько наче на шарнірі повернувся на стільці і визирнув у віконце* (Голов.); *У танці її ноги ходили як на шарнірах.*

2. Рухливий. *Нехай будуть скоро підошви у дірах — Кружляє ця пара годин уже п'ять. Фігура у Маші немов на шарнірах: Таке виробля там, що й сором казать* (С. Ол.).

ШАРПАТИ: ша́рпати не́рви *див.* псувати.

ШАШІЛЬ: ша́шіль точить *кого, що і без додатка.* 1. Хто-небудь дуже переживає, мучиться, хвилюється від чогось. [П е т р о *(сам):*] *Вони зовсім налягли, пригнітили, а та шашіль не перестає точити, не дає спокою, одно нашіптує та допитується: хіба це життя?* (Мирний); *Той зля-*

кався братової могутності, шашіль заздрощів точив йому душу (Загреб.).

2. Що-небудь поступово руйнується, знищується. Одарка не зважилася заводити суперечок, і Микита ще довгий час не знав, що шашіль уже точить підвалину його оселі (Л. Янов.).

ШВАБУ: дати швабу див. дати.

ШВАЙКУ: звести з лемеша на швайку див. звести; **зробити з лемеша ~** див. зробити; **міняти шило на ~** див. міняти.

ШВАХ: тріщати по всіх швах див. тріщати.

ШВЕЦЬ: і швець, і жнець, і на (у) дуду грець. Людина, яка вміє все робити і вправна в будь-якому ділі.— Панас Юхимович на всі руки майстер. Як кажуть: і швець, і жнець, і на дуду грець (Збан.); [Валерій:] Тут огорожу поставлю, там телевізор відремонтую. [Саня:] Та ти в мене такий... І швець, і жнець, і на дуду грець (Мур.); У Кирила золоті руки! Він і швець, і жнець, і в дуду грець... (Коп.). **ні швець, ні жнець, ні в дуду грець.** Синонім: **майстер на всі руки** (в 1 знач.).

ШВИДКИЙ: швидкий на язик див. проворний.

швидкий (скорий) на руку. Спритний, меткий, вправний, проворний у діях.— Які ж то в пана були наміри? — щиро поцікавилась скора на руку господиня (Ільч.).

ШЕВСЬКА: як шевська смола див. смола.

ШЕЛЯГ: ні (і) на шеляг. Зовсім, ніскільки, абсолютно. Довелося [сотникові] самому Розкидати, розточити, І добра нікому Не зробити ні на шеляг, І притчею стати Добрим людям (Шевч.); — Ось я справник. Гордості в мене ні на шеляг нема. А вже кому б, здається... (Довж.).

ШЕЛЯГА: без шеляга за душею. Зовсім без грошей. Тепер йому не бачити й посади ян-шая, як своїх вух... Чужинець, гольтіпака, без шеляга за душею — його зять (Досв.). **без шеляга при душі.** Він носився з думкою виїхати до Америки. Але як виїхати? Без шеляга при души не рушиш з місця (Фр.). Синоніми: **копійки нема за душею; порожня кишеня; вітер у кишенях свистить.** Антоніми: **набитий гаманець; повна кишеня.**

до [останнього] шеляга. Абсолютно все, повністю. З горя він пропив до шеляга свій горьований заробіток (Стельмах).

не вартий ~ див. вартий.

ні (ані, й) шеляга, з сл. не заплатити, не дати і т. ін. Абсолютно нічого. [Настя:] Не дали тобі ані шеляга (Кроп.); — Ану, ану, може, там буде щось і про воєнних погорільців,— піддав і Штефан, якому не дав ніхто й шеляга за спалену хату (Козл.).

шеляга нема за душею див. нема.

ШЕРСТИНИ: ні шерстини. Немає ніякої худоби.— За чумаком добре жити, За чумаком є що їсти, є що й пити.. Нічим борщу посолити. На оборі ні шерстини (Укр.. лір. пісні). **ні шерстин-**

ки.— А що він з тієї чесності має? Десять пальців на руках і ні одної шерстинки в хазяйстві (Стельмах).

ШЕРСТІ: гладити проти шерсті див. гладити; **хоч проти ~ гладь** див. гладь.

ШЕРСТЮ: гладити за шерстю див. гладити.

ШИБЕНИЦІ: кінчати на шибениці див. кінчати.

ШИБЕНИЦЮ: спровадити на шибеницю див. спровадити.

ШИЄ: як (мов, ніби і т. ін.) шовком шиє (гаптує), з сл. брехати. Дуже вправно, тонко, вміло. Знав я і таких, що в живії очі тобі бреше, як шовком шиє — хоч би моргнув, вражий син! (Вовчок); Та вже й вміє [кума] балакати! Бреше тобі, неначе шовком гаптує (Н.-Лев.).

ШИЇ: везти на шиї див. везти; **висіти на ~** див. висіти; **дати в три ~** див. дати; **дати по ~** див. дати; **діставати на ~** див. діставати; **затягати петлю на ~** див. затягати; **злазити з ~** див. злазити; **камінь на ~** див. камінь.

на шиї в кого, на чиїй. На чиєму-небудь утриманні, під чиєюсь опікою, обтяжуючи когось. Ой пані Ганно! Чи гаразд же ти зробила, що таке слово промовила?.. Уже ж чи гаразд, чи ні, а Оленка в тебе на шиї (П. Куліш); — Була вже одна трясця на моїй шиї,— насуплюється Юхрим (Стельмах).

не схилити шиї див. схилити; **повисати на ~** див. повисати; **сидіти на ~** див. сидіти; **скидати ярмо з ~** див. скидати.

у три шиї (у три вирви), перев. з сл. гнати, вигнати, витурити, викинути і т. ін. Дуже грубо, з лайкою, з бійкою. [Хома:] Гарну новину прочув: мене в три шиї і батька-матір згодом витурять,— ловко (Кроп.); Але перш за все, Мусію Степановичу, відібрати землю у поміщиків.. Треба всіх отих, як їх там у вас,— Гмир, Пожитьків у три шиї гнати від влади (Головко); — Сергій насміявся з тебе?.. То зараз же, при тобі, в три шиї витурю, в безвість нажену його, псяюку такого! (Стельмах); — Гнати їх у три шиї! — завирувала молодь (Гончар); Дали нам греки прочухана і самого Енея-пана В три вирви вигнали відтіль (Котл.).

хомут на шиї див. хомут.

ШИЛИ: не шили не пороли. Хто-небудь не набув ще життєвого досвіду.— Так слухай, небого, ви ще молоді та дурні, вам у голові ще треньки-бреньки. Бо ви ще не шили не пороли.. А я вже з усякої печі хліба пробував!.. (Чендей).

ШИЛІ: як (мов, ніби і т. ін.) на шилі, з сл. крутитися, совватися і т. ін. Дуже сильно. І що цікавого? Крутиться, як на шилі. І штовхається (Вишня).

ШИЛО: і шило голить кого, чиє. Кому-небудь везе, щастить. Ваше й шило б голило, а наш і ніж не бере (Укр.. присл..).

міняти шило на швайку див. міняти.

ШИЛОМ: вхопи́ти ши́лом па́токи *див.* вхопити; ~ не пове́рнеш *див.* повернеш; ~ ніде ткну́ти *див.* ткнути; як ~ ю́шки вхопи́ти *див.* вхопити.

ШИНКА́Х: тиня́тися по шинка́х *див.* тинятися.

ШИНКУВА́ТИ: шинкува́ти кро́в'ю *чиєю.* З корисливих інтересів нещадно губити когось. *Кругом неправда і неволя. Народ замучений мовчить. І на апостольськім престолі Чернець годований сидить. Людською кровію [кров'ю] шинкує І рай у найми оддає!* (Шевч.); *Єзуїти цькували народ шляхтою і своїми бакалярами, як собаками, і шинкували козачою кров'ю* (Стор.).

ШИ́РИТЬСЯ: чу́тка ши́риться *див.* чутка.

ШИРОКА́: широ́ка душа́ *див.* душа.

ШИРО́КИЙ: ви́вести у широ́кий світ *див.* вивести; ~ жест *див.* жест.

ШИРО́КИМ: піти́ широ́ким сві́том *див.* піти; ~ фро́нтом *див.* фронтом.

ШИРО́КИХ: по широ́ких світа́х *див.* світах.

ШИРО́КОЇ: з широ́кої доро́ги *див.* дороги.

ШИРО́КУ: виво́дити на широ́ку доро́гу *див.* виводити; на ~ но́гу *див.* ногу.

ШИРЯ́ТИ: ширя́ти в хма́рах *див.* витати.

ШИ́ТЕ: зна́ти і ши́те і по́роте *див.* знати.

ШИ́ТИ: ши́ти в ду́рні *див.* пошити.

шо́вком ши́ти. Виявляти лагідність, доброту, розсудливість. *Син сьогодні шовком шиє.*

ШИ́ТИЙ: бі́лими нитка́ми ши́тий. Невміло, погано замаскований, виконаний і т. ін.— *Провокація,— сказав нарешті після довгої мовчанки Радивон.— Все шите білими нитками. Замітка в газету писана з чужого голосу. Заруба не винен* (Кучер); — *Які ж їх [куркулів] наміри? — Перш за все, щоб худобу не даром роздавати, кому вже там громада ухвалить, а за гроші.— Дурниця! Та хто ж піде на це?! Білими нитками все це шите. Де ж гроші у бідняка?!* (Головко).

не ли́ком (не з ли́ка) ши́тий. Не позбавлений здібностей, умінь і т. ін., який набув уже певних знань, уміє поводитись належним чином тощо. *Хати.. побілені, підведені голубою і жовтою глиною, привітно посміювалися, як чепурні молодиці, що, взявшись у боки, зустрічають несподіваного гостя, знай наших, ми теж не ликом шиті!* (Рудь); *Він недовірливо хмурився, коли Степан Демидович терпляче доводив йому, що не слід — без доконечної потреби — вживати іноземні слова, і, часом лише щоб довести, що й він не ликом шитий, уперто стояв на своєму* (Жур.); *Він ділом зможе довести: не лише Заграва мастак зорі з неба хапати, він, Матвій, теж не ликом шитий* (Головч. і Мус.), **не ли́чком ши́тий.** — *Що ж я? Я нічого. Не личком он, бач, шитий! — виправлявся він* (Мирний). **ли́ком ши́тий.** *Нехай я буду й сяка й така, і проста, і ликом шита, а все-таки я мати своєї Галі* (Стар.). С и н о н і м: **не з лопу́цька.**

не на (для) ме́не (те́бе і т. ін.) ши́тий. Не призначений для кого-небудь. *Теплий кожух, тільки [тільки] шкода — Не на мене шитий, А розумне ваше слово Брехнею підбите* (Шевч.).

як (мов, ніби і т. ін.) на те́бе (ме́не і т. ін.) ши́тий. Саме такий, як треба (про одяг, взуття). [Ж у р а в е л ь:] *Костюм як на тебе шитий* (Мик.); — *Повернись... Так... Все як на тебе шите* (Гончар).

ШИ́ТО: ши́то й кри́то. Лишатися таємним, невідомим.

ШИ́ШКИ: усі́ ши́шки летя́ть на кого. Хто-небудь зазнає покарання, неприємностей (перев. за провини інших). усі́ ши́шки на кого.— *Просто жаль Сиромолотного. Величко розвалив бригаду й утік. А на Сашка — тепер усі шишки* (Мур.). П о р.: усі́ ши́шки па́дають на го́лову чию.

усі́ ши́шки па́дають на го́лову чию. Хто-небудь зазнає покарання, неприємностей (перев. за провини інших). *Такі як Кумов, Багнюк, Овчаренко, завалюють одну справу за другою, а ти відповідай за них... А всі шишки на твою голову падають...* (Ряб.). П о р.: усі́ ши́шки летя́ть.

ШИ́Ю: арка́н на ши́ю *див.* аркан; ви́бити в ~ *див.* вибити; ви́сунути ~ з ярма́ *див.* висунути; ві́шатися на ~ *див.* вішатися; влі́зти в борг по ~ *див.* влізати; гну́ти ~ *див.* гнути; за ~ не лле *див.* лле; зверну́ти ~ *див.* звернути; злама́ти ~ *див.* зламати; ми́лити ~ *див.* милити; накида́ти ярмо́ на ~ *див.* накидати; накла́да́ти ярмо́ на ~ *див.* накладати; насіда́ти на ~ *див.* насідати.

на ши́ю чию, кому. Під відповідальність кого-небудь, на утримання когось. *Спершу дядько почне закидати: що де в чорта хто не вирветься, та все до його, на його шию, об'їдати та оббирати* (Мирний); *Восени й одружився [парубок] на вдовищі, і довго чудувалося село, як славний, з ремеслом у руці хлопець, за якого залюбки пішла б усяка дівчина, міг узяти на свою шию аж семеро дітей* (Стельмах); — *І сівба, і переселення — все на мою шию* (Тют.).

петлю́ на ши́ю *див.* петлю; підставля́ти ~ *див.* підставляти; посади́ти на ~ *див.* посадити.

по [са́му (самі́сіньку)] ши́ю. 1. Дуже глибоко. *Варто лише кому збитись убік на кілька кроків, і вже він провалюється по саму шию* (Гончар).

2. Повністю.— *Лаяв? — Ні, говорив тільки, що корови по шиї в грязюці стоять* (Тют.).* Образно. *Вона подавала йому звістку, що видає Марусю заміж за Ломицького і що Ломицький, як молодий хлопець та ще й ідеаліст — по саму шию в ідеалізмі, не схотів брати за Марусею приданого ані шага!* (Н.-Лев.).

3. Дуже багато.— *Роботи в мене по самісіньку шию* (Н.-Лев.).

4. У великих, кількісно значних. *Колісник по коліна в трісках, по шию в боргах* (Укр.. присл..).

сіда́ти на ши́ю *див.* сідати; **схиля́ти** ~ *див.* схиляти.

у ши́ю. 1. *з сл.* г н а́ т и, в и г а н я́ т и, в и́ г н а т и, в и́ т у р и т и *і т. ін.* Дуже грубо, з лайкою, з бійкою. *Лакуза біг уперед, мов його хто у шию гнав* (Мирний); *Лакеям було наказано ніколи не пускати його у губернаторські покої, а коли що — то просто «гнати в шию»* (Смолич); *— Вона сказала б: «Браво, Еріх! Жени звідси з вашого всіх цих фон-фуксів»* (Собко); *— Мати пополотніла з обличчя, кинулась до дочки: — Витури його, дитино, в шию, адже він лобуряка, а не жених* (Чаб.). **у ши́яку.** — *Я його просто витурю звідси в шияку* (Загреб.). П о р.: **у поти́лицю** (в 1 знач.).

2. Грубо випроводити, вигнати. [Х р а п к о:] *Скажи їм [людям]: хто з грошима — хай іде, а хто без грошей — у шию!* (Мирний); *— А як же з цим?.. Кому накажеш ліквідувати? — Хто сказав — ліквідувати? В шию і на всі чотири!* (Гончар).

ярмо́ на ши́ю *див.* ярмо.
ШКАЛИКИ: держа́ти шка́лити *див.* держати.
ШКАРАЛУПИ: вила́зити із свої́ шкаралу́пи *див.* вилазити.
ШКАРАЛУ́ПІ: замкну́тися в шкаралу́пі *див.* замкнутися.
ШКАРАЛУ́ЩІ: замкну́тися в шкаралу́щі *див.* замкнутися.
ШКВАРКИ: да́ти шква́рки *див.* дати.
ШКЕРЕБЕРТЬ: іти́ шкере́бе́рть *див.* іти; **летіти** ~ *див.* летіти.
ШКІРА: кістки́ та шкі́ра *див.* кістки.

шагре́нева шкі́ра. Те, що має здатність поступово і невпинно скорочуватися, зменшуватися. — *Ми заклали і перезаклали три чверті дворянських маєтків. І що найстрашніше: борги ростуть швидше, аніж ціни на землю. І от з наших рук щороку відвалюється чотириста тисяч спадкоємних десятин. Бійтеся, чоловіче, щоб вся родова земля не стала шагреневою шкірою* (Стельмах).

шкі́ра те́рпне *див.* шкура.
ШКІРИ: кра́яти ре́мені зі шкі́ри *див* краяти; **лізти з** ~ *див.* лізти.
ШКІРИТИ: шкі́рити зу́би *див.* вишкіряти.
ШКІРІ: дрижаки́ пробіга́ють по шкі́рі *див.* дрижаки; **на свої́й** ~ *див.* шкурі.
ШКІРКА: не ва́рта шкі́рка (шку́рка) ви́чинки. Недоцільно робити що-небудь. *Не треба цього робити, бо не варта шкурка вичинки.* С и н о н і м и: **гра не ва́рта сві́чок; не варт това́р робо́ти.**
ШКІРКУ: за шкі́рку *кого.* Затримати, силою зупинити кого-небудь. *Чемний, культурний, одначе якщо ти де-небудь схибив, не у той бік задивився, кишені чиїсь переплутав, уже він тебе за шкірку та в дитячу кімнату міліції для ближчого знайомства...* (Гончар).

ШКІ́РОЮ: з шкі́рою не відірва́ти *див.* відірвати; **моро́з іде́ по́за** ~; **моро́з по́за** ~ **хо́дить** *див.* мороз.
ШКІ́РУ: в'ї́стися в шкі́ру *див.* в'їстися; **міня́ти** ~ *див.* міняти.
ШКО́ДА: шко́да́ [й] за́ходу (пра́ці). Нічого не вийде. — *Бач, якої співа! — дума Хапко. — Лестками закида. Закидай, закидай, тільки й шкода заходу! Не схитрувати!* (Вовчок); — *Шкода, кажу, пане, й заходу! не задля нас, певно, роблена ця мебель. Сідаймо де інде, — на софі, абощо!* (Н.-Лев.); — *А ви в ярмі падаєте Та якогось раю На тім світі благаєте? Немає! Немає! Шкода й праці* (Шевч.).
ШКО́ДИТЬ: не шко́дить, з дієсл. Варто, слід би, не зайве. *А ви записуйте, не шкодить Таку річ і записать. Бо се не казка, а билиця. Або бувальщина, сказать* (Шевч.).
ШКОДІ: му́дрий по шко́ді *див.* мудрий.
ШКО́ДУ: уска́кувати в шко́ду *див.* ускакувати.
ШКО́ЛУ: пройти́ шко́лу *див.* пройти.
ШКРЕБЕ: шкребе́ (шкря́бає) / зашкребло́ (за-шкря́бало) на душі́ (на се́рці, за ду́шу, за се́рце) *у кого і без додатка, безос.* Кого-небудь охоплює почуття незадоволення, гіркоти, суму, неспокою, тривоги і т. ін. *Хай досі на душі шкребе, та дружба ж не розпалась* (Дор.); *Напевне, намагався [учень] триматися байдуже, може, навіть бравував, але на серці в нього шкребло* [Багмут]; *Од слів твоїх на серці шкряба* (Сос.); *Медаль, яка дісталась Ліні, вислизнула з рук іншого претендента — Лукіїного сина... Лукію це, видно, шкребе за душу* (Гончар); *Справді, того дня він одержав «погано» з арифметики. Зашкребло на серці в Василя* (Донч.). **шкребти́ ду́шу.** *Він так бажав Марині добра і щастя, що її успіх окрилював його. Та згодом дрібне самолюбство почало шкребти його душу* (Дмит.). С и н о н і м: **на се́рці миші шкребу́ть.**
ШКРЕБТИ́: луску́ шкребти́ *з кого.* Експлуатувати кого-небудь. *Цілий вік з тебе луску шкребли, а ти, воле, у плузі йди. Наша доля така — робім і грудьми, та не будемо людьми* (Коцюб.).
ШКРЕБУ́ТЬ: коти́ шкребу́ть на се́рці *див.* коти; **на се́рці миші** ~ *див.* миші.
ШКРЯБА́Є: шкря́бає на душі́ *див.* шкребе.
ШКРЯБА́ЮТЬ: на се́рці миші шкря́бають *див.* миші.
ШКУР: здира́ти сім шкур *див.* здирати.
ШКУ́РА: аж (і) шку́ра гово́рить *на кому.* Хто-небудь надзвичайно жвавий, енергійний. — *На йому й шкура говорила, такий балакучий* (Мирний).

аж шку́ра боли́ть. 1. *з сл. і с т и.* Дуже хочеться. *Холодно, іду — насилу ступаю... Та ще як на те забула хліба узяти, пройшла верстов з десять — їсти, аж шкура болить* (Мирний); *Нехай, мабуть, ті, в кого діти плачуть, ідуть додому, а всі інші* *лишаються нехай. Підвелося кілька. Діти й не плачуть, може, та їсти либонь аж шкура болить. Це ж коли той обід був* (Головко); // Дуже, нестерпно. [П е т р о:] *Їсти хочеться, аж шкура болить* (Мирний).

2. *від чого.* Дуже страждати.— *Вже од голоду аж шкура болить,— подумав Кайдаш: зайшов у шинок* (Н.-Лев.). **аж шку́ра на голові́ боли́ть.**— *А тут аж шкура на голові болить від тих думок* (Коцюб.).

[аж] шку́ра ре́пає *в кого, на кому — чому.* Хто-небудь дуже товстий або щось дуже товсте. *На ньому шапка кудлата була збита на потилицю, пика червона, ось-ось, здавалося, репне на ній шкура* (Головко).

аж шку́ра тру́ситься (гори́ть, трїщи́ть *і т. ін.)* *у кого і без додатка.* 1. Хто-небудь має сильне бажання до чогось. *Додав ще Лисенко-Вовчура,— Усякого лютість скажена пройма, До бійки аж труситься шкура...* (Стар.); [І в г а:] *Як почую, що сталося щось, то так хочеться довідатись,— аж шкура труситься* (Гр.); — *Мамо, давайте хоч шматок сала та хліба! Їсти так хочу, що аж шкура тріщить* (Н.-Лев.). С и н о н і м: **жи́жки трясу́ться** (в 1 знач.).

2. *тільки* **аж шку́ра тріщи́ть.** З великим завзяттям, напруженням, з великою енергією. *Вони вам встановлять такі ціни, що й штанів позбудетесь,— знову підсміюється Бараболя.— Піддобрились орендою, а дядьки вже й вуха розвісили: впряглись у господарство, аж шкура тріщить* (Стельмах); — *Я й сама була невісткою, мене не милували! Аж шкура тріщала — робила* (К.-Карий).

[аж] шку́ра (шкі́ра) те́рпне *у кого, на кому.* Кого-небудь охоплює почуття великого страху перед кимсь, чимсь. [Р я б и н а:] *Пробував бити [жінку], та сам такого облизня спіймав, що й досі шкура терпне* (Фр.); — *Василю, не дуже мені подобаються ті твої нічні мандри. Як подумаю, що з тобою може щось статись, то аж шкіра терпне на мені* (Вільде).

одні́ кістки́ та шку́ра *див.* кістки.

прода́жна шку́ра. Той, хто зраджує кого-, щонебудь з корисливою метою. *Зал дуже уважно і напружено слухав.. І лише коли в документі зайшла мова про Центральну раду, про її зрадницьку політику, шумок пробіг по залу, і хтось крикнув: Продажні шкури!* (Головко); — *А ти їх [поранених], видно, сюди [в тюрму] спровадив? — Блиснув вороже Сашко.— Та вже куди не спровадив...— зам'явся староста..— Шкура продажна,— буркнув Коваль [Сашко]* (Збан.).

так шку́ра і закипи́ть *на кому.* Хто-небудь буде дуже побитий, кого-небудь хтось дуже поб'є.— *То як скажу, що се моє, так він мені каже: — Так шкура на тобі й закипить!* (Барв.).

ШКУ́РИ: аж із шку́ри вибива́тися *див.* вибива-

тися; **здира́ти дві ~** *див.* здирати; **лі́зти з ~** *див.* лізти; **хоч із шку́ри ви́лізь** *див.* вилізь.

ШКУ́РІ: вовк в ове́чій шку́рі *див.* вовк; **моро́з дере́ по ~** *див.* мороз; **моро́зом подра́ло по ~** *див.* подрало.

на свої́й (вла́сній) шку́рі (шкі́рі), з сл. **ви́пробувати, відчу́ти** *і т. ін.* Сам, особисто, на практиці. *Петро ділився з ним своєю працею.. То було слово самого життя; слово чоловіка, котрий не тільки бачив лихо, а й на своїй шкурі звідав його* (Мирний); — *Я, як режисер майбутньої картини, і він — автор сценарію,— показав Сев рукою в мій бік,— і Богдан, що подав нам тему, на своїй шкурі випробувавши її,— всі ми разом з'ясуємо наші погляди* (Ю. Янов.); *Всю «принадність» приватної антрепризи, вічного кочування, гоніння і утисків австро-угорської адміністрації довглось випробувати на власній шкірі* (З глибин душі); *Гітлерівська Німеччина, що віроломно напала на Радянський Союз, на власній шкурі відчула, яка велика сила і міць Радянської держави* (Рад. Укр.). П о р.: **на своїй (вла́сній) спи́ні.**

у шку́рі *чиїй, кого.* У такому становищі, як хто-небудь.— *Хай і вони [поміщики] в нашій шкурі поживуть! — вирвалось у Григорія Волошина* (Стельмах); *Хто ніколи не був у шкурі літературного конокрада, чи, як його по-вченому називають, плагіатора, тому важко сказати, що діється в душі злодія, коли той переписує чужий твір* (Літ. Укр.); — *Повезло тобі, Василю. Повезло.. Був би оце тепер у моїй шкурі. Адже Савенко казав, що й ти в поліцію збирався* (Жур.).

ШКУ́РКА: не ва́рта шку́рка ви́чинки *див.* шкірка.

ШКУ́РОЮ: моро́з іде́ по́за шку́рою *див.* мороз.

ШКУ́РУ: болі́ти за свою́ шку́ру *див.* боліти; **вла́зити в ~** *див.* влазити.

в одну́ шку́ру. Настирливо, дуже вимогливо. *Всі [кріпаки] в одну шкуру затялися: — Не хочемо наділів! До слушного часу підождемо!..* (Мирний); *Оринці треба на грядки полоти. Як на те Чіпка розвередувався: «Їсти, та й їсти, бабо! В одну шкуру: «їсти» (Мирний); Минуло різдво. Я й наполягла — женись! Він одбалакуваться давай: «Я й не нагулявся ще, і сяк і так,— а я в одну шкуру: «Женись, женись, мій синочку!..» (Тесл.); Хоч Коржиха і умовляла своїх гостей.. почекати, поки в печі розтопить і щось нашвидкуруч зготовить поснідати, ..але Гармашиха затялась в одну шкуру іти мерщій* (Головко). С и н о н і м: **в одну́ ду́шу** (в 1 знач.).

дба́ти тільки про свою́ шку́ру *див.* дбати; **де́рти ~** *див.* дерти; **діли́ти ~ невби́того ведме́дя** *див.* ділити; **залива́ти за ~ са́ла** *див.* заливати; **здира́ти ~** *див.* здирати; **надяга́ти ове́чу ~** *див.* надягати; **не вто́впиться у ~** *див.* втовпиться; **обби́ти ~** *див.* оббити; **поши́тися в соба́чу ~** *див.* по-

шитися; **спи́сувати** ~ *див.* списати; **спусти́-
ти** ~ *див.* спустити; **тремті́ти за** ~ *див.* тремтіти;
тягти́ ~ *див.* тягти.

у шку́ру *чию, кого.* Замість кого-небудь або
в таке становище, як хто-небудь.— *Послано тебе
орати, так ори.— Ти розумний вказувати, а попро-
буй сам.— А ти що хочеш, щоб плуг сам орав,
а ти тільки штани підсмикував? Що я тепер
у зведення напишу? Вас би в мою шкуру* (Тют.).

ШЛЮБ: бра́ти шлюб див. брати.

ШЛЮБУ: виряджа́ти до шлю́бу *див.* виряджа-
ти.

ШЛЯК: шляк би (аби́) тра́фив (потра́фив)
кого, діал., лайл. Уживається для вираження
крайнього незадоволення або обурення ким-, чим-
небудь, зневаги, зла до когось. *Оці панські поряд-
ки, шляк би їх трафив, мені вже в печінках стоять*
(Ф. Мал.); *— Бачиш, курятини їм забажалося,—
почав своєї дід Смик.— Та я раз у рік чи скуштую
того м'яса, а вони, шляк би їх потрафив, щодня
курятину їдять* (Д. Бедзик). **шляк би ви́бив до
кри́шки й пру́ття.—** *Ах ви, дідної матері діти вбоє,
змори на вас не було! То ви роботи не маєте, що си
збігли, шляк би вас вибив до кришки й до пруття?
Жерти так умієте? — і шпурляла якоюсь ломакою
услід за чоловіком* (Хотк.). С и н о н і м: **бода́й
лихий узя́в; хай чорт бере́; взяв би лихий** (у
2 знач.); **щоб чорт побра́в.**

ШЛЯПІ: ді́ло в шля́пі *див.* діло.

ШЛЯХ: верста́ти шлях *див.* верстати; **виво́дити
на вірний** ~; **виво́дити на** ~ *див.* виводити; **вихо́-
дити на** ~ *див.* виходити; **відкрива́ти** ~ *див.* від-
кривати; **вступа́ти на** ~ *див.* вступати; **зро́шувати
кро́в'ю** ~ *див.* зрошувати; **ма́ти свій шлях** *див.*
мати; **на крива́вий** ~ **ступа́ти** *див.* ступати; **на-
ставля́ти на вірний** ~ *див.* наставляти;
обрі́зувати ~ *див.* обрізувати; **перетина́ти** ~ *див.*
перетинати; **пока́зувати** ~ *див.* показувати; **про-
би́ти грудьми́** ~ *див.* пробити; **прокла́дати** ~;
прокла́дати до се́рця *див.* прокладати; **скінчи́-
ти** ~ *див.* скінчити; **става́ти на слизьки́й** ~ *див.*
ставати; **ста́ти на** ~ *див.* стати.

**стовпови́й (верстови́й) шлях; стовпова́ (версто-
ва́) доро́га** *чого, до чого і без додатка.* Головний
напрямок у русі або розвитку чого-небудь. *Шев-
ченко вивів українську літературу на широкий
стовповий шлях художнього розвитку* (Рад.
Укр.); *Інтенсифікація сільського господарства —
стовповий шлях розвитку його продуктивних сил*
(Сільські вісті); *Дорога, якою народи йдуть до
прогресу,— це стовпова дорога світової історії,
всієї людської цивілізації* (Вісник АН).

терни́стий шлях *чий і без додатка.* Важке,
складне, з труднощами, стражданням життя. *По-
глянь назад. Ти бачиш шлях тернистий* (Забаш-
та). **шлях усте́лений те́рном.** *Та ж, що коханням
братернім Шлях мій, устелений терном, Легко б
могла озарити,— Більше немає її...* (Граб.).

торува́ти шлях *див.* торувати; **ука́зувати** ~ *див.*
указувати; **уто́рований** ~ *див.* дорога.

шлях зарі́с (позароста́в) те́рном (те́рнами),
нар.-поет. Неможливо піти, поїхати куди-небудь
чи досягти чогось бажаного. *Та мені в борні
важкій З темними думками Навіть у країну мрій
шлях заріс тернами* (Фр.); *Заросли шляхи терна-
ми На тую країну, Мабуть, я її навіки, Навіки
покинув. Мабуть, мені не вернутись Ніколи додо-
му?* (Шевч.); *Хочу я ридати — та не маю сліз,
Хочу в даль полинуть — терном шлях заріс*
(Рильський). П о р.: **доро́га те́рном пороста́.**
шлях сте́литься *див.* дорога; **штовха́ти
на** ~ *див.* шлях.

ШЛЯХИ: відрі́зувати шляхи́ *див.* відрізувати;
як усі ~ **погуби́в** *див.* погубив.

ШЛЯХОМ: іти́ шля́хом найме́ншого о́пору *див.*
іти.

ШЛЯХУ: збива́ти з шля́ху́ *див.* збивати; **збива́-
тися з** ~ *див.* збиватися; **зверта́ти з** ~ *див.* звер-
тати; **прибира́ти з** ~ *див.* прибирати; **стоя́ти на
невірно́му** ~; **стоя́ти на пра́вильному** ~ *див.* стоя-
ти; **сходити з** ~ *див.* сходити.

ШМАТКА́Х: розібра́ти ніч по шматка́х *див.*
розібрати.

ШМАТКИ́: кра́яти се́рце на шматки́ *див.* кра́я-
ти; **роздира́ти се́рце на** ~ *див.* роздирати; **розри-
ва́ти на** ~ *див.* розривати; **се́рце рве́ться
на** ~ *див.* серце.

ШМАТКО́М: діли́тися оста́ннім шматко́м хлі́ба
див. ділитися.

ШМАТО́К: відрива́ти шмато́к від ро́та *див.*
відривати.

ла́сий (ла́комий) шмато́к (кусо́к, ку́сник). Що-
небудь найкраще, вигідне, принадне, спокусливе,
смачне і т. ін. *Підступні сусіди наші, користуючись
послабленням сили Руської держави,.. з усіх боків
сунули, щоб і собі урвати ласий шматок* (Цюпа);
*Літ з десять був у нас суддею Глива. Да, знаєш,
захотів на лакомий кусок, в Полтаву перейшов:
там, кажуть, є пожива* (Греб.); *Був* [пан Теплиць-
кий] *подібний до гладкого кота, що розкішно
муркотячи, пасе очима якийсь лакомий кусник*
(Фр.). **ла́сий шмато́чок.** [З а л є с ь к и й:] *А ла-
сий шматочок! Хоч хлопська душа, а гарна,.. як
намальована* (Собко).

ма́ти шмато́к хлі́ба *див.* мати[2]; **про́ханий**
~ *див.* хліб.

черстви́й (важки́й) шмато́к. Засоби для існу-
вання, здобуті тяжкою працею. *Де воно* [панєня]
знатиме, що то за доленька — Відшук [шукання]
черствого шматка (Граб.).

шмато́к (кусо́к, ку́сень і т. ін.) хлі́ба [насу́щно-
го]. Засоби, необхідні для прожитку, для існуван-
ня. *Мала й худобу, і господарство своє, зросла
в розкоші, а доводиться служити за хліба шматок
та годити, може, і лихому, і ледачому кому!*
(Вовчок); *Лекціями я мусив кілька літ заробляти*

шматок хліба (Коцюб.); *Років зо два тому вона лишилась удовою і заробляла шматок хліба пранням білизни* (Добр.); *— Я тепер зостався.. без куска хліба* (Н.-Лев.); *— Хвали бога, що кусок хліба є* (Тют.); *Здається, ніч би цілу не спав, аби заробити зайвий кусень хліба для неї* (Мур.). **насу́щний шмато́к.** *Тяжко стогнуть хлібороби: Брак насущного шматка, Люта смертність та хвороби Підтинають мужика* (Граб.).

шмато́к (кусо́к) не йде (не лі́зе) / не піде́ (не полі́зе) у го́рло *кому.* У кого-небудь немає або зникає бажання їсти що-небудь. *Посідали за стіл. Він їв добре. Їй шматок не йшов у горло, та силувала себе їсти* (Гр.); *Віктор насторожився. Але щоб приховати від Людмили свою настороженість, продовжує мовби ще з більшим апетитом їсти. Хоч і не лізе шматок у горло* (Головко); [Га пка:] *Пообідала б.* [Д о м а х а:] *Не піде шматок у горло* (Кроп.); [З о л о т н и ц ь к и й:] *Обідать у такого хазяїна важко, тут і кусок в горло не полізе* (К.-Карий).

шмато́к хліба стає́ попере́к го́рла (ру́ба в го́рлі) *кому.* У кого-небудь немає або зникає бажання. їсти що-небудь. *Стає руба шматок хліба в горлі, як вона згадає про це [докори], сідаючи їсти* (Мирний).

ШМИГИ: не до шми́ги. 1. Не так, як слід, як повинно бути. *До чого не кинеться [Маруся], усе не так, усе не до шмиги* (Кв.-Осн.). **до шми́ги.** *Вся та зарость [зарість], вкрита цвітом і квітками і до шмиги розставлена, здавалась зачарованим садом — раєм земним* (Стор.).

2. Невчасний, не відповідний у часі; недоречний. *Така замітка була би тепер не до шмиги* (Март.); *Сварка виникла несподівано серед стариків. Тут сказав якесь гостре слово Кіндрат Омелянович Білокінь, якому Лідине весілля було страшенно не до шмиги* (Дмит.).

3. *кому.* Не до вподоби кому-небудь. *Йому дала Яга одвіт: «Ти пекла, бачу, ще не знаєш.. Тобі там буде не до шмиги: Як піднесуть із оцтом фіги* (Котл.); *— Який же ти, Ісайку! І той тобі не до шмиги, і той* (Гуц.); *— Ні, се мені не до шмиги! Чого я піду до вас?* (Фр.); *— Не подобається їм ваша дружба. В цій дружбі сила народна розквітає!.. — А тим байстрюкам це не до шмиги* (М. Ю. Тарн.).

ШНУРКУ: ходи́ти як по шнурку́ *див.* ходити.

шнурок: як (мов, ніби і т. ін.) під шнуро́к. Рівний, в одну лінію. *В хорошому стані ввійшли в зиму посіви озимої пшениці. Сіяли високоврожайним насінням. Рядки — мов під шнурок* (Рад. Укр.).

ШНУРОЧКИ: як шнуро́чки, з сл. б р о в и. Рівний, тонкий. *Личко як калина, Брови як шнурочки, Очі чорні, ще чорніші Осінньої ночки* (Рудан.). **як шнуро́чок.** [П л а т о н Г а в р и л о в и ч:] *Та коли б же ти знала, ще*

й яку дівчину висватаю. Очі — як терночок, брови — як шнурочок* (Вас.). П о р.: **на шнуро́чку.**

ШНУРОЧКУ: на (рідко по) шнуро́чку, з сл. б р о в и, в кого, чиї. Тонкий, рівний. *Багата спесивая — рушник на кілочку; В убогої сироти ни брови на шнурочку* (Укр.. пісні); *Довгобраза русенька Галя, з чорними по шнурочку бровами, більше брала на себе його очі, ніж смаковита у її руках яєшня* (Мирний). П о р.: **як шнуро́чки.**

ШНУРУ: ходи́ти по шнуру́ *див.* ходити.

[як (мов, ніби і т. ін.)] по шнуру́. Рівно, в ряд, в одну лінію. *— Не бійся, Іване, не підведу, і правує [Петрусь] трактора, як по шнуру, веде три широкорядні сівалки* (Цюпа); *З-за Нілу сфінкси, мов сичі, Страшними мертвими очима На теє дивляться. За ними На голому піску стоять По шнуру піраміди вряд, Мов фараонова сторожа* (Шевч.); *В Кам'янці ж колгосп, можна сказати, міжнародний, у нас круглий рік делегації, гості, тут посій і посади, як по шнуру, як по шаховій дошці* (Хор.).

ШОВКОВИЙ: як (мов, ніби і т. ін.) шовко́вий. Дуже покірний, слухняний. [Н е д о р о с т о к:] *Підождіть трохи, буде вона [жінка] в мене, як шовкова: й говоритиме, співатиме, ще й танцювати буде!* (Вас.); *— Я їх візьму в руки. Будуть вони у мене як шовкові! — похвалявся Сава Йосипович* (Автом.).

ШОВКОМ: шо́вком ши́ти *див.* шити; **як ~ шиє** *див.* шиє.

ШОЛОМОМ: набра́ти шоло́мом *див.* набрати.

ШОРАХ: держа́ти в шо́рах *див.* держати; **ходи́ти в ~** *див.* ходити.

ШОРИ: бра́ти в шо́ри *див.* брати.

ШОСТЕ: вси́пати по шо́сте число *див.* всипати.

ШПАРКУ: прола́зити в шпа́рку *див.* пролазити.

ШПИГАТИ: шпига́ти / шпигну́ти в се́рце *кого і без додатка.* Дошкуляючи кому-небудь чимсь, спричиняти душевний біль. *Потрапити в нашу сатиричну газету «Колючка» — велика біда.. Прямо в серце шпигають!* (Ковінька); *Тут нагадав собі слова Сенька Грициишиного, що о тридцять літ уже чоловік старий. Ця пригадка шпигнула в серце Славка* (Март.); *Цей докір шпигнув її просто в серце* (Баш).

ШПИГНУТИ: шпигну́ти в се́рце *див.* шпигати.

ШПИГОНУТИ: шпигону́ти в се́рце *кого.* Хтонебудь раптово відчув душевний біль. *Щось шпигонуло в серце Маруся́ка. Впився очима і пізнав батька* (Хотк.); *І ось тепер,.. дивлячись на цих беззжурних молодих тюрчанок без покривал, Петросов-Джавадов уперше відчув, як щось шпигонуло його в серце* (Донч.).

ШПИЛЬКАХ: як на шпилька́х *див.* голках.

ШПИЛЬКУ: пуска́ти шпи́льку *див.* пускати.

ШПИЧАКАХ: як на шпичака́х *див.* голках.

ШПИЧКАХ: як на шпичка́х *див.* голках.

ШПУРЛЯТИ: шпурля́ти камінці́ в горо́д *див.* кидати.

ШПУРНУТИ: шпурну́ти камінці́ в горо́д *див.* кидати.

ШТАНАМИ: труси́ти штана́ми *див.* трусити.

ШТАНИ: полата́ти штани́ *див.* полатати; **проти-ра́ти ~** *див.* протирати.

ШТАНІВ: без штані́в під стіл бі́гати *див.* бігати; **як реп'я́х до ~** *див.* реп'ях.

ШТАНЬМИ: труси́ти штаньми́ *див.* трусити.

ШТИК: як штик. Цілком, абсолютно здоровий. *Он дід Вигон торік розігнутись не міг, так йому спину звело. Поїхав у Косопілля, покололи його і через місяць ходив як штик...* (Зар.); *Кашовар зрадів: — Та я його, братці, як рідного сина догляну! Навчу борщ, кашу варить. Він у мене буде як штик!* (Є. Кравч.); *— Що за козак, коли він лежить! Не той зараз час, Васильовичу, щоб нездужати! Без вас ну ніяк! Як собі хочете, а завтра щоб були як штик!* (Гончар) // *Цілком, абсолютно. Коли старшина запитав Хаєцького, чи він готовий, то.. відповів рішуче: Як штик!* (Гончар.).

ШТИКАХ: трима́тися на штика́х *див.* триматися.

ШТИКИ: бра́ти в штики́ *див.* брати.

у штики́, з сл. з у с т р і т и, з у с т р і н у т и й, п р и й н я т и й і т. ін. Вороже, недружелюбно. *«Гайдамаки»* [Т. Шевченка] *були зустрінуті в штики представниками поміщицько-буржуазного табору, що вороже ставились до народу і його боротьби* (Іст. УРСР); *Меншовики і есери зустріли ленінські тези в штики* (Ком. Укр.); *Хто в промовах — за сатиру (Є такі керівники!), А на ділі правду щиру Зустрічає у штики,— Той не друг нам! Навпаки* (С. Ол.).

ШТИХОМ: як штихо́м доки́нути *див.* докинути.

ШТОВХА́Є: біс штовха́є *див.* біс.

ШТОВХАНА: діста́ти штовхана́ *див.* дістати.

ШТОВХАНІВ: дава́ти штовхані́в *див.* давати.

ШТОВХАТИ: штовха́ти впере́д кого. Спонукати до дії, надихати, змушувати працювати. *Любов, чоловіче, для людини, що бензин для автомашини. Те, що її штовхає вперед* (Томч.); *Його штовхала вперед фронтова звичка лікаря, який уже добре знав і сміливо застосовував польову хірургію* (Кучер).

штовха́ти в прі́рву (в безо́дню і т. ін.**).** Діями, вчинками доводити кого-небудь до небажаних, неприємних наслідків. [М а р і я Р о- м а н і в н а:] *Не сердьтесь, подумайте. Я зовсім не хочу образити вас, але ж є такі сліпі матері, які з великої любові до своїх дітей штовхають їх часто у прірву...* (Дмит.). **штовха́ти до безо́дні.** — *Немає в нас спільних доріг з буржуями, однаково, з своїми чи чужими. Польський уряд насильно фашизує країну і живцем штовхає її до безодні* (Вільде).

штовха́ти / штовхну́ти в се́рце (в гру́ди) кого. Дуже хвилювати, тривожити. *Аж несподівано мої очі хапають казенний пакет на столі, що вже давненько штовхав мене в груди, і я кидаюсь, ніби хто бурхнув на мене відро холодної води: «Нагулявся»* (Вас.); *Повногубе Маріїне обличчя здивовано повернулося на дверний рип, радісний зойк штовхнув блукача в груди: — Яремочко!* (Загреб.); *Від.. доторку милої рідної дитини відчула, як щось штовхнуло її в серце* (Тют.).

штовха́ти / штовхну́ти на шлях чого. Спонукати до чого-небудь (перев. негативного). *Я скаржитимусь лорд-меру Лондона, що мене, лейтенанта королівських повітряних сил, в цьому домі штовхають на шлях пияцтва* (Собко).

ШТОВХНУТИ: штовхну́ти в се́рце; ~ на шлях *див.* штовхати.

ШТОС: бра́ти в штос *див.* брати.

ШТРИКАТИ: штрика́ти в о́чі; ~ па́льцем *див.* тикати.

ШТРИКНУТИ: ніде (нема́ де) й го́лкою штрикну́ти. Дуже тісно.— *Ну, та й напакували ж нас у сей вагон, нема де й голкою штрикнути* (Л. Укр.). П о р.: **й го́лці ніде впа́сти.**

штрикну́ти в о́чі *див.* тикати.

ШТУКА: не (невели́ка) шту́ка. Не потребує великих зусиль, великої праці; не важко.— *То не штука,— каже той,— Шити ми зуміємо* (Сам.); *— Пересидіти в трубі день-два не штука, а коли справа затягнеться на тиждень-два?* (Ю. Янов.); *Кинути роботу — не штука. Та цього тільки й чекають підприємці,— до їх послуг скільки хочеш дешевих рук* (Кол.); *Я вже наломився до їх бесіди. Невелика це штука, отже, привикнути треба* (Март.). П о р.: **хіба́ шту́ка.**

от (оце́) [так] шту́ка (штуко́вина)! Уживається для вираження здивування або захоплення чим-небудь, радості від чогось і т. ін. [П а в л о:] *От так штука! Леонід Петрович приїхали, я зразу їх пізнав* (Кроп.); *Сава Андрійович очунює. Оглядається: де він? Оце штука!..* (Довж.). **от так штуке́рія.** [В а с и л ь:] *От так штукерія буде!* [А н т о н:] *Ой, не радій заздалегідь!* (Кроп.).

хіба́ шту́ка. Не потребує великих зусиль, великої праці; не важко. *Ну, та ми спочатку не дуже-то: хіба штука яких там троє-четверо верстов протягти. Оце зараз буде сухий дуб, а від нього вже й цурпалком до Попового хутора докинеш* (Хотк.). П о р.: **не шту́ка.**

ШТУКИ: викида́ти шту́ки *див.* викидати.

для шту́ки. Щоб зайнятися чим-небудь; знічев'я. *Дрімайло був великий штукар, і я добре знав, що він навважився начепити торби тільки для штуки* (Н.-Лев.); *Люди, покидавши худобу і позбиравшись у невеличкі гурточки, вели повільні, нудні розмови, так, для штуки, аби не проспати черги* (Тют.).

ма́йстер на вся́кі шту́ки *див.* майстер.

на вся́кі (всі) шту́ки. Здібний, вигадливий; здатний до чогось. *З Антося ж був хлопець на всі штуки, та ще й прудко бігав* (Свидн.).

штуковина: от штуко́вина *див.* штука.

ШТУКУ: встругну́ти шту́ку *див.* встругнути; **уде́рти ~** *див.* удерти.

ШТУРМОМ: бра́ти шту́рмом *див.* брати.

ШТУРХАНА́: діста́ти штурхана́ *див.* дістати.

ШТУРХАНІ́В: дава́ти штурхані́в *див.* давати.

ШТУРХАНЦЯ́МИ: годува́ти штурханця́ми *див.* годувати.

ШУБОВСНУ́ТИ: як у во́ду шубо́вснути *див.* впасти.

ШУКА́Й: шука́й його́. Зник безслідно. *Прокля́тий Нечипір виліз у вікно, та й шукай його* (Кв.-Осн.).

ШУКА́ТИ: тре́ба з сві́чкою вдень (сере́д [білого] дня) шука́ти (вишу́кувати і т. ін.) кого, що. Хто, що-небудь трапляється, зустрічається дуже рідко. *Що будете робити, коли старовина так витрачується, що треба її свічкою удень вишукувати?!* (Мирний); — *Таких дивакі́в, як ти, на сві́ті дуже мало, їх треба з свічкою серед білого дня шукати* (М. Ю. Тарн.). С и н о н і м и: **вдень з вогне́м не знайти́; пошука́ти тако́го; пошука́ти тако́го вдень з вогне́м.**

шука́ти вчора́шнього дня, *ірон.* Надіятися повернути те, що вже минуло, чого вже нема. *Ходить він по подвір'ю, никає, то в садок подасться, постоїть під деревом і знов у двір, немов учорашнього дня шукає...* (Коцюб.); *Макеїч уже зібрався йти і чекав тільки Нестора, а Нестор усе ще наминався, застрявши в своєму курені, шукаючи між торбами вчорашнього дня* (Гончар); *Юхим не дивився людям у очі, для чогось перебирав порожні мішки, заглядав за двері.. — Батьку, вчорашнього дня шукаєш? — запитав Василь* (Чорн.). П о р.: **ганя́тися за вчора́шнім днем.**

шука́ти го́лку в сі́ні (в соло́мі). Неможливо виявити, знайти. *Григор усе тупцявся. Питати [про дівчину] без імені — голку в соломі шукати. На глузи піднімуть* (Гуц.).

шука́ти кісткі́ в молоці́. Вередувати, вимагати чогось неможливого, прискіпуватися до чогось. *Скільки разів було так, що Владко вередував, шукав кістки в молоці, як говорилося, але як тільки з'являлася панна «Шонька», дитина ставала наче зовсім іншою* (Вільде).

шука́ти (ловити, доганя́ти і т. ін.) / пошука́ти (догна́ти, зловити і т. ін.) вітра в по́лі. 1. Не можна знайти кого-небудь, марно намагатися дізнатися про чиєсь місцеперебування. — *Що ж то буде за чудася? — Так, нічого: підхоплю тільки [тільки] на сідло отсю кралю, та й шукай вітра в полі. Махнем з побратимом навпростець до Чорної гори* (П. Куліш); — *Візьму його з собою,*

дам сапу в руки, покрутиться біля мене, а тільки відвернулась, уже лови вітра в полі! (Гончар); — *Ха-ха-ха, — реготав професор, — вони полетіли, ловіть вітра в полі* (Собко).

2. Здійснювати безрезультатні спроби знайти, відшукати кого-, що-небудь. — *А що гестапівці знайдуть [друкарську машинку]? — скрикнула Тамара. — Нехай шукають вітра в полі, — задиристо випалила Женя* (Хижняк); [Л у к а:] *Повернуся раніше від інших. ..Одчиніть мені тихенько двері. Я ляжу, а вони хай шукають вітра в полі* (Галан); *Комусь звичайна банда за Петлюру видалася, от і наробили переполоху та підняли весь військовий округ, ганяють по снігах та нетрях, примушують ловити вітра в полі* (Збан.); *Але тут почув Бертольдо, Як озвався голос долі: «Гей, біжіте, панські слуги, Та зловіте вітра в полі»* (Л. Укр.); — *Овва, який же баский! Чи не вітра в полі хочеш піймати?.. Да ти й сам, бачу, степовик* (Вовчок).

3. Домагатися чого-небудь неможливого, недосяжного. — *Я хочу побратися з вітровою донькою. Ходіть зі мною і будете моїми старостами.. — Що, хочеш шукати вітра в полі? — питали [сусіди]* (Казки Буковини..); [К у п е р ' я н:] *Здоров, Паньку. Здається, ти їдеш шукати вітра в полі* (К.-Карий).

шука́ти себе́. Виявляти, визначати своє покликання. *Вже приїхавши з Берліна, де він учивсь в художній школі, Довженко почав шукати себе* (Ю. Янов.).

шука́ти сме́рті. Робити що-небудь необачно, ризикуючи життям. *Мар'ян журливо подивився навколо, поглянув на козацьку і турецьку могили.. і з жалем подумав, скільки то марно пропало люду на білому світі. Чого було отим турчинам шукати смерті в чужому степу?* (Стельмах).

ШУКА́Ч: шука́ч приго́д. 1. Мандрівник, який веде пошуки кого-, чого-небудь. *Тоня й досі не може як слід збагнути, що сталося з цим судном... Привели моряки його, кинули в затоці й пішли собі, розпаливши апетити степових шукачів пригод* (Гончар).

2. Людина авантюристичних нахилів. *Брун став хрестоносцем. Це припало до вподоби гонористому шукачеві пригод* (Хижняк).

ШУМ: пусти́ти під шум *див.* пустити.

ШУМИ́ТЬ: аж гай шуми́ть *див.* гай.

ШУМО́К: під шумо́к. Потай від інших та використовуючи якусь нагоду. *Дорош пильно подивився в очі Гната, ламаючи його гостро відточений погляд.— Ну, ти під цей шумок чесного хлопця не заплутай. Я за нього ручаюсь* (Тют.); *Жінка під шумок пішла з хлопцем до розвідників* (Літ. Укр.); *Чекай, — перебив архітектора інженер, — ти що, під шумок свій проект викладаєш?* (Роб. газ.).

ШУМУ: роби́ти бага́то шу́му *див.* робити.

ШУРИ-МУРИ: розво́дити шу́ри-му́ри *див.* розводити.

ШУРШУ́: в одну́ шуршу́ з ким. Підтримувати чию-небудь думку, бути одностайним з кимсь.— *Неначе в тюрму запер отой... ваш заступник, чи що..— з дитячою безпосередністю переконувала дівчина.— Звісно, й мама в одну шуршу з тим інженером: нехай, каже, лікується* (Ле).

заганя́ти в шуршу́ *див.* заганяти.

ШУХЛЯ́ДУ: у до́вгу шухля́ду *див.* ящик.

Щ

ЩА́БЕЛЬ: підно́сити ще на оди́н ща́бель *див.* підносити.

ЩАСЛИ́ВИМ: обійма́ти щасли́вим о́ком *див.* обіймати.

ЩАСЛИ́ВОЇ: щасли́вої доро́ги *див.* дороги.

ЩАСЛИ́ВОЮ: народи́тися під щасли́вою зі́ркою *див.* народитися.

ЩАСТИ́: щасти́ [тобі́, вам *і т. ін.*] **до́ле (бо́же)** кому. Усталена форма прощання з побажанням щастя, успіхів у житті, праці і т. ін.— *Щасти тобі боже, Жайсак. Бажаю тобі, щоб Кульжан дійсно стала твоєю дружиною,— сказав Шевченко і міцно обняв юнака* (Тулуб); [Г у с а к:] *Візьміть на увагу, Макаре Митрофановичу. Хвилина дуже відповідальна. Ну, щасти вам доле* (Мик.) // *заст.* Усталена форма прощання.— *Бувайте здорові! — Щасти боже!* (Вовчок).

ЩАСТИ́ТЬ: хай (неха́й) [тобі́, вам *і т. ін.*] **щасти́ть.** Усталена форма побажання успіхів у чому-небудь.— *Прийми цей голос з України, Братня Польще! Хай тобі щастить Будувати, сіяти, твори́ть* (Рильський). П о р.: **щасти́ до́ле.**

ЩА́СТЯ: вхопи́ти ща́стя за бо́роду *див.* вхопити.

на ща́стя. 1. *перев.* чиє, кого. Дуже добре для кого-небудь. *На щастя Багірова, це була не осколкова міна* (Гончар); *Тепер ми посувалися на північ. І, на наше щастя, погода вирішила перемінитися* (Ю. Янов.); *На його щастя, зразу ж за Михайлівськими хуторами нагнав якийсь чоловік рябою кобилою в ходові* (Головко). А н т о н і м: **на ли́хо.**

2. Щоб був успіх, удача, щоб повезло в чому-небудь. *Усміхнувся Цуценька, затиснув у кулак гроші, поплював на щастя й пішов по пана Вана* (Ков.); *Урочисто вклала* [Яресьчиха срібло] *хлопцеві в руку: — Це тобі, сину, на щастя...* (Гончар); *Зібрала* [Катерина] *кілька фунтів* [пшениці], *перемішала з відробленою та й знову посіяла восени на щастя* (Стельмах).

спро́бувати ~ *див.* спробувати.

ща́стя й (та) до́ля, нар.-поет. Життя, -о приносить повне задоволення, радість.— *Рад я йому з щирого серця,— каже Шрам,— пошли йому, господи, щастя й долю* (П. Куліш); — *Мамо! — заговорив тоді старший брат,— ідемо ми шукати щастя та долі* (Вовчок).

ща́стя твоє́ (ва́ше, на́ше *і т. ін.*). Кому-небудь повезло, дуже добре для кого-небудь.— *Я ось, дядьку,.. осьдечки! — заливаючись сміхом, обізвався Карпо, опинившись зразу на другім боці.— Ну, щастя твоє! проскочив!..* (Мирний); — *І я живий! — десь у самім кутку бадьоро дзвенить Маковей.— Наше щастя, що добра кроква попалась над нами* (Гончар).

ща́стя ще десь завали́лося, чиє. У кого-небудь несподівана радість, непередбачений успіх у чому-небудь. **ща́стячко ще десь завали́лося.—** *Невже наше щастячко ще десь завалялося, і я скоро обійму тебе, обцілую, синочка свого?* (Логв.).

ЩЕ: а ще [й]. Уживається для підсилення вираження докору, осуду, іронії, щоб присоромити кого-небудь.— *Скорпіоном язик твій був нам, він труїв нас і жалив невпинно. А тепер ще й стоїш проти нас, мов ображений ти безневинно* (Л. Укр.); — *Торочиш таке, а ще вчителька!* (Довж.).

ото́ ще *див.* ото.

цього́ ще браку́є *див.* бракує.

ще (іще́) б [пак]. Тільки так повинно бути, а не інакше; само собою зрозуміло; звичайно.— *Мені однаково,— промовила Жабі.— Ще б пак не однаково,— іронічно, але ласкаво промовив Михайло.— Вам зовсім не потрібно сушити собі голови, бо про все турбуватиметься Люся* (Досв.); — *Що? Таки не витримав? Ще б пак. Само добро в руки тече, а ти відвертаєшся* (Тют.); [2-й з п р о х а ч і в:] *Якби ж то визволить* [з темниці]! *Ти б їх скрушив, тих вражих монтанівців, стер би на порох!* [3-й з п р о х а ч і в:] *Іще б пак! Сказано, живе слово не те, що листи!* (Л. Укр.); — *А вже сей Колісник. Куди не ткнися, всюди він устряне і завжди його верх і затичка.— І ще б! Дурні земські гроші куди діти?* (Мирний).

ще й як *див.* як.

ще чого́! *див.* чого; **~ що ви́гадай** *див.* вигадай.

ЩЕДРО́Т: від щедро́т чиїх, з сл. д а в а́ т и, д а р у в а́ т и *і т. ін.* За чиїмись бажаннями або можливостями. *Кожен дає од щедрот своїх — хто мідяка, хто срібняка,— відказав, потерпаючи, Вересай* (Бурл.).

ЩЕДРО́Ю: ще́дрою руко́ю *див.* рукою.

ЩЕЗНУ́ТИ: ще́знути з горизо́нту *див.* зникнути.

ЩЕЛЕПИ: ви́правити ще́лепи *див.* виправити.
ЩЕМИТЬ: душа́ щеми́ть *див.* душа; **~ се́рце** *див.* серце.

щеми́ть на душі́ *у кого.* Хто-небудь відчуває неспокій, тривогу, хвилювання. *Хоч як щемить на душі, та все ж намагаємось не показувати цього один перед одним* (Гончар). С и н о н і м: **душа́ боли́ть.**

ЩЕРБАТА: щерба́та до́ля *див.* доля; **~ копі́йка** *див.* копійка.

ЩЕРБАТИЙ: на щерба́тий гріш *див.* гріш.

ЩЕРБАТОГО: і щерба́того ша́га *див.* шага.

ЩЕРБАТОЇ: до щерба́тої копі́йки *див.* копійки; **копі́йки ~ нема́ за душе́ю** *див.* нема; **не ва́ртий ~ копі́йки** *див.* вартий; **~ копі́йки** *див.* копійки.

ЩИГЛІВ: дава́ти щиглів *див.* давати.
ЩИГЛЯ: діста́ти щигля *див.* дістати.

ЩИПАТИ: щипа́ти в но́сі *від чого.* Що-небудь сильно дошкуляє. *Якби не язик людський, то де б узялися жарти, каламбури, дотепи, всілякі перчисті нісенітниці, від яких у носі щипає* (Літ. Укр..).

ЩИПКИ: да́ти щипки *див.* дати.
ЩИРА: щи́ра душа́ *див.* душа.
ЩИРИМ: з щи́рим се́рцем; ~ се́рцем *див.* серцем.

ЩИРИТИ: щи́рити зу́би *див.* вишкіряти.
ЩИРОГО: від щи́рого се́рця *див.* серця.

ЩИРЦЯ: до щирця́, *діал.* 1. Глибоко, сильно. *Тут Демчиху, мабуть, допекло до щирця, що аж засичала: — Авжеж! На біса жінка...* (Вовчок).

2. *Повністю. Ніколи ми не заглянемо в душу навіть найближчої людини до самісінького щирця* (Наука..).

ЩИТ: підніма́ти на щит *див.* піднімати.
ЩИТІ: на щиті́, *з сл.* п о в е р т а́ т и с я, п о в е р н у́ т и с я і т. ін. Переможеним. А н т о н і м: **з щито́м.**

ЩИТОМ: з щито́м, *з сл.* п о в е р т а́ т и с я, п о в е р н у́ т и с я і т. ін. Переможцем. А н т о н і м: **на щиті́.**

ЩО: а що! Уживається в діалозі для підсилення вираження глузування, погрози і т. ін.— *А що, з'їв облизня!* (Укр.. присл..); — *А що! таки по-моєму стало! — сказала Настя* (Н.-Лев.).

Бог зна що *див.* Бог; **будь ~ бу́де** *див.* будь; **все рі́вно ~** *див.* рівно; **диви́тися нема́ на ~** *див.* дивитися.

за що [й], про що? Невідомо, з якою метою, для чого, з яких причин. [Р а б-є г и п т я н и н:] *Яка там помста? Що ти плетеш? Хто ж се над ким помститись має? За що? Про що?* (Л. Укр.); *От і Соломія стала моїм врагом. А за що? А про що?* (Н.-Лев.).

кому́ що, а... кому. Уживається для виділення серед інших чиїх-небудь бажань, дій, інтересів і т. ін.— *Мамо, а солодкий горох ми посадимо*

тут? — *Кому що, а тобі горох,— засміялася молодиця.— Посадимо* (Стельмах); — *О, кому що, а Левкові поцілунки! — одразу жвавішає вузьке, довгасте обличчя Зосі* (Стельмах).

ма́ло що *див.* мало; **нема́ за ~; нема́ ~** *див.* нема; **нема́ ~ й говори́ти** *див.* говорити; **не то ж бо й ~** *див.* то; **не то ~** *див.* то.

не що і́нше, як... Саме це. *Те, що її зацікавило, було не що інше, як троє осідланих коней під ганком вілли* (Коцюб.).

ні за що [ні про що]. Без причин, без підстав, даремно, марно.— *Зовсім скрутила чоловіка,— промовила мати.— Пропаде він з нею ні за що!* (Гр.); *Другий кінь чогось заслаб, почав миршавіть, і я мусив продати його за безцінь водовозові. Так і пропали мої коні ні за що, ні про що* (Н.-Лев.); — *Пам'ятаю Устина. Хороший хлопець був! — Та тільки загинув ні за що* (Головко); *Ходив [Гнат Романович] поміж соняшників і чухав потилицю. Ще й спересердя на жінку накричав — ні за що, ні про що...* (Гуц.).

ні за що о́ком зачепи́тися *див.* зачепитися; **ні за ~ ру́ки зачепи́ти** *див.* зачепити; **он воно ~!** *див.* воно.

он (ось) що. Уживається для вираження чийогось подиву, захоплення або іронічного ставлення до чого-небудь.— *Оксано, Оксано! — Ледве вимовив Ярема, Та й упав додолу.— Еге! Ось що... Шкода хлопця* (Шевч.).

підніма́ти, що ле́гко лежи́ть *див.* піднімати; **прийшло́ ~ до чо́го** *див.* прийшло.

та що. 1. Уживається для загострення уваги на чому-небудь, зацікавлення чимсь. *Була одна чорна курка, така несуща курка, та що! — запіяла півнем, і треба було голову втяти* (Коцюб.).

2. Уживається для схвалення, заспокоєння. [Л ю б о в:] *Риск... та що, без нього все життя людське було б одностайне, як осінній дощ. Боятись його, значить, боятися життя, бо в житті скрізь риск* (Л. Укр.).

та що говори́ти *див.* говорити.

[та] що там. Уживається для вираження переконаності в чому-небудь, запевнення чогось. [О л і м п і а д а І в а н і в н а:] *Ну, та що там, перед вами я можу говорити щиро, ви все одно, що родич* (Л. Укр.).

то [й] що. Не треба боятися, нема нічого страшного.— *Буде трудно, правда. А надто на перших початках — ну, то що?* (Хотк.); — *Як ти хоч мого ножа не загубив,— турбувався Хома Хаєцький..— А якби й загубив, то що? — лукаво задирався хлопець* (Гончар); — *Хіба ж так можна? Це ж увечері тільки прибудеш.— То й що, смачніше їстиметься!* (Стельмах).

хай бу́де, що бу́де *див.* буде.

хай там що, [а...]. За будь-яких умов і обставин; неодмінно. *Боягуз не піде в холодні осінні ночі ганятися по гирлу та лиманах за швидкохід-*

ними браконьєрськими моторками та сходитись з ними в смертельних поєдинках. А Порфир би пішов, хай там що (Гончар); Хай там що, а наш час вимагав нового [шевченківського] бібліографічного покажчика (Вітч.). С и н о н і м и: хоч як; як би там не було; хай хоч грім з неба; що б там не було.

хоч би там що було. За всіх умов і обставин, незважаючи ні на що. П о р.: що б там не було.

хоч би [тобі] що. 1. З ким-небудь нічого не трапляється; з ким-небудь нічого не вдієш. Кремезний був дід Андрій... Міг годинами лежати у сніговому заметі, підстерігаючи вовка або злодія; увесь мокрий від поту, лягав спати на сирій землі, напившись холодної води,— і хоч би тобі що (Хотк.); Він у лісі тоді був за вола здоровіший. Та й хлопцями.., як ще в економії в строку були — босий на морозі, у дранті і — хоч би що... (Головко); — Геть, кажу! — марно пробує [Василина] зрушити з місця Мирона і ще більше сердиться.— Га-га-га! — міцніше впирається в одвірок чоловік, і хоч би тобі що (Стельмах).

2. тільки хоч би що кому. Кому-небудь однаково, байдуже; кого-небудь нічого не хвилює.— Дмитре, довго того часу попоїсти? — Встигну ще.— І так завжди. Готуй, готуй, а йому хоч би що,— зачиняючи ворота, проводить [Докія] очима сина (Стельмах).

хоч що. Усе без винятку, будь-що. Хлопець такий здібний, що хоч що зробить. що хоч.— Та він на що хоч піде, аби його мати не плакала (Мирний).

хто в що див. хто; чорт зна́є ~ див. чорт; ще ~ ви́гадай див. вигадай; ~ Бог дасть; ~ Бог посла́в див. Бог.

що б там (то) не було́ (не ко́штувало, не ста́ло і т. ін.). За будь-яких умов і обставин; незважаючи ні на що; неодмінно.— Пронести ось це наше почуття, це розуміння життя через все, все що б там не було... (Довж.); Вона ще й сама не знала гаразд, як воно було. Знала тільки одне: що б там не було, а треба не дати їм [учинити розправу]. А як? Голова гаряча в дівчини, і в голові такі божевільні склалися плани (Головко); Ми вирішили, що б то не було, виконати своє завдання (Вітч.);— Що б там не коштувало, одривай [хату], а ні, я сама одірву,— говорила Мотря (Н.-Лев.); Пам'ятав я: треба дійти до своїх [в штаб], що б то не коштувало (Ю. Янов.); Цей завзятий хлопець що б то не стало хоче здобути вищу освіту (Веч. Київ). П о р.: хоч би там що було. С и н о н і м и: як би там не було; хай там що; хай там як; хай хоч грім з неба; пра́вдами й непра́вдами; будь-яко́ю ціно́ю; за вся́ку ціну́; на чім би не ста́ло.

що бу́де, те і бу́де див. буде.

що [воно́] й до чо́го. Детально, все до кінця, як повинно бути, як потрібно. Вони [батьки] тільки знали, що там [у псалтирі] написано все по-божому, а що й до чого написано, того й сам Микола не тямив (Н.-Лев.); Присолоджував Гилак гірку долю свого роботящого наймита до того часу, поки Дорощук не розібрався, що воно й до чого (М. Ю. Тарн.); — Я вже стара, я, дитино, й повитухою була, коли треба, то я з усього бачу, що й до чого, від мене не сховаєшся (Гуц.). С и н о н і м и: що куди́ й до чо́го; що і як.

що до то́го кому. Хто-небудь не має бажання втручатись у щось; кому-небудь байдуже щось. [О р е с т:] Забудь ти сю нещасну розмову, що тобі до того! Я ж тебе люблю, як і перше (Л. Укр.); — Мені ще добре,— думав Семен.— А скільки ж то, боже мій, бачив я таких, що в них іно скибочка того поля, а сім'я велика... А що мені до того?.. (Коцюб.).

що [ж] за. 1. Уживається в окличних або питальних реченнях для вираження захоплення ким-, чим-небудь.— О, який мак! — покрикнула Галя.— Що ж за пишнії маки! Я собі насію такого! (Вовчок); Очиці, наче блискавиці, Так і грають з-попід брівок темних! Що за погляд в цеї чарівниці (Л. Укр.).

2. Уживається для вираження здивування від чого-небудь несподіваного, непередбачуваного або невдоволення кимсь, чимсь. Мати пішла жати. Надвечір придивляються — не видно Ганни, чи не додому пішла? Питають других жіночок,— не бачили, щоб ішла... Що за диво! (Вовчок); — Вийдіть з хати, кажу вам! Що за народ, їй-богу! Куди не повернись, роями літають! (Довж.).

що [ж] з того. Нічого не вдієш, нічого не допомагає. Усе було одно. А за козаками... Та що й казать? Минулося; А те, що минуло, Не згадуйте, пани-брати, Бо щоб не почули. Та й що з того, що згадаєш? Згадаєш — заплачеш (Шевч.); Товариші не любили його тверезим, а п'яним здебільшого зв'язували. Раніше то били його немилосердно, але що з того: зіб'ють його.., а тільки пустять — кидається з сокирою (Хотк.).

що завго́дно (попа́ло). Усе без винятку, будь-що. Він міг припустити що завгодно, але тільки не зустріч з кимсь знайомим (Ле); На яхті може бути все, що завгодно, але я маю великий сумнів, щоб там була хоч би поганенька скрипка (Собко). С и н о н і м: що тільки язико́м натра́пить.

що за пита́ння див. питання; ~ заспіва́єш див. заспіваєш.

що і як. Про всі деталі, як повинно бути, як потрібно. як і що. Вони помирились і вже тихо, без сварки, умовились, як і що (Коцюб.). С и н о н і м и: що й до чо́го; що куди́ й до чо́го; що і як.

що куди́ й до чо́го.. Як повинно бути, як потрібно. Порядкує [княжна] і сама не знає, що куди і до чого; далі якось зачепила рукавом срібну коновку, повну вишнівки, да й розлила по всій

скатерті (П. Куліш). С и н о н і м и: **що й до чо́го;
що і як.**

що ла́ска *див.* ласка.

що на рот налі́зе, з *сл.* г о в о р и́ т и,
б а л а́ к а т и *і т. ін.* Все підряд, не задумую-
чись.— *Пиши і не варнякай, що на рот налізе,—
сухо сказав Шугалія (Кучер).* С и н о н і м и: **що
на язи́к набіжи́ть; як млин ме́ле.**

що на умі́ (на душі́), те й на язиці́ *в кого.*
Хто-небудь говорить все підряд, не задумуючись.
*Іван Іванович — людина понура, у нього, як у
п'яного, що на умі́, те й на язиці (Автом.);
Христинка навіть подумати боялася, що вона
кому-небудь звірить свої таємниці, і терпіти не
могла отих вертух, у яких все, що на душі, те й на
язиці (Стельмах).*

що на язи́к набіжи́ть (понесло́ і т. ін.) з *сл.*
г о в о р и́ т и, б а л а́ к а т и, щ е б е т а́ т и *і т.
ін.* Все підряд; не задумуючись. *Повибігали надвір
і челядь, і своя сім'я; всі раді, кожне щебече, що
на язик набіжить (Свидн.); Точильник за оці
слова потягнув Гайдучка на поліцію, тут його
збили на квасне яблуко, от він і виспівав їм усе,
що на язик понесло (Козл.).* С и н о н і м и: **що на
рот налі́зе; як млин ме́ле.**

що не є. Уживається для підсилення якості,
ознаки чого-небудь. *Треба, щоб Степан найкра-
щих яблук та груш дав до столу завтра. Самих що
не є найкращих! (Рильський).*

що не що, а... За всіх умов і обставин, незважа-
ючи ні на що.— *Біжу,— обізвавсь хлопець, тоді
до Івана: — А ти не хвилюйся. Все буде гаразд.
Що не що, а одну партію виграємо сьогодні
напевно (Головко).*

що там. Не варте уваги що-небудь. *Лихий поніс
його туди, до тих божевільців... А тут ще сон
такий, наче віщує щось... Погано... Е, що там,
врешті, сон — дурниця (Коцюб.).*

що ти (ви)! Уживається для вираження запере-
чення чогось, здивування та незадоволення чиїми-
небудь вчинками або словами.— *Чи ти, мамо,
солила дрова? — Що ти, що ти, що ти? Бог
з тобою! — крикнула Векла на дочку (Кв.-
Осн.); — Дозвольте сприйняти це. як насміш-
ку? — серйозно відповів Тимофій.— Та що ти.
Я взагалі кажу... (Хор.); Помітивши, що Дорош
не допив молока із глиняного кухля, вона образ-
ливо піджала губи: — Чого це ви так мало?
Може, вам не до вподоби наше молоко? — Що ви!
(Тют.).*

що ти забу́в тут *див.* ти; **~ роби́ти?** *див.* ро-
бити.

що хо́чеш (хо́четься). Абсолютно все, усе без
винятку, будь-що. *Ми тут з тобою одні! Можемо
виробляти, що хочеш! Свистіти, співати! (Гон-
чар).*

ЩОКИ: своя́к з лі́вої щоки́ *див.* свояк.

ЩО-НЕБУДЬ: не що-не́будь, а... Уживається
для виділення, підкреслення ваги, значимості чо-
го-небудь. *Не раз за чужою роботою в думках
бачив [Мар'ян] себе на своєму полі з косою. Це
був вінець його тихої надії. А як було не надіяти-
ся, адже ходив він не біля чого-небудь, а коло
землі (Стельмах).*

ЩОСЬ: ма́ти за щось *див.* мати[2].

[тут] щось не так (не те). Неясно, незрозуміло.
*Що то є любов? Багато про неї і пишуть у
книжках, і розказують, та бачиться мені, що усе
щось не так (Кв.-Осн.); Тут щось не так. Не
з добрим наміром з'явився цей Шабанов
(Довж.); — Я бачу — ти сьогодні весь пашиш,
весь цвітеш. Тут щось не те, друже!.. (Гончар).*

у лі́сі щось вели́ке зду́хло. Сталося щось незви-
чайне. *Мабуть, у лісі щось велике здохло, що ви
до нас прийшли! (Укр.. присл..); Треба, щоб у лісі
щось дуже велике здохло, щоб ми помирились!
(Н.-Лев.).*

щось обрива́ється всере́дині *див.* все.

ЩУКУ: щу́ку ки́нути в рі́чку *див.* кинути.

ЩУЧОМУ: по щу́чому велі́нню *див.* велінню.

Ю

ЮВЕНАЛІВ: ювена́лів бич *див.* бич.

ЮДИНЕ: юдине плем'я *див.* плем'я.

ЮРІЯ: на мале́нького Юрія, *жарт.* Уживається
для повного заперечення змісту дієслова; ніколи
не... *Це буде на маленькоого Юрія.* С и н о н і м и:
**як рак сви́сне; як на доло́ні воло́сся ви́росте; як
ви́росте гарбу́з на вербі́; як бабак сви́сне.**

ЮХИ: набира́тися юхи́ *див.* набратися.

ЮШКИ: набира́тися ю́шки *див.* набратися;
перебива́тися з ~ на во́ду *див.* перебиватися; **як
ши́лом ~ вхопи́ти** *див.* вхопити.

ЮШКОЮ: уми́тися ю́шкою *див.* умитися.

ЮШКУ: зроби́ти ю́шку *див.* зробити; **пусти́-
ти ~** *див.* пустити.

Я

Я: від а до я *див.* а.

не я бу́ду. Уживається для вираження рішучого наміру та запевнення зробити що-небудь. *Борошенця, не я буду, Як у тиждень не добуду* (Манж.); *Такий звичай по смаку мені! І вже хіба не я буду, щоб я не доказав такого ж.. Вони беруть однією хистю, а в нашого брата про запас і характерство єсть!* (П. Куліш); — *Кляті кури не несуться. Гніздо порожнє й порожнє. Чи, мо', тхір який унадився? — Ну нічого,— заспокой її дідусь,— не я буду, а вистежу того тхора* (Літ. Укр.).

[ось] я тобі́ (вам *і т. ін.***) дам.** Уживається для вираження великого незадоволення чиїми-небудь діями, вчинками, словами та погрози покарати його.— *Хто видав так говорити! ось я тобі дам! Ідіть собі гуляти надвір,— сказала Балашиха й випровадила дітей з хати* (Н.-Лев.). С и н о н і м: **я вас.**

[от] я вас (тебе́ *і т. ін.***).** Уживається для вираження погрози зробити кому-небудь щось неприємне, покарати когось.— *От я вас! — гукав зверху дебелий полковник,—..всіх перев'яжу! Бачили, як перев'язав я ваших?* (Довж.). С и н о н і м: **я тобі́ дам.**

оце (це, се) [й] я розумі́ю! Уживається для вираження захоплення чим-небудь, схвалення чого-небудь, заохочення до чогось. — *Молодець! Оце я розумію, оце боєць! Під хлороформом, з-під ножа подає сигнали! — казав хірург* (Довж.); — *Слова, фрази.. А от ділом довести відвагу — й то не нерозсудливу відвагу, а таку, з щоб давала змогу повсякчасної праці — се я розумію!* (Коцюб.).

плюва́в я на кого — **що.** Уживається для вираження нехтування ким-, чим-небудь, презирства, байдужості до когось, чогось. *Боявся [бригадир], видно, що тепер вона нав'язуватиметься йому, відбиватиме від жінки.— Можеш не боятись,— посилала вона в думці йому своє презирство.— Плювала я на тебе* (Гончар); *Плював я на всі твої обіцянки.* П о р.: **плюва́ти я хотів; плюва́ти мені.**

плюва́ти я хотів на кого — **що.** Уживається для вираження нехтування ким-, чим-небудь, презирства, байдужості до когось, чогось.— *Що ж, ти боїшся людського поговору,— чи що? Плювати я хотів на їх поговір!.. та й на них разом! — Не поговору, Чіпко, не слави,— перебила його Галя* (Мирний). П о р.: **плюва́ти я; плюва́ти мені.**

щоб я був про́клятий (про́клят) Уживається як клятва, на підтвердження достовірності чого-небудь, запевнення в чомусь.— *Коли брешу, нехай бог карає! — Не бог, а ми. Признавайся! — На-*

*що б мав ховати [дочку], Якби жива? Нехай, боже, Щоб я був проклятий!.. (Шевч.).

щоб я лу́снув (сказився, провалився *і т. ін.***).** Уживається як категоричне запевнення, заприсягання в чому-небудь, підтвердження чогось.— *Сьогодні приходжу в околоток до сестри,— продовжував Рогов,— а він там. Зразу мені градусник.. У тебе, каже, кров нормально пульсирує. Чули! Що, кажу, кров? Кров, кажу, здорова, а хворий я животом та диханням. Вигнав, братці, щоб я провалився!.. (Довж.).

щоб я [так] жив (на сві́ті був). Уживається як клятва, запевнення в чому-небудь, підтвердження чогось. *Щоб я жила, що правда!* (Укр.. присл..); *Щоб я так на світі була* (Укр.. присл..). С и н о н і м: **щоб я з но́сом був.**

щоб я (ти) [так] з но́сом був. Уживається як клятва запевнення в чому-небудь, підтвердження або констатація чогось. *Щоб ти з носом був* (Укр.. присл..). С и н о н і м: **щоб я жив.**

я не я. Нічого не знати, ні за що не відповідати, не мати ніякого стосунку до когось, чогось. *Якби ви вчились так як треба, То й мудрость (мудрість) би була своя. А то залізете на небо: «І ми не ми, і я не я»* (Шевч.); — *Бач, підсилає Своїх дівок, а сам — і я не я* (Л. Укр.); — *Скрадливо виплюснути чорнильницю мені, мабуть, на роду написано. Хлюпну, до краплі вихлюпаю, і я не я.. Ошелешений чорнильною зливою, гордовитий задира враз кам'яніє* (Ковінька).

ЯБЕДАМИ: доїхати я́бедами *див.* доїхати.

ЯБЛУКО: я́блуко ро́збрату (чвар), книжн. Причина ворожнечі, суперечок, незгод між ким-небудь.— *Який же ви талісман на щастя, Марто? — посміхнувся Коваль, кинувши в бік обох Комаренків: — Ви справжнє яблуко розбрату, не встигли прийти, а вже викликали цілий бунт* (Собко); *Єдиним яблуком чвар, коли так можна висловитися в даному випадку, між Самусями й Щусями було глинище, зване Карповим яром* (Загреб.).

ЯБЛУКУ: я́блуку ніде впа́сти *див.* впасти.

ЯВОЧНИМ: я́вочним поря́дком *див.* порядком.

ЯГОДА: одного́ (на́шого, ва́шого *і т. ін.***) по́ля я́года.** 1. *перев. із заперечен.* н е. Подібний до кого-небудь своїми поглядами, думками, соціальним становищем, характером, поведінкою і т. ін. *А другий був молодий, високий козак, тільки щось азіатське; зараз і видно, що не нашого поля ягода, бо до Січі сходились бурлаки з усього світу* (П. Куліш); — *Йдіть собі, тітко Ярино, додому та лягайте спати.. Бо гріх таке говорити матері, вона* *не вашого поля ягода, вона свята жінка* (Гуц.); *Всякий бачив, що це не їхнього поля ягода, хоч Тарас був зодягнений вельми пристойно* (Ільч.); — *Признатися, я б ніколи не сказав, що ти мого поля ягода, п'єш без смаку...* (Ю. Янов.). **його поля ягідка.** *Відчувши, що високоосвічений Гриньов — ягідка не його поля, уникав [Онопрій] навіть вступати з ним в розмову* (Іщук). **з вашого поля ягода.** *Едіс Хеко — це, Катре, не з вашого поля ягода. Тут, крилатоброва, пахне океанськими валами, криками фіолетових папуг і запаморочливим джазом!* (Рудь); **ягідка з нашого лісу.** — *З нових лише вчителя запросив.— Левченка? — здивувався Плачинда.— Його ж.— Чого нам крізь камінні мури ставити? Може, й він до нашого берега приб'ється.— Навряд, Віталію Стратоновичу. Це ягідка не з нашого лісу* (Стельмах). С и н о н і м: **недалеко втекти.**

2. *тільки* [з] **одного поля ягоди** (*рідше* **ягода**). Однакові своїми поглядами, думками, характером, поведінкою, соціальним становищем і т. ін. (*такі, що заслуговують на осуд*).— *Ні, вони [союзники] підуть на Гітлера війною. У нас же договір з ними є.— Що договір, коли вони з одного поля ягоди?* (Кучер); *Ніхто з них не проронив жодного слова, проте Василь інтуїтивно відчув: ці субчики — одного поля ягоди* (Головч. і Мус.); *Гайдук [поліцай] одразу ж поспішив одійти од Васильовича, щоб ніхто не подумав, що вони — одного поля ягоди* (Дім.); — *Ви з ним, бачу, одного поля ягода* (Большак); — *Що стражник, що становий — усі вони одного поля ягода, одним миром мазані!..* (Мирний). **ягідки одного поля.** — *Може б, отцю Миколаю шепнути, щоб він цим або тим світом настрахав Терентія.— Той настрахає,— криво посміхнувся парубок.— Вони, здається, ягідки одного поля* (Стельмах). **з однієї гіллі ягоди.** — *Адже се твій брат! Адже ви обоє з однієї гіллі ягоди* (Фр.).

С и н о н і м и: **одним миром мазані** (*рідко* **помазані**); **з одного тіста; одного гніздечка птиці; один одного вартий; один від одного недалеко відбіг; два чоботи — пара; однієї масті.** А н т о н і м: **не з нашої парафії.**

ЯЄЧНІ: відрізнити божий дар від яєчні *див.* відрізнити.

ЯЄЧНЮ: в яєчню, *з сл.* п о б и т и. Сильно, дуже. *Но хто лиш в город показався, Того в яєчню і поб'ють* (Котл.).

ЯЗИК: біс сіпає за язик *див.* біс; **вкоротити ~** *див.* вкоротити; **гострий на ~** *див.* гострий.

гострий язик (**язичок**). Влучна, дотепна, дошкульна, глузлива мова. *Омелян викликав Гриця Духоту. Байда поважав цього слюсаря з качиним носом за розважність і за гострий язик* (Панч); — *Бридке дівча, ота Харитя, не доведи господи потрапити на її гострий язик* (Чаб.); *Знаю руки*

у чорнильних плямах, Сміх веселий, гострий язичок. Як це в серце любий до нестями, Тихий твій прокрався голосок? (Гірник); // Уміння говорити влучно, дотепно, дошкульно, глузливо. *То поранення, то гострий язик, то якась випадковість відсовували його у тінь, а тим часом двадцятип'ятилітні жевжики вибивалися у міністри чи посли* (Стельмах).

гострити язик *див.* гострити; **держати ~ далеко від розуму; держати ~ за зубами** *див.* держати; **держати ~ на зашморзі** *див.* держати; **держкий на ~** *див.* держкий.

довгий язик. 1. *перев. у кого.* Хто-небудь дуже балакучий, любить говорити багато зайвого, непотрібного, неправдивого. *Як що в серце заляже, Коли хоч, щоб не визнав того чоловік, Не кажи і билинці, не тільки що жінці: Бо в жінок, дуже довгий язик* (Укр. поети-романтики..); *В тебе розум добрий, та язик дуже довгий* (Н.-Лев.); — *Що тобі люди про мене говорять,— бо знаю, що в людей язики довгі,— то ти не вір тому* (Фр.). С и н о н і м и: **язик як помело; лепетливий на язик.**

2. Балакучість, невміння мовчати, стримуватися від зайвих, непотрібних, неправдивих розмов. *Він [лицар] своїм язиком довгим руйнував ворожі міста...* (Л. Укр.); *Я бачив, що моя розповідь схвилювала її, і жорстоко картав себе за довгий язик* (Трубл.); — *Ми наче тітки на ярмарку! За довгий язик, я так гадаю, треба з загону вилучати* (Головко).

зав'язати язик *див.* зав'язати; **клепаний на ~** *див.* клепаний; **ламати ~** *див.* ламати; **лепетливий на ~** *див.* лепетливий; **лихий на ~** *див.* лихий; **масний на ~** *див.* масний; **мати добрий ~; мати довгий ~** *див.* мати[2]; **меткий на ~** *див.* меткий; **мозолити ~** *див.* мозолити; **навертатися на ~** *див.* навертатися.

на весь язик, *з сл.* г о в о р и т и, ц о к о т і т и і т. ін. Не стримуючись, дуже детально, вільно. *Увечері баби на вулиці сиділи попід плотами та на весь язик цокотіли про новину* (Дн. Чайка).

на язик який. Щодо висловлювання своїх думок, щодо розмов. *Аниця хотіла говорити, та піп не дав.— Но, но,— сказав,— не ляпай. Ти хоч кого, то переговорила би: масненька ти на язик* (Март.); *Його скрізь по селу знали як чоловіка письменного.. А на язик собі вдався балакучий* (Мирний); *Васько стоїть і дивиться: — Бідові [три лобурі] на язик Ще й битись кожен дибиться. Я ж битися не звик* (Бичко).

підв'язувати язик *див.* підв'язувати; **поганий на ~** *див.* поганий; **потрапити на ~** *див.* потрапити; **притяти ~** *див.* притяти; **проворний на ~** *див.* проворний; **різкий на ~** *див.* різкий; **розв'язувати ~** *див.* розв'язувати; **сіль тобі на ~, печина в зуби** *див.* сіль; **сковувати ~** *див.* сковувати; **слати ~ під ноги** *див.* слати; **слина на ~ котиться**

див. слина; **смикало за** ~ *див.* смикало; **спливати на** ~ *див.* спливати; **тіпун на** ~ *див.* тіпун; **тягти за** ~ *див.* тягти; **укуситися за** ~ *див.* укуситися.

хай (нехай) язик відсохне (усохне) *кому.* Уживається для вираження великого незадоволення чиїми-небудь словами, розмовами.— *Нехай вам язик відсохне, як ви таке говорите.* П о р.: **щоб язик відсох.** С и н о н і м и: **щоб язик рýба став; хай язик рýба стане.**

хай (нехáй) язик [у роті] рýба (кóлом, кількóм) стáне *кому.* Уживається для вираження великого незадоволення чиїми-небудь словами, розмовами. *Тоді до натовпу підійшов якийсь бандюга, видно старший, мітингувати почав.. — Ви ще нам заплатите за золото, ми з вас його з душею вирвемо. Мовчать люди, говори-говори, хай тобі язик колом стане* (Збан.). П о р.: **щоб язик рýба стáв.** С и н о н і м и: **щоб язик рýба став; хай язик відсóхне.**

цікáвий на язик *див.* цікавий.

щоб (бодáй) язик відсóх (усóх) *кому.* Уживається для вираження великого незадоволення чиїми-небудь словами, розмовами і т. ін.— *Щоб тобі язик відсóх! Зовсім з глузду з'їхав,— лаялася Орися* (Тют.); [Г о р п и н а:] *А бодай вам язик усóх, не казавши лихого слова.* [Г о с т р о х в о с т и й:] *Нехай всохне; чорт його бери!* (Н.-Лев.); — *Да кажи просто, щоб тобі язик усóх! — крикне Сомко.— Лýчче, якби всох, пане гетьмане, ніж возвіщати тобі таку вість!* (П. Кýліш). **щоб (бодáй) язики повідсихáли** *кому* (про багатьох).— *Пощо, кажу, дівку держиш у себе? Аби про тебе не знати що казали? — А щоб їм язики повідсихали! — не витерпів лавушник* (Хотк.); — *А бóдай ви поніміли! І помолитися не можна. Бодай вам язики повідсихали! — сердилася жінка* [на дітей] (Чендей). П о р.: **хай язик відсóхне.** С и н о н і м и: **щоб язик рýба став; хай язик рýба стáне.**

щоб (бодáй) язик [у роті] рýба (кóлом, кількóм) стáв *кому, у кого.* Уживається для вираження великого незадоволення чиїми-небудь словами, розмовами. [П е ч а р и ц я:] *Лиха її година знає, від якого вона чорта тікала та ховалася...* [Х р а п к о:] *Щоб тобі язик руба стáв, як ти мене чортом величаєш!* (Мирний); — *Бодай ти оглух, а в того, хто доводив тобі,— язик у роті кільком став! — бубонів Пищимуха* (Мирний). П о р.: **хай язик рýба стáне.** С и н о н і м и: **щоб язик відсóх; хай язик відсóхне.**

щоб мені язик відсóх (усóх). 1. Уживається як клятва, запевнення в тому, що хто-небудь нічого не говорив, не розголошував таємниці.

2. Уживається для вираження каяття з приводу чогось сказаного.— *Ой, рятуйте! — заголосила Олена і кинулась рятувати свого злодія.— Ой, не стріляйте, розбійники! Ой, щоб же мені, окаяннíй, та язик відсóх!* (Довж.).

що на язик набіжúть *див.* що.

язúк без кістóк *у кого.* Хто-небудь надмірно балакучий або говорить щось беззмістовне, неістотне, не варте уваги. С и н о н і м: **провóрний на язúк.** А н т о н і м: **не вúдавиш слóва.**

язúк вúсолопити *див.* висолопити.

язúк дубíє *у кого.* Хто-небудь втрачає здатність говорити під впливом якихось почуттів. *Вона була така гарна і така смілива, що в її присутності в Йоньки дубів язик і не міг вимовити й слова* (Тют.). С и н о н і м и: **язúк прирíс до піднебíння; язúк стаÉ рýба.** А н т о н і м: **язúк розв'я́зується.**

язúк заплíтається *у кого і без додатка.* Хто-небудь говорить невиразно, через силу (про п'яного, хворого і т. ін.). *Коли ж буянці ставало тісно в хаті, двері з гуркотом відчинялися і на порозі вже похитувалась буйно — розпатлана постать. І хоч язик заплітався, стара бралась когось клясти, намагалася з усіх сил викрикувати щось брутальне* (Гончар).

язúк кілкóм *кому.* Уживається для вираження незадоволення, свого негативного ставлення до чиїхось розмов, слів. **язúк коля́кою.** — *Давно, бабо, порося здохло? — Язик тобі колякою,— накрила баба фартушком відро* [з ковбасами] (Мушк.).

язúк не відпадé *кому, у кого, фам.* Уживається як примовка в тих випадках, коли когось просять що-небудь сказати.— *Язик не відпаде, як замовиш слово про мене,— сказав хлопець.* **хібá язúк одпадÉ** *кому, у кого.* — *Не діждуть* [Чумаки], *щоб я їх просив.— Так для мене ж, Миколо. Хіба тобі язик одпаде, як і попросиш раз у житті! — не вгавав Павло* (Кучер).

язúк не повертáється (не піднімáється, не навертáється) / не повернýвся (не піднúвся, не навернýвся) *у кого, кому, без додатка, чий.* Хто-небудь не хоче, не наважується або соромиться говорити щось. *Хто таки вимовляв виразно дяку, у других язик не повертався, і вони дякували поцілунками* (Мирний); — *Все б дядькові Ïвановí відповів без брехні, бо є такі люди, що їм сказати неправду просто не можеш, язик не повертається. Однак не питає* (Гончар); *Він давно найгіршими словами обзивав царицю, — усе через Гришку Распутіна,— а на царя не піднімались ні язик, ні злість. Все-таки при ньому він переселився на хутір* (Стельмах); — *У мене і язик не повернеться умовляти тебе* (Головко). **язúк повертáється / повернýвся** *у кого, кому.* [Т а н я:] *Ви чуєте, що він говорить! Та як у вас язик повернувся таке про Ракитіна подумати!* (Коч.); — *Два роки — це таки строк... Може, й забувати стала? Таке запитати повернувся йому язик. Холодом мовчання відповіла на таку безтактність* (Гончар).

язúк підвíшений (причÉплений, почÉплений, прив'я́заний і т. ін.) дóбре (непогáно). 1. *у кого і без додатка.* Хто-небудь уміє вільно, влучно, дотепно говорити. *До столу вихопився Тихін Фіялко. Сход насторожився. Ну, цей щось скаже. Язик у нього підвішений добре. Вміє давати чосу глитайні...* (Речм.); — *Не дурна голова у Павла. Не забереш цього від нього. І язик підвішений добре!* (Головко). С и н о н і м и: **гострий на язи́к; язи́к як бри́тва; клє́паний на язи́к.**

2. Уміння вільно, влучно, дотепно висловлюватися. *Горлань і демагог з непогано підвішеним язиком, він має певний вплив, і не лише серед «сезонників»* (Головко).

язи́к по́за ву́хами (вуши́ма) теліпа́ється (мота́ється) *у кого.* Хто-небудь любить багато говорити. *У його [нього] язик по́за вуши́ма мотається* (Номис).

язи́к проковтне́ш *див.* проковтнеш.

язи́к розв'язу́ється / розв'яза́вся *у кого, кому, чий.* Хто-небудь починає багато говорити, стає балакучим. *І почала [Христя] розказувати.. Далі та далі язик її розв'язувався, пам'ять яснішала, голос дужчав...* (Мирний); *Василина була неохоча розказувати сама про себе, а в Марії розв'язався язик* (Н.-Лев.); — *Я більше слухав, як говорив... Але це було так лишень зразу, потім розв'язався й мені язик, як напитку до голови прибуло* (Март.); *В приміщенні стало тепло. Розв'язались [у юнаків] язики, посипались дотепи* (Ткач). А н т о н і м: **язи́к приро́с до піднебі́ння.**

язи́к свербі́ть / засвербі́в *у кого, рідко кому і без додатка.* Хто-небудь має сильне бажання розповісти щось або поговорити про щось.— *Та піджди! Не спіши,— зупинив його голова комнезаму.— Ще ж є промовці! Ось, може, Євген Панасович щось скаже. Та і в мене ще язик свербить* (Речм.); *Кульбаці аж язик свербів сказати директорові.— Я знаю — хто,— але директора, видно, цікавило інше, він знову терпляче розтлумачував — і більшим, і меншим* (Гончар); [К а р п о:] *Дідько вас; бабів, знає, який у вас язик: як засвербить, то кого ви тільки не опаскудите!* (Кроп.); *«Скажу,— думаю,— донька». Аж язик засвербів, та своєчасно схаменувсь. Думаю: «Це такий Цербер, що жарту не зрозуміє». «Дружина»,— кажу* (Збан.). С и н о н і м: **ви́сіти на язиці́.**

язи́к у петлю́ скрути́ло *див.* скрутило.

язи́к як бри́тва *у кого.* Хто-небудь говорить влучно, дотепно, дошкульно.— *В тебе слово як свердел; язик як бритва* (Н.-Лев.); [К о с т ь:] *Серце моє полонила одна дівчина. Очі в неї голубі-голубі, як небо весняне, голос ніжний-ніжний, як струмочок, а язик — як бритва* (Зар.); — *Не сплю ніч, сам з собою вголос розмовляю, а Серафима моя, нащо вже в неї язик як бритва, мовчить — ні слова* (Перв.). С и н о н і м и: **го́стрий на язи́к; язи́к підві́шений до́бре** (у 1 знач.); **клє́паний на язи́к.**

язи́к [як (мов, ніби *і т. ін.*)] приро́с (приста́в, присо́х) **до піднебі́ння (до зубі́в, у ро́ті)** *у кого.* Хто-небудь замовк, утратив на деякий час з певних причин здатність говорити. *Не сподіваючись цієї зустрічі, я відхилив двері в коридор, а навпроти вона. Сполохано глянула в очі, опустила довгі вії. У мене язик мов приріс до піднебіння* (Збан.); *«Його благородіє» не забалакало, воно, правда, поривалось сказати щось, та язик пристав у роті, не повертався* (Мирний); — *Чуєте, який я красномовний... А примусьте мене зараз заговорити, хоч словечко витиснути, коли язик присох до піднебіння* (Речм.). *язикі попр=
присиха́ли в роті* (про багатьох). *Нам сиділося, як собаці на човні, а язики наші в роті поприсихали* (Ю. Янов.). С и н о н і м и: **як води́ в рот набра́ти; язи́к стає́ ру́ба; язи́к дубіє.** А н т о н і м: **язи́к розв'язу́ється.**

язи́к як помело́ (ло́патень, млин *і т. ін.*) *у кого.* Хто-небудь дуже балакучий, любить говорити багато зайвого, непотрібного.— *А вже ж язик у тебе, парубче, ну, чисто як помело! — буркнув Охрім* (Тют.); *Я їй наказував, щоб нікому аніте=
лень, одначе вона таки розказала про все своїй сестрі Хотині, а в тієї язик як лопатень,— так усі й довідалися* (Гр.); [В і т р о в и й *(до Батури):*] *У нього язик як млин нікому слова не дасть сказати...* (Корн.). С и н о н і м и: **до́вгий язи́к** (у 1 знач.); **лепетли́вий на язи́к.**

язи́к [як] стає́ / став ру́ба (ко́лом, кілко́м) [у ро́ті] *кому, у кого, без додатка.* Хто-небудь утрачає здатність говорити, вимовляти слова. [П е р е д е р і й:] *І язик їм руба у роті стане, коли такого батька почнуть ганити!* [Х р а п к о:] *Хіба тепер четверту заповідь почитають?* (Мирний); — *Хочу поспитати — де вона [Марія], що з нею, а язик як став руба, так і не ворухнеш ним* (Коцюб.); *Люблять у Січовому поляскати. І ляскають, доки язик не стане колом* (Рудь). С и н о н і м и: **язи́к дубіє; язи́к приро́с до піднебі́ння.** А н т о н і м: **язи́к розв'язу́ється.**

як заці́пило язи́к *див.* заціпило.

ЯЗИКА́: бра́ти язика́ за гапли́к *див.* брати; **верті́тися на кі́нчику язика́** *див.* вертітися; **врі́зати ~** *див.* врізати; **діста́ти ~** *див.* дістати; **забу́ти ~ в ро́ті** *див.* забути; **зрива́тися з ~** *див.* зриватися; **з чужо́го язика́.** Не свої думки, а почуті від інших.— *Втихомирся, Супруне. Втихомирся, дорогий! Дитя нерозумне, сказало щось з чужого язика* (Стельмах).

налама́ти язика́ *див.* наламати; **не вде́ржати ~** *див.* вдержати; **потягну́в чорт за ~** *див.* чорт; **прикуси́ти ~** *див.* прикусити; **присолоди́ти ~** *див.* присолодити; **прищикну́ти ~** *див.* прищикнути; **проковтну́ти ~** *див.* проковтнути; **розпуска́ти ~** *див.* розпускати; **свербі́ть на кінці́ ~** *див.* свербить; **укороти́ти ~** *див.* укоротити; **чеса́ти ~** *див.* чесати; **~ злама́єш** *див.* зламаєш.

ЯЗИКАХ: понести́ на язика́х *див.* понести.

ЯЗИКИ: бра́ти на язики́ *див.* брати.

злі (лихі) язики́. Люди, що займаються плітками, ведуть недоброзичливі розмови. *Кирило почав утішати: — Та не плачте, матусю, не вбивайтесь. То лихі люди набрехали!.. Чого не виплетуть злі язики?* (Мирний); *Вже не раз важка хвороба валила комісара в ліжко. Іноді злі язики плескали, що це вже прийшов йому кінець* (Збан.); *— Оце і все, як на духу, розказав. А лихі язики ще всяке несусвітне додають* (Стельмах).

точи́ти язики́ *див.* точити.

ЯЗИКОВІ: дава́ти во́лю язико́ві *див.* давати.

ЯЗИКОМ: верті́ти язико́м *див.* вертіти; **ви́везти ~ як на лопа́ті** *див.* вивезти; **грішити ~** *див.* грішити; **дзиго́рити ~** *див.* дзигорити; **дотина́ти ~** *див.* дотинати; **дріботіти ~** *див.* дріботіти; **жа́лити ~** *див.* жалити; **заплі́та́ючи ~** *див.* заплітаючи; **клепа́ти ~** *див.* клепати; **лиза́ти ~ два бо́ки** *див.* лизати; **лопоті́ти ~** *див.* лопотіти; **ля́пати ~** *див.* ляпати; **моло́ти ~** *див.* молоти; **молоти́ти ~** *див.* молотити; **перебира́ти ~** *див.* перебирати; **плеска́ти ~** *див.* плескати; **поверта́ти ~** *див.* повертати; **теліпа́ти ~** *див.* теліпати; **трі́пати ~** *див.* тріпати; **що ті́льки ~ натра́пить** *див.* натрапить; **як ви́лизаний ~** *див.* вилизаний; **як коро́ва ~ злиза́ла** *див.* корова.

ЯЗИЦЕХ: при́тча во язи́цех *див.* притча.

ЯЗИЦІ: ве́ртітися на язиці́ *див.* вертиться; **ви́сіти на язиці́** *див.* висіти.

на язиці́. 1. *у кого.* Хто-небудь говорить про щось.— *Що п'яному дивуватись,— втомлено відказав Остап.— Ого, п'яному! Що в тверезого на умі, те в п'яного на язиці,— не вгавав Гулька* (Тарн.).

2. Постійно повторюватися, говоритися про що-небудь. *Подмуха цілющий легіт, П'ю живі його струмці; А в ушах — зубовий скрегіт, Ремство скрізь на язиці* (Граб.).

присо́хнути на язиці́ *див.* присохнути; **трима́ти на ~** *див.* тримати; **що на умі́, те й на ~** *див.* що.

ЯЗИЧКОМ: ви́везти язичко́м *див.* вивезти.

ЯЙЦЕМ: носи́тися як ку́рка з яйце́м *див.* носитися.

ЯЙЦЯ: не ва́ртий ви́їденого яйця́ *див.* вартий.

ЯЙЦЯХ: як кво́чка на я́йцях *див.* квочка.

ЯК: Бог зна́є як *див.* Бог.

он (ось) [воно́] як. Уживається для вираження захоплення, подиву або іронічного ставлення до чого-небудь.— *Он воно як! Це дивне діло! Признаться, де вже я не був — Такого дива я не чув...* (Гл.); *— Ніякого наказу... я не одержував,— тихо сказав Щорс.— Ах, он як! Розумію. До речі, в штабі ще також передбачали* (Довж.).

ось воно́ я́кечки. Чоловік роззявив від подиву рота і стояв так кілька секунд, потім.. блаженно закректав і.. сказав Дорошеві: — Ось воно якечки (Тют.).

хоч [там] як, а... За всіх умов і обставин; незважаючи ні на що. *Вже хоч там як, а на той рік і я піду на поле* (Л. Укр.). С и н о н і м: **що б там не було́; хай там що; як би там не було́.**

ще й як. Звичайно, дуже. *Директор.. обернувся до Кульбаки: — Знаєш такого? — Ще й як!* (Гончар); *— А ти, Левку, любиш в'юни? — Ще й як, пане,— трохи повеселішав парубочий голос.— Тоді й тобі сипнемо трохи* (Стельмах).

що і як *див.* що.

як би не так. Уживається для вираження незгоди, обурення, відмови.

як би там не було́ *див.* було; **~ був** *див.* був; **~ бу́де так бу́де** *див.* буде; **~ бу́ти** *див.* бути.

як кому́. Не однаково, по-різному.— *То що тому найгірше у холодній, чи те, що їсти й пити не дають, чи те, що родичів нема...? — Та як кому, хто що найбільше любить,— сказав мій батько* (Л. Укр.). **кому́ як.** *Кому як на роду написано* (Номис); *— Скільки не давай, усе мало, усе женуть, усе штурмівщина. Давай норму, давай дві, а жити коли? — Кому як,— зауважив Баглай.— Для мене це і є життя* (Гончар).

як на те *див.* те; **~ на те пішло́** *див.* пішло; **~ не є** *див.* є; **~ собі хо́чеш** *див.* хочеш; **~ ті́льки мо́жна** *див.* можна.

ЯКА: яка́ лиха́ годи́на *див.* година; **~ рі́зниця?** *див.* різниця; **~ си́ла занесла́** *див.* сила.

ЯКАСЬ: якась му́ха вкуси́ла *див.* муха.

ЯКЕСЬ: на яке́сь ли́хо *див.* лихо; **~ леда́що** *див.* ледащо.

ЯКИЙ: ма́ло яки́й *див.* мало; **не зна́ти, на ~ стіле́ць сісти** *див.* знати.

он ти яки́й! Уживається для вираження захоплення, подиву або іронічного ставлення до кого-, чого-небудь.

який є *див.* є; **~ недові́рок** *див.* недовірок; **~ попа́ло** *див.* попало; **~ хрін** *див.* хрін; **~ чорт** *див.* чорт.

ЯКИМ: за яки́м бі́сом *див.* бісом; **з ~ лице́м** *див.* лицем; **ні під ~о́глядом** *див.* оглядом; **~ вітром** *див.* вітром; **~ ду́хом ди́хає** *див.* дихає; **~ ду́хом па́хне** *див.* пахне; **~ ро́бом** *див.* робом; **~ побитом** *див.* побитом; **~ чу́дом** *див.* чудом.

ЯКИМСЬ: яки́мсь чу́дом *див.* чудом.

ЯКІ: ні в які воро́та не лізе *див.* лізе; **ні за ~ гро́ші** *див.* гроші.

ЯКІЙ: ні в я́кій мі́рі *див.* мірі.

ЯКІЙСЬ: у які́йсь мі́рі *див.* мірі.

ЯКІР: ки́дати я́кір *див.* кидати.

ЯКОГО: бог зна з яко́го ча́су *див.* бог; **з ~ ди́ва** *див.* дива; **з ~ побиту** *див.* побиту; **на ~ ба́тька** *див.* батька; **на ~ бі́са** *див.* біса; **на ~ дідька** *див.* дідька; **на ~ си́на** *див.* сина; **~ бі́са** *див.* біса; **~ бісового ба́тька** *див.* батька; **~ дідька?** *див.* дідька; **~ ли́ха** *див.* лиха; **~ недові́рка** *див.* недовірка; **~ чо́рта** *див.* чорта.

ЯКОГОСЬ: з якогось дива *див.* дива.

ЯКОЇ: з якої радості *див.* радості; **з ~ речі?** *див.* речі; **на ~ лихої годи́ни** *див.* годи́ни; **~ заспіва́єш** *див.* заспіва́єш; **~ мари́** *див.* мари́; **~ нево́лі** *див.* нево́лі; **~ нете́чі** *див.* нете́чі; **~ чо́ртової ма́тері** *див.* ма́тері.

ЯКОЇСЬ: до якоїсь міри *див.* міри.

ЯКОМУ: ні в якому ра́зі *див.* ра́зі.

ЯКОМУСЬ: по якомусь ча́сі *див.* ча́сі.

ЯКОСЬ: якось бу́де *див.* бу́де.

ЯКОЮСЬ: якоюсь мірою *див.* мірою.

ЯКУ́: на яку́ хворо́бу *див.* хворо́бу.

ЯКУ: ні в яку́. За жодних обставин, умов не погоджуватися. *Лобода сподівався, що, може, хоч цей покаже, який він козак, а цей теж виявився з тонкою кишкою: ні в яку! Бо він, бачите, за кермом (Гончар).* С и н о н і м: **ні в я́кому ра́зі.**

ЯКУСЬ: за якусь мить *див.* мить; **за ~ хвили́ну** *див.* хвили́ну; **на ~ мить** *див.* мить; **на ~ хвили́ну** *див.* хвили́ну; **~ хвили́ну** *див.* хвили́ну.

ЯКЩО: якщо́ на те пішло́ *див.* пішло́; **~ хо́чеш** *див.* хо́чеш.

ЯЛОВА: я́лова голова́ *див.* голова.

ЯМИ: поганя́ти до я́ми *див.* поганяти.

ЯМУ: живи́м у я́му ляга́ти *див.* лягати; **живце́м в ~ полі́зти** *див.* полізти; **зіпхну́ти в помийну́ ~** *див.* зіпхнути; **кла́сти в ~** *див.* класти; **копа́ти ~** *див.* копати; **лягти́ в ~** *див.* лягти.

хоч у я́му ляга́й *див.* лягай.

ЯРИХОНСЬКА: як ярихо́нська труба́ *див.* труба.

ЯРЛИК: ві́шати ярли́к *див.* вішати.

ЯРМА: ви́сунути ши́ю з ярма́ *див.* висунути.

ЯРМАРКУ: ї́хати з я́рмарку *див.* їхати; **як собака з ~** *див.* собака.

ЯРМІ: у ярмі́ ходи́ти *див.* ходити; **як віл у ~** *див.* віл.

ЯРМО: запрягти́ в ярмо́ *див.* запрягти; **лі́зти в ~** *див.* лізти; **накида́ти ~** *див.* накидати; **нести́ ~** *див.* нести; **підставля́ти ши́ю в ~** *див.* підставляти; **скида́ти ~** *див.* скидати; **су́нути свою́ го́лову в ~** *див.* сунути; **тягти́ ~** *див.* тягти.

ярмо́ (цеп *і т. ін.***) на ши́ю** *кому.* Обтяжливі обов'язки, зайві ускладнення, клопіт. *Чудні люди. Голодних годуй, хворих лікуй, школи заводь, пам'ятники якісь став! Повигадують собі ярма на шию... (К.-Карий); — Василино, ти як стара,— зітхнула мати.— Якби ж то стара! Не стара, ні, бо мати ще доглядає мене. А нащо їй, скажіть, отаке ярмо на шию? (Гуц.); — Аграри нам дадуть! Чекай, надійся, не перший раз обіцяють! Ярмо на шию, а не гаразд (Чендей).*

ЯСНА: ясна́ річ *див.* річ.

ЯСНИЙ: виво́дити на світ я́сни́й *див.* виводити.

ЯСНИМ: хай воно́ я́сни́м огне́м гори́ть *див.* горить.

ЯСНИМИ: диви́тися на світ я́сни́ми очи́ма *див.* дивитися.

ЯСНОГО: як грім з я́сно́го не́ба *див.* грім.

ЯСУ: пуска́ти я́су *див.* пускати.

ЯТРИТИ: я́три́ти (роз'я́трювати, розтро́юджувати, розворушувати *і т. ін.***) / роз'ятрити (розтро́юдити, розвору́ши́ти** *і т. ін.***) [незагойну (да́вню)] ра́ну [в се́рці (в душі́)]** *кого, чию.* Необережними словами, діями змушувати кого-небудь знову переживати щось неприємне, морально страждати.— *Не ятріть мою рану, діду. Я й так насилу стримуюсь (Ю. Янов.); Узявши граматику, прочитав він два рядки, але, роз'ятрюючи в серці рану, знов спитав отця Алоїзія: — А скільки років хлопчикові, який грав учора Кіра? (Тулуб); Розмова ся розтроюдила їй в серці незагойну рану, Софія пригадувала вчорашній прикрий вечір (Л. Укр.); // чим.* Викликати важкі спогади, переживання. *Офіцер аж до порога провів дідуся. Йому було прикро, що необережною розмовою роз'ятрив незагойну рану в серці старенького (Збан.); Соломія сиділа неподалік від Оксани, витирала краєчком хустки заплакані очі. Микола Іванович розворушив своїми словами давню удовину рану, згадавши Гордія (Цюпа).*

я́три́ти (роз'я́трювати, розтро́юджувати, тро́юдити, розвору́ши́ти *і т. ін.***) / роз'ятрити (розтро́юдити, розворуши́ти** *і т. ін.***) се́рце (ду́шу)** *кому, у кому і без додатка, чиє (чию).* Посилювати чиї-небудь переживання, завдавати комусь ще більших душевних страждань. *Почуття образи гнітило його, гнів ятрив йому серце (Смолич); Відчай ятрив її душу, як пекуча жалка кропива, і все гнав і гнав уперед, вздовж берега широко розлитої річки (Коз.); Пісня не заспокоювала, а, навпаки, ще дужче роз'ятрювала їй душу (Шиян); Вона боялася дивитися сама на себе, щоб не розтроюджувати свого серця; вона чула, як під ним її лихо колотилося (Мирний); Івась лежав, мовчав. Зло, досада давили його за горло, троюдили серце, точили сльози з очей (Мирний); І враз почув я голос невимовний, Той голос, що його лиш серце зна, Для уха тихий, але сили повний, Що душу розворушує до дна (Фр.); Дітям спочатку не відкривала горя. Розповідала, що ось скоро тато закінчить війну, повернеться додому. Проте туга, як іржа, роз'їдала душу (Хлібороб Укр.); Розмова з Василем роз'ятрила старе серце (Н.-Лев.); Карпенко і не здогадувався, що своїми словами ще більше роз'ятрив Лесине серце (Хижняк); [Грицько:] Яка ти добра, яка ти вірна! Мовою твоєю Ти серце все в мені розворушила (Сам.).* С и н о н і м: **розтра́влювати ду́шу.**

ЯТРИТЬСЯ: душа́ я́три́ться *див.* душа; **~ се́рце** *див.* серце.

ЯТЬ: на ять. 1. Дуже хороший, найвищої якості; прекрасний. *Писав про якусь дівчину.. Дівчина на ять.. Та жаль, що родичка. Приїзди, не жалкуватимеш! (Головко).*

2. Дуже добре, на найвищому рівні.

[Ш м е т е л ю к:] *Хай побачать, хто такий Шме-*
телюк! Я зароблю на ять і все одержую на
ударницькі талони (Мик.).

ЯЩИК: у до́вгий я́щик; у до́вгу шухля́ду, з сл.
в і д к л а д а́ т и, в і д к л а́ с т и і т. ін. На трива-
лий, невизначений час. *Він не став відкладати*
здійснення своїх намірів у довгий ящик (За-
греб.); — *Ну що ж, давайте «За відвагу»,—* пого-
дився Савичев.— *Медаль швидше пройде в наго-*
родному *відділі... Тільки ви не одкладайте в*
довгий ящик (Перв.); *Вони вирішили не відклада-*
ти цієї справи в довгу шухляду і їхати відразу
наступного дня. **на дно до́вгого я́щика.** *Час*
би відкрити нові шляхи в лабіринтах україн-
ської книжки та братися до праці дружніше,
гуртом і по-державному. А основне не відкла-
дати цієї справи на дно довгого ящика (Літ.
Укр.).

Наукове видання

ФРАЗЕОЛОГІЧНИЙ СЛОВНИК УКРАЇНСЬКОЇ МОВИ

Книга 2

Укладачі

Білоноженко Віра Максимівна
Винник Василь Олексійович
Гнатюк Ірина Святославівна та ін.

Оформлення художника Л. О. Омелянюка
Художній редактор О. Я. Вишневський
Технічний редактор І. М. Лукашенко
Коректори К. С. Мірзамухамедова, І. В. Кривошеїна

Здано до набору 30.10.90. Підп. до друку 11.11.91. Формат 70×100¹/₁₆. Папір офс. № 1. Літ. гарн. Вис. друк. Фіз. друк. арк. 28,5. Ум. друк. арк. 37,05. Ум. фарбо-відб. 37,05. Обл.-вид. арк. 55,15. Зам. 3—1387.

Видавництво «Наукова думка» 252601 Київ 4, вул. Терещенківська, 3

Головне підприємство республіканського виробничого об'єднання «Поліграфкнига», 252057, Київ 57, вул. Довженка, 3.

Ф82   **Фразеологічний** словник української мови / Уклад.:
В. М. Білоноженко та ін.— К.: Наук. думка, 1993.—
984 с.
ISBN 5-12-000635-3 (в опр.).

Це перший академічний словник, що найповніше відображає за-
гальновживану фразеологію сучасної української мови. Значення
фразеологічних одиниць ілюструється цитатним матеріалом. В слов-
нику подається всебічна лексикографічна характеристика фразеоло-
гізмів. Призначений для широкого кола читачів—наукових працівни-
ків, письменників, журналістів, редакторів видавництв, викладачів
вузів, учителів середніх шкіл, студентів.

Ф $\frac{4602020100-164}{221-93}$ ———— 531-91   ББК 81.2Ук-4